FRANCE

ATLAS ROUTIER et TOURISTIQUE
TOURIST and MOTORING ATLAS
STRASSEN- und REISEATLAS
TOERISTISCHE WEGENATLAS
ATLANTE STRADALE e TURISTICO
ATLAS DE CARRETERAS y TURÍSTICO

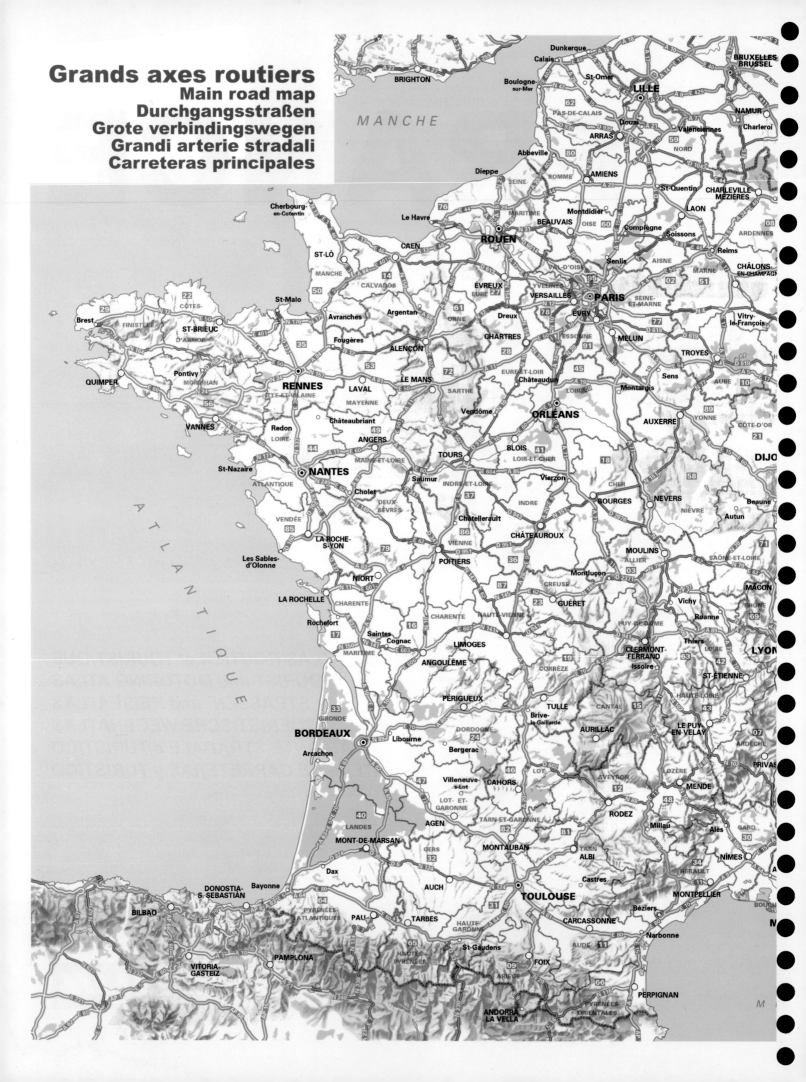

Grands axes routiers
Main road map
Durchgangsstraßen
Grote verbindingswegen
Grandi arterie stradali
Carreteras principales

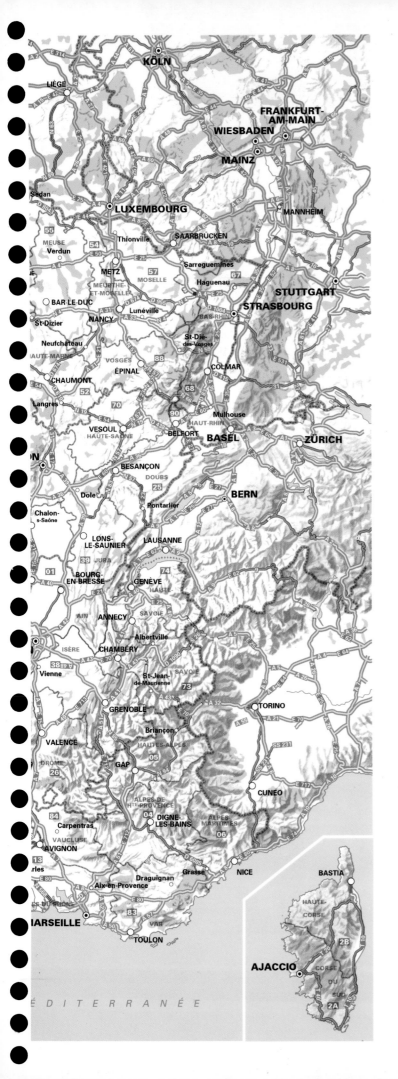

Sommaire
Contents / Inhaltsübersicht
Inhoud / Sommario / Sumario

Intérieur de couverture : tableau d'assemblage
Inside front cover: key to map pages
Umsschlaginnenseite: Übersicht
Binnenzijde van het omslag: overzichtskaart
Copertina interna: quadro d'insieme
Portada interior: mapa índice

1 - 219

Légende **1**
Key / Zeichenerklärung
Verklaring van de tekens / Legenda
Signos convencionales

France - 1/250 000 **2 - 219**
Frankreich - 1:250 000
Frankrijk - 1:250 000
Francia - 1:250 000

220 - 279

Index complet des communes
Complete index of communes
Komplettes Ortsregister
Register van alle gemeenten
Indice completo dei comuni
Índice completo de municipios

280 - 294

Plans de ville
Town plans / Stadtpläne / Plattegronden
Piante di città / Planos
Bordeaux - Lille - Lyon
Marseille - Nantes
Paris - Toulouse

Environs de Paris **288 - 291**
Paris and suburbs / Paris und Umgebung
Omstreken van Parijs / Dintorni di Parigi
Alrededores de París

En fin de volume : distances et temps de parcours
Back of the guide: distances and journey times
Am Ende des Buches: Entfernungen und Fahrtzeiten
Achter in het boek: afstanden en rijtijden
Alla fine del volume: distanze e tempi di percorrenza
Al final del volumen: distancias y tiempos de recorrido

Les pneus s'usent plus vite sur les petits trajets en ville...

? VRAI !

La fréquence des freinages et des accélérations en ville use davantage vos pneus ! Dans les embouteillages, armez-vous de patience et conduisez en douceur.

La pression des pneus agit uniquement sur la sécurité...

? FAUX !

Au-delà de la tenue de route et de la consommation de carburant, une sous pression de 0,5 Bar diminue de 8 000 km la durée de vie de vos pneus. Pensez à vérifier la pression environ une fois par mois, surtout avant un départ en vacances ou un long trajet.

Équiper ma voiture avec **2 pneus hiver** me garantit une sécurité maximum...

? FAUX !

En hiver, en dessous de 7°C notamment, pour une meilleure tenue de route, vos quatre pneus doivent être identiques et changés en même temps.

2 PNEUS HIVER SEULEMENT = la tenue de route de votre véhicule n'est pas optimale.

4 PNEUS HIVER = c'est le choix d'une **meilleure sécurité** dans les virages, en descente et en cas de freinage.

Si vous êtes régulièrement confrontés à la pluie, à la neige ou au verglas, optez pour un pneu de la gamme **MICHELIN Alpin**. Cette gamme vous offre confort et précision de conduite pour affronter les obstacles de l'hiver.

MICHELIN

MICHELIN S'ENGAGE

▶ MICHELIN EST
LE N°1 MONDIAL
DES PNEUS ÉCONOMES
EN ÉNERGIE POUR
LES VÉHICULES LÉGERS.

▶ POUR SENSIBILISER
LES PLUS JEUNES
À LA SÉCURITÉ ROUTIÈRE,
MÊME EN DEUX-ROUES :
DES ACTIONS DE TERRAIN
ONT ÉTÉ ORGANISÉES
DANS 16 PAYS EN 2015.

QUIZ

1 POURQUOI BIBENDUM, LE BONHOMME MICHELIN, EST BLANC ALORS QUE LE PNEU EST NOIR ?

Le personnage de Bibendum a été imaginé à partir d'une pile de pneus, en 1898, à une époque où le pneu était fabriqué avec du caoutchouc naturel, du coton et du soufre et où il est donc de couleur claire. Ce n'est qu'après la Première guerre mondiale que sa composition se complexifie et qu'apparaît le noir de carbone. Mais Bibendum, lui, restera blanc !

2 SAVEZ-VOUS DEPUIS QUAND LE GUIDE MICHELIN ACCOMPAGNE LES VOYAGEURS ?

Depuis 1900, il était dit alors que cet ouvrage paraissait avec le siècle, et qu'il durerait autant que lui. Et il fait encore référence aujourd'hui, avec de nouvelles éditions et la sélection sur le site MICHELIN Restaurants dans quelques pays.

3 DE QUAND DATE « BIB GOURMAND » DANS LE GUIDE MICHELIN ?

Cette appellation apparaît en 1997 mais dès 1954 le Guide MICHELIN signale les « repas soignés à prix modérés ». Aujourd'hui, on le retrouve sur le site et dans l'application mobile MICHELIN Restaurants.

Si vous voulez en savoir plus sur Michelin en vous amusant, visitez l'Aventure Michelin et sa boutique à Clermont-Ferrand, France :

www.laventuremichelin.com

Une meilleure façon d'avancer

Légende	Key	Zeichenerklärung
Routes	**Roads**	**Straßen**

Légende	Key	Zeichenerklärung
Autoroute (section à péage)	Motorway (toll roads)	Autobahn (Mautstrecke)
Autoroute (section libre)	Motorway (toll-free section)	Autobahn (mautfreie Strecke)
Double chaussée de type autoroutier	Dual carriageway with motorway characteristics	Schnellstraße mit getrennten Fahrbahnen
Échangeurs : complets, partiel	Interchanges: complete, limited	Anschlussstellen : Voll - bzw. Teilanschlussstellen
Numéros d'échangeurs	Interchange numbers	Anschlussstellennummern
Aire de service - Aire de repos	Service area - Rest area	Tankstelle mit Raststätte - Rastplatz
Route de liaison internationale ou nationale	International and national road network	Internationale bzw. nationale Hauptverkehrsstraße
Route de liaison interrégionale ou de dégagement	Interregional and less congested road	Überregionale Verbindungsstraße oder Umleitungsstrecke
Autoroute - Route en construction	Motorway/Road under construction	Autobahn - Straße im Bau
(le cas échéant: date de mise en service prévue)	(when available: with scheduled opening date)	(ggf. voraussichtliches Datum der Verkehrsfreigabe)
Largeur des routes	**Road widths**	**Straßenbreiten**
Chaussées séparées	Dual carriageway	Getrennte Fahrbahnen
3 voies ou plus	3 or more lanes	3 oder mehr Fahrspuren
2 voies	2 lanes	2 Fahrspuren
1 voie	1 lane	1 Fahrspur
Distances (totalisées et partielles)	**Distances (total and intermediate)**	**Entfernungen** (Gesamt- und Teilentfernungen)
Sur autoroute	On motorway	Auf der Autobahn

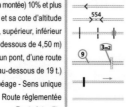

Légende	Key	Zeichenerklärung
Sur route / double chaussée de type autoroutier	On road / dual carriageway with motorway characteristics	Auf der Straße / Schnellstraße mit getrennten Fahrbahnen
Numérotation - Signalisation	**Numbering - Signs**	**Nummerierung - Wegweisung**
Route européenne - Autoroute	European route - Motorway	Europastraße - Autobahn
Route métropolitaine	Metropolitan road	Straße der Metropolregion
Route nationale	National road	Nationalstraße
Route départementale	Departmental road	Departementstraße
Alertes Sécurité	**Safety Warnings**	**Sicherheitsalerts.**
Forte déclivité (flèche dans le sens de la montée) 10% et plus	Steep hill (ascent in direction of the arrow) 10% +	Starke Steigung (Steigung in Pfeilrichtung) 10% und mehr
Col et sa cote d'altitude	Pass and its height above sea level	Pass mit Höhenangabe
Passages de la route : à niveau, supérieur, inférieur	Level crossing: railway passing, under road, over road	Bahnübergänge: schienengleich, Unterführung, Überführung
Hauteur limitée (au-dessous de 4,50 m)		Beschränkung der Durchfahrtshöhe (angegeben, wenn unter 4,50 m)
Limites de charge : d'un pont, d'une route	Height limit (under 4,50 m.)	Höchstbelastung einer Straße/Brücke
(au-dessous de 19 t.)	Load limit of a bridge, of a road (under 19 t.)	(angegeben, wenn unter 19 t)
Barrière de péage - Sens unique	Toll barrier - One-way street	Mautstelle - Einbahnstraße
Route réglementée	Road subject to restrictions	Straße mit Verkehrsbeschränkungen
Route interdite	Prohibited road	Gesperrte Straße

Légende	Key	Zeichenerklärung
Transports	**Transportation**	**Verkehrsmittel**
Gare - Voie ferrée - TGV	Station - Railway - TGV	Bahnhof - Bahnlinie - TGV
Aéroport - Aérodrome	Airport - Airfield	Flughafen - Flugplatz
Transport des autos: par bateau - par bac	Transportation of vehicles: by boat - by ferry	Autotransport: per Schiff - per Fähre
Transport par bateau: passagers seulement	Ferry services: passengers only	Schiffsverbindungen: Personenfähre
Administration	**Administration**	**Verwaltung**
Capitale de division administrative	Administrative district seat	Verwaltungshauptstadt
Limites administratives	Administrative boundaries	Verwaltungsgrenzen
Frontière - Douane	National boundary - Customs post	Staatsgrenze - Zoll

Légende	Key	Zeichenerklärung
Sports - Loisirs	**Sport & Recreation Facilities**	**Sport - Freizeit**
Circuit automobile - Golf - Hippodrome	Racing circuit - Golf course - Horse racetrack	Rennstrecke - Golfplatz - Pferderennbahn
Parc d'attractions - Port de plaisance	Amusement park - Pleasure boat harbour	Vergnügungspark - Yachthafen
Parc national ou régional	National or regional park	Nationalpark oder Naturpark
Réserve naturelle / Parc ornithologique	Nature reserve / Aviary	Naturschutzgebiet / Vogelpark
Téléphérique - Train touristique	Cable car - Tourist train	Seilbahn - Museumseisenbahn-Linie
Curiosités	**Sights**	**Sehenswürdigkeiten**
Ville touristique : voir LE GUIDE VERT	City/town of touristic interest: see THE GREEN GUIDE	Touristenort: siehe GRÜNER REISEFÜHRER
Table d'orientation - Panorama - Point de vue	Viewing table - Panoramic view - Viewpoint	Orientierungstafel - Rundblick - Aussichtspunkt
Parcours pittoresque	Scenic route	Landschaftlich schöne Strecke
Ville touristique exceptionnelle - Édifice religieux	City/town of special touristic interest - Religious building	Touristisch bedeutsamer Ort - Sakral-Bau
Château - Fort - Ruines	Historic house, castle - Fort - Ruins	Schloss, Burg - Fort - Ruine
Monument mégalithique - Phare - Moulin à vent	Prehistoric monument - Lighthouse - Windmill	Vorgeschichtliches Steindenkmal - Leuchtturm - Windmühle
Grotte - Autres curiosités	Cave - Other places of interest	Höhle - Sonstige Sehenswürdigkeit
Signes divers	**Other signs**	**Sonstige Zeichen**
Barrage - Tour ou pylône de télécommunications	Dam - Telecommunications tower or mast	Staudamm - Funk-, Sendeturm
Village étape	Stopover village	Übernachtungsort
Église ou chapelle - Fort - Moulin à vent	Church or chapel - Fort - Windmill	Kirche oder Kapelle - Fort - Windmühle
Raffinerie - Centrale électrique - Centrale nucléaire	Refinery - Power station - Nuclear Power Station	Raffinerie - Kraftwerk - Kernkraftwerk
Zone industrielle - Forêt ou bois	Industrial site - Forest or wood	Industrie-oder Gewerbegebiet - Wald oder Gehölz

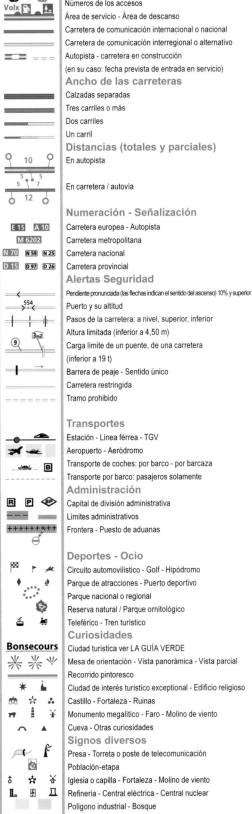

Verklaring van de tekens | Legenda | Signos convencionales

Wegen | Strade | Carreteras

Nederlands	Italiano	Español
Autosnelweg (gedeelte met tol)	Autostrada (tratto a pedaggio)	Autopista (tramo de peaje)
Autosnelweg (tolvrij gedeelte)	Autostrada (tratto esente da pedaggio)	Autopista (tramo libre)
Gescheiden rijbanen van het type autosnelweg	Doppia carreggiata di tipo autostradale	Autovía
Aansluitingen: volledig, gedeeltelijk	Svincoli: completo, parziale	Enlaces: completo, parciales
Afritnummers	Svincoli numerati	Números de los accesos
Serviceplaats - rustplaats	Area di servizio - Area di riposo	Área de servicio - Área de descanso
Internationale of nationale verbindingsweg	Strada di collegamento internazionale o nazionale	Carretera de comunicación internacional o nacional
Interregionale verbindingsweg	Strada di collegamento interregionale o di disimpegno	Carretera de comunicación interregional o alternativo
Autosnelweg - weg in aanleg	Autostrada, strada in costruzione	Autopista - carretera en construcción
(indien bekend: datum openstelling)	(quando se: di apertura prevista)	(en su caso: fecha prevista de entrada en servicio)

Breedte van de wegen | Road widths | Ancho de las carreteras

Gescheiden rijbanen	Carreggiate separate	Calzadas separadas
3 of meer rijstroken	3 o più corsie	Tres carriles o más
2 rijstroken	2 corsie	Dos carriles
1 rijstrook	1 corsia	Un carril

Afstanden (totaal en gedeeltelijk) | Distanze (totali e parziali) | Distancias (totales y parciales)

Op autosnelwegen	Su autostrada	En autopista
Op andere wegen / Gescheiden rijbanen van het type autosnelweg	Su strada / Doppia carreggiata di tipo autostradale	En carretera / autovía

Wegnummers - Bewegwijzering | Numerazione - Segnaletica | Numeración - Señalización

Europaweg - Autosnelweg E 15 A 10	Strada europea - Autostrada	Carretera europea - Autopista
Stadsweg M 6202	Strada metropolitane	Carretera metropolitana
Nationale weg N 70 N 59 N 25	Strada nazionale	Carretera nacional
Departementale weg D 15 D 97 D 26	Strada dipartimentale	Carretera provincial

Veiligheidswaarschuwingen | Segnalazioni stradali | Alertas Seguridad

Steile helling (pijlen in de richting van de helling) 10% of meer	Forte pendenza (salita nel senso della freccia) superiore a 10%	Pendiente pronunciada (las flechas indican el sentido del ascenso) 10% y superior
Bergpas en hoogte boven de zeespiegel 554	Passo ed altitudine	Puerto y su altitud
Wegovergangen: gelijkvloers, overheen, onderdoor	Passaggi della strada: a livello, cavalcavia, sottopassaggio	Pasos de la carretera: a nivel, superior, inferior
Vrije hoogte (indien lager dan 4,5 m) 3m2	Limite di altezza (inferiore a 4,50 m)	Altura limitada (inferior a 4,50 m)
Maximum draagvermogen: van een brug, van een weg 9	Limite di portata di un ponte, di una strada (inferiore a 19 t.)	Carga limite de un puente, de una carretera
(indien minder dan 19 t)		(inferior a 19 t)
Tol - Eenrichtingsverkeer	Casello - Strada a senso unico	Barrera de peaje - Sentido único
Beperkt opengestelde weg	Strada a circolazione regolamentata	Carretera restringida
Verboden weg	Strada vietata	Tramo prohibido

Transports | Trasporti | Transportes

Station - Spoorweg - TGV	Stazione - Ferrovia - TGV	Estación - Línea férrea - TGV
Luchthaven - Vliegveld	Aeroporto - Aerodromo	Aeropuerto - Aeródromo
Vervoer van auto's: per boot - per veerpont	Trasporto auto: su traghetto - su chiatta	Transporte de coches: por barco - por barcaza
Vervoer per boot: enkel passagiers	Trasporto con traghetto: passageri ed autovetture	Transporte por barco: pasajeros solamente

Administratie | Amministrazione | Administración

Hoofdplaats van administratief gebied	Capoluogo amministrativo	Capital de división administrativa
Administratieve grenzen	Confini amministrativi	Limites administrativos
Staatsgrens - Douanekantoor	Frontiera - Dogana	Frontera - Puesto de aduanas

Sport - Recreatie | Sport - Divertimento | Deportes - Ocio

Autocircuit - Golfterrein - Renbaan	Circuito automobilistico - Golf - Ippodromo	Circuito automovilístico - Golf - Hipódromo
Pretpark - Jachthaven	Parco divertimenti - Porto turistico	Parque de atracciones - Puerto deportivo
Nationaal of regionaal park	Parco nazionale o regionale	Parque nacional o regional
Natuurreservaat / Vogelpark	Riserva naturale / Parco ornitologico	Reserva natural / Parque ornitológico
Kabelbaan - Toeristentreintje	Funivia - Trenino turistico	Teleférico - Tren turístico

Bezienswaardigheden | Mete e luoghi d'interesse | Curiosidades

Toeristische stad: zie DE GROENE GIDS **Bonsecours**	Città turistica: vedere LA GUIDA VERDE **Bonsecours**	Ciudad turística ver LA GUÍA VERDE **Bonsecours**
Oriëntatietafel - Panorama - Uitzichtpunt	Tavola di orientamento - Panorama - Vista	Mesa de orientación - Vista panorámica - Vista parcial
Schilderachtig traject	Percorso pittoresco	Recorrido pintoresco
Heel toeristische stad - Kerkelijk gebouw	Località di grande interesse turistico - Edificio religioso	Ciudad de interés turístico excepcional - Edificio religioso
Kasteel - Fort - Ruïne	Castello - Forte - Rovine	Castillo - Fortaleza - Ruinas
Megaliet - Vuurtoren - Molen	Monumento megalitico - Faro - Mulino a vento	Monumento megalítico - Faro - Molino de viento
Grot - Andere bezienswaardigheden	Grotta - Altri luoghi d'interesse	Cueva - Otras curiosidades

Diverse tekens | Simboli vari | Signos diversos

Stuwdam - Telecommunicatietoren of -mast	Diga - Torre o pilone per telecomunicazioni	Presa - Torreta o poste de telecomunicación
Dorp voor overnachting	Paese tappa	Población-etapa
Kerk of kapel - Fort - Molen	Chiesa o cappella - Forte - Mulino a vento	Iglesia o capilla - Fortaleza - Molino de viento
Raffinaderij - Elektriciteitscentrale - Kerncentrale	Raffineria - Centrale elettrica - Centrale nucleare	Refinería - Central eléctrica - Central nuclear
Industriezone - Bos	Area industriale - Foresta o bosco	Polígono industrial - Bosque

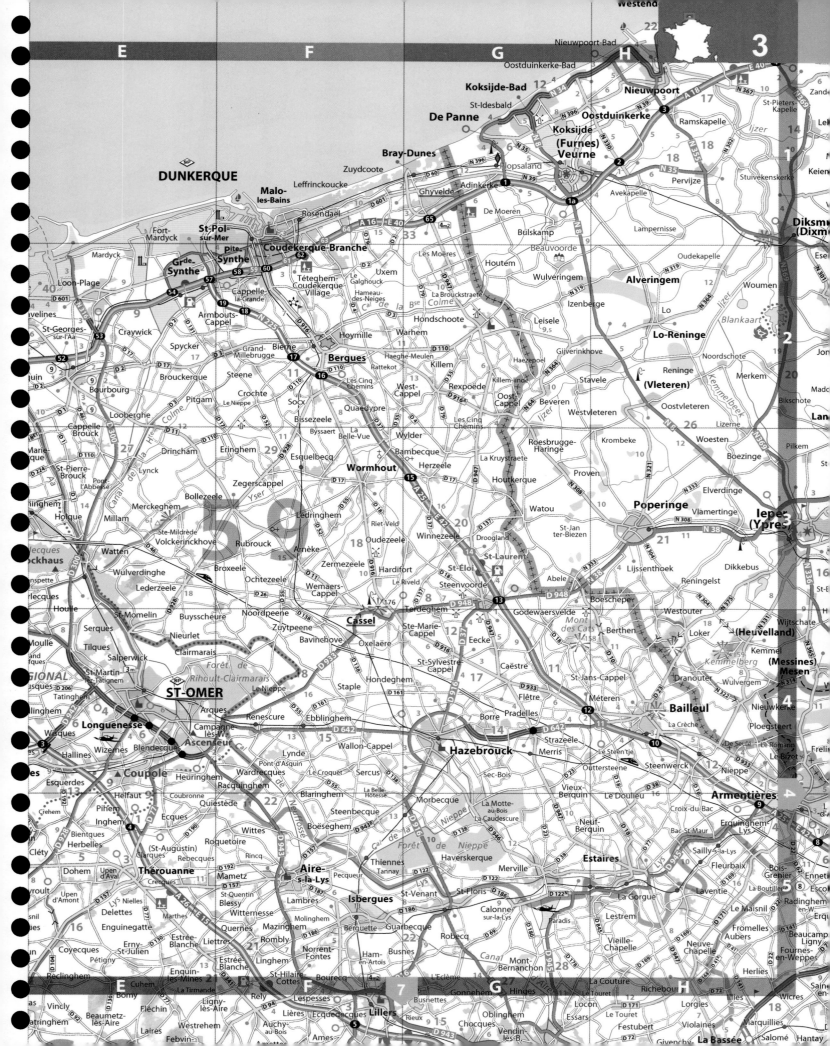

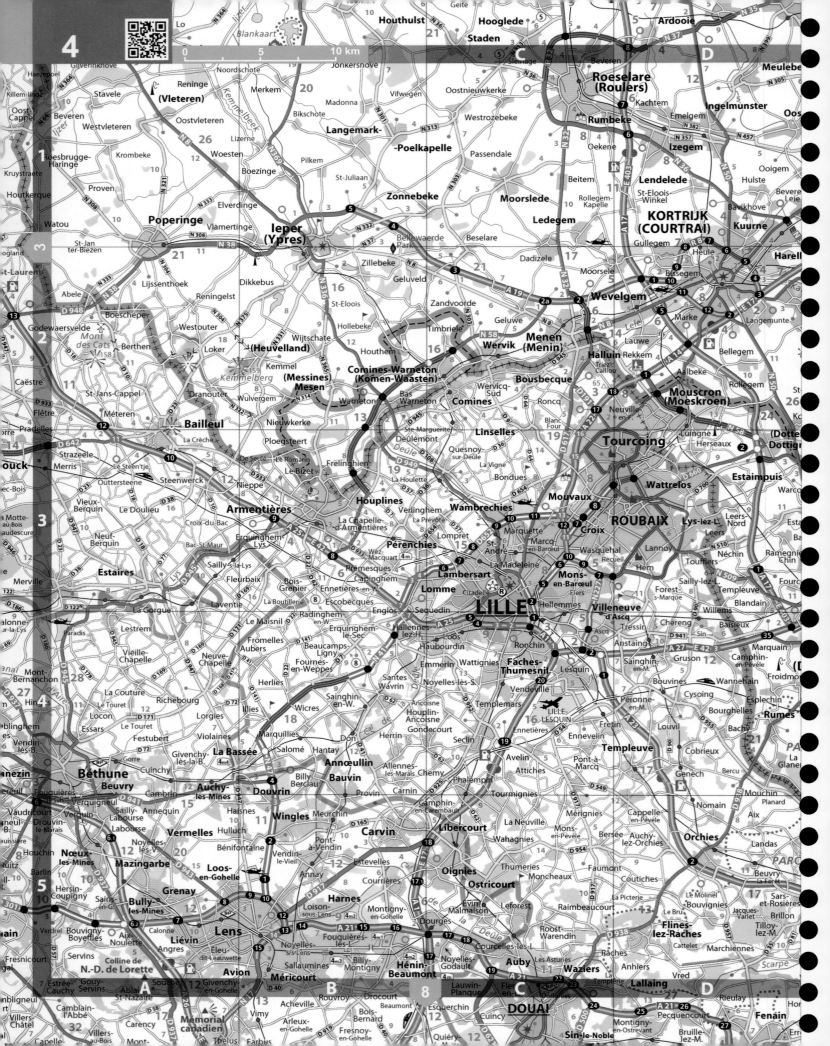

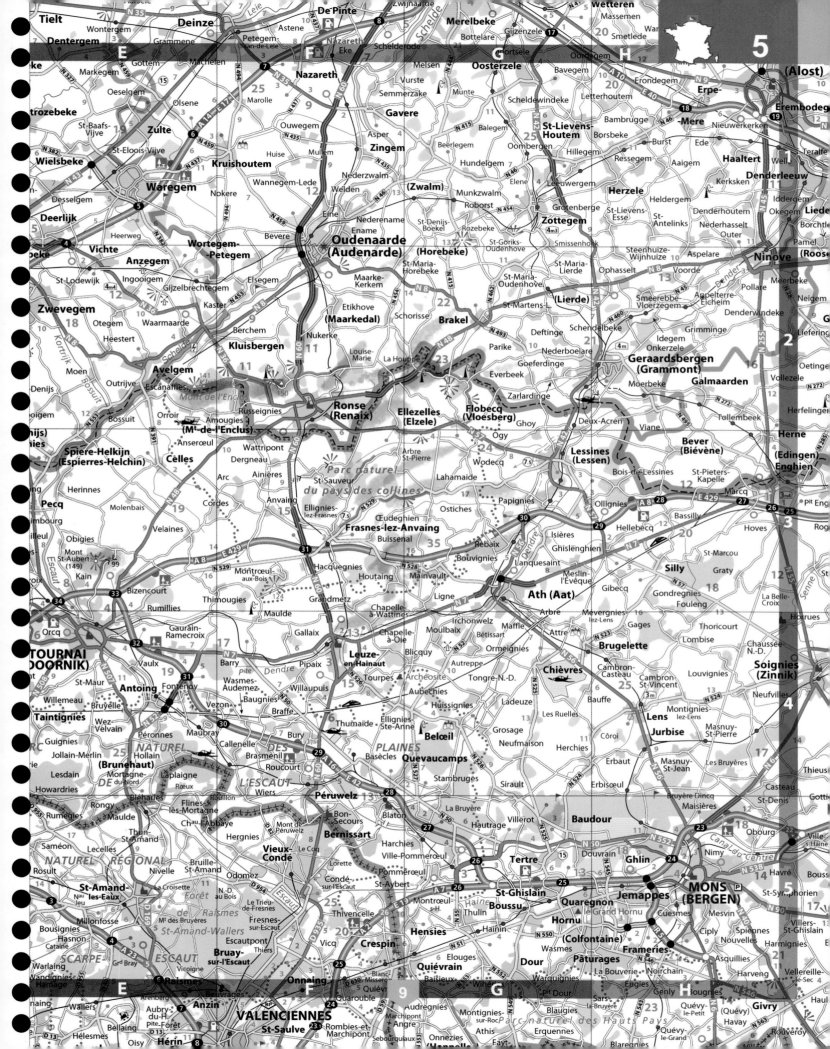

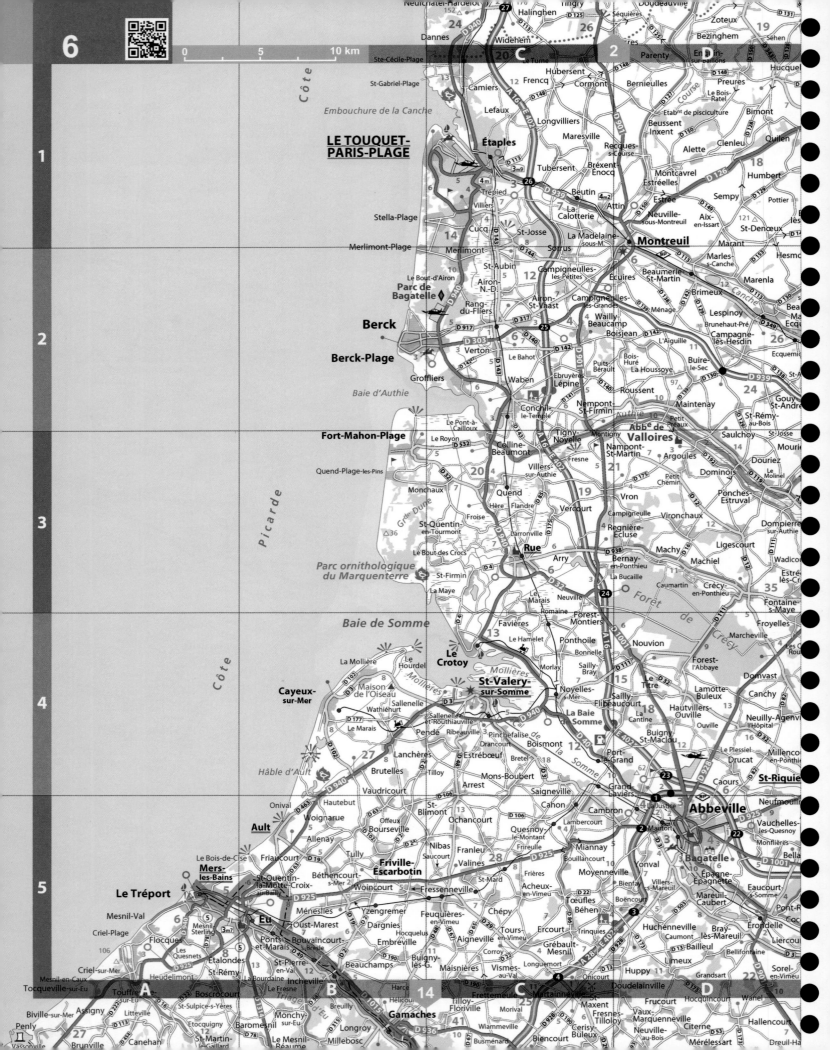

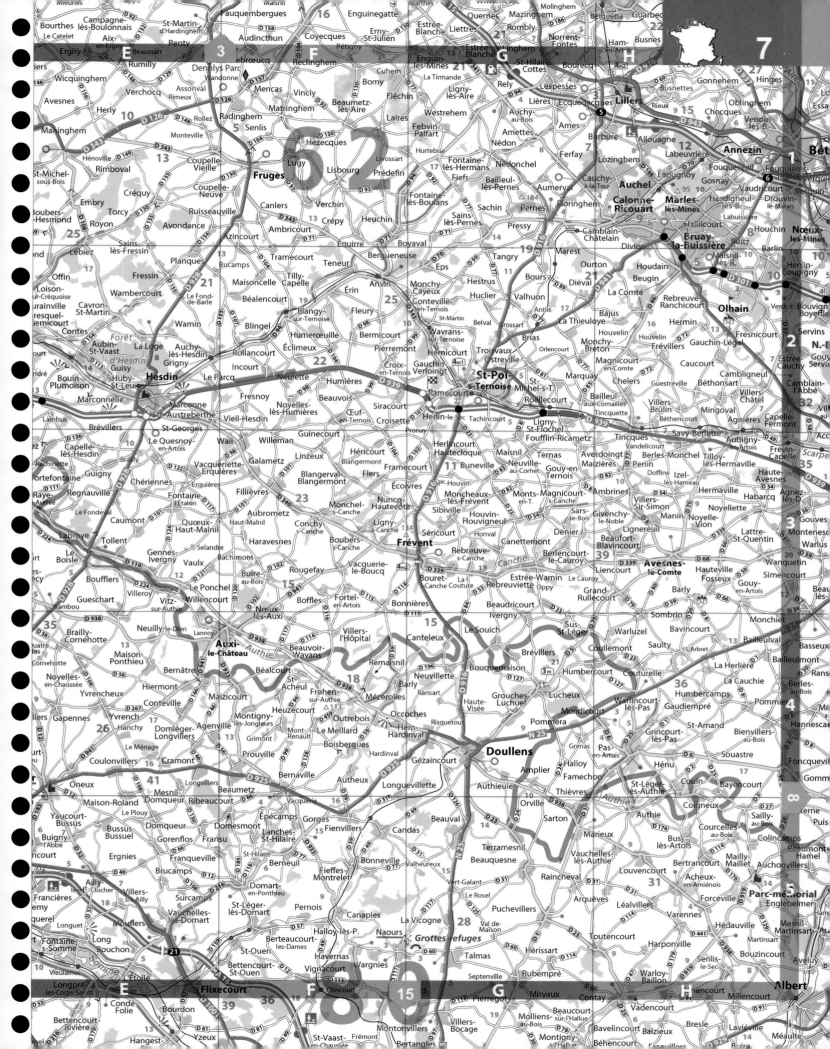

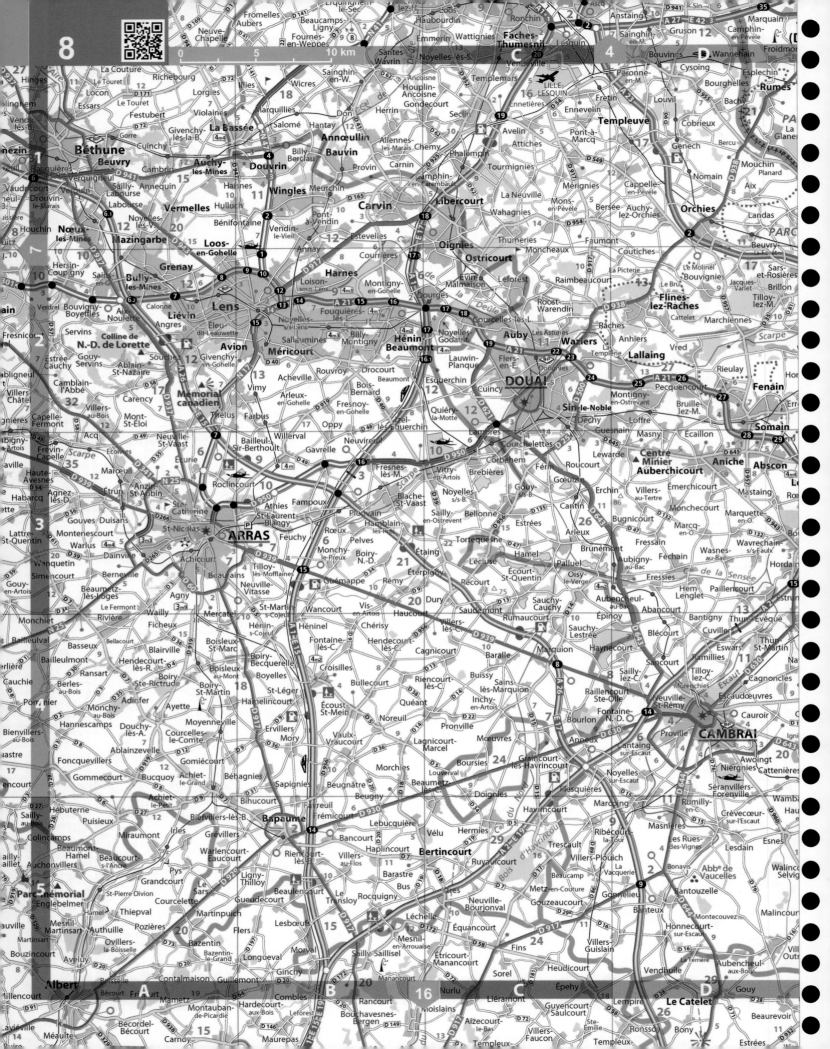

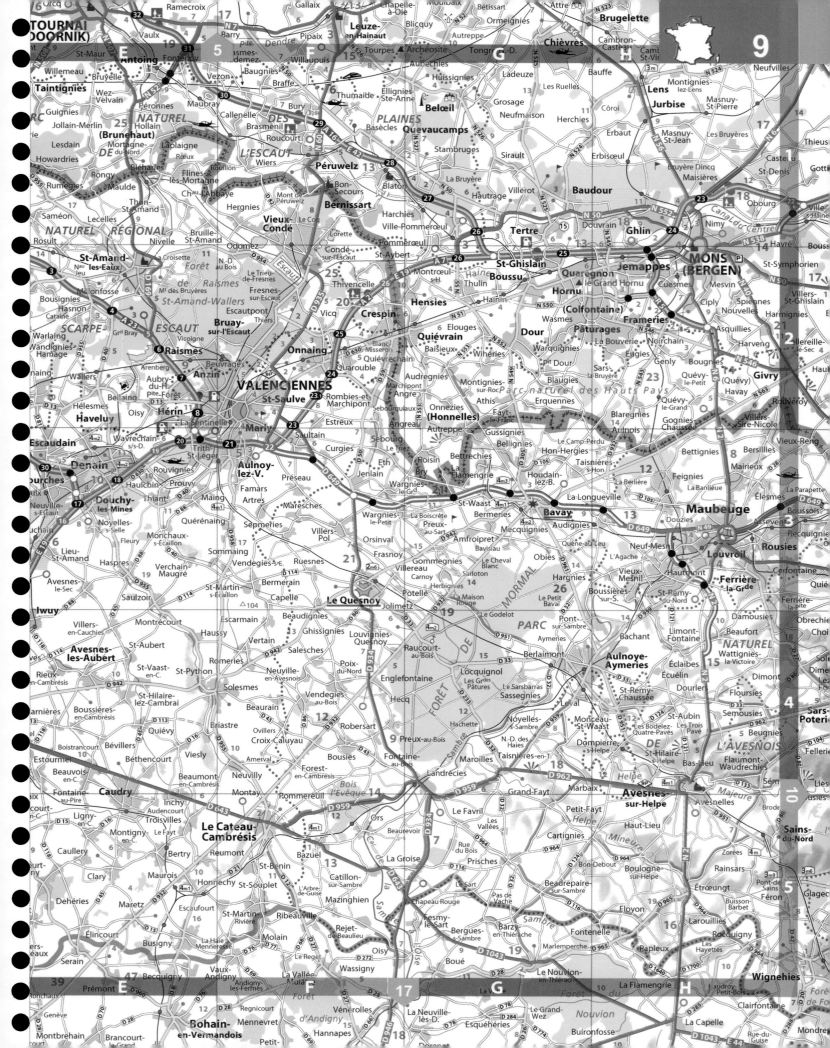

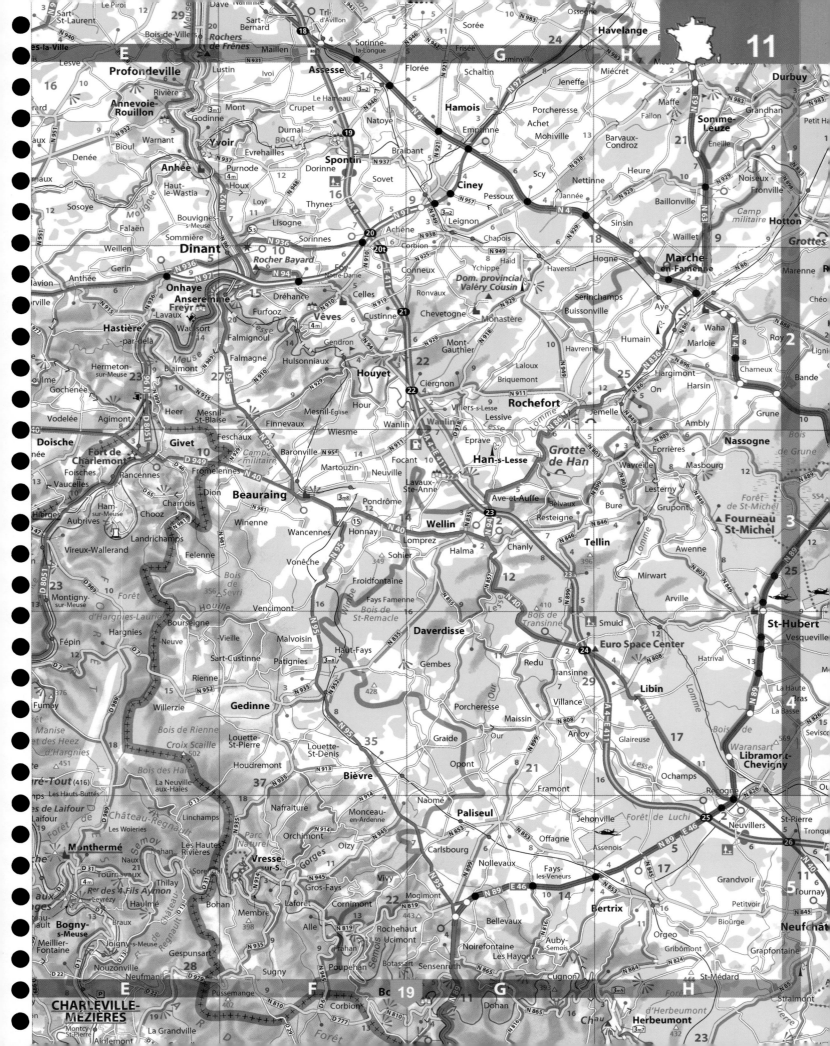

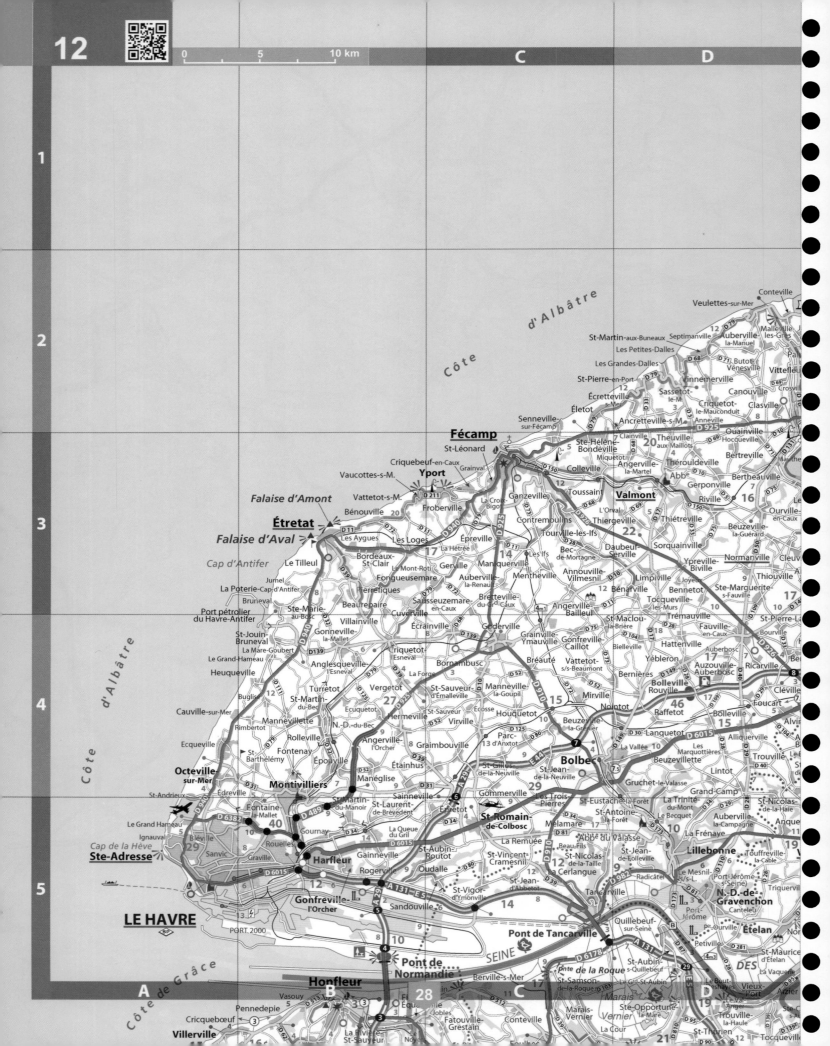

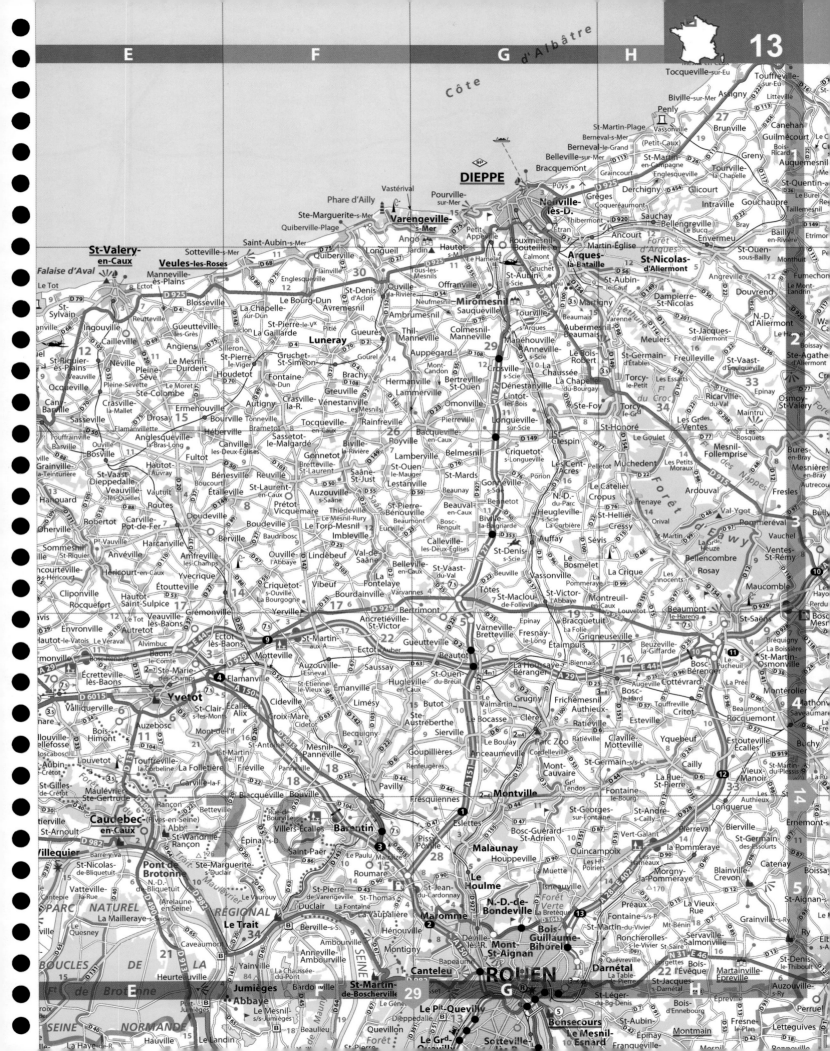

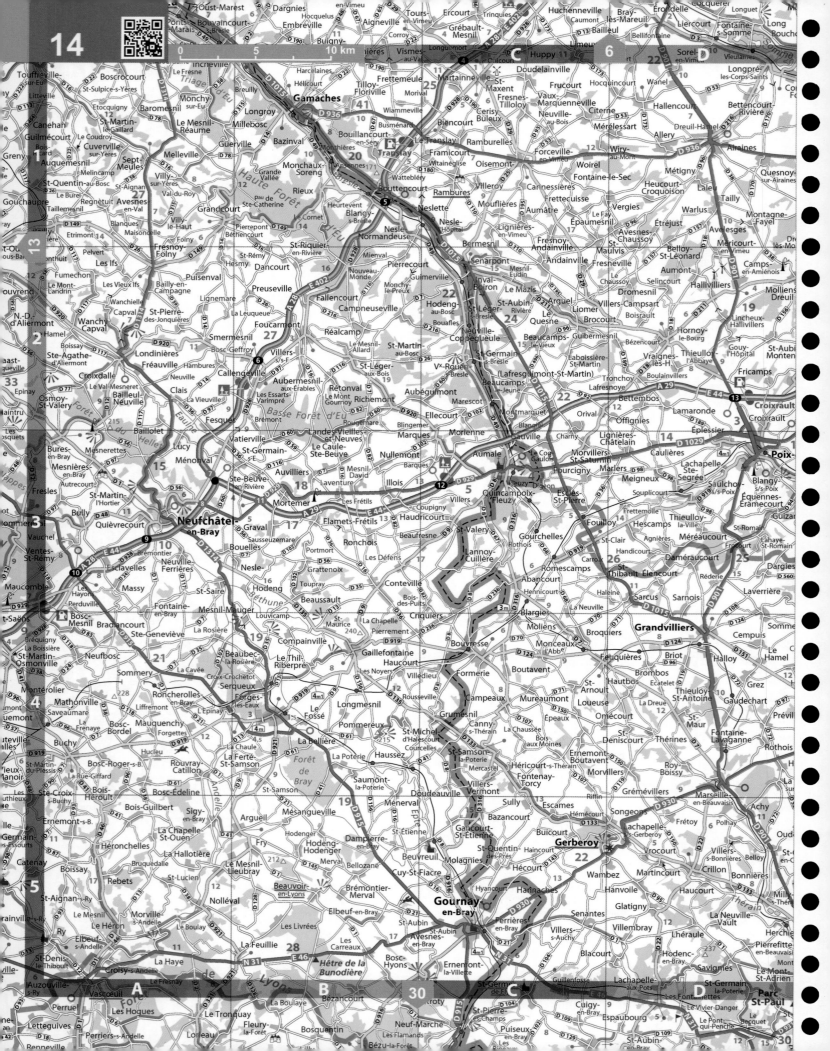

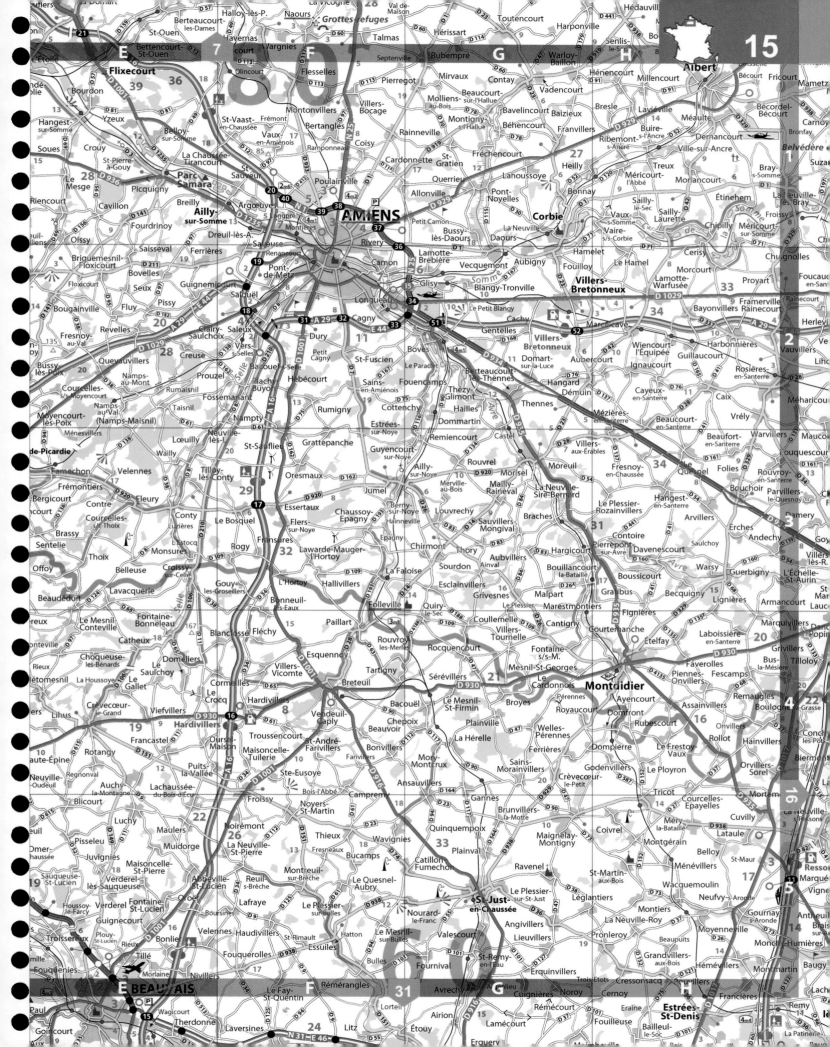

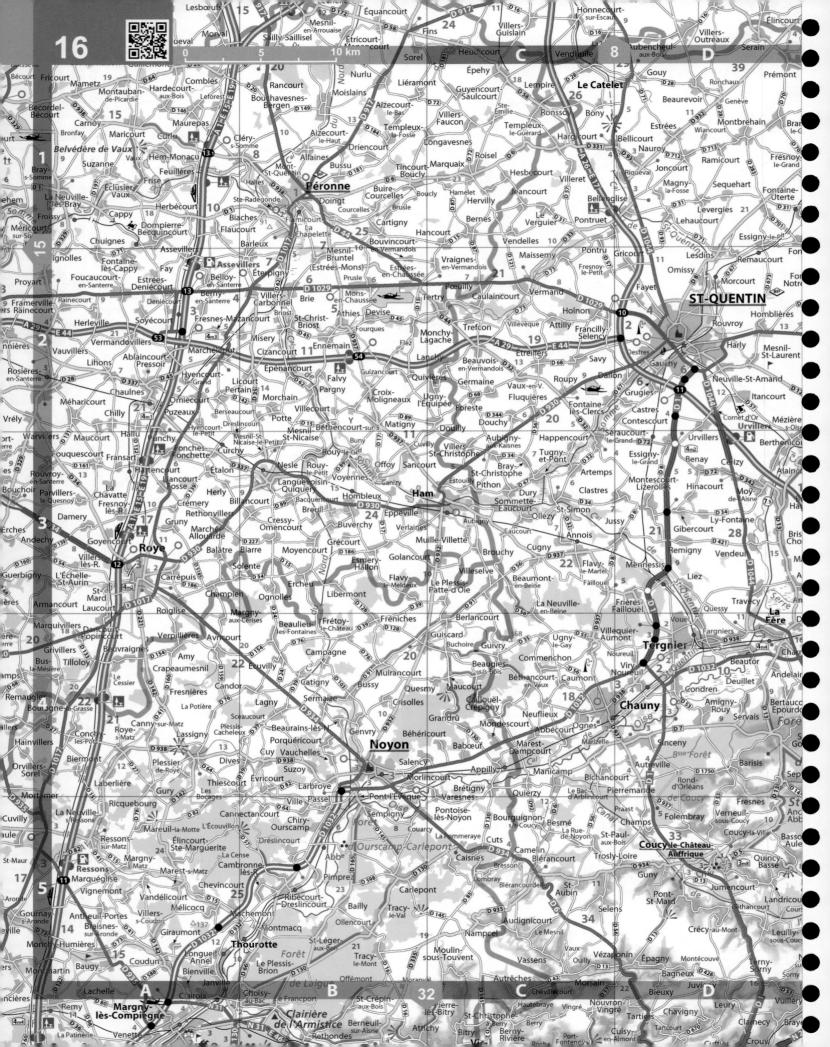

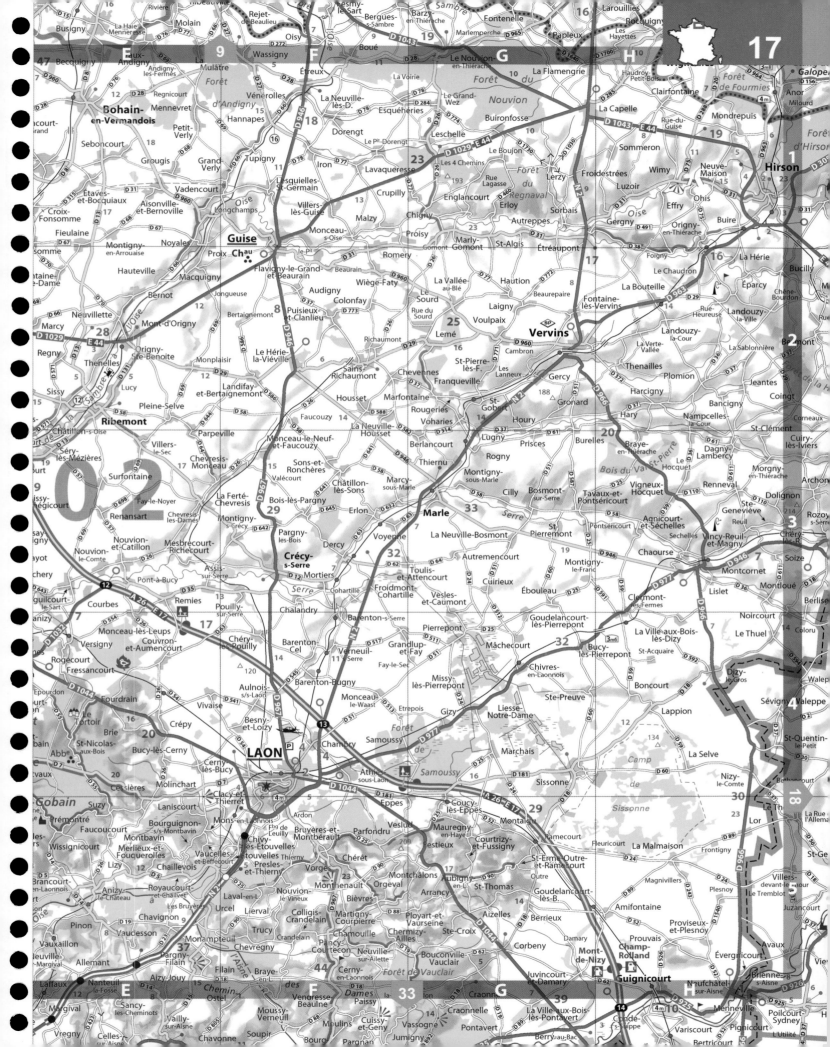

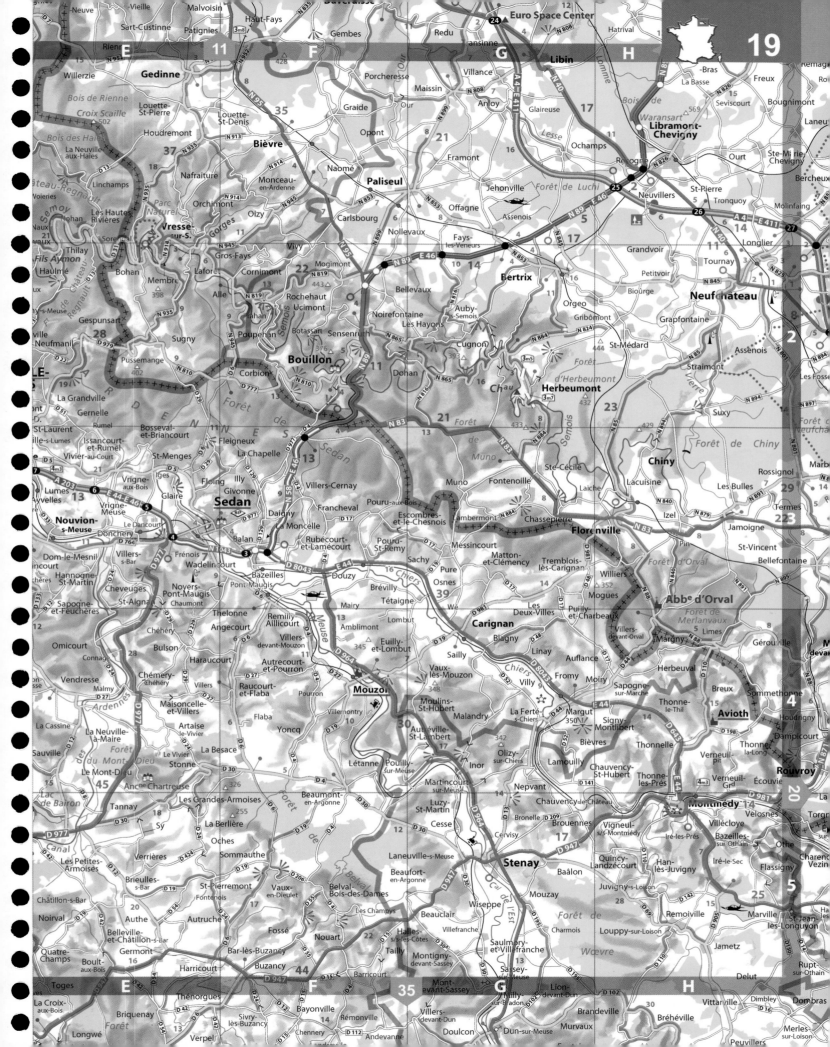

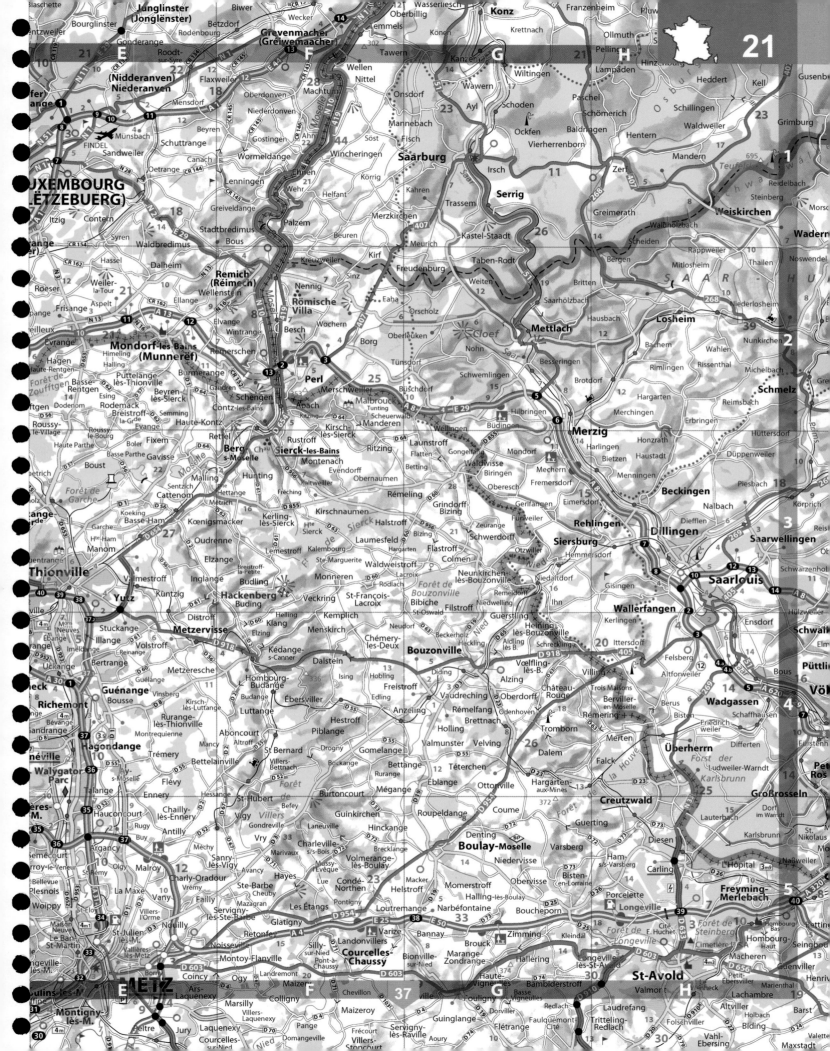

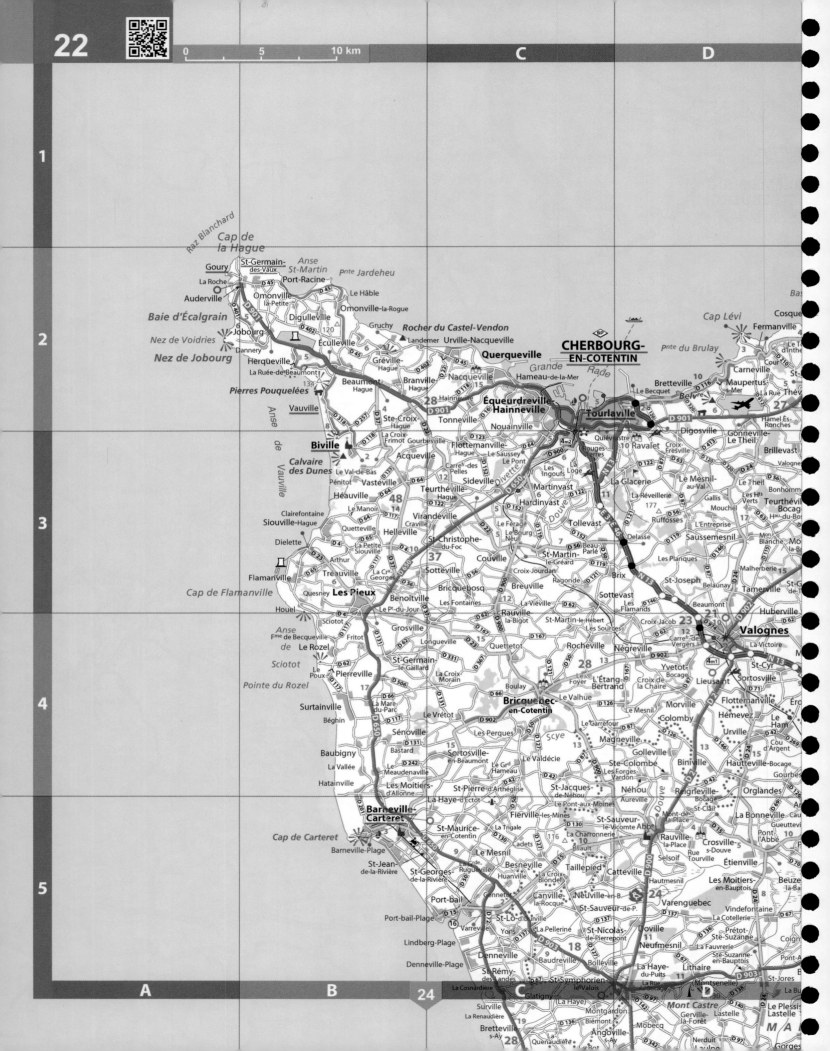

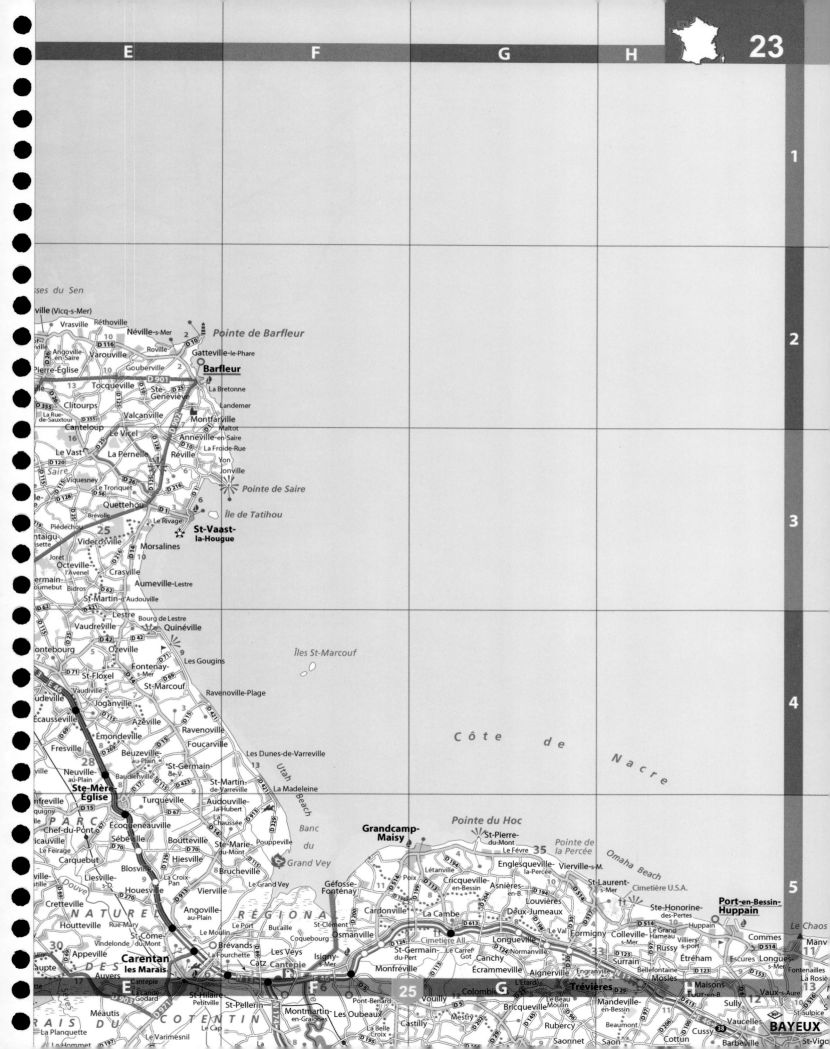

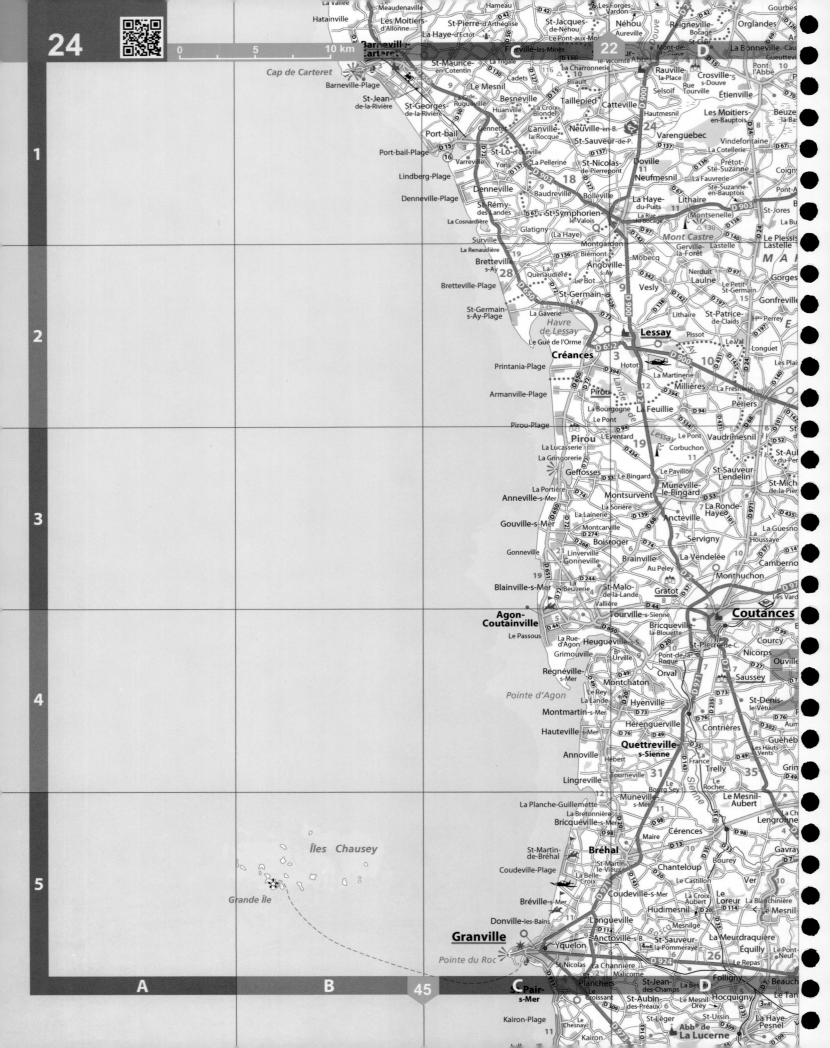

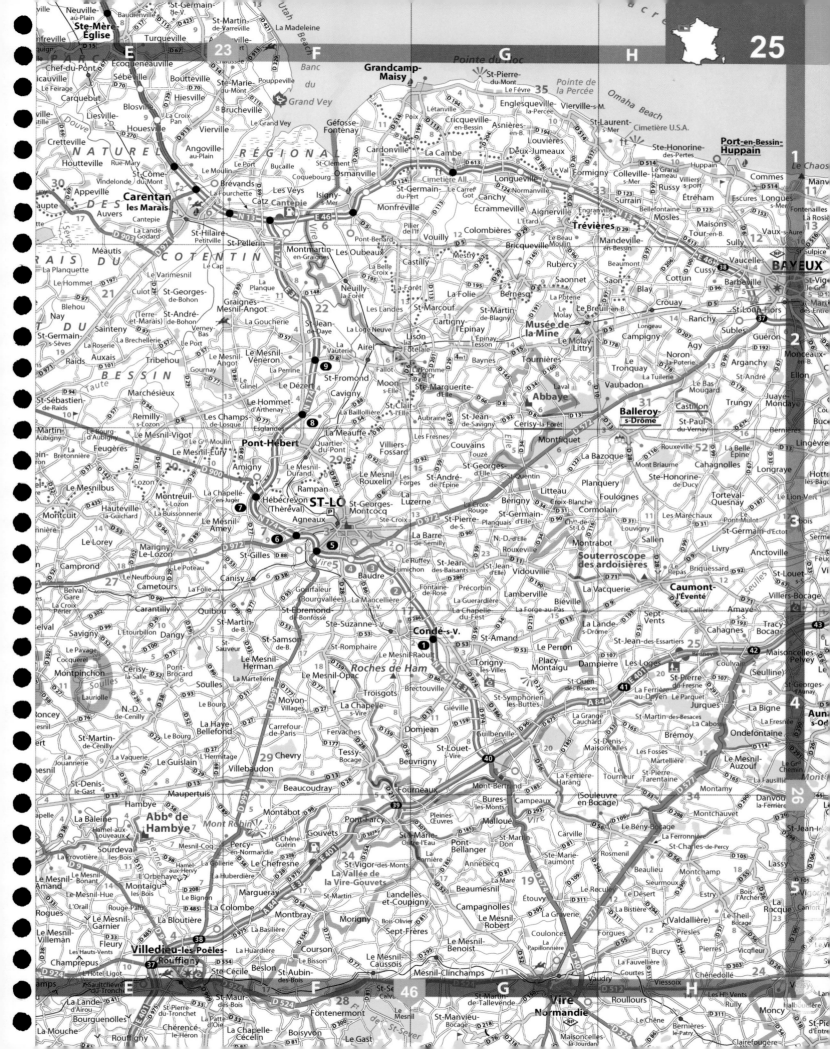

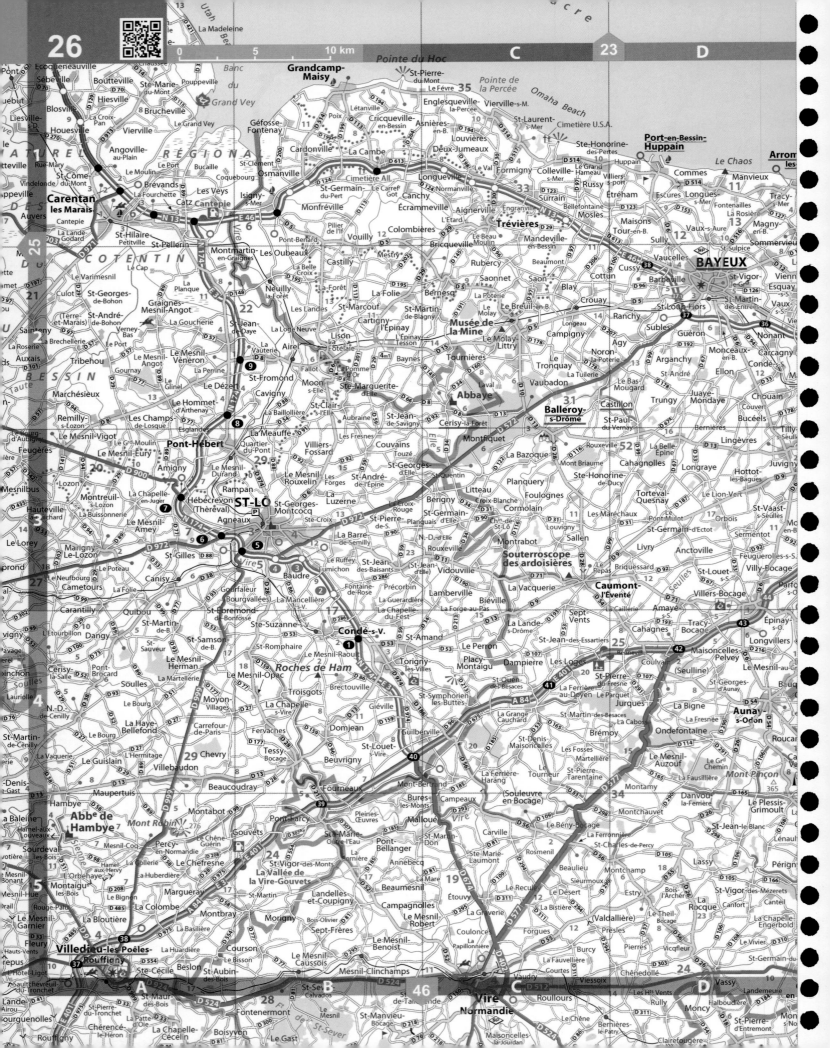

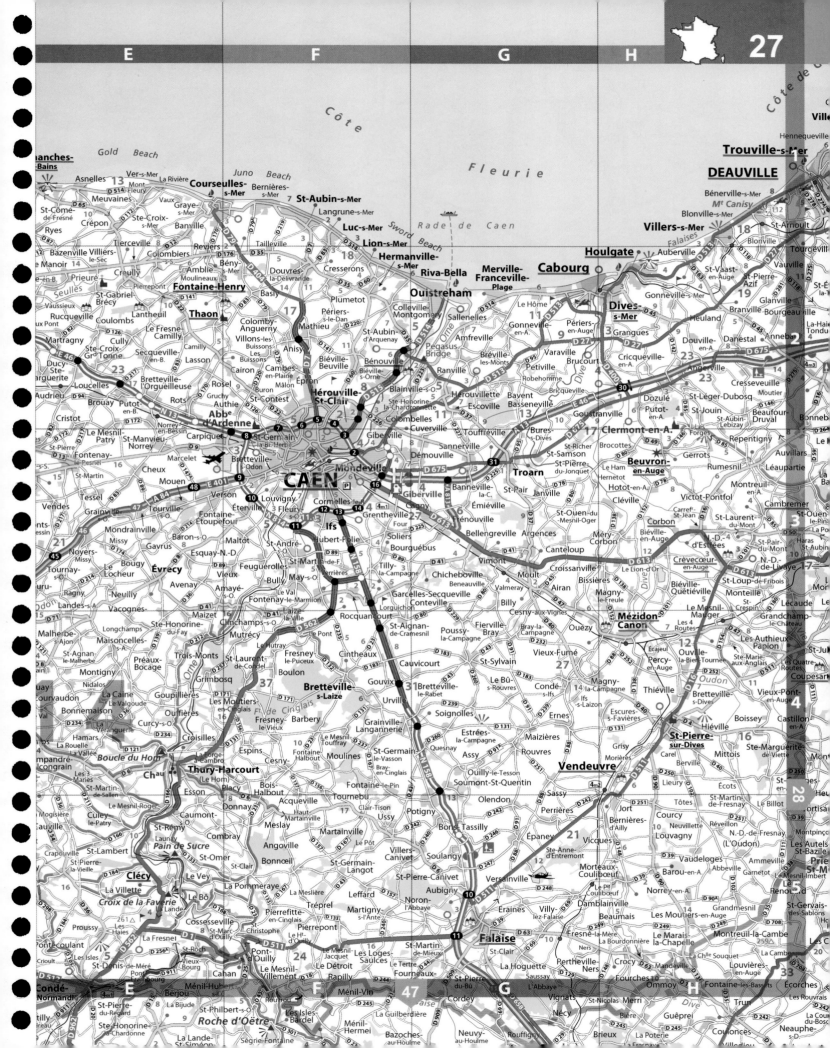

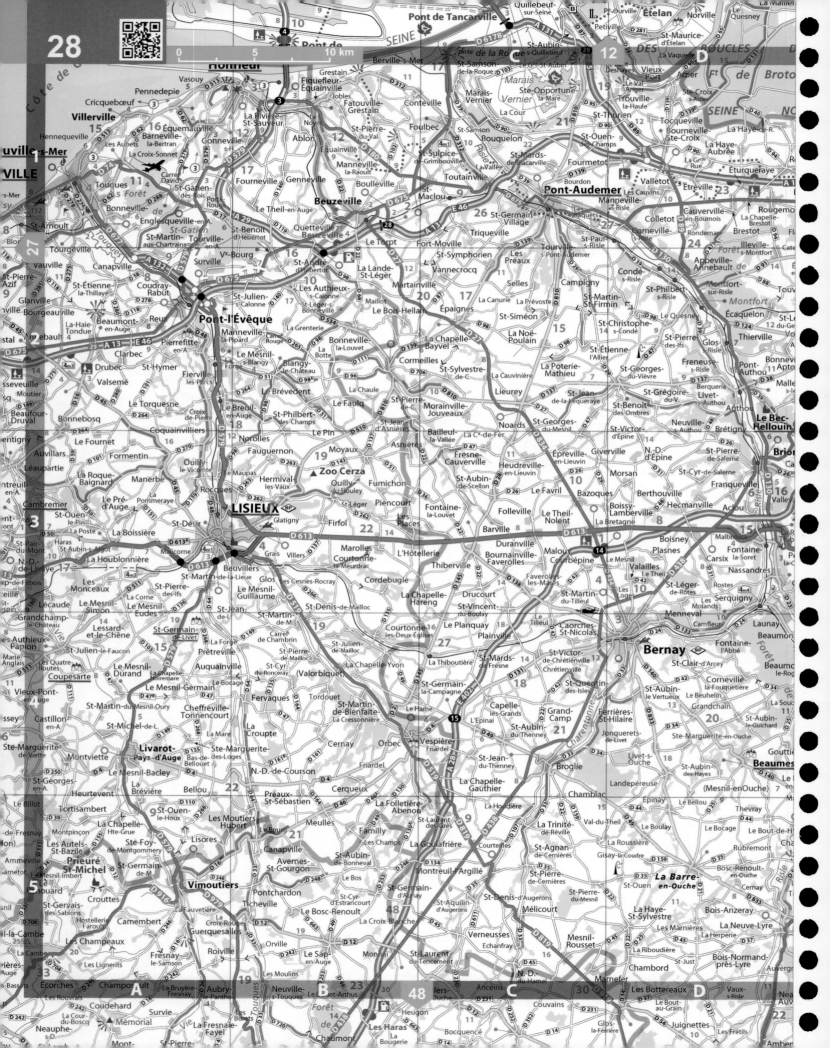

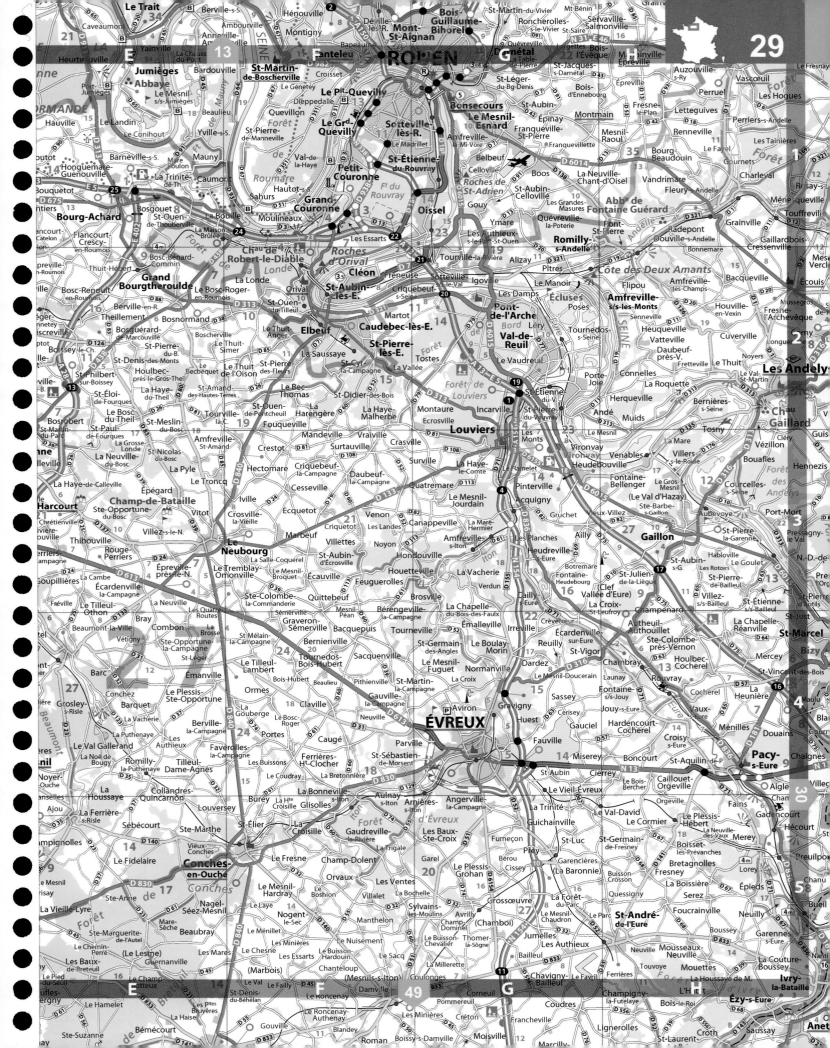

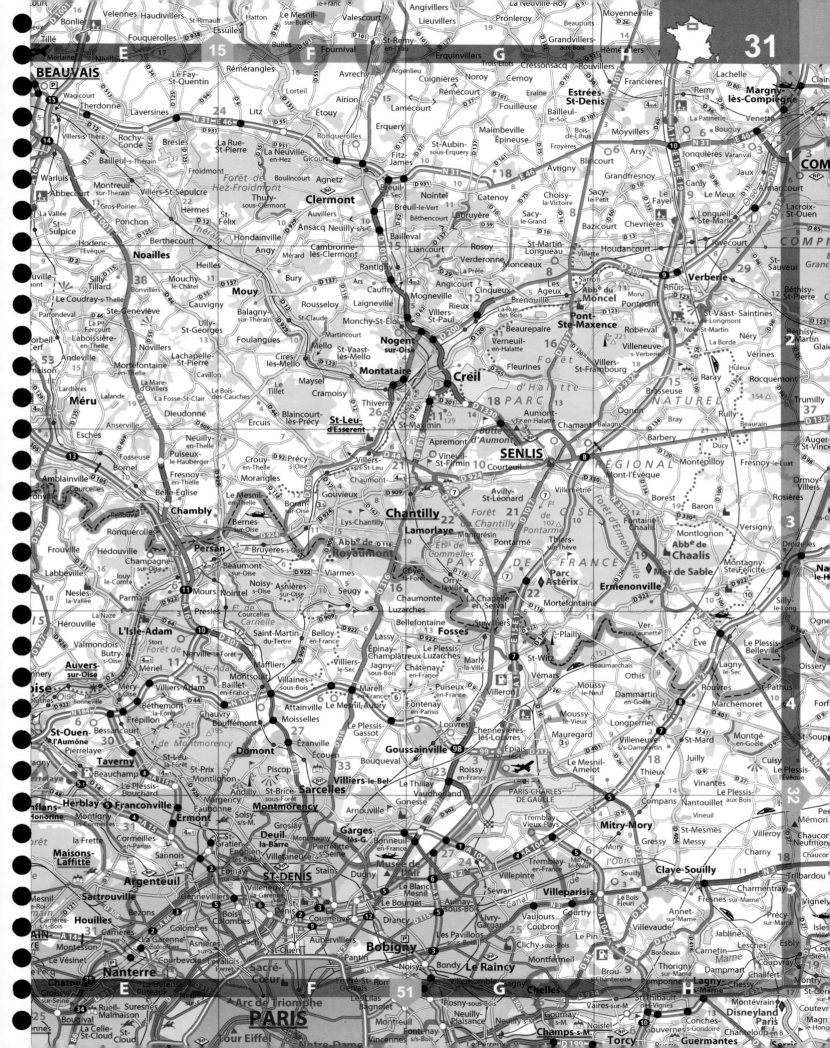

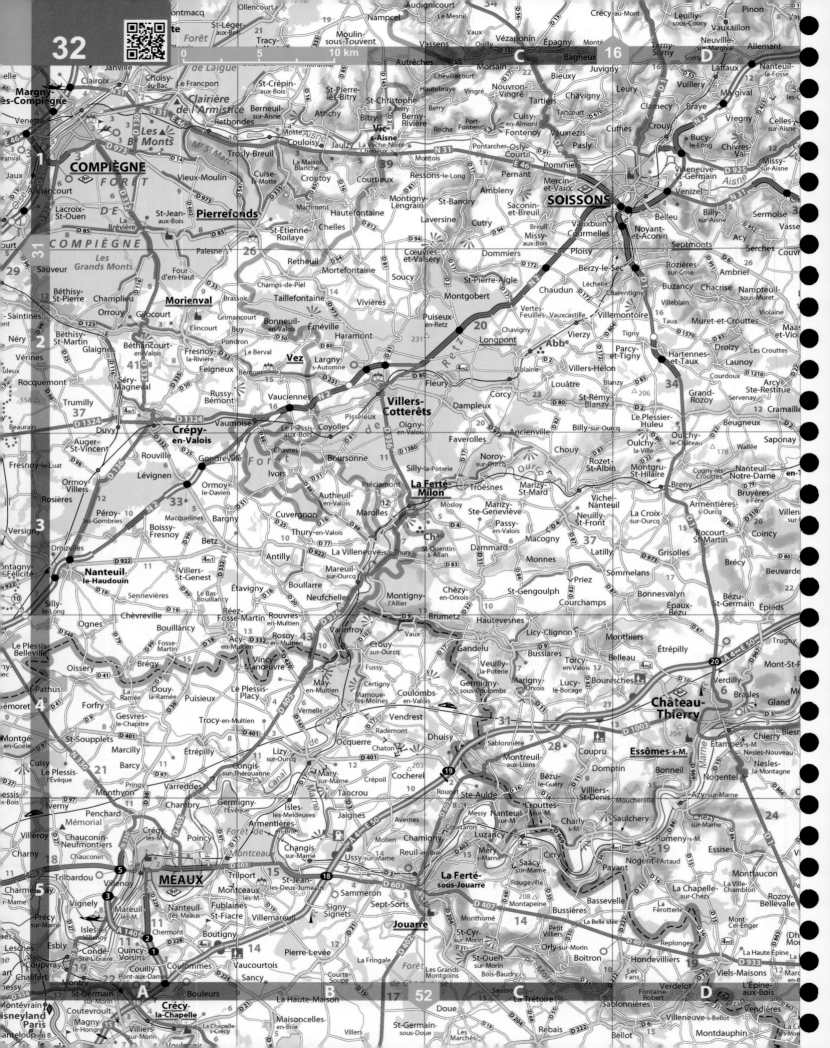

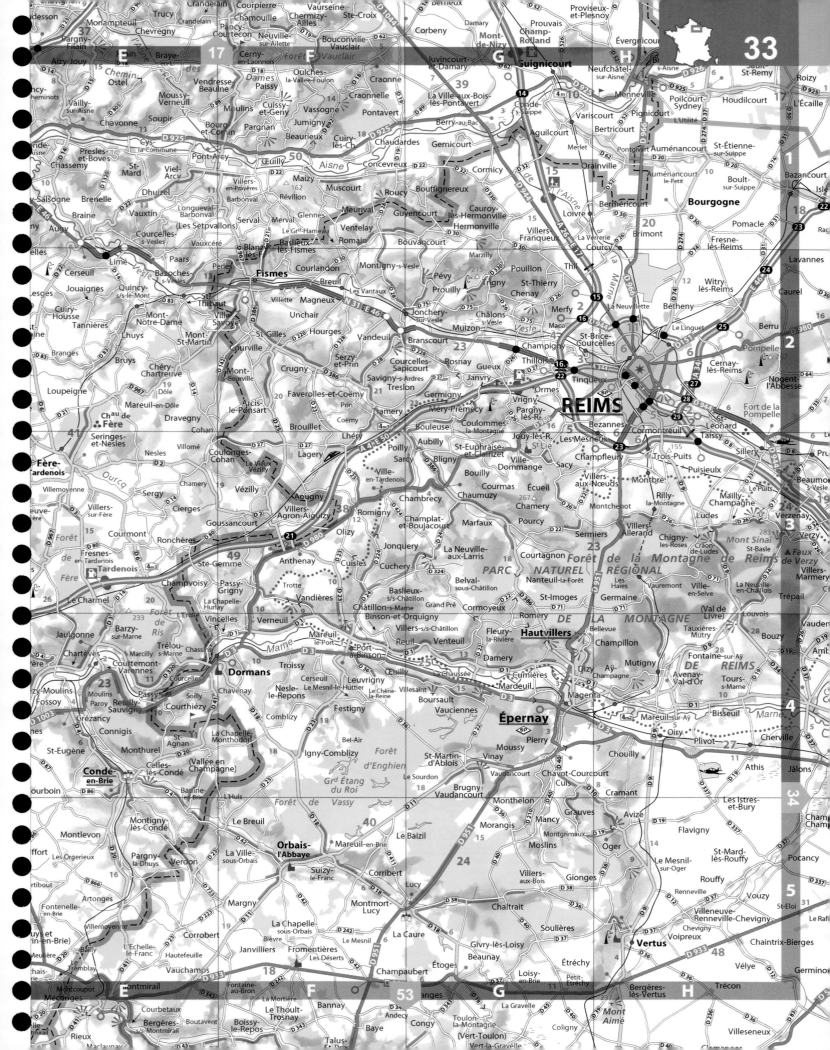

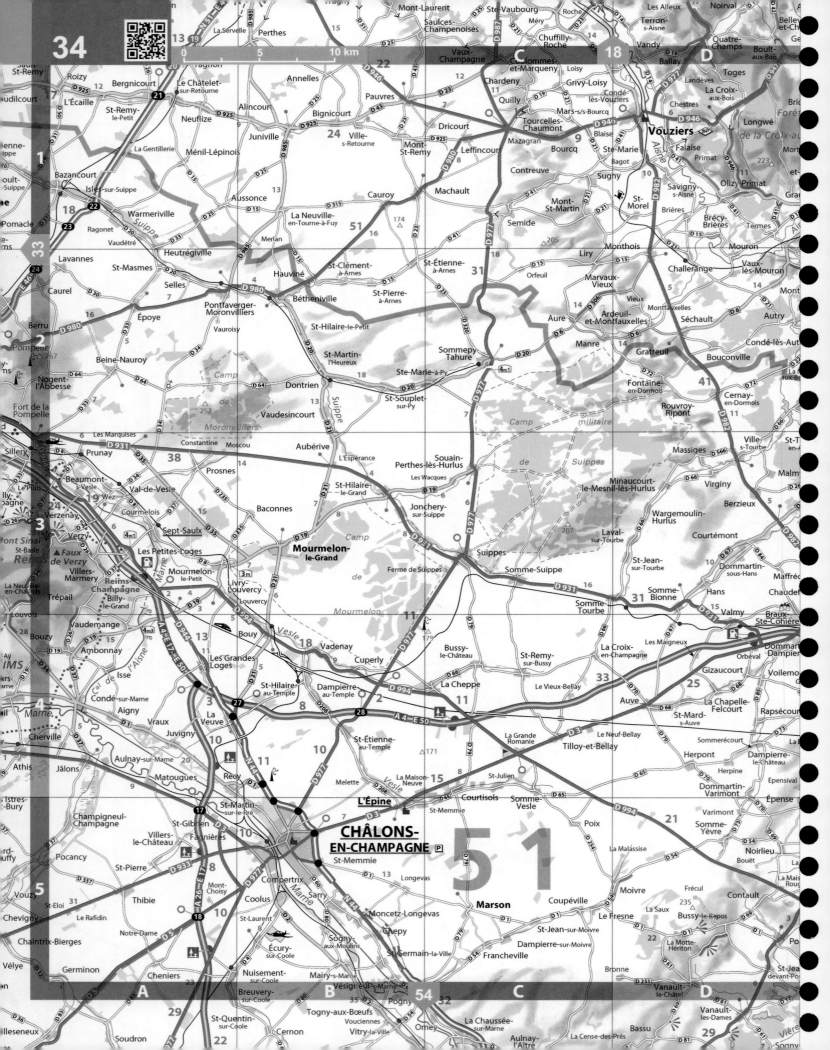

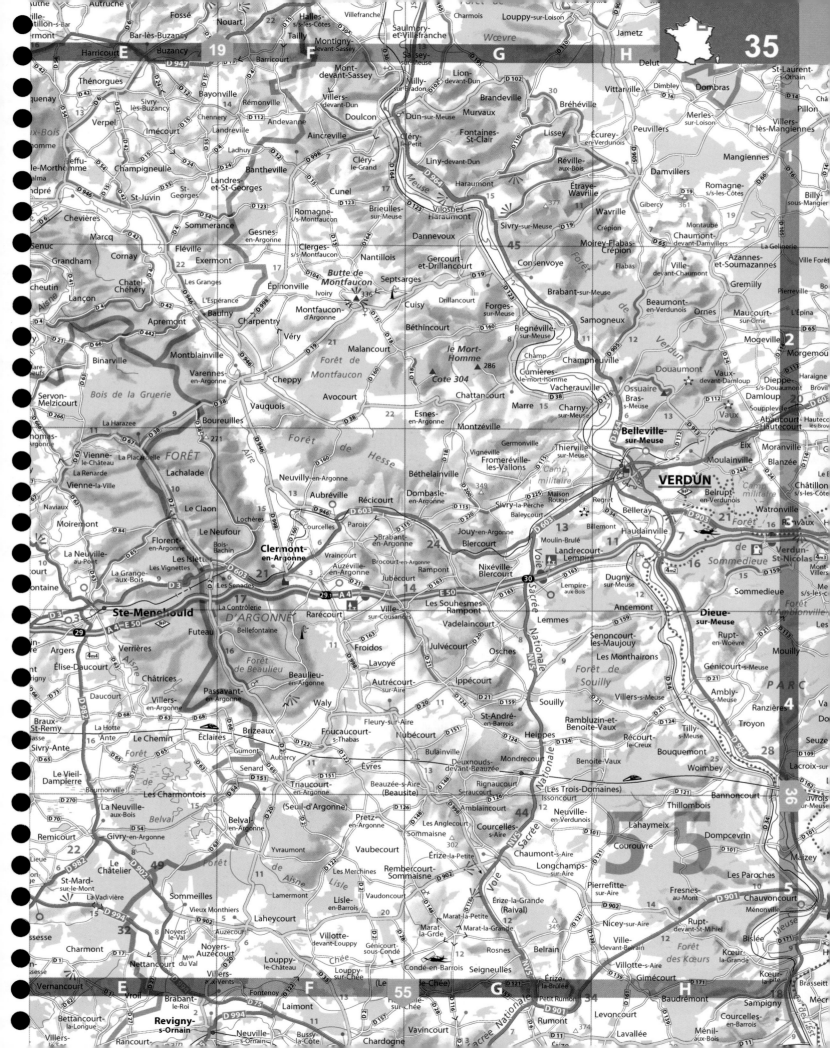

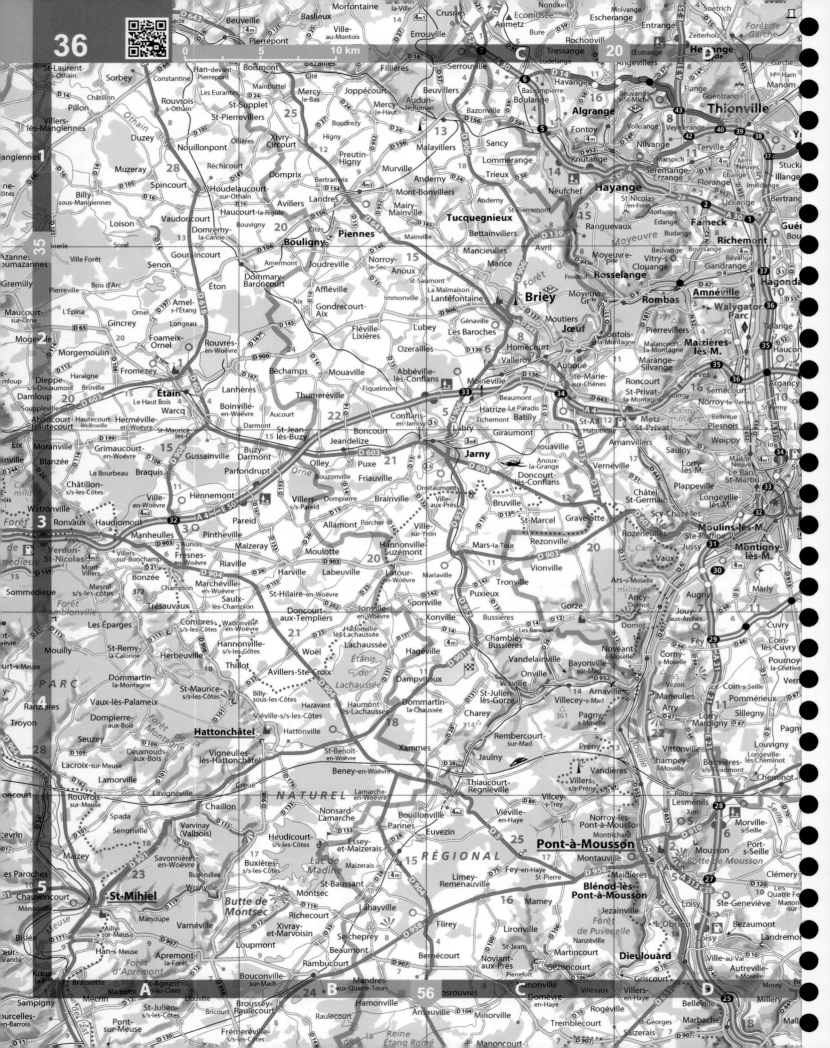

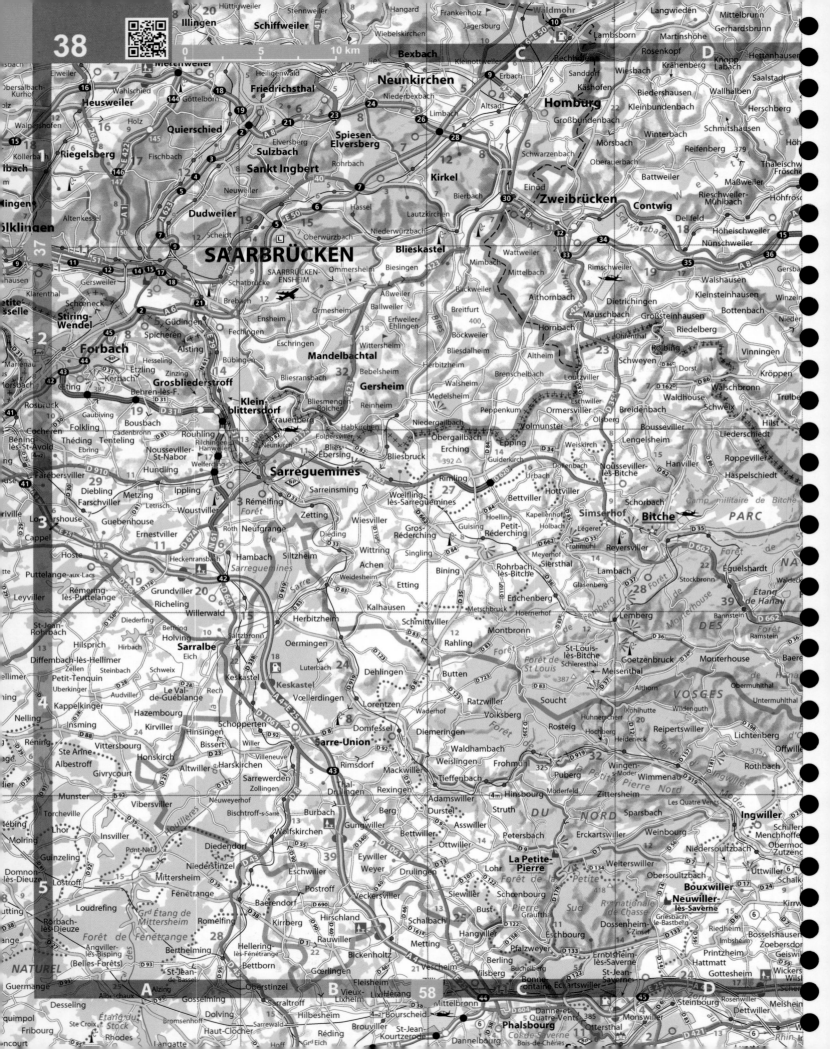

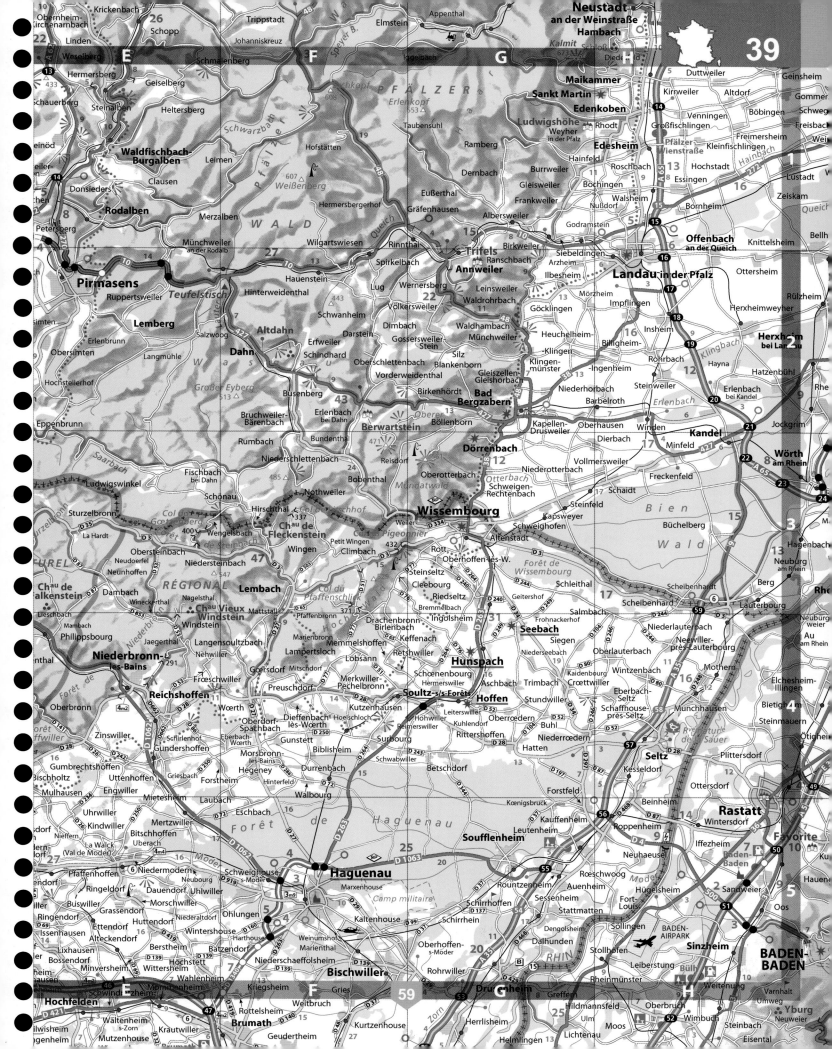

0   5   10 km

C   D

Légendes

1

2

Côte   des

Côte   des   Roches de Portsall

Roches d'Argenton

Roches de Portsall

Treompan   Lampaul-
Porsguen   Ploudalmézea

Trémazan   Portsall   Kerlanou

St-Samson   D 168   Plou

D 127   10   Kersaint

Penfoul   Landunvez

Passage du Fromrust   Argenton   Kergastel   6   Kernevez

Porspoder   D 68   D 228   Coulouc

Côte Sauvage   D 27   Larret   5   Plourin   12

ÎLE D'OUESSANT   D 10   Kergadio   Lanildut   D 168

Niou-Uhella   Frugullou   Melon   3   Brélès   10   Lanr

Pnte de Créac'h   Penn Arlan   Porscave   Aber-Ildut   D 268

Loqueltas   Porspaul   D 28   Lanvénec   D 68

Lampaul   Lampaul-Plouarzel   3   Lokornou-Vian   D 27

Pointe de Pern   Feunteun   Porsguen   9   D 5

Vélen   Ruscumunoc   Trézien   Plouarzel

(Ouessant)   Passage du Fromveur   Porsmoguer   138   Lamber

Pointe de Corsen   13   Ploumoguer   Pont-
l'Hôpital

PARC   Kerhornou   16   D 38

Chenal du Four   Kerzévéon   Plouz

Île-Molène   Petit Port   Illien   D 28   D 67   Locmaria-
Plouzané

NATUREL   Lanfeust   Trébabu   Kergounan   Kerfili

Pnte de Kermorvan   Goasmeur   Kerfili   la Tri

RÉGIONAL   Île de Béniguet   5   Porsmilin   D 789

Lochrist   14

D'ARMORIQUE   Le Conquet   Kérinou   Trez-Hir   Trégana

4   St-Mathieu   D 85   Toulbroc'h

Les Pierres Noires   6   Plougonvelin

Pointe St-Mathieu   Abbatiale   Pnte du Pit Minou

Chaussée des Pierres Noires   Ke

Chenal du Four

Pnte du Toulinguet   Ca

MER   Camaret-
sur-Mer   4

D'IROISE   Lannili

Pointe de Penhir

Pnte de Di

A   B   60   C   D

Can de la Ch

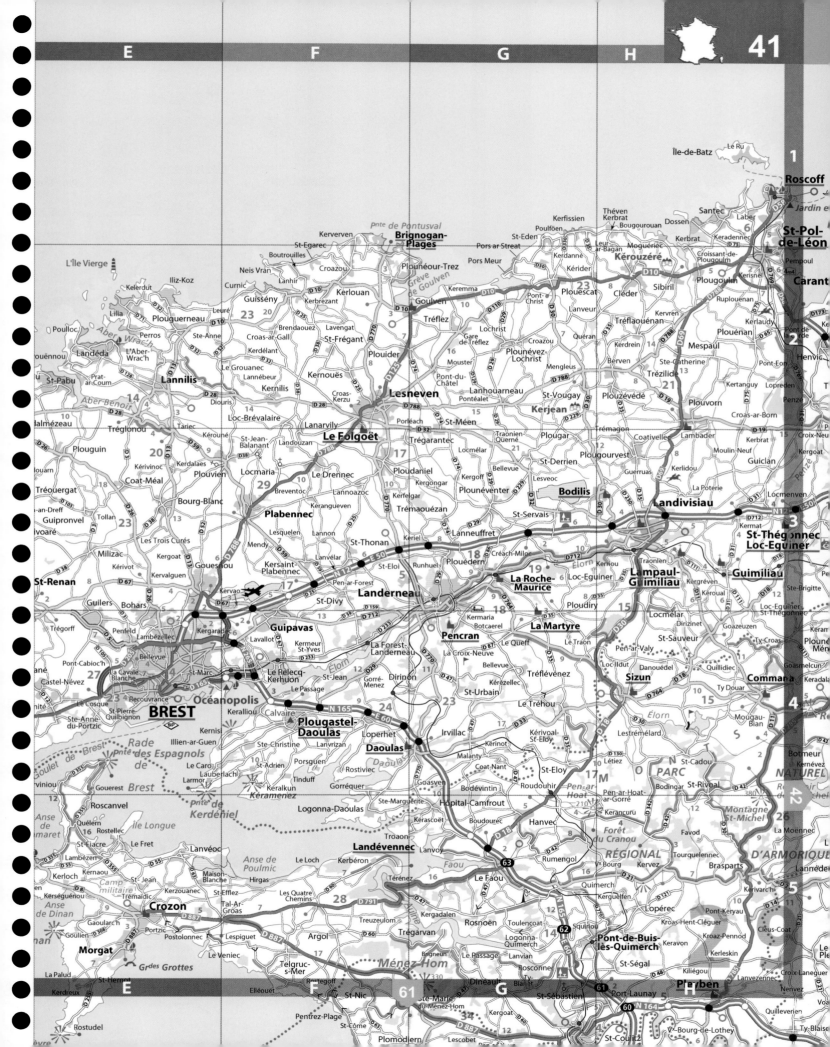

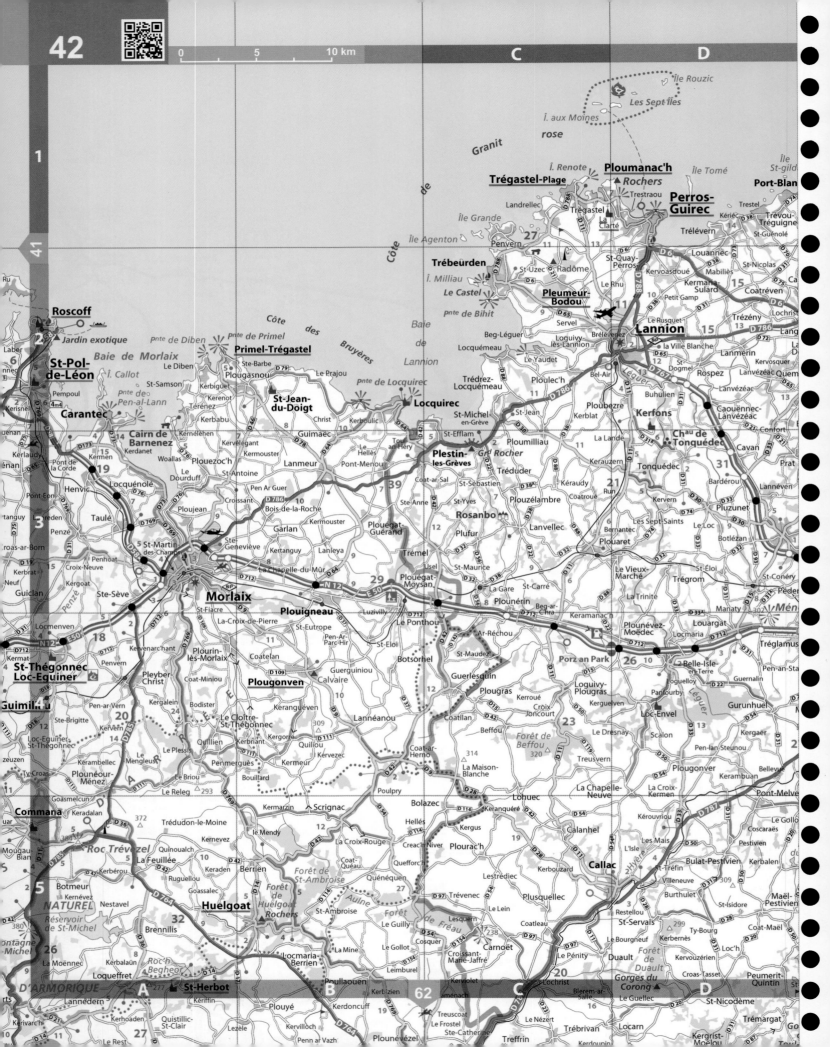

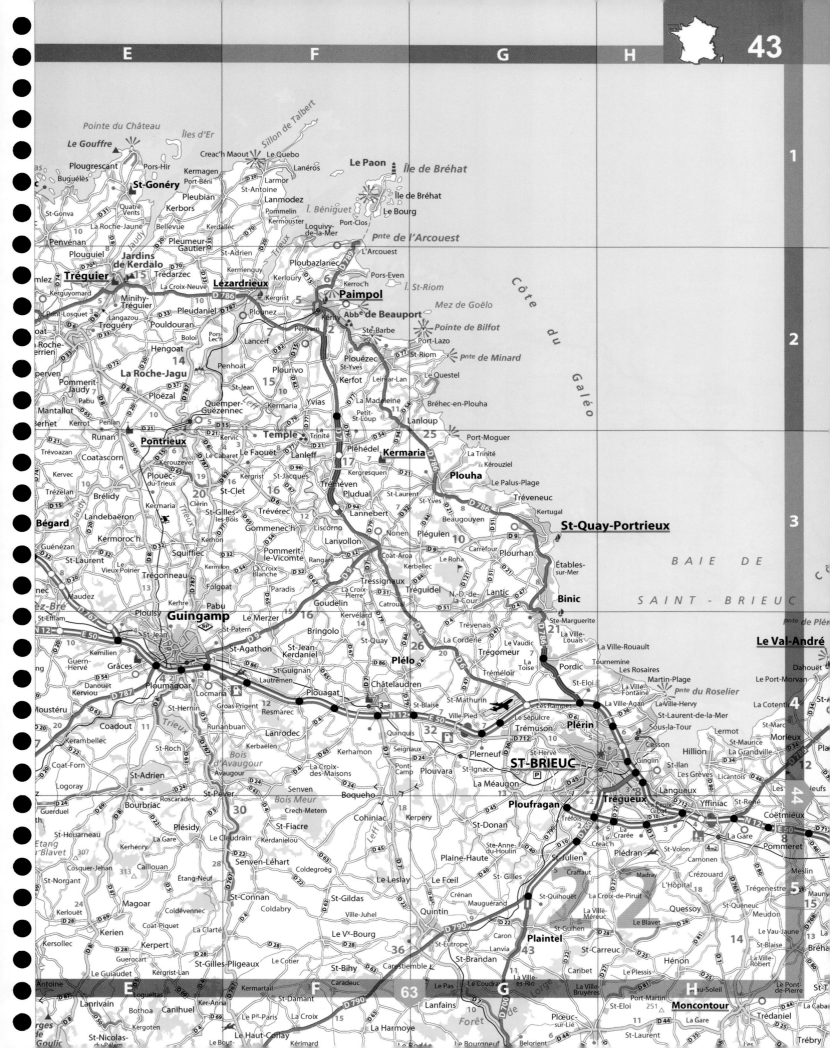

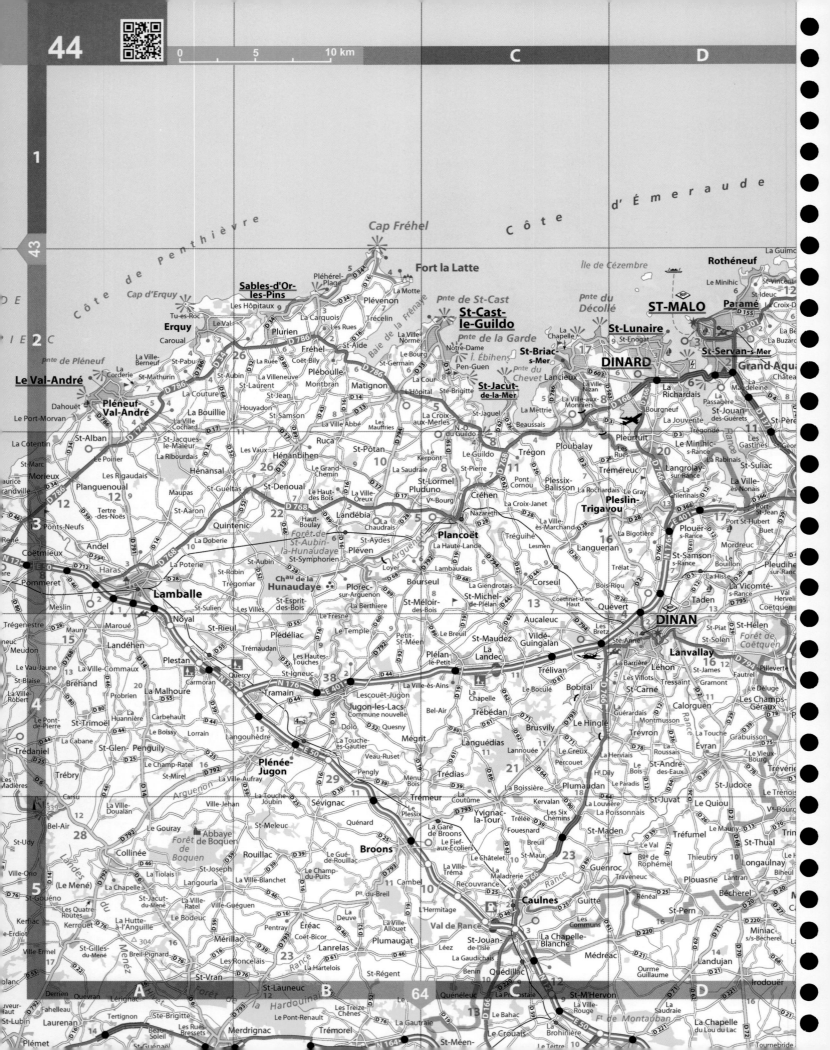

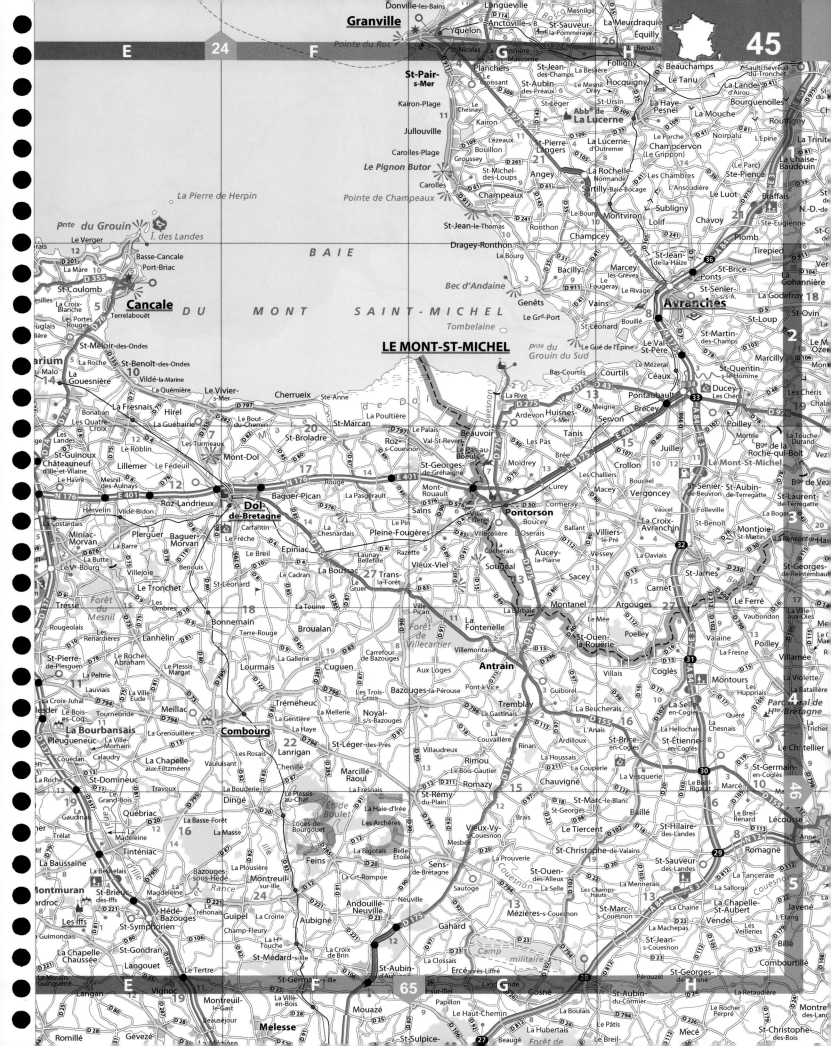

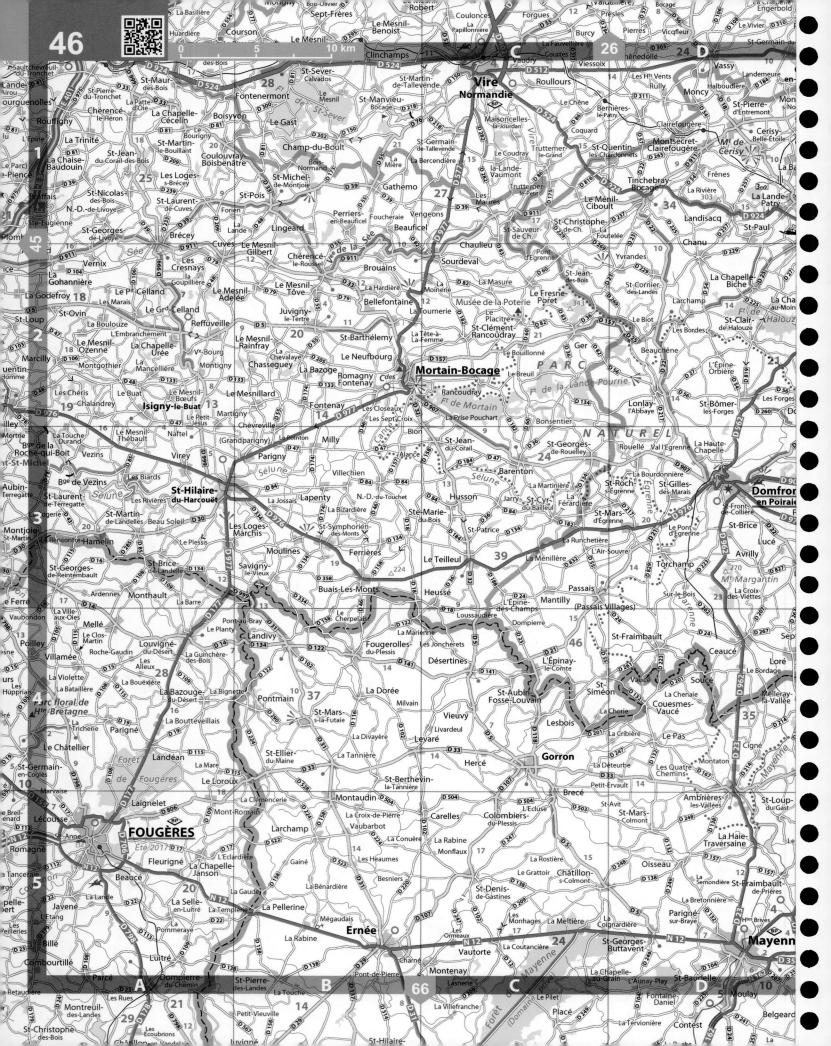

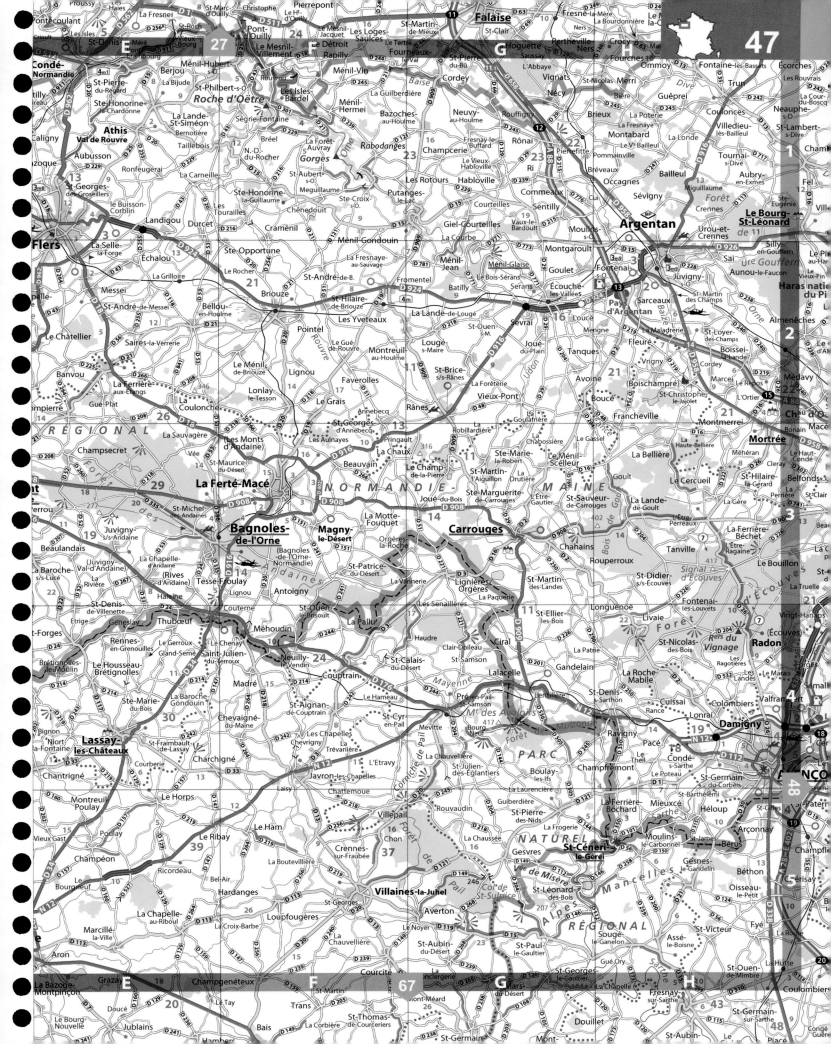

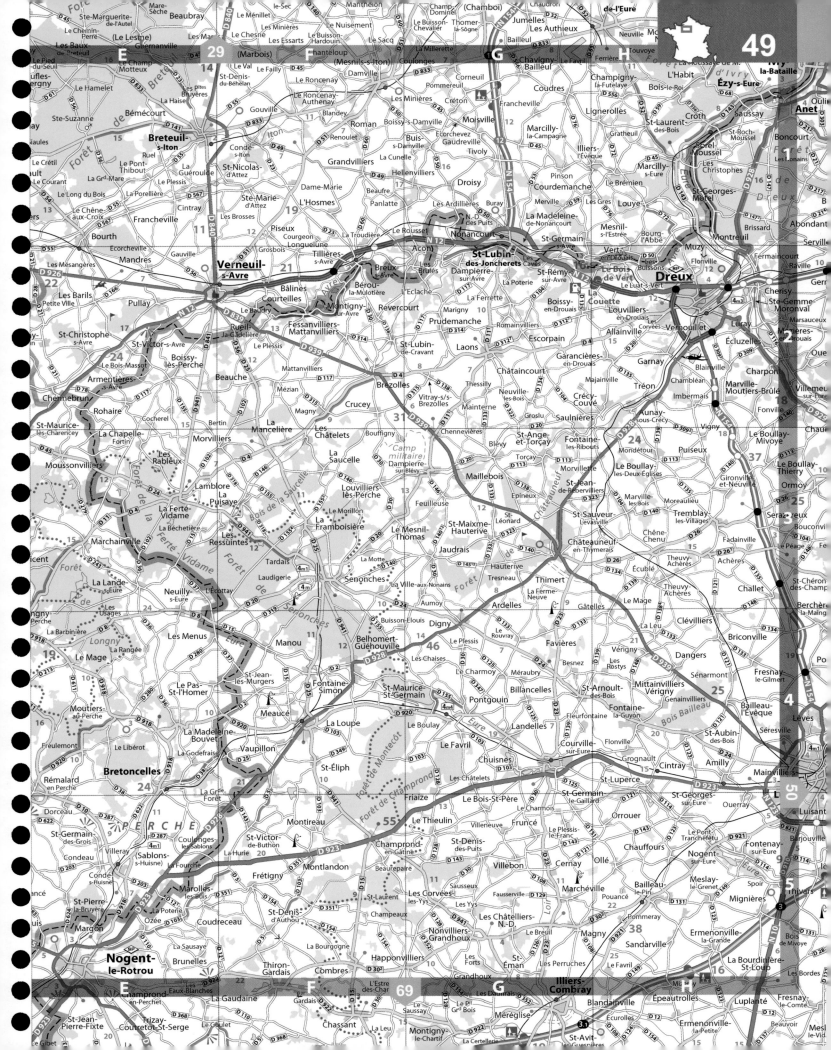

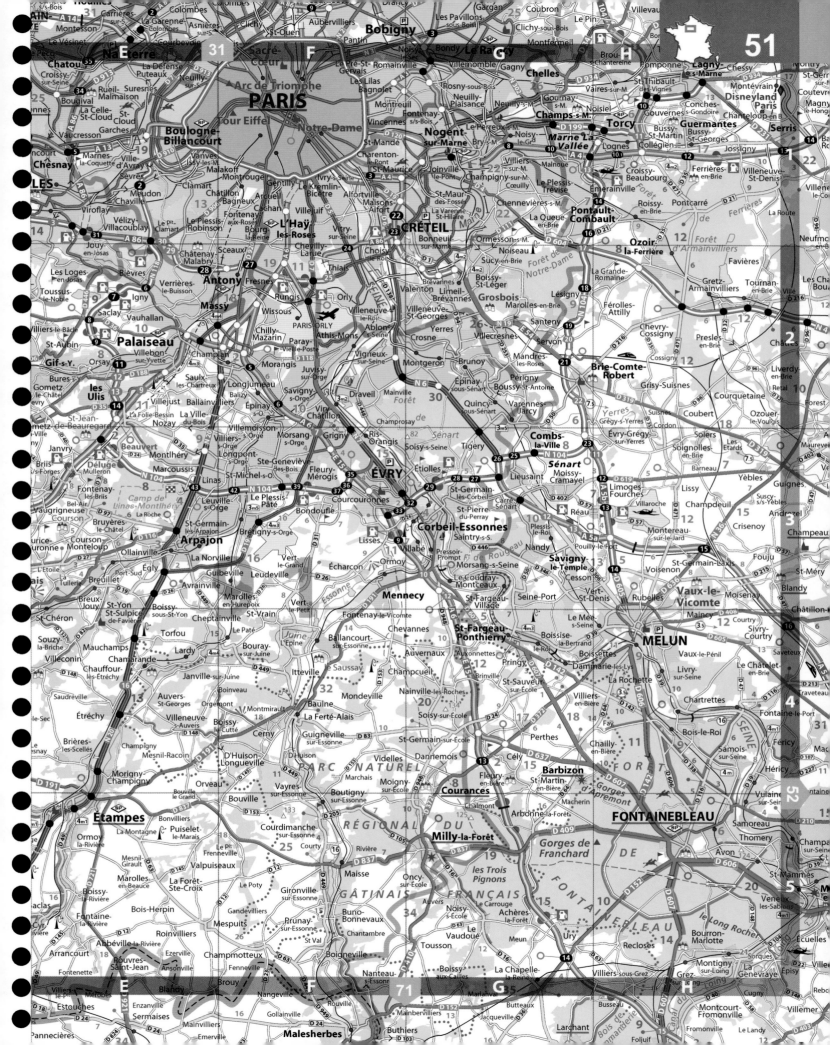

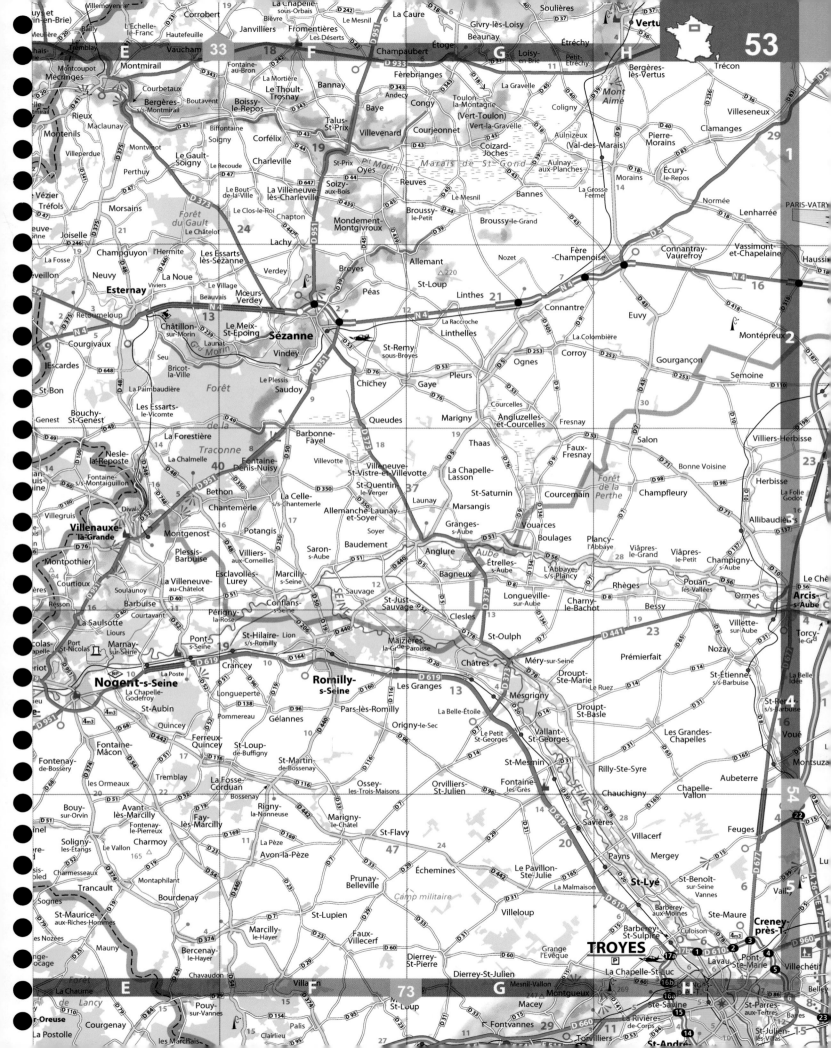

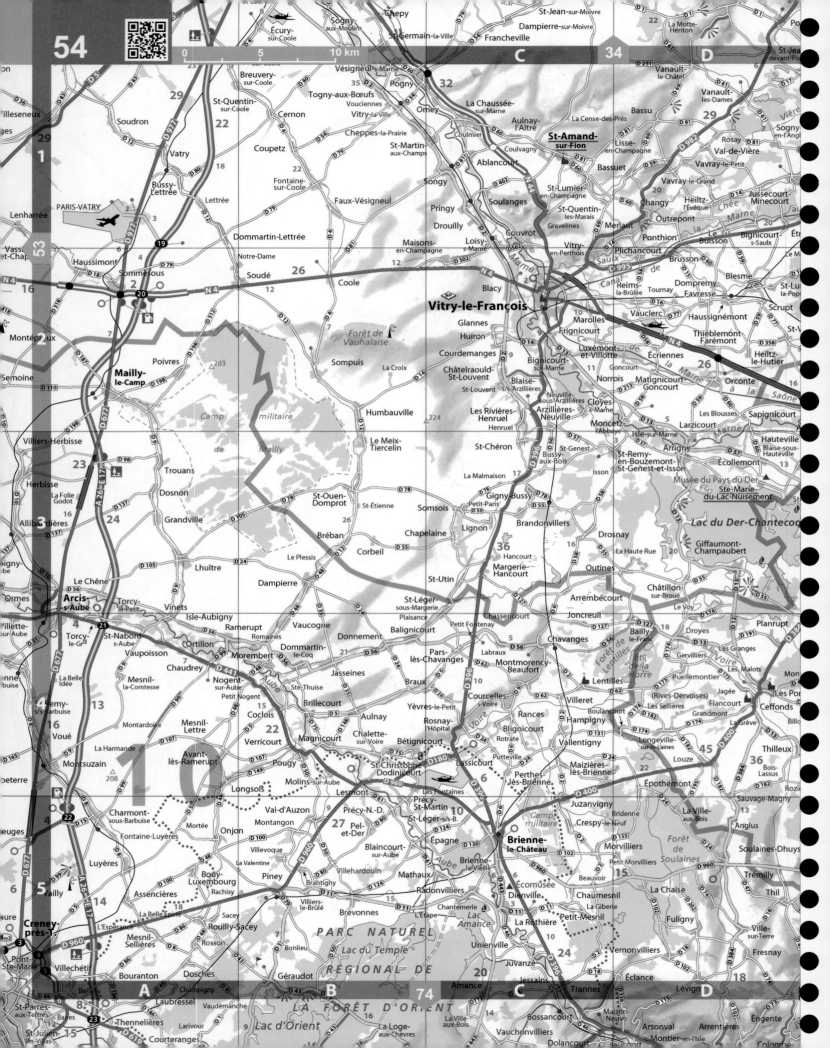

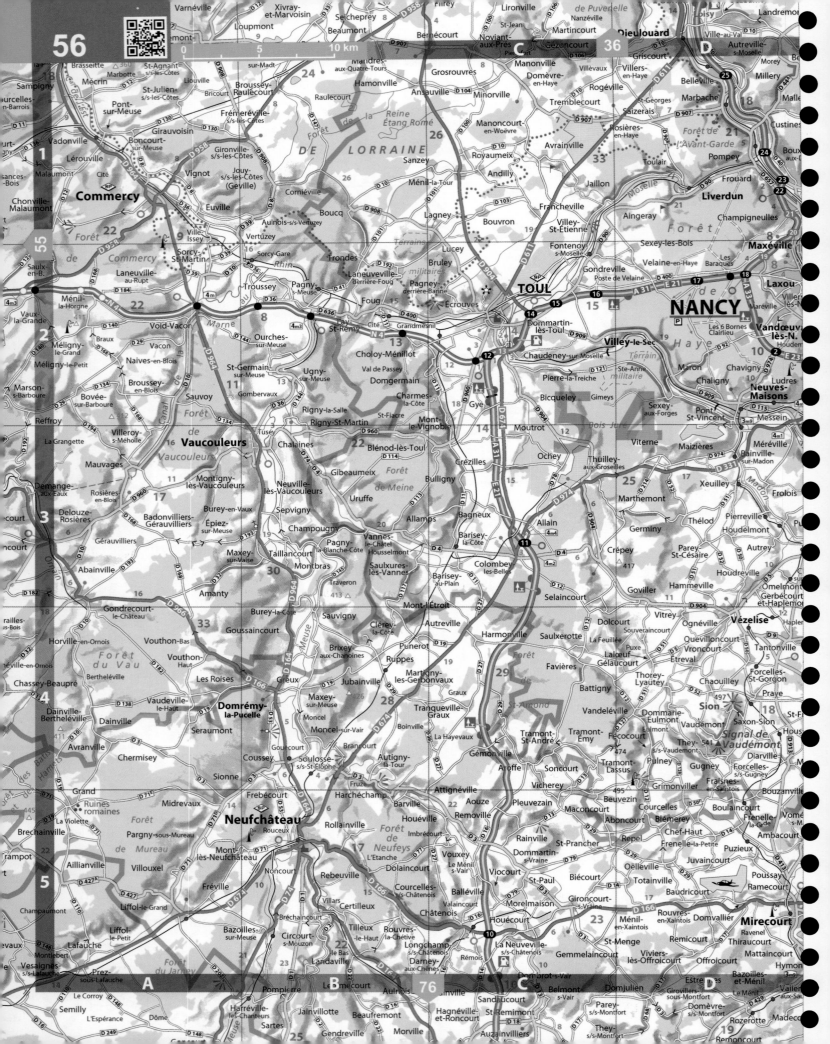

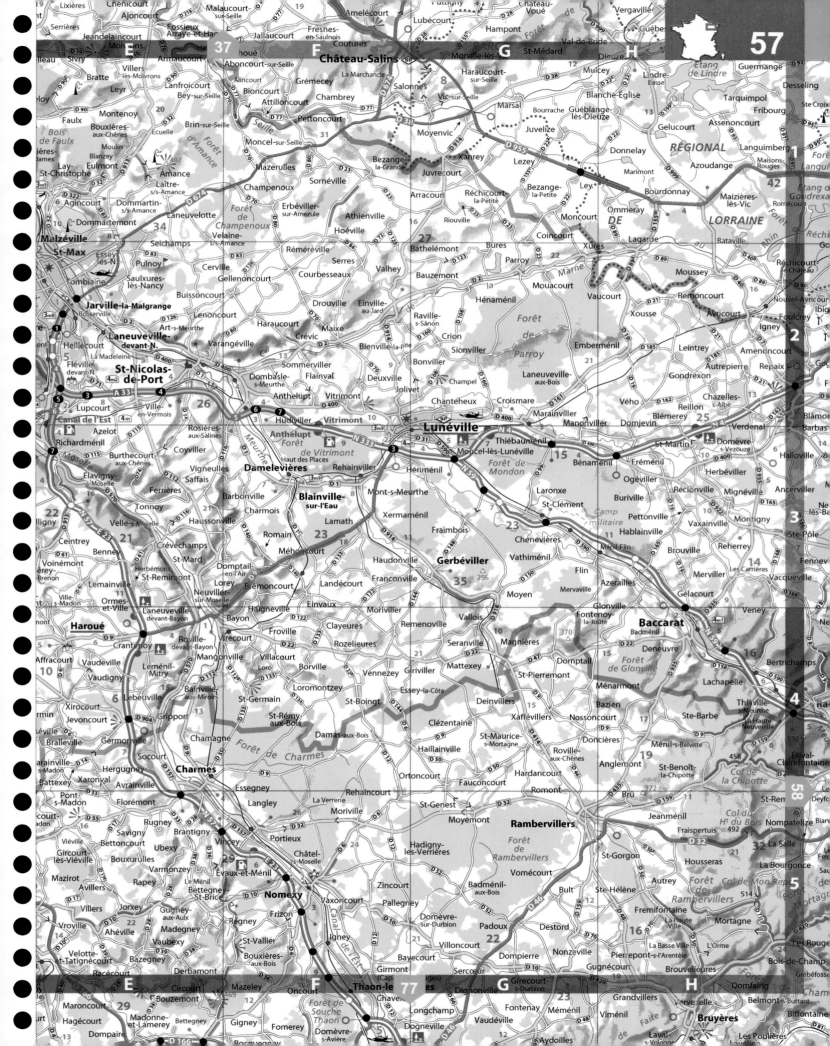

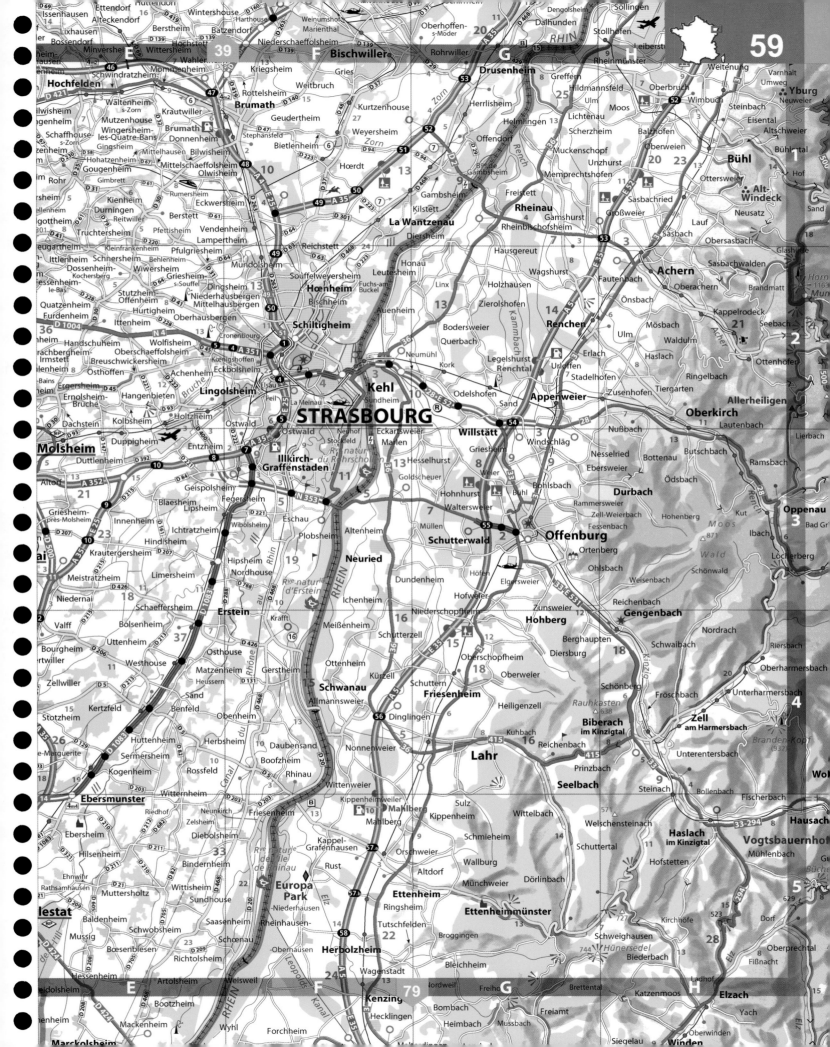

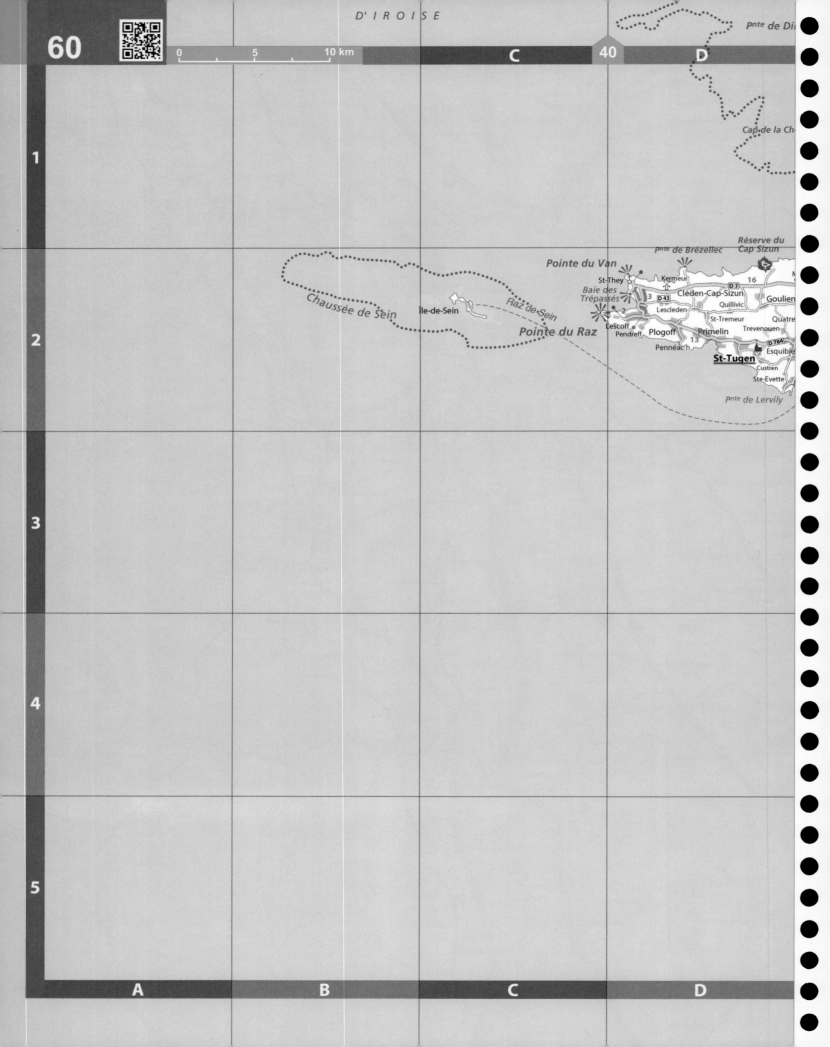

D'IROISE

0   5   10 km

C   40   D

pnte de Di

Cap de la Ch

Réserve du
Cap Sizun

pnte de Brézellec

Pointe du Van

St-They

Kermeur

D 7

16

Baie des
Trépassés

Cléden-Cap-Sizun

3   D 43

Quillivic

Goulien

Chaussée de Sein

Île-de-Sein

Raz de Sein

Lescleden

St-Tremeur

Quatre

Pointe du Raz

Lescoff

Trevenouen

Pendreff

Plogoff

Primelin

13

D 784

Pennéac'h

St-Tugen

Esquibie

Custren

Ste-Evette

pnte de Lervily

1

2

3

4

5

A   B   C   D

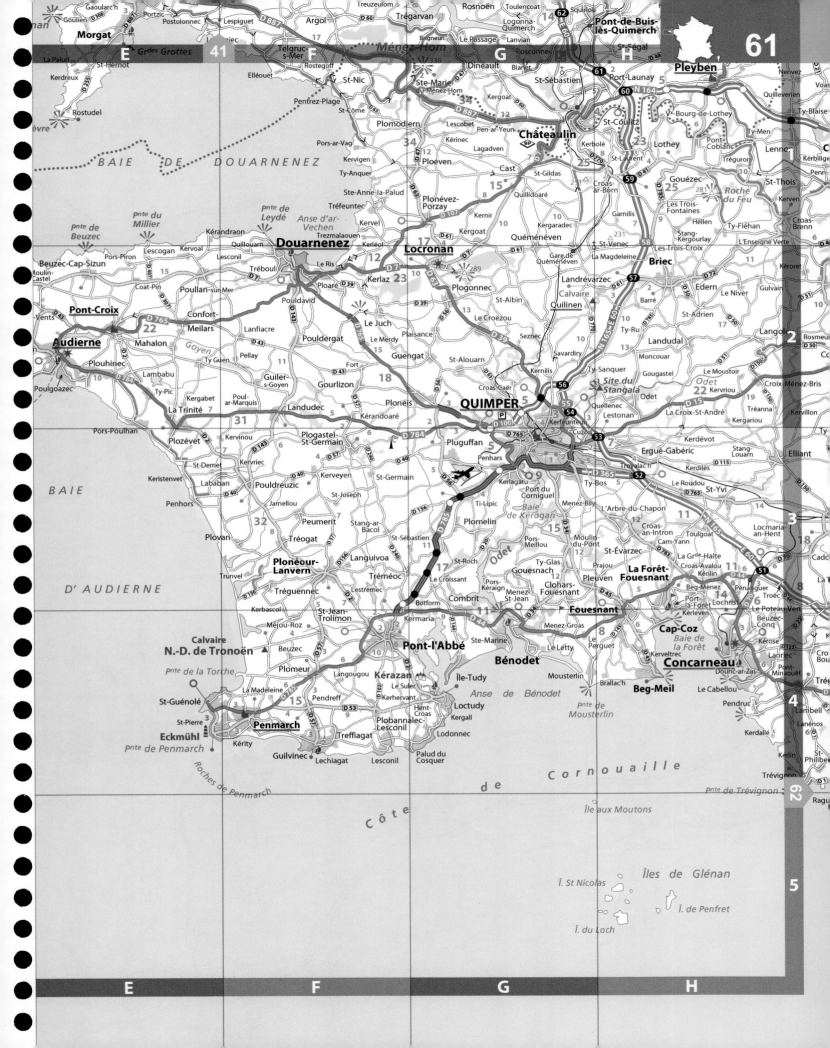

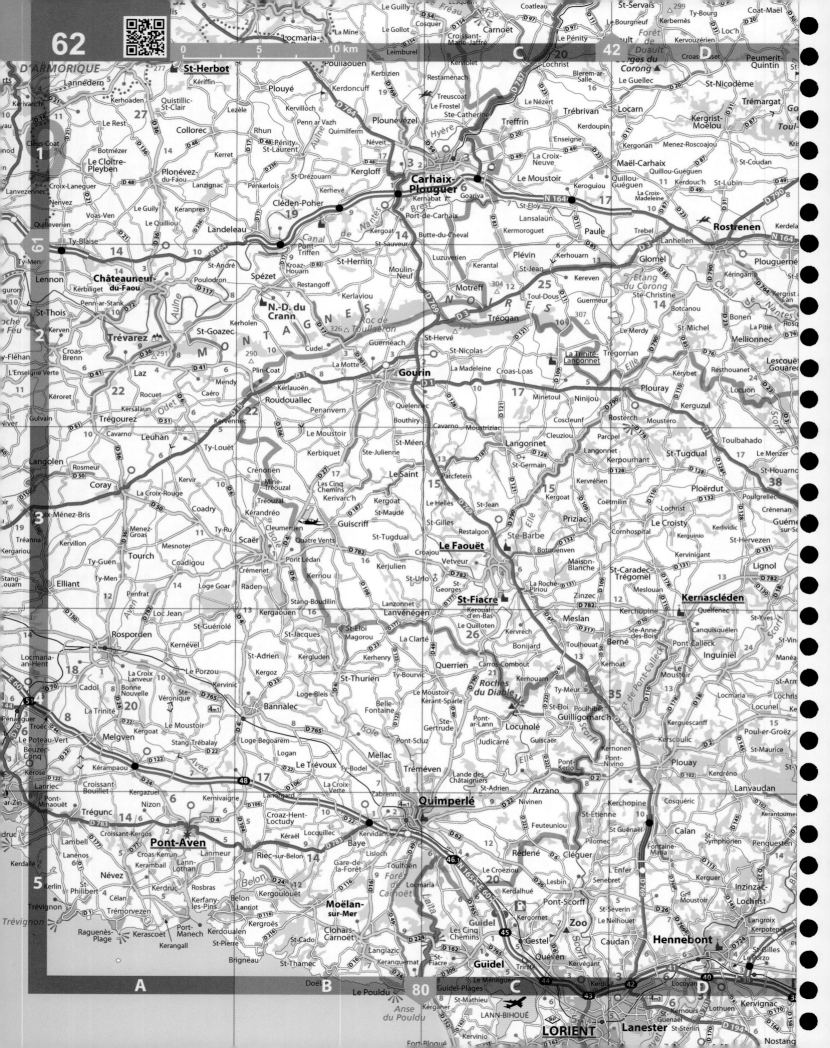

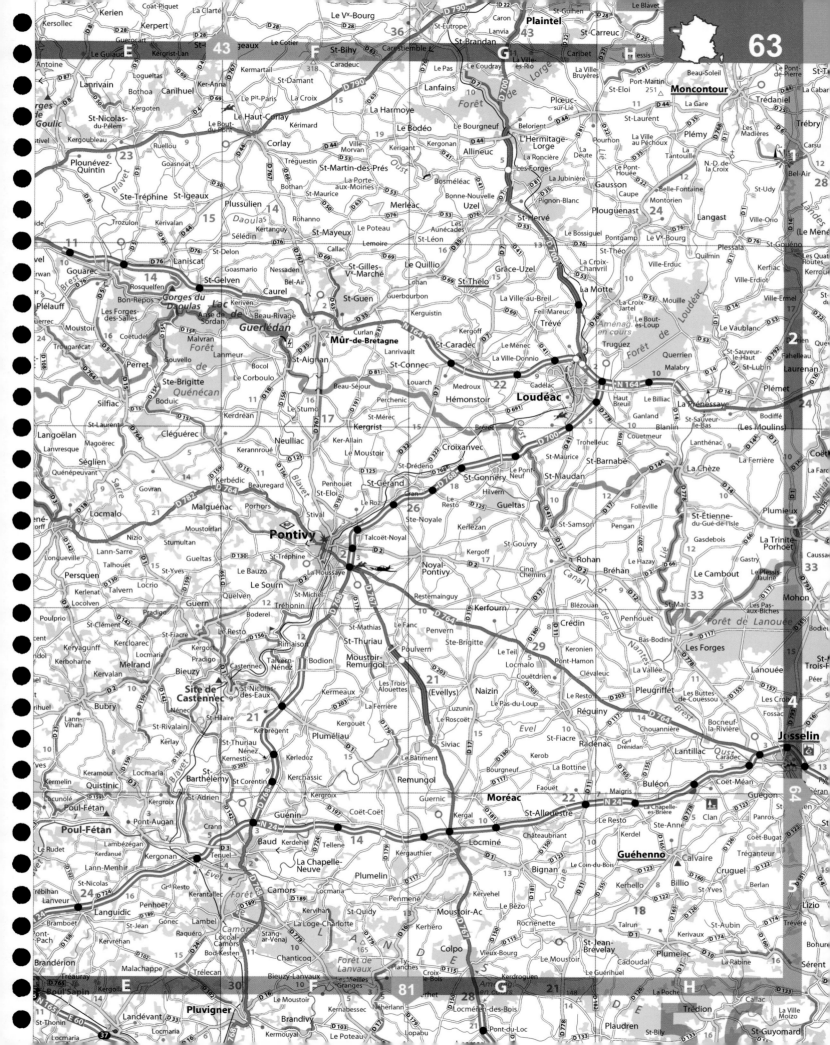

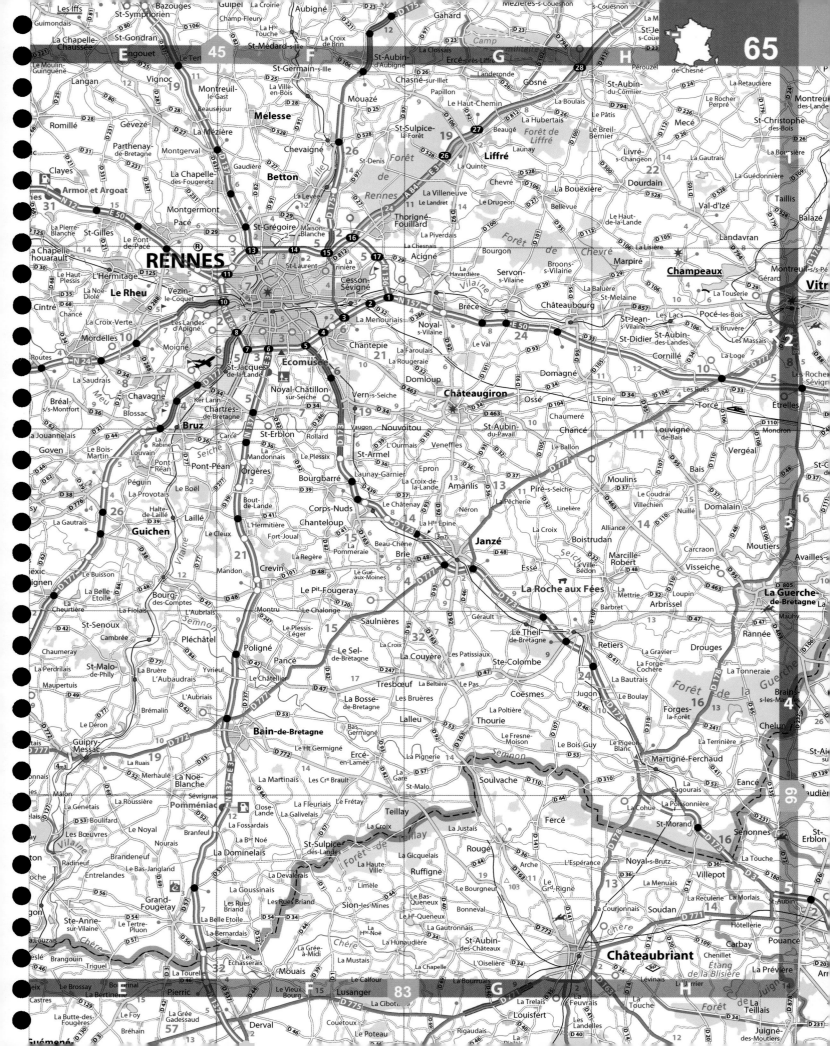

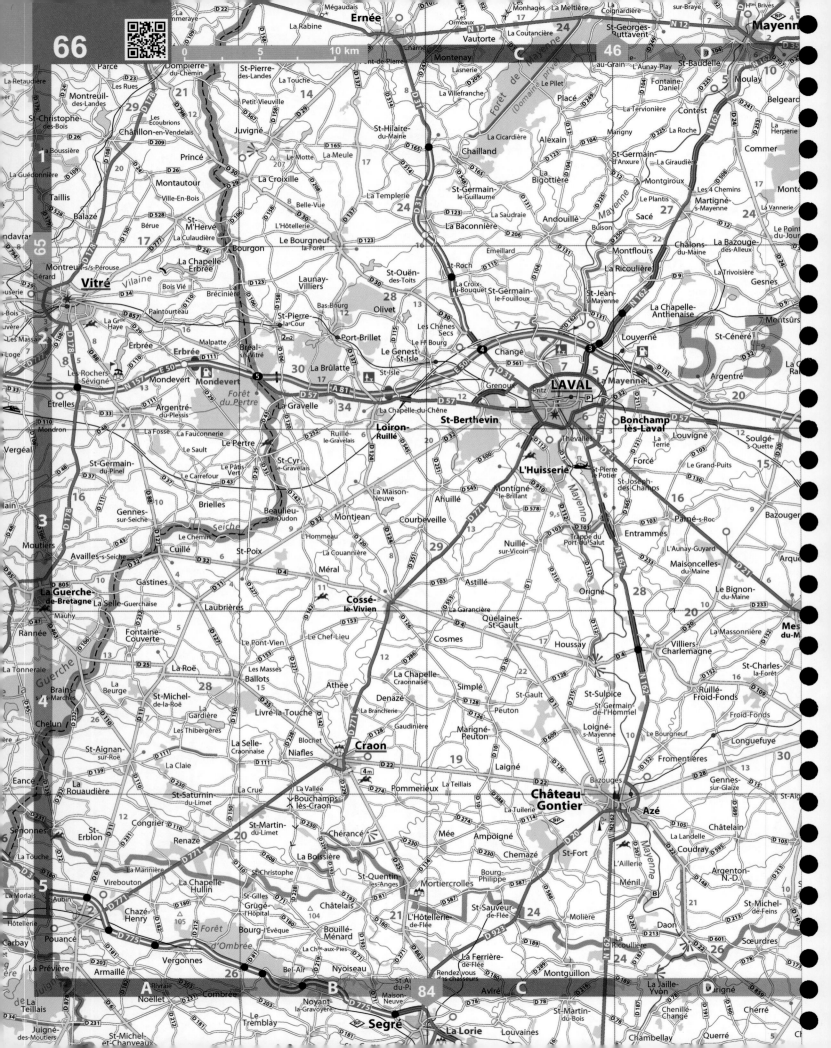

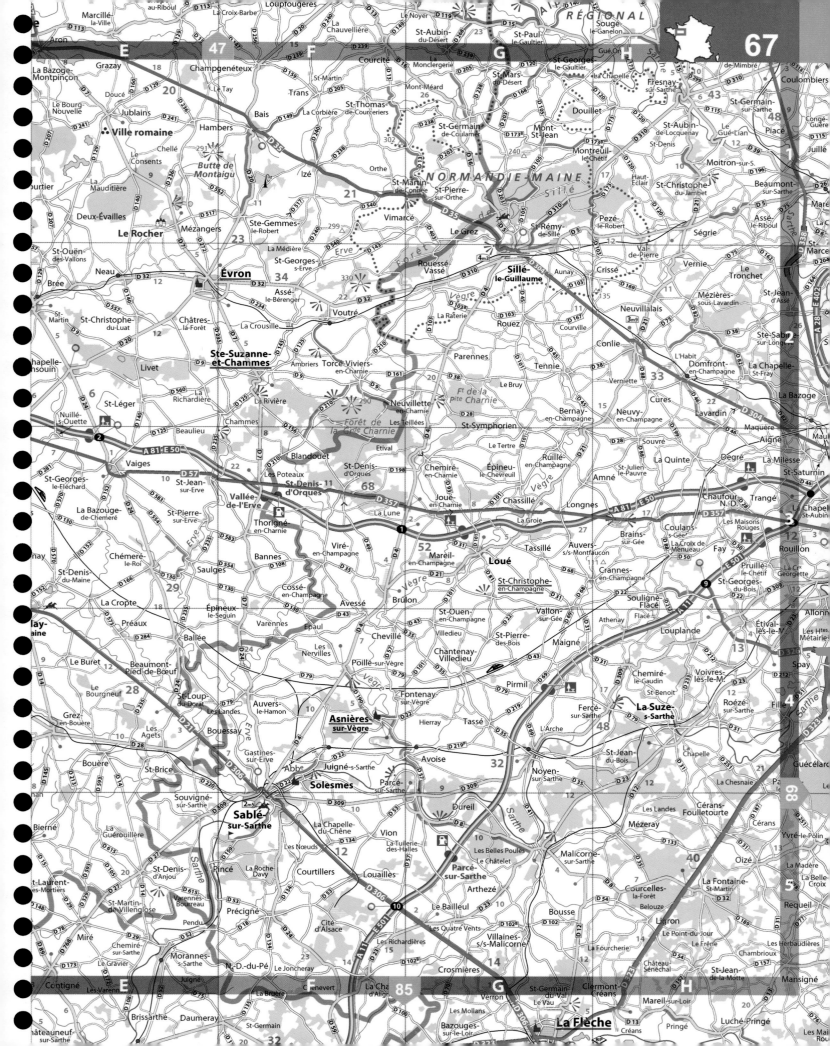

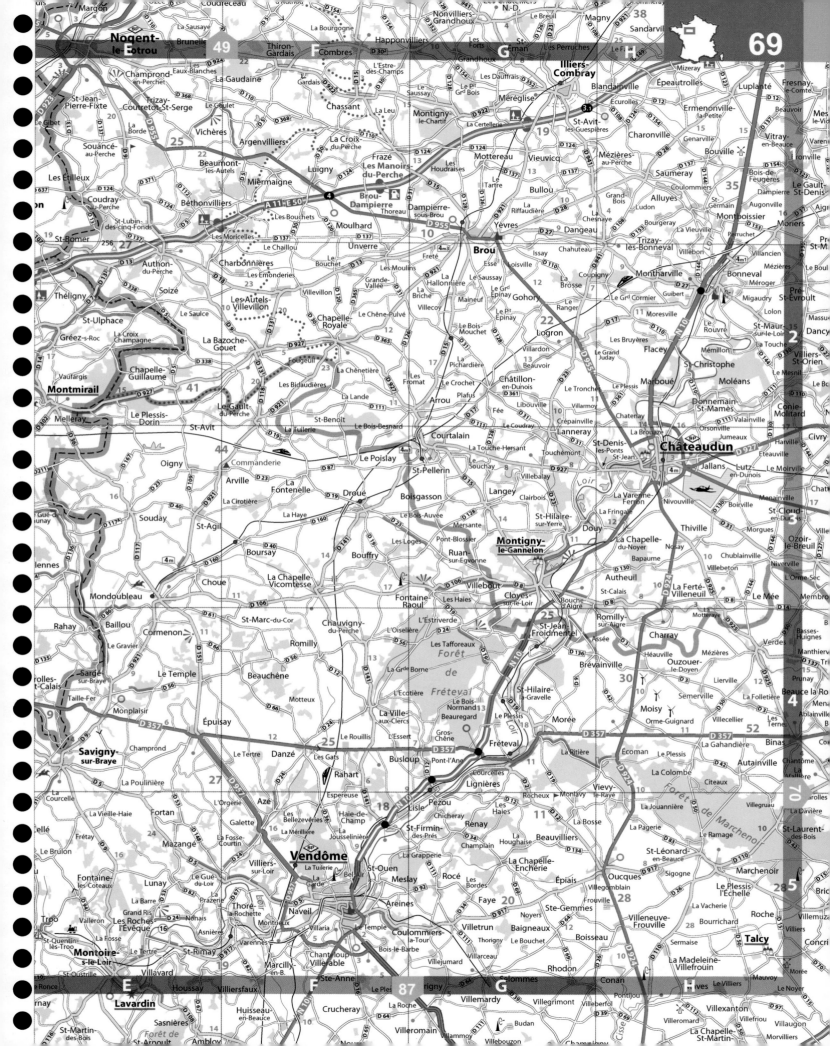

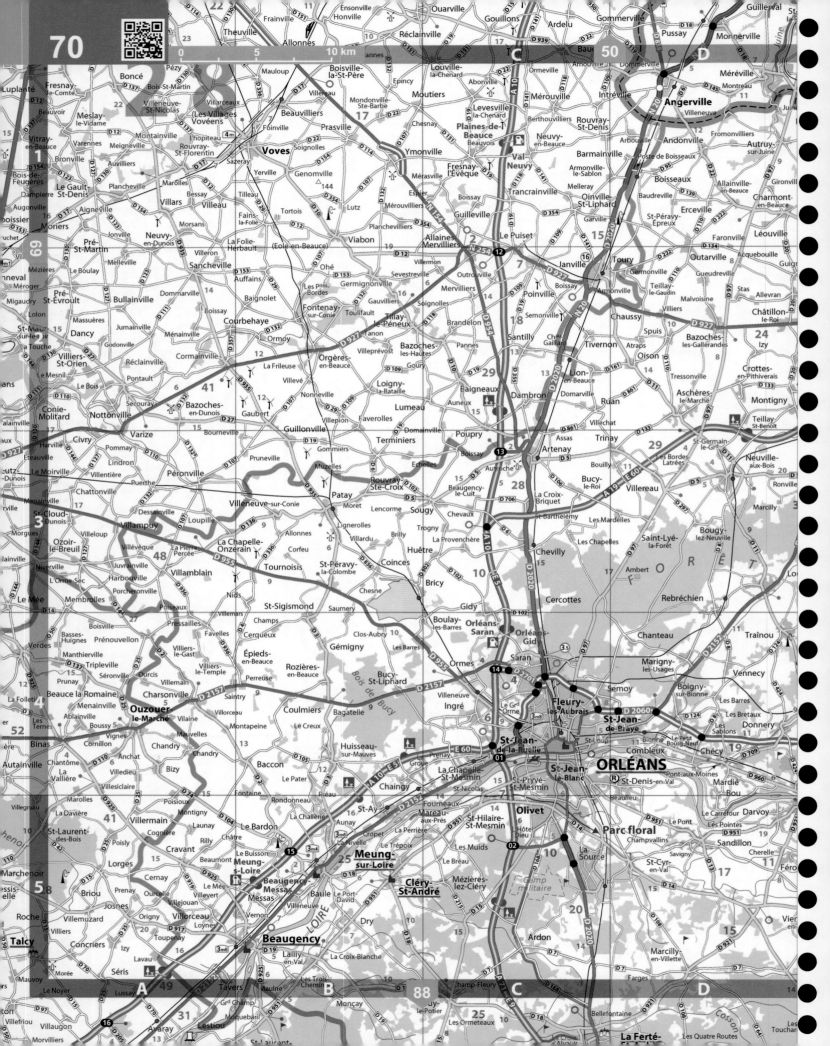

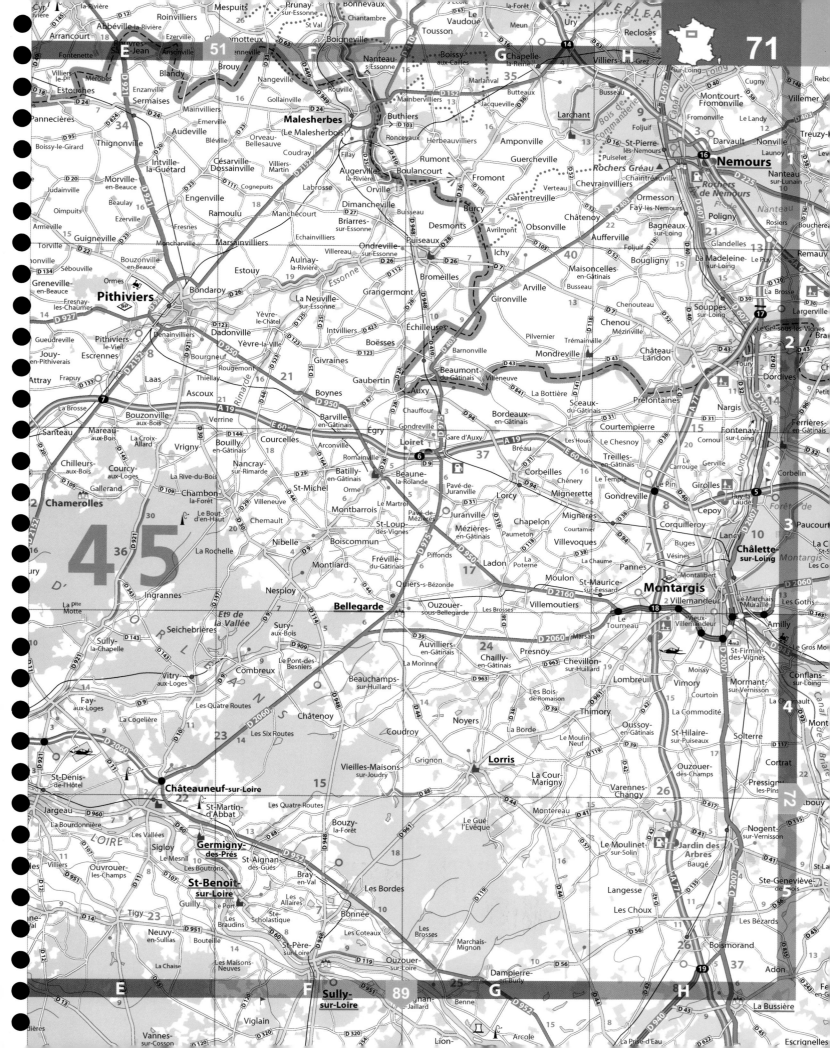

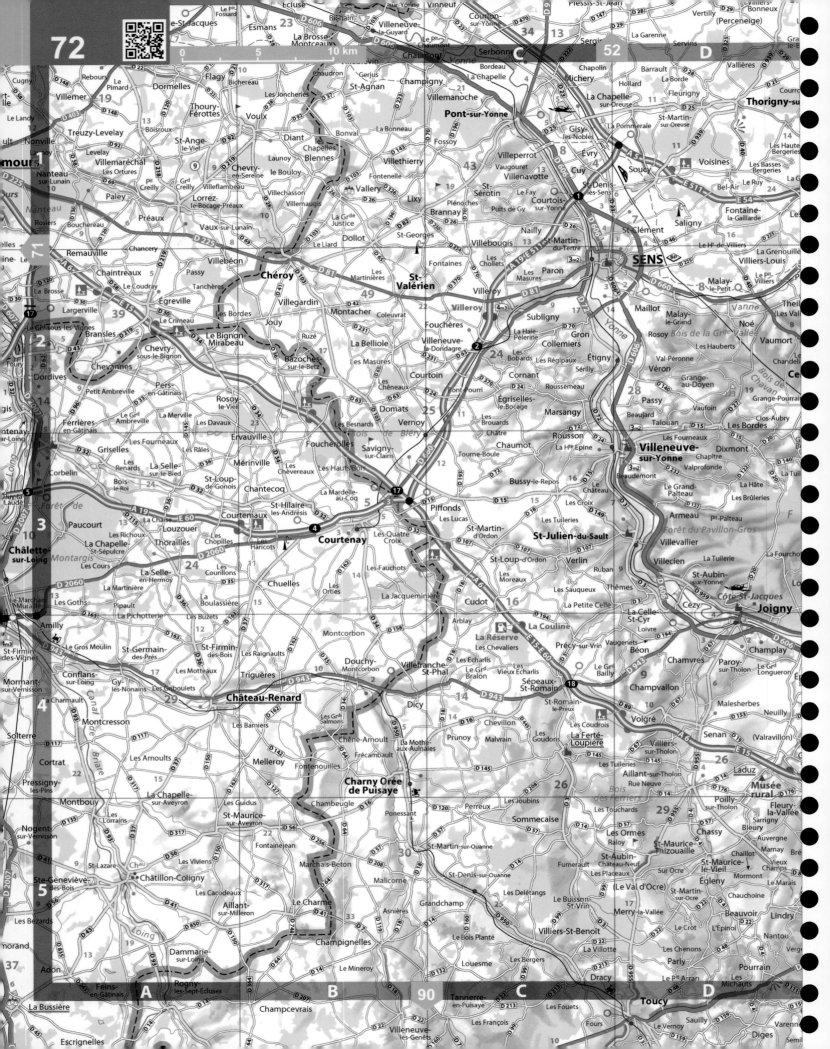

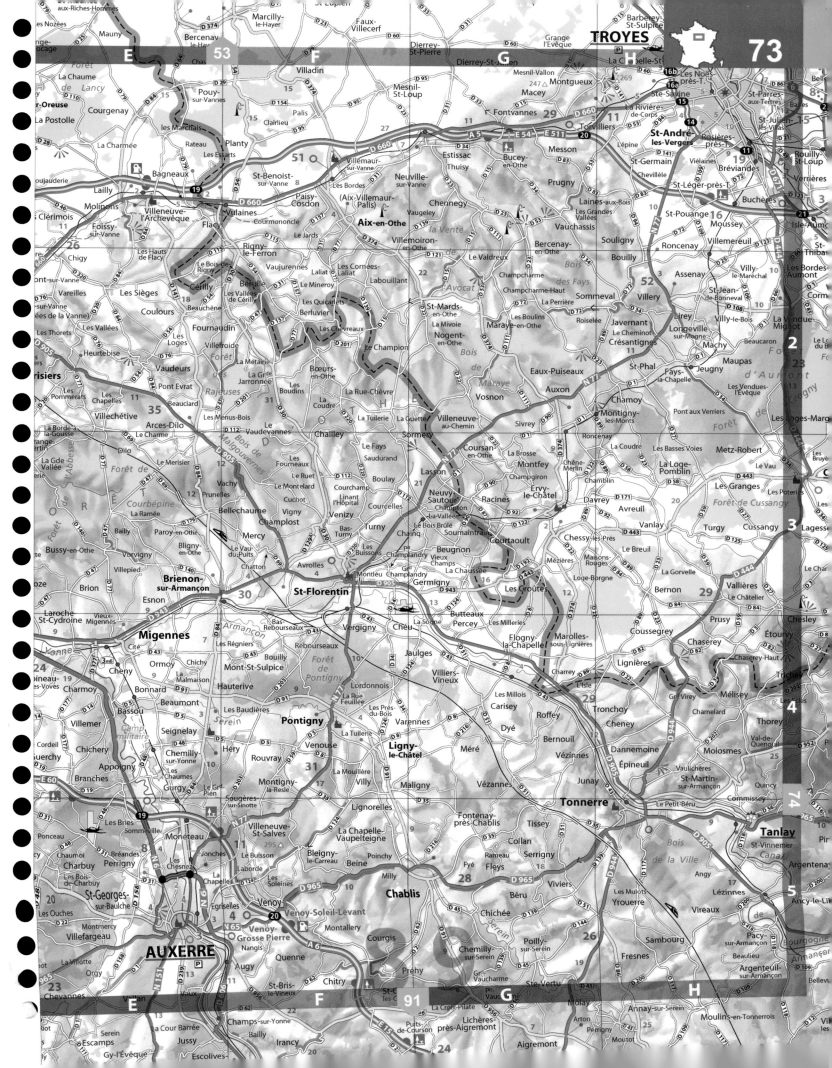

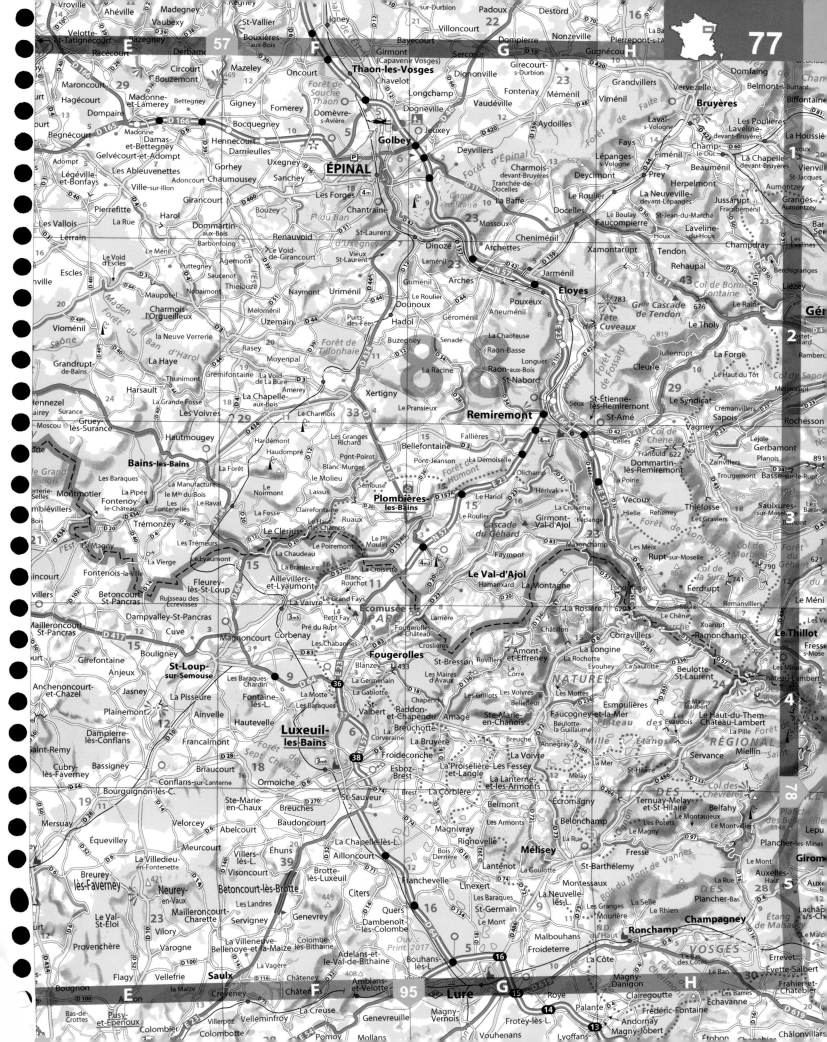

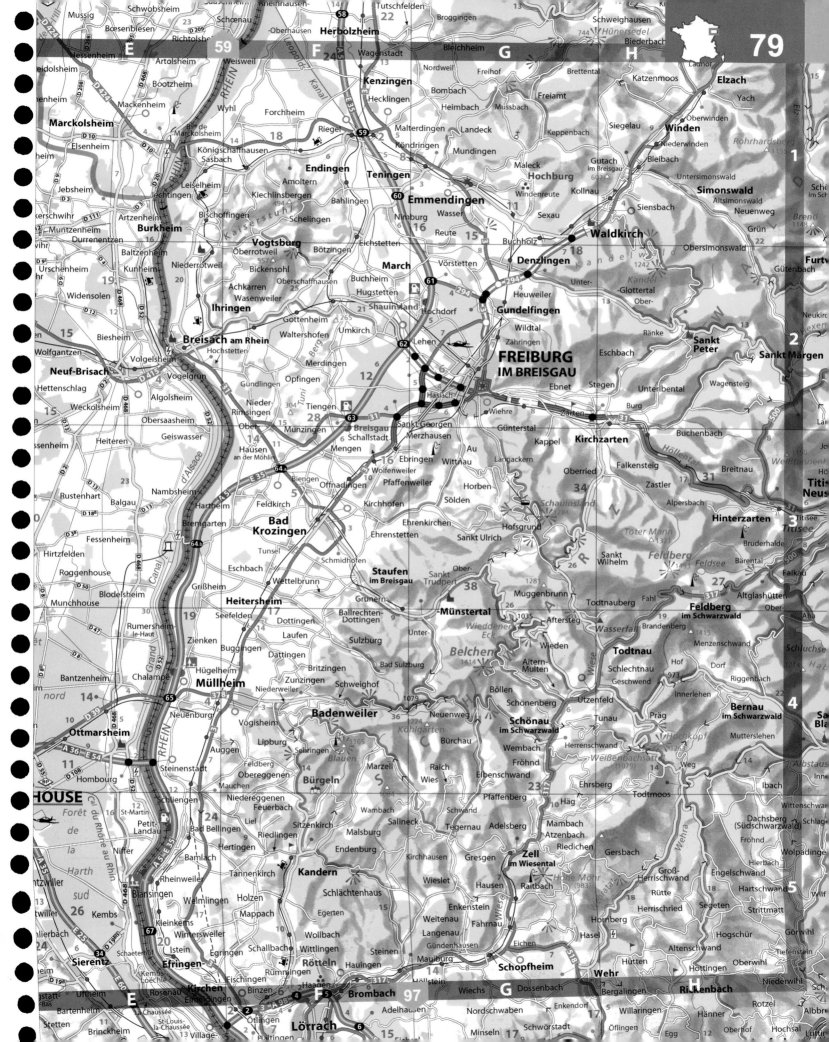

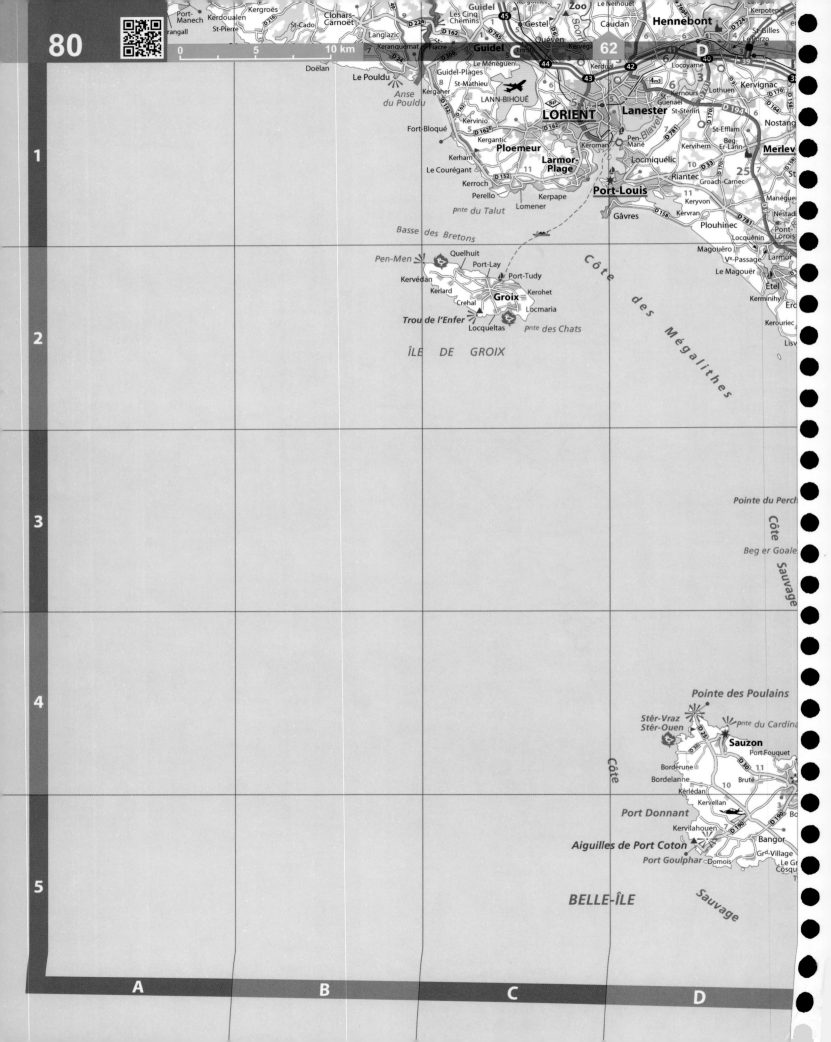

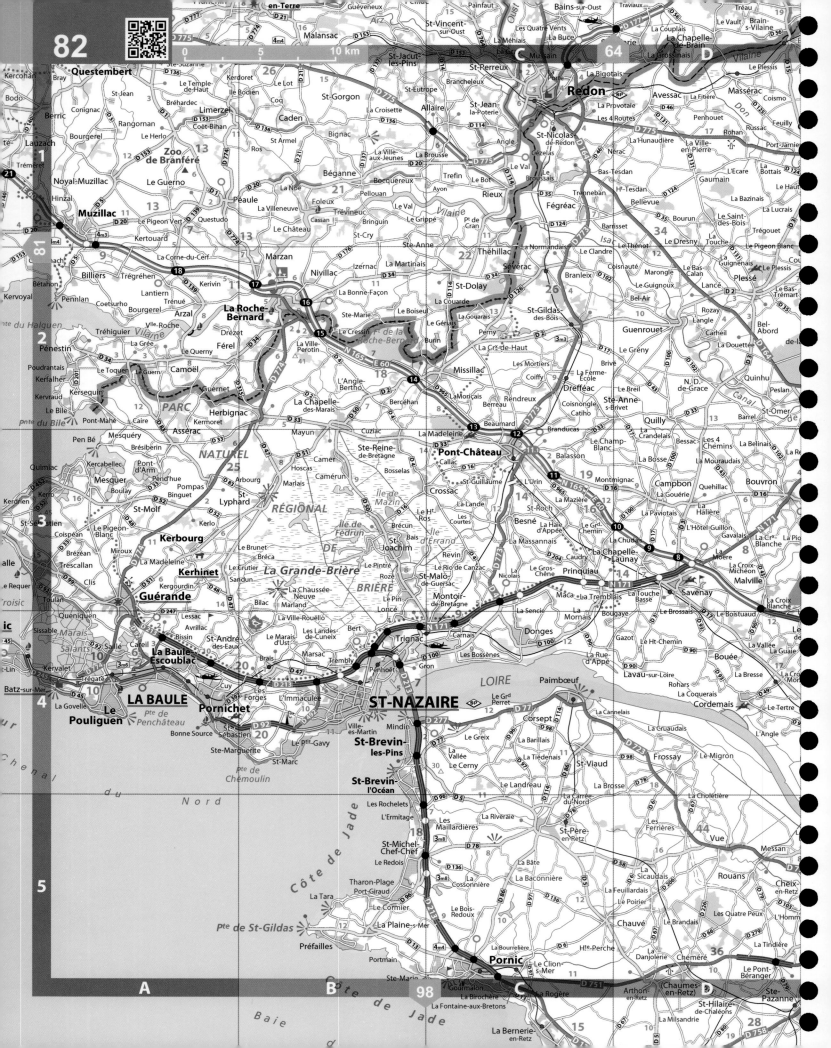

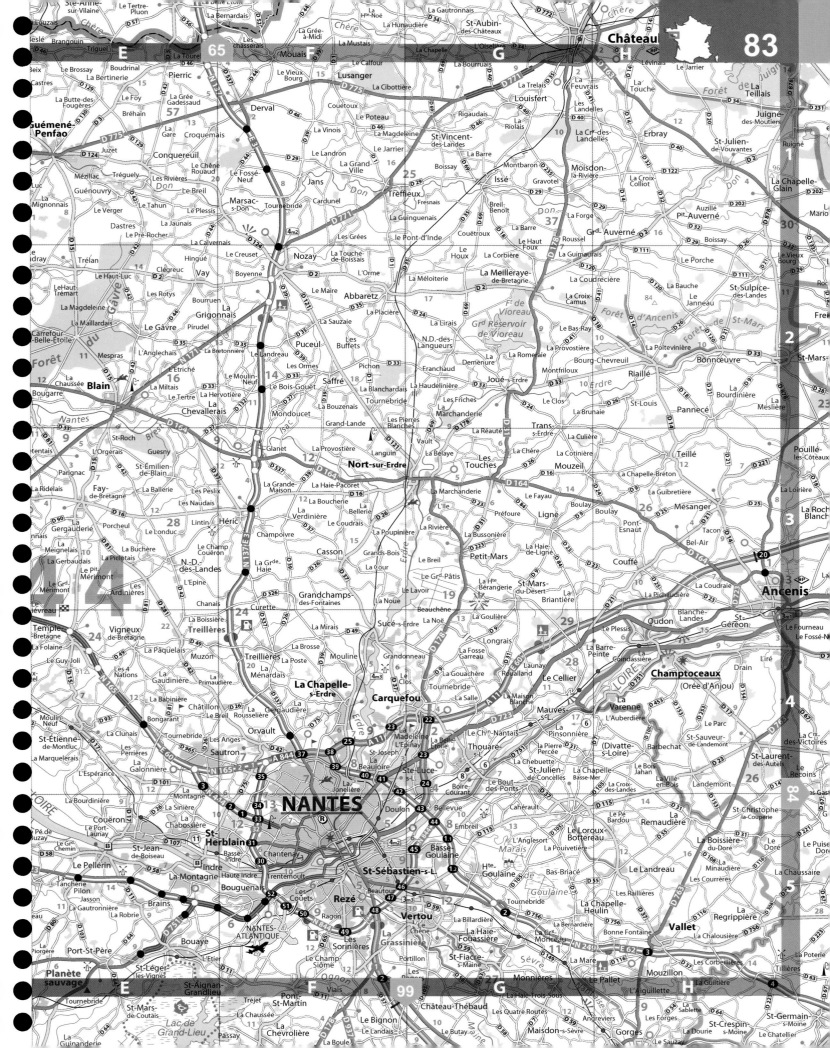

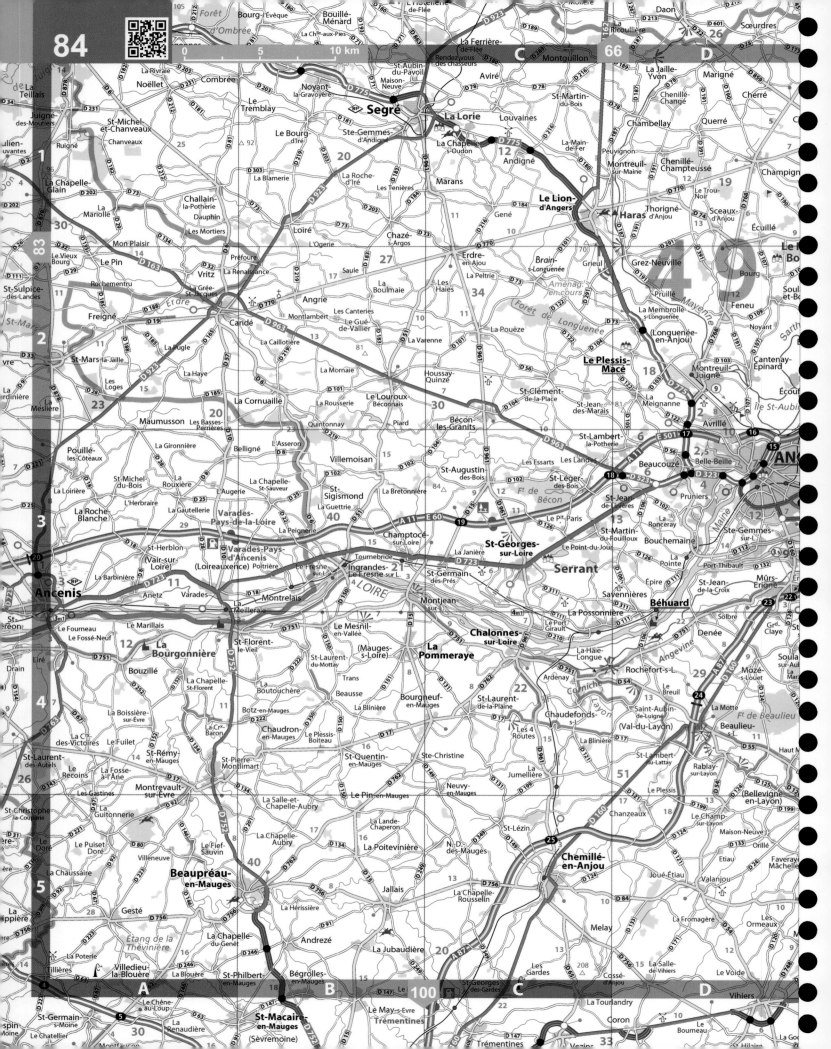

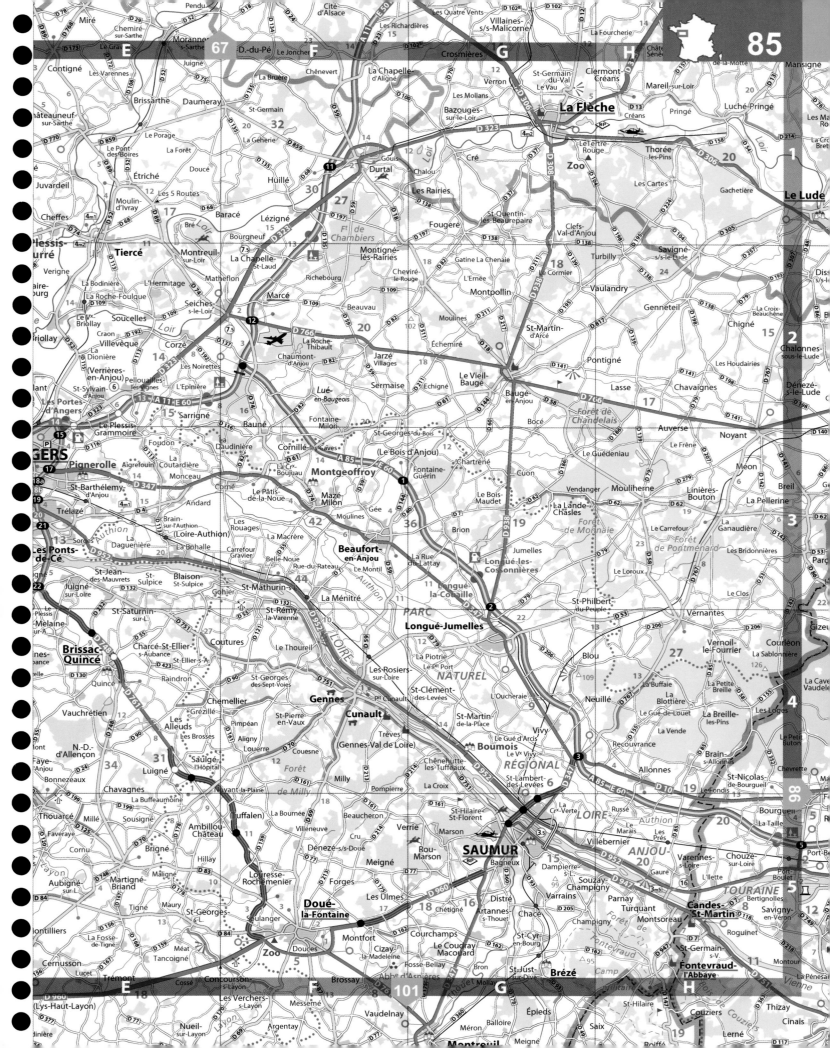

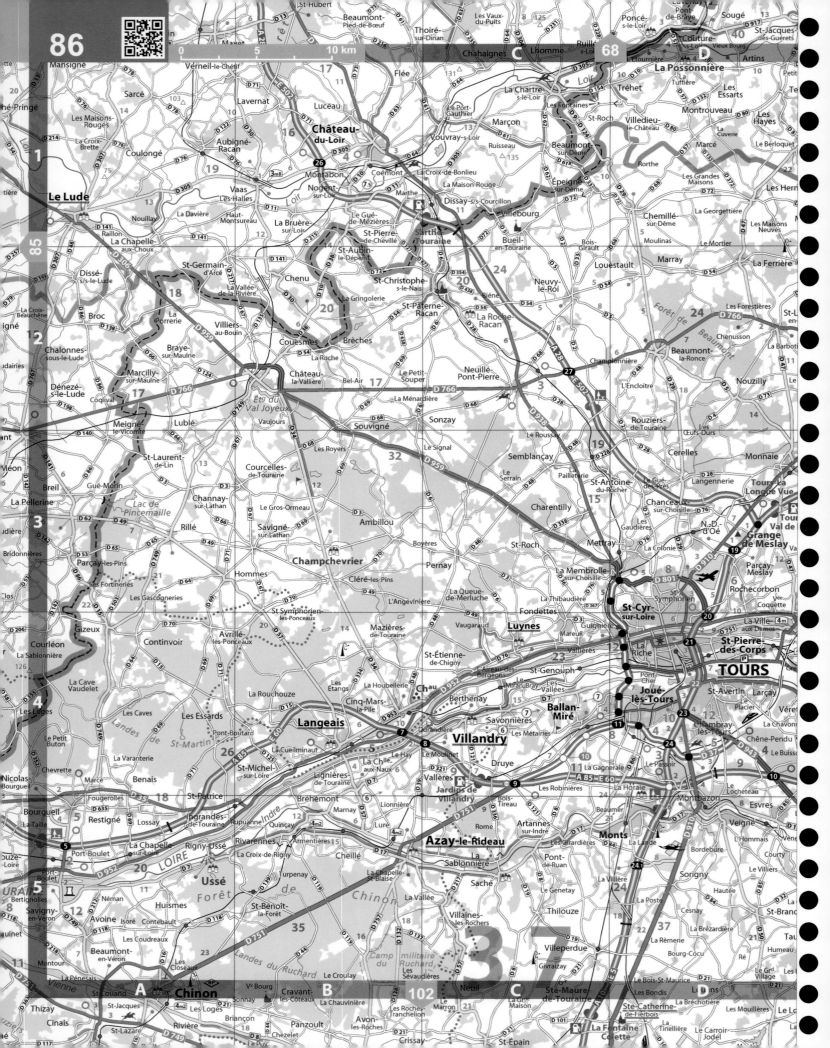

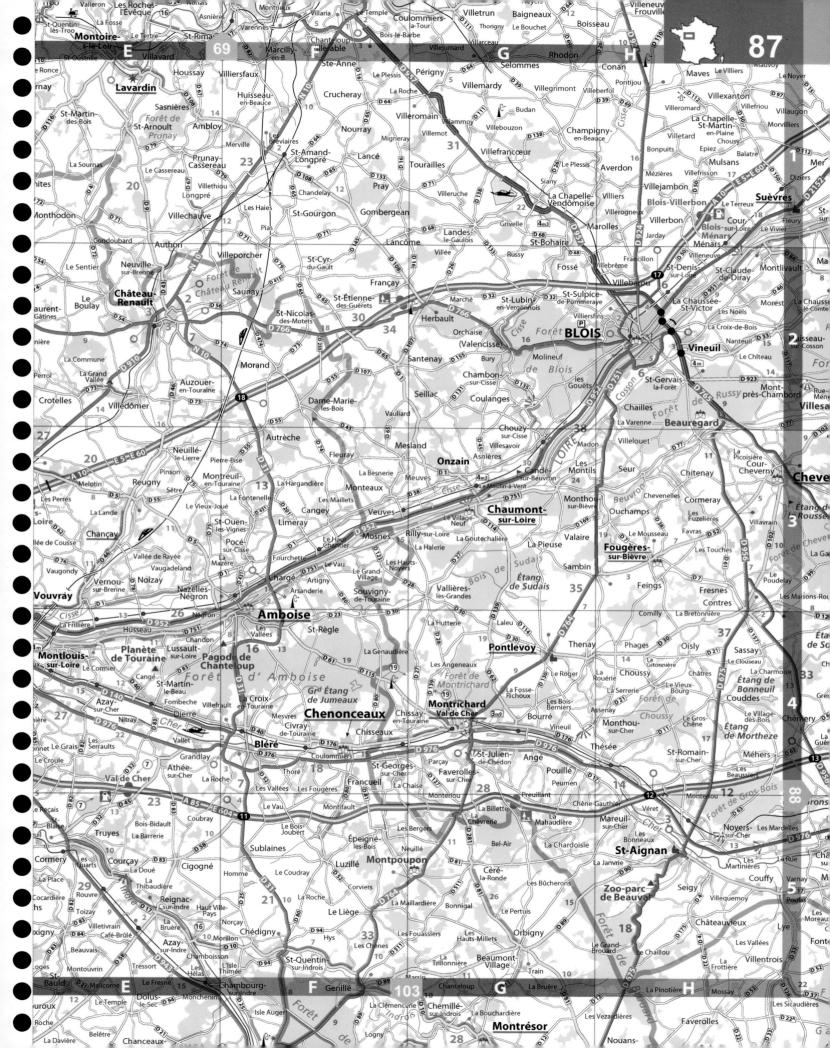

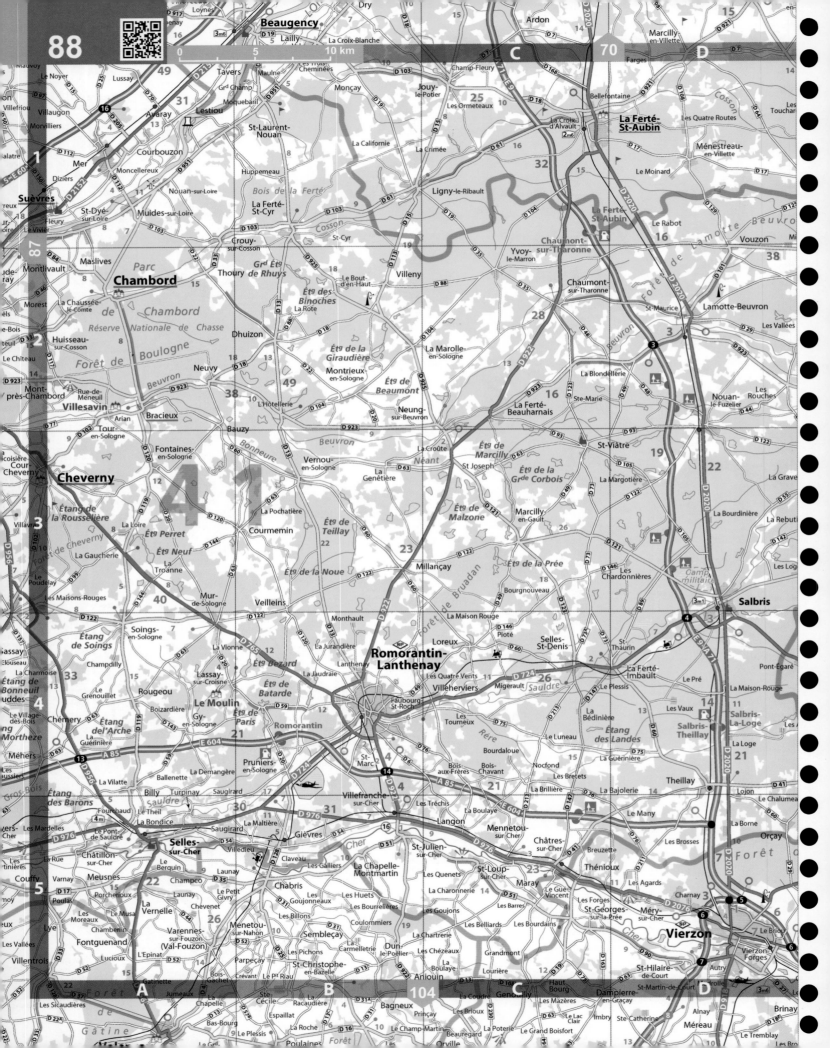

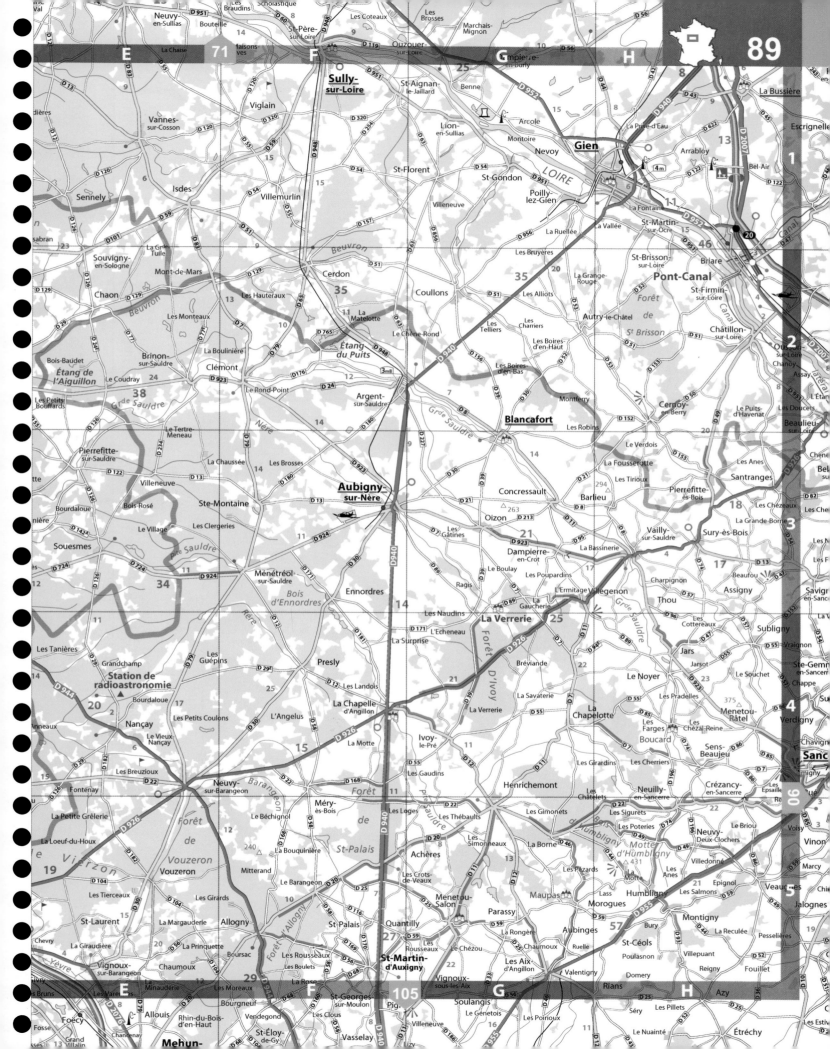

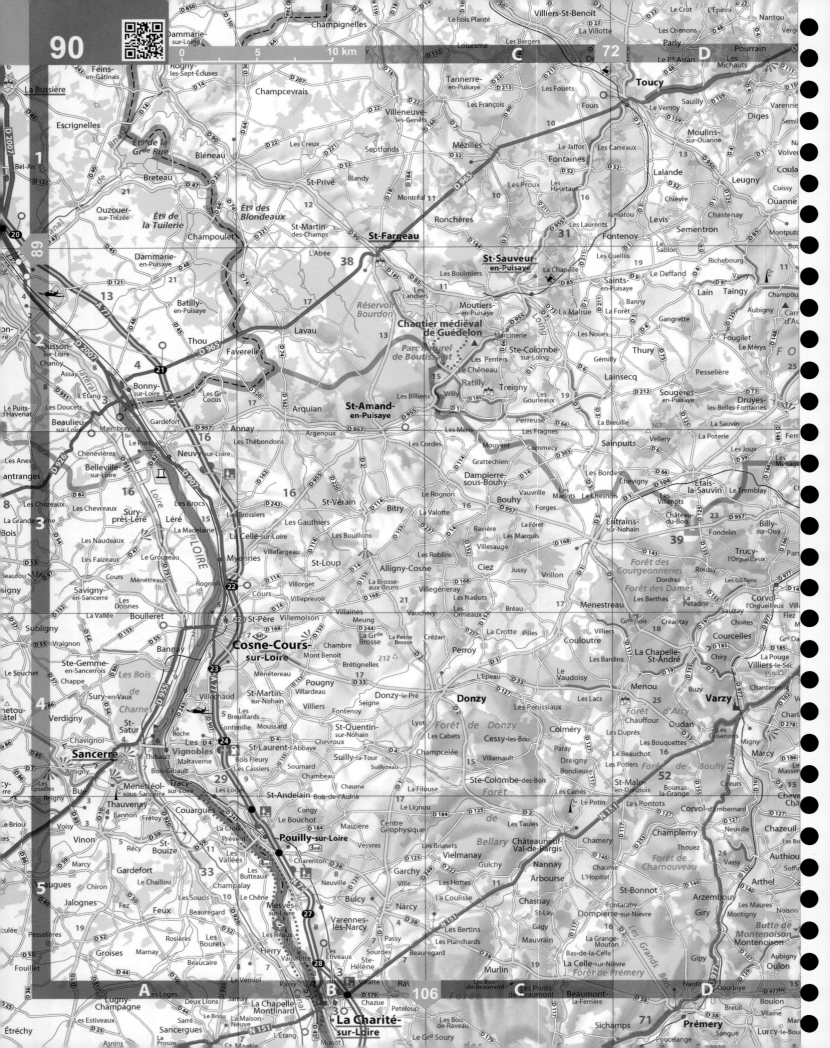

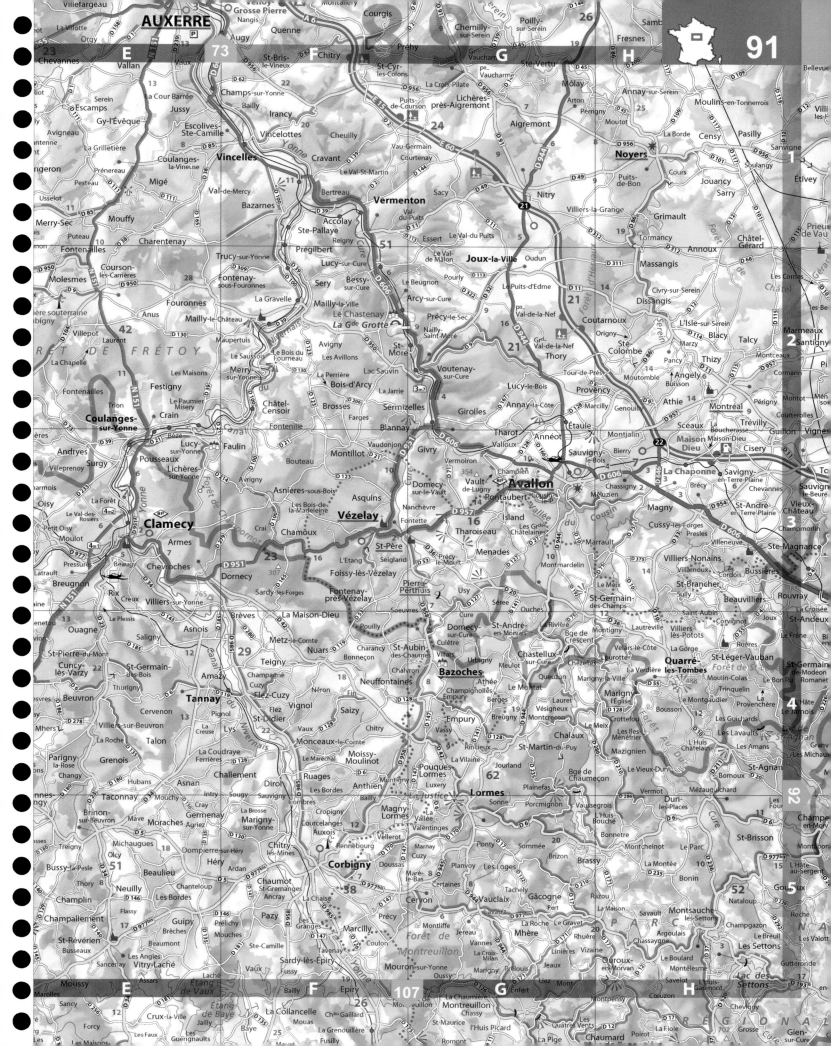

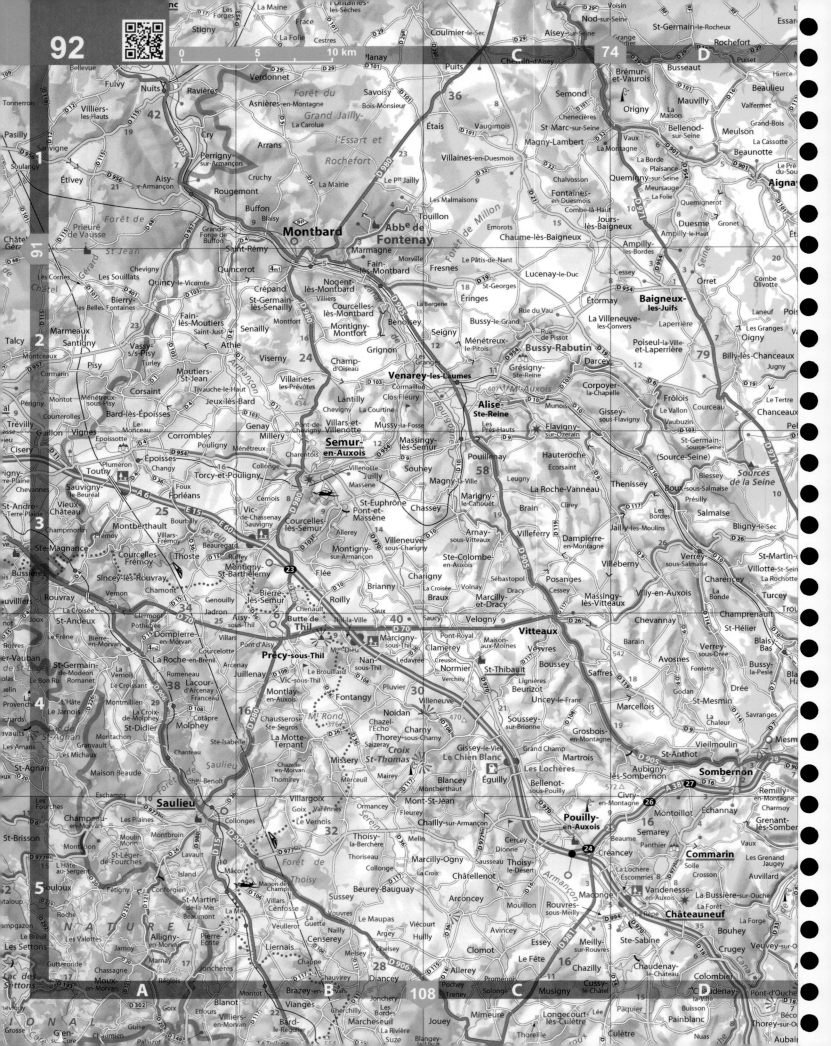

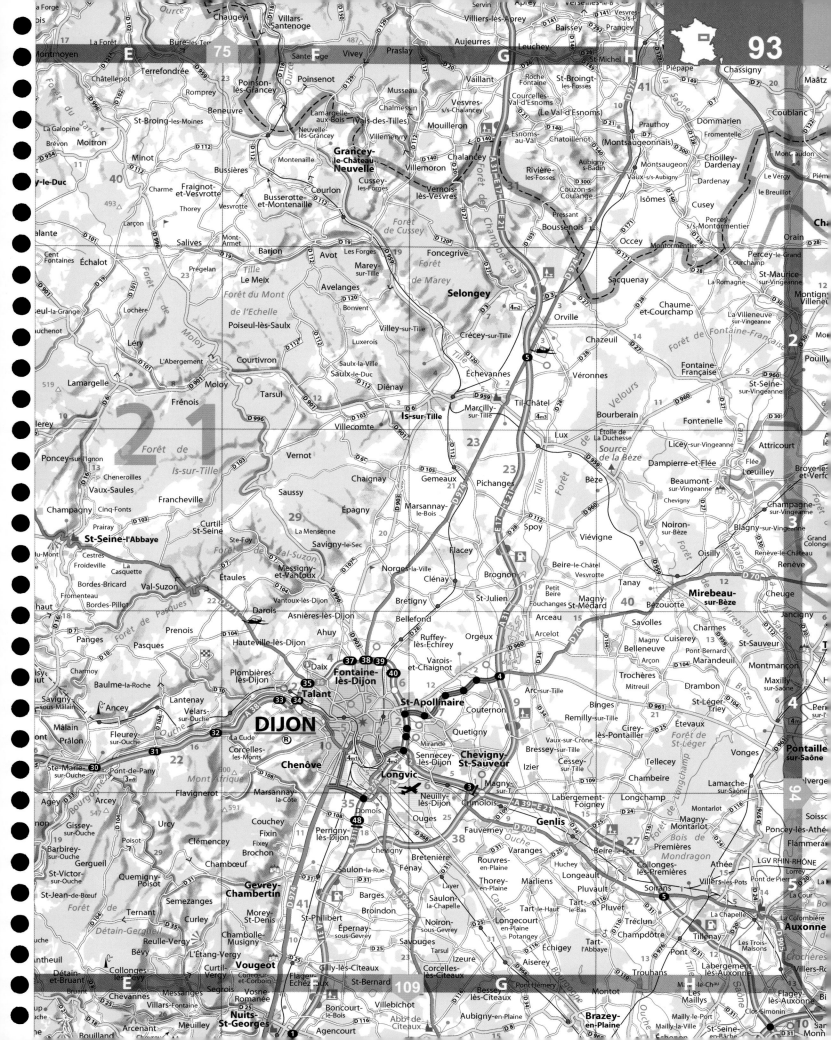

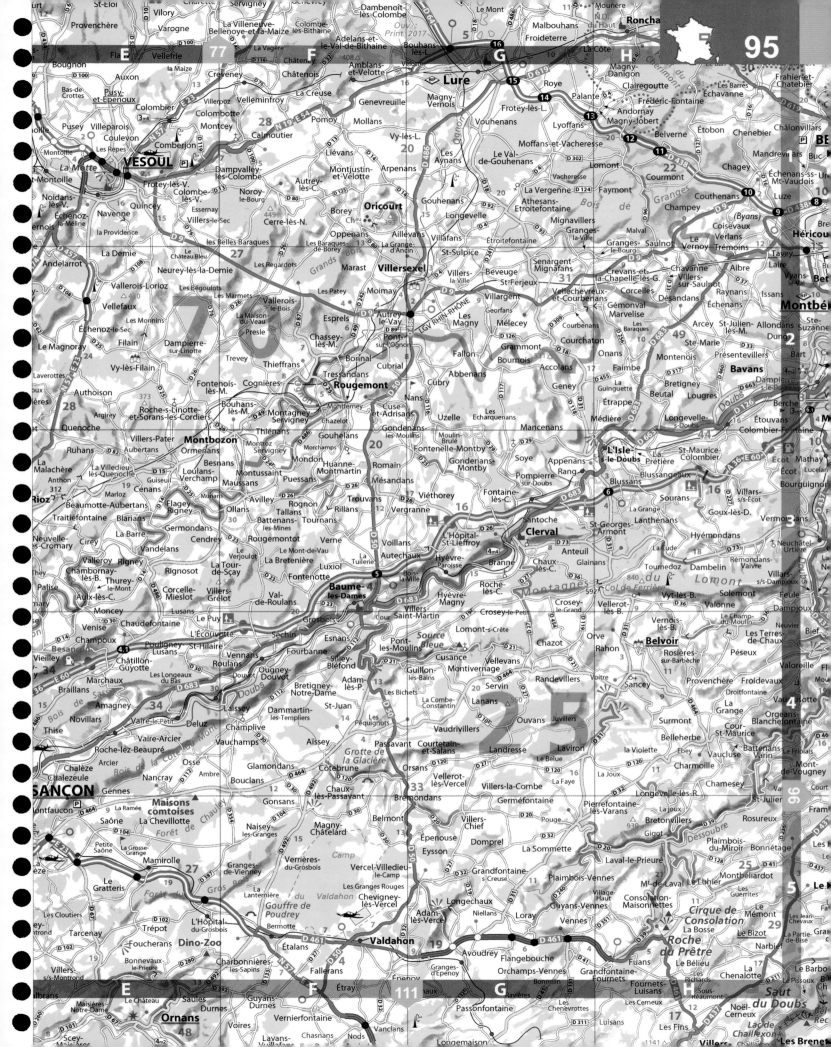

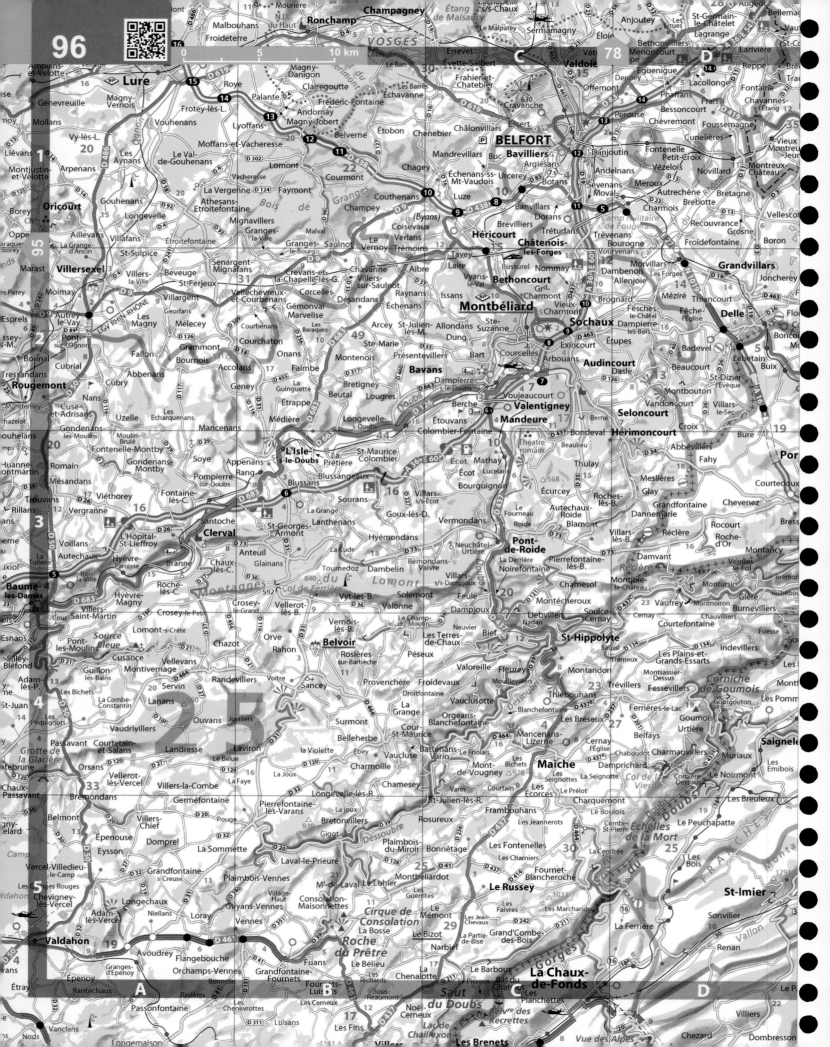

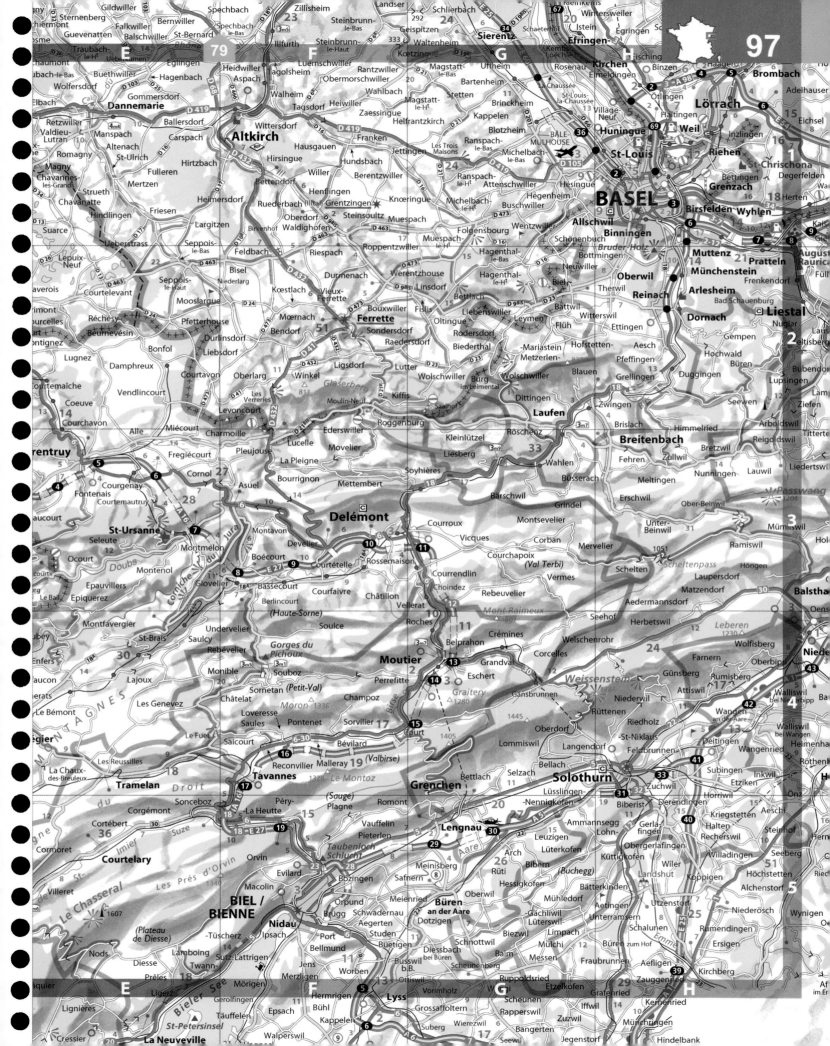

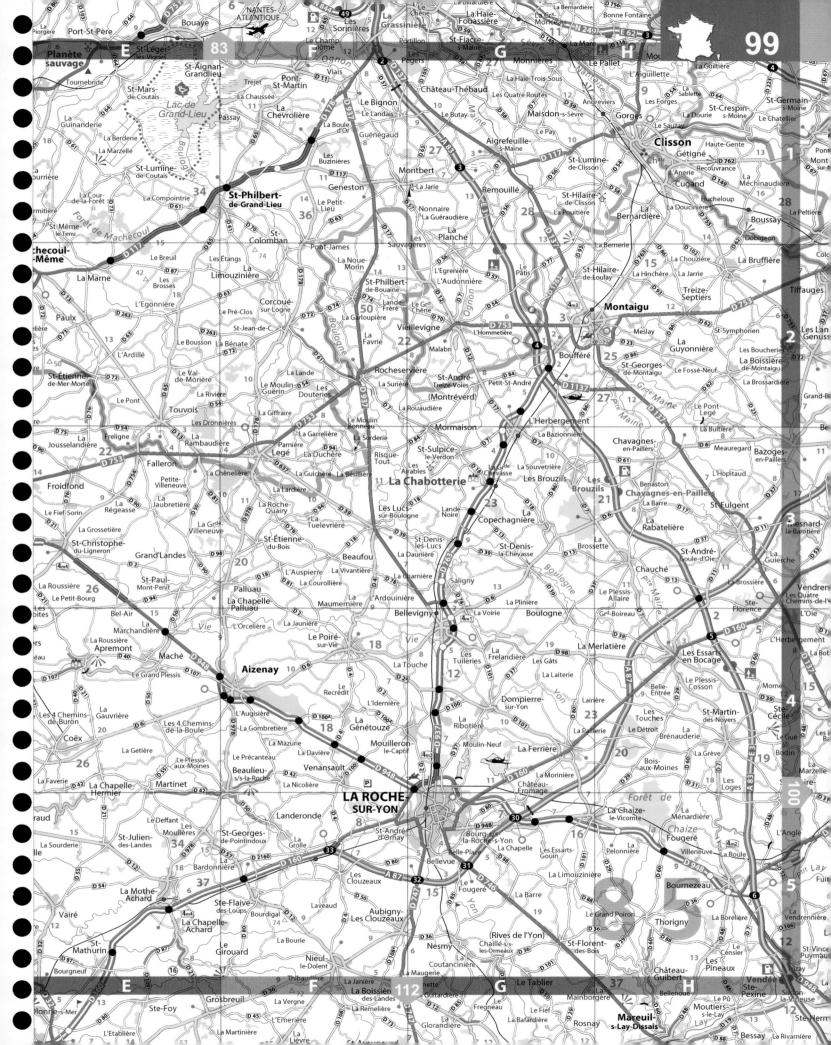

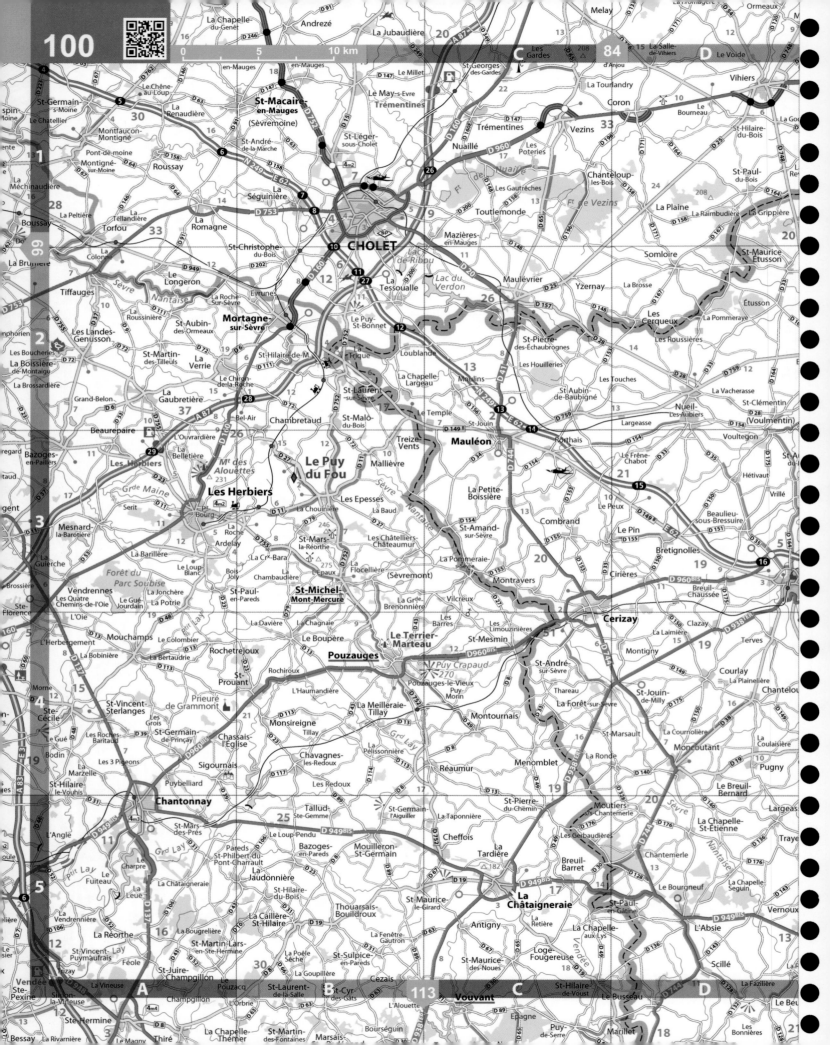

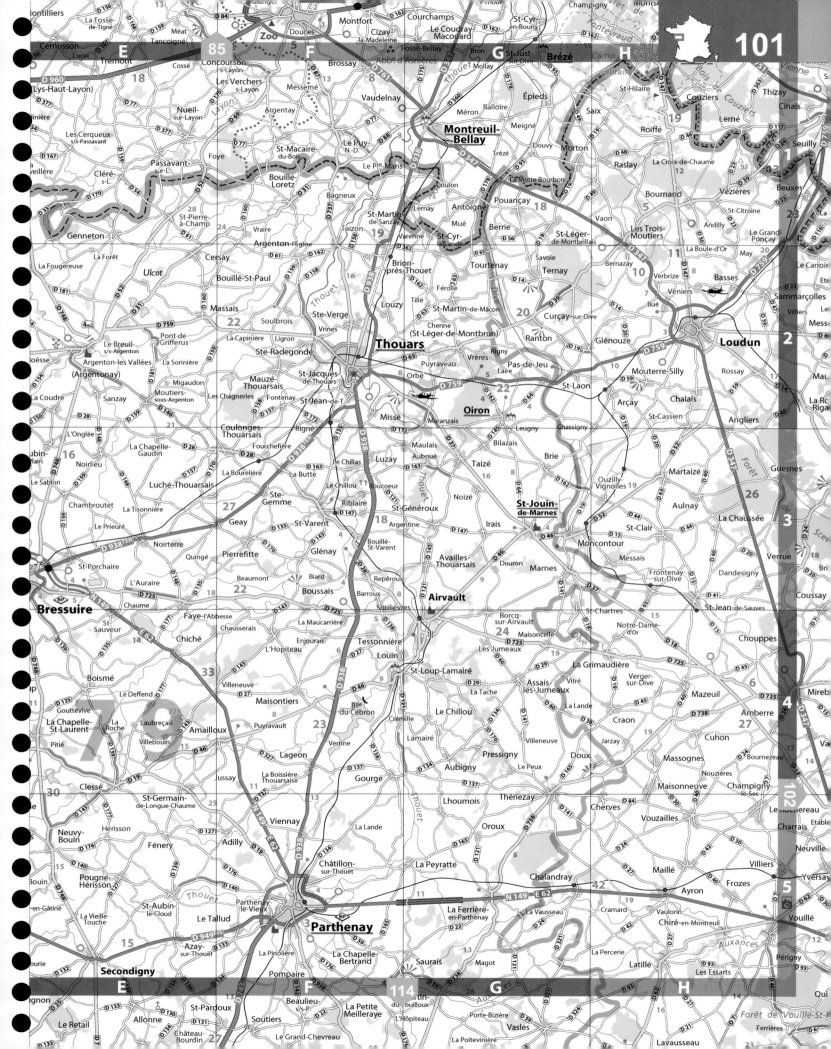

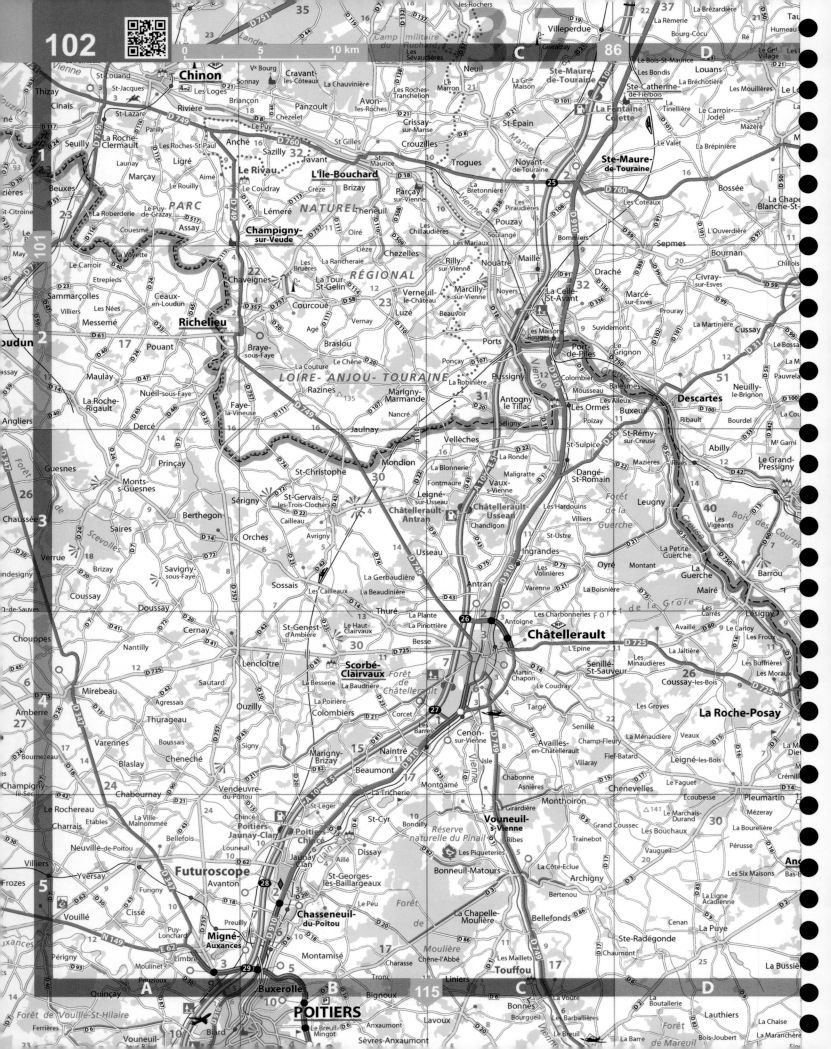

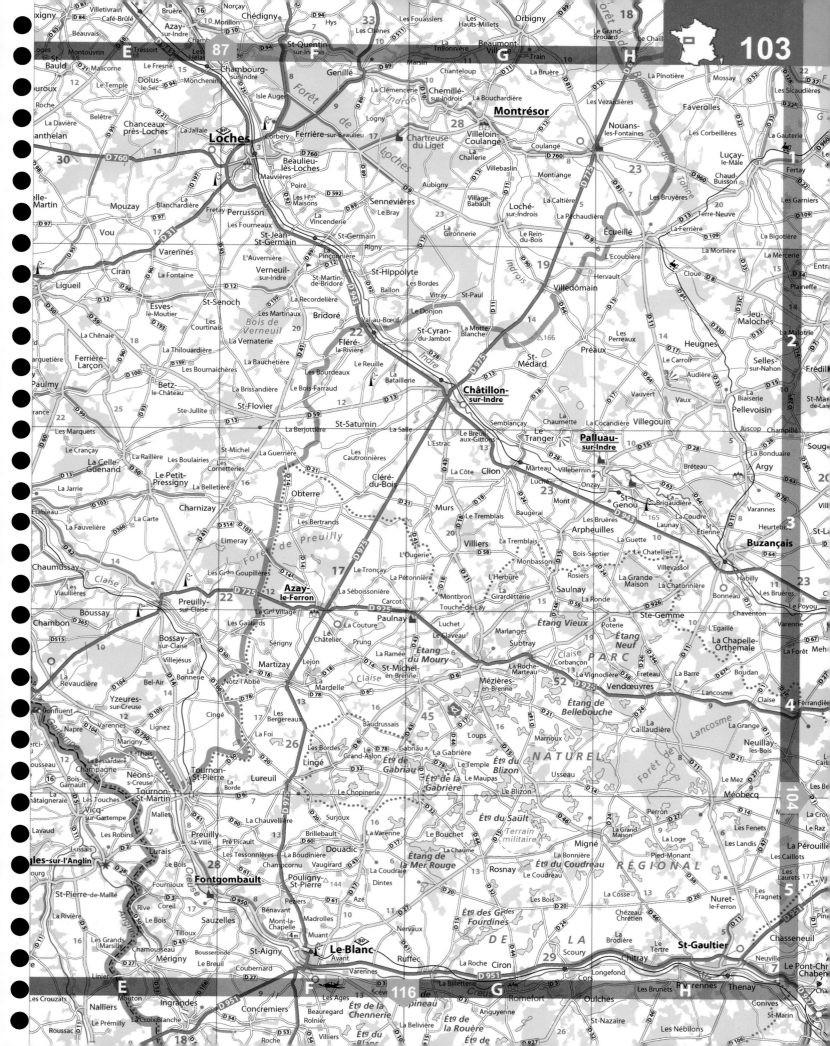

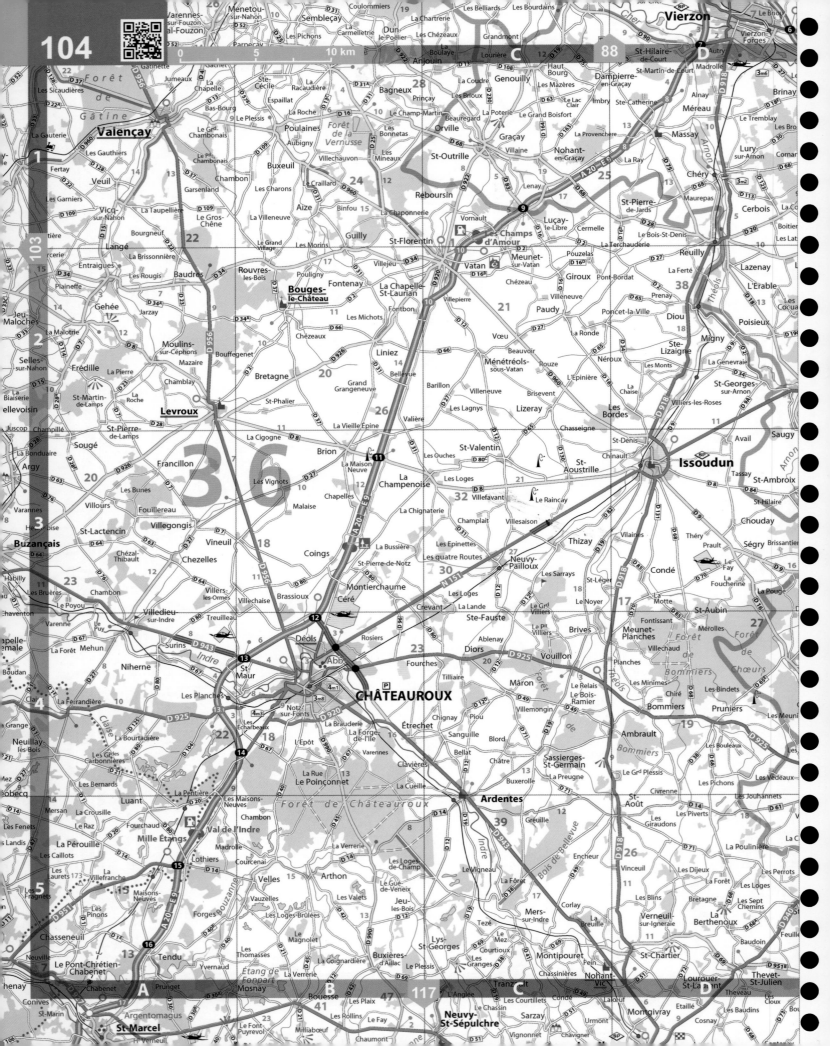

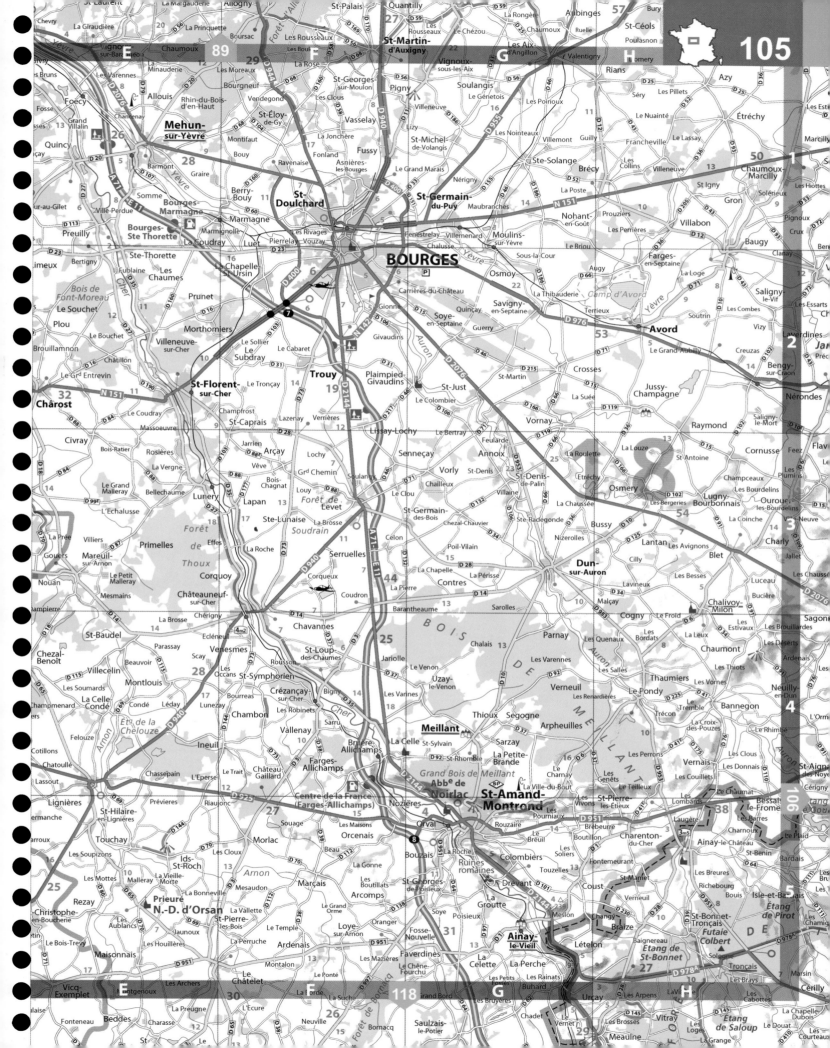

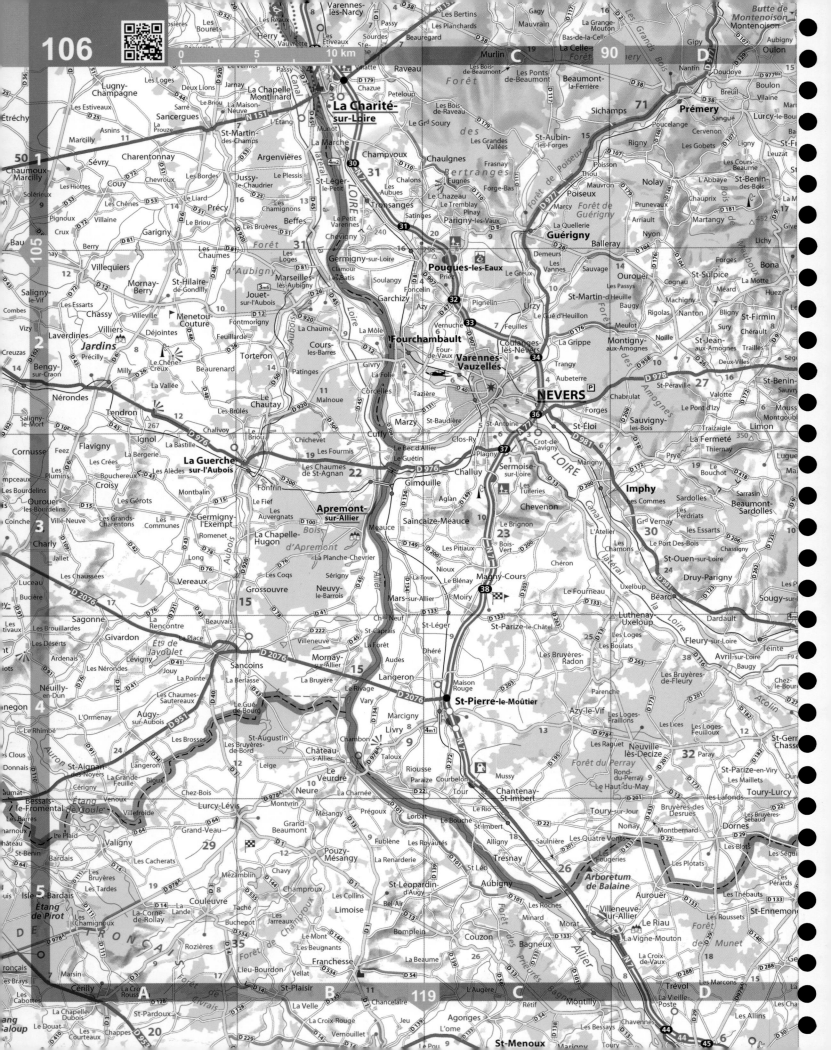

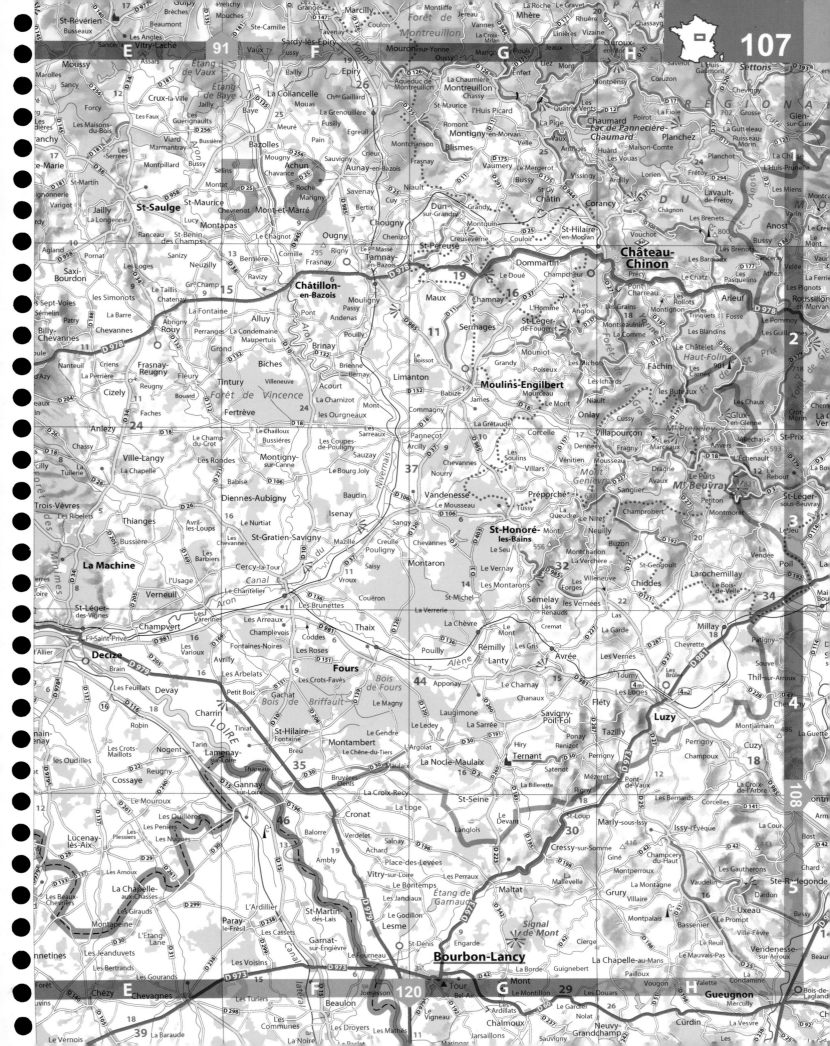

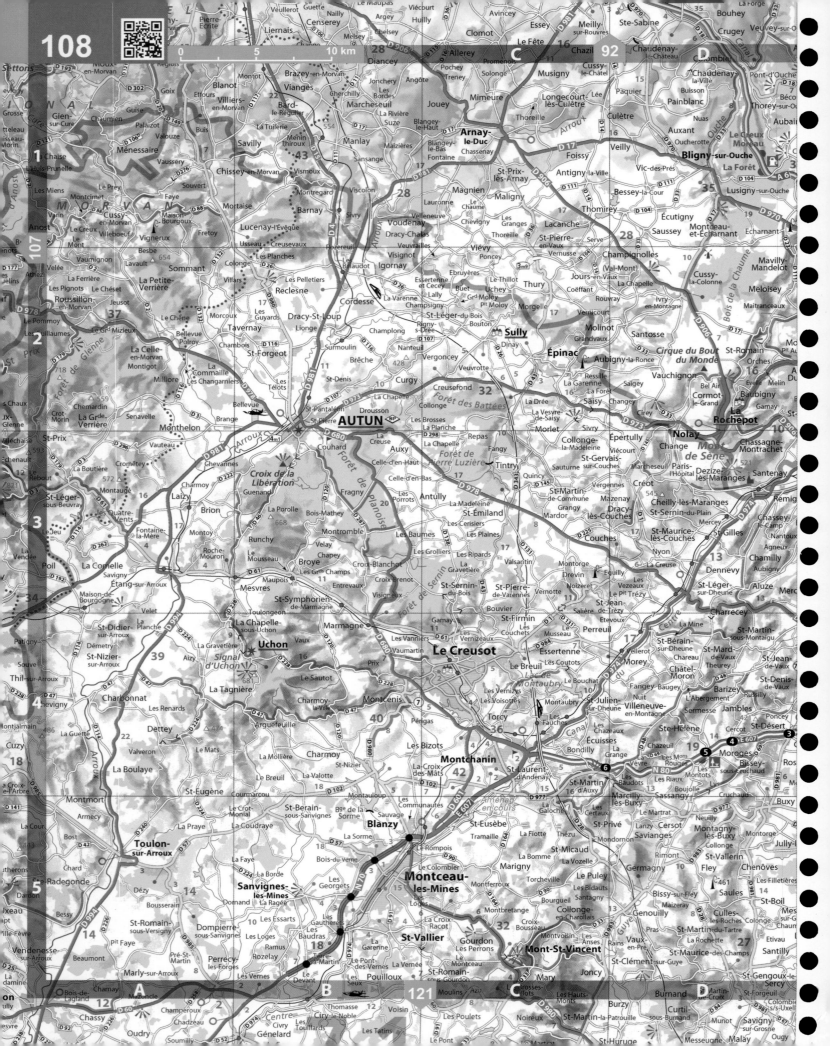

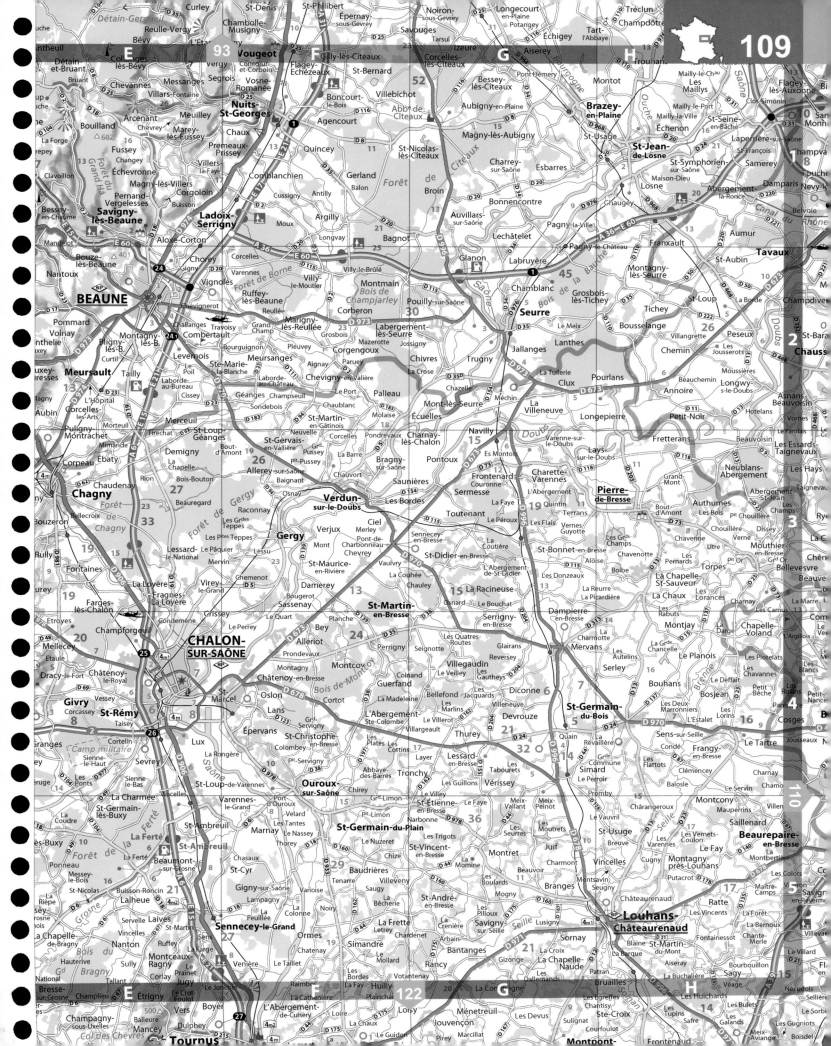

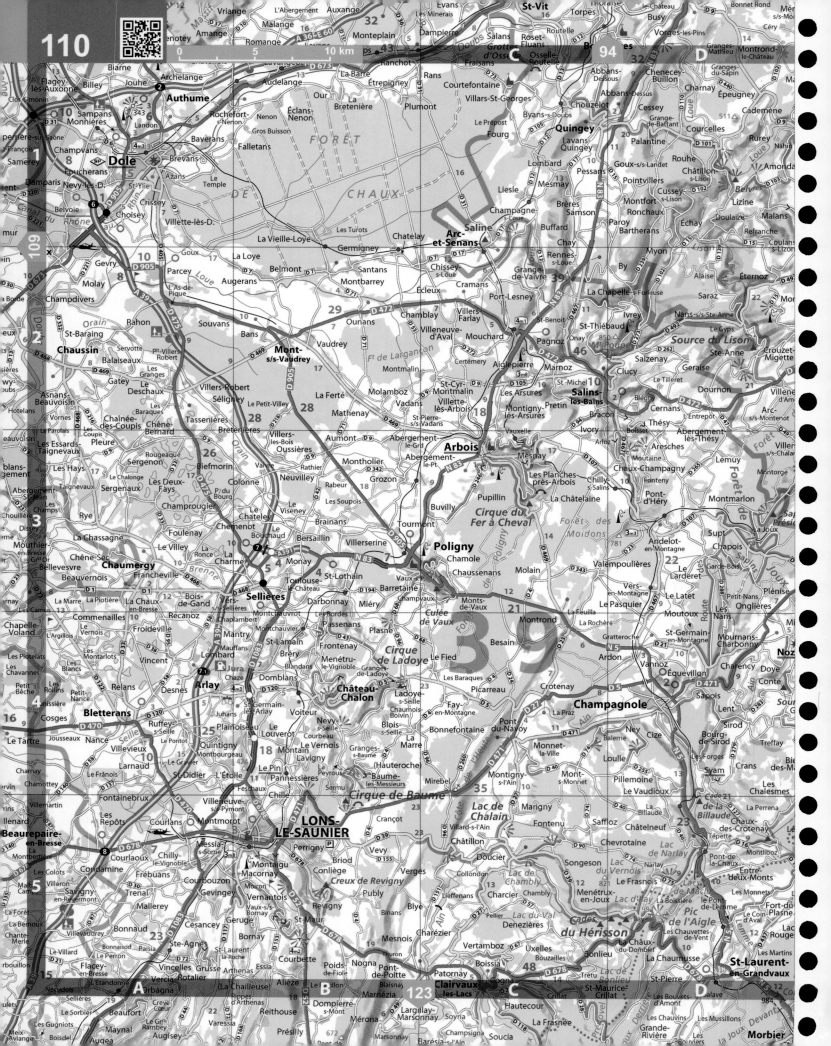

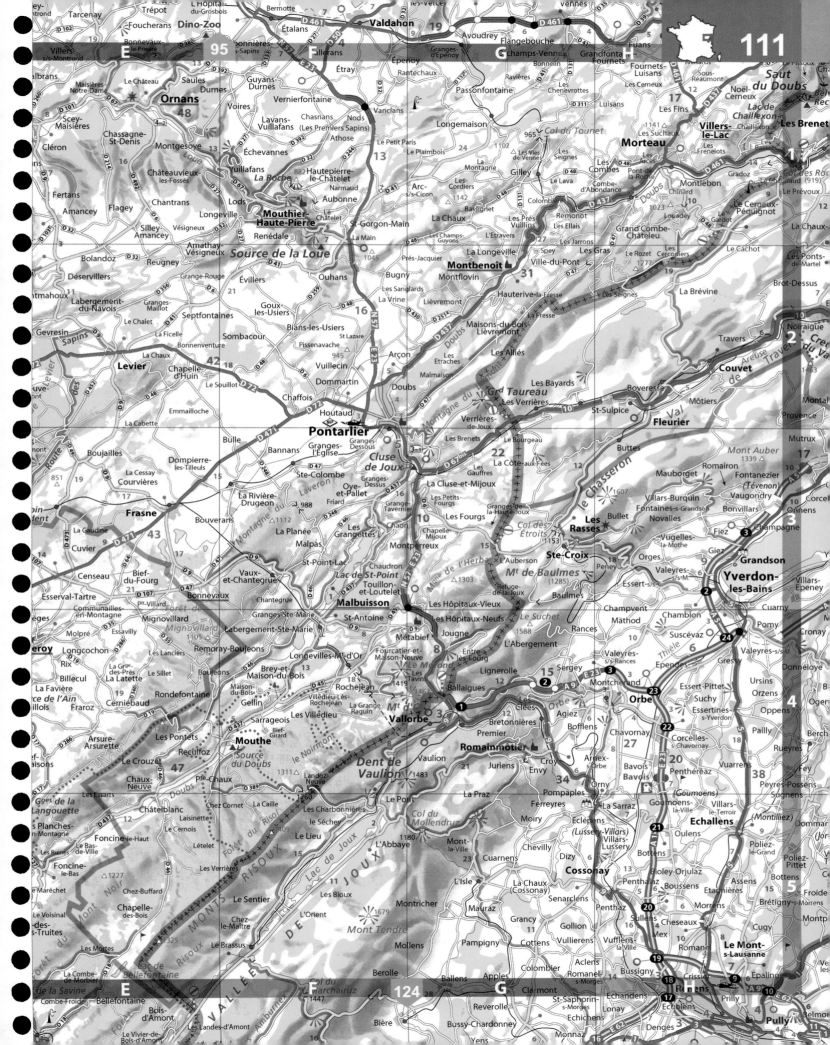

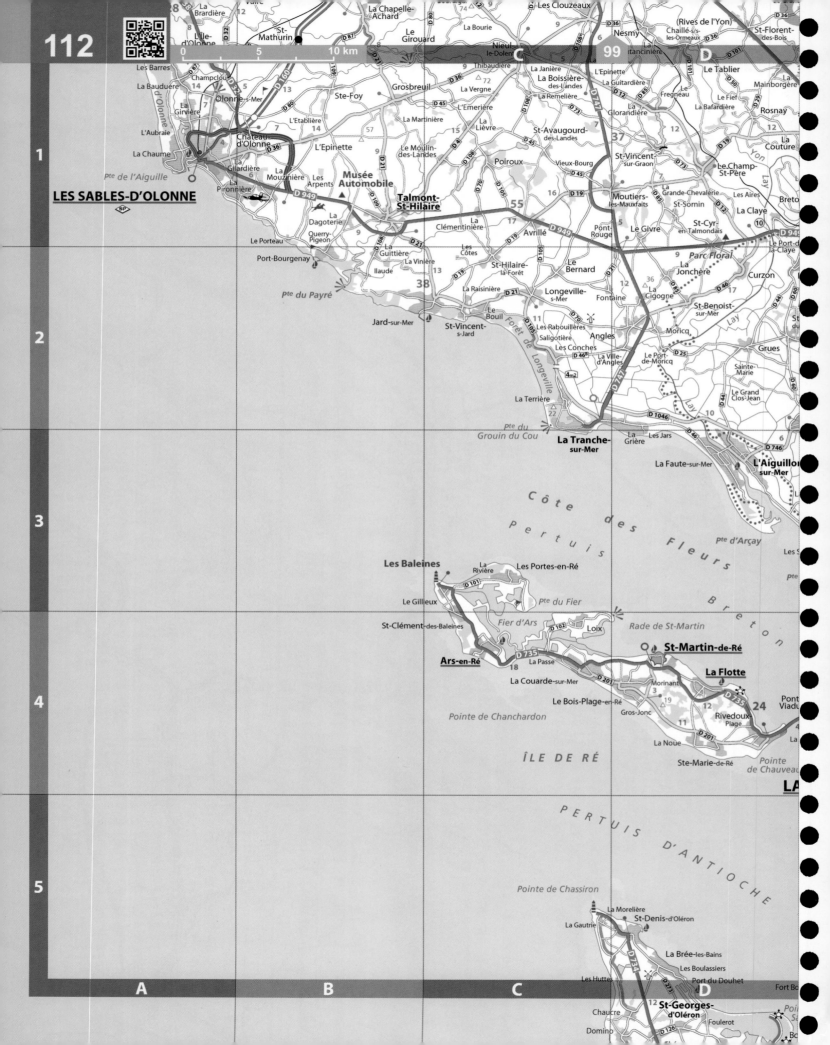

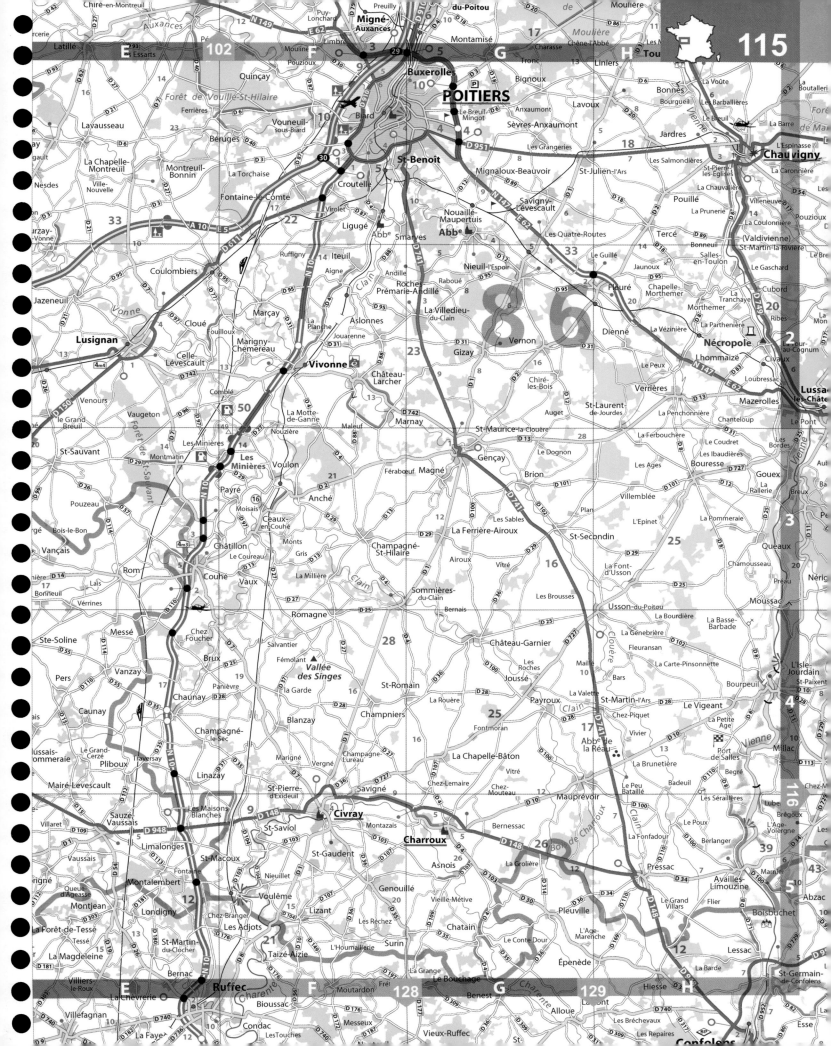

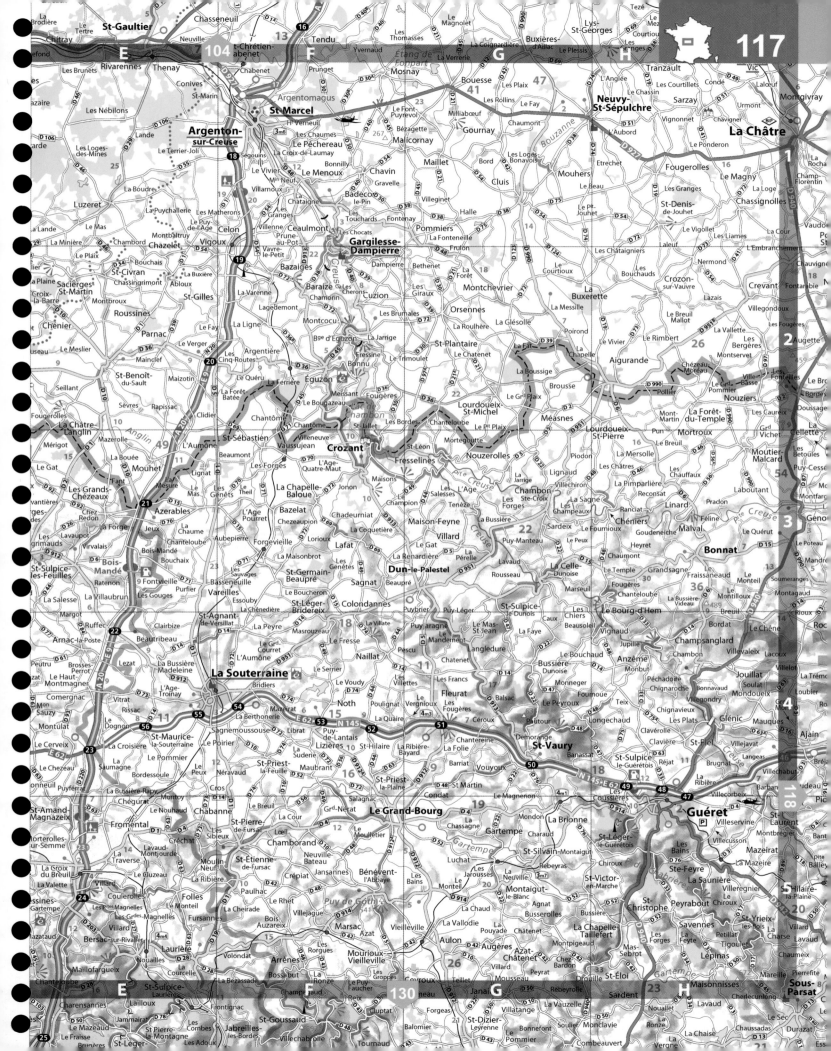

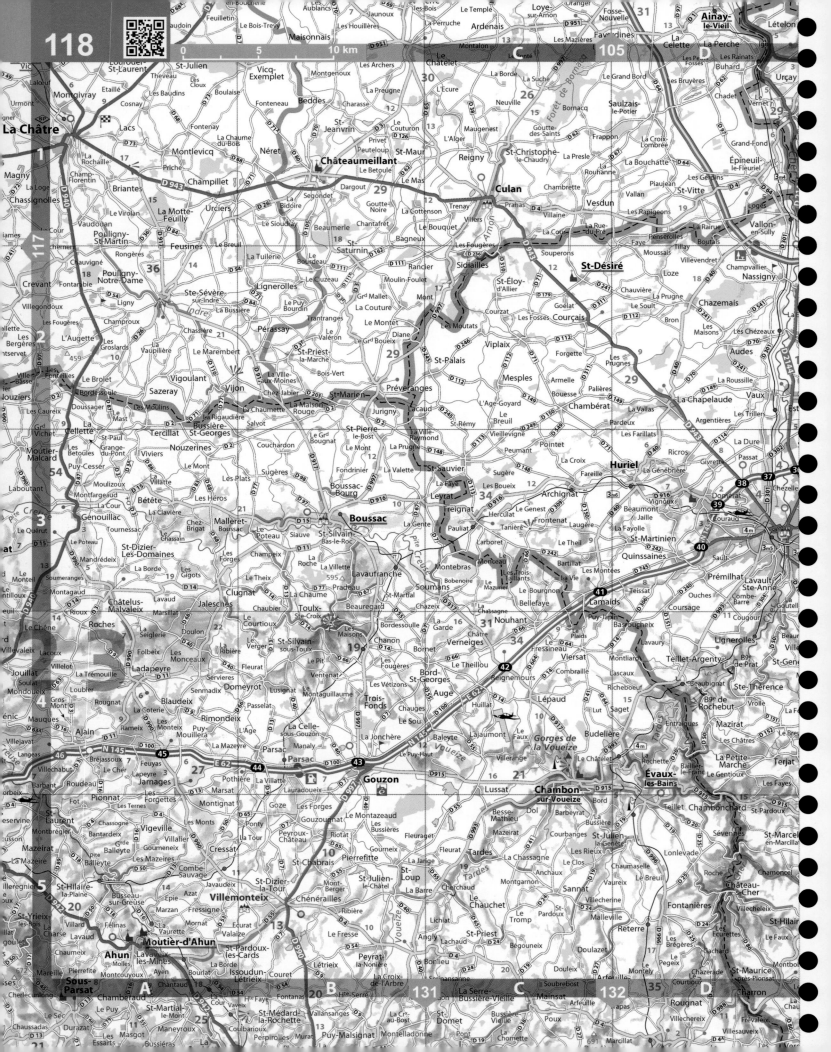

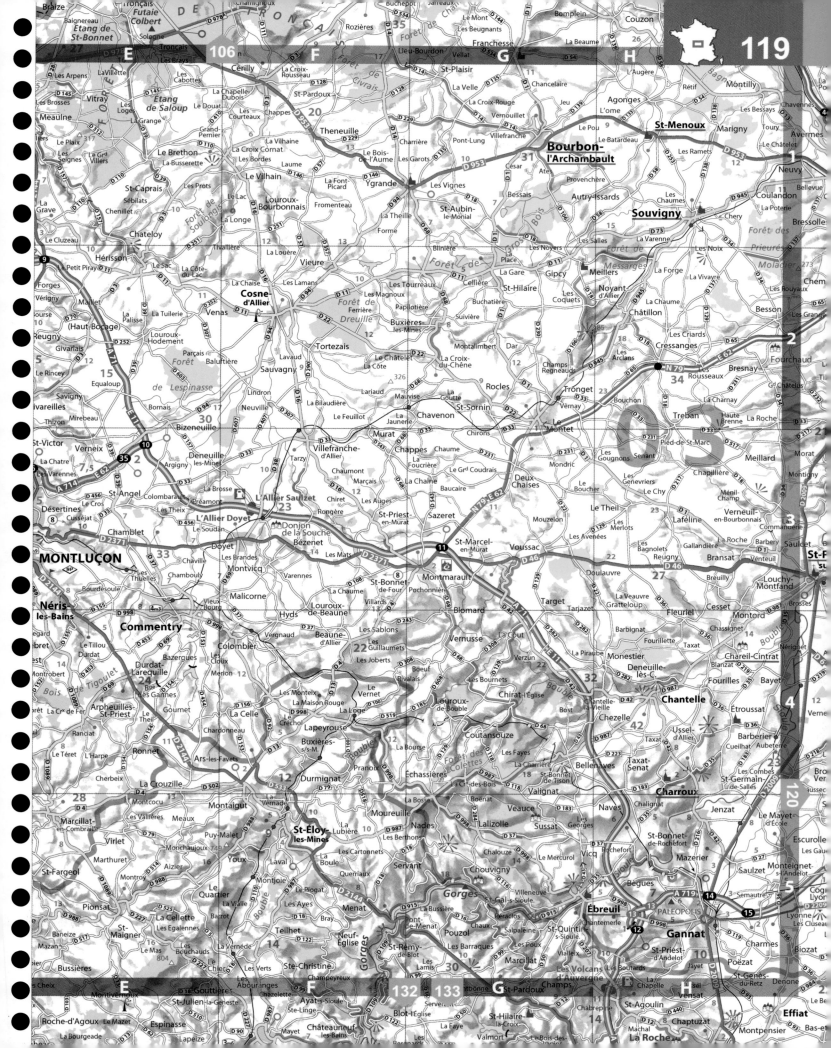

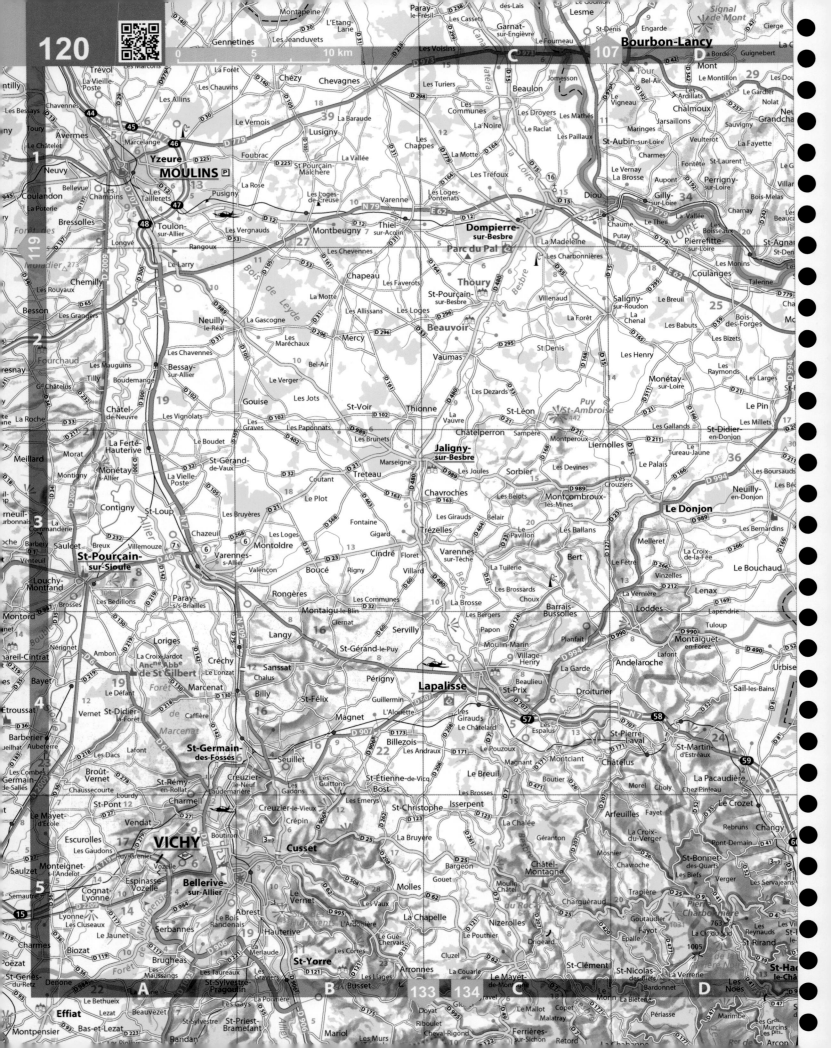

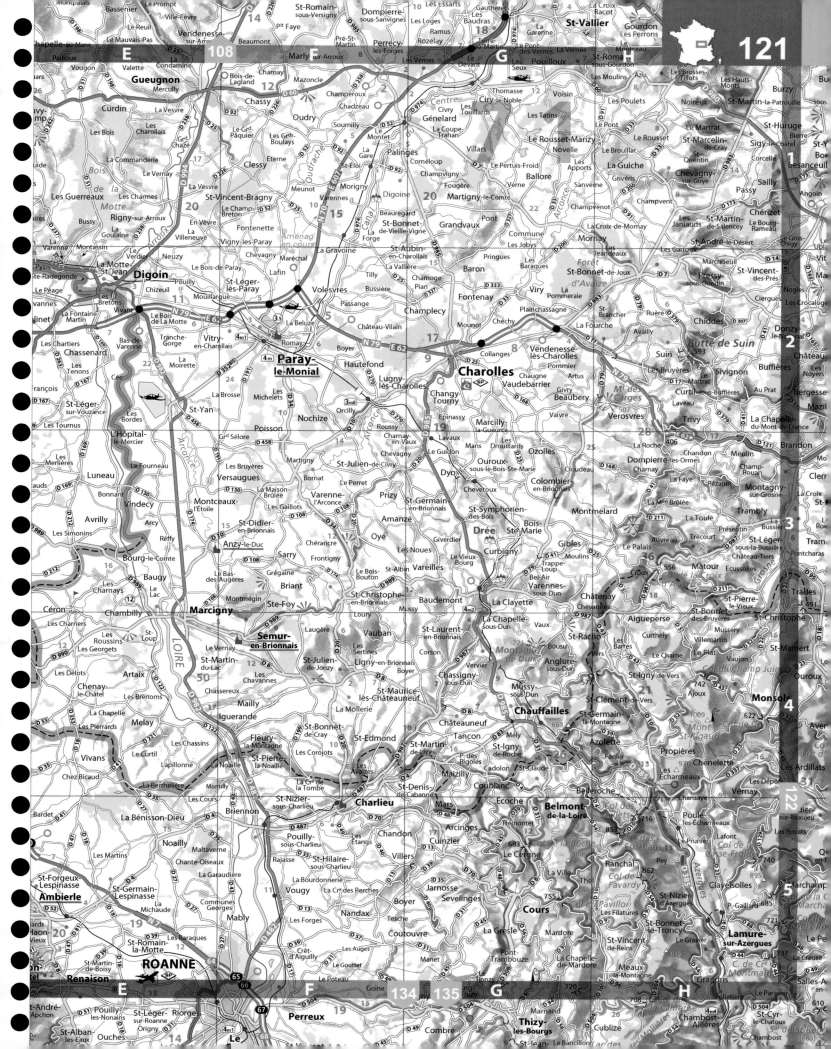

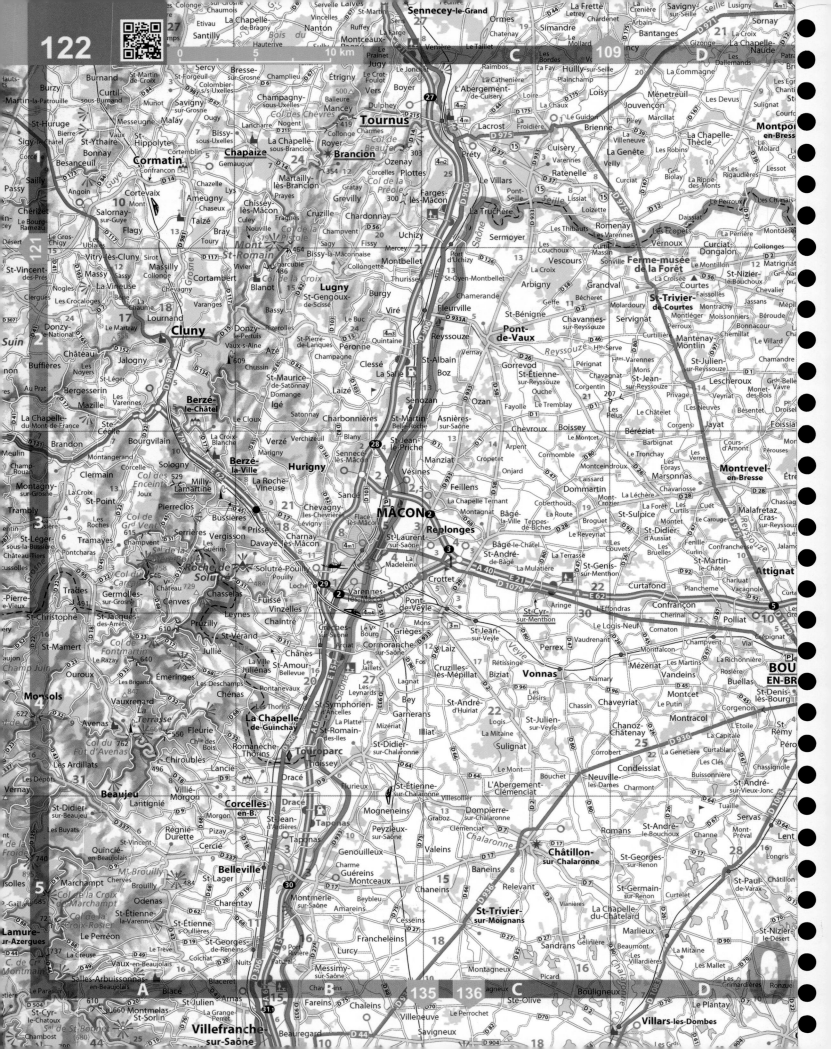

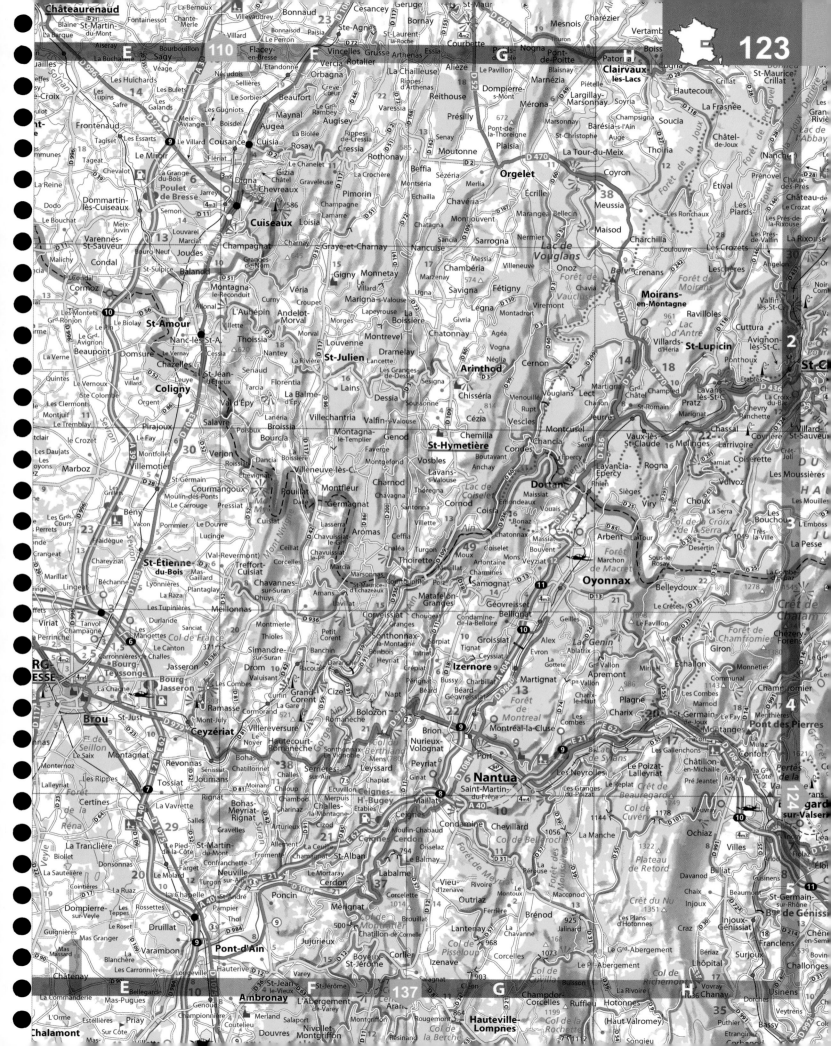

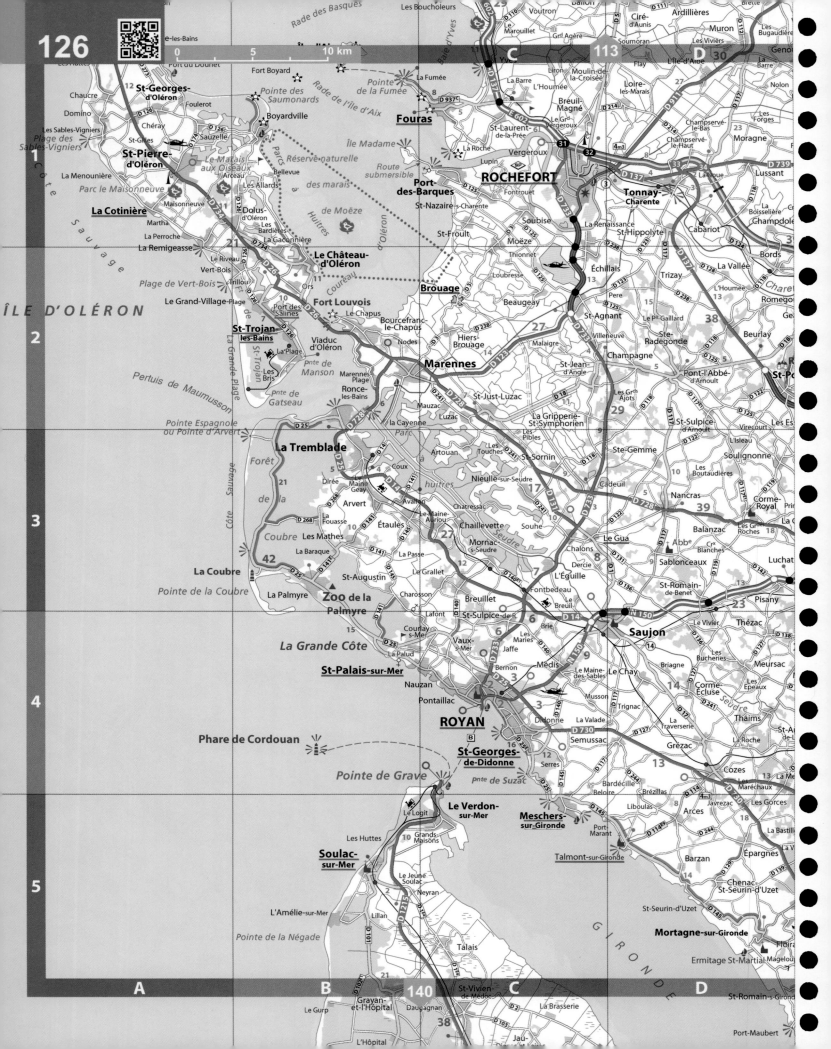

ÎLE D'OLÉRON

St-Georges-d'Oléron
Chaucre
Domino
Les Sables-Vigniers
Plage des Sables-Vigniers
Chéray
St-Gilles
Foulerot
Sauzelle
Boyardville
Fort Boyard
Pointe des Saumonards
Pointe de l'île d'Aix
La Fumée
Fort Boyard
Rade de l'île d'Aix
La Fumée

St-Pierre-d'Oléron
La Menounière
Parc le Maisonneuve
Le Marais aux Oiseaux
Arceau
Bellevue
Les Allards
Île Madame
Réserve naturelle
Route submersible
FOURAS
St-Laurent-de-la-Prée
Le Gd Vergeroux
Vergeroux
ROCHEFORT
Tonnay-Charente

La Cotinière
Martha
La Perroche
La Remigeasse
Maisonneuve
Dolus-d'Oléron
Les Bardières
La Gaconnière
de Moëze
Port-des-Barques
St-Nazaire-s-Charente
St-Froult
Soubise
La Renaissance
St-Hippolyte
Moëze
Thionnet
Échillais
Trizay
La Vallée
Bords

Le Riveau
Vert-Bois
Le Château-d'Oléron
Ors
Le Grand-Village-Plage
Fort Louvois
Le Chapus
Bourcefranc-le-Chapus
Beaugeay
Hiers-Brouage
Malaigre
St-Agnant
Villeneuve
Ste-Radegonde
L'Houmée
Romegou

Plage de Vert-Bois
Port des Salines
St-Trojan-les-Bains
La Plage
Viaduc d'Oléron
pnte de Manson
Nodes
Marennes
St-Just-Luzac
D 18
La Gripperie-St-Symphorien
Les Gds Ajots
Pont-l'Abbé-d'Arnoult
Beurlay
St-Po

Pertuis de Maumusson
Les Bris
pnte de Gatseau
Marennes-Plage
Ronce-les-Bains
Mauzac
Luzac
la Cayenne
St-Jean-d'Angle
Champagne
St-Sulpice-d'Arnoult
Virecourt
L'Isleau

Pointe Espagnole ou Pointe d'Arvert
La Tremblade
Coux
Artouan
Les Touches
St-Sornin
huîtres
Nieulle-sur-Seudre
Cadeuil
Nancras
Corme-Royal
Les Gres Roches

Forêt
Dirée
Maine Geay
Avallon
Chatressac
Le Maine-Auriou
Chaillevette
Souhe
Le Gua
Balanzac
Abbé
Sablonceaux

de la
Arvert
Étaules
Mornac-s-Seudre
Chalons
Dercie
L'Éguille
St-Romain-de-Benet
Pisany

Coubre
Les Mathes
La Fouasse
La Passe
La Baraque
Le Grallet
Charosson
Le Breuil
Fontbedeau
N 150
Luchat

La Coubre
Pointe de la Coubre
St-Augustin
Breuillet
St-Sulpice-de-R
Brie
Saujon
Le Vivier
Thézac

La Palmyre
Zoo de la Palmyre
Lafont
Courlay-s-Mer
Les Maries
D 14
Médis
Les Bucheries
Meursac

La Grande Côte
La Palud
Vaux-s-Mer
Jaffe
Bernon
Le Maine-des-Sables
Le Chay
Briagne
Corme-Écluse
Les Epeaux

St-Palais-sur-Mer
Nauzan
Pontaillac
ROYAN
Musson
La Valade
Trignac
Thaims
La Roche

Phare de Cordouan
St-Georges-de-Didonne
Didonne
Semussac
La Traverserie
Grézac
Cozes
La Mer
Les Maréchaux

Pointe de Grave
pnte de Suzac
Bardécille
Beloire
Brézillas
Arces
Les Gorces

Le Logit
Le Verdon-sur-Mer
Meschers-sur-Gironde
Port-Marant
Liboulas
Javrezac
La Bastille

Les Huttes
Grands-Maisons
Talmont-sur-Gironde
Barzan
Épargnes

Soulac-sur-Mer
Le Jeune Soulac
Neyran
Chenac-St-Seurin-d'Uzet

L'Amélie-sur-Mer
Lillan
St-Seurin-d'Uzet

Pointe de la Négade
Mortagne-sur-Gironde
GIRONDE

Pointe de la Négade
Talais
Ermitage St-Martial

Le Gurp
Grayan-et-l'Hôpital
Daugagnan
St-Vivien-de-Médoc
La Brasserie
St-Romain-s-Gironde
L'Hôpital
Port-Maubert

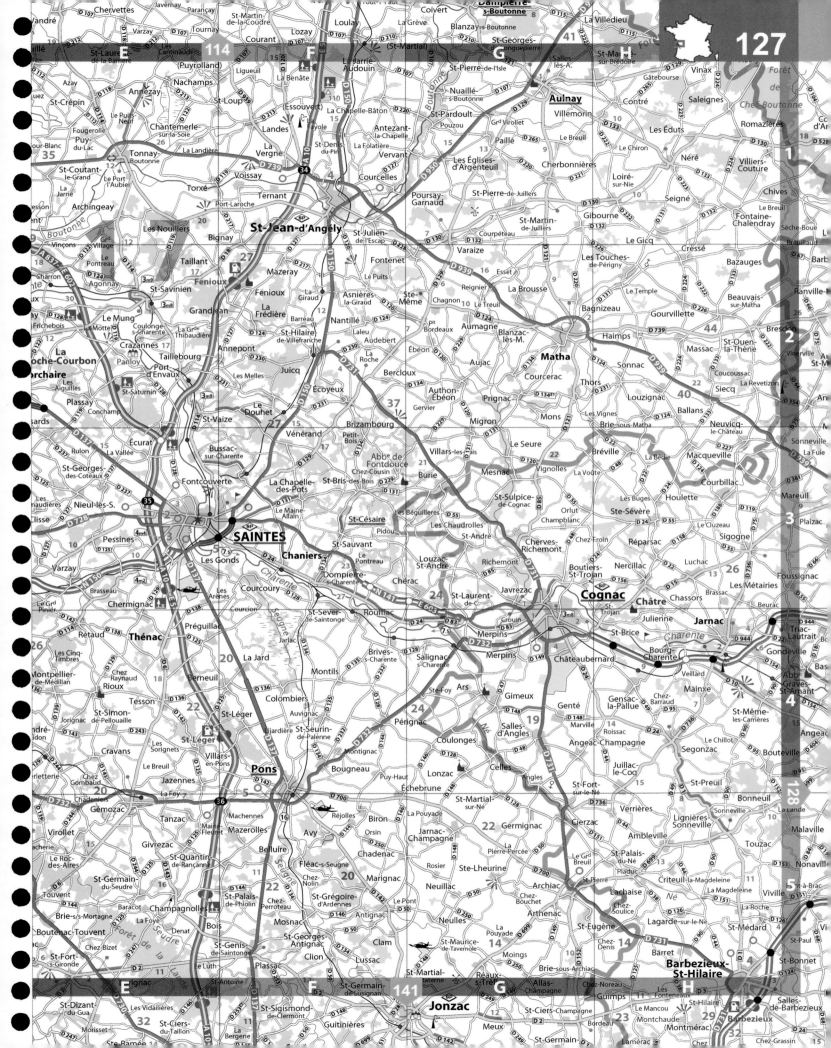

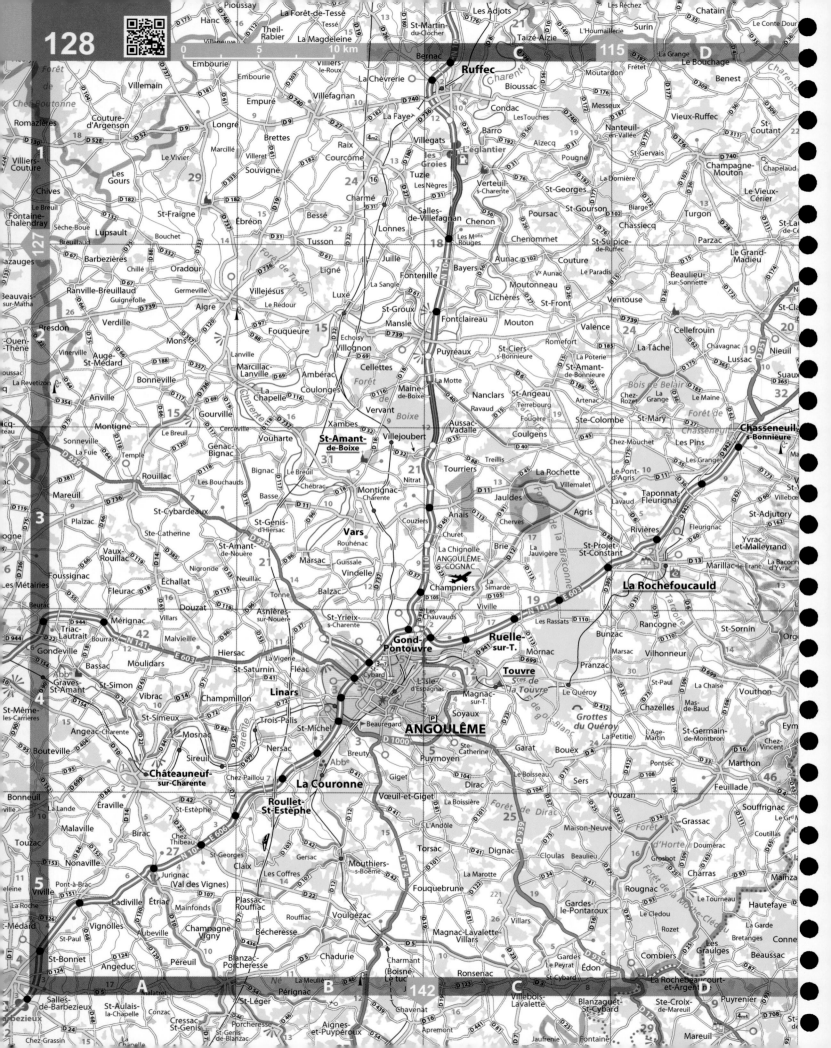

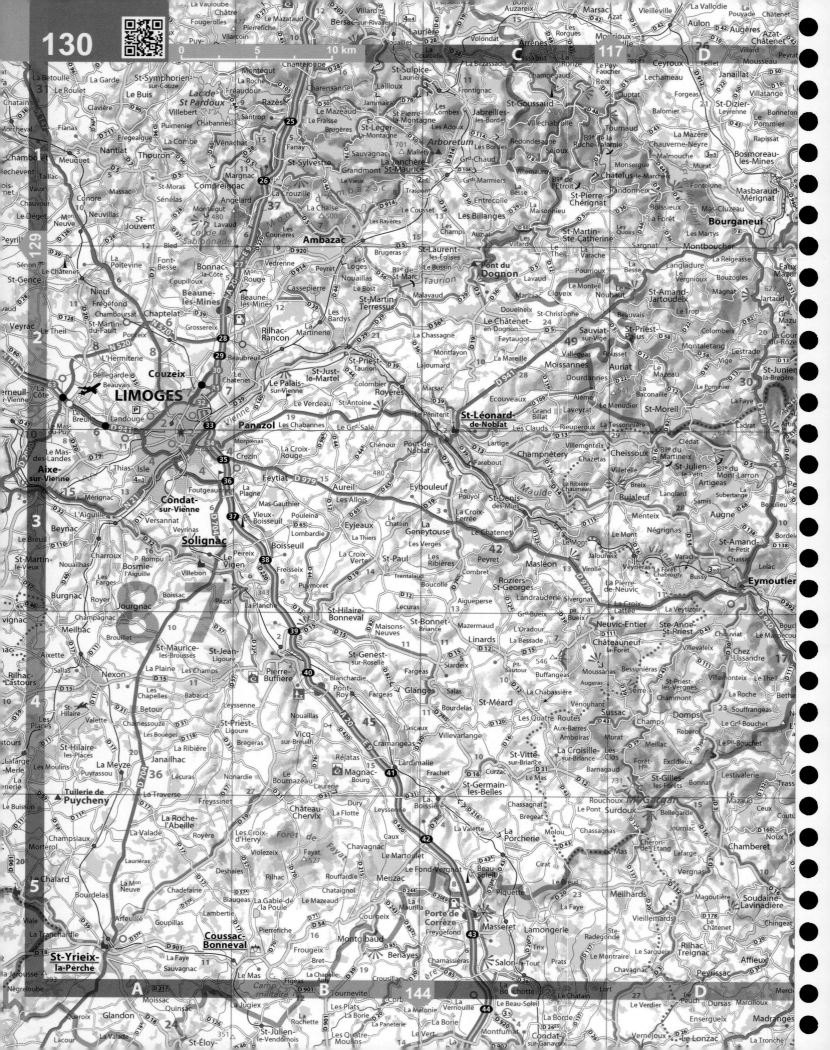

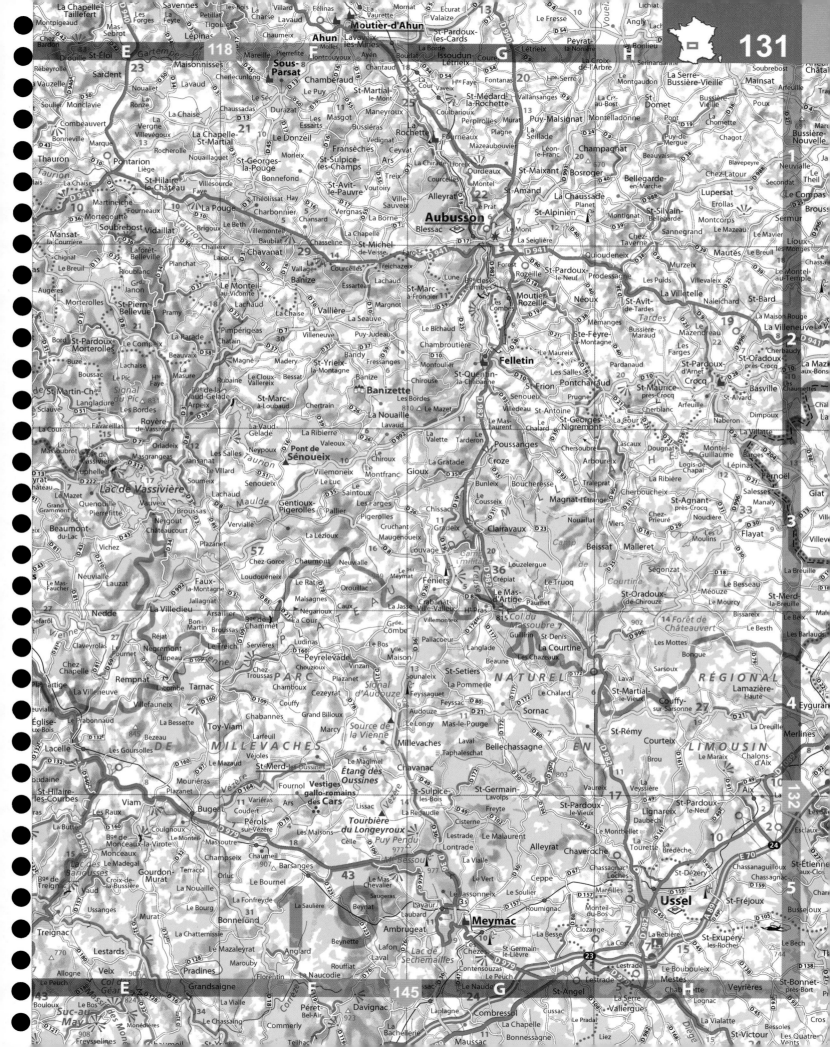

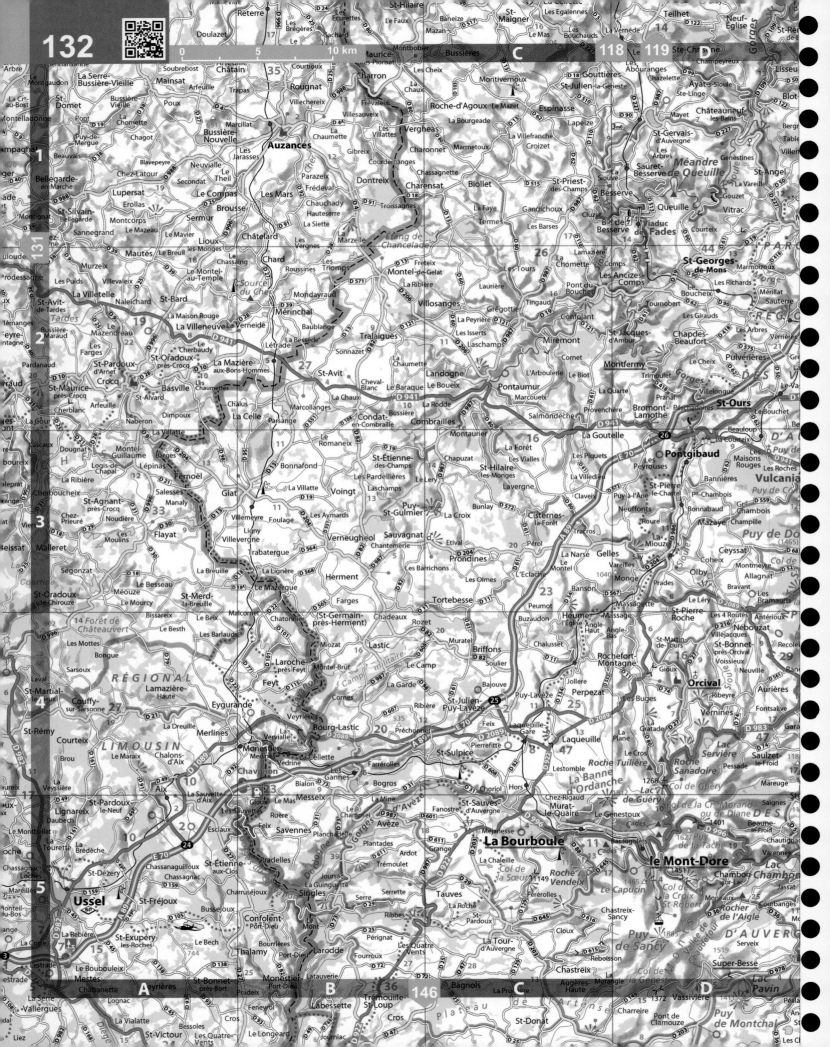

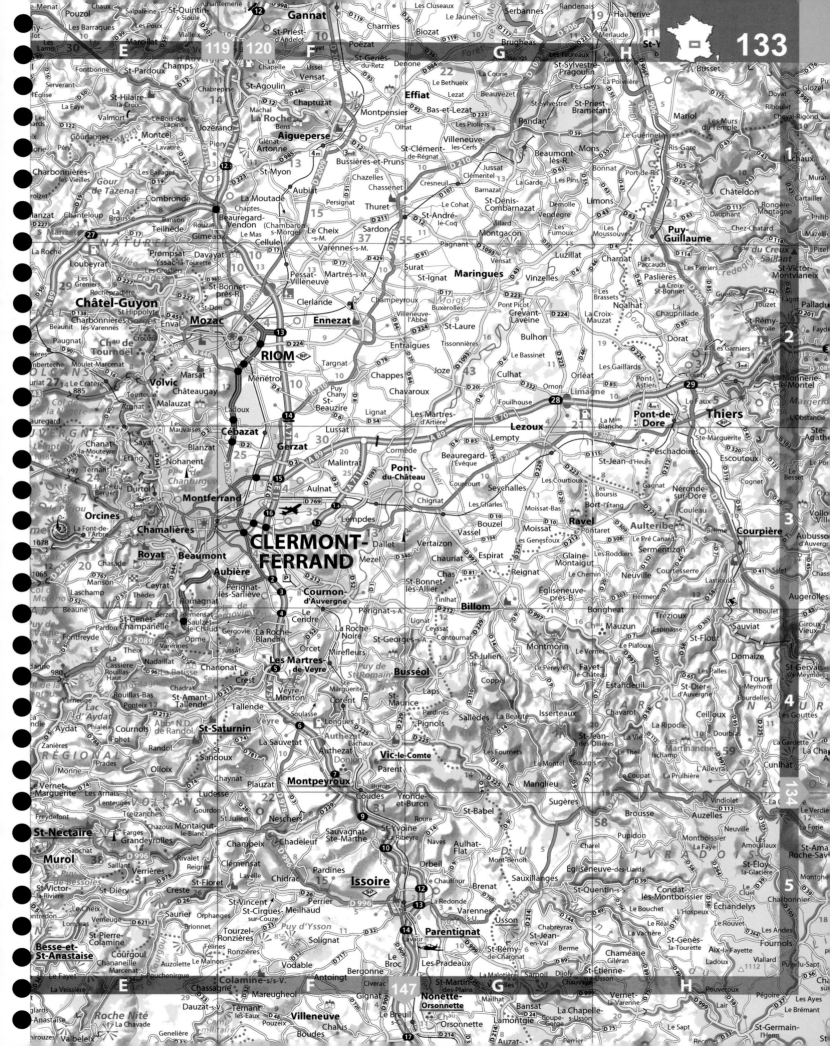

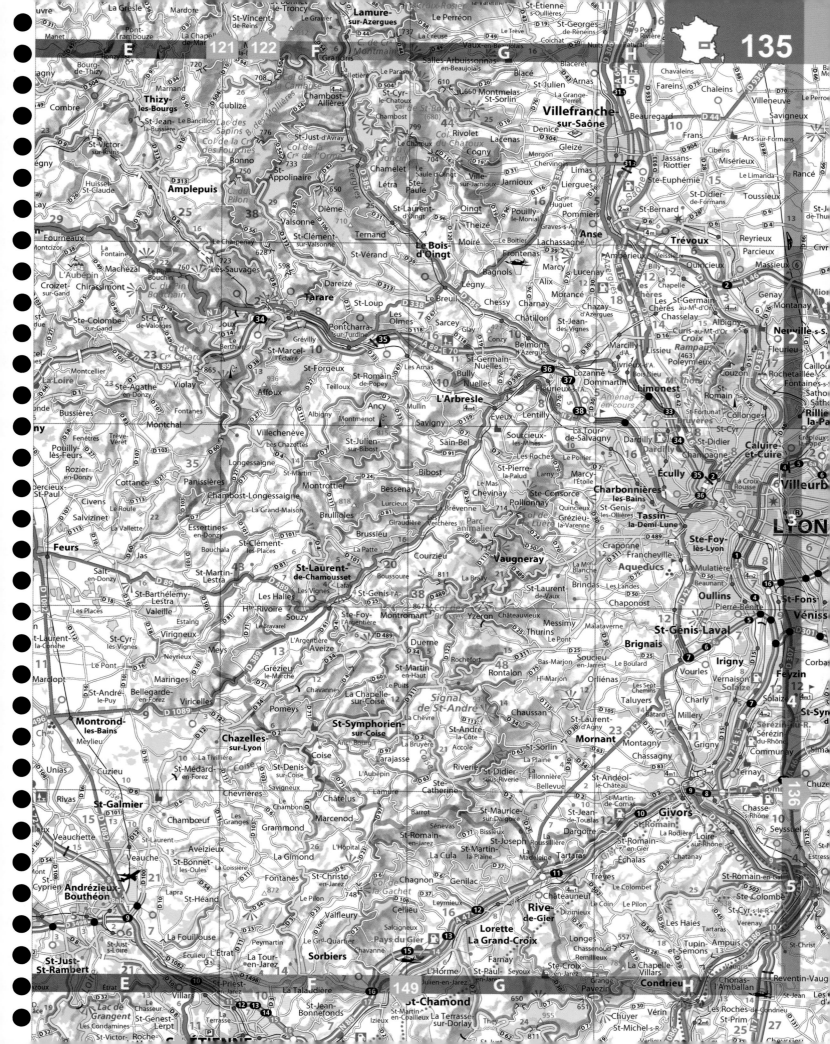

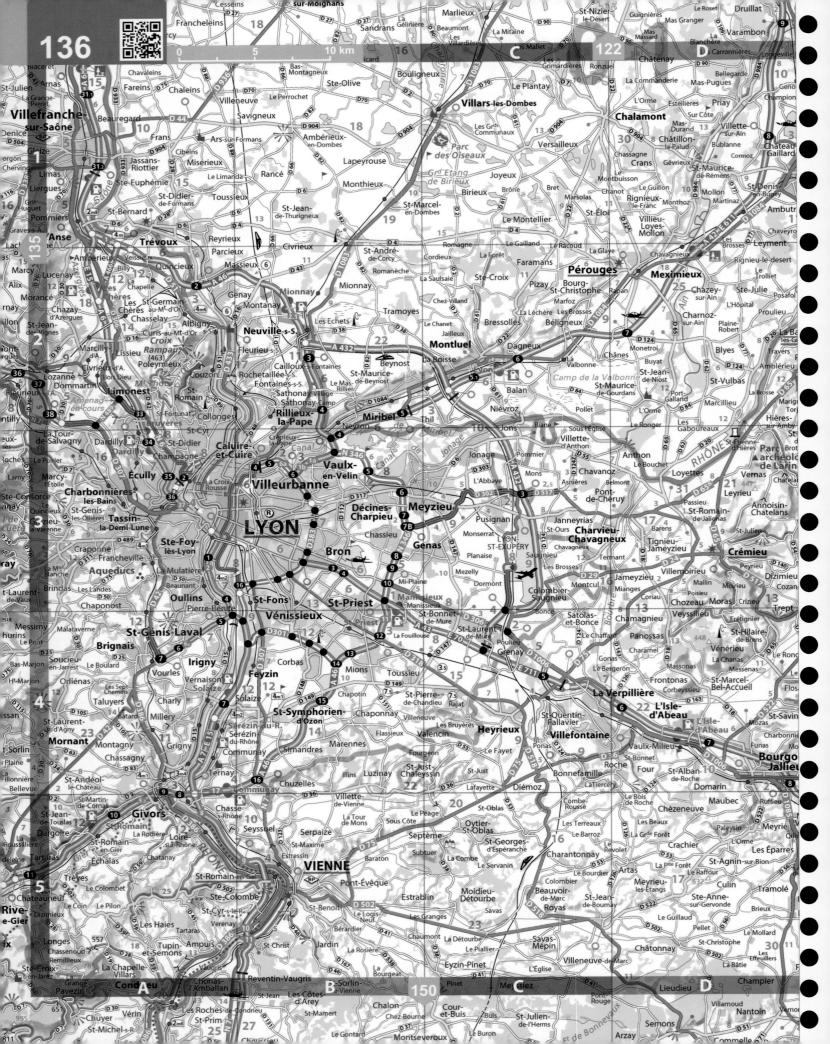

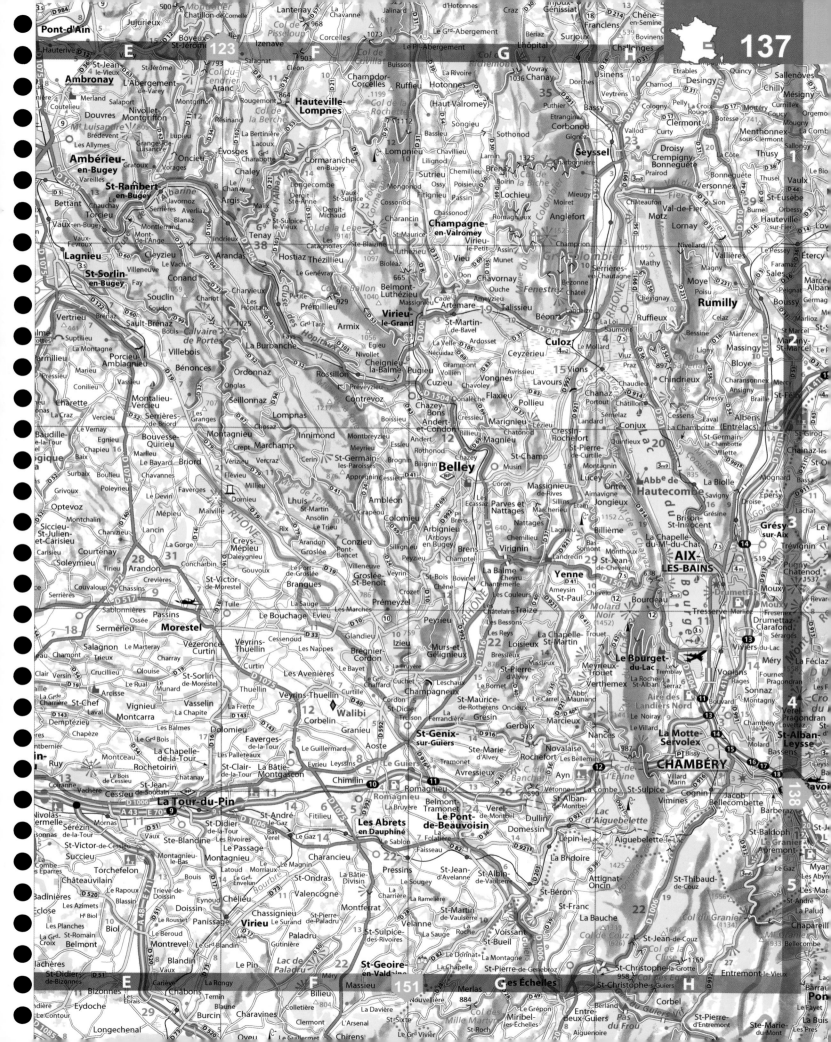

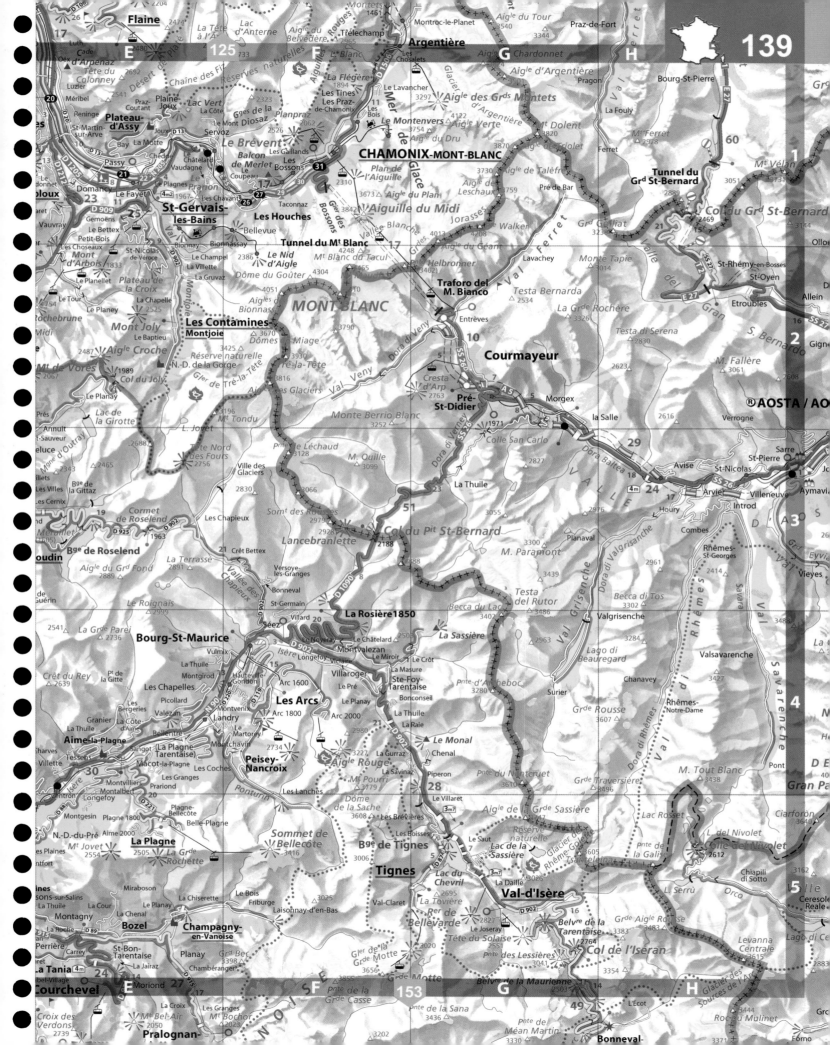

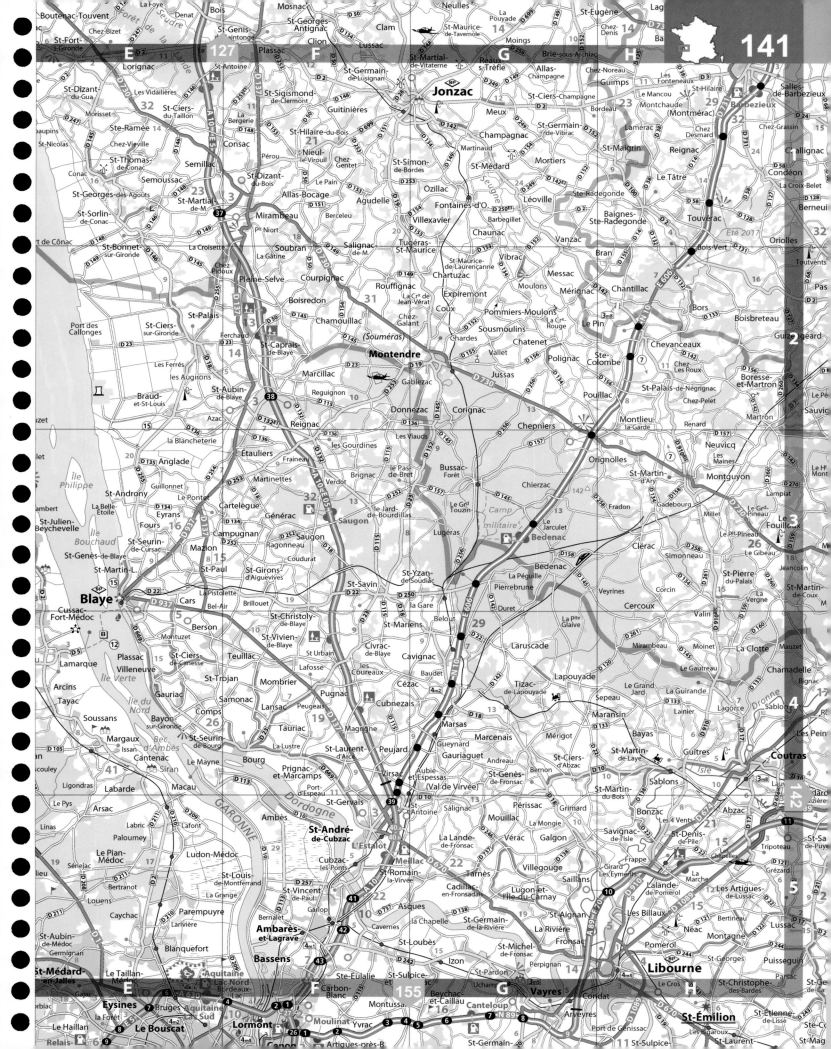

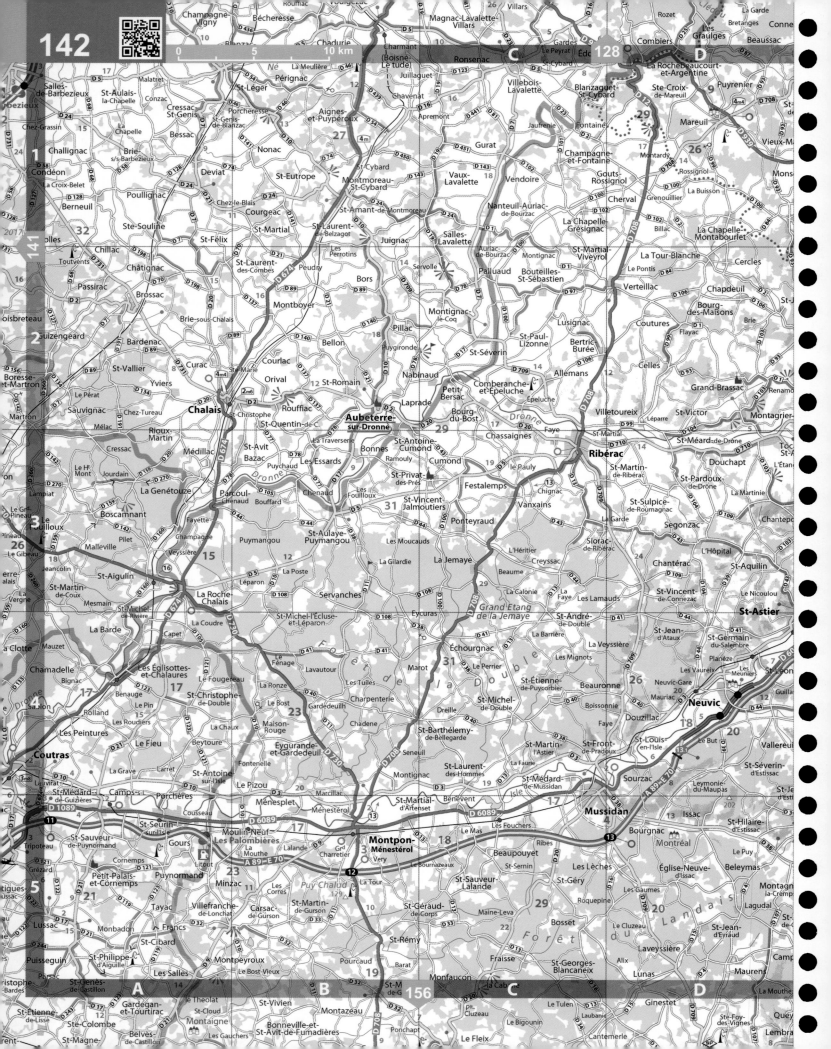

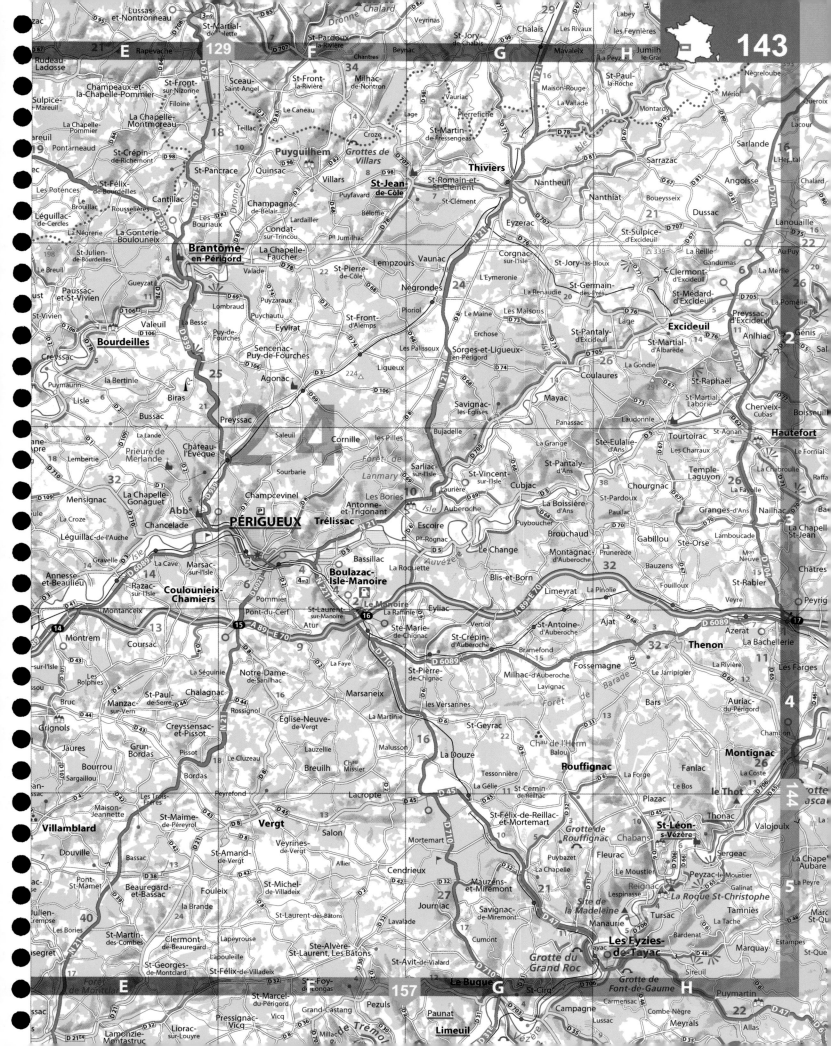

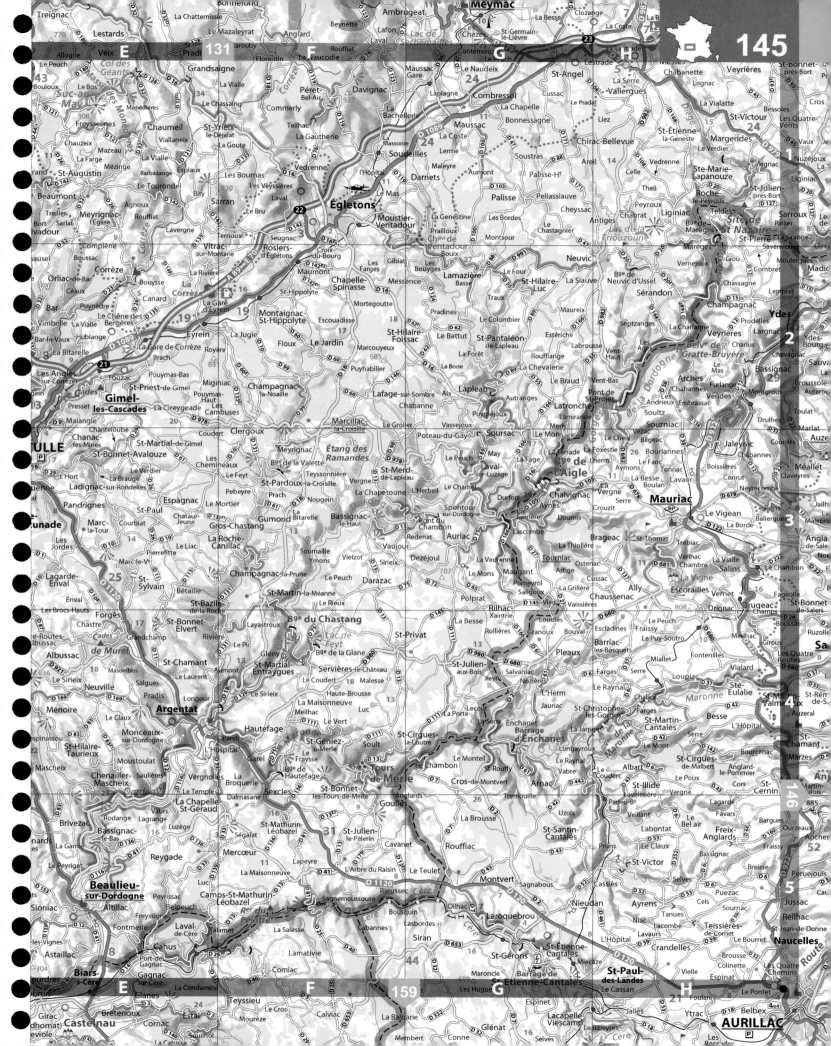

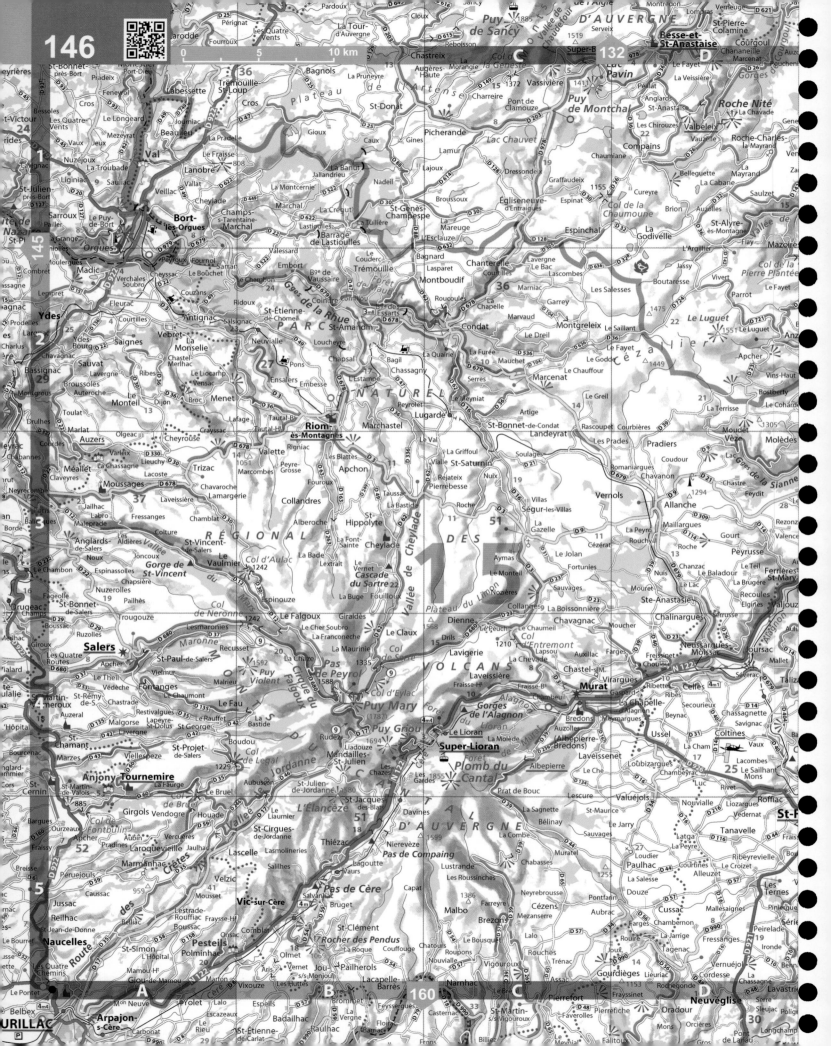

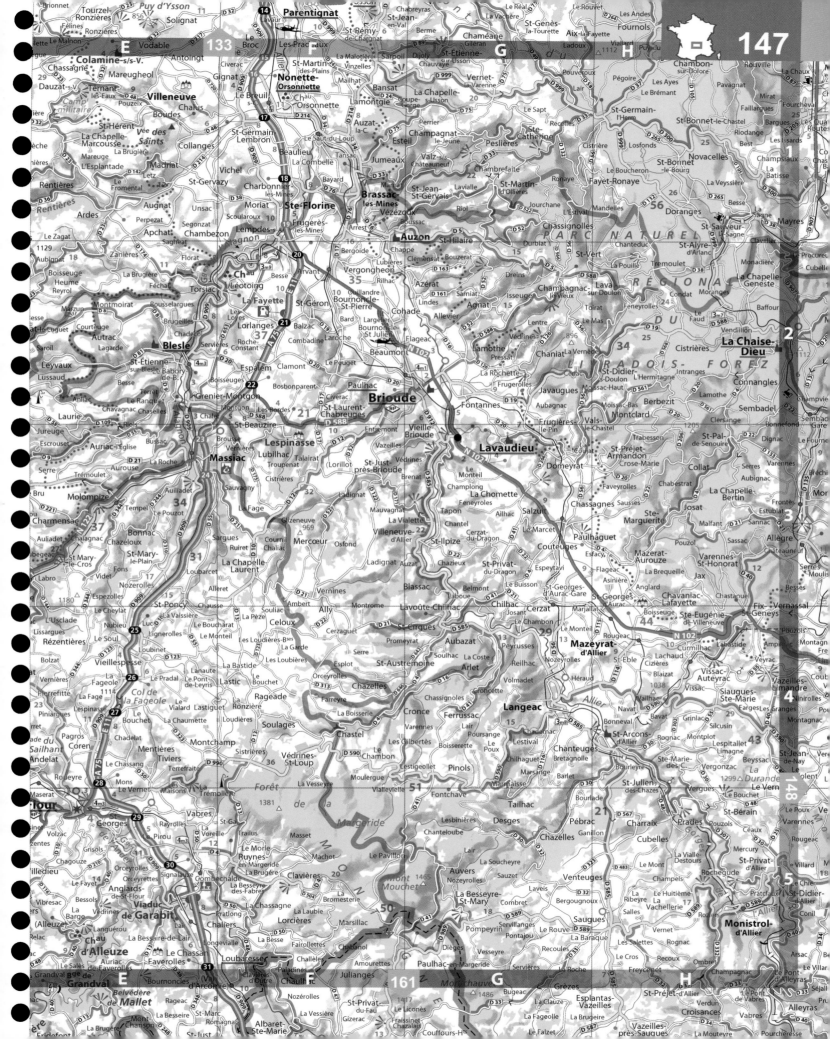

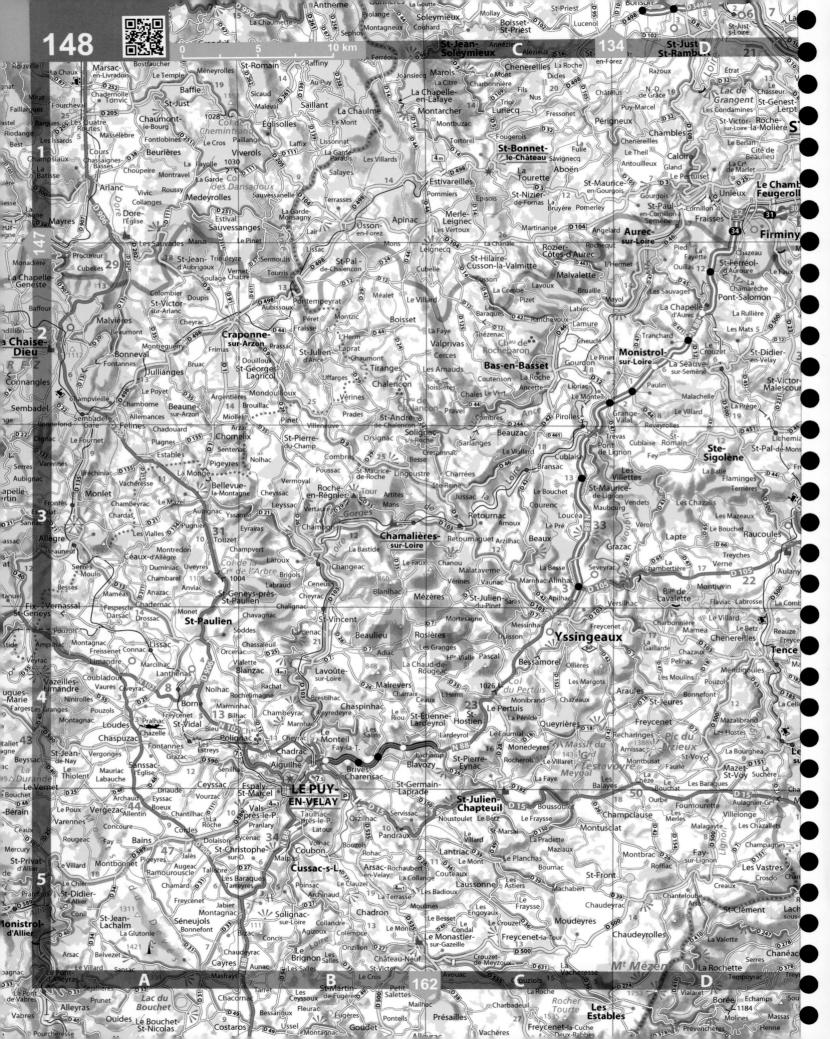

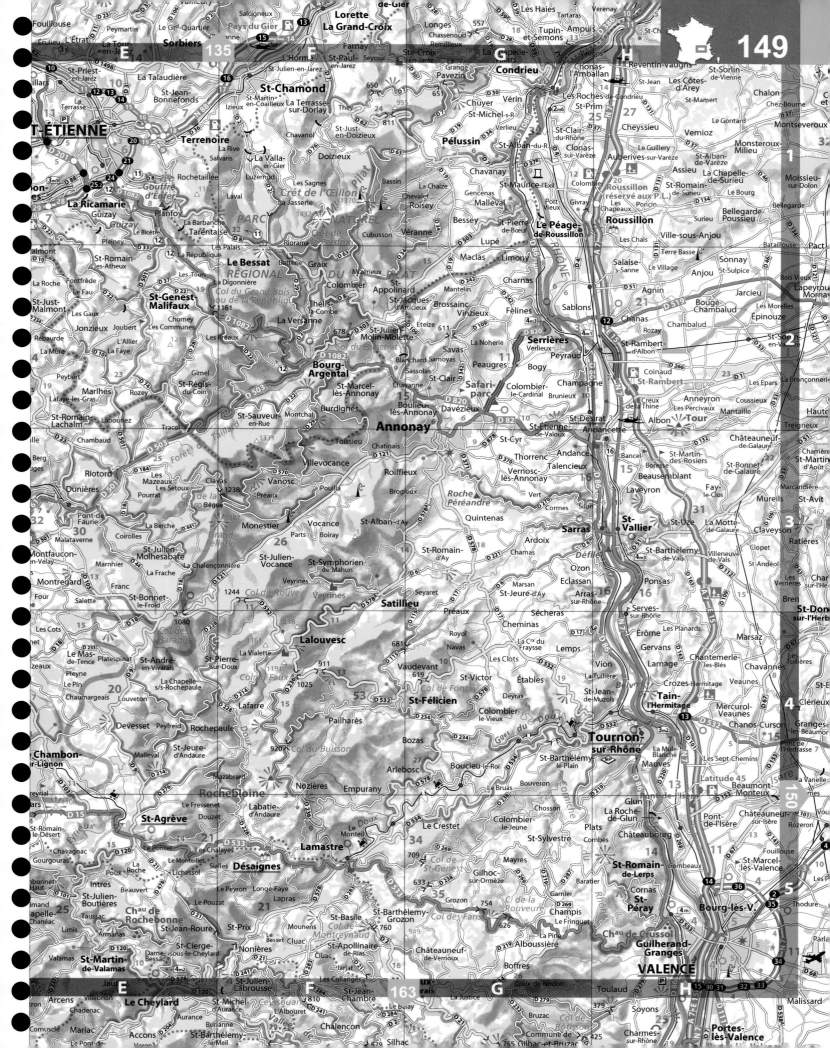

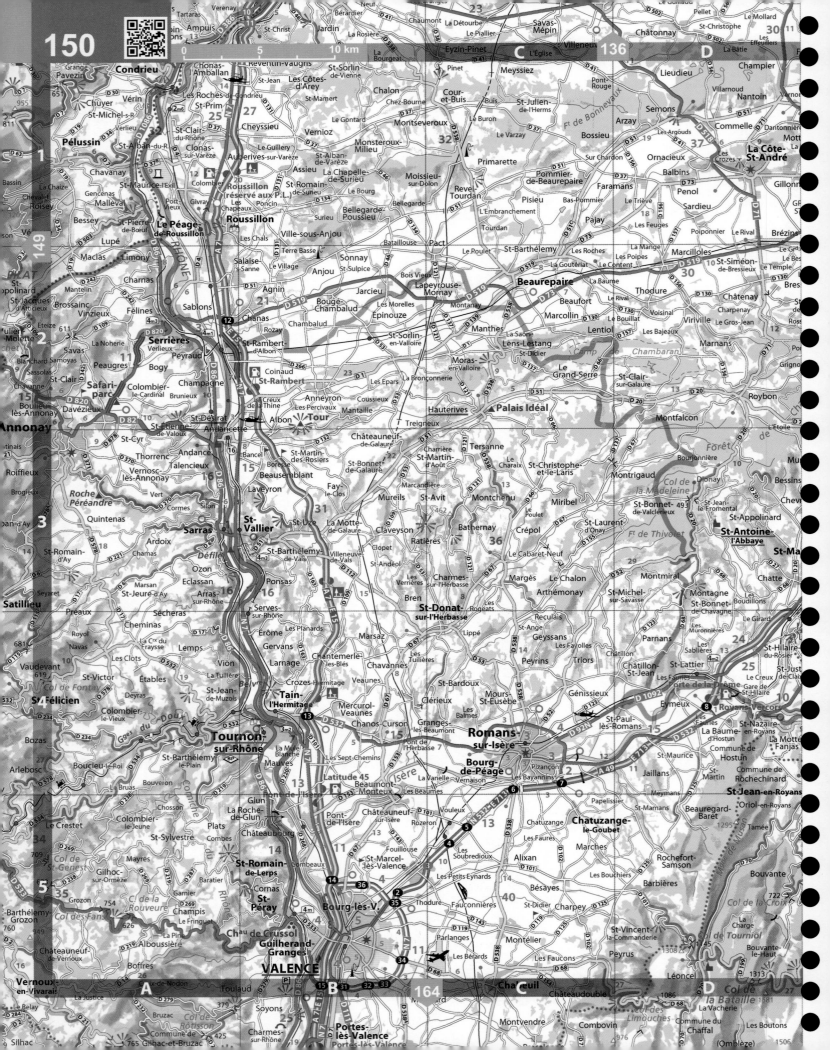

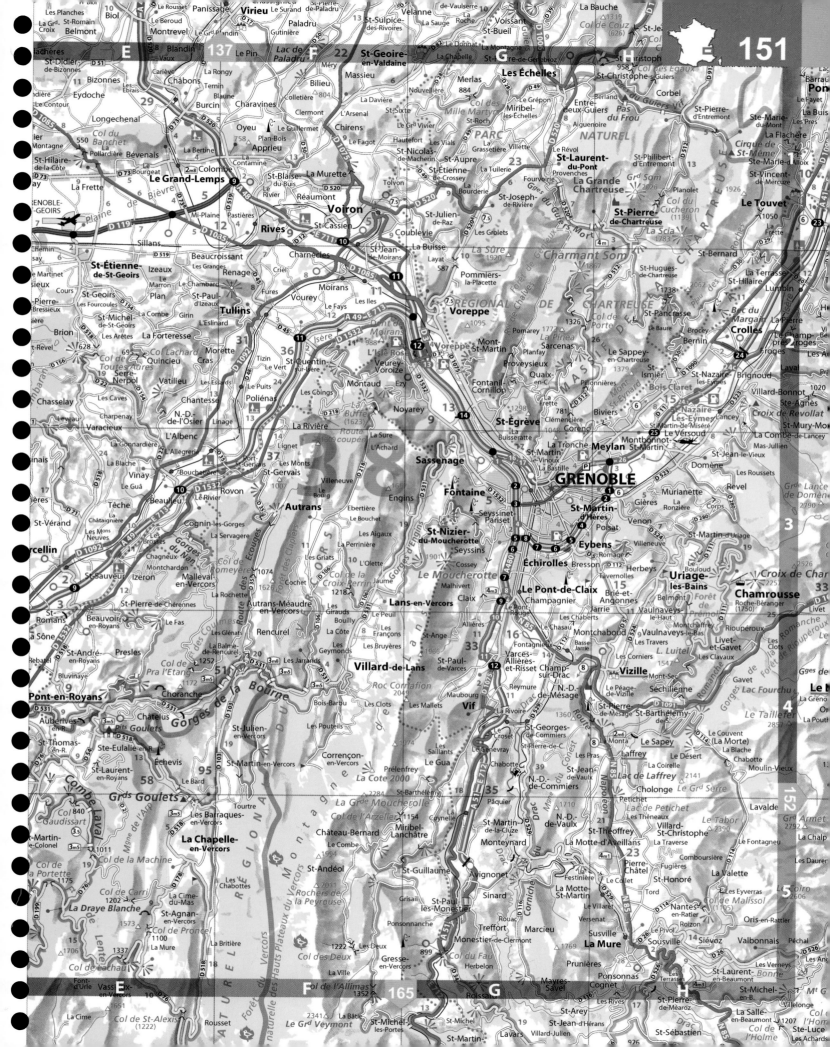

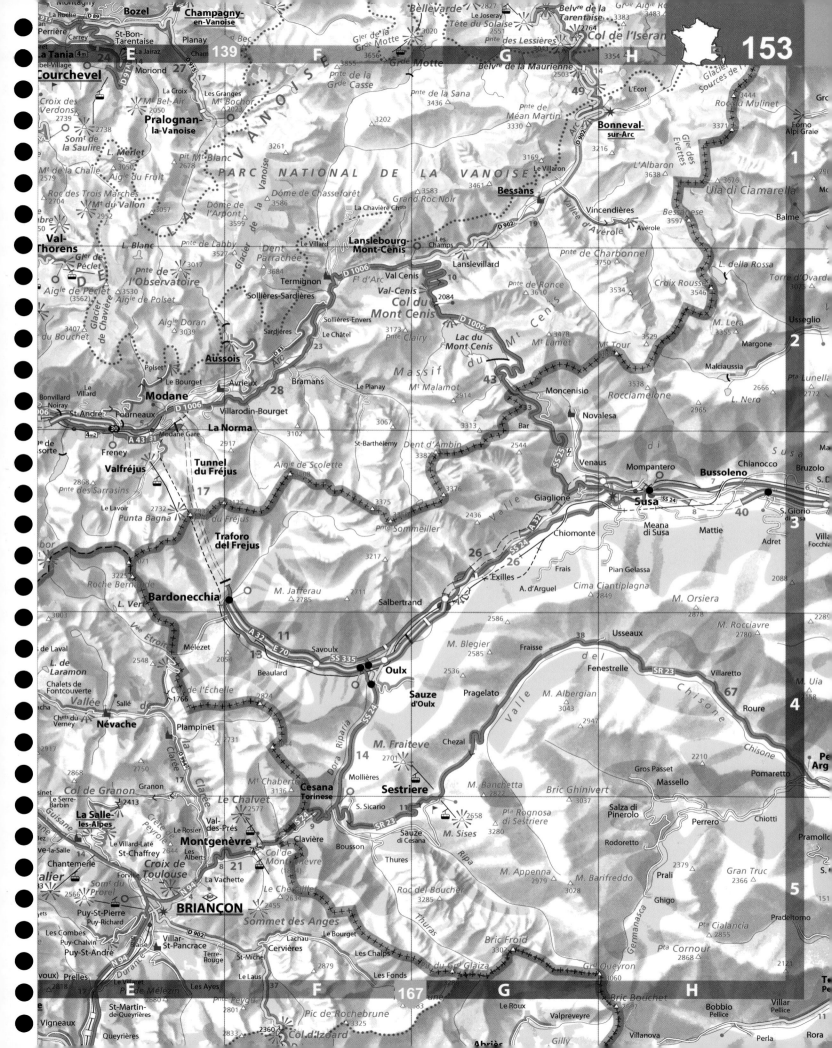

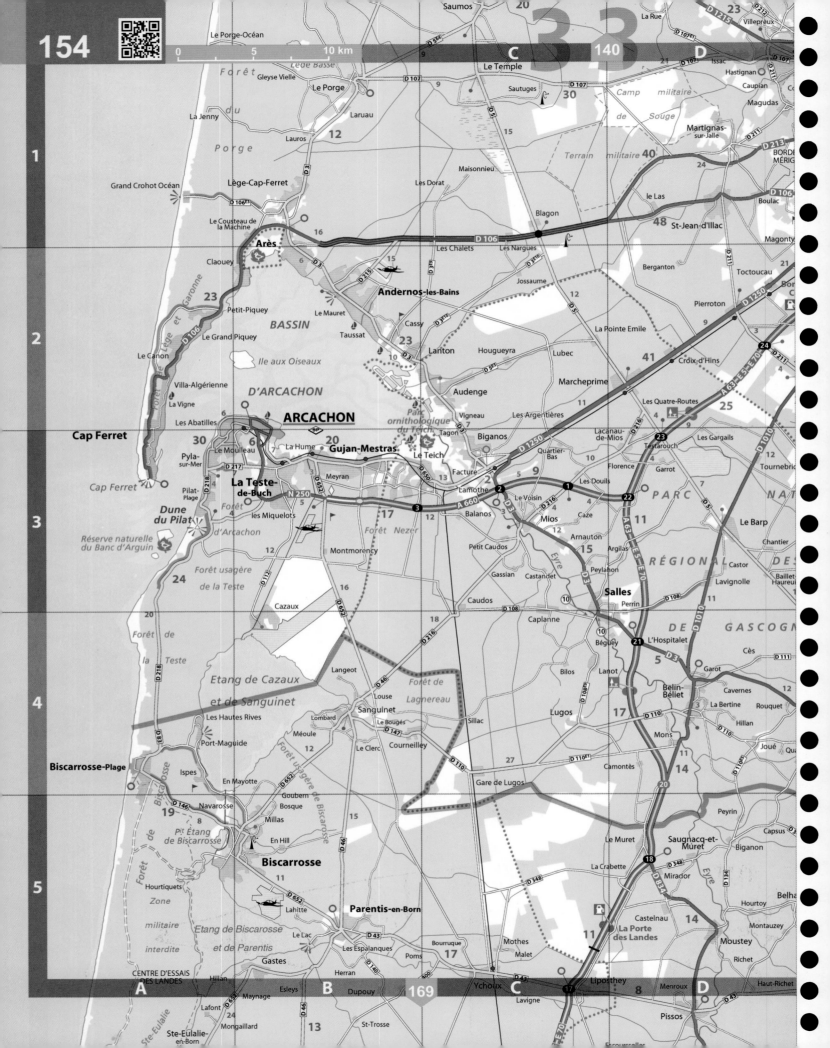

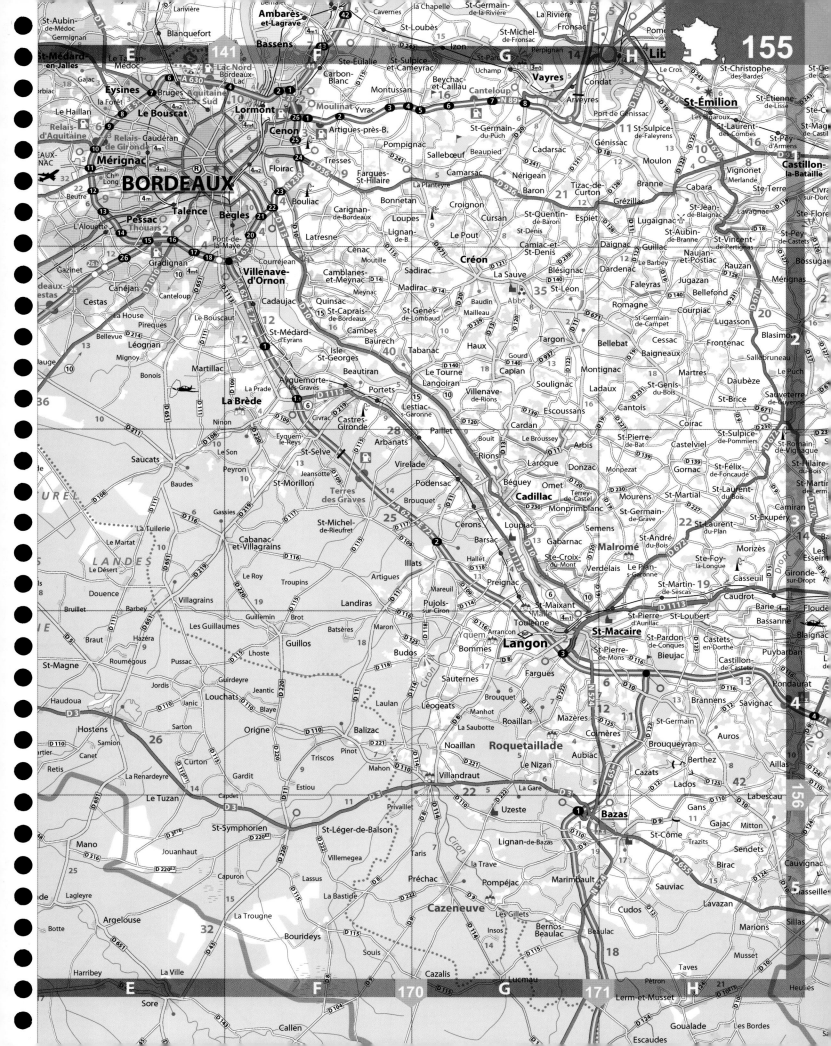

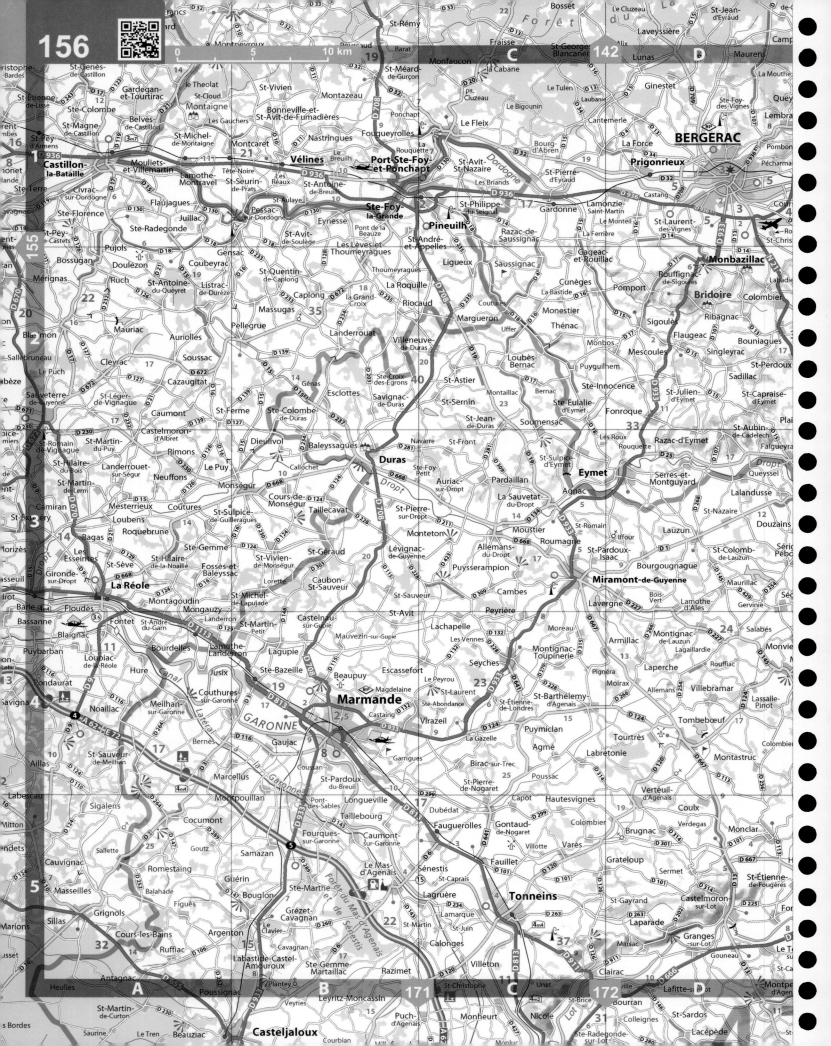

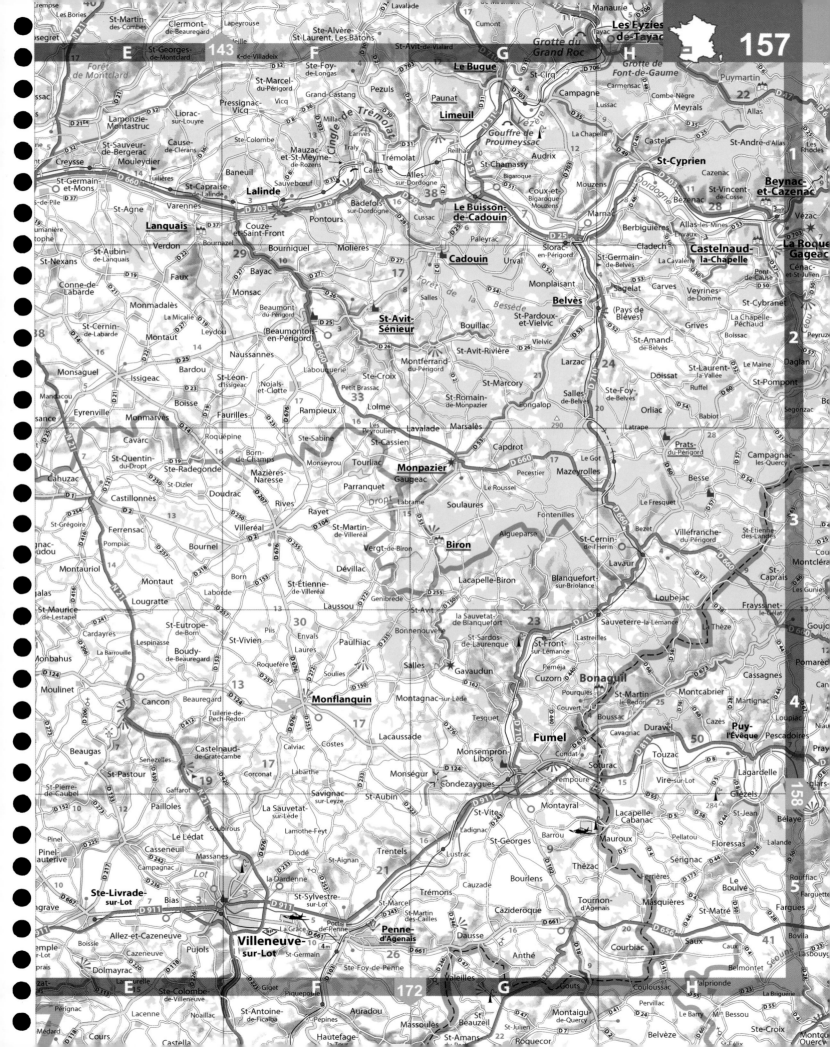

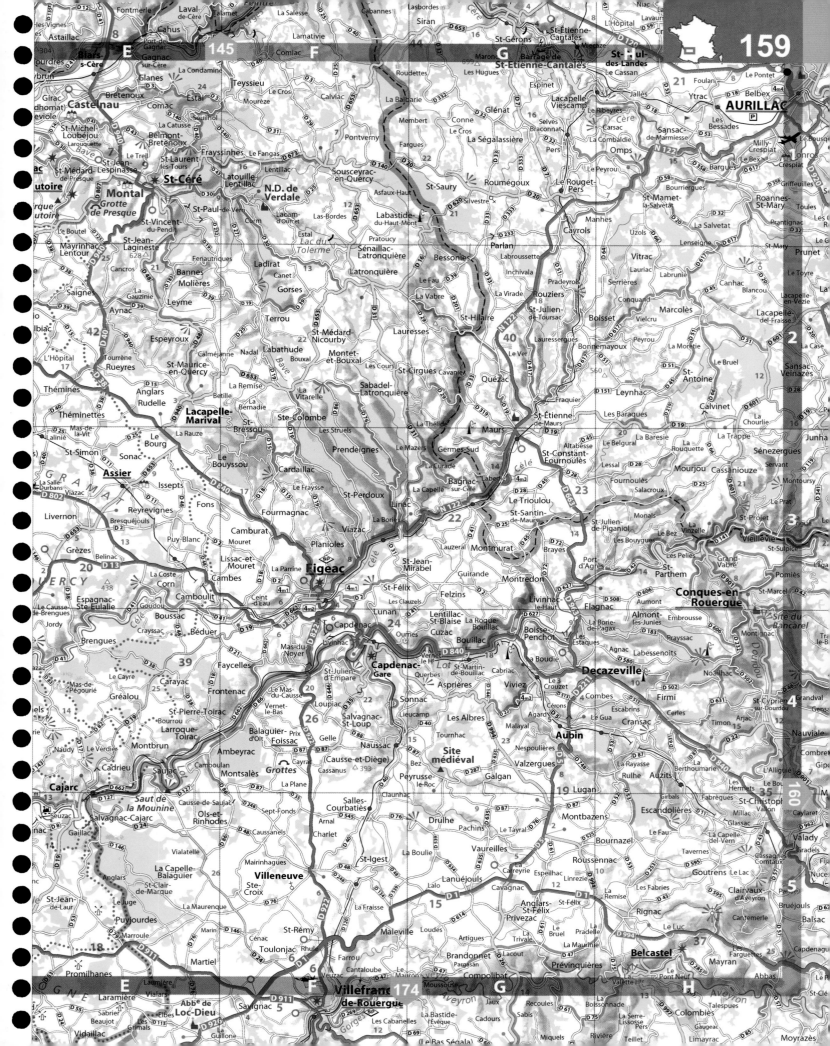

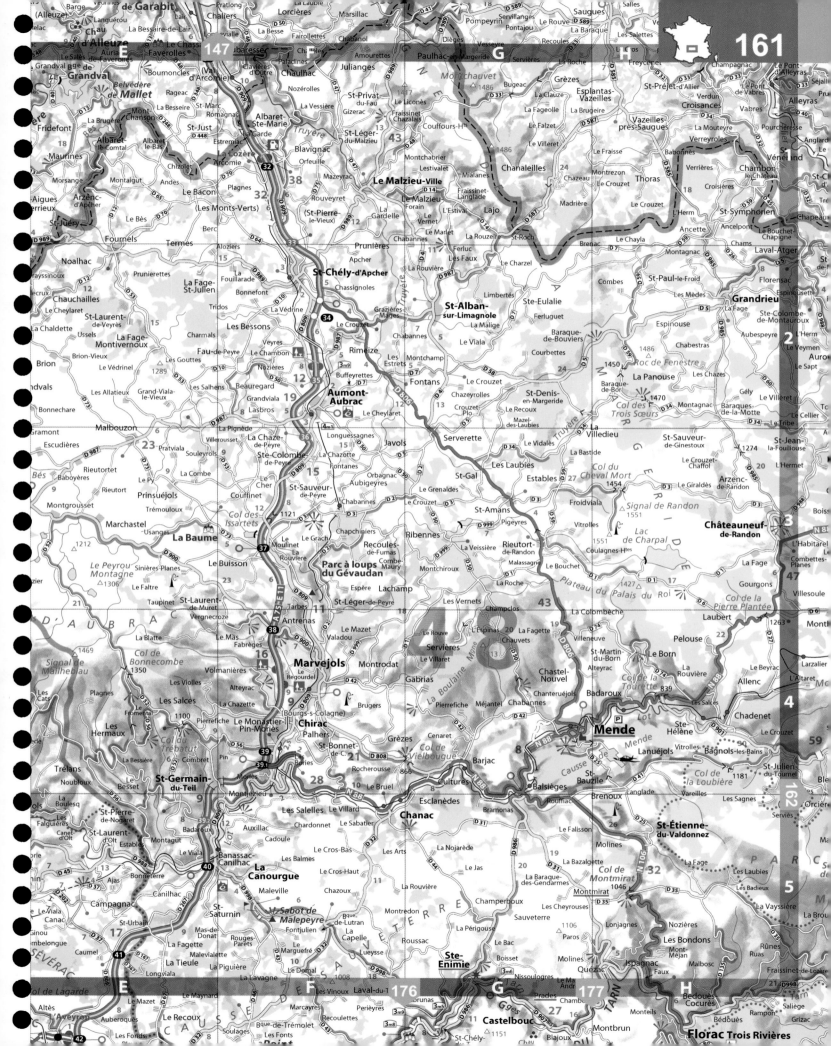

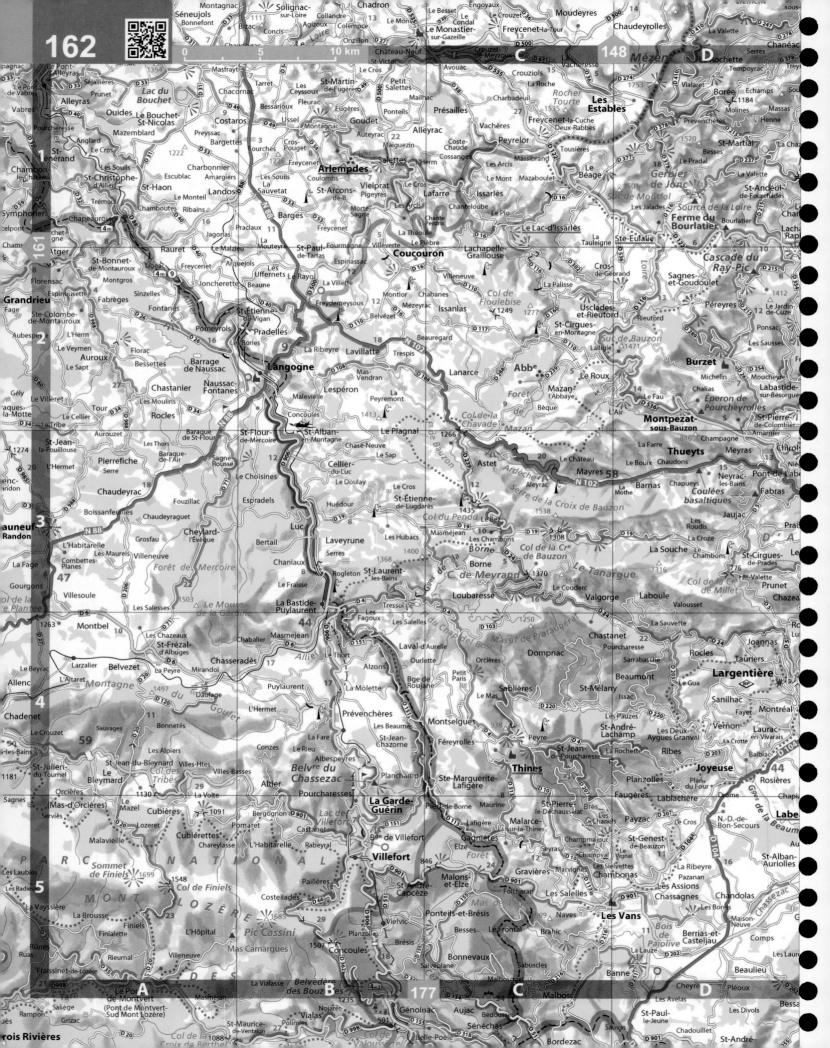

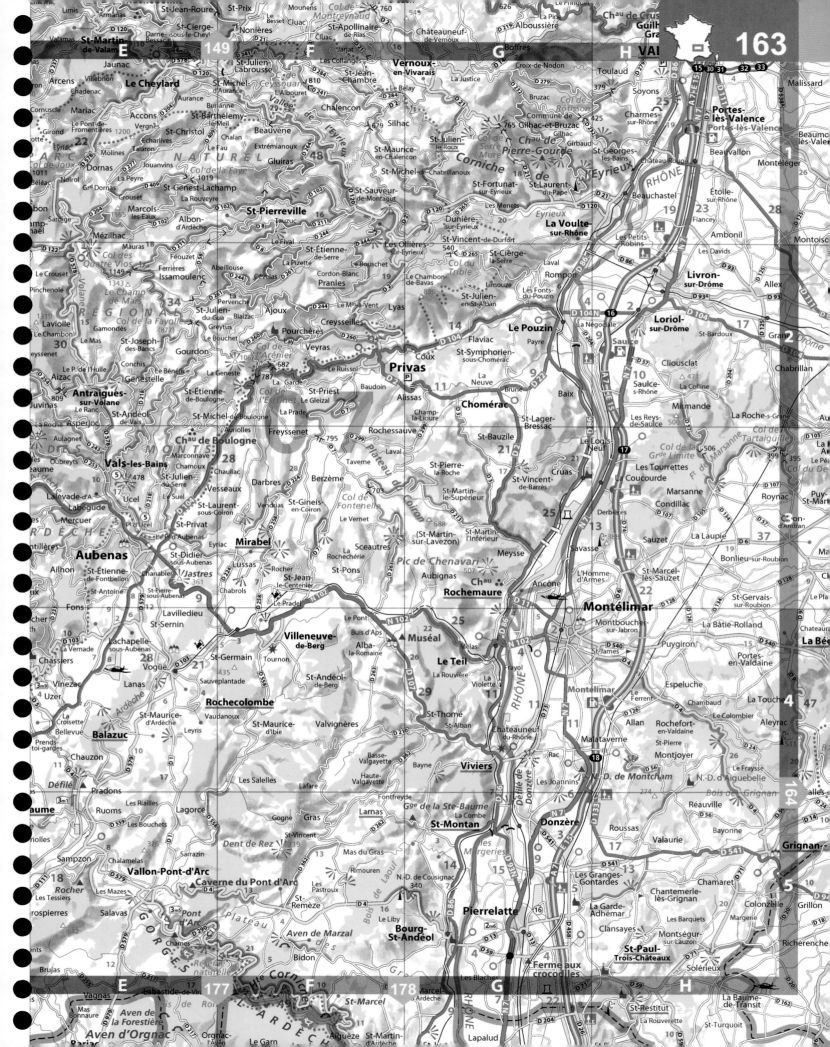

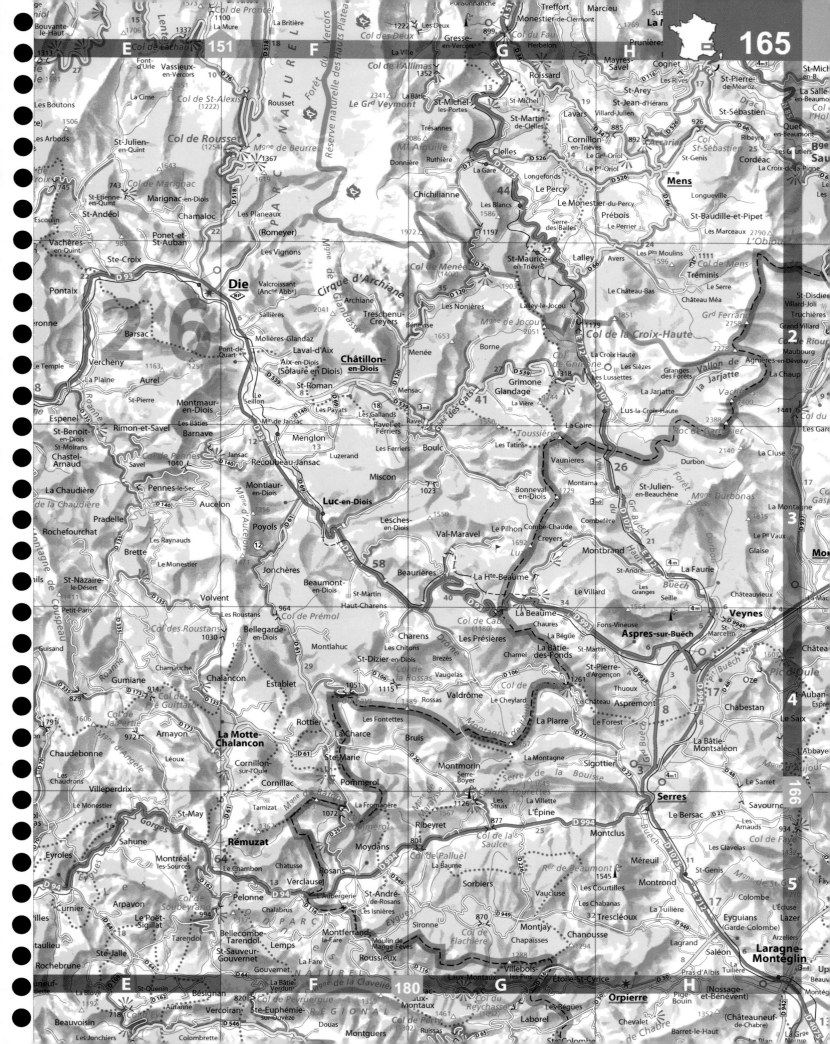

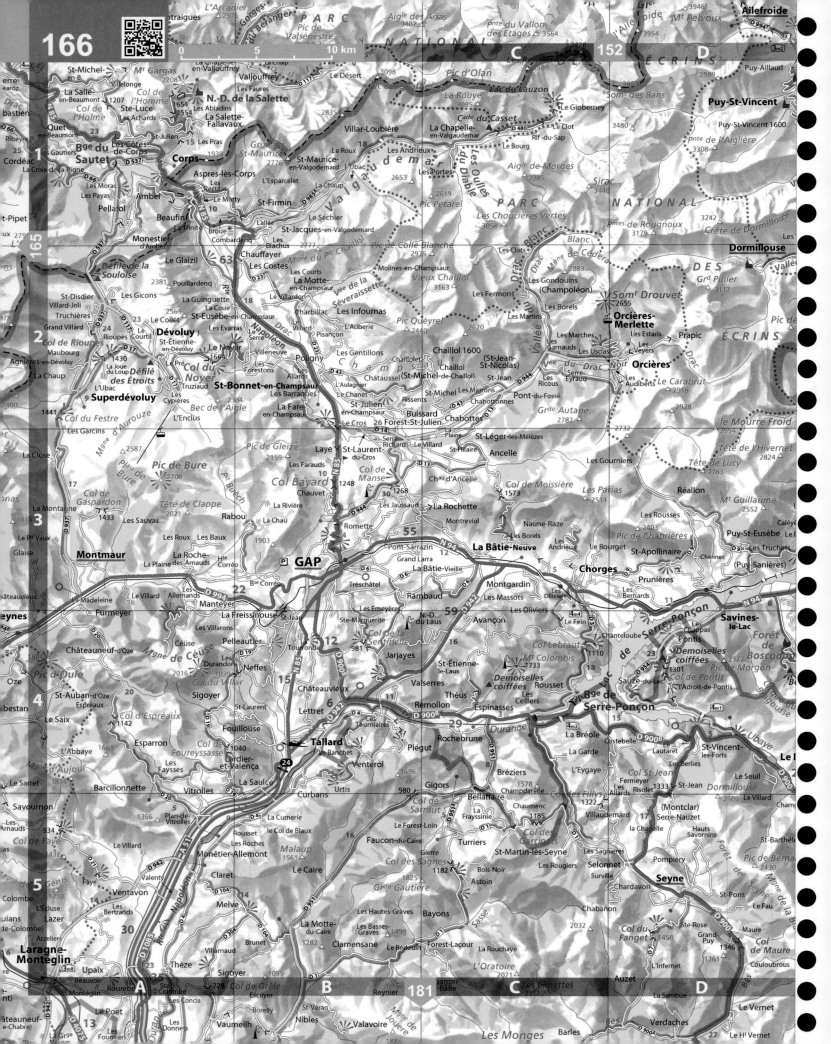

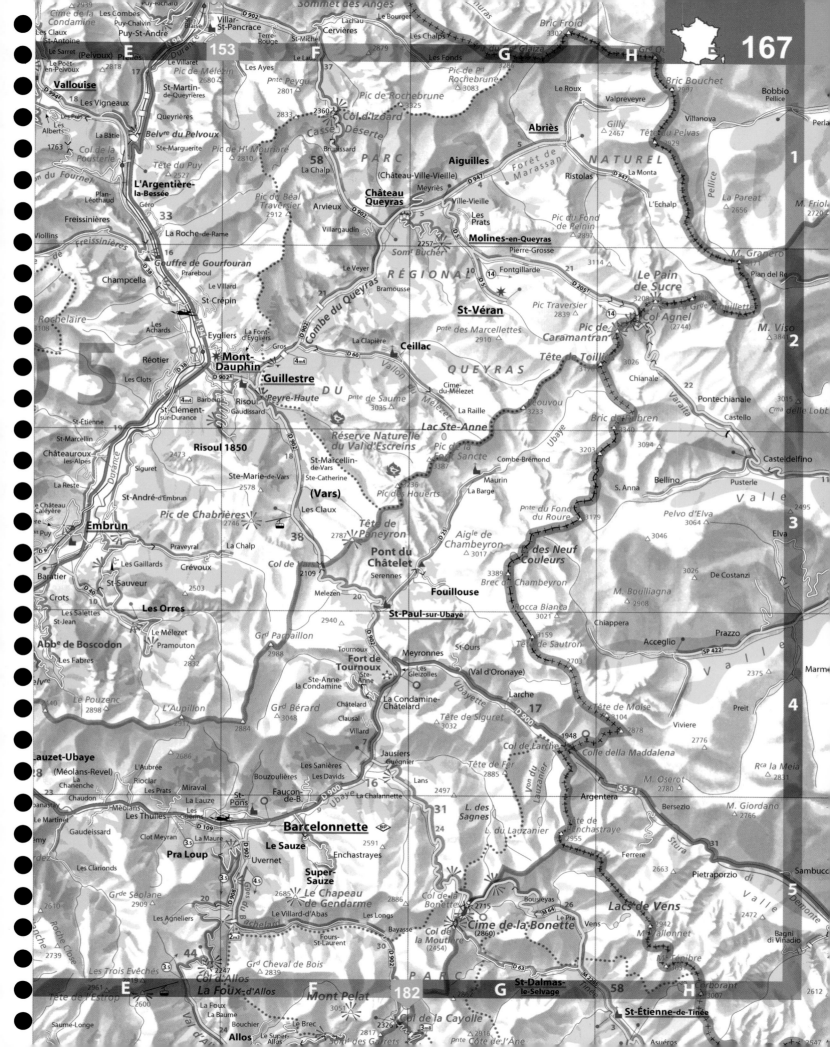

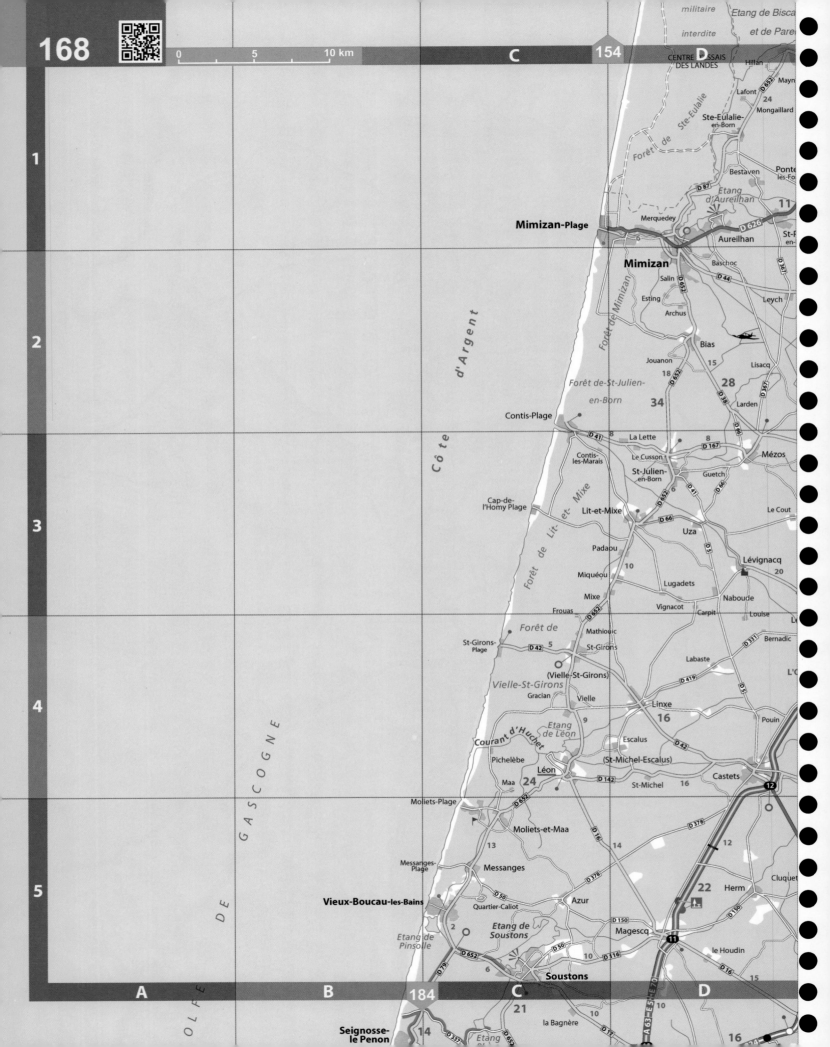

0   5   10 km

C   154   D

CENTRE D'ESSAIS
DES LANDES

militaire
interdite

Etang de Bisca
et de Pare

Hillan

Mayn

Lafont   24

Mongaillard

1

Forêt de Ste-Eulalie

Ste-Eulalie-
en-Born

Bestaven

D 87

Ponte
lès-Fo

*Etang
d'Aureilhan*

11

Mimizan-Plage

Merquedey

6

D 626

Aureilhan

St-P
en-

Mimizan

Baschoc

Salin

D 652

D 44

Leych

Esting

Archus

D 367

2

Forêt d'Argent

Forêt de Mimizan

Bias

Jouanon

15

Lisacq

18   D 652

*Forêt de-St-Julien-
en-Born*

34

28

D 38

Larden

D 367

D 66

Contis-Plage

D 41   8

La Lette

8

D 167

Mézos

Contis-
les-Marais

Le Cusson

Côte

Cap-de-
l'Homy Plage

St-Julien-
en-Born

Guetch

D 652   6   D 41   D 68

3

Forêt de Lit- et- Mixe

Lit-et-Mixe

D 66

Le Cout

Uza

D 5

Padaou

10

Lévignacq   20

Miquéou

Lugadets

Mixe

Vignacot

Naboude

Frouas

D 652

Carpit

Louise

Le

Forêt de

Mathiouic

D 331

Bernadic

St-Girons-
Plage

D 42   5

St-Girons

Labaste

L'O

D 419

D 5

(Vielle-St-Girons)

Vielle-St-Girons

Gracian

Vielle

Linxe

9

Pouin

4

Courant d'Huchet

*Etang
de Léon*

Escalus

16

D 42

Léon

24

(St-Michel-Escalus)

Castets

Pichelèbe

D 142

12

Maa

St-Michel

16

Moliets-Plage

D 652

Moliets-et-Maa

D 16

D 378

13

14

12

Messanges-
Plage

Messanges

D 378

22   Herm

Cluquet

5

Vieux-Boucau-les-Bains

D 50

Azur

D 150

D 150

Quartier-Caliot

Magescq

11

le Houdin

*Etang de
Soustons*

2

D 150

D 16

*Etang de
Pinsolle*

10   D 116

D 79   D 652   6

Soustons

A   B   184   C   21   D

la Bagnère

10   D 17

A 63

10

15

**Seignosse-
le Penon**

14   D 337   D 65

Etang

16

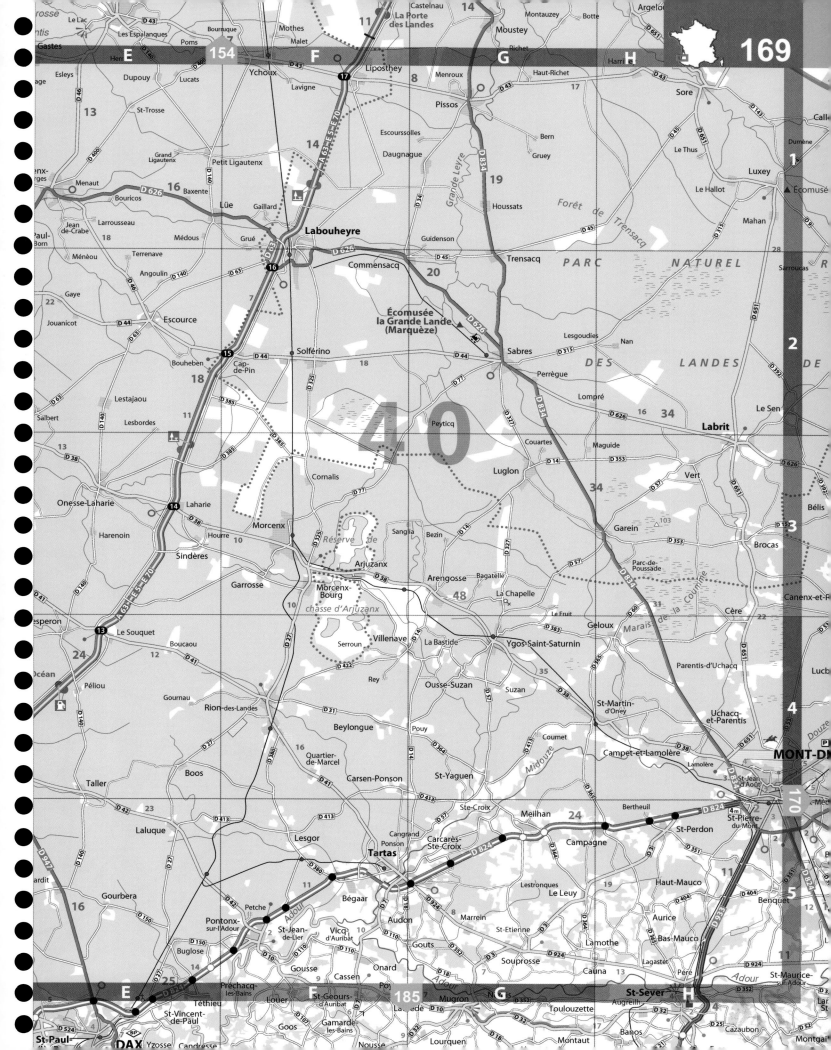

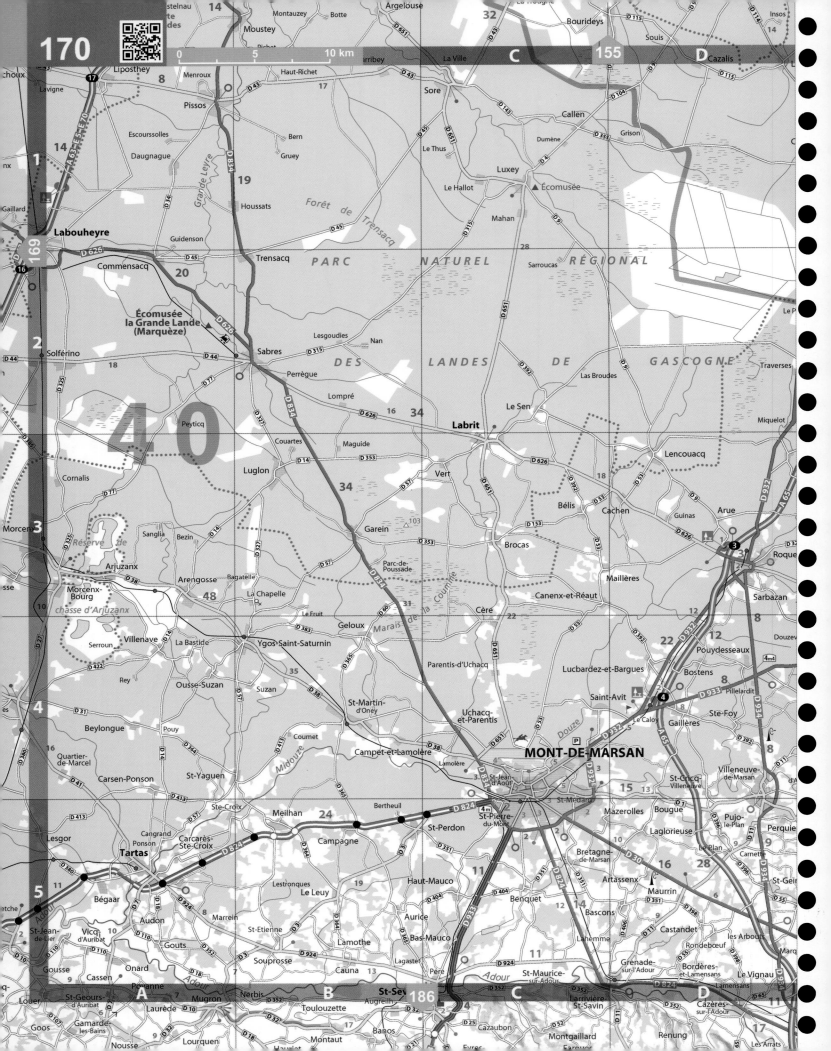

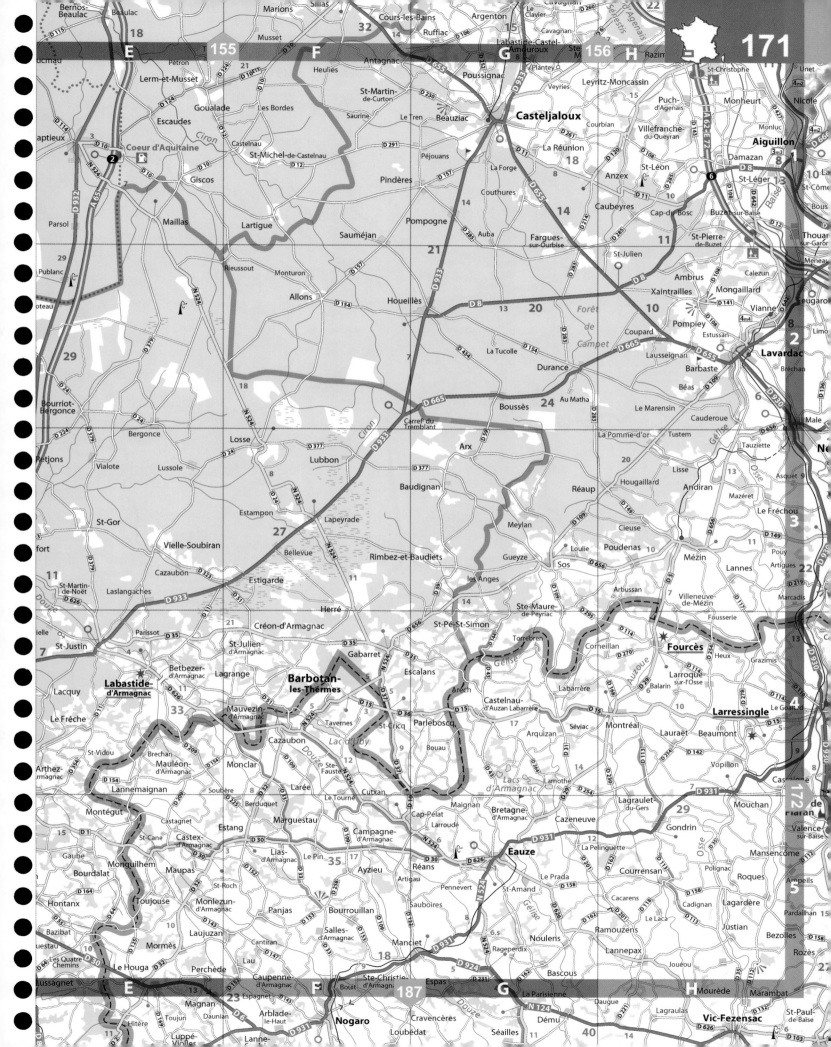

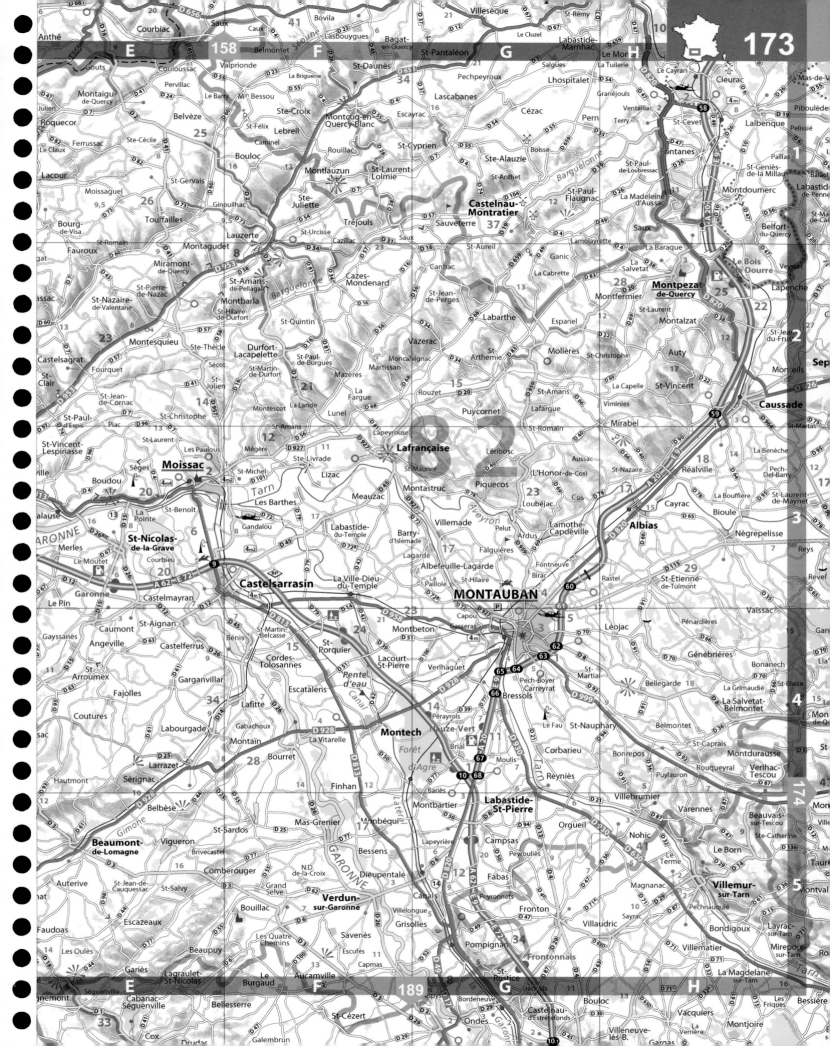

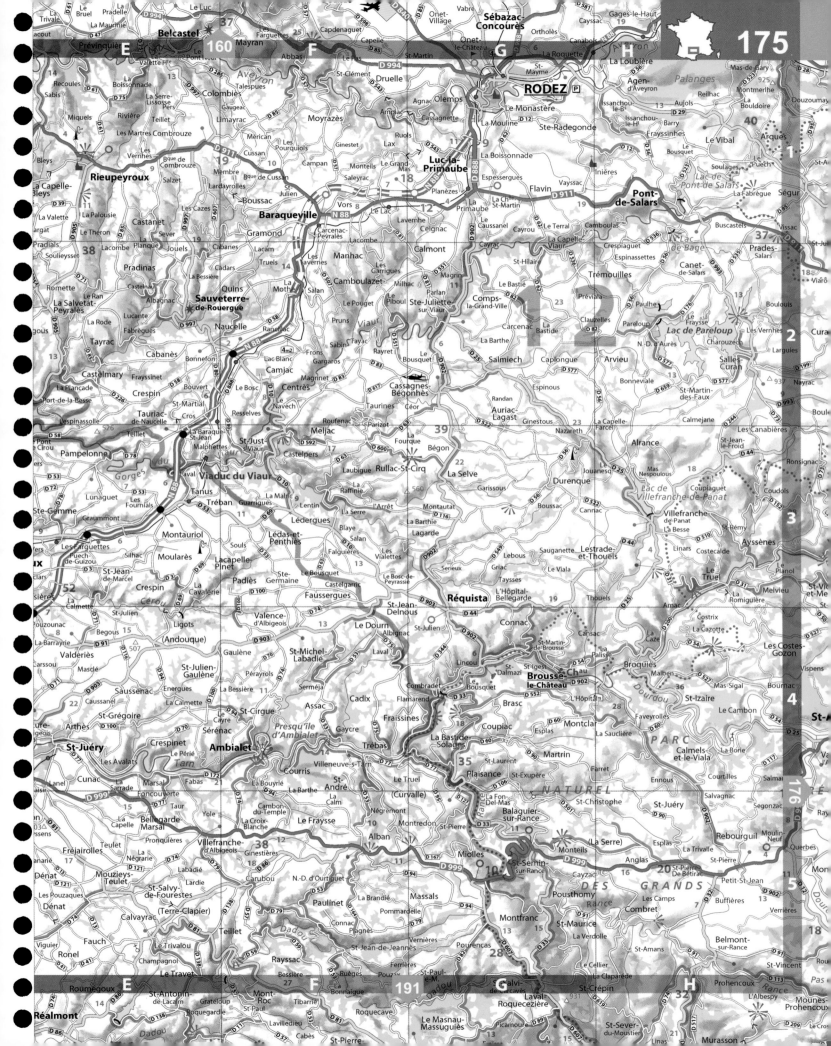

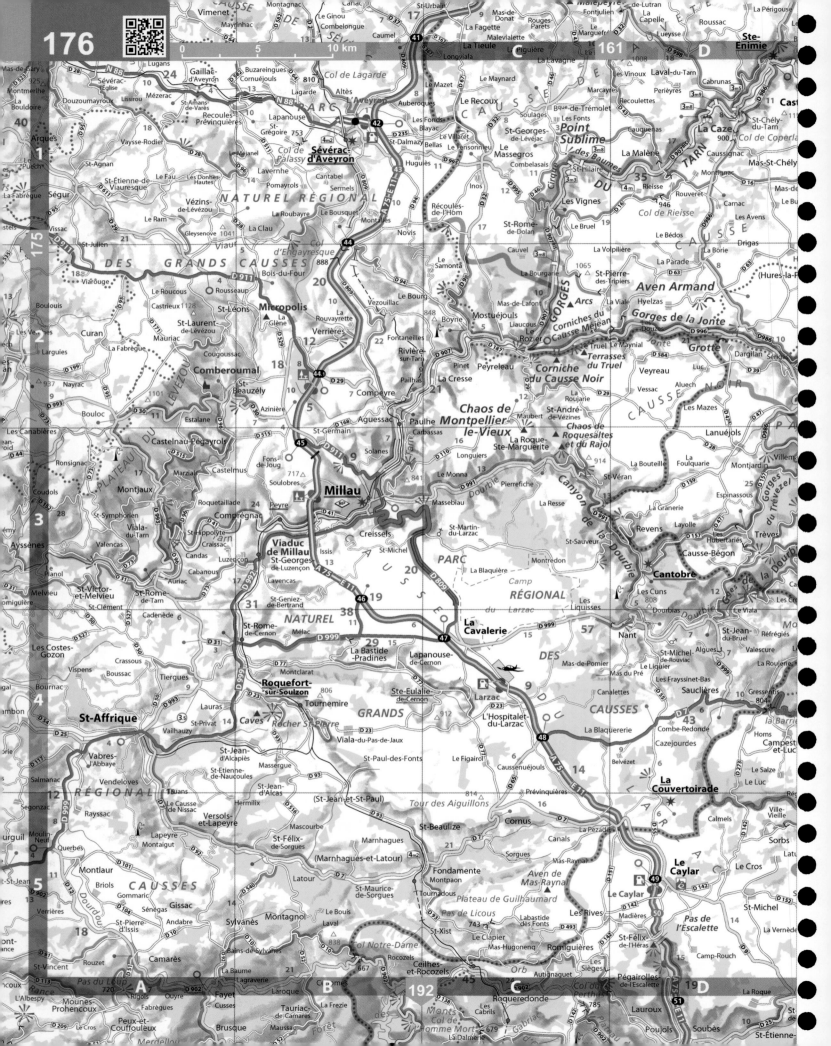

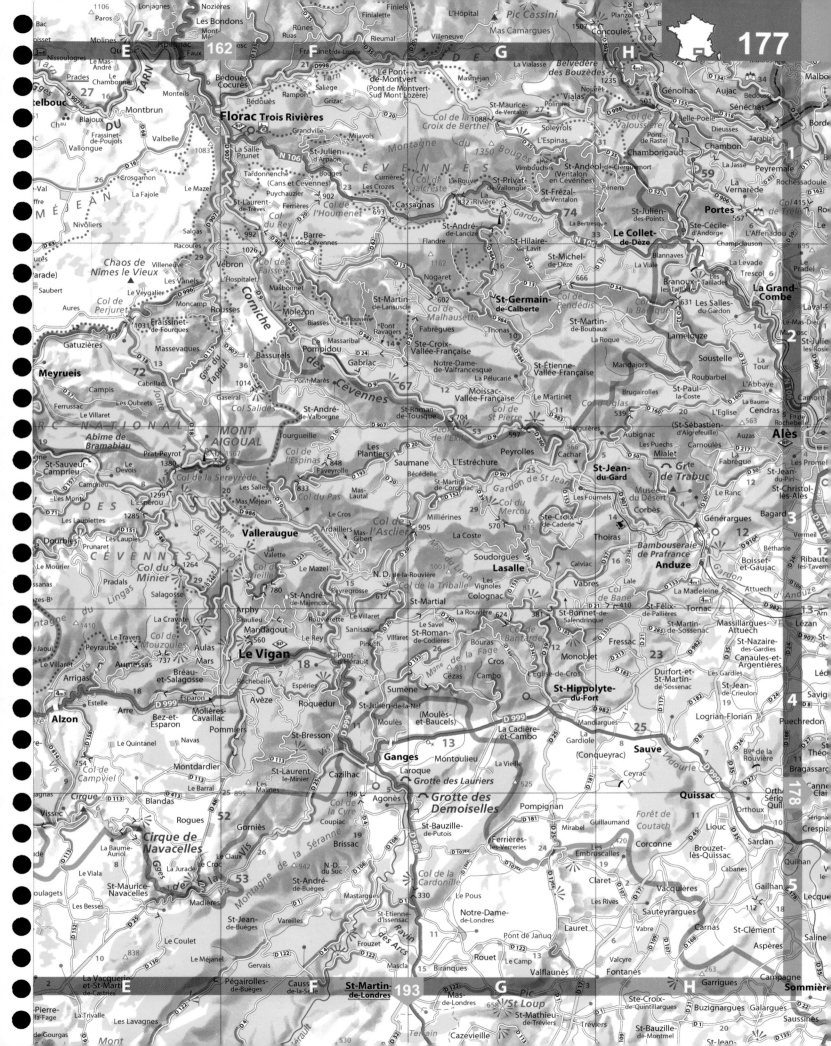

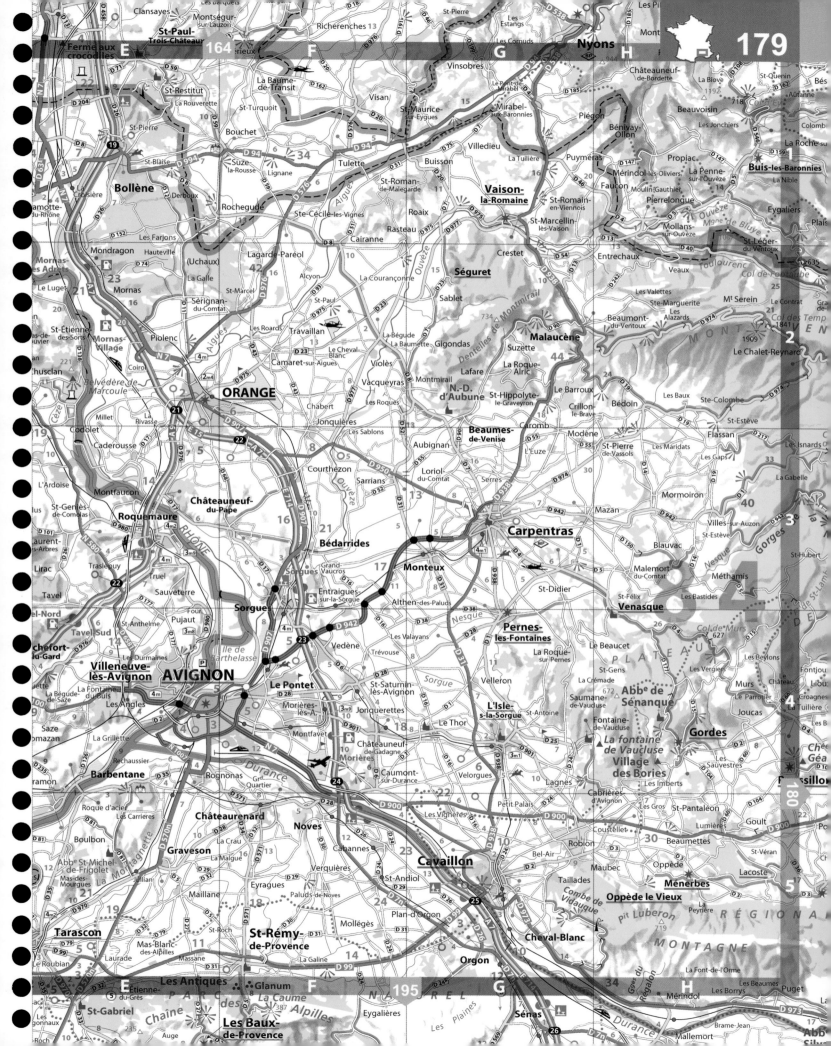

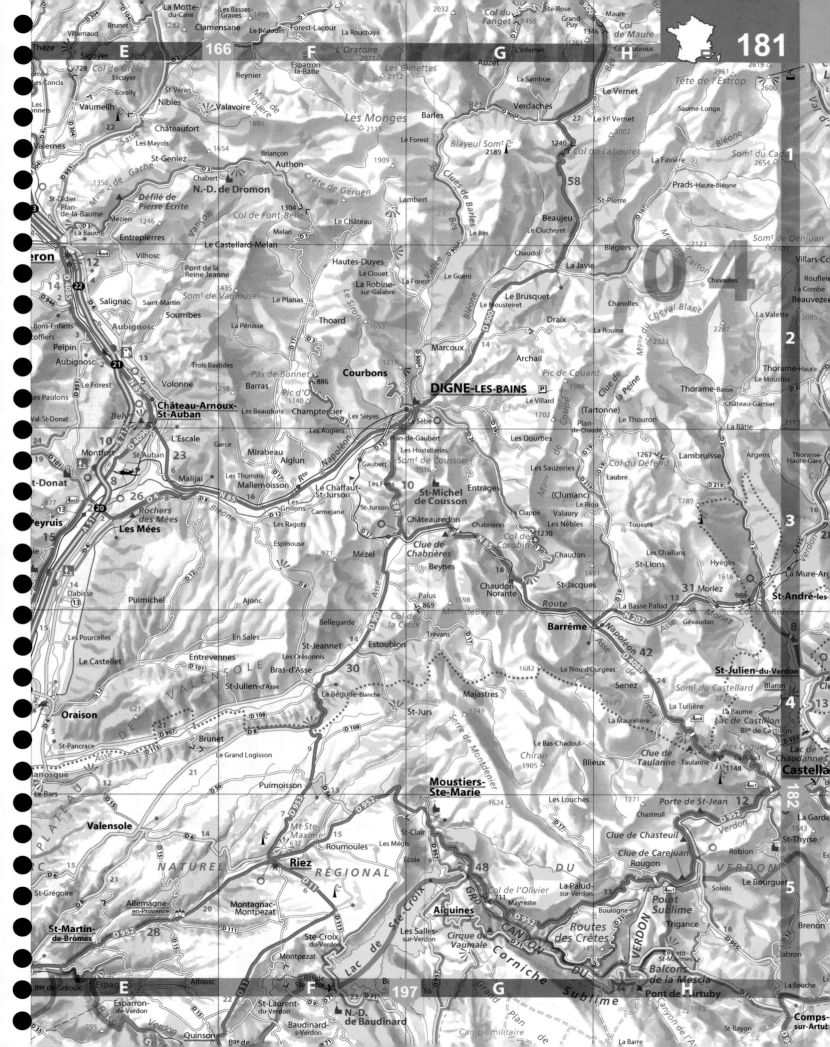

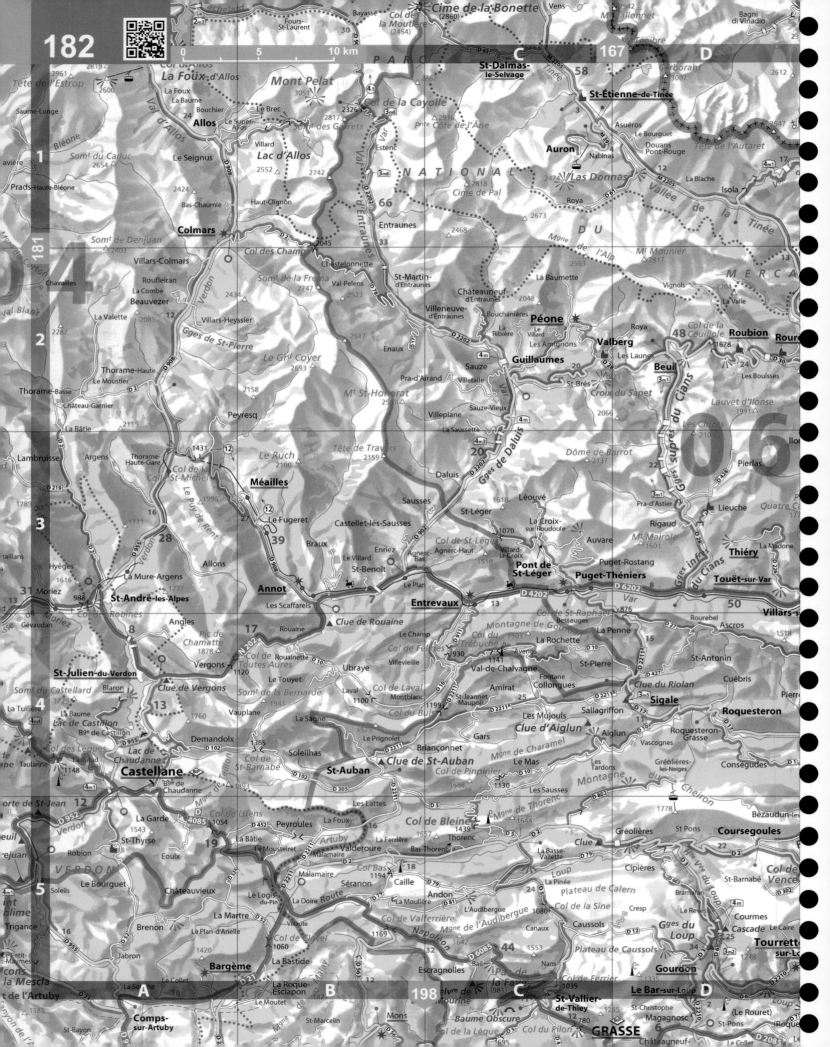

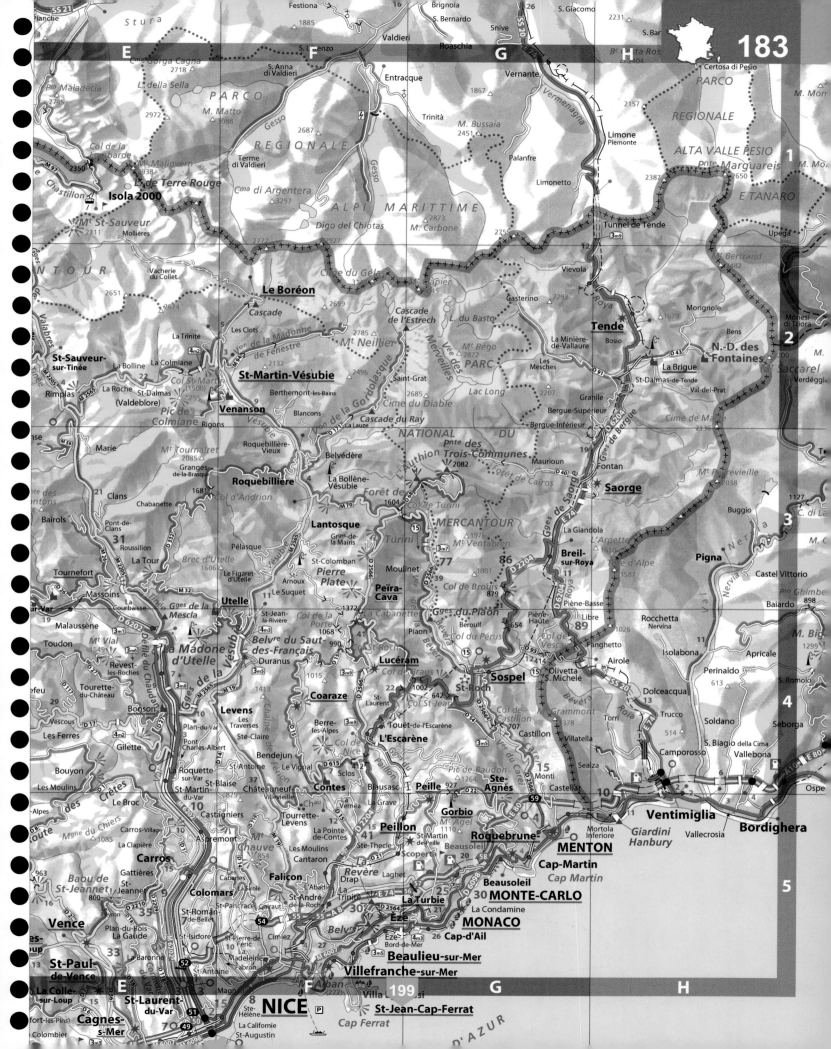

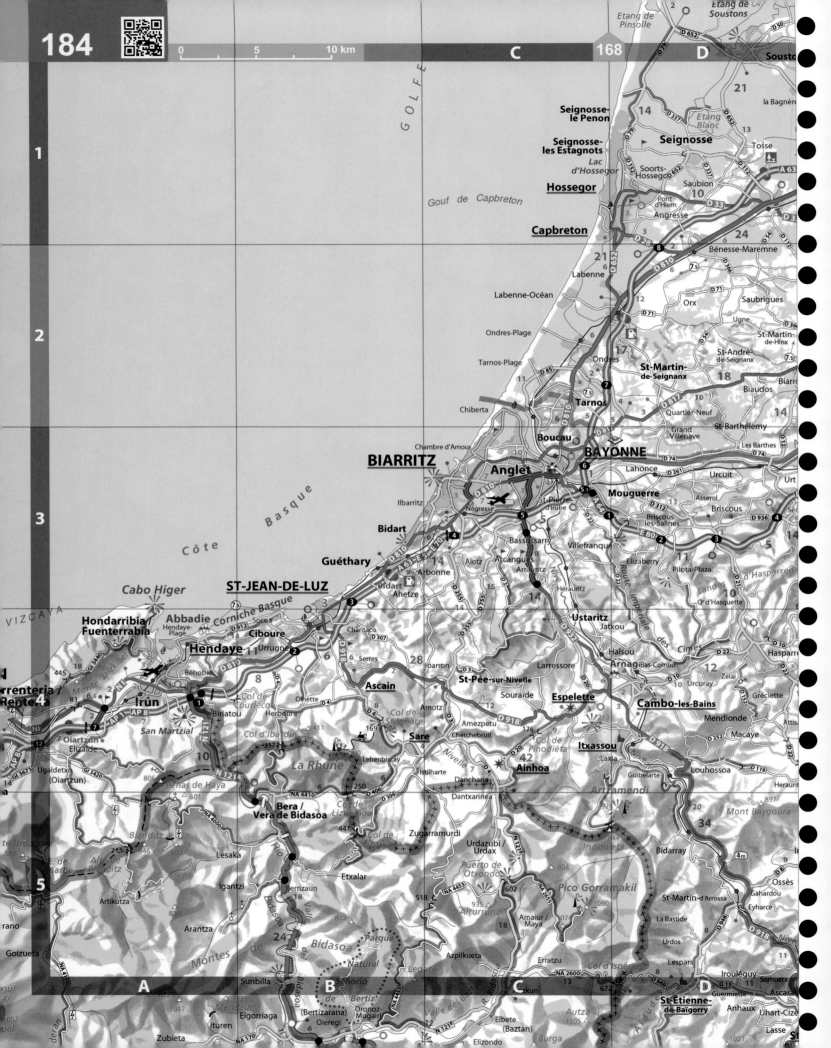

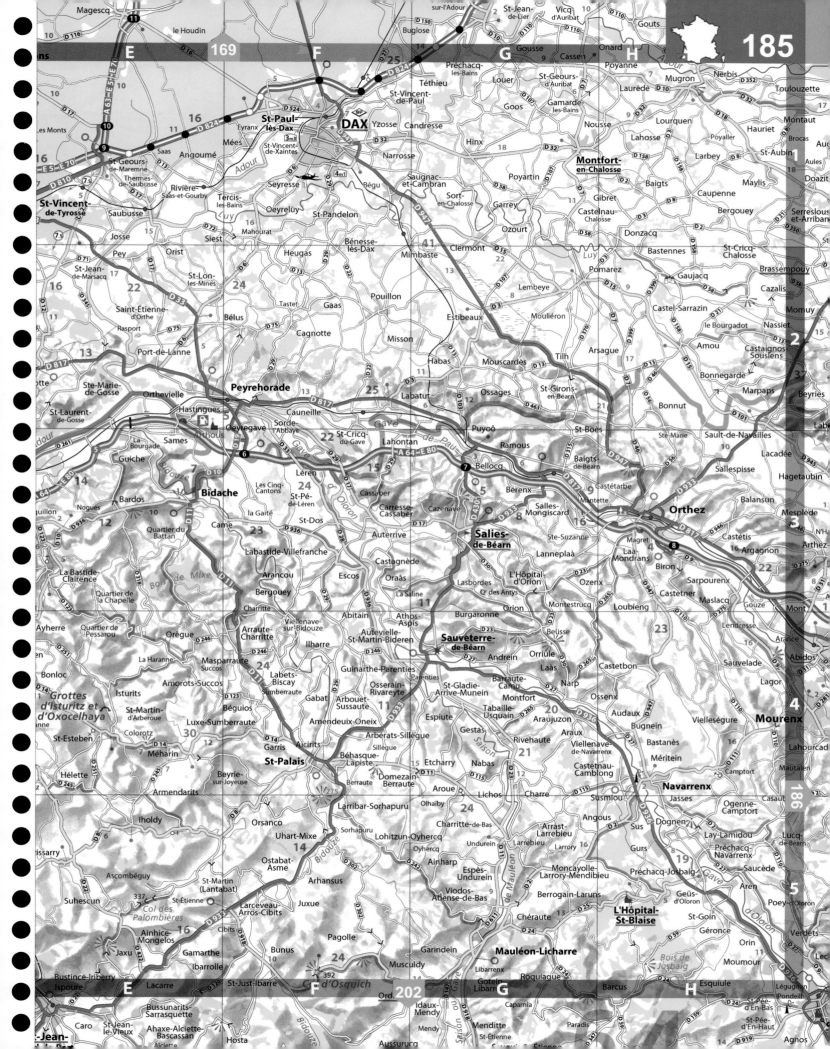

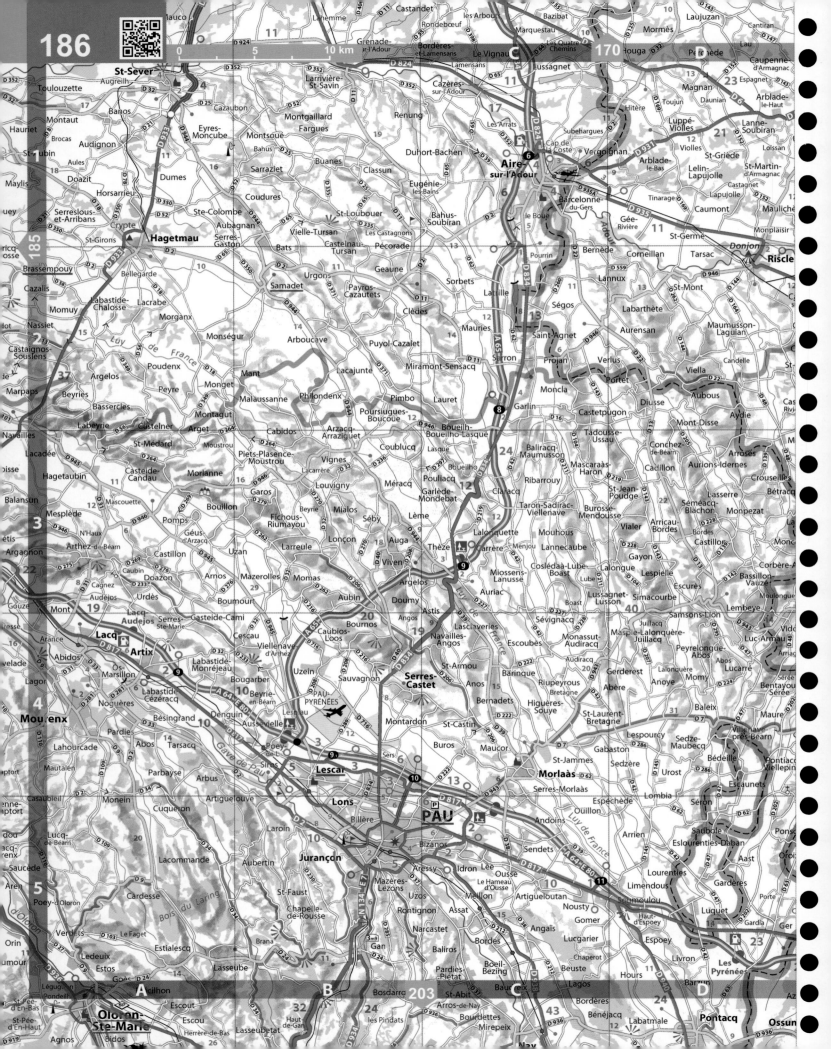

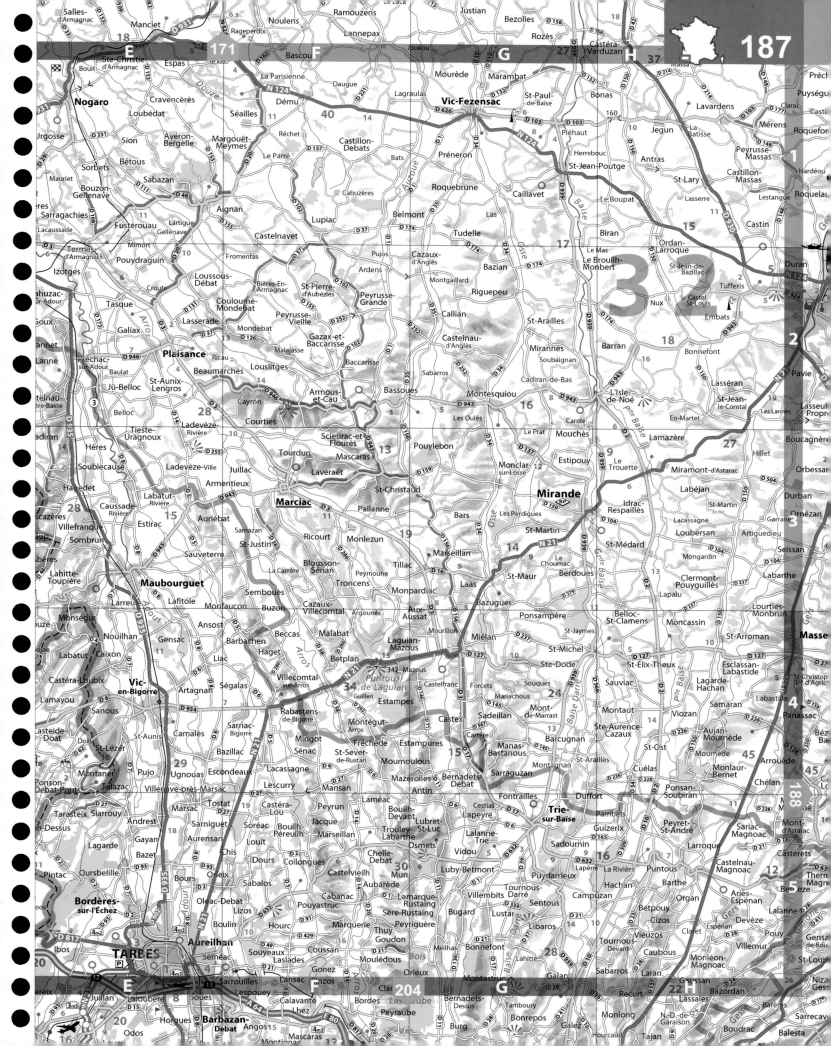

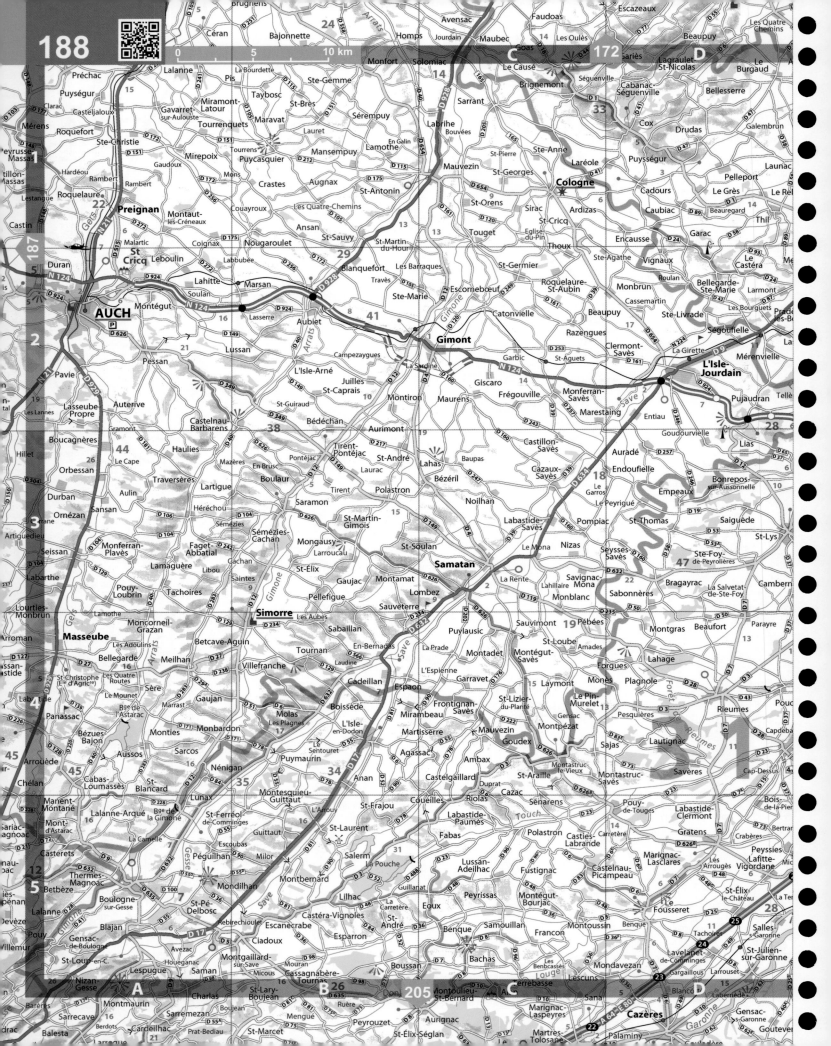

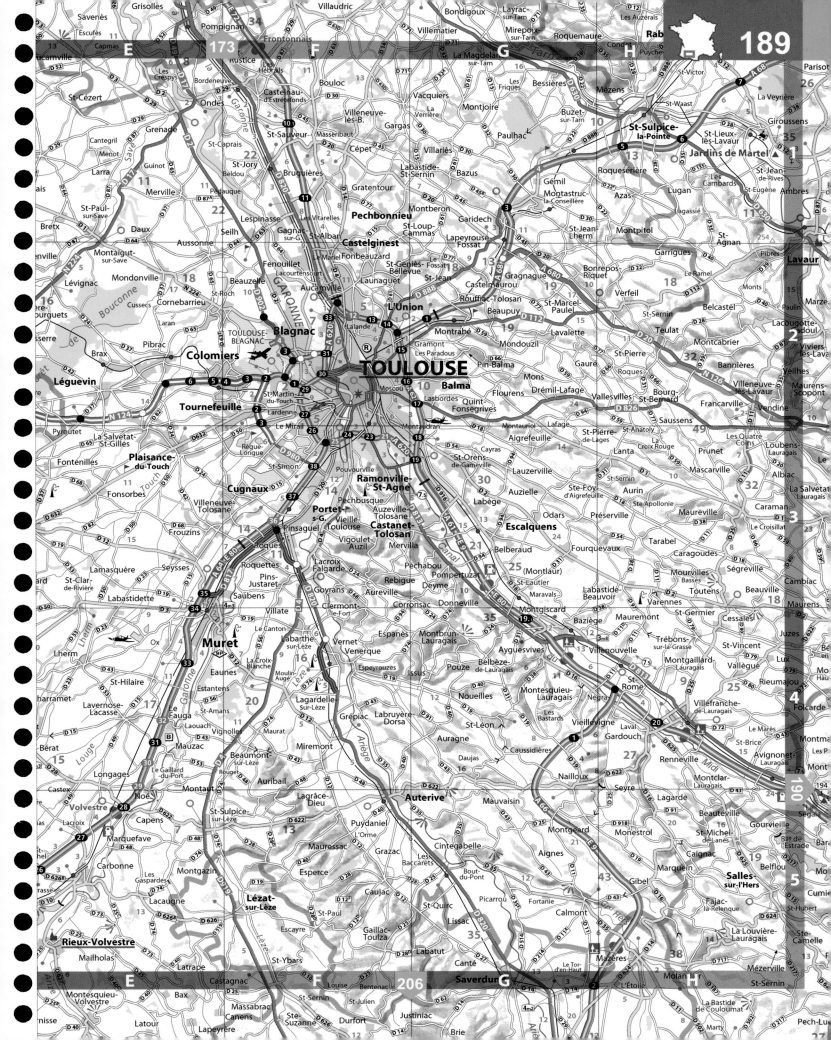

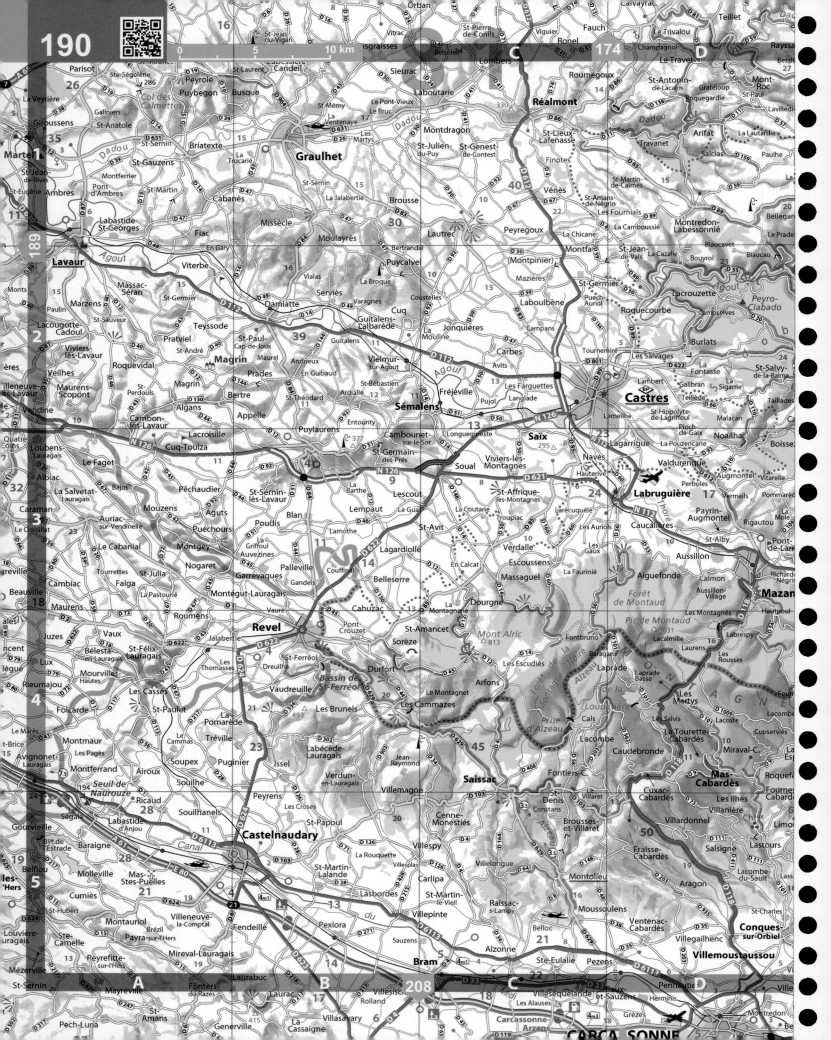

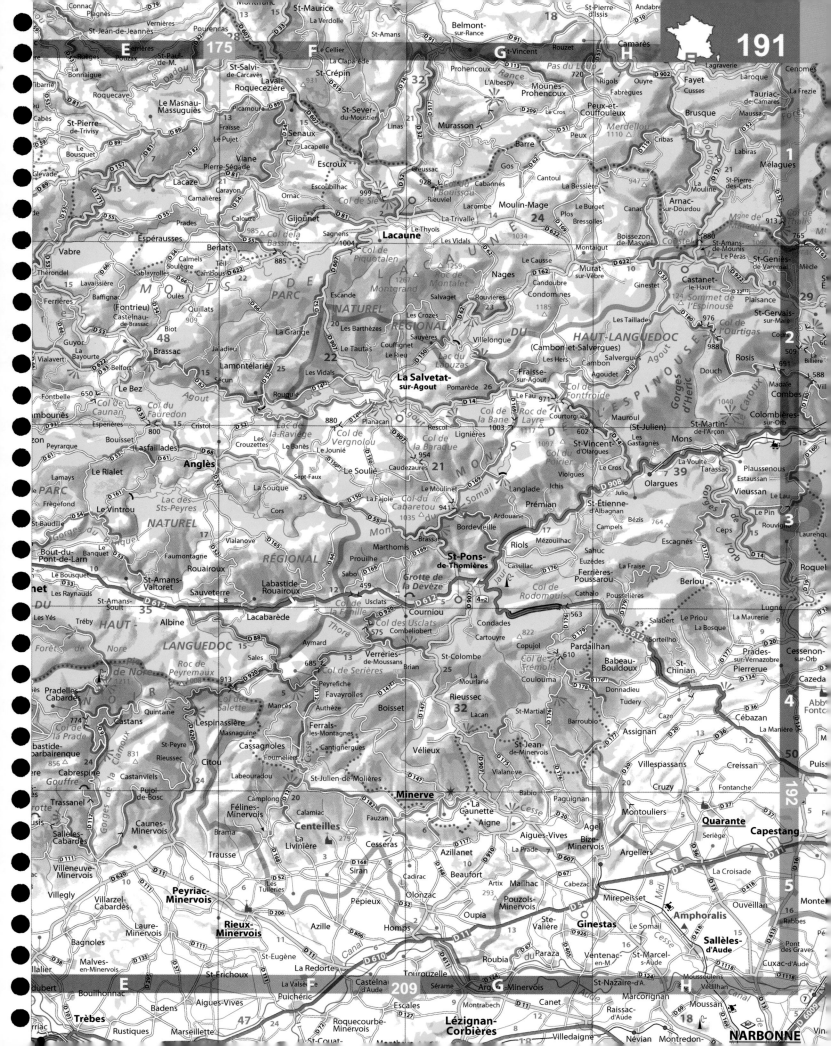

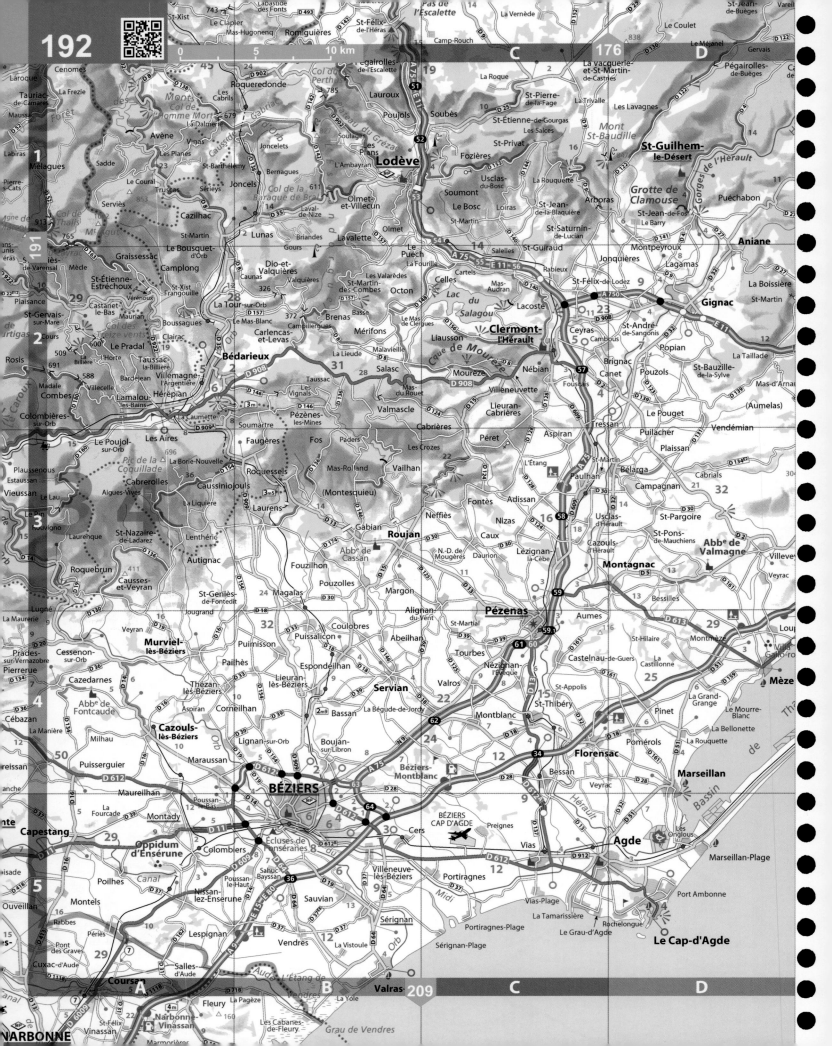

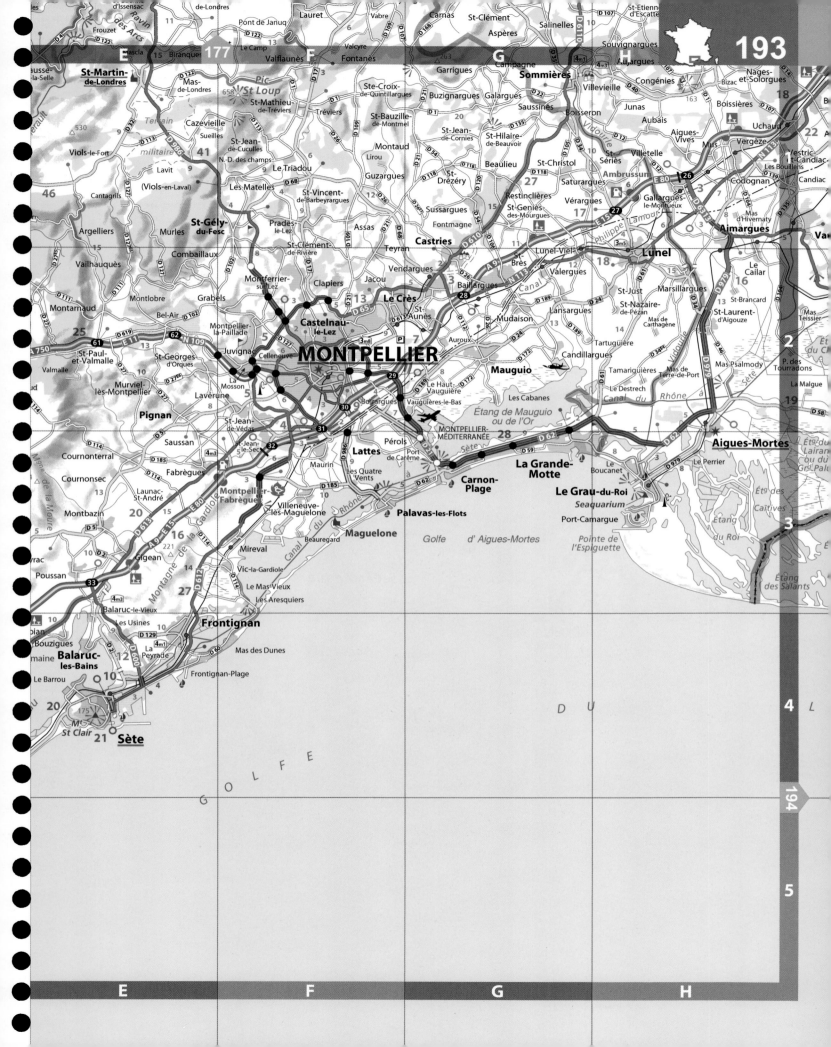

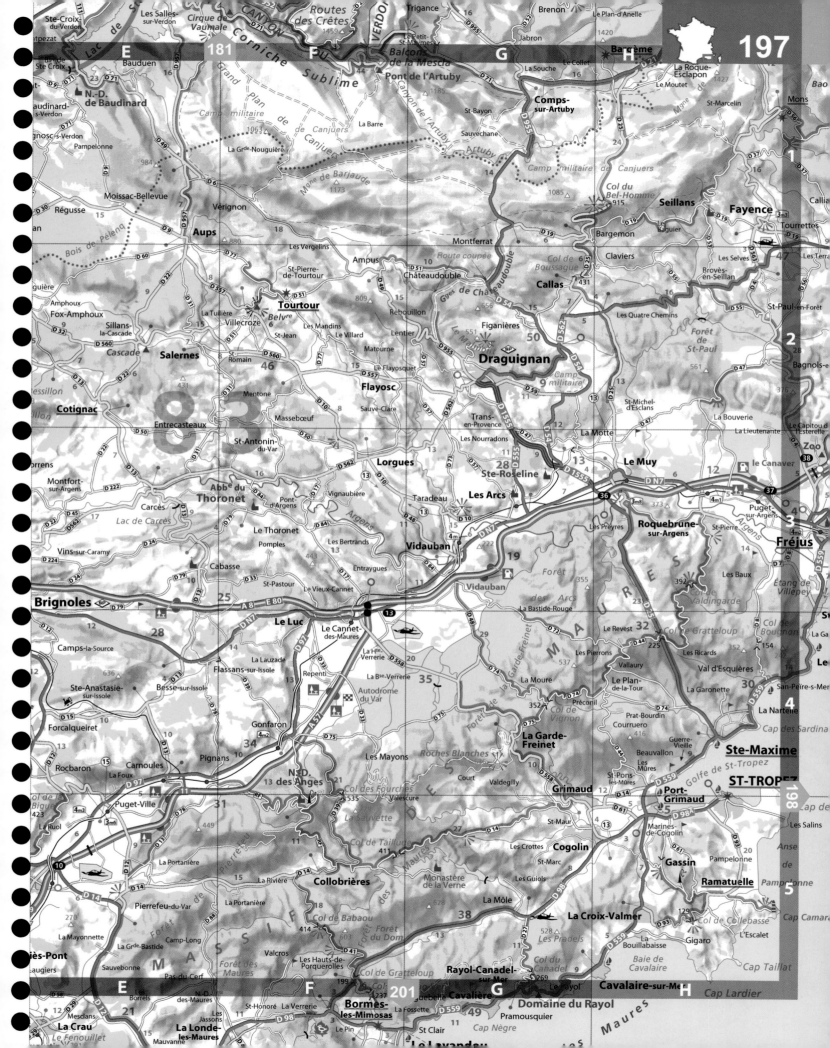

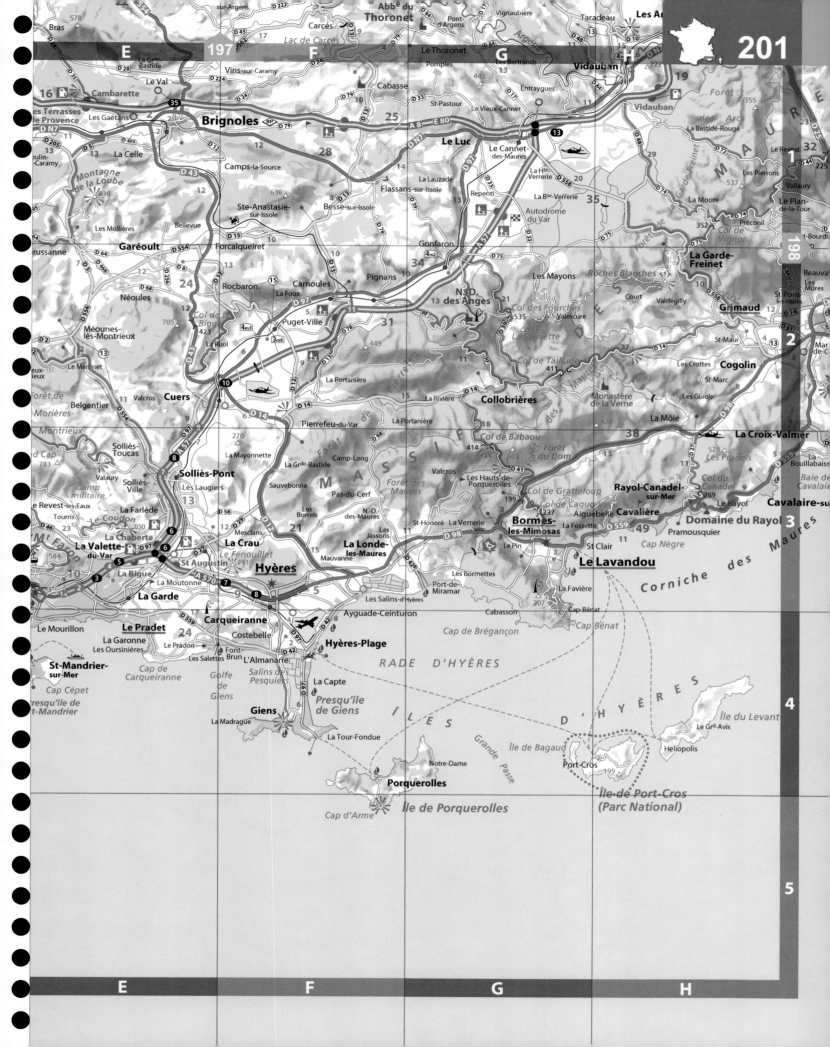

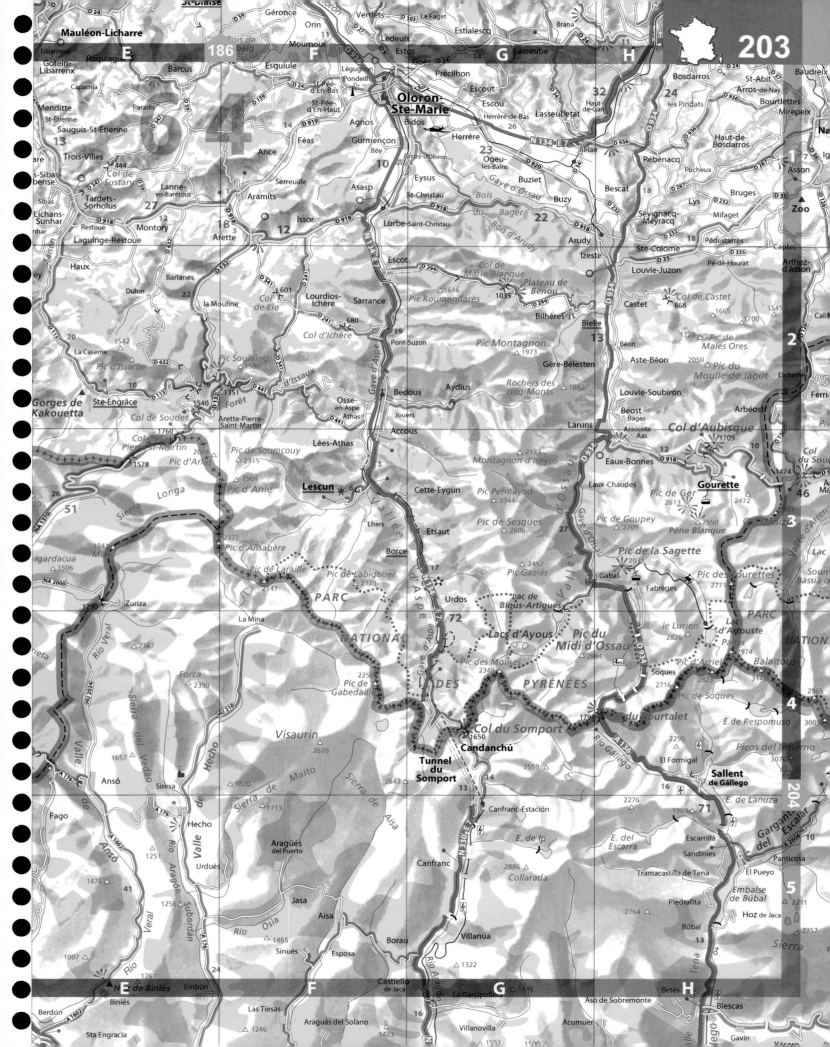

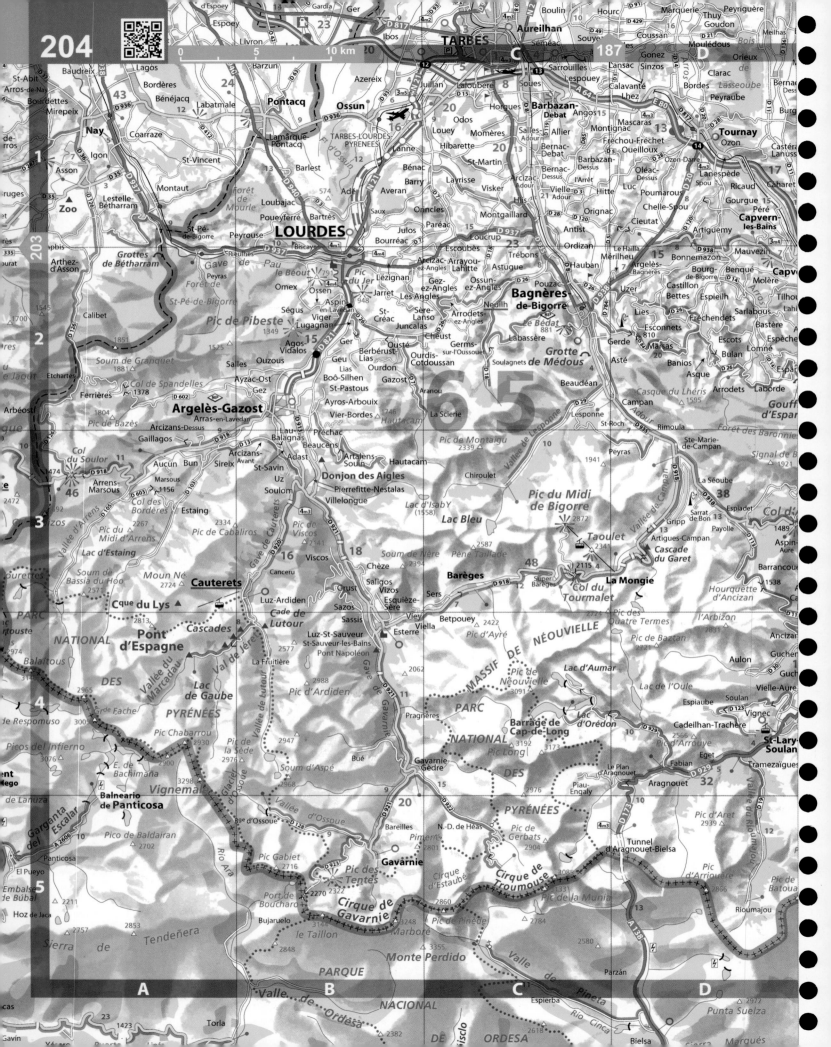

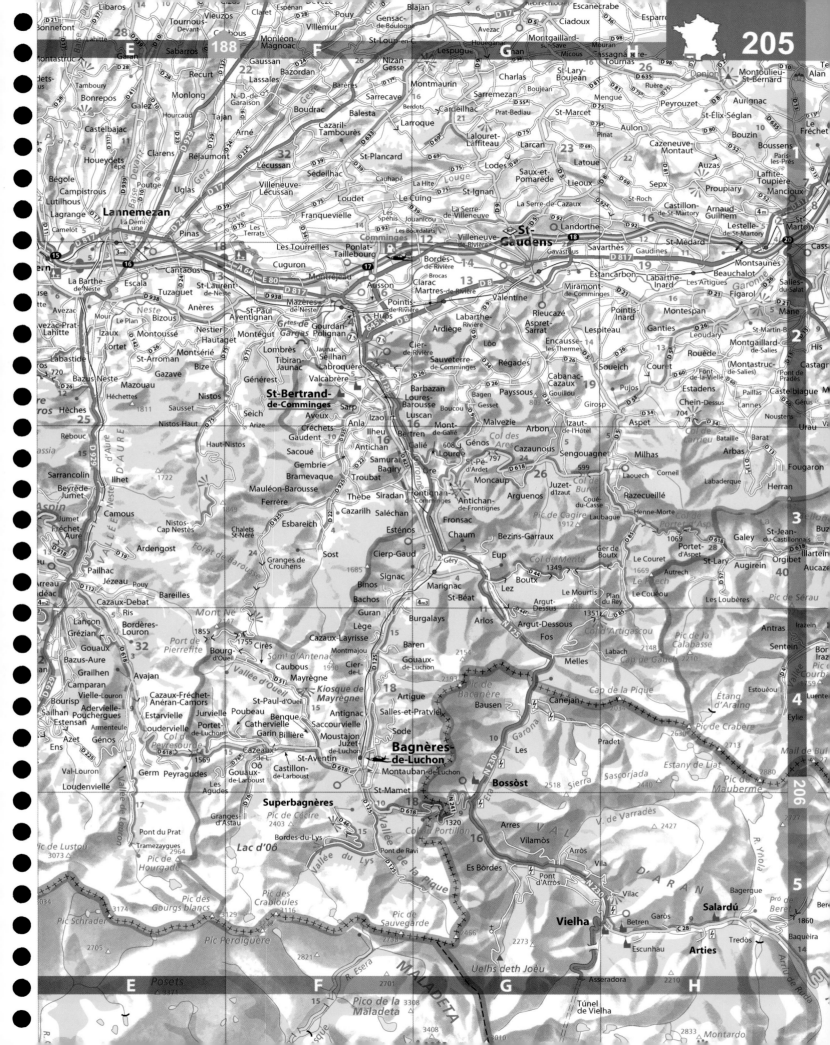

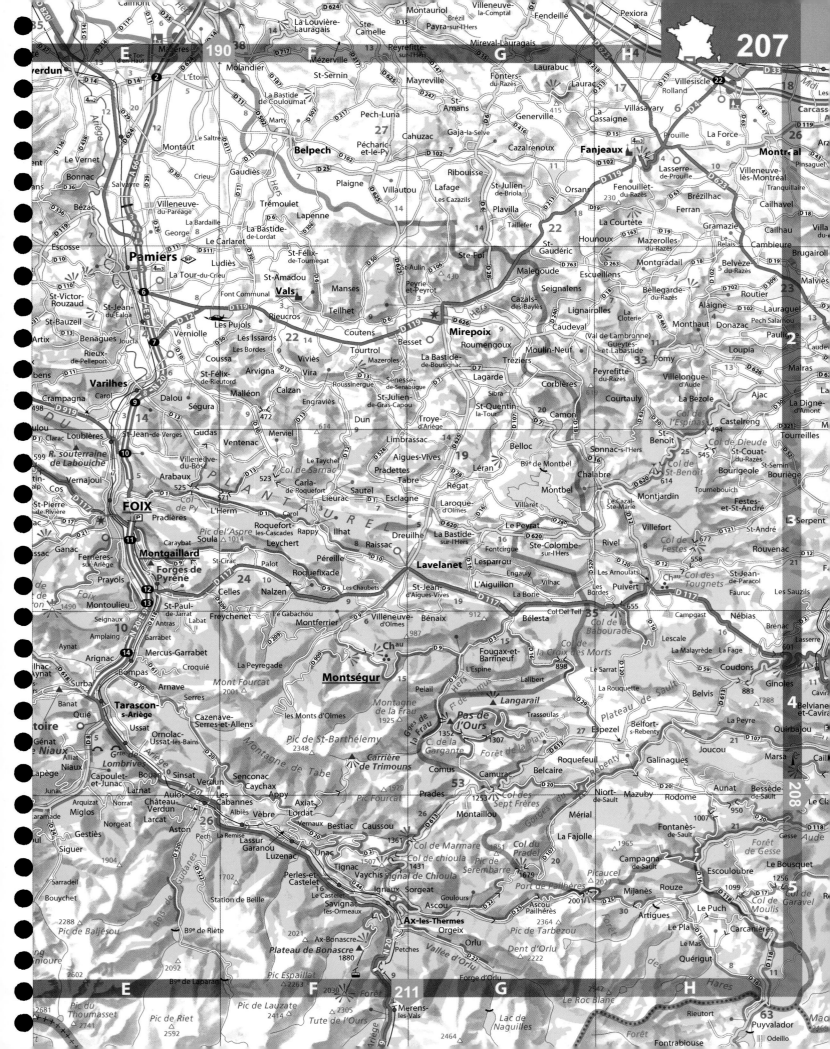

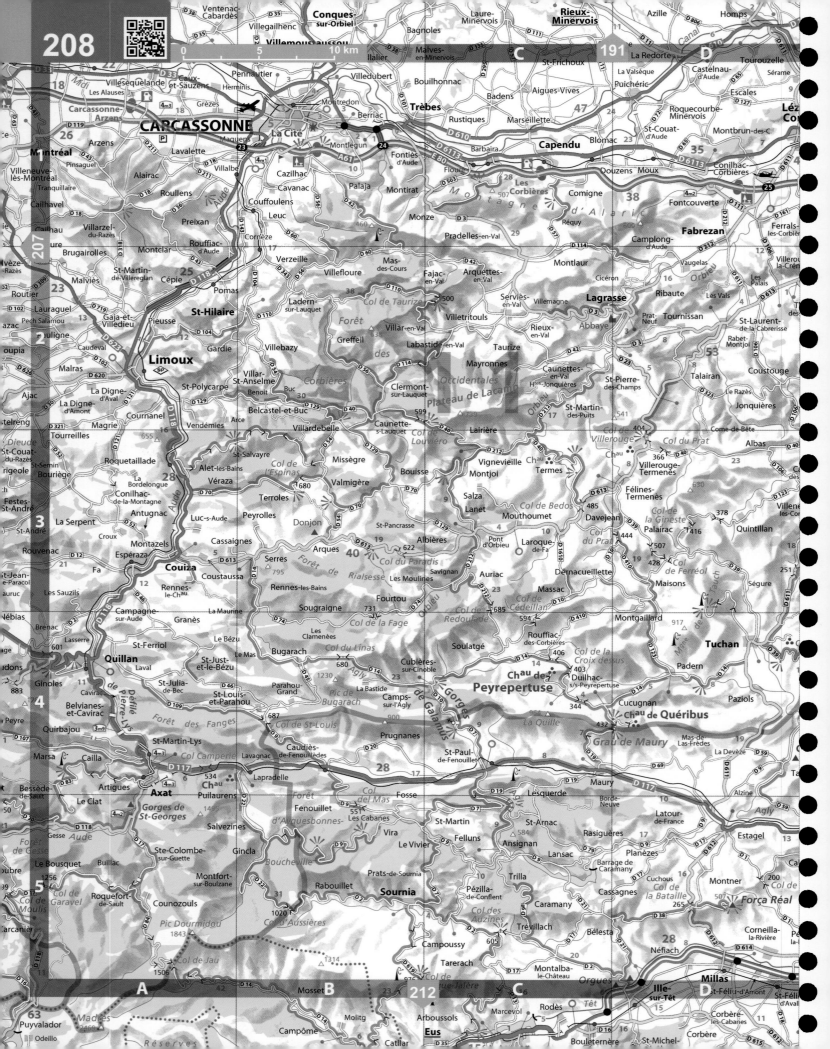

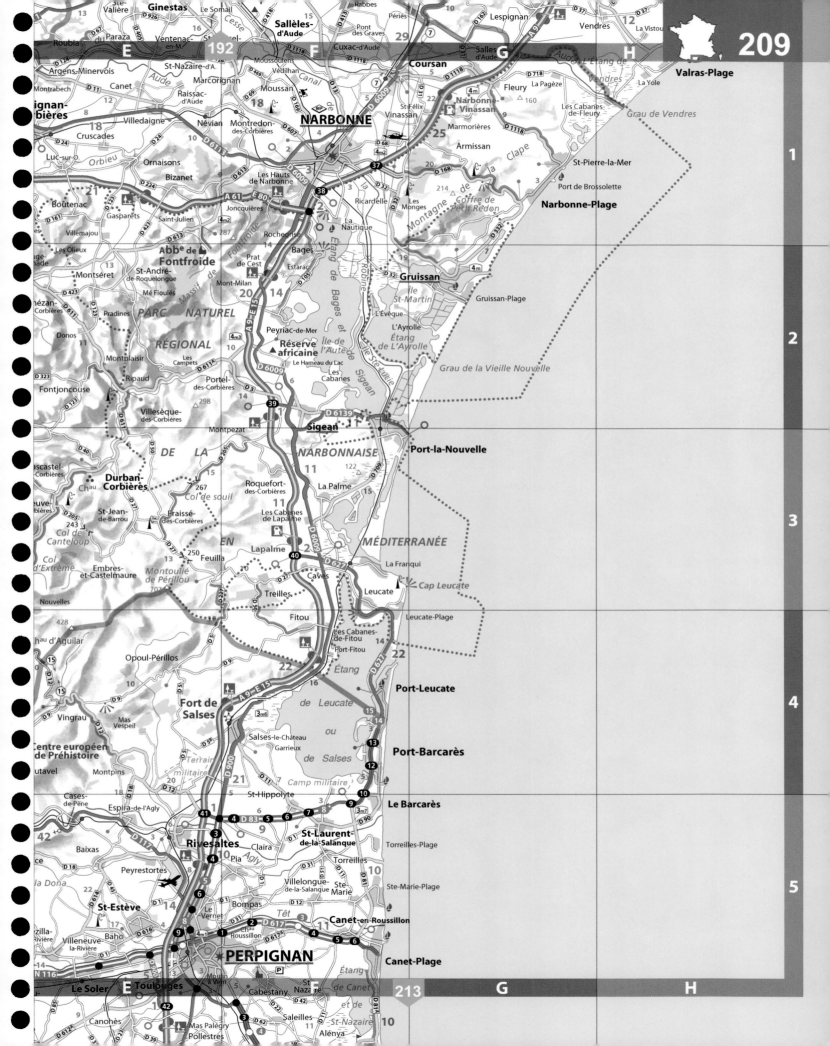

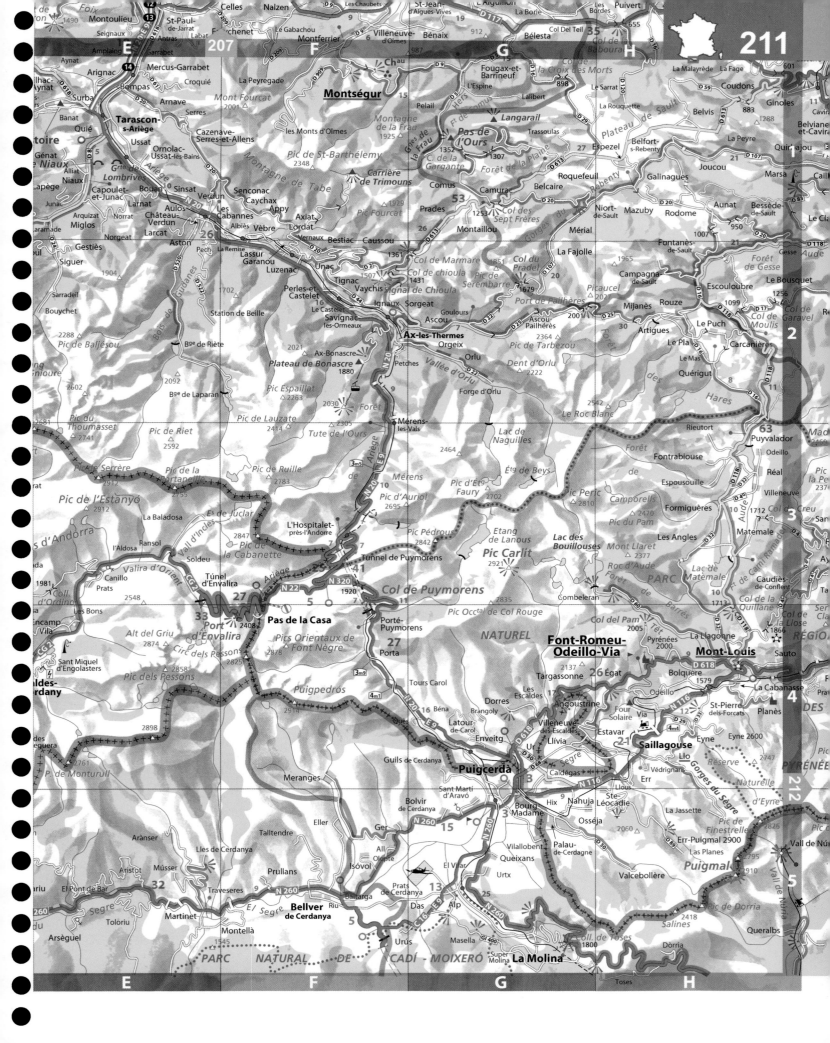

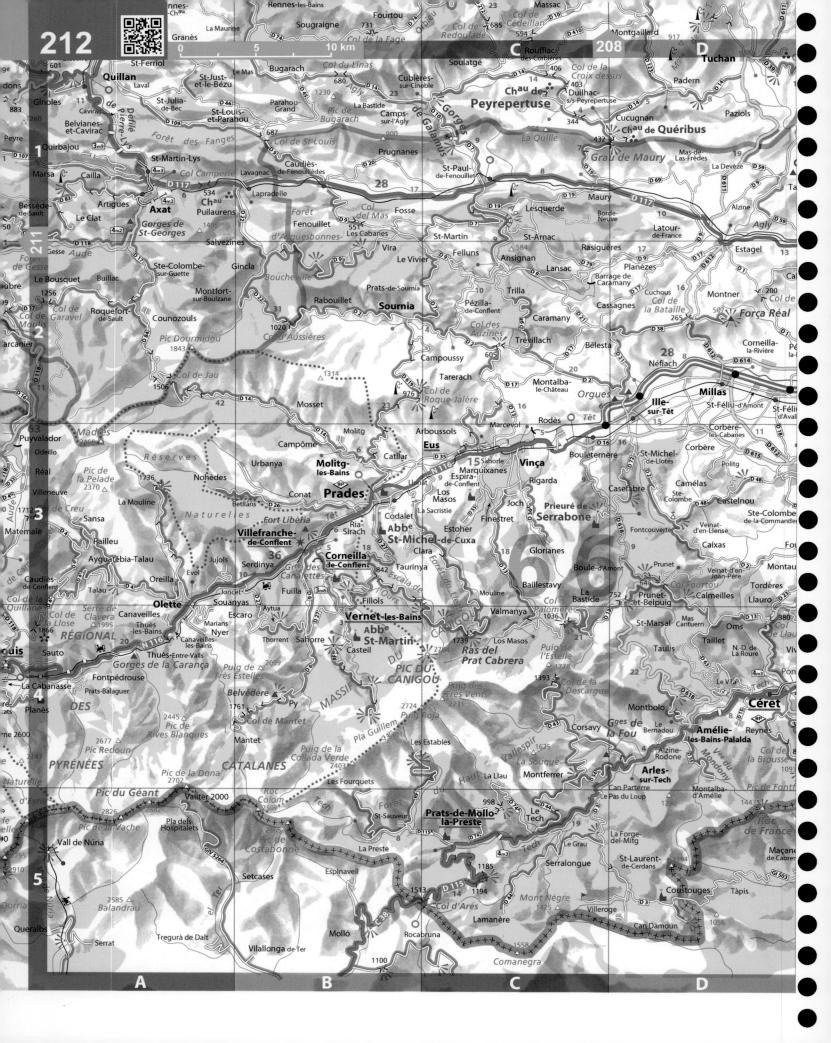

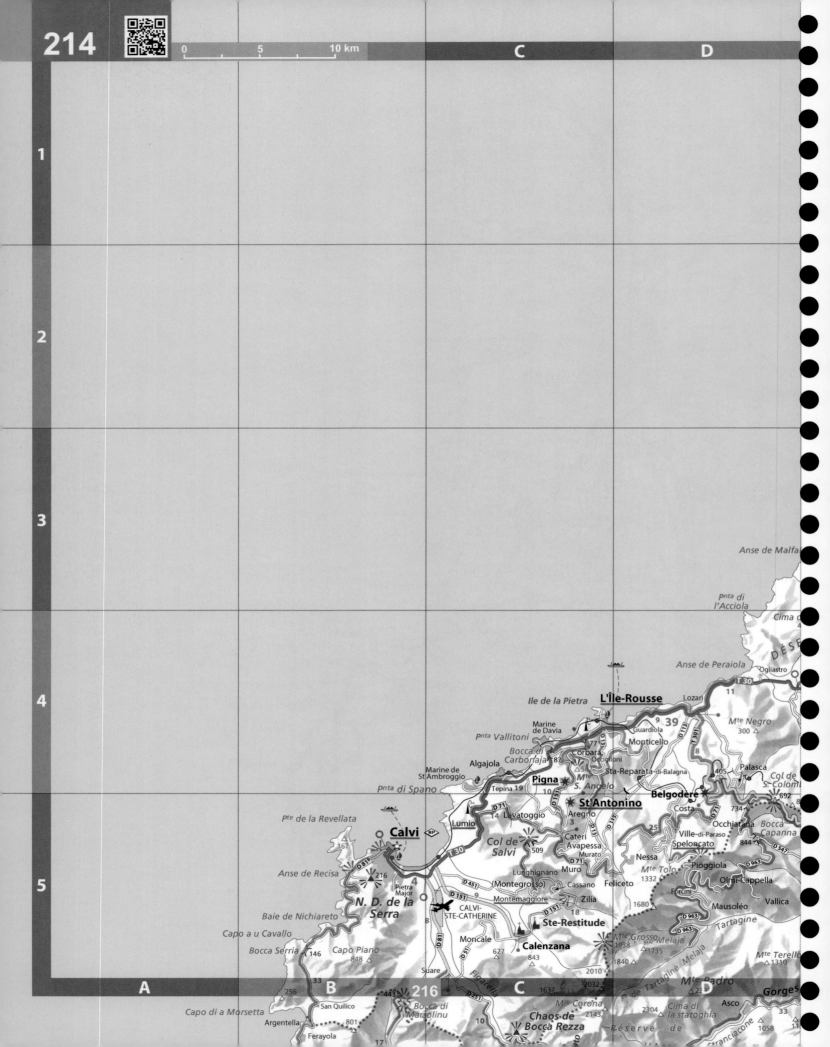

0   5   10 km

C   D

1

2

3

Anse de Malfa

Pᵗᵃ di
l'Acciola

Cima d

DÉSE

Anse de Peraiola

Ogliastro

T 30

4

Ile de la Pietra   L'Île-Rousse   Lozari   11

9 39

Marine   Mᵗᵉ Negro
de Davia   Guardiola   300 △
Pⁿᵗᵃ Vallitoni   Monticello

Bocca di   Corbara
Carbonaja 87   Occiglioni   Sta-Reparata-di-Balagna   405   Palasca
Marine de   Algajola   △5   Col de
St Ambroggio   Pigna   Mᵗᵉ   Belgodère   S. Colomb
Pⁿᵗᵃ di Spano   Tepina 19   10 151   S. Angelo   Costa   734   692

D 71   St'Antonino   D 113   Occhiatana   Bocca
Lumio   14 Lavatoggio   Aregno   25   Ville-di-Paraso   844   Capanna
Pᵗᵉ de la Revellata   3   Cateri   Spelencato   D S47

Calvi   Col de   Avapessa
Salvi 509   Murato   Nessa   Mᵗᵉ Tolo   Pioggiola   D 963
T 30   Lunghignano   Muro   1332
Anse de Recisa   216   (Montegrosso)   Feliceto   Olmi-Cappella
5   Pietra   D 451   9   Cassano   1680   Forcini   Vallica
Major   4   D 151   Montemaggiore   Zilia   Mausoléo
N. D. de la   CALVI-   18   D 963
Baie de Nichiareto   Serra   8   STE-CATHERINE   D 151   Mᵗᵉ Grosso Melaja   D 963   Tartagine
Capo a u Cavallo   Ste-Restitude   1938   1735   Mᵗᵉ Terello
Bocca Serria 146   Moncale   D 351   1840   Mᵗᵉ Padro   1310
Capo Piano   627   843   2010 △   F. de Tartagine Melaja   △2
848 △   Suare   Gorges

A   B   C   D
256   San Quilico   443   216   1637   2032   Asco   33
Capo di a Morsetta   Bocca di   Mᵗᵉ Corona   2304   Cima di   1058   1
Argentella   801   Marsolinu   2143   la statoghia   anciacone
Ferayola   10   Chaos de   Réserve   de
17   Bocca Rezza

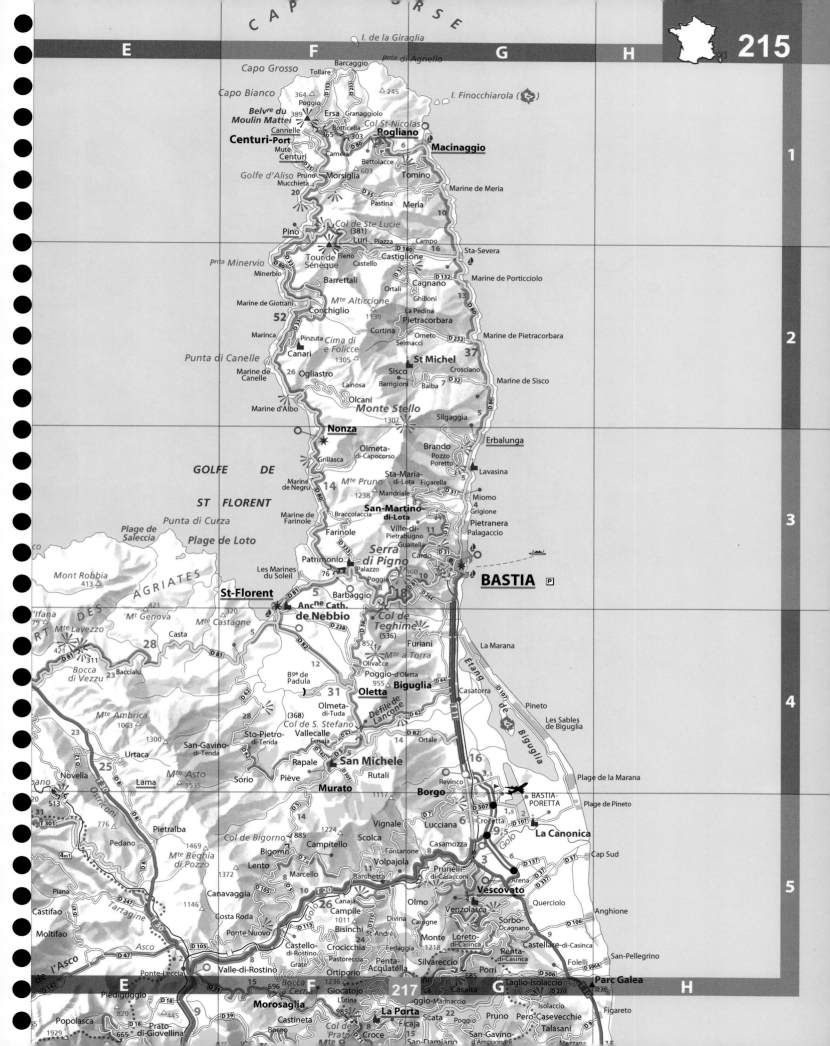

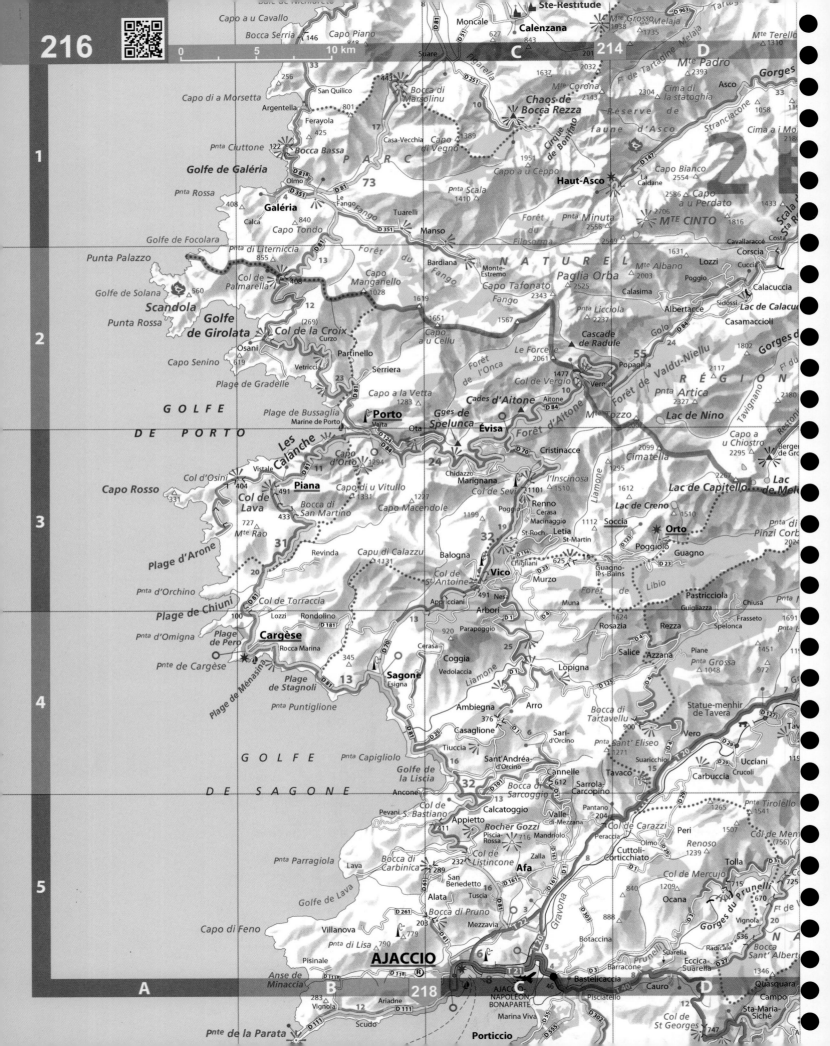

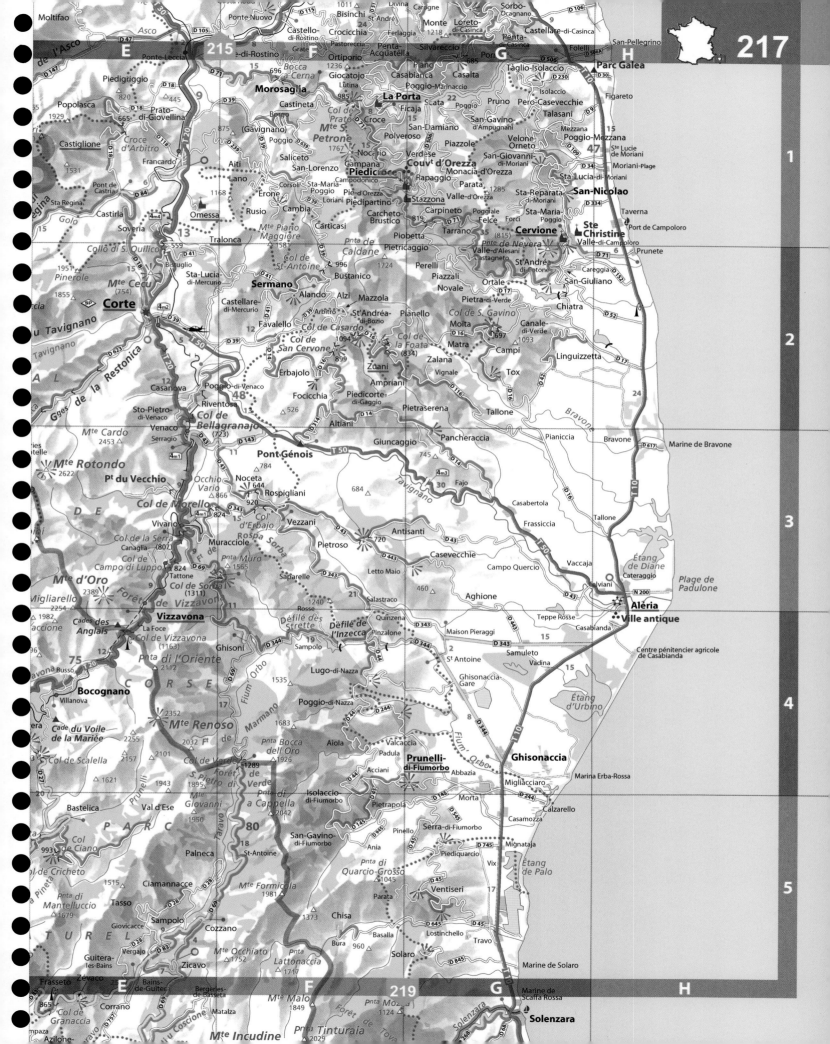

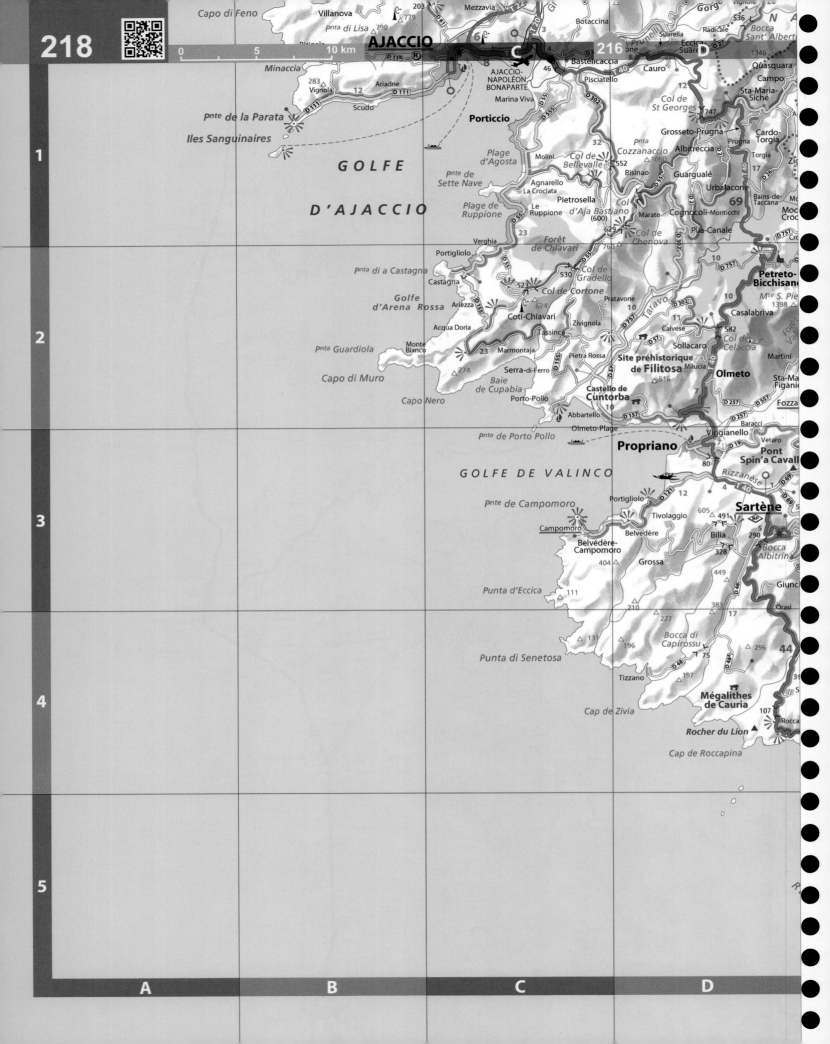

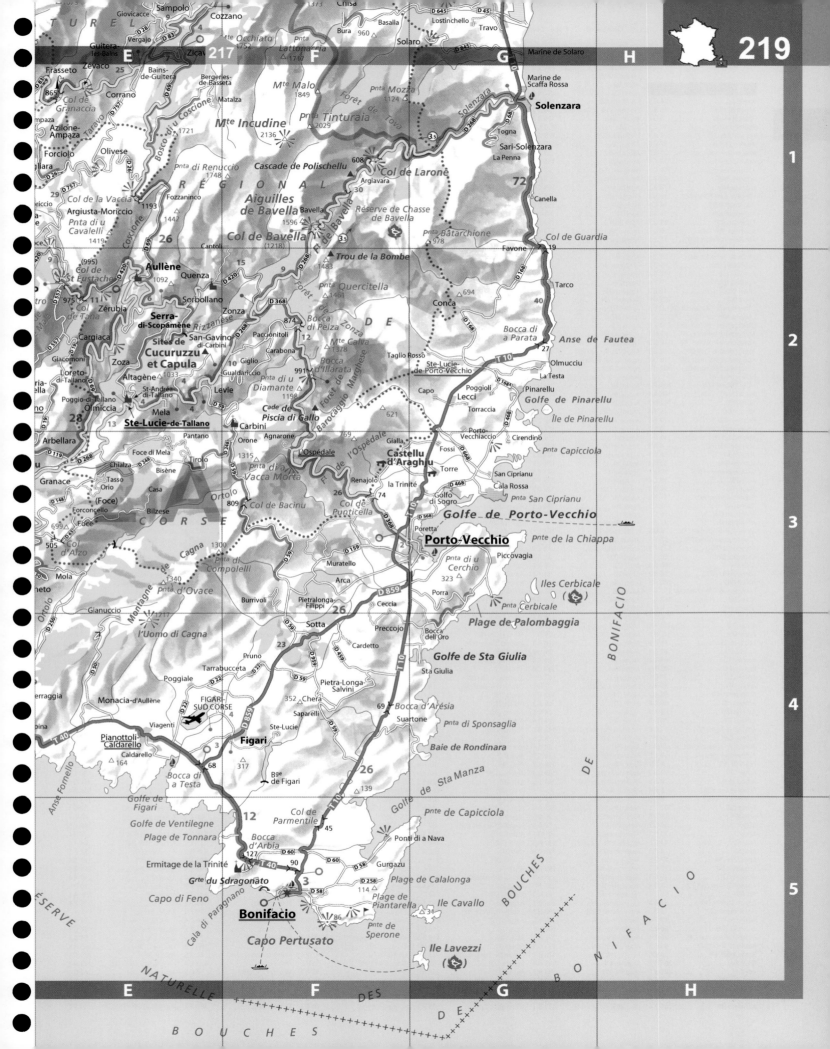

E F G H

A B C D E

Giovicacce Sampolo
Cozzano   Chisa D 645 D 45
Vergajo D 83   Mte Occhiato Basalla   Lostinchello   D 45
E Guitera D 28   4 752 pnta Bura 960 Solaro   Travo
les-Bains Zicavo 217 Lattonaccia Marine de Solaro
25 Bains- 1710
Frasseto Zévaco de-Guitera Mte Malo   pnta Mozza Marine de
Corrano Bergeries- 1849 1124   Scaffa Rossa
865 de-Basseta   Solenzara D 68
Col de Matalza   Forêt de Tova   Solenzara
Granaccia Azilone- Mte Incudine   Pnte Tinturaia   D 268 Togna
Ampaza 2136   2029 D 368 Sari-Solenzara
Forciolo Olivese 1721 La Penna
Col de la Vaccia 1193 pnta di Renuccio 608 Col de Laronè   Canella
29 D 757 1748 Cascade de Polischellu Argiavara 72
Argiusta-Moriccio Fozzaninco REGIONAL 30
Pnta di u 1442 Aiguilles Réserve de Chasse Col de Guardia
Cavalelli de Bavella Bavella de Bavella pnta Bâtarchione
1419 26 1596 978 Favone 19
Cantoli Col de Bavella   Forêt de Bavella   D 168
(995) (1218)   Trou de la Bombe pnta Tarco
Col de 15 D 268 1483 Quercitella 694 40
9 St Eustache Aullène Quenza 1461 Conca
975 11 1092 D 420 Pnta di u Bocca di
Col Sorbollano 9 Forêt de Zonza a Parata Anse de Fautea
de Tana Zérubia 6 D 368 874 Bocca 27
Serra- Zonza di Pelza DE Taglio Rosso   Olmucciu
Cargiaca di-Scopamène 12 Mte Calva Ste-Lucie- La Testa
Giacomoni San-Gavino Paccionitoli 1378 de-Porto-Vecchio
Zoza di-Carbini Bocca D 168
Loreto- Sites de 10 Giglio d'Illarata Capo Poggioli Pinarellu
di-Tallano Cucuruzzu Gualdariccio 991 Lecci Golfe de Pinarellu
Poggio-di-Tallano et Capula pnta di u 621 Torraccia Île de Pinarellu
Olmiccia Altagène 1033 Diamante D 468
28 Mela St-Andréa- 4 1198 Cde de 769 Porto-
13 di-Tallano Piscia di Gallo Vecchiaccio Cirendino
Ste-Lucie-de-Tallano Levie Carbini Gialla Fossi pnta Capicciola
D 59 Pantano Agnarone Castellu Porto-Vecchio
Arbellara Orone d'Araghju Torre San Cipriano Cala Rossa
Foce di Mela 1315 Renajolo la Trinité pnta San Cipriano
D 119 D 268 Tirolo L'Ospédale 74 Golfo D 468
Granace Chialza pnta di a 26 Col de di Sogro Golfe de Porto-Vecchio
Tasso Bisène Vacca Morta Punticella D 368 Poretta pnte de la Chiappa
Orio Casa 809 Col de Bacinu D 568
(Foce) Bilzese Porto-Vecchio
699 Forconcello CORSE 2 Piccovagia
505 Col Foce Muratello pnta di u Iles Cerbicale
d'Alzo Mola 1340 Arca 323 Cerchio
pnta d'Ovace Burrivoli Pietralonga- Porra pnta Cerbicale
Gianuccio 1217 Filippi 26 Ceccia Plage de Palombaggia
l'Uomo di Cagna Sotta D 859 BONIFACIO
Montagne 23 Preccojo Bocca Golfe de Sta Giulia
Pruno dell'Oro
de Cagna Tarrabucceta Pietra-Longa- Cardetto Sta Giulia
Poggiale Salvini D 459
Monacia-d'Aullène 352 Chera 69 Bocca d'Arésia
FIGARI- Saparelli Suartone pnta di Sponsaglia
Viagenti SUD CORSE Ste-Lucie D 59 Baie de Rondinara
Pianottoli- 4 26
Caldarello Figari 139 Golfe de Sta Manza DE
Caldarello 164 3 pnte de Capicciola
68 317 Col de
Bocca di Bge 12 Parmentile 45
a Testa de Figari Ponti di a Nava
Golfe de Bocca Gurgazu BOUCHES
Figari d'Arbia D 60 Plage de Calalonga
Golfe de Ventilegne 127 D 60 D 58
Plage de Tonnara Ermitage de la Trinité 90 Gurgazu D 258
Grte du Sdragonato D 58 114 Plage de
Capo di Feno 3 Piantarella Ile Cavallo
86 Plage de Piantarella
Bonifacio pnte de
Sperone
Capo Pertusato Ile Lavezzi
NATURELLE DES DE DE
BOUCHES DE BONIFACIO

E F G H

Localité *(Département)* Page Coordonnées

A

Aast (64) 186 D 5
Abainville (55) 56 A 3
Abancourt (59) 8 D 4
Abancourt (60) 14 C 3
Les Abatilles (33) 154 A 3
Abaucourt (54) 37 E 5
Abaucourt-Hautecourt (55) 20 A 5
Abbans-Dessous (25) 110 C 1
Abbans-Dessus (25) 110 C 1
Abbaretz (44) 83 F 2
L'Abbaye (30) 178 A 2
L'Abbaye-sous-Plancy (10) 53 G 3
Abbécourt (02) 16 C 4
Abbecourt (60) 31 E 1
Abbenans (25) 95 G 2
Abbeville SP (80) 6 D 5
Abbéville-la-Rivière (91) 51 E 5
Abbéville-lès-Conflans (54) 20 C 5
Abbeville-St-Lucien (60) 15 E 5
Abbévillers (25) 96 D 3
Abeilhan (34) 192 B 4
Abelcourt (70) 77 F 5
L'Aber-Wrac'h (29) 41 E 2
Abère (64) 186 D 4
L'Abergement-Clémenciat (01) 122 C 5
L'Abergement-de-Cuisery (71) 122 C 5
L'Abergement-de-Varey (01) 137 E 1
Abergement-la-Ronce (39) 109 H 1
Abergement-le-Grand (39) 110 B 3
Abergement-le-Petit (39) 110 B 3
Abergement-lès-Thésy (39) 110 D 2
Abergement-St-Jean (39) 109 H 3
L'Abergement-
Ste-Colombe (71) 109 F 4
Abidos (64) 186 A 4
Abilly (37) 102 D 3
Abitain (64) 185 F 4
Abjat-sur-Bandiat (24) 129 F 5
Ablain-St-Nazaire (62) 8 A 2
Ablaincourt-Pressoir (80) 16 A 2
Ablainzevelle (62) 8 A 4
Ablancourt (51) 54 C 1
Ableiges (95) 30 D 4
Les Ableuvenettes (88) 77 E 1
Ablis (78) 50 C 4
Ablon (14) 28 B 1
Ablon-sur-Seine (94) 51 F 2
Aboën (42) 148 C 1
Aboncourt (54) 56 C 5
Aboncourt (57) 21 F 4
Aboncourt-Gesincourt (70) 76 D 5
Aboncourt-sur-Seille (57) 57 F 1
Abondance (74) 125 F 3
Abondant (28) 50 A 1
Abos (64) 186 A 4
Abreschviller (57) 58 B 2
Abrest (03) 120 B 5
Les Abrets-en-Dauphiné (38) 137 F 5
Abriès (05) 167 G 1
Abscon (59) 8 D 3
L'Absie (79) 100 D 5
Abzac (16) 116 A 5
Abzac (33) 141 H 5
Accolans (25) 95 G 2
Accolay (89) 91 F 1
Accons (07) 163 E 1
Accous (64) 203 F 3
Achain (57) 37 G 5
Achen (57) 38 B 3
Achenheim (67) 59 E 2
Achères (18) 89 G 5
Achères (28) 49 H 3
Achères (78) 30 D 5
Achères-la-Forêt (77) 51 G 5
Achery (02) 16 D 3
Acheux-en-Amiénois (80) 7 H 5
Acheux-en-Vimeu (80) 6 C 5
Acheville (62) 8 B 2
Achey (70) 94 B 2
Achicourt (62) 8 A 3
Achiet-le-Grand (62) 8 A 4
Achiet-le-Petit (62) 8 A 5
Achun (58) 107 F 1
Achy (60) 14 D 5
Acigné (35) 65 G 2
Aclou (27) 28 D 3
Acon (27) 49 G 2
Acq (62) 8 A 3
Acqueville (14) 27 F 5
Acqueville (50) 22 C 3
Acquigny (27) 29 G 3
Acquin-Westbécourt (62) 2 D 4
Acy (02) 32 D 1
Acy-en-Multien (60) 32 A 4
Acy-Romance (08) 18 B 5
Adaincourt (57) 37 F 4
Adainville (78) 50 B 2
Adam-lès-Passavant (25) 95 F 4
Adam-lès-Vercel (25) 95 G 5
Adamswiller (67) 38 C 5
Adast (65) 204 B 3
Adé (65) 204 B 1
Adelange (57) 37 G 4
Adelans-et-le-Val-
de-Bithaine (70) 77 F 5
Adervielle (65) 205 E 4
Adilly (79) 101 F 5
Adinfer (62) 8 A 4
Adissan (34) 192 C 3
Les Adjots (16) 115 F 5
Adon (08) 18 B 4
Adon (45) 72 A 5
Les Adrets (38) 152 A 2
Les Adrets-de-l'Esterel (83) 198 D 2
Adriers (86) 116 A 4
Afa (2A) 216 C 5
L'Affenadou (30) 178 A 2
Affieux (19) 130 D 5
Affléville (54) 20 B 4
Affoux (69) 135 F 2
Affracourt (54) 57 E 4
Affringues (62) 2 D 5
Agassac (31) 188 C 4
L'Agasse (30) 178 B 2
Agde (34) 192 D 5
Agel (34) 191 G 5
Agen P (47) 172 B 2
Agen-d'Aveyron (12) 175 H 1
Agencourt (21) 109 F 1
Agenville (80) 7 F 4
Agenvillers (80) 6 D 4
Les Ageux (60) 31 G 2
Ageville (52) 75 H 2
Agey (21) 93 E 5
Aghione (2B) 217 G 3
Agincourt (54) 57 E 1
Agmé (47) 156 C 4
Agnac (47) 156 C 3
Agnat (43) 147 G 2
Agneaux (50) 25 F 3
Agnetz (60) 31 F 1
Agnez-lès-Duisans (62) 8 A 3
Agnicourt-et-Séchelles (02) 17 H 3
Agnières (62) 8 A 3
Agnières-en-Dévoluy (05) 166 A 2
Agnin (38) 149 H 2
Agnos (64) 203 F 1
Agny (62) 8 A 3
Agon-Coutainville (50) 24 C 4
Agonac (24) 143 F 2
Agonès (34) 177 G 5
Agonges (03) 119 H 1
Agonnay (17) 127 E 2
Agos-Vidalos (65) 204 B 2
Agris (16) 128 C 3
Agudelle (17) 141 F 1
Les Agudes (31) 205 F 4
Aguessac (12) 176 B 2
Aguilcourt (02) 33 G 1
Aguts (81) 190 A 3
Agy (14) 25 H 2
Ahaxe-Alciette-
Bascassan (64) 202 C 1
Ahetze (64) 184 C 3
Ahéville (88) 57 E 5
Ahuillé (53) 66 C 3
Ahun (23) 118 A 5
Ahuy (21) 93 F 4
Aibes (59) 10 A 2
Aibre (25) 95 H 2
Aïcirits (64) 185 F 4
Aiffres (79) 114 B 3
Aigaliers (30) 178 B 3
L'Aigle (61) 48 D 2
Aiglemont (08) 18 D 2
Aiglepierre (39) 110 C 2
Aigleville (27) 29 H 4
Aiglun (04) 181 F 3
Aiglun (06) 182 C 4
Aignan (32) 187 E 1
Aignay-le-Duc (21) 92 D 1
Aigne (34) 191 G 5
Aigné (72) 68 A 3
Aignerville (14) 23 G 5
Aignes (31) 189 G 5
Aignes-et-Puypéroux (16) 142 B 1
Aigneville (80) 6 C 5
Aigny (51) 34 A 4
Aigonnay (79) 114 C 3
Aigre (16) 128 A 2
Aigrefeuille (31) 189 G 3
Aigrefeuille-d'Aunis (17) 113 F 5
Aigrefeuille-
sur-Maine (44) 99 G 1
Aigremont (30) 178 A 4
Aigremont (52) 76 B 3
Aigremont (78) 30 D 5
Aigremont (89) 91 G 1
Aiguebelette-le-Lac (73) 137 H 5
Aiguebelle (73) 138 C 5
Aigueblanche (73) 138 D 5
Aiguefonde (81) 190 D 3
Aigueparse (24) 157 G 3
Aigueperse (63) 133 F 1
Aigueperse (69) 121 H 3
Aigues-Juntes (09) 206 D 2
Aigues-Mortes (30) 193 H 3
Aigues-Vives (09) 207 G 3
Aigues-Vives (11) 208 C 1
Aigues-Vives (30) 193 H 1
Aigues-Vives (34) 191 G 5
Aiguèze (30) 178 D 1
Aiguilhe (43) 148 B 4
L'Aiguille (87) 130 A 3
Aiguilles (05) 167 G 1
L'Aiguillon (09) 207 G 3
Aiguillon (47) 172 A 1
L'Aiguillon-sur-Mer (85) 112 D 3
L'Aiguillon-sur-Vie (85) 98 D 4
Aiguines (83) 181 G 5
Aigurande (36) 117 H 2
Ailefroide (05) 152 D 5
Ailhon (07) 163 E 3
Aillant-sur-Milleron (45) 72 A 5
Aillant-sur-Tholon (89) 72 D 4
Aillas (33) 156 A 4
Ailleux (42) 134 C 3
Aillevans (70) 95 G 1
Ailleville (10) 74 D 1
Aillevillers-et-Lyaumont (70) 77 F 3
Aillianville (52) 56 A 5
Aillières-Beauvoir (72) 48 B 5
Aillon-le-Jeune (73) 138 A 4
Aillon-le-Vieux (73) 138 A 4
Ailloncourt (70) 77 F 5
Ailly (27) 29 G 3
Ailly-le-Haut-Clocher (80) 7 E 5
Ailly-sur-Noye (80) 15 G 3
Ailly-sur-Somme (80) 15 F 1
Aimargues (30) 193 H 1
Aime-la-Plagne (73) 139 E 4
Ainay-le-Château (03) 105 H 5
Ainay-le-Vieil (18) 105 G 5
Aincille (64) 202 C 1
Aincourt (95) 30 C 4
Aincreville (55) 35 F 1
Aingeray (54) 56 D 1
Aingeville (88) 76 B 1
Aingoulaincourt (52) 55 G 4
Ainharp (64) 185 G 5
Ainhice-Mongelos (64) 185 E 5
Ainhoa (64) 184 C 4
Ainvelle (70) 77 E 4
Ainvelle (88) 76 C 3
Airaines (80) 14 D 1
Airan (14) 27 G 3
Aire (08) 18 A 5
Aire-sur-la-Lys (62) 3 F 5
Aire-sur-l'Adour (40) 186 C 1
Airel (50) 25 F 2
Les Aires (34) 192 A 3
Airion (60) 31 F 1
Airon-Notre-Dame (62) 6 C 2
Airon-St-Vaast (62) 6 C 2
Airoux (11) 190 A 4
Airvault (79) 101 G 4
Aiserey (21) 93 G 5
Aisey-et-Richecourt (70) 76 D 4
Aisey-sur-Seine (21) 74 C 5
Aisne (85) 113 F 2
Aisonville-et-Bernoville (02) 17 E 1
Aïssey (25) 95 F 4
Aisy-sous-Thil (21) 92 B 4
Aisy-sur-Armançon (89) 92 A 1
Aiti (2B) 217 F 1
Aiton (73) 138 B 4
Aix (19) 131 H 5
Aix (59) 4 D 5
Les Aix-d'Angillon (18) 105 G 1
Aix-en-Diois (26) 165 F 2
Aix-en-Ergny (62) 2 D 5
Aix-en-Issart (62) 6 D 1
Aix-en-Othe (10) 73 F 1
Aix-en-Provence SP (13) 195 H 3
Aix-la-Fayette (63) 133 H 5
Aix-les-Bains (73) 137 H 3
Aix-Noulette (62) 4 A 5
Aixe-sur-Vienne (87) 129 H 3
Aizac (07) 163 E 2
Aizanville (52) 75 E 2
Aize (36) 104 B 1
Aizecourt-le-Bas (80) 16 B 1
Aizecourt-le-Haut (80) 16 B 1
Aizecq (16) 128 C 1
Aizelles (02) 17 G 5
Aizenay (85) 99 F 4
Aizier (27) 28 D 1
Aizy-Jouy (02) 33 E 1
Ajac (11) 207 H 2
Ajaccio R (2A) 218 C 1
Ajain (23) 118 A 4
Ajat (24) 143 H 4
Ajoncourt (57) 37 E 5
Ajou (27) 29 E 5
Ajoux (07) 163 F 2
Alaigne (11) 207 H 2
Alaincourt (02) 16 D 3
Alaincourt (70) 76 D 3
Alaincourt-la-Côte (57) 37 E 5
Alairac (11) 208 A 1
Alaise (25) 110 D 2
Alan (31) 206 A 1
Alando (2B) 217 F 2
Alata (2A) 216 C 5
Alba-la-Romaine (07) 163 F 4
Alban (81) 175 F 5
Albanne (73) 152 D 2
Albaret-le-Comtal (48) 161 E 1
Albaret-Ste-Marie (48) 161 F 1
Albaron (13) 194 B 2
Albas (11) 208 D 3
Albas (46) 158 A 5
Albé (67) 58 D 4
Albefeuille-Lagarde (82) 173 G 3
L'Albenc (38) 151 E 3
Albens (73) 137 H 2
Albepierre-Bredons (15) 146 C 4
L'Albère (66) 213 E 4
Alberoche (15) 146 B 3
Albert (80) 15 H 1
Albertacce (2B) 216 D 2
Albertville SP (73) 138 C 3
Albespeyres (48) 162 B 4
Albestroff (57) 37 H 4
Albi P (81) 174 D 4
Albiac (31) 189 H 3
Albiac (46) 159 E 2
Albias (82) 173 H 3
Albières (11) 208 C 3
Albiès (09) 207 F 5
Albiez-le-Jeune (73) 152 C 2
Albiez-le-Vieux (73) 152 C 2
Albiez-Montrond (73) 152 C 3
Albignac (19) 144 D 4
Albigny (74) 138 B 1
Albigny-sur-Saône (69) 135 H 2
Albine (81) 191 E 4
Albiosc (04) 196 D 1
Albitreccia (2A) 218 D 1
Albon (26) 149 H 3
Albon-d'Ardèche (07) 163 E 1
Alboussière (07) 149 G 5
Les Albres (12) 159 G 4
Albussac (19) 145 E 4
Alby-sur-Chéran (74) 138 A 2
Alçay-Alçabéhéty-
Sunharette (64) 202 D 1
Aldudes (64) 202 A 1
Alembon (62) 2 C 4
Alençon P (61) 47 H 4
Alénya (66) 213 F 3
Aléria (2B) 217 H 4
Alès SP (30) 178 A 3
Alet-les-Bains (11) 208 A 3
Alette (62) 6 D 1
Aleu (09) 206 C 4
Alex (74) 138 B 1
Alexain (53) 66 C 1
Aleyrac (26) 164 C 4
Alfortville (94) 51 F 1
Algajola (2B) 214 C 4
Algans (81) 190 A 2
Algolsheim (68) 79 E 2
Algrange (57) 20 D 3
Alièze (39) 110 B 5
Alignan-du-Vent (34) 192 C 3
Alincourt (08) 34 B 1
Alincthun (62) 2 C 4
Alise-Ste-Reine (21) 92 C 2
Alissas (07) 163 G 2
Alix (69) 135 G 2
Alixan (26) 150 A 5
Alizay (27) 29 G 2
Allain (54) 56 C 3
Allaines (80) 16 B 1
Allaines-Mervilliers (28) 70 C 2
Allainville (28) 49 H 2
Allainville (78) 50 C 4
Allainville-en-Beauce (45) 70 D 1
Allaire (56) 82 C 1
Allamont (54) 36 B 3
Allamps (54) 56 B 3
Allan (26) 163 H 4
Allanche (15) 146 D 3
Alland'Huy-et-Sausseuil (08) 18 C 5
Allarmont (88) 58 B 3
Allas-Bocage (17) 141 F 1
Allas-Champagne (17) 127 G 5
Allas-les-Mines (24) 157 H 1
Allassac (19) 144 C 3
Allauch (13) 196 A 4
Allègre (43) 148 A 3
Allègre-les-Fumades (30) 178 B 2
Alleins (13) 195 F 1
Allemagne-en-Provence (04) 181 E 5
Allemanche-Launay-
et-Soyer (51) 53 F 3
Allemans (24) 142 C 2
Allemans-du-Dropt (47) 156 C 3
Allemant (02) 17 E 5
Allemant (51) 53 G 2
Allemond (38) 152 A 3
Allenay (80) 6 B 5
Allenc (48) 161 H 4
Allenjoie (25) 96 D 2
Allennes-les-Marais (59) 4 B 4
Allenwiller (67) 58 D 2
Allerey (21) 92 C 5
Allerey-sur-Saône (71) 109 F 3
Allériot (71) 109 F 4
Allery (80) 14 D 1
Alles-sur-Dordogne (24) 157 G 1
Les Alleuds (49) 85 E 4
Les Alleuds (79) 114 D 4
Les Alleux (08) 18 D 5
Alleuze (15) 147 E 5
Allevard (38) 152 A 1
Allèves (74) 138 A 3
Allex (26) 163 H 2
Alleyrac (43) 162 B 1
Alleyras (43) 162 A 1
Alleyrat (19) 131 G 5
Alleyrat (23) 131 G 1
Allez-et-Cazeneuve (47) 157 E 5
Alliancelles (51) 55 E 1
Alliat (09) 207 E 4
Allibaudières (10) 53 H 3
Allichamps (52) 55 E 3
Allier (65) 204 C 1
Allières (09) 206 C 2
Les Alliés (25) 111 G 2
Alligny-Cosne (58) 90 B 3
Alligny-en-Morvan (58) 92 A 5
Allineuc (22) 63 G 1
Allinges (74) 124 D 2
Allogny (18) 89 F 5
Allondans (25) 96 C 2
Allondaz (73) 138 C 3
Allondrelle-
la-Malmaison (54) 20 A 2
Allonne (60) 31 E 1
Allonne (79) 114 B 1
Allonnes (28) 50 B 5
Allonnes (49) 85 H 4
Allonnes (72) 68 A 3
Allons (04) 182 A 3
Allons (47) 171 F 2
Allonville (80) 15 G 1
Allonzier-la-Caille (74) 138 A 1
Allos (04) 182 A 1
Allouagne (62) 7 H 1
Alloue (16) 129 E 1
Allouis (18) 105 E 1
Allouville-Bellefosse (76) 13 E 4
Les Allues (73) 138 D 5
Les Alluets-le-Roi (78) 30 C 5
Alluy (58) 107 F 2
Alluyes (28) 69 H 1
Ally (15) 145 H 3
Ally (43) 147 F 4
Almayrac (81) 174 D 3
Almenêches (61) 48 A 2
Almont-les-Junies (12) 159 H 4
Alos (09) 206 B 3
Alos (81) 174 B 4
Alos-Sibas-Abense (64) 203 E 1
Alotz (64) 184 C 3
L'Alouette (33) 155 E 1
Aloxe-Corton (21) 109 E 1
Alpe-d'Huez (38) 152 A 4
Alpuech (12) 160 C 2
Alquines (62) 2 D 4
Alrance (12) 175 H 3
Alsting (57) 38 A 2
Altagène (2A) 219 E 2
Alteckendorf (67) 39 E 5
Altenach (68) 97 E 1
Altenheim (67) 58 D 1
Altenstadt (67) 39 G 3
Althen-des-Paluds (84) 179 F 4
Altiani (2B) 217 F 2
Altier (48) 162 B 5
Altillac (19) 145 E 5
Altkirch SP (68) 97 F 1
Altorf (67) 59 E 3
Altrippe (57) 37 H 4
Altviller (57) 37 H 3
Altwiller (67) 38 A 4
Aluze (71) 108 D 3
Alvignac (46) 158 D 1
Alvimare (76) 12 D 4
Alzen (09) 206 D 3
Alzi (2B) 217 F 2
Alzing (57) 21 G 4
Alzon (30) 177 E 4
Alzonne (11) 190 C 5
Alzons (48) 162 B 4
Amage (70) 77 G 4
Amagne (08) 18 C 5
Amagney (25) 95 E 4
Amailloux (79) 101 F 4
Amance (10) 74 C 1
Amance (54) 57 E 1
Amance (70) 76 D 5
Amancey (25) 111 E 1
Amancy (74) 124 D 5
Amange (39) 94 B 5
Amanlis (35) 65 G 3
Amanty (55) 56 A 3
Amanvillers (57) 20 D 5
Amanzé (71) 121 G 3
Amareins (01) 122 B 5
Amarens (81) 174 C 3
Amathay-Vésigneux (25) 111 E 1
Amayé-sur-Orne (14) 27 F 3
Amayé-sur-Seulles (14) 25 H 3
Amazy (58) 91 E 4
Ambacourt (88) 57 E 5
Ambarès-et-Lagrave (33) 141 F 5
Ambax (31) 188 C 4
Ambazac (87) 130 B 1
Ambel (38) 166 A 1
Ambenay (27) 48 D 1
Ambérac (16) 128 B 2
Ambérieu-en-Bugey (01) 137 E 1
Ambérieux (69) 135 H 2
Ambérieux-en-Dombes (01) 136 B 1
Ambernac (16) 129 E 1
Amberre (86) 101 H 4
Ambert SP (63) 134 B 5
Ambès (33) 141 F 5
Ambeyrac (12) 159 F 4
Ambialet (81) 175 F 4
Ambiegna (2A) 216 C 4
Ambierle (42) 121 E 5
Ambiévillers (70) 77 E 3
Ambillou (37) 86 B 3
Ambillou-Château (49) 85 F 5
Ambilly (74) 124 C 4
Amblaincourt (55) 35 G 5
Amblainville (60) 31 E 3
Amblans-et-Velotte (70) 95 F 1
Ambleny (02) 32 C 1
Ambléon (01) 137 F 3
Amblérieu (38) 137 E 2
Ambleteuse (62) 2 A 3
Ambleville (16) 127 H 5
Ambleville (95) 30 B 3
Amblie (14) 27 E 2
Amblimont (08) 19 F 4
Ambloy (41) 87 F 1
Ambly-Fleury (08) 18 C 5
Ambly-sur-Meuse (55) 35 H 4
Amboise (37) 87 F 4
Ambon (56) 81 H 3
Ambonil (26) 163 H 2
Ambonnay (51) 34 A 4
Ambonville (52) 55 F 5
Ambourville (76) 13 F 5
Ambrault (36) 104 D 4
Ambres (81) 190 A 1
Ambricourt (62) 7 F 1
Ambrief (02) 32 D 2
Ambrières (51) 55 E 3
Ambrières-les-Vallées (53) 46 D 5
Ambrines (62) 7 H 3
Ambronay (01) 137 E 1
Ambrugeat (19) 131 G 5
Ambrumesnil (76) 13 G 2
Ambrus (47) 171 H 2
Ambutrix (01) 137 E 1
Amécourt (27) 30 B 1
Amel-sur-l'Étang (55) 20 B 4
Amelécourt (57) 37 F 5
Amélie-
les-Bains-Palalda (66) 212 D 4
L'Amélie-sur-Mer (33) 126 B 5
Amendeuix-Oneix (64) 185 F 4
Amenoncourt (54) 57 H 2
Amenucourt (95) 30 B 4
Ames (62) 7 G 1
Amettes (62) 7 G 1
Ameugny (71) 122 A 1
Ameuvelle (88) 76 D 3
Amezpetu (64) 184 C 4
Amfreville (14) 27 G 2
Amfreville (50) 23 E 5
Amfreville-Saint-Amand (27) 29 F 3
Amfreville-la-Mi-Voie (76) 29 G 1
Amfreville-les-Champs (27) 29 H 2
Amfreville-les-Champs (76) 13 F 3
Amfreville-
sous-les-Monts (27) 29 H 2
Amfreville-sur-Iton (27) 29 G 3
Amfroipret (59) 9 G 3
Amiens R (80) 15 F 2
Amifontaine (02) 17 H 5
Les Amignons (06) 182 C 2
Amigny (50) 25 F 3
Amigny-Rouy (02) 16 D 4
Amillis (77) 52 C 2
Amilly (28) 49 H 4
Amilly (45) 71 H 4
Amions (42) 134 C 2
Amirat (06) 182 C 4
Ammerschwihr (68) 78 C 1
Ammertzwiller (68) 78 C 5
Ammeville (14) 27 H 5
Amné (72) 67 H 3
Amnéville (57) 21 E 4
Amoncourt (70) 76 D 5
Amondans (25) 110 D 1
Amont-et-Effreney (70) 77 G 4
Amorots-Succos (64) 185 F 4
Amotz (64) 184 C 4
Amou (40) 185 H 2
Amphion-les-Bains (74) 125 E 2
Ampilly-le-Sec (21) 74 C 5
Ampilly-les-Bordes (21) 92 D 1
Amplepuis (69) 135 E 1
Amplier (62) 7 G 4
Ampoigné (53) 66 C 5
Amponville (77) 71 G 1
Ampriani (2B) 217 G 2
Ampuis (69) 135 H 5
Ampus (83) 197 F 2
Amuré (79) 113 H 3
Amy (60) 16 A 4
Anais (16) 128 C 3
Anais (17) 113 G 4
Anan (31) 188 B 4
Ance (64) 203 F 1
Anceaumeville (76) 13 G 4
Anceins (61) 48 C 1
Ancelle (05) 166 C 3
Ancemont (55) 35 H 4
Ancenis SP (44) 84 A 4
Ancerville (55) 55 F 2
Ancerville (57) 37 F 4
Ancerviller (54) 58 A 3
Ancey (21) 93 E 4
Anchamps (08) 10 D 5
Anché (37) 102 A 1
Anché (86) 115 F 3
Anchenoncourt-
et-Chazel (70) 77 E 4
Ancienville (02) 32 C 3
Ancier (70) 94 B 3
Ancinnes (72) 48 A 5
Ancizan (65) 205 E 4
Les Ancizes-Comps (63) 132 D 2
Ancône (26) 163 G 3
Ancourt (76) 13 H 1
Ancourteville-
sur-Héricourt (76) 13 E 3
Ancretiéville-St-Victor (76) 13 F 4

Ancretteville-sur-Mer (76) ......12 D 2
Ancteville (50) ....24 D 3
Anctoville (14) ....25 H 3
Anctoville-sur-Boscq (50) ......24 C 5
Ancy (69) ....135 F 2
Ancy-Dornot (57) ....36 D 4
Ancy-le-Franc (89) ....74 A 5
Ancy-le-Libre (89) ....74 A 5
Andainville (80) ....14 C 2
Andance (07) ....149 H 3
Andancette (26) ....149 H 3
Andard (49) ....85 E 3
Andé (27) ....29 G 2
Andechy (80) ....16 A 3
Andel (22) ....44 A 3
Andelain (02) ....16 D 4
Andelaroche (03) ....120 D 4
Andelarre (70) ....95 E 1
Andelarrot (70) ....95 E 2
Andelat (15) ....147 E 4
Andelnans (90) ....96 C 1
Andelot (52) ....75 H 1
Andelot-en-Montagne (39) ....110 D 3
Andelot-Morval (39) ....123 F 2
Andelu (78) ....50 C 1
Les Andelys ⟨SP⟩ (27) ....29 H 2
Andernay (55) ....55 E 1
Andernos-les-Bains (33) ....154 B 2
Anderny (54) ....20 C 4
Andert-et-Condon (01) ....137 G 3
Andevanne (08) ....35 F 1
Andeville (60) ....31 E 2
Andigné (49) ....84 C 1
Andillac (81) ....174 C 4
Andilly (17) ....113 F 3
Andilly (54) ....56 C 1
Andilly (74) ....124 B 5
Andilly (95) ....31 F 4
Andilly-en-Bassigny (52) ....76 A 4
Andiran (47) ....171 H 3
Andlau (67) ....58 D 4
Andoins (64) ....186 C 5
Andolsheim (68) ....78 D 2
Andon (06) ....182 C 5
Andonville (45) ....70 D 1
Andornay (70) ....95 H 1
Andouillé (53) ....66 C 1
Andouillé-Neuville (35) ....45 F 5
Andouque (81) ....175 E 4
Andrein (64) ....185 G 4
Andres (62) ....2 C 3
Andrest (65) ....187 E 5
Andrésy (78) ....30 D 5
Andrezé (49) ....84 B 4
Andrezel (77) ....52 A 3
Andrézieux-Bouthéon (42) ....135 E 5
Andryes (89) ....91 E 3
Anduze (30) ....177 H 3
Anères (65) ....205 E 2
Anet (28) ....50 A 1
Anetz (44) ....84 A 3
Angaïs (64) ....186 C 5
Angé (41) ....87 G 4
Angeac-Champagne (16) ......127 G 4
Angeac-Charente (16) ....128 A 4
Angecourt (08) ....19 F 4
Angeduc (16) ....142 A 1
Angely (89) ....91 H 2
Angeot (90) ....78 B 5
Angers ⟨P⟩ (49) ....84 D 3
Angerville (14) ....27 H 2
Angerville (91) ....70 D 1
Angerville-Bailleul (76) ....12 C 3
Angerville-la-Campagne (27) ...29 G 5
Angerville-la-Martel (76) ....12 D 3
Angerville-l'Orcher (76) ....12 B 4
Angervilliers (91) ....50 D 3
Angeville (82) ....173 E 4
Angevillers (57) ....20 D 3
Angey (50) ....45 G 1
Angicourt (60) ....31 G 2
Angiens (76) ....13 E 2
Angirey (70) ....94 C 3
Angivillers (60) ....15 G 5
Anglade (33) ....141 E 4
Anglards-de-Salers (15) ....146 A 3
Anglards-de-St-Flour (15) .....147 E 5
Anglars (46) ....159 E 2
Anglars-Juillac (46) ....158 A 4
Anglars-Nozac (46) ....158 B 2
Anglars-St-Félix (12) ....159 G 5
Anglefort (01) ....137 H 1
Anglemont (88) ....57 H 4
Angles (04) ....182 A 4
Les Angles (30) ....179 E 4
Les Angles (65) ....204 B 2
Les Angles (66) ....211 H 3
Anglès (81) ....191 F 3
Angles (85) ....112 D 2
Les Angles-sur-Corrèze (19) ...145 E 2
Angles-sur-l'Anglin (86) ....103 E 5
Anglesqueville-
la-Bras-Long (76) ....13 E 3
Anglesqueville-l'Esneval (76) ..12 B 4
Anglet (64) ....184 C 3
Angliers (17) ....113 F 4
Angliers (86) ....101 H 3
Anglure (51) ....53 G 3
Anglure-sous-Dun (71) ....121 G 4
Anglus (52) ....54 D 3
Angluzelles-et-Courcelles (51) ...53 G 2
Angoisse (24) ....143 H 1

Angomont (54) ....58 A 3
Angos (65) ....204 C 1
Angoulême ⟨P⟩ (16) ....128 B 4
Angoulins (17) ....113 E 5
Angoumé (40) ....185 F 1
Angous (64) ....185 G 5
Angoustrine (66) ....211 G 4
Angoville (14) ....27 F 5
Angoville-au-Plain (50) ....23 E 5
Angoville-sur-Ay (50) ....24 D 2
Angres (62) ....4 A 5
Angresse (40) ....184 D 1
Angrie (49) ....84 B 2
Anguilcourt-le-Sart (02) ....17 E 3
Anguiller-lès-Bisping (57) ....38 A 5
Angy (60) ....31 F 2
Anhaux (64) ....202 B 1
Anhiers (59) ....4 D 5
Aniane (34) ....192 D 2
Aniche (59) ....8 D 3
Anisy (14) ....27 F 2
Anizy-le-Château (02) ....17 E 5
Anjeux (70) ....77 E 4
Anjou (38) ....149 H 2
Anjouin (36) ....104 C 1
Anjoutey (90) ....78 B 5
Anla (65) ....205 F 3
Anlezy (58) ....107 E 3
Anlhiac (24) ....143 H 2
Annay (58) ....90 A 2
Annay (62) ....4 B 5
Annay-la-Côte (89) ....91 G 2
Annay-sur-Serein (89) ....91 H 1
Annebault (14) ....28 A 4
Annebecq (14) ....25 G 5
Annecy ⟨P⟩ (74) ....138 B 1
Annecy-le-Vieux (74) ....138 B 1
Annelles (08) ....38 B 1
Annemasse (74) ....124 C 4
Annéot (89) ....91 G 3
Annepont (17) ....127 F 2
Annequin (62) ....4 A 5
Annesse-et-Beaulieu (24) .....143 E 3
Annet-sur-Marne (77) ....31 H 5
Anneux (59) ....8 C 4
Anneville-en-Saire (50) ....23 E 3
Annéville-la-Prairie (52) ....75 F 1
Anneville-sur-Mer (50) ....24 C 3
Anneville-sur-Scie (76) ....13 G 2
Anneville-sur-Seine (76) ....13 F 5
Anneyron (26) ....149 H 2
Annezay (17) ....127 E 1
Annezin (62) ....7 H 1
Annœullin (59) ....4 B 4
Annoire (39) ....109 H 2
Annois (02) ....16 C 3
Annoisin-Chatelans (38) ....136 D 3
Annoix (18) ....105 G 3
Annonay (07) ....149 G 3
Annonville (52) ....55 G 5
Annot (04) ....182 B 3
Annouville-Vilmesnil (76) ....12 C 3
Annoux (89) ....91 H 2
Annoville (50) ....24 D 4
Anor (59) ....10 A 4
Anos (64) ....186 C 4
Anost (71) ....108 A 1
Anould (88) ....78 A 1
Anoux (54) ....20 C 4
Anoye (64) ....186 D 4
Anquetierville (76) ....12 D 5
Anrosey (52) ....76 B 4
Ansac-sur-Vienne (16) ....129 E 1
Ansacq (60) ....31 F 1
Ansan (32) ....188 B 1
Ansauville (54) ....56 B 1
Ansauvillers (60) ....15 G 5
Anse (69) ....135 H 1
Anse de Sordan (56) ....63 F 2
Anserville (60) ....31 E 3
Ansignan (66) ....208 C 5
Ansost (65) ....187 F 4
Ansouis (84) ....195 H 1
Anstaing (59) ....4 D 4
Antagnac (47) ....156 A 5
Ante (51) ....35 E 4
Antenterieux (15) ....161 E 1
Anteuil (25) ....95 H 3
Antezant-la-Chapelle (17) ....127 G 1
Anthé (47) ....157 G 5
Anthelupt (54) ....57 F 2
Anthenay (51) ....37 H 1
Antheny (08) ....10 B 5
Anthéor (83) ....198 D 3
Antheuil (21) ....109 E 1
Antheuil-Portes (60) ....16 A 5
Anthien (58) ....91 F 4
Anthon (38) ....136 D 3
Anthy-sur-Léman (74) ....124 D 2
Antibes (06) ....199 F 2
Antichan (65) ....205 F 3
Antichan-de-Frontignes (31) .205 G 3
Antignac (15) ....146 A 2
Antignac (17) ....127 F 5
Antigny (85) ....100 C 5
Antigny (86) ....116 B 1
Antigny-la-Ville (21) ....108 C 1
Antilly (57) ....21 E 5
Antilly (60) ....32 B 3
Antin (65) ....187 G 5
Antisanti (2B) ....217 G 3

Antist (65) ....204 C 1
Antogny le Tillac (37) ....102 C 2
Antoigné (49) ....101 G 1
Antoigny (61) ....47 F 3
Antoingt (63) ....147 E 1
Antonaves (05) ....180 D 1
Antonne-et-Trigonant (24) ....143 G 3
Antony ⟨SP⟩ (92) ....51 F 2
Antorpe (25) ....94 C 5
Antraigues-sur-Volane (07) ...163 E 2
Antrain (35) ....45 G 4
Antran (86) ....102 C 3
Antras (09) ....206 A 4
Antras (32) ....187 H 1
Antrenas (48) ....161 F 4
Antugnac (11) ....208 A 3
Antully (71) ....108 C 3
Anvéville (76) ....13 E 3
Anville (16) ....128 A 2
Anvin (62) ....7 F 2
Any-Martin-Rieux (02) ....10 B 5
Anzat-le-Luguet (63) ....146 D 2
Anzeling (57) ....21 G 4
Anzème (23) ....117 H 4
Anzex (47) ....171 H 1
Anzin (59) ....9 F 2
Anzin-St-Aubin (62) ....8 A 3
Anzy-le-Duc (71) ....121 E 3
Aoste (38) ....137 F 4
Aougny (51) ....33 F 3
Aouste (08) ....18 B 2
Aouste-sur-Sye (26) ....164 D 2
Aouze (88) ....56 C 5
Apach (57) ....21 F 2
Apchat (63) ....147 E 1
Apcher (63) ....146 D 2
Apchon (15) ....146 B 3
Apinac (42) ....148 B 1
Appelle (81) ....190 B 3
Appenai-sous-Bellême (61) ....48 C 5
Appenans (25) ....95 H 3
Appennes (25) ....95 H 3
Appenwihr (68) ....78 D 2
Appeville (50) ....23 E 5
Appeville-Annebault (27) ....28 D 2
Appietto (2A) ....216 C 5
Appilly (60) ....16 C 4
Appoigny (89) ....73 E 4
Apprieu (38) ....151 F 1
Appy (09) ....207 F 5
Apremont (01) ....123 G 4
Apremont (08) ....35 E 2
Apremont (60) ....31 G 3
Apremont (70) ....94 A 3
Apremont (73) ....138 A 5
Apremont (85) ....99 E 4
Apremont-la-Forêt (55) ....36 A 5
Apremont-sur-Allier (18) ....106 B 3
Aprey (52) ....75 G 5
Apt ⟨SP⟩ (84) ....180 A 5
Arabaux (09) ....207 E 3
Arâches (74) ....125 F 5
Araghju *(Castellu d')* (2A) ...219 F 3
Aragnouet (65) ....204 D 4
Aragon (11) ....190 D 5
Aramits (64) ....203 F 1
Aramon (30) ....179 E 5
Aranc (01) ....137 F 1
Arance (64) ....186 A 4
Arancou (64) ....185 F 3
Arandas (01) ....137 F 2
Arandon (38) ....137 E 3
Araujuzon (64) ....185 G 4
Araules (43) ....148 D 4
Araux (64) ....185 H 4
Arbanats (33) ....155 G 3
Arbas (31) ....205 H 3
Arbecey (70) ....76 D 5
Les Arbelats (58) ....107 F 4
Arbellara (2A) ....219 E 3
Arbent (01) ....123 H 4
Arbéost (65) ....203 H 2
Arbérats-Sillègue (64) ....185 F 4
Arbignieu (01) ....137 G 3
Arbigny (01) ....122 C 2
Arbigny-sous-Varennes (52) ...76 B 4
Arbin (73) ....138 A 5
Arbis (33) ....155 H 3
Arblade-le-Bas (32) ....186 D 1
Arblade-le-Haut (32) ....186 D 1
Arbois (39) ....110 C 3
Arbon (31) ....205 G 3
Arbonne (64) ....184 C 3
Arbonne-la-Forêt (77) ....51 G 5
Arboras (34) ....192 D 1
Arbori (2A) ....216 C 4
Arbot (52) ....75 F 4
Arbouans (25) ....96 C 2
Arboucave (40) ....186 B 2
Arbouet-Sussaute (64) ....185 F 4
Arbourse (58) ....90 C 5
Arboussols (66) ....212 C 2
L'Arbresle (69) ....135 G 2
Arbrissel (35) ....66 H 4
Arbus (64) ....186 A 4
Arbusigny (74) ....124 C 5
Arc 1800 (73) ....139 F 4
Arc-en-Barrois (52) ....75 F 4
Arc-et-Senans (25) ....110 C 1
Arc-lès-Gray (70) ....94 B 3
Arc-sous-Cicon (25) ....111 G 1
Arc-sous-Montenot (25) ....110 D 3
Arc-sur-Tille (21) ....93 G 4

Arcachon ⟨SP⟩ (33) ....154 B 3
Arçais (79) ....113 H 3
Arcambal (46) ....158 C 5
Arcangues (64) ....184 C 3
Arçay (18) ....105 F 3
Arçay (86) ....101 H 2
Arceau (21) ....93 G 4
Arcelot (21) ....93 G 4
Arcenant (21) ....109 E 1
Arcens (07) ....163 E 1
Arces (17) ....126 D 5
Arces (89) ....73 E 3
Arcey (21) ....93 E 5
Arcey (25) ....95 H 2
Archail (04) ....181 G 2
Archamps (74) ....124 B 4
Archelange (39) ....110 A 1
Arches (15) ....145 H 2
Arches (88) ....77 G 2
Archettes (88) ....77 G 2
Archiac (17) ....127 G 5
Archignac (24) ....144 A 5
Archignat (03) ....118 C 3
Archigny (86) ....102 C 5
Archingeay (17) ....127 E 1
Archon (02) ....18 A 3
Arcier (25) ....95 E 4
Arcine (74) ....124 A 5
Arcinges (42) ....121 G 5
Arcins (33) ....141 E 4
Arcis-le-Ponsart (51) ....33 F 2
Arcis-sur-Aube (10) ....54 A 4
Arcizac-Adour (65) ....204 C 1
Arcizac-ez-Angles (65) ....204 B 2
Arcizans-Avant (65) ....204 B 3
Arcizans-Dessus (65) ....204 A 3
Arcomie (48) ....161 F 1
Arcomps (18) ....105 F 5
Arçon (25) ....111 G 2
Arconcey (21) ....92 C 5
Arçonnay (72) ....47 H 5
Arconsat (63) ....134 A 2
Arconville (10) ....74 D 2
Les Arcs (73) ....139 F 4
Les Arcs (83) ....197 G 3
Arcueil (94) ....51 F 1
Arcy-Ste-Restitue (02) ....32 D 2
Arcy-sur-Cure (89) ....91 F 2
Ardelay (85) ....100 A 3
Ardelles (28) ....49 G 4
Ardelu (28) ....50 C 1
Ardenais (18) ....105 F 5
Ardenay-sur-Mérize (72) ....68 B 3
Ardengost (65) ....205 E 3
Ardentes (36) ....104 C 5
Ardes (63) ....147 E 1
Ardeuil-
et-Montfauxelles (08) ....34 D 2
Ardevon (50) ....45 G 3
Ardiège (31) ....205 G 2
Les Ardillats (69) ....121 H 4
Ardilleux (79) ....114 D 5
Ardillières (17) ....113 G 5
Ardin (79) ....114 A 2
Ardizas (32) ....188 C 1
L'Ardoise (30) ....179 E 5
Ardoix (07) ....149 G 3
Ardon (39) ....110 D 4
Ardon (45) ....70 C 5
Ardouval (76) ....13 H 3
Ardres (62) ....2 D 3
Arèches (73) ....138 D 3
Aregno (2B) ....214 C 5
Areines (41) ....69 F 5
Aren (64) ....185 H 5
Arengosse (40) ....169 G 3
Arenthon (74) ....124 D 5
Arès (33) ....154 B 2
Aresches (39) ....110 D 3
Les Aresquiers (34) ....193 F 3
Aressy (64) ....186 C 5
Arette (64) ....203 F 1
Arette-Pierre-St-Martin (64) .203 F 3
Arfeuille-Châtain (23) ....132 A 1
Arfeuilles (03) ....120 C 5
Arfons (34) ....190 C 4
Argagnon (64) ....185 H 3
Arganchy (14) ....25 H 4
Argançon (10) ....74 C 1
Argancy (57) ....21 E 5
Argein (09) ....206 A 3
Argelès (65) ....204 D 2
Argelès-Gazost ⟨SP⟩ (65) .....204 B 2
Argelès-Plage (66) ....213 F 3
Argelès-sur-Mer (66) ....213 F 3
Argeliers (11) ....191 H 5
Argelliers (34) ....193 E 1
Argelos (40) ....186 A 2
Argelos (64) ....186 C 3
Argelouse (40) ....155 E 5
Argences (14) ....27 G 4
Argens (84) ....182 A 3
Argens-Minervois (11) ....209 E 1
Argent-sur-Sauldre (18) ....89 G 2
Argentan ⟨SP⟩ (61) ....47 H 2
Argentat (19) ....145 E 4
Argenté (30) ....179 E 5
Argenteuil ⟨SP⟩ (95) ....31 E 5
Argenteuil-
sur-Armançon (89) ....74 A 5
Argentière (74) ....125 G 5

L'Argentière-la-Bessée (05) ...167 E 1
Argentières (77) ....52 A 3
Argentine (73) ....138 C 5
Argentolles (52) ....75 E 1
Argenton (29) ....40 D 3
Argenton (47) ....156 B 5
Argenton-Château (79) ....101 E 2
Argenton-l'Église (79) ....101 F 2
Argenton-Notre-Dame (53) ....81 F 2
Argenton-sur-Creuse (36) .....117 F 1
Argentré (53) ....66 D 2
Argentré-du-Plessis (35) ....66 A 2
Argenvières (18) ....106 B 1
Argenvilliers (28) ....69 F 1
Argers (51) ....35 E 4
Arget (64) ....186 A 3
Argiésans (90) ....96 C 1
Argillières (70) ....94 B 1
Argilliers (30) ....178 C 4
Argilly (21) ....109 F 1
Argis (01) ....137 F 1
Argiusta-Moriccio (2A) ....219 E 1
Argnat (63) ....133 E 2
Argœuves (80) ....15 F 1
Argol (29) ....41 F 5
Argonay (74) ....138 B 1
Argouges (50) ....45 H 3
Argoules (80) ....6 D 3
Arguel (25) ....95 E 4
Arguel (80) ....14 C 2
Arguenos (31) ....205 G 3
Argut-Dessous (31) ....205 G 4
Argut-Dessus (31) ....205 G 4
Arhansus (64) ....185 F 5
Aries-Espénan (65) ....187 H 5
Arifat (81) ....190 D 1
Arignac (09) ....207 E 4
Arinthod (39) ....123 G 2
Arith (73) ....138 A 3
Arjuzanx (40) ....169 F 3
Arlanc (63) ....148 A 1
Arlay (39) ....110 A 4
Arlebosc (07) ....149 G 4
Arlempdes (43) ....162 B 1
Arles ⟨SP⟩ (13) ....194 C 1
Arles-sur-Tech (66) ....212 D 4
Arlet (43) ....147 G 4
Arleuf (58) ....107 H 2
Arleux (59) ....8 C 3
Arleux-en-Gohelle (62) ....8 B 2
Arlos (31) ....205 G 4
Armaillé (49) ....66 A 5
Armancourt (60) ....31 H 1
Armancourt (80) ....16 A 4
Armaucourt (54) ....57 E 1
Armbouts-Cappel (59) ....3 F 2
Armeau (89) ....72 D 3
Armendarits (64) ....185 E 5
Armenteule (65) ....205 E 4
Armentières (59) ....4 B 3
Armentières-en-Brie (77) ....32 B 5
Armentières-sur-Avre (27) .....49 E 2
Armentières-sur-Ourcq (02) ...32 D 3
Armentieux (32) ....187 E 3
Armes (58) ....91 E 3
Armillac (47) ....156 D 4
Armissan (11) ....209 G 1
Armix (01) ....137 F 2
Armous-et-Cau (32) ....187 F 2
Armoy (74) ....125 E 2
Arnac (15) ....145 G 4
Arnac-la-Poste (87) ....117 E 4
Arnac-Pompadour (19) ....144 B 1
Arnac-sur-Dourdou (12) ....191 H 1
Arnage (72) ....68 A 4
Arnancourt (52) ....55 E 5
Arnas (69) ....135 H 1
Arnaud-Guilhem (31) ....205 H 1
Arnave (09) ....207 E 4
Arnaville (54) ....36 D 4
Arnay-le-Duc (21) ....108 C 1
Arnay-sous-Vitteaux (21) ....92 C 3
Arnayon (26) ....165 E 4
Arné (65) ....205 F 1
Arnéguy (64) ....202 B 1
Arnèke (59) ....3 F 3
Arnicourt (08) ....18 B 4
Arnières-sur-Iton (27) ....29 G 5
Arnoncourt-sur-Apance (52) ...76 B 3
Arnos (64) ....186 A 3
Arnouville-lès-Gonesse (95) ...31 F 5
Arnouville-lès-Mantes (78) .....30 B 5
Aroffe (88) ....56 C 4
Aromas (39) ....123 F 3
Aron (53) ....47 E 5
Arone *(Plage d')* (2A) ....216 A 3
Aroue (64) ....185 G 4
Aroz (70) ....94 D 1
Arpaillargues-
et-Aureillac (30) ....178 C 4
Arpajon ⟨SP⟩ (91) ....51 E 3
Arpajon-sur-Cère (15) ....160 A 1
Arpavon (26) ....165 E 5
Arpenans (70) ....95 F 1
Arpheuilles (18) ....105 G 4
Arpheuilles (36) ....103 G 3
Arpheuilles-St-Priest (03) .....119 E 4
Arphy (30) ....177 F 4
Arquenay (53) ....66 D 3
Arques (11) ....208 B 3

Arques (12) ....175 H 1
Les Arques (46) ....158 A 3
Arques (62) ....3 E 4
Arques-la-Bataille (76) ....13 G 2
Arquettes-en-Val (11) ....208 C 2
Arquèves (80) ....7 H 5
Arquian (58) ....90 B 2
Arrabloy (45) ....89 H 1
Arracourt (54) ....57 G 1
Arradon (56) ....81 G 2
Arraincourt (57) ....37 G 4
Arrancourt (91) ....51 E 5
Arrancy (02) ....17 G 5
Arrancy-sur-Crusne (55) ....20 B 3
Arras ⟨P⟩ (62) ....8 A 3
Arras-en-Lavedan (65) ....204 B 3
Arras-sur-Rhône (07) ....149 H 3
Arrast-Larrebieu (64) ....185 G 5
Arrauntz (64) ....184 C 3
Arraute-Charritte (64) ....185 F 4
Arraye-et-Han (54) ....37 E 1
Arrayou-Lahitte (65) ....204 C 2
Arreau (65) ....205 E 3
Arrelles (10) ....74 A 3
Arrembécourt (10) ....54 C 3
Arrènes (23) ....117 F 5
Arrens-Marsous (65) ....204 A 3
Arrentès-de-Corcieux (88) .....78 A 1
Arrentières (10) ....74 D 1
Arrest (80) ....6 C 5
Arreux (08) ....10 D 5
Arriance (57) ....37 F 4
Arricau-Bordes (64) ....186 D 3
Arrien (64) ....186 D 5
Arrien-en-Bethmale (09) ......206 A 4
Arrigas (30) ....177 E 4
Arrigny (51) ....54 D 3
Arro (2A) ....216 C 4
Arrodets (65) ....204 D 2
Arrodets-ez-Angles (65) ....204 C 2
Arromanches-les-Bains (14) ...27 E 1
Arronnes (03) ....133 H 1
Arronville (95) ....31 E 3
Arros-de-Nay (64) ....204 A 1
Arros-d'Oloron (64) ....203 F 1
Arrosès (64) ....186 D 3
Arrou (28) ....69 G 2
Arrouède (32) ....188 A 4
Arrout (09) ....206 A 3
Arry (57) ....36 D 4
Arry (80) ....6 C 3
Ars (16) ....127 G 4
Ars (23) ....131 F 3
Ars-en-Ré (17) ....112 C 4
Ars-Laquenexy (57) ....37 E 3
Ars-les-Favets (63) ....119 E 4
Ars-sur-Formans (01) ....135 H 1
Ars-sur-Moselle (57) ....36 D 3
Arsac (33) ....141 E 5
Arsac-en-Velay (43) ....148 B 5
Arsague (40) ....185 H 2
Arsans (70) ....94 B 4
Arsonval (10) ....74 D 1
Arsure-Arsurette (39) ....111 E 4
Les Arsures (39) ....110 C 2
Arsy (60) ....31 H 1
Art-sur-Meurthe (54) ....57 E 2
Artagnan (65) ....187 E 4
Artaise le-Vivier (08) ....19 E 4
Artaix (71) ....121 E 4
Artalens-Souin (65) ....204 B 3
Artannes-sur-Indre (37) ....86 C 3
Artannes-sur-Thouet (49) ....85 G 5
Artas (38) ....136 D 5
Artassenx (40) ....170 D 5
Artemare (01) ....137 G 2
Artemps (02) ....16 C 3
Artenay (45) ....70 C 3
Arthaz-
Pont-Notre-Dame (74) ......124 C 4
Arthel (58) ....90 D 5
Arthémonay (26) ....150 C 3
Arthenac (17) ....127 G 5
Arthenas (39) ....123 G 1
Arthès (81) ....175 E 4
Arthez-d'Armagnac (40) ....171 E 4
Arthez-d'Asson (64) ....204 A 2
Arthez-de-Béarn (64) ....186 A 3
Arthezé (72) ....67 G 5
Arthies (95) ....30 C 4
Arthon (36) ....104 B 5
Arthon-en-Retz (44) ....98 D 1
Arthonnay (89) ....74 A 4
Arthun (42) ....134 C 3
Artigat (09) ....206 D 4
Artignosc-sur-Verdon (83) ....196 D 1
Artigue (31) ....205 F 4
Artiguedieu (32) ....187 H 3
Artigueloutan (64) ....186 C 5
Artiguelouve (64) ....186 B 5
Artiguemy (65) ....204 D 1
Artigues (09) ....207 H 5
Artigues (11) ....208 A 4
Artigues (65) ....204 B 2
Artigues (83) ....196 C 2
Artigues-Campan (65) ....204 D 3

A B C D E F G H I J K L M N O P Q R S T U V W X Y Z

Localité (*Département*) Page Coordonnées

Les Artigues-de-Lussac (33)...141 H 5
Artigues-près-Bordeaux (33)...155 F 1
Artins (41)...86 D 1
Artix (09)...207 E 2
Artix (46)...158 C 4
Artix (64)...186 A 4
Artolsheim (67)...79 E 1
Artonges (02)...33 E 5
Artonne (63)...133 F 1
Artres (59)...9 F 3
Artzenheim (68)...79 E 1
Arudy (64)...203 H 1
Arue (40)...170 D 3
Arvant (43)...147 F 2
Arvert (17)...126 B 3
Arveyres (33)...155 G 1
Arvieu (12)...175 H 2
Arvieux (05)...167 F 1
Arvigna (09)...207 F 2
Arvillard (73)...152 B 1
Arville (41)...69 F 3
Arville (77)...71 G 2
Arvillers (80)...15 H 3
Arx (40)...171 G 3
Arzacq-Arraziguet (64)...186 B 3
Arzal (56)...82 A 2
Arzano (29)...62 C 4
Arzay (38)...150 D 1
Arzembouy (58)...90 D 5
Arzenc-d'Apcher (48)...161 E 1
Arzenc-de-Randon (48)...161 H 3
Arzens (11)...208 A 1
Arzillières-Neuville (51)...54 C 2
Arzon (56)...81 F 3
Arzviller (57)...58 B 1
Asasp (64)...203 F 1
Ascain (64)...184 B 4
Ascarat (64)...202 B 1
Aschbach (67)...39 G 4
Aschères-le-Marché (45)...70 D 2
Asco (2B)...216 D 1
Asco (*Gorges de l'*) (2B)...217 E 1
Ascou (09)...207 G 5
Ascou-Pailhérès (09)...207 G 5
Ascoux (45)...71 E 2
Ascros (06)...182 D 4
Asfeld (08)...18 A 5
Aslonnes (86)...115 F 2
Asnan (58)...91 E 4
Asnans-Beauvoisin (39)...110 A 2
Asnelles (14)...27 E 1
Asnières (28)...28 B 3
Asnières-en-Bessin (14)...23 G 5
Asnières-en-Montagne (21)...92 B 1
Asnières-en-Poitou (79)...114 C 5
Asnières-la-Giraud (17)...127 F 2
Asnières-les-Bourges (18)...105 F 1
Asnières-lès-Dijon (21)...93 F 4
Asnières-sous-Bois (89)...91 F 3
Asnières-sur-Blour (86)...116 A 5
Asnières-sur-Nouère (16)...128 B 3
Asnières-sur-Oise (95)...31 F 3
Asnières-sur-Saône (01)...122 C 2
Asnières-sur-Seine (92)...31 F 5
Asnières-sur-Vègre (72)...67 F 4
Asnois (58)...91 F 4
Asnois (86)...115 G 5
Aspach (57)...58 A 2
Aspach (68)...97 F 1
Aspach-le-Bas (68)...78 C 5
Aspach-Michelbach (68)...78 C 5
Aspères (30)...178 A 5
Asperjoc (07)...163 E 3
Aspet (31)...205 H 2
Aspin-Aure (65)...205 E 3
Aspin-en-Lavedan (65)...204 B 2
Aspiran (34)...192 C 3
Aspremont (05)...165 H 4
Aspremont (06)...183 F 5
Les Aspres (61)...48 D 2
Aspres-lès-Corps (05)...166 A 1
Aspres-sur-Buëch (05)...165 H 4
Aspret-Sarrat (31)...205 G 2
Asprières (12)...159 G 4
Asque (65)...204 D 2
Asques (33)...141 G 5
Asques (82)...173 E 4
Asquins (89)...91 F 3
Assac (81)...175 F 4
Assainvillers (80)...15 H 4
Assais (79)...101 G 4
Assas (34)...193 F 1
Assat (64)...186 C 5
Assay (37)...102 A 1
Assé-le-Bérenger (53)...67 F 2
Assé-le-Boisne (72)...47 H 5
Assé-le-Riboul (72)...67 H 2
Assenay (10)...73 H 2
Assencières (10)...54 A 5
Assenoncourt (57)...57 H 1
Assérac (44)...82 A 3
Assevent (59)...9 H 3
Assevillers (80)...16 A 2
Assier (46)...159 E 3
Assieu (38)...149 H 1
Assignan (34)...191 H 4
Assigny (18)...89 H 3
Assigny (76)...13 H 1

Les Assions (07)...162 D 5
Assis-sur-Serre (02)...17 E 3
Asson (64)...204 A 1
Assonval (62)...7 E 1
Asswiller (67)...38 C 5
Astaffort (47)...172 C 3
Astaillac (19)...145 E 5
Asté (65)...204 D 2
Aste-Béon (64)...203 H 2
Astet (07)...162 C 3
Astillé (53)...66 C 3
Astis (64)...186 C 3
Aston (09)...207 E 5
Astugue (65)...204 C 2
Asuérac (06)...182 B 1
Athée (21)...93 H 5
Athée (53)...66 B 4
Athée-sur-Cher (37)...87 E 4
Athesans-Etroitefontaine (70)...95 G 1
Athie (21)...92 A 2
Athie (89)...91 H 2
Athienville (54)...57 F 1
Athies (62)...8 B 3
Athies (80)...16 B 2
Athies-sous-Laon (02)...17 F 4
Athis (51)...33 H 4
Athis-Mons (91)...51 F 2
Athis-Val de Rouvre (61)...47 E 1
Athos-Aspis (64)...185 F 4
Athose (25)...111 F 1
Attainville (95)...31 F 4
Attancourt (52)...55 E 3
Les Attaques (62)...2 C 3
Attenschwiller (68)...97 G 1
Attiches (59)...4 C 4
Attichy (60)...32 B 1
Attignat (01)...122 D 3
Attignat-Oncin (73)...137 H 5
Attignéville (88)...56 C 5
Attigny (08)...18 C 5
Attigny (88)...76 D 2
Attilloncourt (57)...57 F 1
Attilly (02)...16 C 2
Attin (62)...6 C 1
Atton (54)...36 D 5
Attray (45)...71 E 2
Attricourt (70)...93 H 3
Attuech (30)...177 H 3
Atur (24)...143 F 4
Aubagnan (40)...186 B 1
Aubagne (13)...196 A 5
Aubaine (21)...108 D 1
Aubais (30)...193 H 1
Aubarède (65)...187 F 5
Aubarne (30)...178 B 4
Aubas (24)...144 A 4
Aubazat (43)...147 G 4
Aubazine (19)...144 D 3
Aube (57)...37 E 4
Aube (61)...48 C 2
Aubéguimont (76)...14 C 2
Aubenas (07)...163 E 3
Aubenas-les-Alpes (04)...180 C 4
Aubenasson (26)...164 D 2
Aubencheul-au-Bac (59)...8 D 3
Aubencheul-aux-Bois (02)...8 D 5
Aubenton (02)...10 B 5
Aubepierre (77)...52 A 3
Aubepierre-sur-Aube (52)...75 E 4
L'Aubépin (39)...123 F 2
Auberchicourt (59)...8 D 3
Aubercourt (80)...15 H 2
Aubergenville (78)...30 C 5
Auberive (51)...34 B 3
Auberive (52)...75 F 5
Auberives-en-Royans (38)...151 E 4
Auberives-sur-Varèze (38)...149 H 1
Aubermesnil-aux-Érables (76)...14 B 2
Aubermesnil-Beaumais (76)...13 G 2
Aubers (59)...3 H 5
Aubertans (70)...95 E 3
Aubertin (64)...186 B 5
Auberville (14)...27 H 2
Auberville-la-Campagne (76)...12 B 5
Auberville-la-Manuel (76)...12 D 2
Auberville-la-Renault (76)...12 C 3
Aubervilliers (93)...31 F 5
Aubeterre (10)...53 H 4
Aubeterre-sur-Dronne (16)...142 B 2
Aubeville (16)...128 A 5
Aubevoye (27)...29 H 3
Aubiac (33)...155 H 4
Aubiac (47)...172 B 2
Aubiat (63)...133 F 1
Aubie-et-Espessas (33)...141 G 5
Aubière (63)...133 F 3
Les Aubiers (79)...100 D 2
Aubiet (32)...188 B 2
Aubignan (84)...179 G 3
Aubignas (07)...163 G 3
Aubigné (35)...45 F 5
Aubigné-Racan (72)...86 A 1
Aubigné-sur-ayon (49)...85 E 5
Aubigney (70)...94 A 4
Aubignosc (04)...181 E 2
Aubigny (03)...106 C 5
Aubigny (14)...27 G 5
Aubigny (79)...101 G 4
Aubigny (80)...15 G 2
Aubigny-au-Bac (59)...8 D 3
Aubigny-aux-Kaisnes (02)...16 C 3

Aubigny-en-Artois (62)...7 H 3
Aubigny-en-Laonnois (02)...17 G 5
Aubigny-en-Plaine (21)...109 G 1
Aubigny-la-Ronce (21)...108 D 2
Aubigny-les-Clouzeaux (85)...99 G 5
Aubigny-les-Pothées (08)...18 C 2
Aubigny-les-Sombernon (21)...92 D 4
Aubigny-sur-Nère (18)...89 F 3
Aubilly (51)...33 G 3
Aubin (12)...159 G 4
Aubin (64)...186 B 3
Aubin-St-Vaast (62)...7 E 2
Aubinges (18)...89 G 5
Auboncourt-Vauzelles (08)...18 C 4
Aubonne (25)...111 F 1
Aubord (30)...194 A 1
Auboué (54)...20 D 5
Aubous (64)...186 D 2
Aubrac (12)...160 D 3
Aubres (26)...164 D 5
Aubréville (55)...35 F 3
Aubrives (08)...11 E 3
Aubrometz (62)...7 F 3
Aubry-du-Hainaut (59)...9 E 2
Aubry-en-Exmes (61)...47 H 1
Aubry-le-Panthou (61)...48 A 1
Aubure (68)...78 C 1
Aubussargues (30)...178 B 4
Aubusson (23)...131 G 2
Aubusson (61)...47 E 1
Aubusson-d'Auvergne (63)...134 A 3
Aubvillers (80)...15 G 3
Auby (59)...4 C 5
Aucaleuc (22)...44 C 4
Aucamville (31)...189 F 2
Aucamville (82)...189 E 1
Aucazein (09)...206 A 1
Aucelon (26)...165 E 3
Aucey-la-Plaine (50)...45 G 3
Auch (32)...188 A 2
Auchel (62)...7 H 1
Auchonvillers (80)...8 A 5
Auchy-au-Bois (62)...7 G 1
Auchy-la-Montagne (60)...15 E 4
Auchy-lès-Hesdin (62)...7 F 2
Auchy-les-Mines (62)...4 A 5
Auchy-lez-Orchies (59)...4 D 5
Aucun (65)...204 A 3
Audaux (64)...185 H 4
Audéjos (64)...186 A 4
Audelange (39)...110 B 1
Audeloncourt (52)...76 A 2
Audembert (62)...2 B 3
Audenge (33)...154 C 2
Auderville (50)...22 B 2
Audes (03)...118 D 2
Audeux (25)...94 C 4
Audeville (45)...71 E 1
Audierne (29)...61 E 2
Audignicourt (02)...16 C 5
Audignies (59)...9 G 3
Audignon (40)...186 A 1
Audigny (02)...17 F 2
Audincourt (25)...96 C 2
Audincthun (62)...2 D 5
Audinghen (62)...2 A 3
Audon (40)...169 F 5
Audouville-la-Hubert (50)...23 E 5
Audrehem (62)...2 D 4
Audressein (09)...206 A 1
Audresselles (62)...2 A 3
Audrieu (14)...27 E 2
Audrix (24)...157 G 1
Audruicq (62)...2 D 3
Audun-le-Roman (54)...20 C 3
Audun-le-Tiche (57)...20 C 2
Auenheim (67)...39 G 5
Auffargis (78)...50 C 2
Auffay (76)...13 G 3
Aufferville (77)...71 H 1
Auffreville-Brasseuil (78)...30 B 5
Auflance (08)...19 H 4
Auga (64)...186 B 3
Augan (56)...64 B 3
Auge (08)...10 B 5
Auge (23)...118 C 4
Augé (79)...114 C 2
Augea (39)...123 F 1
Auger-St-Vincent (60)...32 A 3
Augerans (39)...110 B 2
Augères (23)...117 G 5
Augerolles (63)...134 A 3
Augers-en-Brie (77)...52 D 2
Augerville-la-Rivière (45)...71 F 1
Augeville (52)...55 H 5
Augicourt (70)...76 C 5
Augignac (24)...129 F 5
Augirein (09)...205 H 1
Augisey (39)...123 F 1
Augnat (63)...147 E 1
Augnax (32)...188 B 1
Augny (57)...36 D 3
Auguaise (61)...48 C 2
Augy (02)...33 E 1
Augy (89)...73 F 5
Augy-sur-Aubois (18)...106 A 4
Aujac (17)...127 G 2
Aujac (30)...177 H 1
Aujan-Mournède (32)...187 H 4
Aujargues (30)...193 H 1

Aujeurres (52)...75 G 5
Aujols (46)...158 C 5
Aulaines (72)...68 C 2
Aulas (30)...177 F 4
Aulhat-Flat (63)...133 G 5
Aulhat-St-Privat (63)...133 G 5
Aullène (2A)...219 E 2
Aulnat (63)...133 F 3
Aulnay (10)...54 B 4
Aulnay (17)...127 G 1
Aulnay (86)...101 H 3
Aulnay-aux-Planches (51)...53 H 1
Aulnay-la-Rivière (45)...71 F 2
Aulnay-l'Aître (51)...54 C 1
Aulnay-sous-Bois (93)...31 G 5
Aulnay-sur-Iton (27)...29 F 5
Aulnay-sur-Marne (51)...34 A 4
Aulnay-sur-Mauldre (78)...30 C 5
Aulnizeux (51)...53 G 1
Aulnois (88)...76 B 1
Aulnois-en-Perthois (55)...55 F 2
Aulnois-sous-Laon (02)...17 F 4
Aulnois-sous-Vertuzey (55)...56 B 1
Aulnois-sur-Seille (57)...37 E 5
Aulnoy (77)...52 B 1
Aulnoy-lez-Valenciennes (59)...9 F 3
Aulnoye-Aymeries (59)...9 H 4
Aulon (23)...117 G 5
Aulon (31)...205 H 1
Aulon (65)...204 D 4
Aulos (09)...207 E 5
Aulus-les-Bains (09)...206 C 5
Aulx-lès-Cromary (70)...95 E 3
Aumagne (17)...127 G 2
Aumale (76)...14 C 3
Aumâtre (80)...14 C 1
Aumelas (34)...193 E 2
Auménancourt (51)...33 H 1
Auménancourt-le-Petit (51)...33 H 1
Aumerval (62)...7 G 1
Aumes (34)...192 C 4
Aumessas (30)...177 E 4
Aumetz (57)...20 C 3
Aumeville-Lestre (50)...23 E 3
Aumont (39)...110 B 3
Aumont (80)...14 D 2
Aumont-Aubrac (48)...161 F 2
Aumont-en-Halatte (60)...31 G 2
Aumontzey (88)...77 H 1
Aumur (39)...109 H 1
Aunac (16)...128 C 2
Aunay-en-Bazois (58)...107 F 1
Aunay-les-Bois (61)...48 B 3
Aunay-sous-Auneau (28)...50 C 4
Aunay-sous-Crécy (28)...49 H 2
Aunay-sur-Odon (14)...26 D 4
Auneau-Bleury-
  Saint-Symphorien (28)...50 B 4
Aunou-le-Faucon (61)...47 H 2
Aunou-sur-Orne (61)...48 A 3
Auppegard (76)...13 G 2
Aups (83)...197 E 2
Auquainville (14)...28 B 4
Auquemesnil (76)...14 A 1
Auradé (32)...188 D 3
Auradou (47)...172 D 1
Auragne (31)...189 G 4
Auray (56)...81 F 2
Aure (08)...34 C 2
Aurec-sur-Loire (43)...148 D 2
Aureil (87)...130 B 3
Aureilhan (40)...168 D 1
Aureilhan (65)...187 E 5
Aureille (13)...195 E 1
Aurel (26)...165 E 2
Aurel (84)...180 A 2
Aurelle-Verlac (12)...160 D 4
Aurensan (32)...186 D 2
Aurensan (65)...187 E 5
Aureville (31)...189 F 3
Auriac (11)...208 C 3
Auriac (19)...145 G 3
Auriac (64)...186 C 3
Auriac-du-Périgord (24)...143 H 4
Auriac-Lagast (12)...175 G 3
Auriac-l'Église (15)...147 G 5
Auriac-sur-Dropt (47)...156 C 3
Auriac-sur-Vendinelle (31)...190 A 3
Auribail (31)...189 F 5
Auribeau (84)...180 B 5
Auribeau-sur-Siagne (06)...198 D 2
Aurice (40)...169 H 5
Auriébat (82)...187 E 3
Aurières (63)...132 D 4
Aurignac (31)...205 H 1
Aurimont (32)...188 B 3
Aurin (31)...189 H 3
Auriol (13)...196 B 4
Auriolles (07)...163 E 5
Auriolles (33)...156 A 2
Aurions-Idernes (64)...186 D 3
Auris (38)...152 B 4
Auron (06)...182 C 1
Aurons (13)...195 F 1

Auros (33)...155 H 4
Auroux (48)...161 H 2
Aussac (81)...174 D 5
Aussac-Vadalle (16)...128 C 3
Ausseing (31)...206 A 1
Aussevielle (64)...186 B 4
Aussillon (81)...190 D 5
Aussois (73)...153 F 2
Ausson (31)...205 F 2
Aussonce (08)...34 A 1
Aussonne (31)...189 E 2
Aussos (32)...188 A 4
Aussurucq (64)...202 D 1
Autainville (41)...69 H 4
Autechaux (25)...95 F 3
Autechaux-Roide (25)...96 C 3
Les Autels (02)...18 A 3
Les Autels-St-Bazile (14)...28 A 5
Les Autels-Villevillon (28)...69 F 2
Auterive (31)...189 F 5
Auterive (32)...188 A 2
Auterive (82)...173 E 5
Auterrive (64)...185 F 3
Autet (70)...94 B 2
Auteuil (60)...30 D 2
Auteuil (78)...50 C 1
Autevielle-
  St-Martin-Bideren (64)...185 F 4
Authe (08)...19 E 5
Autheuil (61)...48 D 3
Autheuil-Authouillet (27)...29 H 4
Autheuil-en-Valois (60)...32 B 3
Autheux (80)...7 F 4
Authevernes (27)...30 B 3
Authezat (63)...133 F 4
Authie (14)...27 F 2
Authie (80)...7 H 5
Authieule (80)...7 G 4
Les Authieux (27)...29 G 5
Les Authieux-du-Puits (61)...48 B 2
Les Authieux-Papion (14)...27 H 4
Authieux-Ratiéville (76)...13 H 4
Les Authieux-
  sur-Calonne (14)...28 B 2
Les Authieux-
  sur-le-Port-St-Ouen (76)...29 G 1
Authiou (58)...90 D 5
Authoison (70)...95 E 3
Authon (04)...181 F 1
Authon (41)...87 E 1
Authon-du-Perche (28)...69 E 2
Authon-Ébéon (17)...127 G 2
Authon-la-Plaine (91)...50 D 4
Authou (27)...28 D 2
Authuille (80)...8 A 5
Authume (39)...110 A 1
Authumes (71)...109 H 3
Autichamp (26)...164 C 3
Autignac (34)...192 B 3
Autigny (76)...13 F 2
Autigny-la-Tour (88)...56 B 4
Autigny-le-Grand (52)...55 G 4
Autigny-le-Petit (52)...55 G 4
Autingues (62)...2 D 3
Autoire (46)...159 E 1
Autoreille (70)...94 C 4
Autouillet (78)...50 C 1
Autrac (43)...147 E 2
Autrans (38)...151 F 3
Autrans-Méaudre-
  en-Vercors (38)...151 F 3
Autrèche (37)...87 F 3
Autrechêne (90)...96 D 1
Autrêches (60)...32 B 1
Autrecourt-et-Pourron (08)...19 F 4
Autrécourt-sur-Aire (55)...35 F 4
Autremencourt (02)...17 G 3
Autrepierre (54)...57 H 2
Autreppes (02)...17 G 1
Autretot (76)...13 E 4
Autreville (02)...16 D 4
Autreville (88)...56 C 4
Autréville-St-Lambert (55)...19 G 4
Autreville-sur-la-Renne (52)...75 F 2
Autreville-sur-Moselle (54)...56 D 1
Autrey (54)...56 D 3
Autrey (88)...57 H 5
Autrey-le-Vay (70)...95 F 2
Autrey-lès-Cerre (70)...95 F 1
Autrey-lès-Gray (70)...94 A 3
Autricourt (21)...74 D 3
Autruche (08)...19 E 5
Autruy-sur-Juine (45)...70 D 1
Autry (08)...35 E 2
Autry-Issards (03)...119 H 1
Autry-le-Châtel (45)...89 G 2
Autun (71)...108 B 3
Auty (82)...173 H 2
Auvare (06)...182 C 3
Auvergny (27)...28 D 5
Auvernaux (91)...51 G 4
Auvers (43)...147 G 5

Auvet-
  et-la-Chapelotte (70)...94 A 2
Auvillar (82)...172 D 3
Auvillars (14)...28 A 3
Auvillars-sur-Saône (21)...109 G 1
Auvillers (60)...31 F 1
Auvillers-les-Forges (08)...10 C 5
Auvilliers (76)...14 B 3
Auvilliers-en-Gâtinais (45)...71 G 4
Aux-Aussat (32)...187 G 4
Aux Marais (60)...30 D 1
Auxais (50)...25 E 2
Auxange (39)...94 B 5
Auxant (21)...108 D 1
Auxelles-Bas (90)...78 A 5
Auxelles-Haut (90)...78 A 5
Auxerre (89)...73 E 5
Auxey-Duresses (21)...109 E 2
Auxi-le-Château (62)...7 F 4
Auxillac (48)...161 F 5
Auxon (10)...73 G 2
Auxon (70)...95 E 1
Auxon-Dessous (25)...94 D 4
Auxon-Dessus (25)...94 D 4
Auxonne (21)...93 H 5
Auxy (45)...71 G 2
Auxy (71)...108 B 3
Auzainvilliers (88)...76 C 1
Auzances (23)...132 B 1
Auzas (31)...205 H 1
Auzat (09)...206 D 5
Auzat-la-Combelle (63)...147 F 1
Auzay (85)...113 G 2
Auzebosc (76)...13 E 4
Auzelles (63)...133 H 5
Auzers (15)...146 A 3
Auzet (04)...181 G 1
Auzéville-en-Argonne (55)...35 F 3
Auzeville-Tolosane (31)...189 G 3
Auzielle (31)...189 G 3
Auzits (12)...159 H 4
Auzon (43)...147 G 5
Auzouer-en-Touraine (37)...87 E 2
Auzouville-Auberbosc (76)...12 D 4
Auzouville-l'Esneval (76)...13 F 4
Auzouville-sur-Ry (76)...29 H 1
Auzouville-sur-Saâne (76)...13 F 3
Availles-
  en-Châtellerault (86)...102 C 4
Availles-Limouzine (86)...115 H 5
Availles-sur-Chizé (79)...114 B 5
Availles-sur-Seiche (35)...66 A 3
Availles-Thouarsais (79)...101 G 3
Les Avalats (81)...175 E 4
Avallon (89)...91 G 3
Les Avanchers-Valmorel (73)...138 D 5
Avançon (05)...166 C 4
Avançon (08)...18 A 5
Avanne-Aveney (25)...94 D 5
Avant-lès-Marcilly (10)...53 E 5
Avant-lès-Ramerupt (10)...54 A 4
Avanton (86)...102 A 5
Avapessa (2B)...214 C 5
Avaray (41)...88 A 1
Avaux (08)...18 A 5
Aveize (69)...135 F 4
Aveizieux (42)...135 F 5
Avéjean (30)...178 B 1
Avelanges (21)...93 F 2
Avelesges (80)...14 D 1
Avelin (59)...4 C 4
Aveluy (80)...8 A 5
Avenas (69)...122 A 4
Avenay (14)...27 E 3
Avenay-Val-d'Or (51)...33 H 4
Les Avenières-
  Veyrins-Thuellin (38)...137 F 4
Avensac (32)...172 D 5
Avensan (33)...140 D 4
Aventignan (65)...205 F 2
Aveny (27)...30 B 3
Averan (65)...204 B 3
Averdoingt (62)...7 G 3
Averdon (41)...87 H 1
Avermes (03)...120 A 1
Avernes (95)...30 C 4
Avernes-sous-Exmes (61)...48 A 1
Avernes-St-Gourgon (61)...28 B 5
Avéron-Bergelle (32)...187 E 1
Averton (53)...47 G 5
Avesnelles (59)...9 H 5
Avesnes (62)...7 E 1
Avesnes-Chaussoy (80)...14 D 2
Avesnes-en-Bray (76)...14 B 5
Avesnes-en-Saosnois (72)...68 B 1
Avesnes-en-Val (76)...14 A 1
Avesnes-le-Comte (62)...7 H 3
Avesnes-le-Sec (59)...9 E 3
Avesnes-les-Aubert (59)...9 E 4
Avesnes-lès-Bapaume (62)...8 B 5
Avesnes-sur-Helpe (59)...9 H 4
Avessac (44)...82 D 1
Avessé (72)...67 F 4
Aveux (65)...205 E 2
Avezac (65)...172 C 5
Avezan (32)...172 C 5
Avèze (30)...177 F 4
Avèze (63)...132 B 5
Avezé (72)...68 D 1
Aviernoz (74)...138 B 1

Avignon P (84) ....179 E 4
Avignon-
  lès-Saint-Claude (39) .. 124 A 2
Avignonet (38) ....151 G 5
Avignonet-Lauragais (31).. 189 H 4
Avillers (54)...............20 B 4
Avillers (88)...............57 E 5
Avillers-Ste-Croix (55)....36 B 4
Avilley (25) ....95 F 3
Avilly-St-Léonard (60)....31 G 3
Avion (62) ....4 B 5
Avioth (55).................19 H 4
Aviré (49)..................84 C 1
Avirey-Lingey (10) ....74 B 3
Aviron (27)................29 G 4
Avize (51)..................33 H 5
Avocourt (55).............35 F 2
Avoine (37)................86 A 5
Avoine (61)................47 G 2
Avoise (72)................67 G 4
Avolsheim (67)...........59 E 2
Avon (77)..................51 H 5
Avon (79)................114 D 3
Avon-la-Pèze (10).......53 F 5
Avon-les-Roches (37)...102 B 1
Avondance (62)............7 F 1
Avord (18)................105 H 2
Avoriaz (74)..............125 F 4
Avosnes (21).............92 D 4
Avot (21)...................93 F 2
Avoudrey (25)............95 G 5
Avrainville (52)...........55 F 3
Avrainville (54)...........56 C 1
Avrainville (88)...........57 E 5
Avrainville (91)...........51 E 3
Avranches SP (50)...........45 H 2
Avranville (88)............56 A 4
Avrechy (60)..............31 F 1
Avrecourt (52)............76 A 3
Avrée (58)...............107 G 4
Avremesnil (76)..........13 F 2
Avressieux (73).........137 G 4
Avreuil (10)...............73 H 3
Avricourt (54)............57 H 2
Avricourt (57)............57 H 2
Avricourt (60).............16 A 4
Avrieux (73).............153 F 2
Avrigney-Virey (70).....94 C 4
Avrigny (60)..............31 G 1
Avril (54)..................20 D 4
Avril-sur-Loire (58)....106 D 4
Avrillé (49)................84 D 2
Avrillé (85)...............112 C 1
Avrillé-les-Ponceaux (37)..86 A 4
Avrilly (03)...............121 E 3
Avrilly (27)................29 G 5
Avrilly (61)................46 D 3
Avroult (62).................2 D 5
Avy (17)..................127 F 5
Awoingt (59)...............8 D 4
Ax-les-Thermes (09)...207 F 5
Axat (11).................208 A 4
Axiat (09)................207 F 5
Ay-Champagne (51)....33 H 4
Ay-sur-Moselle (57)....21 E 4
Ayat-sur-Sioule (63)...132 D 1
Aydat (63)...............133 E 4
Aydie (64)...............186 D 2
Aydius (64).............203 G 2
Aydoilles (88)............77 G 1
Ayen (19)...............144 B 3
Ayencourt (80)..........15 H 4
Ayette (62)................8 A 4
Les Aygalades (13)....195 H 4
Ayguade-Ceinturon (83)..201 F 4
Ayguatébia-Talau (66)..212 A 3
Ayguemorte-les-Graves (33)..155 F 2
Ayguesvives (31).......189 G 4
Ayguetinte (32).........172 A 5
Ayherre (64)............185 E 4
Ayn (73).................137 G 4
Aynac (46)...............159 E 2
Les Aynans (70).........95 G 1
Aynes (15)..............145 G 3
Ayrens (15).............145 H 5
Ayron (86)...............101 H 5
Ayros-Arbouix (65)....204 B 2
Ayse (74)................124 D 5
Ayssènes (12)..........175 H 3
Aytré (17)...............113 E 4
Les Ayvelles (08).......18 D 3
Ayzac-Ost (65).........204 B 2
Ayzieu (32).............171 F 5
Azannes-
  et-Soumazannes (55)..20 A 4
Azans (39)..............110 A 1
Azas (31)...............189 H 1
Azat-Châtenet (23)....117 G 5
Azat-le-Ris (87)........116 C 4
Azay-le-Brûlé (79)....114 C 2
Azay-le-Ferron (36)...103 F 4
Azay-le-Rideau (37)....86 B 5
Azay-sur-Cher (37).....87 E 4
Azay-sur-Indre (37)....87 E 5
Azay-sur-Thouet (79)..101 E 5
Azé (41)...................69 G 5
Azé (53)...................66 D 5
Azé (71).................122 B 2
Azelot (54)...............57 E 3
Azerables (23).........117 E 3
Azerailles (54)..........57 H 3
Azerat (24).............143 H 4

Azérat (43)..............147 G 2
Azereix (65)............204 B 1
Azet (65)................205 E 4
Azeville (50).............23 E 4
Azillanet (34)...........191 G 5
Azille (11)................191 F 5
Azilone-Ampaza (2A)..219 E 1
Azincourt (62)............7 F 2
Azolette (69)...........121 H 4
Azoudange (57).........57 H 1
Azur (40)................168 C 5
Azy (18).................105 H 1
Azy-le-Vif (58).........106 C 4
Azy-sur-Marne (02)....32 D 4
Azzana (2A)............216 D 4

B
Baâlon (55)..............19 G 5
Baâlons (08).............18 D 4
Babeau-Bouldoux (34)..191 H 4
Babœuf (60).............16 C 4
Le Babory-de-Blesle (43)..147 E 2
Baby (77)................52 D 5
Baccarat (54)...........57 H 4
Baccon (45).............70 B 4
Bach (46)...............174 A 1
Bachant (59)..............9 H 4
Bachas (31).............188 C 5
La Bachellerie (24)....143 A 4
Bachimont (62)...........7 F 3
Bachivillers (60)........30 D 2
Bachos (31).............205 F 3
Bachy (59)................4 D 4
Bacilly (50)...............45 H 2
Le Bacon (48)...........161 F 1
Baconnes (51)...........34 B 3
La Baconnière (53).....66 C 1
Bacouël (60).............15 G 4
Bacouel-sur-Selle (80).15 F 2
Bacourt (57).............37 F 5
Bacquepuis (27)........29 F 4
Bacqueville (27)........29 H 2
Bacqueville-en-Caux (76)..13 G 3
Badailhac (15).........160 B 1
Badaroux (48)..........161 H 4
Badecon-le-Pin (36)...117 F 1
Badefols-d'Ans (24)...144 A 3
Badefols-
  sur-Dordogne (24)...157 F 1
Baden (56)................81 F 2
Badens (11).............208 C 1
Badevel (25).............96 D 2
Badinières (38).........137 E 5
Badménil-aux-Bois (88)..57 G 5
Badonviller (54).........58 A 3
Badonvilliers-
  Gérauvilliers (55).....56 A 3
Baerendorf (67).........38 B 5
Baerenthal (57).........38 D 4
La Baffe (88).............77 G 1
Baffie (63)..............148 A 1
Bagard (30).............178 A 3
Bagas (33)..............156 A 3
Bagat-en-Quercy (46)..158 A 5
Bâgé-la-Ville (01).....122 C 3
Bâgé-le-Châtel (01)...122 C 3
Bagert (09).............206 B 2
Bages (11)..............209 F 2
Bages (66)..............213 E 3
Bagiry (31).............205 G 3
Baglainval (28)..........50 B 4
Bagnac-sur-Célé (46)..159 G 3
Bagneaux (89)...........73 E 1
Bagneaux-sur-Loing (77)..71 H 1
Bagnères-
  de-Bigorre SP (65).....204 C 2
Bagnères-de-Luchon (31)..205 F 4
Bagneux (02)...........16 D 5
Bagneux (03)..........106 C 5
Bagneux (36)..........104 B 1
Bagneux (49)............85 G 5
Bagneux (51)............53 G 3
Bagneux (54)............56 C 3
Bagneux (79)..........101 F 1
Bagneux (92).............51 F 1
Bagneux-la-Fosse (10)..74 B 3
Bagnizeau (17).........127 G 2
Bagnoles (11)..........191 E 5
Bagnoles-de-l'Orne (61)..47 F 3
Bagnolet (93)............51 F 1
Bagnols (63)............146 B 1
Bagnols (69)............135 G 2
Bagnols-en-Forêt (83)..198 C 2
Bagnols-les-Bains (48)..161 H 4
Bagnols-sur-Cèze (30)..178 D 2
Bagnot (21).............109 G 1
Baguer-Morvan (35)....45 E 3
Baguer-Pican (35)......45 F 3
Baho (66)...............209 E 5
Bahus-Soubiran (40)..186 C 1
Baigneaux (28)..........70 C 2
Baigneaux (33)........155 H 2
Baigneaux (41)..........69 G 5
Baignes (70).............94 D 2
Baignes-
  Ste-Radegonde (16)..141 H 1
Baigneux-les-Juifs (21)..92 D 2
Baignolet (28)...........70 B 2
Baigts (40).............185 H 1
Baigts-de-Béarn (64)..185 G 3
Baillargues (34).......193 G 4
Baillé (35)................45 H 5

Bailleau (28)..............50 B 4
Bailleau-le-Pin (28).....49 H 5
Bailleau-l'Évêque (28)..49 H 4
Baillestavy (66)........212 C 3
Baillet-en-France (95)..31 H 4
Bailleul (59)...............3 H 4
Bailleul (61)..............47 H 1
Le Bailleul (72)..........67 G 5
Bailleul (80)...............6 D 5
Bailleul-aux-Cornailles (62)..7 G 2
Bailleul-la-Vallée (27)..28 C 3
Bailleul-le-Soc (60).....31 G 1
Bailleul-lès-Pernes (62)..7 G 1
Bailleul-Neuville (76)..14 A 2
Bailleul-Sir-Berthoult (62)..8 B 3
Bailleul-sur-Thérain (60)..31 E 1
Bailleulmont (62)........7 H 4
Bailleulval (62)............8 A 4
Bailly (60)................16 B 5
Bailly (78)................50 D 1
Bailly-aux-Forges (52)..55 E 4
Bailly-Carrois (77)......52 B 3
Bailly-en-Rivière (76)..14 A 1
Bailly-le-Franc (10)....54 D 4
Bailly-Romainvilliers (77)..52 A 1
Bain-de-Bretagne (35)..65 F 4
Bainctun (62).............2 B 4
Bainghen (62).............2 C 4
Bains (43)..............148 A 5
Bains-de-Guitera (2A)..219 E 1
Bains-les-Bains (88)....77 E 3
Bains-sur-Oust (35)....64 C 5
Bainville-aux-Miroirs (54)..57 E 4
Bainville-aux-Saules (88)..77 E 1
Bainville-sur-Madon (54)..56 D 3
Bairols (06).............183 E 3
Bais (35)..................65 H 3
Bais (53)..................67 F 1
Baisieux (59)..............4 D 4
Baissey (52)..............75 G 5
Baives (59)...............10 B 3
Baix (07)................163 G 2
Baixas (66).............209 E 5
Baizieux (80).............15 G 1
Le Baizil (51)............33 F 5
Bajamont (47).........172 C 1
Bajonnette (32)........172 C 5
Bajus (62)..................7 H 2
Balacet (09)............206 A 4
Baladou (46)...........158 C 1
Balagny-sur-Thérain (60)..31 F 2
Balaguères (09)........206 A 3
Balaguier-d'Olt (12)..159 F 4
Balaguier-sur-Rance (12)..175 G 5
Balaiseaux (39)........110 A 2
Balaives-et-Butz (08)..18 D 3
Balan (01)...............136 C 2
Balan (08).................19 F 3
La Balandran (30).....194 B 1
Balanod (39)...........123 E 2
Balansun (64)..........185 H 3
Balanzac (17)..........126 D 3
Balaruc-le-Vieux (34)..193 E 4
Balaruc-les-Bains (34)..193 E 4
Balâtre (80)...............16 A 3
Balazé (35)................66 A 1
Balazuc (07)............163 E 4
Balbigny (42)...........134 D 3
Balbins (38)............150 D 1
Balbronn (67)............58 D 2
Baldenheim (67)........59 E 5
Baldersheim (68).......78 D 4
La Baleine (50)..........25 E 5
Baleix (64)..............186 D 4
Balesmes (37).........102 D 2
Balesmes-sur-Marne (52)..75 H 5
Balesta (31)............205 F 1
Baleyssagues (47)....156 B 3
Balgau (68)...............79 E 3
Balham (08)..............18 A 5
Balignac (82)...........172 D 4
Balignicourt (10)........54 B 4
Bâlines (27)..............49 F 2
Balinghem (62)...........2 C 3
Baliracq-Maumusson (64)..186 C 3
Baliros (64).............186 C 5
Balizac (33).............155 F 4
Ballainvilliers (91)......51 F 2
Ballaison (74)...........124 D 3
Ballan-Miré (37)..........86 C 4
Ballancourt-sur-Essonne (91)..51 F 4
Ballans (17)............127 H 2
Ballay (08)...............34 D 1
Balledent (87).........116 D 5
Ballée (53)...............67 E 1
Balleray (58)...........106 D 2
Balleroy-sur-Drôme (14)..25 H 3
Ballersdorf (68)........97 E 1
Balléville (88)...........56 C 5
Ballon (17)..............113 F 5
Ballon-Saint-Mars (72)..68 A 2
Ballons (26)...........180 C 1
Ballore (71)............108 A 4
Ballots (53)..............66 B 4
Balloy (77)...............52 B 5
Balma (31).............189 G 2
Le Balmay (01).........123 G 5
La Balme (73)..........137 G 3
La Balme-de-Sillingy (74)..138 A 1

La Balme-de-Thuy (74)..138 B 1
La Balme-d'Épy (39)...123 F 2
La Balme-les-Grottes (38)..137 E 2
Balmont (74)...........138 A 2
Balnot-la-Grange (10)..74 A 3
Balnot-sur-Laignes (10)..74 B 3
Balogna (2A)............216 C 3
Balot (21)..................74 B 5
Balsac (12)...............160 A 5
Balschwiller (68)........78 C 5
Balsièges (48)..........161 G 5
Baltzenheim (68).......79 E 2
Balzac (16).............128 B 4
Bambecque (59)..........3 G 3
Bambiderstroff (57)....21 G 5
Ban-de-Laveline (88)...58 B 5
Ban-de-Sapt (88).......58 B 5
Le Ban-St-Martin (57)..21 E 4
Ban-sur-Meurthe-Clefcy (88)..78 B 1
Banassac-Canilhac (48)..161 F 5
Banat (09)..............207 E 4
Bancigny (02)............17 H 2
Bancourt (62).............8 B 5
Bandol (83).............200 C 3
Baneins (01)...........122 C 5
Baneuil (24)............157 F 1
Bangor (56)..............80 D 5
Banhars (12)...........160 B 3
Banios (65).............204 D 2
Banize (23).............131 F 2
Bannalec (29)............62 B 4
Bannans (25)...........111 F 3
Bannay (18)..............90 A 4
Bannay (51)...............53 F 1
Bannay (57)...............21 G 5
Banne (07).............162 D 5
Bannegon (18).........105 H 4
Bannes (46)............159 E 2
Bannes (51)..............53 G 1
Bannes (52)..............75 H 4
Les Bannettes (13)....196 A 3
Banneville-la-Campagne (14)..27 G 3
Bannières (81).........189 H 2
Bannoncourt (55).......35 H 5
Bannost (77).............52 C 2
Banogne-Recouvrance (08)..18 A 4
Banon (04)..............180 C 3
Banos (40).............186 A 1
Bans (39)...............110 B 2
Bansat (63).............147 F 1
Bantanges (71).........109 G 5
Banteux (59)..............8 D 5
Banthelu (95)............30 C 3
Bantheville (55).........35 F 1
Bantigny (59)..............8 D 4
Bantouzelle (59)..........8 D 5
Bantzenheim (68).......79 E 4
Banvillars (90)...........96 C 1
Banville (14)..............27 E 1
Banvou (61)...............47 E 2
Banyuls-dels-Aspres (66)..213 E 3
Banyuls-sur-Mer (66)..213 G 4
Baon (89)..................74 A 5
Baons-le-Comte (76)...13 E 4
Bapaume (62).............8 B 5
Bapeaume (76)..........13 G 5
Bar (19).................145 E 2
Bar-le-Duc P (55).......55 G 1
Bar-lès-Buzancy (08)...19 F 5
Bar-sur-Aube SP (10)..74 D 1
Le Bar-sur-Loup (06)..199 E 1
Bar-sur-Seine (10)......74 B 2
Baracé (49)...............85 F 1
Baraigne (11)...........190 A 5
Baraize (36).............117 F 2
Baralle (62).................8 C 4
Les Baraques (43).....148 B 5
Baraques-
  de-Montpezat (30)..178 A 5
La Baraquette (30)....178 D 4
Baraqueville (12).......175 F 1
Barastre (62)...............8 B 5
Baratier (05)............167 E 3
Barbachen (65)........187 F 4
Barbaggio (2B).........215 F 3
Barbaira (11)............208 C 1
Barbaise (08).............18 C 3
Barbas (54)...............58 A 3
Barbâtre (85)............98 B 2
Barbazan (31).........205 G 2
Barbazan-Debat (65)..204 C 1
Barbazan-Dessus (65)..204 C 1
Barbechat (44)..........83 H 4
La Barben (13).........195 G 2
Barbentane (13).......179 E 4
Barberaz (73)..........137 H 4
Barberey-St-Sulpice (10)..53 H 5
Barberier (03)..........119 H 4
Barbery (14)..............27 F 4
Barbery (60)..............31 H 3
Barbeville (14)...........25 H 4
Barbey (77)..............52 B 5
Barbey-Seroux (88).....78 A 1
Barbezières (16).......128 A 3
Barbezieux-St-Hilaire (16)..127 H 5
Barbières (26)..........150 D 5
Barbirey-sur-Ouche (21)..93 E 5
Barbizon (77)............51 G 4
Barbonne-Fayel (51)...53 F 3

Barbonville (54).........57 F 3
Barbotan-les-Thermes (32)..171 H 4
Le Barboux (25).........96 C 5
Barbuise (10).............53 E 3
Barby (08).................18 B 5
Barby (73)...............138 A 4
Barc (27)..................29 E 4
Barcaggio (2B).........215 F 1
Le Barcarès (66).......209 F 5
Barcelonne (26).........164 C 1
Barcelonne-du-Gers (32)..186 C 1
Barcelonnette SP (04)..167 F 5
Barchain (57).............58 A 1
Barcugnan (32)........187 G 4
Barcus (64).............203 E 1
Barcy (77).................32 A 4
Bard (42)................134 C 5
Bard-le-Régulier (21)..108 B 1
Bard-lès-Époisses (21)..92 A 2
Bard-lès-Pesmes (70)..94 B 4
La Barde (17)...........142 A 4
Bardenac (16)..........142 A 2
Bardiana (2B)..........216 C 2
Bardigues (82).........172 D 3
Le Bardon (45)...........70 B 5
Bardos (64).............185 E 3
Bardou (24)............157 H 2
Bardouville (76).........29 F 1
Les Bardys (87)........130 B 2
Barèges (65)...........204 C 3
Bareilles (65)...........205 E 3
Barembach (67).........58 C 3
Baren (31)...............205 F 4
Barentin (76)............13 F 5
Barenton (50)............46 C 3
Barenton-Bugny (02)...17 F 4
Barenton-Cel (02).......17 F 4
Barenton-sur-Serre (02)..17 F 4
Barésia-sur-l'Ain (39)..123 H 1
Barfleur (50).............23 E 2
La Barge (15)...........147 E 5
Bargème (83)...........182 A 5
Bargemon (83).........197 H 1
Barges (21)...............93 F 5
Barges (43).............162 B 1
Barges (70)...............76 C 4
Bargny (60)...............32 A 3
Barie (33)...............155 H 4
Les Barils (27)...........49 E 2
Barinque (64)..........186 C 4
Barisey-au-Plain (54)...56 C 3
Barisey-la-Côte (54)....56 C 3
Barisis (02)...............16 D 4
Barizey (71)............108 D 4
Barjac (09)..............206 B 2
Barjac (30).............178 B 1
Barjac (48).............161 G 4
Barjols (83)............196 D 2
Barjon (21)................93 F 2
Barjouville (28)..........50 A 5
Barles (04).............181 G 5
Barlest (65)............204 B 1
Barleux (80)..............16 B 2
Barlieu (18)...............89 H 3
Barlin (62)..................7 H 3
Barly (62)...................7 H 3
Barly (80)....................7 G 4
Barmainville (28)........70 D 1
Barnas (07).............162 D 3
Barnave (26)...........165 F 3
Barnay (71).............108 B 1
Barneville-Carteret (50)..22 B 5
Barneville-la-Bertran (14)..28 A 1
Barneville-Plage (50)...22 B 5
Barneville-sur-Seine (27)..29 E 1
Barnier (30)............194 A 1
La Baroche-Gondouin (53)..47 E 4
La Baroche-sous-Lucé (61)..47 E 3
Les Baroches (54).......20 C 5
Baromesnil (76).........14 A 1
Baron (30)..............178 B 3
Baron (33)..............155 G 1
Baron (60)................31 H 3
Baron (71).............121 G 2
Baron-sur-Odon (14)...27 E 3
Baronville (57)...........37 G 4
Barou-en-Auge (14)....27 H 5
Baroville (10).............74 D 1
Le Barp (33)...........154 D 3
Barquet (27)..............29 E 4
Barr (67)...................58 D 4
Barracone (2A).........216 D 5
Barrais-Bussolles (03)..120 C 3
Barran (32).............187 H 2
Barrancoueu (65)......205 E 3
Les Barraques (83)....166 B 2
Les Barraques-
  en-Vercors (26).....151 E 5
Barras (04).............181 F 2
Barraute-Camu (64)...185 G 4
Barraux (38)...........152 A 1
La Barre (39)...........110 B 1
La Barre (70).............95 E 2
Barre (81)...............191 G 1
La Barre-de-Monts (85)..98 C 3
La Barre-de-Semilly (50)..25 G 3
Barre-des-Cévennes (48)..177 F 2
La Barre-en-Ouche (27)..28 C 3
Barrême (04)...........181 H 4
Barret (16).............127 H 5

Barret-de-Lioure (26)..180 B 2
Barret-sur-Méouge (05)..180 C 1
Barretaine (39)........110 C 3
Barrettali (2B)..........215 F 2
Barriac-les-Bosquets (15)..145 H 4
Barricourt (08)..........19 F 5
Barro (16)..............128 C 1
Barrou (37).............102 D 3
Le Barroux (84).........179 G 2
Barry (65)..............204 C 1
Barry-d'Islemade (82)..173 G 3
Bars (24)...............143 H 4
Bars (32)...............187 G 3
Barsac (26)............165 E 2
Barsac (33)............155 G 3
Barsanges (19)........131 F 5
Barst (57).................37 H 3
Bart (25)..................96 C 2
Bartenheim (68)........97 G 1
Barthe (65).............187 H 5
La Barthe-de-Neste (65)..205 E 2
Bartherans (25)........110 D 1
Les Barthes (82).......173 F 3
Bartrès (65)............204 B 1
Barville (27).............28 C 3
Barville (61).............48 B 4
Barville (88).............56 B 5
Barville-en-Gâtinais (45)..71 F 2
Barzan (17).............126 D 5
Barzun (64).............204 B 1
Barzy-en-Thiérache (02)..9 G 5
Barzy-sur-Marne (02)..33 E 4
Bas-en-Basset (43)....148 C 2
Bas-et-Lezat (63)......133 G 1
Bas-Lieu (59)..............9 H 4
Bas-Mauco (40)........169 H 5
Bas-Rupts (88)..........78 A 1
Bas Warneton (59)......4 B 2
Bascons (40)...........170 D 5
Bascous (32)...........171 G 5
Basley (14)...............27 E 2
Baslieux (54)............21 E 3
Baslieux-lès-Fismes (51)..33 F 2
Baslieux-sous-Châtillon (51)..33 F 3
Basly (14)................27 F 2
Bassac (16)............128 A 4
Bassan (34)............192 B 4
Bassanne (33).........155 H 4
Basse-Goulaine (44)...83 G 5
Basse-Ham (57).........21 E 3
Basse-Rentgen (57)....21 E 2
La Basse-Vaivre (70)...76 B 3
La Bassée (59)...........4 B 4
Bassemberg (67).......58 C 5
Bassenville (14)........27 G 2
Bassens (33)...........155 F 1
Bassens (73)...........137 H 4
Bassercles (40)........186 A 2
Basses (86)............101 H 2
Basseux (62)..............8 A 4
Bassevelle (77).........32 C 5
Bassignac (15).........145 H 2
Bassignac-le-Bas (19)..145 E 5
Bassignac-le-Haut (19)..145 F 3
Bassigney (70)...........77 E 4
Bassillac (24)..........143 F 3
Bassillon-Vauzé (64)..186 D 3
Bassing (57)..............37 H 5
Bassoles-Aulers (02)...16 D 5
Bassoncourt (52)........76 A 2
Bassou (89)..............73 E 4
Bassoues (32)..........187 F 2
Bassu (51).................54 D 1
Bassuet (51)..............54 D 1
Bassurels (48).........177 F 2
Bassussarry (64)......184 C 3
Bassy (74)..............137 H 1
Bastanès (64)..........185 H 4
Bastelica (2A).........217 E 5
Bastelicaccia (2A)....216 C 5
Bastennes (40)........185 H 2
Bastia P (2B)..........215 G 3
La Bastide (66)........212 C 3
La Bastide (83)........178 C 2
La Bastide -Pradines (12)..176 B 4
La Bastide-Clairence (64)..185 E 3
La Bastide-de-Besplas (09)..206 C 1
La Bastide-
  de-Bousignac (09)..207 G 2
La Bastide
  de Couloumat (11)..207 F 1
La Bastide-de-Lordat (09)..207 F 2
La Bastide-de-Sérou (09)..206 D 3
La Bastide-
  des-Jourdans (84)..180 C 5
La Bastide-
  l'Évêque (12).......174 D 1
La Bastide-Puylaurent (48)..162 B 3
La Bastide-Solages (12)..175 H 4
La Bastide-sur-l'Hers (09)..207 G 3
La Bastidonne (13)....196 A 5
La Bastidonne (84)....196 A 1
Le Bastit (46)..........158 D 2
Basville (23)...........131 H 2
La Bataille (79).......114 D 5

224

Localité *(Département)* Page Coordonnées

A B C D E F G H I J K L M N O P Q R S T U V W X Y Z

Bataville (57)....57 H 2
Bathelémont (54)....57 G 2
Bathernay (26)....150 C 3
La Bâthie (73)....138 D 4
La Bâtie (04)....182 A 5
La Bâtie-des-Fonds (26)....165 G 4
La Bâtie-Divisin (38)....137 F 5
La Bâtie-Montgascon (38)...137 F 4
La Bâtie-Montsaléon (05)..165 H 4
La Bâtie-Neuve (05)....166 C 3
La Bâtie-Rolland (26)....163 H 4
La Bâtie-Vieille (05)....166 C 3
Les Bâties (70)....94 C 2
Batilly (54)....20 D 5
Batilly (61)....47 G 2
Batilly-en-Gâtinais (45)....71 F 3
Batilly-en-Puisaye (45)....90 A 2
Bats (40)....186 B 2
Batsère (65)....204 D 2
Battenans-les-Mines (25)...95 F 3
Battenans-Varin (25)....96 C 4
Battenheim (68)....78 D 4
Battexey (88)....57 E 4
Battigny (54)....56 D 4
Battrans (70)....94 B 3
Batz-sur-Mer (44)....82 A 4
Batzendorf (67)....39 F 5
Baubigny (21)....108 D 2
Baubigny (50)....22 B 4
La Bauche (73)....137 G 5
Baud (56)....63 F 5
Baudement (51)....53 F 3
Baudemont (71)....121 G 3
Les Baudières (89)....73 F 4
Baudignan (40)....171 G 3
Baudignécourt (55)....55 H 3
Baudinard-sur-Verdon (83)...197 E 1
Baudoncourt (70)....77 F 5
Baudonvilliers (55)....55 H 3
Les Baudras (71)....108 B 5
Baudre (50)....25 F 3
Baudrecourt (52)....55 F 5
Baudrecourt (57)....37 F 4
Baudreix (64)....204 A 1
Baudrémont (55)....55 H 1
Baudres (36)....104 A 2
Baudreville (28)....50 C 5
Baudreville (50)....22 C 5
Baudricourt (88)....56 D 5
Baudrières (71)....109 F 5
Bauduen (83)....197 E 1
Baugé-en-Anjou (49)....85 G 2
Baugy (18)....105 H 2
Baugy (60)....16 A 5
Baugy (71)....121 E 3
Baulay (70)....76 D 5
La Baule (44)....82 A 4
Baule (45)....70 B 5
La Baule-Escoublac (44)....82 A 4
Baulme-la-Roche (21)....93 E 4
Baulne (91)....51 F 4
Baulne-en-Brie (02)....33 E 5
Baulny (55)....35 F 2
Baulon (35)....64 D 3
Baulou (09)....206 D 3
La Baume (74)....125 E 3
La Baume-Cornillane (26)..164 C 1
La Baume-de-Transit (26)..179 F 1
La Baume-d'Hostun (26)....150 D 4
Baume-les-Dames (25)....95 F 4
Baume-les-Messieurs (39)..110 B 4
La Baumette (06)....182 C 2
Bauné (49)....85 F 3
Baupte (50)....23 E 5
Bauquay (14)....27 E 4
Baurech (33)....155 F 2
La Baussaine (35)....45 E 5
Bauvin (59)....4 A 4
Les Baux (83)....197 H 3
Les Baux-de-Breteuil (27)..49 E 1
Les Baux-de-Provence (13)..194 D 1
Les Baux-Ste-Croix (27)....29 G 5
Bauzemont (54)....57 G 2
Bauzens (24)....143 H 3
Bauzy (41)....88 A 2
Bavans (25)....96 C 2
Bavay (59)....9 G 3
Bavelincourt (80)....15 G 1
Bavella (Col de) (2A)....219 F 1
Bavent (14)....27 G 2
Baverans (39)....110 A 1
Bavilliers (90)....96 C 1
Bavinchove (59)....3 F 4
Bavincourt (62)....7 H 4
Bax (31)....206 C 1
Bay (70)....94 B 4
Bay-sur-Aube (52)....75 F 5
Bayac (24)....157 F 2
Bayas (33)....141 H 4
Baye (29)....62 B 5
Baye (51)....53 F 1
Bayecourt (88)....57 G 5
Bayel (10)....74 D 1
Bayencourt (80)....7 H 4
Bayenghem-lès-Éperlecques (62)...2 D 3
Bayenghem-lès-Seninghem (62)...2 D 4

Bayers (16)....128 C 2
Bayet (03)....120 A 4
Bayeux <P> (14)....26 D 2
Baynes (14)....25 G 2
Bayon (54)....57 F 4
Bayon-sur-Gironde (33)....141 E 4
Bayonne <P> (64)....184 C 3
Bayons (04)....166 C 5
Bayonville (08)....35 E 1
Bayonville-sur-Mad (54)....36 C 4
Bayonvillers (80)....15 H 2
Bazac (16)....142 B 3
Bazaiges (36)....117 F 2
Bazailles (54)....20 B 3
Bazainville (78)....50 B 1
Bazancourt (51)....34 A 1
Bazancourt (60)....14 C 5
Bazarnes (89)....91 F 1
Bazas (33)....155 H 5
Bazauges (17)....127 H 2
Bazegney (88)....57 E 5
Bazeilles (08)....19 F 3
Bazeilles-sur-Othain (55)...19 H 5
Bazelat (23)....117 F 3
Bazemont (78)....30 C 5
Bazens (47)....172 A 1
Bazentin (80)....8 A 5
Bazenville (14)....27 E 2
Bazet (65)....187 E 5
La Bazeuge (87)....116 C 4
Bazian (32)....187 G 2
Bazicourt (60)....31 H 1
Baziège (31)....189 G 4
Bazien (88)....57 H 4
Bazillac (65)....187 E 4
Bazincourt-sur-Epte (27)...30 C 2
Bazincourt-sur-Saulx (55)...55 F 2
Bazinghen (62)....2 B 3
Bazinval (76)....14 B 1
La Bazoche-Gouet (28)....69 F 2
Bazoches (58)....91 G 4
Bazoches-au-Houlme (61)...47 G 1
Bazoches-en-Dunois (28)...70 A 2
Bazoches-lès-Bray (77)....52 C 5
Bazoches-les-Gallerandes (45)..70 D 2
Bazoches-les-Hautes (28)...70 C 2
Bazoches-sur-Guyonne (78)..50 C 1
Bazoches-sur-Hoëne (61)....48 C 3
Bazoches-sur-le-Betz (45)...72 B 2
Bazoches-sur-Vesles (02)...33 E 2
La Bazoge (50)....46 B 2
La Bazoge (72)....68 A 2
La Bazoge-Montpinçon (53)..66 D 1
Bazoges-en-Paillers (85)...100 A 3
Bazoges-en-Pareds (85)....100 B 5
Bazoilles-et-Ménil (88)....76 D 1
Bazoilles-sur-Meuse (88)...56 B 5
Bazolles (58)....107 F 1
Bazoncourt (57)....37 F 3
Bazonville (54)....20 C 3
La Bazoque (14)....25 H 3
La Bazoque (61)....47 E 1
Bazoques (27)....28 C 3
Bazordan (65)....205 F 1
La Bazouge-de-Chemeré (53)..67 E 3
La Bazouge-des-Alleux (53)..66 D 1
La Bazouge-du-Désert (35)...46 A 4
Bazougers (53)....66 D 3
Bazouges (53)....66 C 5
Bazouges-la-Pérouse (35)...45 G 4
Bazouges-sous-Hédé (35)...45 E 5
Bazouges-sur-le-Loir (72)...85 G 1
Bazuel (59)....9 F 5
Bazugues (32)....187 G 4
Bazus (31)....189 G 1
Bazus-Aure (65)....205 E 4
Bazus-Neste (65)....205 E 2
Le Béage (07)....162 C 1
Béalcourt (80)....7 F 4
Béalencourt (62)....7 F 2
Béard (58)....106 D 3
Béard-Géovreissiat (01)....123 G 4
Beaubec-la-Rosière (76)...14 B 4
Beaubery (71)....121 H 2
Beaubray (27)....29 E 5
Beaucaire (30)....178 D 5
Beaucaire (32)....172 A 5
Beaucamps-le-Jeune (80)...14 C 2
Beaucamps-le-Vieux (80)...14 C 2
Beaucamps-Ligny (59)....4 B 4
Beaucé (35)....46 A 4
Beaucens (65)....204 B 3
Le Beaucet (84)....179 G 4
Beauchalot (31)....205 H 2
Beauchamp (95)....31 E 4
Beauchamps (50)....45 H 4
Beauchamps (80)....6 B 5
Beauchamps-sur-Huillard (45)..71 G 4
Beaucharmoy (52)....76 B 3
Beauchastel (07)....163 H 1
Beauche (28)....49 F 2
Beauchemin (52)....75 G 4
Beauchêne (41)....69 F 4
Beauchêne (61)....46 D 2
Beauchery-St-Martin (77)...52 D 3
Beaucoudray (50)....25 F 4
Beaucourt (90)....96 D 2
Beaucourt-en-Santerre (80)..15 H 3
Beaucourt-sur-l'Ancre (80)...8 A 5
Beaucourt-sur-l'Hallue (80)..15 G 1
Beaucouzé (49)....84 D 3

Beaucroissant (38)....151 F 2
Beaudéan (65)....204 D 2
Beaudéduit (60)....15 E 4
Beaudignies (59)....9 F 4
Beaudricourt (62)....7 G 3
Beaufai (61)....48 C 2
Beaufay (72)....68 B 2
Beauficel (50)....46 B 1
Beauficel-en-Lyons (27)....30 A 1
Beaufin (38)....166 A 1
Beaufort (31)....188 D 4
Beaufort (34)....191 G 5
Beaufort (38)....150 C 2
Beaufort (39)....123 F 1
Beaufort (59)....9 H 4
Beaufort (73)....138 D 3
Beaufort-Blavincourt (62)....7 H 3
Beaufort-en-Anjou (49)....85 F 3
Beaufort-en-Argonne (55)...19 G 5
Beaufort-en-Santerre (80)...15 H 3
Beaufort-sur-Gervanne (26)..164 D 2
Beaufou (85)....99 F 3
Beaufour-Druval (14)....27 H 2
Beaufremont (88)....76 B 1
Beaufresne (76)....14 C 3
Beaugas (47)....157 E 4
Beaugeay (17)....126 C 2
Beaugency (45)....70 B 5
Beaugies-sous-Bois (60)....16 C 4
Beaujeu (04)....181 G 1
Beaujeu (69)....122 A 5
Beaujeu-St-Vallier-et-Pierrejux (70)..94 B 2
La Beaujoire (44)....83 F 4
Beaulac (33)....155 G 5
Beaulandais (61)....47 E 3
Beaulencourt (62)....8 B 5
Beaulieu (07)....162 D 5
Beaulieu (08)....10 B 5
Beaulieu (14)....25 H 5
Beaulieu (15)....146 A 1
Beaulieu (21)....92 D 1
Beaulieu (25)....193 G 1
Beaulieu (36)....116 D 3
Beaulieu (38)....151 E 3
Beaulieu (43)....148 B 4
Beaulieu (58)....91 E 5
Beaulieu (61)....48 D 2
Beaulieu (63)....147 F 1
Beaulieu-en-Argonne (55)...35 F 4
Beaulieu-les-Fontaines (60)..16 B 4
Beaulieu-lès-Loches (37)...103 F 1
Beaulieu-sous-Bressuire (79)..100 D 3
Beaulieu-sous-la-Roche (85)..99 F 1
Beaulieu-sous-Parthenay (79)..114 C 1
Beaulieu-sur-Dordogne (19)..145 E 5
Beaulieu-sur-Layon (49)....84 D 4
Beaulieu-sur-Loire (45)....90 A 2
Beaulieu-sur-Mer (06)....183 F 5
Beaulieu-sur-Oudon (53)....66 B 3
Beaulieu-sur-Sonnette (16)..128 D 2
Beaulon (03)....120 C 1
Beaumais (14)....27 H 5
Beaumarchés (32)....187 E 2
Beaumat (46)....158 C 2
Beaumé (02)....10 A 5
La Beaume (05)....165 G 3
Beauménil (88)....77 H 1
Beaumerie-St-Martin (62)....6 D 2
Beaumes-de-Venise (84)....179 G 2
Beaumesnil (14)....25 G 5
Beaumesnil (27)....28 D 4
Beaumettes (84)....179 H 5
Beaumetz (80)....7 F 4
Beaumetz-lès-Aire (62)....7 F 1
Beaumetz-lès-Cambrai (62)...8 C 5
Beaumetz-lès-Loges (62)....8 A 4
Beaumont (07)....162 D 4
Beaumont (19)....145 E 1
Beaumont (32)....188 D 1
Beaumont (43)....147 F 2
Beaumont (54)....36 B 5
Beaumont (63)....133 E 3
Beaumont (74)....124 B 5
Beaumont (86)....102 B 4
Beaumont (89)....73 E 4
Beaumont-de-Lomagne (82)..173 E 5
Beaumont-de-Pertuis (84)..196 B 1
Beaumont-du-Gâtinais (77)...71 G 2
Beaumont-du-Lac (87)....131 E 3
Beaumont-du-Périgord (24)..157 F 2
Beaumont-du-Ventoux (84)...179 G 2
Beaumont-en-Argonne (08)...19 F 4
Beaumont-en-Auge (14)....28 A 2
Beaumont-en-Beine (02)....16 C 3
Beaumont-en-Cambrésis (59)..9 E 5
Beaumont-en-Diois (26)....165 F 3
Beaumont-en-Verdunois (55)..35 H 2
Beaumont-en-Véron (37)....86 A 5
Beaumont-Hague (50)....22 B 2
Beaumont-Hamel (80)....8 A 5
Beaumont-la-Ferrière (58)..106 C 1
Beaumont-la-Ronce (37)....86 D 2
Beaumont-le-Hareng (76)....13 H 4
Beaumont-le-Roger (27)....29 E 4
Beaumont-les-Autels (28)...69 F 1
Beaumont-les-Nonains (60)..30 D 2
Beaumont-lès-Randan (63)...133 G 1
Beaumont-lès-Valence (26)..164 C 1
Beaumont-Monteux (26)....149 H 5
Beaumont-Pied-de-Bœuf (53)..67 E 4

Beaumont-Pied-de-Bœuf (72)..68 B 5
Beaumont-Sardolles (58)....106 D 3
Beaumont-sur-Dême (72)....86 C 1
Beaumont-sur-Grosne (71)...109 E 5
Beaumont-sur-Lèze (31)....189 F 4
Beaumont-sur-Oise (95)....31 F 3
Beaumont-sur-Sarthe (72)...68 A 1
Beaumont-sur-Vesle (51)....34 A 3
Beaumont-sur-Vingeanne (21)..93 H 3
Beaumont-Village (37)....103 G 1
Beaumontel (27)....29 E 4
Beaumotte-Aubertans (70)...95 E 3
Beaumotte-lès-Pin (70)....94 C 4
Beaunay (51)....33 G 5
Beaune <P> (21)....109 E 2
Beaune (73)....152 D 2
Beaune-d'Allier (03)....119 F 4
Beaune-la-Rolande (45)....71 F 3
Beaune-le-Froid (63)....132 D 5
Beaune-les-Mines (87)....130 B 2
Beaune-sur-Arzon (43)....148 A 2
Beaunotte (21)....92 D 1
Beaupont (01)....123 E 2
Beaupouyet (24)....142 C 5
Beaupréau-en-Mauges (49)..84 B 5
Beaupuy (31)....189 G 2
Beaupuy (32)....188 C 2
Beaupuy (47)....156 B 4
Beaupuy (82)....173 F 5
Beauquesne (80)....7 G 5
Beaurain (59)....9 F 4
Beaurains (62)....8 A 3
Beaurains-lès-Noyon (60)...16 B 4
Beaurainville (62)....6 D 2
Beaurecueil (13)....196 A 3
Beauregard (01)....135 H 1
Beauregard (46)....174 B 1
Beauregard-Baret (26)....150 D 5
Beauregard-de-Terrasson (24)..144 A 4
Beauregard-et-Bassac (24)..143 E 5
Beauregard-l'Évêque (63)...133 G 3
Beauregard-Vendon (63)....133 F 1
Beaurepaire (38)....150 C 2
Beaurepaire (60)....31 G 2
Beaurepaire (76)....12 B 3
Beaurepaire (85)....100 A 3
Beaurepaire-en-Bresse (71)..110 A 5
Beaurepaire-sur-Sambre (59)..9 G 5
Beaurevoir (02)....16 D 1
Beaurières (26)....165 G 3
Beaurieux (02)....33 F 1
Beaurieux (59)....10 A 2
Beauronne (24)....142 D 4
Beausemblant (26)....149 H 3
Beausoleil (06)....183 G 5
Beaussac (24)....128 D 5
Beaussais-Vitré (79)....114 C 3
Beaussault (76)....14 B 3
Beausse (49)....84 B 4
Le Beausset (83)....196 C 5
Beauteville (31)....189 H 5
Beautheil (77)....52 B 2
Beautiran (33)....155 F 2
Beautor (02)....16 D 3
Beautot (76)....13 G 4
Beauvain (61)....47 F 3
Beauvais <P> (60)....30 D 1
Beauvais-sur-Matha (17)....127 H 2
Beauvais-sur-Tescou (81)...173 H 5
Beauval (80)....7 G 5
Beauval-en-Caux (76)....13 G 3
Beauvallon (26)....163 H 1
Beauvallon (83)....197 H 4
Beauvau (49)....85 F 2
Beauvène (07)....163 F 1
Beauvernois (71)....110 A 3
Beauvezer (04)....182 A 2
Beauville (31)....189 H 3
Beauville (47)....172 D 1
Beauvilliers (28)....70 B 1
Beauvilliers (41)....69 G 5
Beauvilliers (89)....91 H 3
Beauvoir (50)....45 G 3
Beauvoir (60)....15 F 4
Beauvoir (77)....52 A 3
Beauvoir (89)....72 D 5
Beauvoir-de-Marc (38)....136 C 5
Beauvoir-en-Lyons (76)....14 B 5
Beauvoir-en-Royans (38)....151 E 4
Beauvoir-sur-Niort (79)....114 A 4
Beauvoir-sur-Sarce (10)....74 B 4
Beauvoir-Wavans (62)....7 F 4
Beauvois (62)....7 F 2
Beauvois-en-Cambrésis (59)..9 E 4
Beauvois-en-Vermandois (02)..16 C 2
Beauvoisin (26)....179 H 1
Beauvoisin (30)....194 A 1
Beauvoisin (39)....109 H 3
Beaux (43)....148 C 3
Beauzée-sur-Aire (55)....35 G 5
Beauzelle (31)....189 F 2
Beauziac (47)....171 G 1
Bébing (57)....58 A 1
Beblenheim (68)....78 D 1
Bec-de-Mortagne (76)....12 C 3
Le Bec-Hellouin (27)....28 D 2
Bec-Isle-en-Terre (22)....42 D 4
Le Bec-Thomas (27)....29 F 2
Beccas (32)....187 F 4
Béceleuf (79)....114 A 2
Béchamps (54)....20 B 5

Bécherel (35)....44 D 5
Bécheresse (16)....128 B 5
Béchy (57)....37 F 4
Bécon-les-Granits (49)....84 C 2
Bécordel-Bécourt (80)....15 H 1
Bécourt (62)....2 C 5
Becquigny (02)....9 E 5
Becquigny (76)....13 F 4
Bédarieux (34)....192 A 2
Bédarrides (84)....179 F 3
Beddes (18)....118 B 1
Bédéchan (32)....188 B 3
Bédée (35)....64 D 1
Bédeilhac-et-Aynat (09)....207 E 4
Bédeille (09)....206 B 2
Bédeille (64)....188 A 4
Bedenac (17)....141 G 3
Bédoin (84)....179 H 2
Bédouès (48)....177 F 1
Bédouès-Cocurès (48)....177 F 1
Bedous (64)....203 F 2
Béduer (46)....159 F 4
Beffes (18)....106 B 1
Beffia (39)....123 G 1
Beffu-et-le-Morthomme (08)..35 E 1
Beg-Meil (29)....61 H 4
Bégaar (40)....169 F 5
Bégadan (33)....140 D 1
Béganne (56)....82 B 1
Bégard (22)....42 D 3
Bègles (33)....155 F 1
Begnécourt (88)....77 E 1
Bégole (65)....205 E 1
Bégrolles-en-Mauges (49)..100 B 1
La Bègude (84)....180 B 5
Bégude Blanche (30)....178 D 5
La Bégude-de-Mazenc (26)..164 C 4
Bègues (03)....119 H 5
Les Bégües (05)....180 C 1
Béguey (33)....155 G 3
Béguios (64)....185 F 3
Béhagnies (62)....8 B 4
Béhasque-Lapiste (64)....185 F 4
Béhen (80)....6 D 5
Béhencourt (80)....15 G 1
Béhéricourt (60)....16 C 4
Béhobie (64)....184 A 4
Behonne (55)....55 G 1
Béhorléguy (64)....202 C 1
Béhoust (78)....50 B 1
Behren-lès-Forbach (57)....38 A 2
Béhuard (49)....84 D 4
Beignon (56)....64 C 3
Beillé (72)....68 C 3
Beine (89)....73 F 5
Beine-Nauroy (51)....34 A 2
Beinheim (67)....39 H 5
Beire-le-Châtel (21)....93 G 3
Beire-le-Fort (21)....93 H 5
Beissat (23)....131 H 3
Bel-Air (34)....193 E 2
Bel-Air (49)....84 B 1
Bélâbre (36)....116 D 1
Belan-sur-Ource (21)....74 D 4
Bélarga (34)....192 D 3
Bélaye (46)....158 A 5
Belbeuf (76)....29 G 1
Belbèze-de-Lauragais (31)..189 G 4
Belbèze-en-Comminges (31)..206 A 1
Belcaire (11)....207 G 4
Belcastel (12)....159 H 5
Belcastel (81)....189 H 2
Belcastel-et-Buc (11)....208 B 2
Belcodène (13)....196 A 3
Bélesta (09)....207 G 4
Bélesta (66)....208 D 5
Bélesta-en-Lauragais (31)..190 A 4
Beleymas (24)....142 D 5
Belfahy (70)....77 H 5
Belfays (25)....96 D 4
Belflou (11)....189 H 5
Belfonds (61)....48 A 3
Belfort <P> (90)....96 C 1
Belfort-du-Quercy (46)....173 H 1
Belfort-sur-Rebenty (11)...207 H 4
Belgeard (53)....67 E 1
Belgentier (83)....196 D 5
Belgodère (2B)....214 D 5
Belhade (40)....155 E 5
Belhomert-Guéhouville (28)..49 F 4
Le Bélieu (25)....95 H 5
Béligneux (01)....136 C 2
Belin-Béliet (33)....154 D 4
Bélis (40)....170 C 3
Bellac <P> (87)....116 C 5
Bellaffaire (04)....166 C 5
Bellagranajo (Col de) (2B)..217 E 2
Bellaing (59)....9 E 2
Bellancourt (80)....6 D 5
Bellange (57)....37 G 5
Bellavilliers (61)....48 C 5
Le Bellay-en-Vexin (95)....30 C 3
Belle-Église (60)....31 E 3
Belle-et-Houllefort (62)....2 B 4
Belle-Isle-en-Terre (22)....42 D 4
Belle-Poële (30)....177 H 1
Belleau (02)....32 C 4
Belleau (54)....37 E 5

Bellebrune (62)....2 B 4
Bellechassagne (19)....131 G 4
Bellechaume (89)....73 E 3
Bellecombe (39)....124 A 3
Bellecombe-en-Bauges (73)..138 B 3
Bellecombe-Tarendol (26)...165 F 5
Bellefois (86)....102 A 5
Bellefond (21)....93 F 4
Bellefond (33)....155 H 2
Bellefonds (86)....102 C 5
Bellefontaine (39)....124 B 1
Bellefontaine (50)....46 B 2
Bellefontaine (88)....77 G 3
Bellefontaine (95)....31 G 4
Bellefosse (67)....58 C 4
Bellegarde (30)....194 B 1
Bellegarde (32)....188 A 4
Bellegarde (45)....71 G 3
Bellegarde-du-Razès (11)...207 H 2
Bellegarde-en-Diois (26)....165 F 4
Bellegarde-en-Forez (42)...135 E 4
Bellegarde-en-Marche (23)...131 H 1
Bellegarde-Marsal (81)....175 E 5
Bellegarde-Poussieu (38)...149 H 1
Bellegarde-Ste-Marie (31)..188 D 2
Bellegarde-sur-Valserine (01)..124 A 5
Belleherbe (25)....95 H 4
Bellemagny (68)....78 B 5
Bellême (61)....48 C 5
Bellenaves (03)....119 G 4
Bellencombre (76)....13 H 3
Belleneuve (21)....93 H 4
Bellenglise (02)....16 D 1
Bellengreville (14)....27 G 3
Bellengreville (76)....13 H 1
Bellenod-sur-Seine (21)....92 D 1
Bellentre (73)....139 E 4
Belleray (55)....35 H 3
Bellerive-sur-Allier (03)....120 A 5
Belleroche (42)....121 H 4
Belles-Huttes (88)....78 B 2
Belleserre (81)....190 B 3
Belleserre (31)....188 D 1
Belleu (02)....32 D 1
Belleuse (80)....15 E 3
Bellevaux (74)....125 E 3
Bellevesvre (71)....109 H 3
Belleville (54)....56 D 1
Belleville (69)....122 B 5
Belleville (79)....114 A 5
Belleville-en-Caux (76)....13 G 3
Belleville-et-Châtillon-sur-Bar (08)..19 E 5
Belleville-sur-Loire (18)...90 A 3
Belleville-sur-Mer (76)....13 H 1
Belleville-sur-Meuse (55)...35 H 3
Bellevigny (85)....99 G 4
Bellevue (07)....163 E 4
Bellevue (22)....43 E 1
Bellevue (44)....83 G 5
Bellevue (69)....135 G 5
Bellevue (74)....139 F 1
Bellevue-Coëtquidan (56)...64 C 3
Bellevue-la-Montagne (43)..148 A 3
Belley <P> (01)....137 G 3
Belley (10)....74 A 1
Belleydoux (01)....123 H 3
Bellicourt (02)....16 D 1
La Bellière (61)....47 H 3
La Bellière (76)....14 B 4
Bellignat (01)....123 G 4
Belligné (44)....84 A 3
Bellignies (59)....9 G 3
La Belliole (89)....72 B 2
Belloc (09)....207 G 3
Belloc-St-Clamens (32)....187 H 3
Bellocq (64)....185 G 3
Bellon (16)....142 B 2
Bellonne (62)....8 C 3
Bellot (77)....52 D 1
Bellou (14)....28 A 5
Bellou-en-Houlme (61)....47 E 2
Bellou-le-Trichard (61)....68 C 1
Bellou-sur-Huisne (61)....48 D 5
Belloy (60)....15 H 5
Belloy-en-France (95)....31 F 4
Belloy-en-Santerre (80)....16 A 2
Belloy-St-Léonard (80)....14 D 1
Belloy-sur-Somme (80)....15 E 1
Belluire (17)....127 F 5
Belmesnil (76)....13 G 3
Belmont (25)....95 F 5
Belmont (32)....187 F 1
Belmont (38)....110 B 2
Belmont (39)....110 B 2
Belmont (52)....76 A 5
Belmont (67)....58 C 4
Belmont (70)....77 G 5
Belmont (près de Chamrousse) (38)..151 H 3
Belmont (près de Virieu) (38)..137 E 5
Belmont-Bretenoux (46)....159 E 1
Belmont-d'Azergues (69)....135 G 2
Belmont-de-la-Loire (42)...121 G 4
Belmont-lès-Darney (88)....76 D 2
Belmont-Luthézieu (01)....137 G 2
Belmont-Ste-Foi (46)....174 A 1
Belmont-sur-Buttant (88)...77 H 1
Belmont-sur-Rance (12)....175 H 5

Belmont-sur-Vair *(88)* ....76 C 1
Belmont-Tramonet *(73)* .....137 G 5
Belmontet *(46)* ....173 F 1
Belon *(29)* ....62 A 5
Belonchamp *(70)* ....77 H 5
Belpech *(11)* ....207 F 1
Belrain *(55)* ....35 G 5
Belrupt *(88)* ....76 D 2
Belrupt-en-Verdunois *(55)* ...20 A 5
Bélus *(40)* ....185 F 2
Belval *(08)* ....18 D 2
Belval *(50)* ....25 E 4
Belval *(88)* ....58 B 4
Belval-Bois-des-Dames *(08)*...19 F 5
Belval-en-Argonne *(51)* ......35 F 5
Belval-sous-Châtillon *(51)*....33 G 3
Belvédère *(06)* ....183 F 3
Belvédère-Campomoro *(2A)*.218 C 3
Belverne *(70)* ....95 H 1
Belvès *(24)* ....157 H 2
Belvès-de-Castillon *(33)* ...156 A 1
Belvèze *(82)* ....173 E 1
Belvèze-du-Razès *(11)* ......207 H 2
Belvézet *(30)* ....178 C 3
Belvézet *(48)* ....162 A 4
Belvianes-et-Cavirac *(11)*...208 A 4
Belvis *(11)* ....207 H 4
Belvoir *(39)* ....110 A 1
Belvoir *(25)* ....95 H 4
Belz *(56)* ....81 E 2
Bémécourt *(27)* ....49 E 1
Bénac *(09)* ....206 D 3
Bénac *(65)* ....204 C 1
Benagues *(09)* ....207 E 2
Benais *(37)* ....86 A 4
Bénaix *(09)* ....207 G 4
Bénaménil *(54)* ....57 H 3
Bénarville *(76)* ....12 D 3
Benassay *(86)* ....115 E 1
La Benâte *(17)* ....127 F 1
La Bénate *(44)* ....99 F 2
Benay *(02)* ....16 D 3
Benayes *(19)* ....130 C 5
Bendejun *(06)* ....183 F 4
Bendorf *(68)* ....97 F 2
Bénéjacq *(64)* ....204 A 1
Benerville-sur-Mer *(14)* ......27 H 1
Bénesse-lès-Dax *(40)* ......185 F 2
Bénesse-Maremne *(40)* ....184 D 2
Benest *(16)* ....128 D 1
Bénestroff *(57)* ....37 H 5
Bénesville *(76)* ....13 F 3
Benet *(85)* ....114 A 3
Beneuvre *(21)* ....93 F 1
Bénévent-l'Abbaye *(23)* .....117 F 5
Beney-en-Woëvre *(55)* ....36 B 4
Benfeld *(67)* ....59 E 4
Bengy-sur-Craon *(18)* ......105 H 2
Bénifontaine *(62)* ....4 B 5
Béning-lès-Saint-Avold *(57)*...37 H 3
La Bénisson-Dieu *(42)* .....121 E 5
Bénivay-Ollon *(26)* ....179 H 1
Bennecourt *(78)* ....30 A 4
Bennetot *(76)* ....12 D 3
Benney *(54)* ....57 E 3
Bennwihr *(68)* ....78 D 1
Bénodet *(29)* ....61 G 4
Benoisey *(21)* ....92 B 2
Benoîtville *(50)* ....22 B 3
Benon *(17)* ....113 G 4
Bénonces *(01)* ....137 F 2
Bénouville *(14)* ....27 G 2
Bénouville *(76)* ....12 B 3
Benque *(31)* ....188 C 5
Benqué *(65)* ....204 D 2
Benque-
  Dessous-et-Dessus *(31)*..205 F 4
Benquet *(40)* ....170 C 5
Bentayou-Sérée *(64)* ....186 D 4
Bény *(01)* ....123 E 3
Le Bény-Bocage *(14)* ....25 H 5
Bény-sur-Mer *(14)* ....27 F 2
Béon *(89)* ....137 G 2
Béon *(89)* ....72 D 4
Béost *(64)* ....203 H 2
La Bérarde *(38)* ....152 C 5
Bérat *(31)* ....188 D 4
Béraut *(32)* ....172 A 4
Berbérust-Lias *(65)* ....204 B 2
Berbezit *(43)* ....147 H 2
Berbiguières *(24)* ....157 H 1
Berc *(48)* ....161 F 1
Bercenay-en-Othe *(10)* ......73 G 1
Bercenay-le-Hayer *(10)* .....53 E 5
Berche *(25)* ....96 C 2
Berchères-la-Maingot *(28)*...50 A 4
Berchères-les-Pierres *(28)*...50 A 5
Berchères-sur-Vesgre *(28)*...50 A 1
Berck *(62)* ....6 C 2
Berck-Plage *(62)* ....6 B 2
Bercloux *(17)* ....127 F 2
Berd'huis *(61)* ....48 D 5
Berdoues *(32)* ....187 H 3
Bérelles *(59)* ....10 A 2
Bérengeville-
  la-Campagne *(27)* ....29 F 3
Berentzwiller *(68)* ....97 G 1
Bérenx *(64)* ....185 G 3
Béréziat *(01)* ....122 D 3
Berfay *(72)* ....68 D 3
Berg *(67)* ....38 B 5
Berg-sur-Moselle *(57)* ....21 F 3

Berganty *(46)* ....158 D 5
Bergbieten *(67)* ....58 D 2
Bergerac [SP] *(24)* ....156 D 1
Bergères *(10)* ....74 D 2
Bergères-lès-Vertus *(51)* ....53 H 1
Bergères-
  sous-Montmirail *(51)* ....53 E 1
Bergesserin *(71)* ....122 A 2
Bergheim *(68)* ....78 D 1
Bergholtz *(68)* ....78 C 3
Bergholtzzell *(68)* ....78 C 3
Bergicourt *(80)* ....15 E 3
Bergnicourt *(08)* ....34 A 1
Bergonne *(63)* ....133 F 5
Bergouey *(40)* ....185 H 1
Bergouey *(64)* ....185 F 3
Bergue-Inférieur *(06)* ......183 H 3
Bergue-Supérieur *(06)* .....183 H 2
Bergueneuse *(62)* ....7 F 1
Bergues *(59)* ....3 F 2
Bergues-sur-Sambre *(02)* .....9 G 5
Berguette *(62)* ....3 F 5
Berhet *(22)* ....42 D 2
Bérig-Vintrange *(57)* ....37 H 4
Bérigny *(50)* ....25 G 3
Berjou *(61)* ....47 E 1
Berjou *(27)* ....30 B 3
La Berthenoux *(36)* ....104 D 5
Berlaimont *(59)* ....9 G 4
Berlancourt *(02)* ....17 G 3
Berlancourt *(60)* ....16 C 4
Berlats *(81)* ....191 F 2
Berlencourt-le-Cauroy *(62)*...7 G 3
Berles-au-Bois *(62)* ....8 A 4
Berles-Monchel *(62)* ....7 H 3
Berling *(57)* ....38 C 5
Berlise *(02)* ....18 A 4
Berlou *(34)* ....191 H 3
Bermerain *(59)* ....9 F 3
Bermeries *(59)* ....9 G 3
Bermering *(57)* ....37 H 4
Bermesnil *(80)* ....14 C 2
Bermicourt *(62)* ....7 F 2
Bermont *(90)* ....96 C 1
Bermonville *(76)* ....12 D 4
Bernac *(16)* ....128 B 1
Bernac *(81)* ....174 C 4
Bernac-Debat *(65)* ....204 C 1
Bernac-Dessus *(65)* ....204 C 1
Bernadets *(64)* ....186 C 4
Bernadets-Debat *(65)* ......187 G 4
Bernadets-Dessus *(65)* ....204 D 1
Le Bernard *(85)* ....112 C 2
La Bernardière *(85)* ....99 H 1
Bernardswiller *(67)* ....58 D 3
Bernardvillé *(67)* ....58 D 4
Bernas *(30)* ....178 C 1
Bernâtre *(80)* ....7 E 4
Bernaville *(80)* ....7 F 5
Bernay *(27)* ....28 D 4
Bernay-en-Brie *(77)* ....52 A 2
Bernay-en-Champagne *(72)*..67 H 3
Bernay-en-Ponthieu *(80)* .....6 C 3
Bernay-St-Martin *(17)* ......113 H 5
Berné *(56)* ....62 D 4
Bernécourt *(54)* ....36 C 5
Bernède *(32)* ....186 C 1
La Bernerie-en-Retz *(44)*....98 C 1
Bernes *(80)* ....16 C 1
Bernes-sur-Oise *(95)* ....31 F 3
Bernesq *(14)* ....25 G 2
Berneuil *(16)* ....142 A 1
Berneuil *(17)* ....127 F 4
Berneuil *(80)* ....7 F 5
Berneuil *(87)* ....116 C 5
Berneuil-en-Bray *(60)* ....30 D 1
Berneuil-sur-Aisne *(60)* .....32 B 1
Berneval-le-Grand *(76)* ......13 H 1
Berneville *(62)* ....8 A 3
Bernex *(74)* ....125 F 2
Bernienville *(27)* ....29 F 4
Bernières *(76)* ....12 D 4
Bernières-d'Ailly *(14)* ....27 H 5
Bernières-le-Patry *(14)* ......46 D 1
Bernières-sur-Mer *(14)* ......27 F 1
Bernières-sur-Seine *(27)* ....29 H 2
Bernieulles *(62)* ....6 D 1
Bernin *(38)* ....151 H 2
Bernis *(30)* ....194 A 1
Bernolsheim *(67)* ....59 F 1
Bernon *(10)* ....73 H 3
Bernos-Beaulac *(33)* ....155 G 5
Bernot *(02)* ....17 E 2
Bernouil *(89)* ....73 G 4
Bernouville *(27)* ....30 B 2
Bernwiller *(68)* ....78 C 5
Berny-en-Santerre *(80)* .....16 A 2
Berny-Rivière *(02)* ....32 C 1
Berny-sur-Noye *(80)* ....15 F 3
Bérou-la-Mulotière *(28)* ......49 F 2
Berrac *(32)* ....172 B 4
Berre-les-Alpes *(06)* ....183 F 4
Berre-l'Étang *(13)* ....195 G 3
Berriac *(11)* ....208 B 1
Berrias-et-Casteljau *(07)* ..162 D 5
Berric *(56)* ....81 H 2
Berrie *(86)* ....101 G 1
Berrien *(29)* ....42 B 5
Berrieux *(02)* ....17 G 5
Berrogain-Laruns *(64)* ......185 G 5
Berru *(51)* ....33 H 2
Berrwiller *(68)* ....78 C 4

Berry-au-Bac *(02)* ....33 G 1
Berry-Bouy *(18)* ....105 F 1
Le Bersac *(05)* ....165 H 5
Bersac-sur-Rivalier *(87)* ...117 E 5
Bersaillin *(39)* ....110 B 3
Bersée *(59)* ....4 C 5
Bersillies *(59)* ....9 H 3
Berson *(33)* ....141 F 4
Bessonies *(46)* ....159 G 2
Les Bessons *(48)* ....161 F 2
Bessuéjouls *(12)* ....160 B 4
Bert *(03)* ....120 C 3
Bertangles *(80)* ....15 F 1
Bertaucourt-Epourdon *(02)*...17 E 4
Berteaucourt-les-Dames *(80)*...7 F 5
Berteaucourt-
  lès-Thennes *(80)* ....15 G 2
Bertheauville *(76)* ....12 D 3
Berthecourt *(60)* ....31 E 1
Berthegon *(86)* ....102 A 3
Berthelange *(25)* ....94 C 3
Berthelming *(57)* ....38 A 5
Berthen *(59)* ....3 H 4
Berthenay *(37)* ....86 C 4
Berthenicourt *(02)* ....16 D 3
Berthenonville *(27)* ....30 B 3
La Berthenoux *(36)* ....104 D 5
Berthez *(33)* ....155 H 4
Bertholène *(12)* ....160 C 5
Berthouville *(27)* ....28 D 3
Bertignat *(63)* ....134 A 4
Bertignolles *(10)* ....74 C 2
Bertincourt *(62)* ....8 C 5
Bertoncourt *(08)* ....18 B 5
Bertrambois *(54)* ....58 A 2
Bertrancourt *(80)* ....7 H 5
Bertrange *(57)* ....21 E 4
Bertre *(81)* ....190 A 2
Bertren *(65)* ....205 F 3
Bertreville *(76)* ....12 D 3
Bertreville-St-Ouen *(76)* ....13 G 2
Bertric-Burée *(24)* ....142 D 2
Bertrichamps *(54)* ....57 H 4
Bertricourt *(02)* ....33 H 1
Bertrimont *(76)* ....13 G 4
Bertrimoutier *(88)* ....59 H 3
Bertry *(59)* ....9 E 5
Béru *(89)* ....73 G 5
Béruges *(86)* ....115 F 1
Bérulle *(10)* ....73 F 2
Bérus *(72)* ....47 H 5
Berven *(29)* ....41 H 2
Berville *(14)* ....27 H 4
Berville *(76)* ....13 F 3
Berville *(95)* ....30 D 3
Berville-en-Roumois *(27)* ...29 E 2
Berville-la-Campagne *(27)*..29 E 4
Berville-sur-Mer *(27)* ....28 B 1
Berville-sur-Seine *(76)* ......13 F 5
Berviller-en-Moselle *(57)*....21 H 4
Berzé-la-Ville *(71)* ....122 A 3
Berzé-le-Châtel *(71)* ....122 A 2
Berzème *(07)* ....163 F 3
Berzieux *(51)* ....34 D 3
Berzy-le-Sec *(02)* ....32 C 2
La Besace *(08)* ....19 F 4
Besain *(39)* ....110 C 4
Besançon [R] *(25)* ....94 D 5
Bésayes *(26)* ....150 C 5
Bescat *(64)* ....203 H 1
Bésignan *(26)* ....180 A 1
Bésingrand *(64)* ....186 A 4
Beslé *(44)* ....64 D 5
Beslon *(50)* ....25 F 5
Besmé *(02)* ....16 C 5
Besmont *(02)* ....10 A 5
Besnans *(70)* ....95 F 3
Besné *(44)* ....82 C 4
Besneville *(50)* ....22 C 5
Besny-et-Loizy *(02)* ....17 F 4
Bessac *(16)* ....142 A 1
La Bessaire-de-Lair *(15)* ..147 E 5
Bessais-le-Fromental *(18)*..105 H 5
Bessamorel *(43)* ....148 C 4
Bessan *(34)* ....192 C 4
Bessancourt *(95)* ....31 E 4
Bessans *(73)* ....153 G 1
Bessas *(07)* ....178 B 1
Bessay *(85)* ....114 A 1
Bessay-sur-Allier *(03)* .....120 A 2
Besse *(15)* ....145 H 4
Besse *(38)* ....152 B 4
La Besse *(19)* ....145 G 4
Besse *(24)* ....157 H 3
Besse *(86)* ....102 C 4
Besse-en-Oisans *(38)* .....152 B 4
Besse-
  et-St-Anastaise *(63)* ......133 E 5
Bessé-sur-Braye *(72)* ....68 D 5
Besse-sur-Issole *(83)* ......197 E 4
Bessède-de-Sault *(11)* ....207 H 5
Bessèges *(30)* ....178 A 1
Bessenay *(69)* ....135 G 3
Bessens *(82)* ....173 F 5
Besses *(30)* ....162 C 5
Besset *(09)* ....207 F 2
Bessey *(42)* ....149 G 1
Bessey-en-Chaume *(21)* ..109 E 4
Bessey-la-Cour *(21)* ....108 D 1
Bessey-lès-Cîteaux *(21)* ..109 G 1
La Besseyre-St-Mary *(43)*..147 G 5

Bessières *(31)* ....189 G 1
Bessines *(79)* ....114 A 3
Bessines-
  sur-Gartempe *(87)* ....117 C 5
Bessins *(38)* ....150 D 3
Besson *(03)* ....120 A 2
Bessoncourt *(90)* ....96 D 1
Bessonies *(46)* ....159 G 2
Les Bessons *(48)* ....161 F 2
Bessuéjouls *(12)* ....160 B 4
Bessy *(10)* ....53 H 3
Bessy-sur-Cure *(89)* ....91 F 2
Bestiac *(09)* ....207 F 5
Bétaille *(46)* ....144 D 5
Betaucourt *(70)* ....76 C 4
Betbèze *(65)* ....188 A 5
Betbezer-d'Armagnac *(40)*.171 A 4
Betcave-Aguin *(32)* ....188 A 4
Betchat *(09)* ....206 A 2
Bétête *(23)* ....118 A 3
Béthancourt-en-Valois *(60)*..32 A 2
Béthancourt-en-Vaux *(02)* ..16 C 4
Béthelainville *(55)* ....35 G 3
Béthemont-la-Forêt *(95)* ....31 E 4
Béthencourt *(59)* ....9 E 4
Béthencourt-sur-Mer *(80)* ....6 B 5
Béthencourt-sur-Somme *(80)*.16 B 2
Bétheniville *(51)* ....34 B 2
Bétheny *(51)* ....33 H 2
Béthincourt *(55)* ....35 G 2
Béthines *(86)* ....116 B 1
Béthisy-St-Martin *(60)* ....32 A 2
Béthisy-St-Pierre *(60)* ....32 A 2
Bethmale *(09)* ....206 A 4
Béthon *(51)* ....53 E 3
Béthon *(72)* ....47 H 5
Bethoncourt *(25)* ....96 C 2
Béthonsart *(62)* ....7 H 2
Béthonvilliers *(28)* ....69 E 1
Bethonvilliers *(90)* ....78 B 5
Béthune [SP] *(62)* ....4 A 4
Bétignicourt *(10)* ....54 B 4
Beton-Bazoches *(77)* ....52 C 2
Betoncourt-lès-Brotte *(70)*..77 F 5
Betoncourt-
  les-Ménétriers *(70)* ....94 C 1
Betoncourt-St-Pancras *(70)*..77 E 4
Betoncourt-sur-Mance *(70)*..76 B 4
Bétous *(32)* ....187 E 1
Betplan *(32)* ....187 F 4
Betpouey *(65)* ....204 C 4
Betpouy *(65)* ....187 H 5
Bétracq *(64)* ....186 D 3
Betschdorf *(67)* ....39 G 4
Bettainvillers *(54)* ....20 C 4
Bettancourt-la-Ferrée *(52)*..55 F 2
Bettancourt-la-Longue *(51)*..55 E 1
Bettange *(57)* ....21 G 4
Bettant *(01)* ....137 E 1
Bettborn *(57)* ....38 B 5
Bettegney-St-Brice *(88)* ....57 F 5
Bettelainville *(57)* ....21 F 4
Bettembos *(80)* ....14 D 2
Bettencourt-Rivière *(80)* ....14 D 1
Bettencourt-St-Ouen *(80)* ....7 F 5
Bettendorf *(68)* ....97 F 1
Bettes *(65)* ....204 D 2
Bettevillers *(76)* ....13 E 5
Le Bettex *(74)* ....139 E 1
Bettignies *(59)* ....9 H 3
Betting *(57)* ....37 H 3
Bettlach *(68)* ....97 G 2
Betton *(35)* ....65 F 1
Betton-Bettonet *(73)* ....138 B 5
Bettoncourt *(88)* ....57 E 5
Bettoncourt-le-Haut *(52)* ...55 H 5
Bettrechies *(59)* ....9 G 3
Bettviller *(57)* ....38 C 3
Bettwiller *(67)* ....38 B 5
Betz *(60)* ....32 A 3
Betz-le-Château *(37)* ....103 E 2
Beugin *(62)* ....7 H 2
Beugnâtre *(62)* ....8 B 5
Beugné-l'Abbé *(85)* ....113 E 2
Beugneux *(02)* ....32 D 2
Beugnies *(59)* ....9 H 4
Le Beugnon *(79)* ....114 A 1
Beugnon *(89)* ....73 G 3
Beugny *(62)* ....8 B 5
Beuil *(06)* ....182 D 2
Le Beulay *(88)* ....58 B 5
Beulotte-St-Laurent *(70)* ....77 H 4
La Beunaz *(74)* ....125 F 2
Beure *(25)* ....94 D 5
Beurey *(10)* ....74 C 2
Beurey-Bauguay *(21)* ....92 C 5
Beurey-sur-Saulx *(55)* ....55 E 2
Beurières *(63)* ....148 A 1
Beurizot *(21)* ....92 C 4
Beurlay *(17)* ....126 D 2
Beurville *(52)* ....55 E 5
Beussent *(62)* ....6 D 1
Beuste *(64)* ....186 C 5
Beutal *(25)* ....95 H 2
Beutin *(62)* ....6 C 1
Beuvardes *(02)* ....33 E 3
Beuveille *(54)* ....20 B 3
Beuvezin *(54)* ....56 C 5
Beuvillers *(14)* ....28 B 3
Beuvillers *(54)* ....20 C 3
Beuvrages *(59)* ....9 F 2

Beuvraignes *(80)* ....16 A 4
Beuvrequen *(62)* ....2 B 4
Beuvreuil *(76)* ....14 C 5
Beuvrigny *(50)* ....25 G 4
Beuvron *(58)* ....91 E 4
Beuvron-en-Auge *(14)* ....27 H 3
Beuvry *(62)* ....4 A 4
Beuvry-la-Forêt *(59)* ....4 D 5
Beux *(57)* ....37 E 4
Beuxes *(86)* ....102 A 1
Beuzec-Cap-Sizun *(29)* .....61 E 2
Beuzec-Conq *(29)* ....61 H 4
Beuzeville *(27)* ....28 B 1
Beuzeville-au-Plain *(50)* ....23 E 4
Beuzeville-la-Bastille *(50)* ..23 E 5
Beuzeville-la-Grenier *(76)*..12 C 4
Beuzeville-la-Guérard *(76)*.12 D 3
Beuzevillette *(76)* ....12 D 4
Bévenais *(38)* ....151 E 1
Beveuge *(70)* ....95 G 2
Béville-le-Comte *(28)* ....50 B 5
Bévillers *(59)* ....9 E 4
Bevons *(04)* ....180 D 2
Bévy *(21)* ....93 E 5
Bey *(01)* ....122 B 4
Bey *(71)* ....109 F 4
Bey-sur-Seille *(54)* ....57 F 1
Beychac-et-Caillau *(33)* ...155 G 1
Beychevelle *(33)* ....141 E 3
Beylongue *(40)* ....169 F 4
Beynac *(87)* ....130 A 3
Beynac-et-Cazenac *(24)* ..157 H 1
Beynat *(19)* ....144 D 4
Beynes *(04)* ....181 G 3
Beynes *(78)* ....50 C 1
Beynost *(01)* ....136 C 2
Beyrède-Jumet *(65)* ....205 E 3
Beyren-lès-Sierck *(57)* ......21 E 2
Beyrie-en-Béarn *(64)* ....186 B 4
Beyrie-sur-Joyeuse *(64)* ..185 F 4
Beyries *(40)* ....186 A 2
Beyssac *(19)* ....144 B 2
Beyssenac *(19)* ....144 A 1
Le Bez *(81)* ....191 E 2
Bez-et-Esparon *(30)* ....177 E 4
Bézac *(09)* ....207 E 1
Bezalles *(77)* ....52 C 2
Bézancourt *(76)* ....30 B 1
Bezange-la-Grande *(54)* ....57 F 1
Bezange-la-Petite *(57)* ......57 G 1
Bezannes *(51)* ....33 H 2
Les Bézards *(45)* ....71 H 5
Bézaudun-les-Alpes *(06)* .183 E 5
Bézaudun-sur-Bine *(26)* ..164 D 3
Bezaumont *(54)* ....36 D 5
Bèze *(21)* ....93 H 3
Bézenac *(24)* ....157 H 1
Bézenet *(03)* ....119 F 3
Bézéril *(32)* ....188 C 3
Béziers [SP] *(34)* ....192 B 5
Bezinghem *(62)* ....2 C 5
Bezins-Garraux *(31)* ....205 G 3
La Bezole *(11)* ....207 H 2
Bezolles *(32)* ....172 A 5
Bezonvaux *(55)* ....20 A 5
Bezons *(95)* ....31 E 5
Bezonvaux *(55)* ....20 A 5
Bezouce *(30)* ....178 C 5
Bézouotte *(21)* ....93 H 4
Bézu-la-Forêt *(27)* ....30 B 1
Bézu-le-Guéry *(02)* ....32 C 4
Bézu-St-Éloi *(27)* ....30 B 2
Bézu-St-Germain *(02)* ....32 D 4
Bézues-Bajon *(32)* ....188 A 4
Biache-St-Vaast *(62)* ....8 B 3
Biaches *(80)* ....16 B 1
Bians-les-Usiers *(25)* ......111 F 2
Biard *(86)* ....115 F 1
Les Biards *(50)* ....46 A 3
Biarne *(39)* ....110 A 1
Biarre *(80)* ....16 A 3
Biarritz *(64)* ....184 C 3
Biarrotte *(40)* ....185 E 2
Biars-sur-Cère *(46)* ....159 E 1
Bias *(40)* ....168 D 2
Bias *(47)* ....157 E 5
Biaudos *(40)* ....184 D 2
Bibiche *(57)* ....21 G 4
Biblisheim *(67)* ....39 F 4
Bibost *(69)* ....135 G 3
Bichain *(89)* ....52 B 5
Bichancourt *(02)* ....16 C 4
Biches *(58)* ....107 F 2
Bickenholtz *(57)* ....38 B 5
Bicqueley *(54)* ....56 C 2
Bidache *(64)* ....185 E 3
Bidarray *(64)* ....184 D 5
Bidart *(64)* ....184 B 3
Bidestroff *(57)* ....37 H 5
Biding *(57)* ....37 H 3
Bidon *(07)* ....163 F 5
Bidos *(64)* ....203 F 1
Biécourt *(88)* ....56 C 5
Biederthal *(68)* ....97 G 2
Bief *(25)* ....96 C 4
Bief-des-Maisons *(39)* .....111 E 4
Bief-du-Fourg *(39)* ....111 E 3
Biefmorin *(39)* ....110 B 3
Biefvillers-lès-Bapaume *(62)*..8 B 5
Bielle *(64)* ....203 H 2
Biencourt *(80)* ....14 C 1
Biencourt-sur-Orge *(55)* ....55 H 3
Biennac *(87)* ....129 G 3

Bientques *(62)* ....3 E 5
Bienville *(60)* ....32 A 1
Bienville-la-Petite *(54)* ....57 G 2
Bienvillers-au-Bois *(62)* ......7 H 4
Biermes *(08)* ....18 B 4
Biermont *(60)* ....16 A 4
Bierné *(53)* ....67 E 5
Bierne *(59)* ....3 F 2
Biernes *(52)* ....75 E 1
Bierre-lès-Semur *(21)* ....92 B 3
Bierry-
  les-Belles-Fontaines *(89)*..92 A 2
Biert *(09)* ....206 C 4
Bierville *(76)* ....13 H 5
Biesheim *(68)* ....79 E 2
Biesles *(52)* ....75 H 2
Bietlenheim *(67)* ....59 F 1
Bieujac *(33)* ....155 H 4
Bieuxy *(02)* ....32 C 1
Bieuzy *(56)* ....63 E 4
Bieuzy-Lanvaux *(56)* ....81 F 1
Biéville *(50)* ....25 G 3
Biéville-Beuville *(14)* ....27 F 2
Biéville-Quétiéville *(14)* ......27 H 3
Bièvres *(02)* ....17 F 5
Bièvres *(08)* ....19 G 4
Bièvres *(91)* ....51 E 2
Biffontaine *(88)* ....78 A 1
Biganos *(33)* ....154 D 5
Bignac *(16)* ....128 B 3
Bignan *(56)* ....63 G 5
Bignay *(17)* ....127 F 1
La Bigne *(14)* ....25 H 4
Bignicourt *(08)* ....34 B 1
Bignicourt-sur-Marne *(51)*..54 C 2
Bignicourt-sur-Saulx *(51)*..54 D 1
Le Bignon *(44)* ....99 G 5
Le Bignon-du-Maine *(53)* ...66 A 4
Le Bignon-Mirabeau *(45)* ...72 A 2
Bignoux *(86)* ....115 G 1
Bigorno *(2B)* ....215 F 5
La Bigottière *(53)* ....66 C 1
Biguglia *(2B)* ....215 G 4
Bihorel *(76)* ....13 H 5
Bihucourt *(62)* ....8 B 5
Bilazais *(79)* ....101 G 3
Bilhac *(19)* ....144 D 5
Bilhères *(64)* ....203 G 2
Bilia *(2A)* ....218 D 3
Bilieu *(38)* ....151 F 1
Billac *(19)* ....144 D 5
Billancelles *(28)* ....49 G 4
Billancourt *(80)* ....16 B 3
Les Billanges *(87)* ....130 C 1
Les Billaux *(33)* ....141 H 5
Billé *(35)* ....45 H 5
Billecul *(39)* ....111 E 4
Billère *(64)* ....186 B 5
Billey *(21)* ....110 A 1
Billezois *(03)* ....120 B 4
Billiat *(01)* ....123 H 5
Billième *(73)* ....137 H 3
Billière *(31)* ....205 F 4
Billiers *(56)* ....82 A 2
Billio *(56)* ....63 H 5
Billom *(63)* ....133 G 4
Billy *(03)* ....120 B 4
Billy *(14)* ....27 G 3
Billy *(41)* ....88 A 4
Billy-Berclau *(62)* ....4 B 4
Billy-Chevannes *(58)* ....107 E 2
Billy-le-Grand *(51)* ....34 A 3
Billy-lès-Chanceaux *(21)* ...92 D 2
Billy-Montigny *(62)* ....4 B 5
Billy-sous-Mangiennes *(55)*..20 A 4
Billy-sur-Aisne *(02)* ....32 D 1
Billy-sur-Oisy *(58)* ....90 D 3
Billy-sur-Ourcq *(02)* ....32 D 3
Bilwisheim *(67)* ....59 E 1
Bilzheim *(68)* ....78 D 3
Bimont *(62)* ....6 D 1
Binarville *(51)* ....35 E 2
Binas *(41)* ....70 A 4
Bindernheim *(67)* ....59 E 5
Bines *(85)* ....93 H 4
Binges *(21)* ....93 H 4
Binic *(22)* ....43 G 4
Bining *(57)* ....38 C 3
Biniville *(50)* ....22 D 4
Binos *(31)* ....205 F 3
Binson-et-Orquigny *(51)* ....33 F 4
Bio *(46)* ....158 D 2
Biol *(38)* ....137 E 5
La Biolle *(73)* ....137 H 3
Biollet *(63)* ....132 C 1
Bioncourt *(57)* ....57 F 1
Bionville *(54)* ....58 B 3
Bionville-sur-Nied *(57)* ......21 G 5
Biot *(06)* ....199 F 1
Le Biot *(74)* ....125 E 3
Bioule *(82)* ....173 H 3
Bioussac *(16)* ....128 C 1
Biozat *(03)* ....120 A 5
Birac *(16)* ....128 A 5
Birac *(33)* ....155 H 5
Birac-sur-Trec *(47)* ....156 C 4
Biran *(32)* ....187 H 1
Biranques *(34)* ....177 G 5
Biras *(24)* ....143 E 2

Localité (Département) — Page — Coordonnées

Localité (Département)	Page	Coordonnées
Biriatou (64)	184	A 4
Birieux (01)	136	C 1
Birkenwald (67)	58	D 2
Biron (17)	127	F 5
Biron (24)	157	G 3
Biron (64)	185	H 3
Biscarrosse (40)	154	B 5
Biscarrosse-Plage (40)	154	A 4
Bischheim (67)	59	F 2
Bischholtz (67)	39	E 4
Bischoffsheim (67)	58	D 3
Bischtroff-sur-Sarre (67)	38	B 5
Bischwihr (68)	78	D 2
Bischwiller (67)	39	G 5
Bisel (68)	97	F 2
Bisinao (2A)	218	D 1
Bisinchi (2B)	215	F 5
Bislée (55)	35	H 5
Bissert (67)	38	A 4
Bisseuil (51)	33	H 4
Bissey-la-Côte (21)	74	D 4
Bissey-la-Pierre (21)	74	B 5
Bissey-sous-Cruchaud (71)	108	D 4
Bissezeele (59)	3	F 3
Bissières (14)	27	H 3
Bissy-la-Mâconnaise (71)	122	B 2
Bissy-sous-Uxelles (71)	122	A 1
Bissy-sur-Fley (71)	108	D 5
Bisten-en-Lorraine (57)	21	G 5
Bistroff (57)	37	H 4
Bitche (57)	38	D 3
Bitry (58)	90	B 3
Bitry (60)	32	B 1
Bitschhoffen (67)	39	E 5
Bitschwiller-lès-Thann (68)	78	B 4
Biver (13)	200	A 1
Bivès (32)	172	D 5
Biviers (38)	151	H 2
Biville (50)	22	B 3
Biville-la-Baignarde (76)	13	G 3
Biville-la-Rivière (76)	13	F 3
Biville-sur-Mer (76)	13	H 1
Bivilliers (61)	48	D 3
Bizanet (11)	209	E 1
Bizanos (64)	186	B 5
Bize (52)	76	B 4
Bize (65)	205	F 2
Bize-Minervois (11)	191	H 5
Bizeneuille (03)	119	E 2
Biziat (01)	122	C 4
Bizonnes (38)	151	E 1
Le Bizot (25)	95	H 5
Les Bizots (71)	108	B 4
Bizous (65)	205	E 2
Bizy (27)	30	A 4
Blacé (69)	135	G 1
Blaceret (69)	122	A 5
Blacourt (60)	14	D 5
Blacqueville (76)	13	F 4
Blacy (51)	54	C 2
Blacy (89)	91	H 2
Blaesheim (67)	59	E 3
Blagnac (31)	189	F 2
Blagny (08)	19	G 4
Blagny-sur-Vingeanne (21)	93	H 3
Blaignac (33)	156	A 4
Blaignan (33)	140	D 2
Blain (44)	83	E 2
Blaincourt-lès-Précy (60)	31	F 3
Blaincourt-sur-Aube (10)	54	B 5
Blainville (28)	49	H 2
Blainville-Crevon (76)	13	H 5
Blainville-sur-l'Eau (54)	57	F 3
Blainville-sur-Orne (14)	27	F 2
Blairville (62)	8	A 4
Blaise (08)	34	C 1
Blaise (52)	75	F 1
Blaise-sous-Arzillières (51)	54	C 2
Blaison-Saint-Sulpice (49)	85	E 3
Blaisy (52)	75	F 2
Blaisy-Bas (21)	92	D 4
Blaisy-Haut (21)	93	E 4
Blajan (31)	188	A 5
Blajoux (48)	177	E 1
Blamont (25)	96	C 3
Blâmont (54)	58	A 2
Blan (81)	190	B 3
Le Blanc (36)	103	F 3
Le Blanc-Mesnil (93)	31	G 5
Blancafort (18)	89	G 3
Blancey (21)	92	C 4
Blancfossé (60)	15	F 4
Blanche-Église (57)	57	H 1
Blanchefosse (08)	18	A 3
Blancherupt (67)	58	C 4
Blancheville (52)	75	G 1
Blandainville (28)	69	H 1
Blandas (30)	177	E 5
Blandin (38)	137	E 5
Blandouet (53)	67	F 3
Blandy (77)	51	H 3
Blandy (91)	71	E 1
Blangerval-Blangermont (62)	7	F 3
Blangy-le-Château (14)	28	B 2
Blangy-sous-Poix (80)	14	D 3
Blangy-sur-Bresle (76)	14	B 1
Blangy-sur-Ternoise (62)	7	F 2
Blangy-Tronville (80)	15	G 2
Blannay (89)	91	G 2
Blanot (21)	108	A 1
Blanot (71)	122	B 2
Blanquefort (32)	188	B 2
Blanquefort (33)	141	E 5
Blanquefort-sur-Briolance (47)	157	G 3
Blanzac (43)	148	B 4
Blanzac (87)	116	C 5
Blanzac-lès-Matha (16)	127	G 2
Blanzac-Porcheresse (16)	142	A 1
Blanzaguet-St-Cybard (16)	142	C 1
Blanzat (63)	133	E 3
Blanzay (86)	115	F 4
Blanzay-sur-Boutonne (17)	114	B 5
Blanzée (55)	20	A 5
Blanzey (70)	77	F 4
Blanzy (71)	108	B 5
Blanzy-la-Salonnaise (08)	18	A 5
Blanzy-lès-Fismes (02)	33	F 1
Blargies (60)	14	C 4
Blarians (25)	95	E 3
Blaringhem (59)	3	F 5
Blars (46)	158	A 5
Blaru (78)	30	A 4
Blasimon (33)	156	A 2
Blaslay (86)	102	A 4
Blassac (43)	147	G 3
Blaudeix (23)	118	A 4
Blausasc (06)	183	F 5
Blauvac (84)	179	H 3
Blauzac (30)	178	C 4
Blavignac (48)	161	F 1
Blavozy (43)	148	B 4
Blay (14)	25	H 2
Blaye (33)	141	E 3
Blaye-les-Mines (81)	174	D 4
Blaymont (47)	172	D 1
Blaziert (32)	172	A 4
Blécourt (52)	55	F 5
Blécourt (59)	8	D 4
Blégiers (04)	181	H 2
Bleigny-le-Carreau (89)	73	F 5
Blémerey (54)	57	H 3
Blémerey (88)	56	D 5
Blendecques (62)	3	E 4
Bléneau (89)	90	B 1
Blennes (77)	72	B 1
Blénod-lès-Pont-à-Mousson (54)	36	D 5
Blénod-lès-Toul (54)	56	C 3
Bléquin (62)	2	D 5
Blérancourt (02)	16	C 5
Bléré (37)	87	F 4
Blériot-Plage (62)	2	C 2
Bléruais (35)	64	C 2
Blésignac (33)	155	G 2
Blesle (43)	147	E 2
Blesme (51)	54	D 2
Blesmes (02)	32	D 4
Blessac (23)	131	G 4
Blessey (21)	92	D 3
Blessonville (52)	75	F 3
Blessy (62)	3	F 5
Blet (18)	105	H 3
Bletterans (39)	110	A 3
Bleurville (88)	76	D 2
Bleury-St-Symphorien (28)	50	B 4
Blevaincourt (88)	76	B 2
Blèves (72)	48	B 4
Bléville (76)	12	A 5
Blévy (28)	49	G 3
Le Bleymard (48)	162	A 4
Blicourt (60)	15	E 5
Blienschwiller (67)	58	D 4
Blies-Ébersing (57)	38	B 3
Blies-Guersviller (57)	38	B 2
Bliesbruck (57)	38	B 3
Blieux (04)	181	H 4
Blignicourt (10)	54	C 4
Bligny (10)	74	C 2
Bligny (51)	33	G 3
Bligny-en-Othe (89)	73	F 3
Bligny-le-Sec (21)	92	D 3
Bligny-lès-Beaune (21)	109	E 2
Bligny-sur-Ouche (21)	108	D 1
Blincourt (60)	31	H 1
Blingel (62)	7	F 2
Blis-et-Born (24)	143	G 3
Blismes (58)	107	G 1
Blodelsheim (68)	79	E 3
Blois (41)	87	H 2
Blois-sur-Seille (39)	110	B 4
Blomac (11)	208	C 1
Blomard (03)	119	G 4
Blombay (08)	18	C 2
Blond (87)	129	H 1
Blondefontaine (70)	76	C 4
Blonville-sur-Mer (14)	27	H 1
Blosseville (76)	13	E 2
Blosville (50)	25	E 5
Blot-l'Église (63)	133	E 1
Blotzheim (68)	97	G 1
Blou (49)	85	G 4
Blousson-Sérian (32)	187	F 4
La Bloutière (50)	25	G 3
Bloye (74)	137	H 2
Bluffy (74)	138	B 2
Blumeray (52)	55	E 5
Blussangeaux (25)	95	H 3
Blussans (25)	95	H 3
Blye (39)	110	C 5
Blyes (01)	136	D 2
Le Bô (14)	27	E 5
Bobigny (93)	31	F 5
Bobital (22)	44	C 4
Le Bocasse (76)	13	G 4
La Bocca (06)	199	E 2
Bocca Bassa (Col de) (2B)	216	B 1
Bocca di Vezzu (2B)	215	E 4
Bocé (49)	85	G 3
Bocognano (2A)	217	E 4
Bocquegney (88)	77	F 1
Bocquencé (61)	48	C 1
Le Bodéo (22)	63	F 1
Bodilis (29)	41	H 3
Boé (47)	172	B 2
Boëcé (61)	48	C 4
Boëge (74)	124	D 4
Boeil-Bezing (64)	186	C 5
Le Boël (35)	65	E 3
Boën-sur-Lignon (42)	134	C 4
Bœrsch (67)	58	D 3
Boeschepe (59)	3	H 4
Bœseghem (59)	3	F 5
Bœsenbiesen (67)	59	E 5
Boësse (79)	101	E 2
Boëssé-le-Sec (72)	68	C 2
Boësses (45)	71	G 2
Bœurs-en-Othe (89)	73	F 2
Boffles (62)	7	F 3
Boffres (07)	149	G 5
Bogève (74)	124	D 4
Bogny-sur-Meuse (08)	11	E 5
Bogros (63)	132	B 5
Bogy (07)	149	E 5
Bohain-en-Vermandois (02)	17	E 1
Bohal (56)	64	A 4
La Bohalle (49)	85	E 3
Bohars (29)	41	E 4
Bohas (01)	123	F 4
Boigneville (91)	51	F 5
Boigny-sur-Bionne (45)	70	D 4
Boinville-au-Chemin (28)	50	B 5
Boinville-en-Mantois (78)	30	B 5
Boinville-en-Woëvre (55)	20	B 5
Boinvilliers (78)	30	B 5
Boirargues (34)	193	F 2
Boiry-Becquerelle (62)	8	B 4
Boiry-Notre-Dame (62)	8	B 3
Boiry-Saint-Martin (62)	8	A 4
Boiry-Ste-Rictrude (62)	8	A 4
Bois (17)	127	F 5
Le Bois (73)	138	D 5
Bois-Anzeray (27)	28	D 5
Bois-Arnault (27)	48	D 1
Bois-Bernard (62)	8	B 2
Bois-Colombes (92)	31	E 5
Bois-d'Amont (39)	124	B 1
Bois-d'Arcy (78)	50	D 1
Bois-d'Arcy (89)	91	F 2
Bois-de-Céné (85)	98	D 2
Le Bois-de-Cise (80)	6	B 5
Bois-de-Champ (88)	57	H 5
Le Bois-de-Gand (39)	110	A 3
Bois-de-la-Pierre (31)	188	D 5
Bois de Mivoye (28)	50	A 5
Bois-d'Ennebourg (76)	29	H 1
Le Bois-d'Oingt (69)	135	G 2
Bois-du-Verne (71)	108	B 5
Bois-Grenier (59)	4	B 3
Bois-Guilbert (76)	14	A 5
Bois-Guillaume-Bihorel (76)	13	G 5
Le Bois-Hellain (27)	28	B 2
Bois-Héroult (76)	14	A 5
Bois-Herpin (91)	51	E 5
Bois-Himont (76)	13	E 4
Bois-Jérôme-St-Ouen (27)	30	A 4
Bois-le-Roi (27)	49	H 1
Bois-le-Roi (77)	51	H 4
Bois-lès-Pargny (02)	17	F 3
Bois-l'Évêque (76)	52	A 3
Bois-Normand-près-Lyre (27)	28	D 5
Le Bois-Plage-en-Ré (17)	112	D 4
Le Bois-Robert (76)	13	H 2
Bois-Ste-Marie (71)	121	G 3
Bois-Vert (16)	141	H 1
Boisbergues (80)	7	F 4
Boisbreteau (16)	141	H 2
Boiscommun (45)	71	F 3
Boisdinghem (62)	2	D 4
Boisdon (77)	52	C 2
Boisemont (27)	30	A 2
Boisemont (95)	30	D 4
Boisgasson (28)	69	G 3
Boisgervilly (35)	64	D 1
Boisjean (62)	6	D 2
Le Boisle (80)	7	E 3
Boisleux-au-Mont (62)	8	A 4
Boisleux-St-Marc (62)	8	A 4
Boismé (79)	101	E 4
Boismont (54)	20	B 3
Boismont (80)	6	C 4
Boismorand (45)	71	H 5
Boisney (27)	28	D 3
Boisragon (16)	114	B 2
Boisrault (80)	14	D 2
Boisredon (17)	141	F 2
Boisroger (50)	24	D 3
Boissanfeuilles (48)	162	A 5
Boissay (76)	14	A 5
La Boisse (01)	136	C 2
Boisse (24)	157	E 2
Boisse-Penchot (12)	159	G 4
Boisseau (41)	69	H 5
Boisseaux (45)	70	D 1
Boissède (31)	188	B 4
Boissei-la-Lande (61)	47	H 2
La Boisselle (80)	8	A 5
Boisserolles (79)	114	A 5
Boisseron (34)	193	G 1
Boisset (15)	159	G 2
Boisset (34)	191	F 4
Boisset (43)	148	B 2
Boisset-et-Gaujac (30)	177	H 3
Boisset-lès-Montrond (42)	135	E 4
Boisset-les-Prévanches (27)	29	H 5
Boisset-St-Priest (42)	134	D 5
Boissets (78)	50	A 1
Boissettes (77)	51	H 4
Boisseuil (17)	113	H 5
Boisseuil (87)	130	B 3
Boisseuilh (24)	144	A 2
Boissey (01)	122	C 2
Boissey (14)	27	H 4
Boissey-le-Châtel (27)	29	E 2
Boissezon (81)	190	D 3
Boissezon-de-Masviel (81)	191	H 2
Boissia (39)	110	C 5
La Boissière (14)	27	H 3
La Boissière (27)	29	H 5
La Boissière (34)	193	E 2
La Boissière (53)	66	B 5
La Boissière-d'Ans (24)	143	G 3
La Boissière-de-Montaigu (85)	99	H 2
La Boissière-des-Landes (85)	112	C 1
La Boissière-du-Doré (44)	83	H 5
La Boissière-École (78)	50	B 2
La Boissière-en-Gâtine (79)	114	B 1
La Boissière-sur-Èvre (49)	84	A 4
Boissières (30)	193	H 1
Boissières (46)	158	B 4
Boissise- (77)	51	G 4
Boissise-la-Bertrand (77)	51	G 4
Boissy-aux-Cailles (77)	71	G 1
Boissy-en-Drouais (28)	49	H 2
Boissy-Fresnoy (60)	32	A 3
Boissy-la-Rivière (91)	51	E 5
Boissy-l'Aillerie (95)	30	D 4
Boissy-Lamberville (27)	28	D 3
Boissy-le-Bois (60)	30	D 2
Boissy-le-Châtel (77)	52	C 1
Boissy-le-Cutté (91)	51	F 4
Boissy-le-Repos (51)	53	F 1
Boissy-le-Sec (91)	50	D 4
Boissy-lès-Perche (28)	49	E 2
Boissy-Mauvoisin (78)	30	A 5
Boissy-sans-Avoir (78)	50	C 1
Boissy-sous-St-Yon (91)	51	E 3
Boissy-St-Léger (94)	51	G 2
Boissy-sur-Damville (27)	49	G 1
Boistrudan (35)	65	G 3
Boisville-la-St-Père (28)	50	B 5
Boisyvon (50)	46	A 1
Boitron (61)	48	B 3
Boitron (77)	32	C 5
Bolandoz (25)	111	E 2
Bolazec (29)	42	C 5
Bolbec (76)	12	D 4
Bollène (84)	179	E 1
La Bollène-Vésubie (06)	183	F 3
Bolleville (50)	22	C 5
Bolleville (76)	12	D 4
Bollezeele (59)	3	F 3
Bollwiller (68)	78	C 4
Bologne (52)	75	G 1
Bolozon (01)	123	F 4
Bolquère (66)	211	H 4
Bolsenheim (67)	59	E 4
Bombon (77)	52	A 3
Bommes (33)	155	G 4
Bommiers (36)	104	D 4
Bompas (09)	207	E 4
Bompas (66)	209	F 5
Bomy (62)	7	F 1
Bon-Encontre (47)	172	C 2
Bon-Repos (22)	63	E 2
Bona (58)	107	E 2
Bonac-Irazein (09)	206	A 4
Bonanech (82)	173	H 4
Bonas (32)	187	H 1
Bonboillon (70)	94	B 4
Boncé (28)	70	A 1
Bonchamp-lès-Laval (53)	66	D 2
Boncourt (02)	17	H 4
Boncourt (27)	29	H 4
Boncourt (28)	50	A 1
Boncourt (54)	20	C 5
Boncourt-le-Bois (21)	109	F 1
Boncourt-sur-Meuse (55)	56	A 1
Bondaroy (45)	71	F 2
Bondeval (25)	96	C 3
Bondigoux (31)	173	H 5
Les Bondons (48)	161	H 5
Bondoufle (91)	51	F 3
Bondues (59)	4	C 3
Bondy (93)	31	G 5
Bonen (22)	62	D 2
Bonheur (63)	133	H 3
Le Bonhomme (68)	78	B 1
Bonifacio (2A)	219	F 5
Bonifato (Cirque de) (2B)	216	C 1
Bonlier (60)	15	E 5
Bonlieu (39)	110	D 5
Bonlieu-sur-Roubion (26)	163	H 3
Bonloc (64)	185	E 4
Bonnac (09)	207	E 1
Bonnac (15)	147	E 3
Bonnac-la-Côte (87)	130	A 2
Bonnafoux (30)	194	C 1
Bonnal (25)	95	F 2
Bonnard (89)	73	E 4
Bonnat (23)	117	H 3
Bonnatrait (74)	124	D 3
Bonnaud (39)	110	A 5
Bonnay (25)	94	D 4
Bonnay (71)	122	A 1
Bonnay (80)	15	G 1
Bonne (74)	124	D 4
Bonnebosq (14)	28	A 3
Bonnecourt (52)	76	A 3
Bonnée (45)	71	F 5
Bonnefamille (38)	136	C 4
Bonnefoi (61)	48	C 2
Bonnefon (12)	160	D 4
Bonnefond (19)	131	F 5
Bonnefont (65)	187	G 5
Bonnefontaine (39)	110	C 4
Bonnegarde (40)	185	H 2
Bonneguête (74)	137	H 1
Bonneil (02)	32	D 4
Bonnelles (78)	50	D 3
Bonnemain (35)	45	E 4
Bonnemaison (14)	27	E 4
Bonnemazon (65)	204	D 2
Bonnencontre (21)	109	G 1
Bonnes (16)	142	B 3
Bonnes (86)	115	H 1
Bonnet (55)	55	H 3
Bonnetable (72)	68	B 2
Bonnétage (25)	95	H 5
Bonnetan (33)	155	G 1
Bonneuil (16)	127	H 5
Bonneuil (36)	116	D 3
Bonneuil-en-France (95)	31	F 5
Bonneuil-en-Valois (60)	32	B 2
Bonneuil-les-Eaux (60)	15	F 4
Bonneuil-Matours (86)	102	C 5
Bonneval (28)	69	H 2
Bonneval (43)	148	A 2
Bonneval (73)	138	D 5
Bonneval-en-Diois (26)	165	G 3
Bonneval-sur-Arc (73)	153	H 1
Bonnevaux (25)	111	E 3
Bonnevaux (30)	162	C 5
Bonnevaux (74)	125	F 3
Bonnevaux-le-Prieuré (25)	111	E 1
Bonneveau (41)	68	D 5
Bonnevent-Velloreille (70)	94	D 3
Bonneville (16)	128	A 2
La Bonneville (50)	22	D 5
Bonneville (74)	124	D 5
Bonneville-Aptot (27)	29	E 2
Bonneville-et-St-Avit-de-Fumadières (24)	156	B 1
Bonneville-la-Louvet (14)	28	B 2
La Bonneville-sur-Iton (27)	29	F 5
Bonneville-sur-Touques (14)	28	A 1
Bonnières (60)	14	D 5
Bonnières (62)	7	F 3
Bonnières-sur-Seine (78)	30	A 4
Bonnieux (84)	180	A 5
Bonningues-lès-Ardres (62)	2	D 4
Bonningues-lès-Calais (62)	2	B 3
Bonnœil (14)	27	F 5
Bonnœuvre (44)	83	H 2
Bonnut (64)	185	H 2
Bonny-sur-Loire (45)	90	A 2
Le Bono (56)	81	F 2
Bonrepos (65)	205	E 1
Bonrepos-Riquet (31)	189	G 2
Bonrepos-sur-Aussonnelle (31)	188	D 3
Bons-en-Chablais (74)	124	D 3
Bons-Tassilly (14)	27	G 5
Bonsecours (76)	29	G 1
Bonsmoulins (61)	48	C 3
Bonson (06)	183	E 4
Bonson (42)	135	E 5
Bonvillard (73)	138	C 4
Bonvillaret (73)	138	C 4
Bonville (28)	50	A 5
Bonviller (54)	57	G 2
Bonvillers (60)	15	F 4
Bonvillet (88)	76	D 2
Bony (16)	16	C 1
Bonzac (33)	141	H 5
Bonzée (55)	36	A 3
Boô-Silhen (65)	204	B 2
Boofzheim (67)	59	F 4
Boos (40)	169	G 4
Boos (76)	29	G 1
Bootzheim (67)	79	H 1
Boqueho (22)	43	F 5
Bor-et-Bar (12)	174	D 2
Boran-sur-Oise (60)	31	F 3
Borce (64)	203	G 3
Borcq-sur-Airvault (79)	101	G 4
Bord-St-Georges (23)	118	C 4
Bordas (24)	143	E 4
La Borde (77)	52	A 4
Bordeaux (33)	155	E 1
Bordeaux-en-Gâtinais (45)	71	G 3
Bordeaux-Lac (33)	155	E 1
Bordeaux-St-Clair (27)	30	B 3
Bordeaux-St-Clair (76)	12	B 3
Bordères (64)	204	A 1
Bordères-et-Lamensans (40)	186	C 1
Bordères-Louron (65)	205	E 4
Bordères-sur-l'Échez (65)	187	E 5
Les Bordes (36)	104	D 2
Les Bordes (45)	71	F 5
Bordes (64)	186	C 5
Bordes (65)	204	D 1
Les Bordes (71)	109	F 3
Les Bordes (89)	72	D 2
Les Bordes-Aumont (10)	74	A 2
Bordes-de-Rivière (31)	205	G 2
Les Bordes-sur-Arize (09)	206	C 2
Les Bordes-sur-Lez (09)	206	A 3
Bordezac (30)	178	A 1
Bords (17)	126	D 2
Borée (07)	162	D 1
Boresse-et-Martron (17)	142	A 2
Borest (60)	31	H 3
Borey (70)	95	F 1
Borgo (2B)	215	G 5
Bormes-les-Mimosas (83)	201	G 3
Le Born (31)	173	H 5
Le Born (48)	161	H 4
Born-de-Champs (24)	157	F 3
Bornambusc (76)	12	C 4
Bornay (39)	110	B 5
Borne (07)	162	C 3
La Borne (18)	89	G 5
Borne (43)	148	A 4
Bornel (60)	31	E 3
Boron (90)	96	D 1
Borre (59)	3	G 4
Borrèze (24)	144	B 5
Les Borrys (84)	195	G 1
Bors (près de Baignes-Ste-Radegonde) (16)	141	H 2
Bors (près de Montmoreau-St-Cybard) (16)	142	B 2
Bort-les-Orgues (19)	146	A 1
Bort-l'Étang (63)	133	H 3
Borville (54)	57	F 4
Le Bosc (09)	206	D 3
Le Bosc (34)	192	C 1
Bosc-Bénard-Commin (27)	29	E 2
Bosc-Bérenger (76)	13	H 4
Bosc-Bordel (76)	14	A 4
Le Bosc-du-Theil (27)	29	E 2
Bosc-Édeline (76)	14	A 4
Bosc-Guérard-St-Adrien (76)	13	G 5
Bosc-Hyons (76)	30	B 1
Bosc-le-Hard (76)	13	H 4
Bosc-Mesnil (76)	14	A 4
Le Bosc-Renoult (61)	28	B 5
Bosc-Renoult-en-Ouche (27)	28	D 5
Bosc-Renoult-en-Roumois (27)	29	F 2
Le Bosc-Roger (27)	30	B 3
Le Bosc-Roger-en-Roumois (27)	29	F 2
Bosc-Roger-sur-Buchy (76)	14	A 4
Boscamnant (17)	142	A 3
Bosdarros (64)	203	H 1
Bosgouet (27)	29	E 1
Bosguérard-de-Marcouville (27)	29	E 2
Bosjean (71)	109	H 4
Bosmie-l'Aiguille (87)	130	A 3
Bosmont-sur-Serre (02)	17	G 3
Bosmoreau-les-Mines (23)	130	D 1
Bosnormand (27)	29	F 2
Le Bosquel (80)	15	F 3
Bosquentin (27)	30	A 1
Bosrobert (27)	29	E 2
Bosroger (23)	131	G 1
Bossancourt (10)	74	C 1
Bossay-sur-Claise (37)	103	E 4
La Bosse (25)	95	H 5
La Bosse (41)	69	G 5
La Bosse (72)	68	C 2
La Bosse-de-Bretagne (35)	65	F 4
Bossée (37)	102	D 1
Bosselshausen (67)	38	D 5
Bossendorf (67)	39	E 5
Bosset (24)	142	C 5
Bosseval-et-Briancourt (08)	19	H 3
Bossey (74)	124	C 4
Bossieu (38)	150	A 4
Les Bossons (74)	139	F 1
Bossugan (33)	156	A 2
Bossus-lès-Rumigny (08)	10	B 5
Bost (03)	120	B 4
Bostens (40)	170	D 4
Bosville (76)	13	E 3
Botans (90)	96	C 1
Bothoa (22)	63	E 1
Botmeur (29)	42	A 5
Botsorhel (29)	42	B 4
Les Bottereaux (27)	48	D 1
Botticella (2B)	215	F 1

Localité (Département)	Page	Coordonnées
Botz-en-Mauges (49)	84	B 4
Bou (45)	70	D 5
Bouafle (78)	30	C 5
Bouafles (27)	29	H 3
Bouan (09)	207	E 4
Bouaye (44)	83	E 5
Boubers-lès-Hesmond (62)	7	E 1
Boubers-sur-Canche (62)	7	F 3
Boubiers (60)	30	C 3
Bouc-Bel-Air (13)	195	H 3
Boucagnères (32)	188	A 3
Le Boucanet (30)	193	H 3
Boucé (03)	120	B 3
Boucé (61)	47	H 2
Boucey (50)	45	G 3
Le Bouchage (16)	128	D 1
Le Bouchage (38)	137	F 4
Bouchain (59)	8	D 3
Bouchamps-lès-Craon (53)	66	B 5
Le Bouchaud (03)	120	D 3
Le Bouchaud (39)	110	B 3
Bouchavesnes-Bergen (80)	16	B 1
Bouchemaine (49)	84	D 3
Boucheporn (57)	21	G 5
Bouchet (26)	179	F 1
Le Bouchet-Mont-Charvin (74)	138	C 2
Le Bouchet-St-Nicolas (43)	162	A 1
Bouchevilliers (27)	30	B 1
Bouchoir (80)	15	H 3
Les Boucholeurs (17)	113	E 5
Bouchon (80)	7	E 5
Le Bouchon-sur-Saulx (55)	55	G 3
Les Bouchoux (39)	123	H 3
Bouchy-St-Genest (51)	53	E 3
Boucieu-le-Roi (07)	149	G 4
Bouclans (25)	95	F 4
Boucoiran-et-Nozières (30)	178	A 4
Bouconville (08)	34	D 2
Bouconville (28)	50	A 3
Bouconville-sur-Madt (55)	56	B 1
Bouconville-Vauclair (02)	17	G 5
Bouconvillers (60)	30	C 3
Boucq (54)	56	B 1
Boudes (63)	147	E 1
Boudeville (76)	13	F 3
Boudin (73)	138	D 3
Boudou (82)	173	E 3
Boudrac (31)	205	F 1
Boudreville (21)	75	E 4
Boudy-de-Beauregard (47)	157	E 4
Boué (02)	9	G 5
Bouée (44)	82	B 4
Boueilh-Boueilho-Lasque (64)	186	C 3
Bouelles (76)	14	A 3
Bouër (72)	68	D 3
Bouère (53)	67	E 4
Bouessay (53)	67	E 4
Bouesse (36)	117	G 1
Bouëx (16)	128	C 4
La Bouëxière (35)	65	G 1
Bouffémont (95)	31	F 4
Boufféré (85)	99	G 2
Bouffignereux (02)	33	G 1
Boufflers (80)	7	E 3
Bouffry (41)	69	F 3
Bougainville (80)	15	E 2
Bougarber (64)	186	B 4
Bougé-Chambalud (38)	149	H 2
Bouges-le-Chateau (36)	104	B 2
Bougey (70)	76	C 5
Bougival (78)	51	E 1
Bouglainval (28)	50	A 3
Bougligny (77)	71	H 2
Bouglon (47)	156	B 5
Bougneau (17)	127	F 4
Bougnon (70)	95	E 1
Bougon (79)	114	D 3
Bougue (40)	170	D 5
Bouguenais (44)	83	F 5
Bouguy (60)	31	H 1
Bougy (14)	27	E 3
Bougy-lez-Neuville (45)	70	D 3
Bouhans (71)	109	H 4
Bouhans-et-Feurg (70)	94	A 3
Bouhans-lès-Lure (70)	77	G 5
Bouhans-lès-Montbozon (70)	95	F 2
Bouhet (17)	113	G 4
Bouhey (21)	92	D 5
Bouhy (58)	90	C 3
Bouilh-Devant (65)	187	G 5
Bouilh-Péreuilh (65)	187	F 5
Bouilhonnac (11)	208	B 1
Bouillac (12)	159	G 4
Bouillac (24)	157	G 2
Bouillac (82)	173	F 5
La Bouilladisse (13)	196	A 4
Bouillancourt-en-Séry (80)	14	B 1
Bouillancourt-la-Bataille (80)	15	H 3
Bouillancy (60)	32	A 4
Bouilland (21)	109	E 1
Bouillargues (30)	178	C 5
La Bouille (76)	13	F 1
Bouillé-Courdault (85)	113	H 2
Bouillé-Loretz (79)	101	F 1
Bouillé-Ménard (49)	66	B 5
Bouillé-St-Paul (79)	101	E 2
La Bouillie (22)	44	B 2
Le Bouillon (61)	48	A 3
Bouillon (64)	186	B 3
Bouillonville (54)	36	B 5
Bouilly (10)	73	H 2
Bouilly (51)	33	G 3
Bouilly (89)	73	F 4
Bouilly-en-Gâtinais (45)	71	F 3
Bouin (79)	114	D 5
Bouin (85)	98	C 2
Bouin-Plumoison (62)	7	E 2
Boujailles (25)	111	E 3
Boujan-sur-Libron (34)	192	B 4
Boujeons (25)	111	F 4
Le Boujon (02)	17	G 1
Boulages (10)	53	G 3
Boulaincourt (88)	56	D 5
Boulancourt (77)	71	F 1
Boulange (57)	20	C 3
Boulaur (32)	188	B 3
Le Boulay (37)	87	E 2
Boulay (44)	83	H 3
Le Boulay (76)	13	G 4
Le Boulay (78)	50	B 1
Boulay-les-Barres (45)	70	C 4
Boulay-les-Ifs (53)	47	G 4
Le Boulay-Morin (27)	29	G 4
Boulay-Moselle (57) [SP]	21	G 5
La Boulaye (71)	108	A 4
Boulazac Isle Manoire (24)	143	F 3
Boulbon (13)	179	E 5
Boulc (26)	165	G 3
Boule-d'Amont (66)	212	C 3
Bouleternère (66)	212	C 3
Bouleurs (77)	52	A 1
Bouleuse (51)	33	G 2
Bouliac (33)	155	F 1
Boulieu-lès-Annonay (07)	149	G 2
Bouligneux (01)	136	B 1
Bouligney (70)	77	E 4
Bouligny (55)	20	B 4
Boulin (65)	187	F 5
Boullarre (60)	32	B 3
Le Boullay-les-Deux-Églises (28)	49	H 3
Boullay-les-Troux (91)	50	D 2
Le Boullay-Mivoye (28)	49	H 3
Le Boullay-Thierry (28)	49	H 3
Boulleret (18)	90	A 3
Boulleville (27)	28	B 1
Bouloc (31)	189	F 1
Bouloc (82)	173	F 1
Boulogne (85)	99	G 4
Boulogne-Billancourt (92) [SP]	51	E 1
Boulogne-la-Grasse (60)	15	H 4
Boulogne-sur-Gesse (31)	188	A 5
Boulogne-sur-Helpe (59)	9	H 5
Boulogne-sur-Mer (62) [SP]	2	A 4
Bouloire (72)	68	C 4
Le Boulois (25)	96	D 5
Boulon (14)	27	F 4
Boulot (70)	94	D 4
La Boulouze (50)	46	A 2
Boult (70)	94	D 3
Boult-aux-Bois (08)	19	E 5
Boult-sur-Suippe (51)	33	H 1
Le Boulvé (46)	157	H 5
Boulzicourt (08)	18	D 3
Boumourt (64)	186	A 3
Bouniagues (24)	156	D 2
Le Boupère (85)	100	B 4
Bouquehault (62)	2	C 3
Bouquelon (27)	28	C 1
Bouquemaison (80)	7	G 4
Bouquemont (55)	35	H 4
Bouquet (30)	178	B 2
Bouquetot (27)	29	E 1
Bouqueval (95)	31	F 4
Bouranton (10)	74	A 1
Bouras (30)	177	G 4
Bouray-sur-Juine (91)	51	F 4
Bourbach-le-Bas (68)	78	B 5
Bourbach-le-Haut (68)	78	B 4
Bourberain (21)	93	H 2
Bourbévelle (70)	76	D 4
Bourbon-l'Archambault (03)	119	G 1
Bourbonne-les-Bains (52)	76	B 3
Bourboule (63)	132	C 5
Bourbourg (59)	3	E 2
Bourbriac (22)	44	B 2
Bourcefranc-le-Chapus (17)	126	B 2
Bourcia (39)	123	F 3
Bourcq (08)	34	C 1
Bourdainville (76)	13	F 3
Bourdalat (40)	171	E 5
Bourdeau (73)	137	H 3
Bourdeaux (26)	164	D 3
Bourdeilles (24)	143	E 2
Le Bourdeix (24)	129	E 5
Bourdelles (33)	156	A 4
Bourdenay (10)	53	E 5
Le Bourdet (79)	113	H 4
Bourdic (30)	178	B 4
Bourdiguet (30)	178	B 3
La Bourdinière-St-Loup (28)	49	H 1
Bourdon (80)	15	E 1
Bourdonnay (57)	57	H 1
Bourdonné (78)	50	B 2
La Bourdonnière (13)	196	A 4
Bourdons-sur-Rognon (52)	75	H 2
Bourecq (62)	7	G 1
Bouresches (02)	32	D 4
Bouresse (86)	115	H 3
Bouret-sur-Canche (62)	7	G 3
Boureuilles (55)	35	F 3
Bourey (50)	24	D 5
Le Bourg (33)	141	H 4
Le Bourg (46)	159	E 3
Le Bourg (52)	75	H 5
Le Bourg (56)	81	G 2
Bourg-Achard (27)	29	E 1
Bourg-Archambault (86)	116	C 3
Bourg-Argental (42)	149	F 2
Bourg-Beaudouin (27)	29	H 1
Bourg-Blanc (29)	41	E 3
Bourg-Bruche (67)	58	B 4
Bourg-Charente (16)	127	H 4
Bourg-d'Abren (24)	156	C 1
Bourg-de-Bigorre (65)	204	D 2
Bourg-de-Péage (26)	150	C 4
Bourg-de-Sirod (39)	110	D 4
Bourg-de-Thizy (69)	135	F 1
Bourg-de-Visa (82)	173	E 1
Bourg-des-Comptes (35)	65	F 5
Bourg-des-Maisons (24)	142	D 2
Le Bourg-d'Hem (23)	117	H 3
Le Bourg-d'Iré (49)	84	B 1
Le Bourg-d'Oisans (38)	152	A 4
Bourg-d'Oueil (31)	205	F 4
Le Bourg-Dun (76)	13	F 2
Bourg-en-Bresse (01) [P]	123	E 4
Bourg-et-Comin (02)	33	F 1
Bourg-Fidèle (08)	10	D 5
Bourg-la-Reine (92)	51	F 1
Bourg-Lastic (63)	132	B 4
Bourg-le-Comte (71)	121	E 3
Bourg-le-Roi (72)	48	A 5
Bourg-lès-Valence (26)	149	H 5
Bourg-l'Évêque (49)	66	B 5
Bourg-Madame (66)	211	G 4
Bourg-sous-la-Roche-sur-Yon (85)	99	G 5
Bourg-St-Andéol (07)	163	G 5
Bourg-St-Bernard (31)	189	H 2
Bourg-St-Christophe (01)	136	C 2
Le Bourg-St-Léonard (61)	48	A 1
Bourg-St-Maurice (73)	139	F 4
Bourg-Ste-Marie (52)	76	A 1
Bourgaltroff (57)	37	H 5
Bourganeuf (23)	130	D 2
Bourgbarré (35)	65	F 5
Bourgeauville (14)	27	H 2
Bourges (18) [P]	105	F 2
Le Bourget (73)	153	E 2
Le Bourget (93)	31	F 5
Le Bourget-du-Lac (73)	137	H 4
Bourget-en-Huile (73)	138	B 5
Bourgheim (67)	59	E 4
Bourghelles (59)	4	D 4
Bourgnac (24)	142	D 5
Bourgneuf (17)	113	F 4
Bourgneuf (45)	71	E 2
Bourgneuf (73)	138	B 4
Bourgneuf-en-Mauges (49)	84	C 4
Bourgneuf-en-Retz (44)	98	D 1
Le Bourgneuf-la-Forêt (53)	66	B 2
Bourgogne (51)	33	H 1
Bourgoin-Jallieu (38)	136	D 4
Bourgon (53)	66	A 1
La Bourgonce (88)	58	A 5
Bourgougnague (47)	156	D 3
Bourguébus (14)	27	F 3
Bourgueil (37)	86	A 5
Bourguenolles (50)	45	H 1
Le Bourguet (83)	182	A 5
Bourguignon (25)	96	C 3
Bourguignon-lès-Conflans (70)	77	E 5
Bourguignon-lès-la-Charité (70)	94	D 2
Bourguignon-lès-Morey (70)	94	B 3
Bourguignon-sous-Coucy (02)	16	C 5
Bourguignon-sous-Montbavin (02)	17	E 5
Bourgvilain (71)	122	A 3
Bourideys (33)	155	F 5
Bouriège (11)	208	A 3
Bourigeole (11)	207	H 3
Bourisp (65)	205	E 4
Bourlens (47)	157	G 5
Bourlon (62)	8	C 4
Bourmont (52)	76	A 1
Bournainville-Faverolles (27)	28	C 3
Bournan (37)	102	D 2
Bournand (86)	101	H 1
Bournazel (12)	159	H 5
Bournazel (81)	174	C 3
Bourneau (85)	113	G 1
Bournel (47)	157	E 3
Bourneville-Sainte-Croix (27)	28	D 1
Bournezeau (85)	99	H 5
Bourniquel (24)	157	F 2
Bournois (25)	95	G 2
Bournoncle-St-Pierre (43)	147	F 2
Bournoncles (15)	161	E 1
Bournonville (62)	2	C 4
Bournos (64)	186	B 4
Bourogne (90)	96	D 1
Bourpeuil (86)	115	H 4
Bourran (47)	172	A 1
Bourré (41)	87	G 4
Bourréac (65)	204	B 2
Bourret (82)	173	F 4
Bourriot-Bergonce (40)	171	E 2
Bourron-Marlotte (77)	51	H 5
Bourrou (24)	143	E 4
Bourrouillan (32)	171	F 5
Bours (62)	7	G 2
Bours (65)	187	E 5
Boursault (51)	33	G 4
Boursay (41)	69	F 3
Bourscheid (57)	58	C 1
Bourséguin (85)	113	G 1
Bourseul (22)	44	C 3
Bourseville (80)	6	B 5
Boursières (70)	94	D 1
Boursies (59)	8	C 4
Boursin (62)	2	C 4
Boursonne (60)	32	B 3
Bourth (27)	49	E 1
Bourthes (62)	2	C 5
Bourville (76)	13	F 2
Boury-en-Vexin (60)	30	B 2
Bousbach (57)	38	A 2
Bousbecque (59)	4	C 2
Le Bouscat (33)	155	E 1
Le Bouscaut (33)	155	E 1
Bousies (59)	9	F 4
Bousignies (59)	5	E 5
Bousignies-sur-Roc (59)	10	A 2
Le Bousquet (12)	160	C 3
Le Bousquet-d'Orb (34)	192	A 2
Boussac (12)	175	F 1
Boussac (23)	118	B 3
La Boussac (35)	45	F 3
Boussac (46)	159	E 4
Boussac-Bourg (23)	118	B 3
Boussais (79)	101	F 4
Boussan (31)	188	C 5
Boussay (37)	103	E 4
Boussay (44)	99	H 1
Bousse (57)	21	E 4
Bousse (72)	67	G 5
Bousselange (21)	109	H 2
Boussenac (09)	206	C 4
Boussenois (21)	93	G 1
Boussens (31)	206	A 1
Bousseraucourt (70)	76	C 3
Boussès (47)	171	G 2
Bousseviller (57)	38	D 2
Boussey (21)	92	C 4
Boussicourt (80)	15	H 3
Boussières-en-Cambrésis (59)	9	E 4
Boussières-sur-Sambre (59)	9	H 3
Boussois (59)	10	A 1
Boussy (74)	138	A 2
Boussy-St-Antoine (91)	51	G 2
Boust (57)	21	E 3
Boustroff (57)	37	G 4
Bout-du-Lac (74)	138	B 2
Bout-du-Pont-de-Larn (81)	191	E 3
Boutancourt (08)	18	D 3
Boutavent (60)	14	C 4
La Bouteille (02)	17	H 2
Bouteilles-St-Sébastien (24)	142	C 2
Boutenac (11)	209	E 1
Boutenac-Touvent (17)	127	E 5
Boutencourt (60)	30	C 2
Boutervilliers (91)	50	D 4
Bouteville (16)	127	H 4
Boutiers-St-Trojan (16)	127	H 3
Boutigny (77)	32	A 5
Boutigny-sur-Essonne (91)	51	F 5
Boutigny-sur-Opton (28)	50	A 2
Bouttencourt (80)	14	B 1
Boutteville (50)	23	E 5
Boutx (31)	205	G 3
Bouvaincourt-sur-Bresle (80)	6	B 5
Bouvancourt (51)	33	G 2
Bouvante (26)	150	D 5
Bouvante-le-Haut (26)	150	D 5
Bouvelinghem (62)	2	D 4
Bouvellemont (08)	18	D 4
Bouverans (25)	111	E 3
La Bouverie (83)	197	H 4
Bouvesse-Quirieu (38)	137	E 3
Bouvières (26)	165	E 4
Bouvignies (59)	4	D 5
Bouvigny-Boyeffles (62)	4	A 5
Bouville (28)	69	H 1
Bouville (76)	13	F 4
Bouville (91)	51	F 5
Bouvincourt-en-Vermandois (80)	16	B 2
Bouvines (59)	4	D 4
Bouvresse (60)	14	C 4
Bouvron (44)	82	D 4
Bouvron (54)	56	C 1
Boux-sous-Salmaise (21)	92	D 3
Bouxières-aux-Bois (88)	57	E 1
Bouxières-aux-Chênes (54)	57	E 1
Bouxières-aux-Dames (54)	56	D 1
Bouxières-sous-Froidmont (54)	36	D 4
Bouxurulles (88)	57	E 5
Bouxwiller (67)	38	D 5
Bouxwiller (68)	97	F 2
Bouy (51)	34	B 4
Bouy-Luxembourg (10)	54	A 5
Bouy-sur-Orvin (10)	53	E 5
Bouyon (06)	183	E 4
Le Bouyssou (46)	159	F 3
Bouzais (18)	105	G 5
Bouzancourt (52)	55	E 5
Bouzanville (54)	56	D 5
Bouze-lès-Beaune (21)	109	E 2
Bouzel (63)	133	G 2
Bouzemont (88)	77	E 1
Bouzeron (71)	109	E 3
Bouzic (24)	158	A 2
Bouziès (46)	158	D 5
Bouzigues (34)	193	E 4
Bouzillé (49)	84	A 4
Bouzin (31)	205	H 1
Bouzincourt (80)	7	H 5
Bouzon-Gellenave (32)	187	E 1
Bouzonville (57)	21	G 4
Bouzonville-aux-Bois (45)	71	E 2
Bouzonville-en-Beauce (45)	71	E 2
Bouzy (51)	33	H 4
Bouzy-la-Forêt (45)	71	F 5
Bovée-sur-Barboure (55)	56	A 2
Bovel (35)	64	D 3
Bovelles (80)	15	E 2
Boves (80)	15	G 2
Boviolles (55)	55	H 2
Boyardville (17)	126	B 1
Boyaval (62)	7	G 1
Boyelles (62)	8	B 4
Boyer (42)	121	F 5
Boyer (71)	122	B 1
Boyeux-St-Jérôme (01)	137	E 1
Boynes (45)	71	F 2
Boz (01)	122	C 2
Bozas (07)	149	G 4
Bozel (73)	139	E 5
Bozouls (12)	160	B 5
Brabant-en-Argonne (55)	35	F 3
Brabant-le-Roi (55)	55	E 1
Brabant-sur-Meuse (55)	35	G 2
Brach (33)	140	C 4
Brachay (52)	55	F 5
Braches (80)	15	G 3
Brachy (76)	13	F 2
Bracieux (41)	88	A 2
Bracon (39)	110	D 2
Bracquemont (76)	13	G 1
Bracquetuit (76)	13	H 4
Bradiancourt (76)	14	A 4
Braffais (50)	46	A 1
Bragassargues (30)	178	A 4
Bragayrac (31)	188	D 3
Brageac (15)	145	H 3
Bragelogne (10)	74	A 4
Bragny-sur-Saône (71)	109	F 3
Brahic (07)	162	C 5
Braillans (25)	95	E 4
Brailly-Cornehotte (80)	7	E 4
Brain (21)	92	C 3
Brain-sur-Allonnes (49)	85	H 4
Brain-sur-l'Authion (49)	85	E 3
Brain-sur-Longuenée (49)	84	C 2
Brain-sur-Vilaine (35)	64	D 5
Brainans (39)	110	B 3
Braine (02)	33	E 1
Brains (44)	83	E 5
Brains-sur-Gée (72)	67	H 3
Brains-sur-les-Marches (53)	66	A 4
Brainville (50)	24	D 3
Brainville (54)	20	C 5
Brainville-sur-Meuse (52)	76	A 1
Braisnes-sur-Aronde (60)	16	A 5
Braize (03)	105	H 5
Bralleville (54)	57	E 4
Bram (11)	207	H 1
Bramans (73)	153	F 2
Brameloup (12)	160	D 4
Brametot (76)	13	F 2
Bramevaque (65)	205	F 3
Bran (17)	141	H 2
Branceilles (19)	144	D 5
Branches (89)	73	E 4
Brancion (71)	122	B 1
Brancourt (88)	56	B 4
Brancourt-en-Laonnois (02)	17	E 5
Brancourt-le-Grand (02)	16	D 1
Brandérion (56)	81	E 1
Brandeville (55)	35	G 1
Brandivy (56)	81	F 1
Brando (2B)	215	G 3
Brandon (71)	122	A 3
Brandonnet (12)	159	G 5
Brandonvillers (51)	54	C 3
Branges (02)	33	E 2
Branges (71)	109	G 5
Brannay (89)	72	C 1
Branne (25)	95	G 3
Branne (33)	155	H 1
Brannens (33)	155	H 4
Branoux-les-Taillades (30)	177	H 2
Brans (39)	94	B 5
Bransac (43)	148	C 5
Bransat (03)	119	H 3
Branscourt (51)	33	G 2
Bransles (77)	72	A 2
Brantes (84)	180	A 2
Brantigny (88)	57	E 5
Brantôme-en-Périgord (24)	143	E 2
Branville (14)	27	H 2
Branville-Hague (50)	22	B 2
Braquis (55)	20	B 5
Bras (83)	196	D 3
Bras-d'Asse (04)	181	F 4
Bras-sur-Meuse (55)	35	H 2
Brasc (12)	175	G 4
Braslou (37)	102	B 2
Brasles (02)	32	D 4
Brasparts (29)	41	H 5
Brassac (09)	207	E 3
Brassac (81)	191	E 2
Brassac (82)	173	E 2
Brassac-les-Mines (63)	147	F 1
Brasseitte (55)	56	A 1
Brassempouy (40)	185	H 2
Brasseuse (60)	31	H 2
Brassy (58)	91	H 5
Brassy (80)	15	E 3
Bratte (54)	57	E 1
Braucourt (52)	55	E 3
Braud-et-St-Louis (33)	141	E 2
Brauvilliers (55)	55	G 3
Braux (04)	182	B 3
Braux (08)	11	E 5
Braux (10)	54	C 4
Braux (21)	92	C 3
Braux-le-Châtel (52)	75	F 2
Braux-St-Remy (51)	35	E 4
Braux-Ste-Cohière (51)	35	E 3
Bravone (2B)	217	H 3
Brax (31)	189	E 2
Brax (47)	172	B 2
Bray (27)	29	E 3
Bray (71)	122	B 1
Bray-Dunes (59)	3	G 1
Bray-en-Val (45)	71	F 5
Bray-et-Lû (95)	30	B 3
Bray-lès-Mareuil (80)	6	D 5
Bray-St-Christophe (02)	16	C 3
Bray-sur-Seine (77)	52	C 5
Bray-sur-Somme (80)	16	A 1
Braye (02)	32	D 1
Braye-en-Laonnois (02)	33	E 1
Braye-en-Thiérache (02)	17	H 3
Braye-sous-Faye (37)	102	B 2
Braye-sur-Maulne (37)	86	A 2
Brazey-en-Morvan (21)	108	B 1
Brazey-en-Plaine (21)	109	G 1
Bréal-sous-Montfort (35)	65	E 2
Bréal-sous-Vitré (35)	66	B 2
Bréançon (95)	30	D 3
Bréau (77)	52	A 3
Bréau-et-Salagosse (30)	177	E 4
Bréauté (76)	12	C 4
Brebières (62)	8	C 3
Brebotte (90)	96	D 1
Brécé (35)	65	G 2
Brécé (53)	46	C 4
Brécey (50)	46	A 2
Brech (56)	81	F 1
Brechainville (88)	56	A 5
Bréchamps (28)	50	A 2
Bréchaumont (68)	78	B 5
Brèches (37)	86	B 2
Breconchaux (25)	95	F 4
Brectouville (50)	25	G 4
Brécy (02)	32	D 3
Brécy (18)	105	H 1
Brécy-Brières (08)	34	D 1
Brédannaz (74)	138	B 2
La Brède (33)	155	F 2
Brée (53)	67	E 2
La Brée-les-Bains (17)	112	D 5
Bréel (61)	47	F 1
Brégnier-Cordon (01)	137	F 2
La Bréguière (83)	197	E 2
Brégy (60)	32	A 4
Bréhain (57)	37	G 5
Bréhain-la-Ville (54)	20	C 3
Bréhal (50)	24	D 5
Bréhan (56)	63	H 3
Bréhand (22)	44	A 4
Bréhec-en-Plouha (22)	43	G 2
Bréhémont (37)	86	B 4
Bréhéville (55)	35	G 1
Breidenbach (57)	38	D 2
Breil (49)	85	H 3
Le Breil-sur-Mérize (72)	68	C 3
Breil-sur-Roya (06)	183	G 3
La Breille-les-Pins (49)	85	H 4
Breilly (80)	15	E 1
Breistroff-la-Grande (57)	21	E 2
Breitenau (67)	58	C 5
Breitenbach (67)	58	C 4
Breitenbach-Haut-Rhin (68)	78	B 2
Brêlès (29)	40	D 3
Brélidy (22)	43	E 3
Brem-sur-Mer (85)	98	D 5
Bréménil (54)	58	A 3
Brêmes (62)	2	C 3
Brémoncourt (54)	57	F 3
Bremondans (25)	95	G 3

A B C D E F G H I J K L M N O P Q R S T U V W X Y Z

Localité *(Département)*   Page   Coordonnées

A B C D E F G H I J K L M N O P Q R S T U V W X Y Z

Brémontier-Merval (76)....14 B 5
Brémoy (14)....25 H 4
Brémur-et-Vaurois (21)....92 D 1
Bren (26)....150 B 4
Brenac (11)....208 A 4
Brenas (34)....192 B 2
Brenat (63)....133 G 5
Brénaz (01)....137 G 1
Brenelle (02)....33 E 1
Brengues (46)....159 E 4
Brennes (52)....75 H 5
Brennilis (29)....42 A 5
Brénod (01)....123 G 5
Brenon (83)....182 A 5
Brenouille (60)....31 G 2
Brenoux (48)....161 H 4
Brens (01)....137 G 3
Brens (74)....124 D 3
Brens (81)....174 C 5
Brenthonne (74)....124 D 3
Breny (02)....32 D 3
La Bréole (04)....166 C 4
Brères (21)....110 C 1
Bréry (39)....110 B 4
Brès (07)....162 C 5
Bresdon (17)....127 H 2
Les Bréseux (25)....96 C 4
Bresilley (70)....94 B 5
Brésis (30)....162 C 5
Bresle (80)....15 H 1
Bresles (60)....31 E 1
Bresnay (03)....119 H 2
Bresolettes (61)....48 D 3
La Bresse (88)....78 A 3
Bresse-sur-Grosne (71)....122 B 1
Bressey-sur-Tille (21)....93 G 4
Bressieux (38)....150 D 2
Bressolles (01)....136 C 2
Bressolles (03)....120 A 1
Bressols (82)....173 G 4
Bresson (38)....151 G 3
Bressoncourt (52)....55 H 4
Bressuire (79) SP....101 E 3
Brest (29) SP....41 E 4
Brestot (27)....28 D 1
Bretagne (36)....104 B 2
Bretagne (90)....96 D 1
Bretagne-d'Armagnac (32)....171 G 5
Bretagne-de-Marsan (40)....170 C 5
Bretagnolles (27)....29 H 5
Breteau (45)....90 A 1
Breteil (35)....65 E 1
Bretenière (21)....93 G 5
La Bretenière (25)....95 F 3
La Bretenière (39)....110 B 1
Bretenières (39)....110 A 3
Bretenoux (46)....159 E 1
Breteuil-sur-Iton (27)....49 E 1
Breteuil (60)....15 F 4
Brethel (61)....48 C 2
Brethenay (52)....75 G 2
Le Brethon (03)....119 E 1
Bretigney (25)....95 H 2
Bretigney-Notre-Dame (25)....95 F 4
Bretignolles (79)....100 D 3
Brétignolles-le-Moulin (53)....47 E 4
Bretignolles-sur-Mer (85)....98 D 5
Bretigny (21)....93 G 3
Brétigny (27)....28 D 3
Brétigny (60)....16 C 4
Brétigny-sur-Orge (91)....51 F 3
Bretoncelles (61)....49 E 4
La Bretonnière (85)....113 E 1
Bretonvillers (25)....95 H 5
Brette (26)....165 E 3
Brette-les-Pins (72)....68 B 4
Bretten (68)....78 B 5
Brettes (71)....128 B 1
Bretteville (50)....22 D 2
Bretteville-du-Grand-Caux (76) 12 C 4
Bretteville-le-Rabet (14)....27 G 4
Bretteville-l'Orgueilleuse (14)....27 E 2
Bretteville-St-Laurent (76)....13 F 3
Bretteville-sur-Ay (50)....24 C 2
Bretteville-sur-Dives (14)....27 H 4
Bretteville-sur-Laize (14)....27 F 4
Bretteville-sur-Odon (14)....27 F 3
Brettnach (57)....21 G 4
Bretx (31)....189 E 1
Breuches (70)....77 F 5
Breuchotte (70)....77 G 4
Breugnon (58)....91 E 3
Le Breuil (03)....120 C 4
Le Breuil (51)....33 F 5
Breuil (51)....33 F 2
Le Breuil (69)....135 G 2
Le Breuil (71)....108 C 4
Breuil (80)....16 B 3
Breuil-Barret (85)....100 C 5
Le Breuil-Bernard (79)....100 D 4
Breuil-Bois-Robert (78)....30 B 5
Breuil-Chaussée (79)....100 D 3
Le Breuil-en-Auge (14)....28 A 2
Le Breuil-en-Bessin (14)....26 D 5
Breuil-la-Réorte (17)....113 H 5
Breuil-le-Sec (60)....31 G 1
Breuil-le-Vert (60)....31 F 1
Breuil-Magné (17)....126 C 1

Le Breuil-sous-Argenton (79) .101 E 2
Le Breuil-sur-Couze (63)....147 F 1
Breuil-sur-Marne (52)....55 F 4
Breuilaufa (87)....129 H 1
Breuilh (24)....143 F 4
Breuillet (17)....126 C 3
Breuillet (91)....51 E 3
Breuilpont (27)....29 H 5
Breurey-lès-Faverney (70)....77 E 5
Breuschwickersheim (67)....59 E 2
Breuvannes (52)....76 A 2
Breuvery-sur-Coole (51)....54 B 1
Breuville (50)....22 C 3
Breux (55)....19 H 4
Breux-Jouy (91)....51 E 3
Breux-sur-Avre (27)....49 F 2
Brévainville (41)....69 H 4
Bréval (78)....30 A 5
Brévands (50)....23 F 5
Brevans (39)....110 A 1
Le Brévedent (14)....28 B 2
La Brévenne (69)....135 G 3
Brèves (58)....91 F 4
Les Bréviaires (78)....50 C 2
Bréviandes (10)....73 H 1
La Brévière (14)....28 A 5
La Brévière (60)....32 A 1
Les Brévières (73)....139 G 5
Bréville (14)....27 G 2
Bréville (76)....127 H 3
Bréville-sur-Mer (50)....24 C 5
Brévillers (62)....7 E 3
Brévillers (80)....7 G 4
Brevilliers (70)....96 C 1
Brévilly (08)....19 F 3
Brévonnes (10)....54 B 5
Bréxent-Énocq (62)....6 C 1
Brey-et-Maison-du-Bois (25)..111 F 4
Brézé (49)....101 G 1
Brézellec (29)....166 C 4
Bréziers (05)....47 F 2
Brézilhac (11)....207 H 1
Brézins (38)....151 E 2
Brezolles (28)....49 F 2
Brezons (15)....146 C 5
Brial (82)....173 G 4
Briançon (05) SP....153 E 5
Briançonnet (06)....182 B 4
Brianny (21)....92 B 3
Briant (71)....121 F 3
Briantes (36)....118 A 1
Briare (45)....89 H 2
Briarres-sur-Essonne (45)....71 F 1
Briastre (59)....9 E 4
Briatexte (81)....190 A 1
Briaucourt (52)....75 G 1
Briaucourt (70)....77 E 4
Bricon (52)....75 F 2
Briconville (28)....49 H 4
Bricot-la-Ville (51)....53 E 2
Bricquebec-en-Cotentin (50)...22 C 4
Bricquebosq (50)....22 C 3
Bricqueville (14)....25 G 2
Bricqueville-la-Blouette (50)...24 D 4
Bricqueville-sur-Mer (50)....24 D 5
Bricy (45)....70 C 3
Brides-les-Bains (73)....138 D 5
La Bridoire (73)....137 G 5
Bridoré (37)....103 F 2
Brie (02)....17 E 4
Brie (09)....206 D 1
Brie (16)....128 C 3
Brie (35)....65 G 3
Brie (79)....101 G 3
Brie (80)....16 B 2
La Brohinière (35)....64 C 1
Brie-Comte-Robert (77)....51 G 2
Brié-et-Angonnes (38)....151 H 3
Brie-sous-Archiac (17)....127 G 5
Brie-sous-Barbezieux (16)....142 A 1
Brie-sous-Chalais (16)....142 A 2
Brie-sous-Matha (17)....127 H 4
Brie-sous-Mortagne (17)....127 G 5
Briec (29)....61 H 2
Briel-sur-Barse (10)....74 B 1
Brielles (35)....66 A 3
Brienne (71)....122 C 1
Brienne-la-Vieille (10)....54 C 5
Brienne-le-Château (10)....54 C 5
Brienne-sur-Aisne (08)....33 H 1
Briennon (42)....121 F 5
Brienon-
sur-Armançon (89)....73 F 3
Brières-les-Scellés (91)....51 E 4
Brieuil-sur-Chizé (79)....114 B 5
Brieulles-sur-Bar (08)....19 E 5
Brieulles-sur-Meuse (55)....35 G 1
Brieux (61)....47 H 1
Briey SP (54)....20 C 4
Briffons (63)....132 C 4
Brignac (34)....192 C 2
Brignac (56)....64 B 1
Brignac-la-Plaine (19)....144 B 3
Brignais (69)....135 H 4
Brignancourt (95)....30 D 3
Brigné (49)....85 E 5
Brigneau (50)....62 B 5
Brignemont (31)....188 C 1
Le Brignon (43)....148 B 5
Brignon (30)....178 B 4
Brignoud (38)....151 H 2
La Brigue (06)....183 H 2

Brigueil-le-Chantre (86)....116 C 3
Brigueuil (16)....129 G 1
Briis-sous-Forges (91)....51 E 3
Brillac (16)....116 A 5
La Brillanne (04)....180 D 4
Brillecourt (10)....54 B 4
Brillevast (50)....23 E 3
Brillon (59)....5 E 5
Brillon-en-Barrois (55)....55 F 2
Brimeux (62)....6 D 2
Brimont (51)....33 H 1
Brin-sur-Seille (54)....57 F 1
Brinay (18)....105 E 1
Brinay (58)....107 F 2
Brinckheim (68)....97 G 1
Brindas (69)....135 H 3
Bringolo (22)....43 F 4
Brinon-sur-Beuvron (58)....91 E 5
Brinon-sur-Sauldre (18)....89 E 2
Briod (39)....110 B 5
Briollay (49)....85 E 2
Brion (01)....123 G 4
Brion (36)....104 B 3
Brion (38)....151 E 2
Brion (48)....161 E 2
Brion (49)....85 G 3
Brion (71)....108 A 3
Brion (86)....115 G 3
Brion (89)....73 E 3
Brion-près-Thouet (79)....101 F 2
Brion-sur-Ource (21)....74 D 4
La Brionne (23)....117 G 5
Brionne (27)....28 D 3
Briord (01)....137 E 3
Briosne-lès-Sables (72)....68 B 2
Briot (60)....14 D 4
Briou (41)....70 A 5
Brioude SP (43)....147 G 2
Brioux-sur-Boutonne (79)....114 C 5
Briouze (61)....47 F 2
Briquemesnil-Floxicourt (80) ...15 E 2
Briquenay (08)....35 E 1
Briscous (64)....184 D 3
Brison-St-Innocent (73)....137 H 3
Brissac (30)....178 A 2
Brissac (34)....177 F 5
Brissac-Quincé (49)....85 E 4
Brissarthe (49)....85 E 1
Brissay-Choigny (02)....16 D 3
Brissy-Hamégicourt (02)....16 D 3
Brive-la-Gaillarde SP (19)..144 C 4
Brives (36)....104 C 4
Brives-Charensac (43)....148 B 4
Brives-sur-Charente (17)....127 F 4
Brivezac (19)....145 E 5
Brix (50)....22 D 3
Brixey-aux-Chanoines (55)....56 B 4
Brizambourg (17)....127 F 2
Brizay (37)....102 B 1
Brizeaux (55)....35 F 4
Brizon (74)....124 D 5
Le Broc (06)....183 E 5
Broc (49)....86 A 2
Le Broc (63)....147 F 1
Brocas (40)....169 H 3
Brochon (21)....93 F 5
Brocottes (14)....27 H 3
Brocourt (80)....14 C 2
Brocourt-en-Argonne (55)....35 F 3
Broglie (27)....28 C 4
Brognard (25)....96 C 2
Brognon (08)....10 B 5
Brognon (21)....93 F 5
Broin (21)....109 G 1
Broindon (21)....93 F 5
Broissia (39)....123 F 3
Brombos (60)....14 D 4
Bromeilles (45)....71 G 2
Brommat (12)....160 B 1
Bromont-Lamothe (63)....132 D 3
Bron (69)....136 B 3
Broncourt (52)....76 B 5
Bronvaux (57)....20 D 5
Broons (22)....44 B 5
Broons-sur-Vilaine (35)....65 G 2
La Broque (67)....58 C 3
Broquiers (60)....14 C 4
Broquiès (12)....175 H 4
Brossac-
Brossac (16)....142 A 2
Brossainc (07)....149 G 2
Brosse (71)....122 D 2
Brosses (89)....91 F 1
La Brosse-Montceaux (77)....52 B 5
Brosses (89)....91 F 2
Brotelles (80)....6 B 4
Brosville (27)....29 G 4
Brotte-lès-Luxeuil (70)....77 F 5
Brotte-lès-Ray (70)....94 B 1
Brottes (63)....75 G 2
Brou (01)....123 E 4
Brou (28)....69 G 1
Brou-sur-Chantereine (77)....51 H 1
Brouage (17)....126 C 2
Brouains (50)....46 B 2
Broualan (35)....45 F 4
Brouay (14)....27 E 2
Brouchaud (24)....143 H 3
Brouchy (80)....16 C 3
Brouckerque (59)....3 E 2
Brouderdorff (57)....58 B 1
Broué (28)....50 A 2
Brouennes (55)....19 G 5

Le Brouilh-Monbert (32)....187 G 2
Brouilla (66)....213 F 3
Brouillamnon (18)....105 E 2
Brouillet (51)....33 F 2
Brouilly (69)....122 A 5
Brouqueyran (33)....155 H 4
Le Broussan (83)....200 D 3
La Brousse (17)....127 G 2
Brousse (23)....132 B 1
Brousse (63)....133 H 5
Brousse (81)....190 B 1
Brousse-le-Château (12)....175 G 4
Brousses-et-Villaret (11)....190 D 5
Brousseval (52)....55 F 4
Broussey-en-Blois (55)....56 A 2
Broussey-Raulecourt (55)....56 B 1
Broussy-le-Grand (51)....53 G 1
Broussy-le-Petit (51)....53 G 1
Broût-Vernet (03)....120 A 4
Brouthières (52)....55 H 4
Brouvelieures (88)....77 H 1
Brouville (54)....17 G 4
Brouviller (57)....58 B 1
Brouy (91)....71 F 1
Brouzet-lès-Alès (30)....178 B 2
Brouzet-lès-Quissac (30)....177 H 5
Brovès-en-Seillan (83)....197 H 2
Broxeele (59)....3 E 3
Broye (71)....108 B 3
Broye-les-Loups-
et-Verfontaine (70)....94 A 3
Broye-lès-Pesmes (70)....94 A 4
Broyes (51)....53 F 2
Broyes (60)....15 G 4
Broze (81)....174 C 4
Brû (88)....57 H 5
Bruailles (71)....123 E 1
Bruay-la-Buissière (62)....7 H 1
Bruay-sur-l'Escaut (59)....9 F 2
Bruc-sur-Aff (35)....64 D 4
Brucamps (80)....7 E 5
Bruch (47)....172 A 2
Brucheville (50)....23 F 5
Brucourt (14)....27 H 2
Brue-Auriac (83)....196 D 2
Bruebach (68)....78 D 5
Brueil-en-Vexin (78)....30 C 4
Bruère-Allichamps (18)....105 F 4
La Bruère-sur-Loir (72)....86 B 1
La Bruffière (85)....99 H 2
Brugairolles (11)....208 A 2
Le Brugeron (63)....134 A 4
Bruges (33)....155 E 1
Bruges (64)....203 H 1
Brugheas (03)....120 A 5
Brugnac (47)....156 D 5
Brugnens (32)....172 C 5
Brugny-Vaudancourt (51)....33 G 4
La Bruguière (30)....178 C 3
Bruguières (31)....189 F 1
Bruille-lez-Marchiennes (59)....8 D 2
Bruille-St-Amand (59)....5 F 5
Bruis (05)....165 G 4
Brûlain (79)....114 B 4
La Bruslée (35)....64 D 4
La Bruisse (38)....151 G 2
La Buissière (38)....152 A 1
Le Brûlat (83)....196 C 5
Le Brûlatte (53)....66 B 2
Bruley (54)....56 C 2
Brullemail (61)....48 B 2
Brulles (69)....135 F 3
Brûlon (72)....67 F 3
Brumath (67)....59 F 1
Brumetz (02)....32 C 4
Brunehamel (02)....18 A 3
Brunelles (28)....49 E 5
Les Brunels (11)....190 B 4
Brunembert (62)....2 C 4
Brunémont (59)....8 C 3
Brunet (04)....181 E 4
Bruniquel (82)....174 A 3
Brunoy (91)....51 G 2
Bruno (51)....54 D 2
Brunstatt-Didenheim (68) ...78 D 5
Brunville (76)....13 H 1
Brunvillers-la-Motte (60)....15 G 5
Le Brusc (83)....200 D 4
Brusque (12)....191 H 1
Le Brusquet (04)....181 G 2
Brussey (70)....94 C 4
Brusson (51)....54 D 2
Brusvily (22)....44 C 4
Brutelles (80)....6 B 4
Bruville (54)....20 C 5
Brux (86)....115 E 4
La Bruyère (03)....120 B 5
La Bruyère (70)....77 G 4
Bruyères (88)....77 H 1
Bruyères-et-Montbérault (02)...17 F 5
Bruyères-le-Châtel (91)....51 E 3
Bruyères-sur-Fère (02)....32 D 3
Bruyères-sur-Oise (95)....31 F 3
Bruys (02)....33 E 2
Bruz (35)....65 E 3
Bry (59)....9 G 3
Bry-sur-Marne (94)....51 G 1
Bryas (62)....7 G 2
Bû (28)....50 A 1
Le Bû-sur-Rouvres (14)....27 G 4
Buais-les-Monts (50)....46 B 3
Buanes (40)....186 B 1

Le Buat (50)....46 A 2
Bubertré (61)....48 D 3
Bubry (56)....63 E 4
Buc (78)....51 E 2
Buc (90)....96 C 1
La Bucaille (27)....30 A 3
Bucamps (60)....15 F 5
Bucéels (14)....26 D 3
Bucey-en-Othe (10)....73 G 1
Bucey-lès-Gy (70)....94 C 3
Bucey-lès-Traves (70)....94 D 1
Buchelay (78)....30 B 5
Buchères (10)....73 H 1
Buchey (52)....75 E 1
Buchy (57)....37 E 4
Buchy (76)....14 A 4
Bucilly (02)....10 A 5
Bucquoy (62)....8 A 4
Bucy-le-Long (02)....32 D 1
Bucy-le-Roi (45)....70 C 3
Bucy-lès-Cerny (02)....17 E 4
Bucy-lès-Pierrepont (02)....17 G 4
Bucy-St-Liphard (45)....70 B 4
Budelière (23)....118 D 4
Buding (57)....21 F 4
Budling (57)....21 F 3
Budos (64)....155 G 4
Bué (18)....90 A 4
Bueil (27)....30 A 5
Bueil-en-Touraine (37)....86 C 1
Buellas (01)....122 D 4
Buethwiller (68)....97 E 1
Buffard (25)....110 C 1
Buffières (71)....121 H 2
Buffignécourt (70)....76 D 5
Buffon (21)....92 B 1
Bugarach (11)....208 B 4
Bugard (65)....187 G 5
Bugeat (19)....131 E 5
Buges (45)....71 F 2
Bugnein (64)....185 H 4
Bugnicourt (59)....8 D 3
Bugnières (52)....75 F 4
Bugny (25)....111 F 2
Le Bugue (24)....157 G 1
Buguélès (22)....43 E 1
Buhl (67)....39 G 4
Buhl (68)....78 C 3
Buhl-Lorraine (57)....58 B 1
Buhulien (22)....42 D 2
Buhy (95)....30 B 3
Buicourt (60)....14 C 5
Buigny-l'Abbé (80)....7 E 5
Buigny-lès-Gamaches (80)....6 B 5
Buigny-St-Maclou (80)....6 D 4
Buire (02)....10 A 5
Buire-au-Bois (62)....7 F 3
Buire-Courcelles (80)....16 B 1
Buire-le-Sec (62)....6 D 2
Buire-sur-l'Ancre (80)....15 H 1
Buironfosse (02)....17 G 1
Le Buis (87)....130 A 1
Buis-les-Baronnies (26)....179 H 1
Buis-sur-Damville (27)....49 G 1
Buissard (05)....166 B 2
La Buisse (38)....151 G 2
La Buissière (38)....152 A 1
Le Buisson (48)....161 F 3
Le Buisson (51)....54 D 1
Buisson (84)....179 G 1
Le Buisson-Corblin (61)....47 E 1
Le Buisson-de-Cadouin (24)..157 G 1
Buissoncourt (54)....57 F 2
Buissy (62)....8 C 4
Bujaleuf (87)....130 D 3
Bulan (65)....204 D 2
Bulat-Pestivien (22)....42 D 5
Bulcy (58)....90 B 5
Buléon (56)....63 H 4
Bulgnéville (88)....76 C 1
Bulhon (63)....133 G 2
Bullainville (28)....70 A 2
Bulle (25)....111 F 3
Bullecourt (62)....8 B 4
Bulles (60)....15 F 5
Bulligny (54)....56 C 3
Bullion (78)....50 D 3
Bullou (28)....69 G 1
Bully (42)....134 C 2
Bully (69)....135 G 2
Bully (76)....14 A 3
Bully-les-Mines (62)....8 A 5
Bulson (08)....19 E 4
Bult (88)....57 G 5
Bun (65)....204 A 3
Buncey (21)....74 C 5
Buneville (62)....7 G 3
Buno-Bonnevaux (91)....51 F 5
Bunus (64)....185 F 5
Bunzac (16)....128 D 4
Buoux (84)....180 A 5
Burbach (67)....38 B 5
La Burbanche (01)....137 F 2
Burburé (62)....7 H 1
Burcin (38)....151 E 1
Burcy (14)....25 H 5
Burcy (77)....71 G 1
Burdignes (42)....149 F 2
Burdignin (74)....124 D 4
Bure (55)....55 H 4
Buré (61)....48 B 4
Bure-les-Templiers (21)....75 E 5

Burelles (02)....17 G 3
Bures (54)....57 G 2
Bures (61)....48 B 3
Bures-en-Bray (76)....14 A 3
Bures-les-Monts (14)....25 G 5
Bures-sur-Yvette (91)....51 E 2
Le Buret (53)....67 E 4
Burey (27)....29 F 5
Burey-en-Vaux (55)....56 B 3
Burey-la-Côte (55)....56 B 4
Burg (65)....205 E 1
Burgalays (31)....205 G 4
Burgaronne (64)....185 G 4
Le Burgaud (31)....188 D 1
Burgille (25)....94 C 4
Burgnac (87)....130 A 3
Burgy (71)....122 B 2
Burie (17)....127 G 3
Buriville (54)....57 H 3
Burlats (81)....190 D 2
Burlioncourt (57)....37 G 5
Burnand (71)....122 A 1
Burnevillers (25)....96 D 4
Burnhaupt-le-Bas (68)....78 C 5
Burnhaupt-le-Haut (68)....78 C 5
Buros (64)....186 C 4
Burosse-Mendousse (64)....186 C 3
Burret (09)....206 D 3
Bursard (61)....48 A 3
Burthecourt-aux-Chênes (54)...57 E 3
Burthulet (22)....42 D 5
Burtoncourt (57)....21 F 4
Bury (60)....31 F 2
Burzet (07)....162 D 2
Burzy (71)....122 A 1
Bus (62)....8 B 5
Bus-la-Mésière (80)....16 A 4
Bus-lès-Artois (80)....7 H 5
Bus-St-Rémy (27)....30 B 3
Buschwiller (68)....97 G 1
Busigny (59)....9 E 5
Busloup (41)....69 G 4
Busnes (62)....3 G 5
Busnettes (62)....7 H 1
Busque (81)....190 B 1
Bussac (24)....143 E 2
Bussac-Forêt (17)....141 G 3
Bussac-sur-Charente (17)....127 E 3
Bussaglia (Plage de) (2A)...216 B 2
Bussang (88)....78 A 4
Le Busseau (79)....114 A 1
Busseaut (21)....92 D 1
Busséol (63)....133 G 4
Busserolles (24)....129 E 4
Busserotte-
et-Montenaille (21)....93 F 1
Busset (03)....120 B 5
Bussiares (02)....32 C 4
La Bussière (45)....89 H 1
La Bussière (86)....103 E 5
Bussière-Badil (24)....129 E 4
Bussière-Boffy (87)....129 G 1
Bussière-Dunoise (23)....117 G 4
Bussière-Galant (87)....129 H 4
Bussière-Nouvelle (23)....132 A 1
Bussière-Poitevine (87)....116 B 4
Bussière-St-Georges (23)....118 B 3
La Bussière-sur-Ouche (21)...92 D 5
Bussières (42)....135 E 2
Bussières (63)....119 E 5
Bussières (70)....94 D 4
Bussières (71)....122 A 3
Bussières (77)....32 C 5
Bussières (89)....91 H 3
Bussières-et-Pruns (63)....133 F 1
Bussières-lès-Belmont (52)....76 A 5
Busson (52)....55 H 5
Bussu (80)....16 B 1
Bussunarits-Sarrasquette (64) 202 C 1
Bussus-Bussuel (80)....7 E 5
Bussy (18)....105 H 3
Bussy (60)....16 B 4
Bussy-Albieux (42)....134 C 3
Bussy-aux-Bois (51)....54 C 3
Bussy-en-Othe (89)....73 E 3
Bussy-la-Côte (55)....55 F 1
Bussy-la-Pesle (21)....92 D 4
Bussy-la-Pesle (58)....91 E 5
Bussy-le-Château (51)....34 C 4
Bussy-le-Grand (21)....92 C 2
Bussy-le-Repos (51)....34 D 5
Bussy-le-Repos (89)....72 C 3
Bussy-lès-Daours (80)....15 G 1
Bussy-lès-Poix (80)....15 E 2
Bussy-Lettrée (51)....54 A 1
Bussy-Saint-Martin (77)....51 H 1
Bussy-St-Georges (77)....51 H 1
Bust (67)....38 C 5
Bustanico (2B)....217 F 2
Bustince-Iriberry (64)....202 C 1
Buswiller (67)....39 E 5
Busy (25)....94 D 5
Buthiers (70)....94 D 4
Buthiers (77)....71 F 1
Butot (76)....13 G 4
Butot-Vénesville (76)....12 D 2
Butry-sur-Oise (95)....31 E 4
Butteaux (89)....73 G 4
Butten (67)....38 C 4

Buverchy (80) .... 16 B 3
Buvilly (39) .... 110 C 3
La Buxerette (36) .... 117 H 2
Buxerolles (21) .... 75 F 5
Buxerolles (86) .... 115 G 1
Buxeuil (10) .... 74 B 3
Buxeuil (36) .... 104 B 1
Buxeuil (86) .... 102 D 2
Buxières-d'Aillac (36) .... 104 B 5
Buxières-lès-Clefmont (52) .... 76 A 2
Buxières-lès-Froncles (52) .... 75 G 1
Buxières-lès-Mines (03) .... 119 G 2
Buxières-lès-Villiers (52) .... 75 F 2
Buxières-sous-les-Côtes (55) ... 36 B 5
Buxières-sous-Montaigut (63) 119 F 4
Buxières-sur-Arce (10) .... 74 C 2
Buxy (71) .... 108 D 5
Buy (60) .... 32 A 2
Buysscheure (59) .... 3 F 4
Buzan (09) .... 206 A 3
Buzançais (36) .... 103 H 3
Buzancy (02) .... 32 D 2
Buzancy (08) .... 19 F 5
Buzeins (12) .... 176 B 1
Buzet-sur-Baïse (47) .... 171 H 1
Buzet-sur-Tarn (31) .... 189 H 1
Buziet (64) .... 203 G 1
Buzignargues (34) .... 193 G 1
Buzon (65) .... 187 F 4
Buzy (64) .... 203 G 1
Buzy-Darmont (55) .... 20 B 5
By (25) .... 110 C 2
Byans-sur-Doubs (25) .... 110 C 1

C

Cabanac (65) .... 187 F 5
Cabanac-Cazaux (31) .... 205 G 2
Cabanac-et-Villagrains (33) ... 155 F 3
Cabanac-Séguenville (31) .... 188 D 1
La Cabanasse (66) .... 211 H 4
Les Cabanès (12) .... 175 E 2
Les Cabanes (34) .... 193 G 2
Les Cabanès (81) .... 190 B 1
Les Cabanes-de-Fitou (11) .... 209 F 4
Le Cabanial (31) .... 190 A 3
Les Cabannes (09) .... 207 E 5
Cabannes (13) .... 179 F 5
Les Cabannes (81) .... 174 C 3
Cabara (33) .... 155 H 1
Cabariot (17) .... 126 D 1
Cabas-Loumassès (32) .... 188 A 4
Cabasse (83) .... 197 E 3
Cabasson (83) .... 201 G 3
Le Cabellou (29) .... 61 H 4
Cabestany (66) .... 213 F 2
Cabidos (64) .... 186 B 3
Cabourg (14) .... 27 G 2
Cabrerets (46) .... 158 D 4
Cabrerolles (34) .... 192 A 3
Cabrespine (11) .... 191 E 4
Cabrières (30) .... 178 C 4
Cabrières (34) .... 192 C 3
Cabrières-d'Aigues (84) .... 180 B 5
Cabrières-d'Avignon (84) .... 179 H 4
Cabriès (13) .... 195 H 3
Cabris (06) .... 198 D 1
Cachan (32) .... 188 B 3
Cachan (94) .... 51 F 1
Cachan (30) .... 177 G 3
Cachen (40) .... 170 D 3
Cachy (80) .... 15 G 2
Cadalen (81) .... 174 C 4
Cadarcet (09) .... 206 D 3
Cadarsac (33) .... 155 G 1
Cadaujac (33) .... 155 F 2
Cadéac (65) .... 205 E 4
Cadeilhan (32) .... 172 C 3
Cadeilhan-Trachère (65) .... 204 D 4
Cadeillan (32) .... 188 B 4
Cademène (25) .... 110 D 1
Caden (56) .... 82 B 1
Les Cadeneaux (13) .... 195 H 4
Cadenet (84) .... 195 H 1
Caderousse (84) .... 179 E 3
Cadeuil (17) .... 126 C 3
La Cadière-d'Azur (83) .... 196 B 5
La Cadière-et-Cambo (30) ... 177 G 4
Cadillac (33) .... 155 G 3
Cadillac-en-Fronsadais (33) ... 141 G 5
Cadillon (64) .... 186 D 3
Cadix (81) .... 175 F 4
Cadol (29) .... 62 A 4
Cadolive (13) .... 196 A 4
Cadouarn (56) .... 81 G 2
Cadouin (24) .... 157 G 2
Cadours (31) .... 188 D 1
Cadrieu (46) .... 159 E 4
Caen Ⓡ (14) .... 27 F 3
Caëstre (59) .... 3 G 4
Caffiers (62) .... 2 C 3
Cagnac-les-Mines (81) .... 174 D 4
Cagnano (2B) .... 215 G 2
Cagnes-sur-Mer (06) .... 199 F 1
Cagnicourt (62) .... 8 C 4
Cagnoncles (59) .... 8 D 4
Cagnotte (40) .... 185 F 2
Cagny (14) .... 27 G 3
Cagny (80) .... 15 F 2
Cahagnes (14) .... 25 H 4
Cahagnolles (14) .... 25 H 4
Cahaignes (27) .... 30 B 3
Cahan (61) .... 47 E 1

Caharet (65) .... 205 E 1
Cahon (80) .... 6 C 5
Cahors Ⓟ (46) .... 158 B 5
Cahus (46) .... 145 E 5
Cahuzac (11) .... 207 G 1
Cahuzac (47) .... 157 E 3
Cahuzac (81) .... 190 B 4
Cahuzac-sur-Adour (32) .... 187 E 2
Cahuzac-sur-Vère (81) .... 174 C 4
Caignac (31) .... 189 H 5
Le Cailar (30) .... 193 H 2
Cailhau (11) .... 207 H 1
Cailhavel (11) .... 207 H 1
Cailla (11) .... 208 A 4
Caillac (46) .... 158 B 4
Caillavet (32) .... 187 G 1
Cailleville (76) .... 13 E 2
La Caillère (85) .... 100 B 5
Cailloël-Crépigny (02) .... 16 C 4
Caillouet-Orgeville (27) .... 29 H 4
Cailloux-sur-Fontaines (69) ... 136 B 2
Cailly (76) .... 13 H 4
Cailly-sur-Eure (27) .... 29 G 3
La Caine (14) .... 27 E 4
Cairanne (84) .... 179 F 2
Le Caire (04) .... 166 B 5
Cairon (14) .... 27 F 2
Caisnes (60) .... 16 C 5
Caissargues (30) .... 178 C 5
Caix (80) .... 15 H 2
Caixas (66) .... 212 D 3
Caixon (65) .... 187 E 4
Cajarc (46) .... 159 E 5
Cala Rossa (2A) .... 219 G 3
Calacuccia (2B) .... 216 D 2
Calais ⌖ (62) .... 2 C 2
Calamane (46) .... 158 B 4
Calan (56) .... 62 D 5
Calanhel (22) .... 42 C 5
Les Calans (13) .... 194 D 1
Calas (13) .... 195 H 3
Calavanté (65) .... 204 D 1
Calcatoggio (2A) .... 216 C 5
Calce (66) .... 209 E 5
Caldégas (66) .... 211 G 4
Calenzana (2B) .... 214 C 5
Calès (24) .... 157 F 1
Calès (46) .... 158 C 2
Calignac (47) .... 172 A 3
Caligny (61) .... 47 E 1
Callac (22) .... 42 D 5
Callac (56) .... 81 H 1
Callas (83) .... 197 G 2
Callen (40) .... 170 C 1
Callengeville (76) .... 14 B 2
Calleville (27) .... 29 E 3
Calleville-les-Deux-Églises (76) .... 13 G 3
Callian (32) .... 187 G 2
Callian (83) .... 198 C 1
Calmeilles (66) .... 212 D 3
Calmels-et-le-Viala (12) .... 175 H 4
La Calmette (30) .... 178 B 4
Calmon (81) .... 190 D 3
Calmont (12) .... 175 G 2
Calmont (31) .... 189 G 5
Calmoutier (70) .... 95 F 1
Caloire (42) .... 148 D 1
Calonges (47) .... 156 C 5
Calonne-Ricouart (62) .... 7 H 1
Calonne-sur-la-Lys (62) .... 3 G 5
Calorguen (22) .... 44 D 4
La Calotterie (62) .... 6 C 1
Caluire-et-Cuire (69) .... 136 B 3
Calvi ⌖ (2B) .... 214 B 5
Calviac (46) .... 159 F 1
Calviac-en-Périgord (24) .... 158 B 1
Calvignac (46) .... 158 D 5
Calvinet (15) .... 159 H 2
Calvisson (30) .... 193 H 1
Calzan (09) .... 207 F 2
Camalès (65) .... 187 E 4
Camarade (09) .... 206 C 2
Camarès (12) .... 176 A 5
Camaret-sur-Aigues (84) .... 179 F 2
Camaret-sur-Mer (29) .... 41 E 5
Camarsac (33) .... 155 G 1
Cambayrac (46) .... 158 A 5
La Cambe (14) .... 23 G 5
Cambernon (50) .... 24 D 3
Cambernard (31) .... 189 E 3
Cambes (33) .... 155 F 2
Cambes (46) .... 159 E 3
Cambes (47) .... 156 C 3
Cambes-en-Plaine (14) .... 27 F 2
Cambia (2B) .... 217 E 3
Cambiac (31) .... 190 A 3
Cambieure (11) .... 207 H 2
Camblain-Châtelain (62) .... 7 H 1
Camblain-l'Abbé (62) .... 8 A 2
Camblanes-et-Meynac (33) ... 155 F 2
Cambligneul (62) .... 7 H 2
Cambo-les-Bains (64) .... 184 D 4
Cambon (81) .... 175 E 5
Cambon-et-Salvergues (34) .. 191 G 2
Cambon-lès-Lavaur (81) .... 190 A 2
Camboulazet (12) .... 175 F 2
Camboulit (46) .... 159 F 4
Cambounès (81) .... 191 E 2

Cambounet-sur-le-Sor (81) ... 190 C 3
Le Cambout (22) .... 63 H 3
Cambrai ⌖ (59) .... 8 D 4
Cambremer (14) .... 27 H 3
Cambrin (62) .... 4 A 5
Cambron (80) .... 6 D 5
Cambronne-lès-Clermont (60) . 31 F 2
Cambronne-lès-Ribécourt (60) 16 B 5
Camburat (46) .... 159 F 3
Came (64) .... 185 F 3
Camélas (66) .... 212 D 3
Camelin (02) .... 16 C 5
Camembert (61) .... 28 A 5
Camer (83) .... 82 B 3
Camérun (44) .... 82 B 3
Cametours (50) .... 25 E 3
Camiac-et-St-Denis (33) ... 155 G 2
Camiers (62) .... 6 C 1
Camiran (33) .... 156 A 3
Camjac (12) .... 175 F 2
Camlez (22) .... 43 E 2
Camoël (56) .... 82 A 2
Camoins-les-Bains (13) .... 196 A 5
Camon (09) .... 207 G 3
Camon (80) .... 15 F 2
Camont (80) .... 178 A 2
Camors (56) .... 63 F 5
Camou-Cihigue (64) .... 202 D 1
Camous (65) .... 205 E 3
Campagna-de-Sault (11) .... 207 H 5
Campagnac (12) .... 161 E 5
Campagnac (24) .... 158 A 3
Campagnac-les-Quercy (24) 158 A 3
Campagnan (34) .... 192 D 3
Campagne (24) .... 157 G 1
Campagne (34) .... 193 G 1
Campagne (40) .... 169 H 5
Campagne (60) .... 16 B 4
Campagne-d'Armagnac (32) .. 171 F 5
Campagne-lès-Boulonnais (62) .... 2 D 5
Campagne-lès-Guines (62) ... 2 C 3
Campagne-lès-Hesdin (62) ... 6 D 2
Campagne-lès-Wardrecques (62) .... 3 F 4
Campagne-sur-Arize (09) .... 206 C 2
Campagne-sur-Aude (11) .... 208 A 3
Campagnolles (14) .... 25 G 5
Campan (65) .... 204 D 2
Campana (2B) .... 217 F 1
Campandré-Valcongrain (14) . 27 E 4
Camparan (65) .... 205 E 4
Campbon (44) .... 82 D 3
Campeaux (14) .... 25 G 5
Campeaux (60) .... 14 C 4
Campel (35) .... 64 D 3
Campénéac (56) .... 64 B 3
Campes (81) .... 174 C 3
Campestre-et-Luc (30) .... 176 D 4
Campet-et-Lamolère (40) .... 169 H 4
Camphin-en-Carembault (59) .. 4 C 5
Camphin-en-Pévèle (59) .... 4 D 4
Campi (2B) .... 217 G 2
Campigneulles-les-Grandes (62) .... 6 C 2
Campigneulles-les-Petites (62) .. 6 C 2
Campigny (14) .... 25 H 2
Campigny (27) .... 28 C 2
Campile (2B) .... 215 F 5
Campistrous (65) .... 205 E 1
Campitello (2B) .... 215 F 5
Camplong (34) .... 192 A 2
Camplong-d'Aude (11) .... 208 D 2
Campneuseville (76) .... 14 B 2
Campo (2A) .... 218 D 1
Campôme (66) .... 212 B 3
Campouriez (12) .... 160 B 3
Campoussy (66) .... 208 C 5
Campremy (60) .... 15 F 4
Camprond (50) .... 25 E 3
Camps-en-Amiénois (80) .... 14 D 2
Camps-la-Source (83) .... 197 E 4
Camps-St-Mathurin-Léobazel (19) .... 145 F 5
Camps-sur-l'Agly (11) .... 208 B 4
Camps-sur-l'Isle (33) .... 142 A 5
Campsas (82) .... 173 G 5
Campsegret (24) .... 143 E 5
Campuac (12) .... 160 B 4
Campugnan (33) .... 141 F 3
Campuzan (65) .... 187 H 5
Camurac (11) .... 207 G 4
Can Damoun (66) .... 212 D 5
Can Parterre (66) .... 212 D 4
Canale-di-Verde (2B) .... 217 G 2
Canals (82) .... 173 G 5
Canaples (80) .... 7 F 5
Canappeville (27) .... 29 G 3
Canapville (14) .... 28 A 2
Canapville (61) .... 28 B 5
Canari (2B) .... 215 F 2
Canaules-et-Argentières (30) .... 178 A 4
Canavaggia (2B) .... 215 F 5
Canaveilles (66) .... 212 A 4
Cancale (35) .... 45 E 2
Canchy (14) .... 23 G 5
Canchy (80) .... 6 D 4
Cancon (47) .... 157 E 4
Candas (80) .... 7 F 5
Candé (49) .... 84 A 2

Candé-sur-Beuvron (41) .... 87 G 3
Candes-St-Martin (37) .... 85 H 5
Candiac (30) .... 194 A 1
Candillargues (34) .... 193 G 2
Candor (60) .... 16 B 4
Candresse (40) .... 185 G 1
Canehan (76) .... 14 A 1
Canéjan (33) .... 155 F 2
Canens (31) .... 206 C 1
Canenx-et-Réaut (40) .... 170 D 3
Canet (11) .... 209 E 1
Canet (34) .... 192 D 2
Canet-de-Salars (12) .... 175 H 2
Canet-en-Roussillon (66) .... 209 F 5
Canet-Plage (66) .... 209 F 5
Canettemont (62) .... 7 G 3
Cangey (37) .... 87 F 3
Caniac-du-Causse (46) .... 158 D 3
Canihuel (22) .... 63 E 1
Canilhac (48) .... 161 E 5
Canisy (50) .... 25 F 3
Canlers (62) .... 7 F 1
Canly (60) .... 31 H 1
Cannectancourt (60) .... 16 B 5
Cannelle (2A) .... 216 C 4
Cannelle (2B) .... 215 F 1
Cannes (06) .... 199 E 2
Cannes-Écluse (77) .... 52 B 5
Cannes-et-Clairan (30) .... 178 A 5
Cannessières (80) .... 14 C 1
Le Cannet (06) .... 199 E 2
Cannet (32) .... 187 E 2
Le Cannet-des-Maures (83) .. 197 F 4
Canny-sur-Matz (60) .... 16 A 4
Canny-sur-Thérain (60) .... 14 C 4
Canohès (66) .... 213 E 2
Le Canon (33) .... 154 A 2
La Canonica (Ancienne Cathédrale de) (2B) .... 215 G 5
La Canourgue (48) .... 161 F 5
Canouville (76) .... 12 D 2
Cantaing-sur-Escaut (59) .... 8 D 4
Cantaous (65) .... 205 E 3
Cantaron (06) .... 183 F 5
Canté (09) .... 189 G 5
Canteleu (76) .... 13 G 5
Canteleux (62) .... 7 G 4
Canteloup (27) .... 27 G 3
Canteloup (50) .... 23 E 2
Cantenac (33) .... 141 E 4
Cantenay-Épinard (49) .... 84 D 2
Cantiers (27) .... 30 A 2
Cantigny (80) .... 15 G 4
Cantillac (24) .... 143 E 1
Cantin (59) .... 8 C 3
Cantobre (12) .... 176 D 3
Cantoin (12) .... 160 C 1
Cantois (33) .... 155 H 2
Canville-la-Rocque (50) .... 22 C 5
Canville-les-Deux-Églises (76) . 13 F 3
Cany-Barville (76) .... 13 E 2
Caorches-St-Nicolas (27) .... 28 C 4
Caours (80) .... 6 D 5
Cap Blanc-Nez (62) .... 2 B 2
Cap-d'Ail (06) .... 183 G 5
Cap Ferret (33) .... 154 A 3
Cap Gris-Nez (62) .... 2 A 3
Cap-Martin (06) .... 183 G 5
Capbis (64) .... 203 H 1
Capbreton (40) .... 184 D 1
Capdenac (46) .... 159 F 4
Capdenac-Gare (12) .... 159 F 4
Capdrot (24) .... 157 G 3
La Capelle (48) .... 161 F 5
La Capelle (59) .... 9 F 3
La Capelle-Balaguier (12) .... 159 E 5
La Capelle-Bleys (12) .... 174 D 1
La Capelle-Bonance (12) .... 160 D 5
La Capelle-et-Masmolène (30) .... 178 D 3
Capelle-Fermont (62) .... 7 H 3
La Capelle-lès-Boulogne (62) . 2 B 4
Capelle-les-Grands (27) .... 28 C 4
Capelle-lès-Hesdin (62) .... 7 E 3
Capendu (11) .... 208 C 1
Capens (31) .... 189 E 5
Capestang (34) .... 192 A 5
Caphan (13) .... 194 D 2
Capian (33) .... 155 G 2
Capinghem (59) .... 4 B 3
Caplong (33) .... 156 B 2
Capoulet-et-Junac (09) .... 207 E 4
Cappel (57) .... 37 H 3
Cappelle-Brouck (59) .... 3 E 3
Cappelle-en-Pévèle (59) .... 4 D 5
Cappelle-la-Grande (59) .... 3 F 2
Cappy (80) .... 16 A 1
Captieux (33) .... 171 E 1
Capula (Site de) (2A) .... 219 E 2
Capvern (65) .... 204 D 2
Capvern-les-Bains (65) .... 204 D 1
Les Carabins (13) .... 195 E 3
Caragoudes (31) .... 189 H 3
Caraman (31) .... 189 H 3
Caramany (66) .... 208 C 5
Carantec (29) .... 42 A 4
Carantilly (50) .... 25 E 3

Carayac (46) .... 159 E 4
Carbay (49) .... 65 H 5
Carbes (81) .... 190 C 2
Carbini (2A) .... 219 F 2
Carbon-Blanc (33) .... 155 F 1
Carbonne (31) .... 189 E 5
Carbuccia (2A) .... 216 D 4
Carcagny (14) .... 27 E 2
Carcanières (09) .... 207 H 5
Carcans (33) .... 140 C 4
Carcans-Plage (33) .... 140 B 4
Carcarès-Ste-Croix (40) .... 169 G 5
Carcassonne Ⓟ (11) .... 208 B 1
Carcès (83) .... 197 E 3
Carcheto-Brustico (2B) .... 217 G 1
Cardaillac (46) .... 159 F 3
Cardan (33) .... 155 G 3
Cardeilhac (31) .... 205 G 1
Cardesse (64) .... 186 A 5
Cardet (30) .... 178 A 3
Cardo-Torgia (2A) .... 218 D 1
Cardonnette (80) .... 15 G 1
Le Cardonnois (80) .... 15 G 4
Cardonville (14) .... 23 F 5
Cardroc (35) .... 45 E 5
Careil (44) .... 82 A 4
Carelles (53) .... 46 C 5
Carency (62) .... 8 A 2
Carennac (46) .... 158 D 1
Carentan (50) .... 25 E 1
Carentoir (56) .... 64 C 4
Cargèse (2A) .... 216 B 4
Cargiaca (2A) .... 219 E 2
Carhaix-Plouguer (29) .... 62 C 1
Carignan (08) .... 19 G 4
Carignan-de-Bordeaux (33) .. 155 F 1
Carisey (89) .... 73 G 4
Carla-Bayle (09) .... 206 D 1
Carla-de-Roquefort (09) .... 207 F 2
Le Carlaret (09) .... 207 F 2
Carlat (15) .... 160 A 1
Carlencas-et-Levas (34) .... 192 B 2
Carlepont (60) .... 16 B 5
Carling (57) .... 21 H 5
Carlipa (11) .... 190 C 5
Carlucet (24) .... 144 A 5
Carlucet (46) .... 158 C 2
Carlus (81) .... 174 D 5
Carlux (24) .... 158 B 1
Carly (62) .... 2 B 5
Carmaux (81) .... 174 D 3
Carnac (56) .... 81 E 2
Carnac-Plage (56) .... 81 E 3
Carnac-Rouffiac (46) .... 158 A 5
Carnas (30) .... 177 H 5
La Carneille (61) .... 47 E 1
Carnet (50) .... 45 H 3
Carnetin (77) .... 31 H 5
Carneville (50) .... 22 D 2
Carnières (59) .... 9 E 4
Carnin (59) .... 4 B 4
Carniol (04) .... 180 C 4
Carnoët (22) .... 42 C 5
Carnon-Plage (34) .... 193 G 3
Carnoules (83) .... 197 F 4
Carnoux-en-Provence (13) .. 196 A 5
Carnoy (80) .... 16 A 1
Caro (56) .... 64 B 4
Caro (64) .... 202 B 5
Carolles (50) .... 45 G 1
Caromb (84) .... 179 G 3
Carpentras Ⓟ (84) .... 179 G 3
Carpineto (2B) .... 217 G 1
Carpiquet (14) .... 27 F 3
Carquebut (50) .... 23 E 5
Carquefou (44) .... 83 G 4
Carqueiranne (83) .... 201 F 4
La Carquois (22) .... 44 B 2
Carrépuis (80) .... 16 A 3
Carrère (64) .... 186 C 3
Carresse (64) .... 185 F 3
Carrières-sous-Poissy (78) .. 30 D 5
Carrières-sur-Seine (78) .... 31 E 5
Carro (13) .... 195 E 4
Carros (06) .... 183 E 5
Carrouges (61) .... 47 G 3
Les Carroz-d'Arâches (74) .. 125 F 3
Cars (33) .... 141 E 3
Les Cars (87) .... 129 H 4
Carsac-Aillac (24) .... 158 A 1
Carsac-de-Gurson (24) .... 142 B 5
Carsan (30) .... 178 D 2
Carsix (27) .... 28 D 3
Carspach (68) .... 97 F 1
Cartelègue (33) .... 141 E 3
Carticasi (2B) .... 217 F 1
Cartignies (59) .... 9 H 5
Cartigny (80) .... 16 B 1
Cartigny-l'Épinay (14) .... 25 G 2
Carves (24) .... 157 H 2
Carville (14) .... 25 H 5
Carville-la-Folletière (76) .... 13 F 4
Carville-Pot-de-Fer (76) .... 13 E 3
Carvin (62) .... 4 B 5
Casabianca (2B) .... 217 F 1
Casaglione (2A) .... 216 C 4
Casalabriva (2A) .... 218 D 2
Casalta (2B) .... 217 G 1
Casamaccioli (2B) .... 216 D 2

Casamozza (2B) .... 215 G 5
Casanova (2B) .... 217 E 2
Casardo (Col de) (2B) .... 217 F 2
Casatorra (2B) .... 215 G 4
Cascastel-des-Corbières (11) . 209 E 1
Casefabre (66) .... 212 D 3
Caseneuve (84) .... 180 B 4
Cases-de-Pène (66) .... 209 E 5
Casevecchie (2B) .... 217 G 3
Cassaber (64) .... 185 F 3
Cassagnabère-Tournas (31) .. 205 H 1
Cassagnas (48) .... 177 G 1
La Cassagne (24) .... 144 B 5
Cassagne (31) .... 206 A 2
Cassagnes (46) .... 157 H 4
Cassagnes (66) .... 208 D 5
Cassagnes-Bégonhès (12) ... 175 G 2
Cassagnoles (30) .... 178 A 4
Cassagnoles (34) .... 191 F 4
La Cassaigne (11) .... 207 H 1
Cassaigne (32) .... 172 A 4
Cassaignes (11) .... 208 A 3
Cassaniouze (15) .... 159 H 3
Cassano (2B) .... 214 C 5
Cassel (59) .... 3 F 4
Casseneuil (47) .... 157 E 5
Les Cassés (11) .... 190 A 4
Cassignas (47) .... 172 D 1
La Cassine (08) .... 19 E 4
Cassis (13) .... 196 A 5
Casson (44) .... 83 F 3
Cassuéjouls (12) .... 160 C 2
Cast (29) .... 61 G 1
Castagnac (31) .... 206 C 1
Castagnède (31) .... 206 A 2
Castagnède (64) .... 185 F 3
Castagniers (06) .... 183 F 5
Castaignos-Souslens (40) .... 186 A 2
Castandet (40) .... 170 D 5
Castanet (12) .... 175 E 1
Castanet (48) .... 162 B 5
Castanet (81) .... 174 C 4
Castanet (82) .... 174 C 1
Castanet-le-Haut (34) .... 191 H 2
Castanet-Tolosan (31) .... 189 G 3
Castans (11) .... 191 E 4
Casteide-Cami (64) .... 186 A 4
Casteide-Candau (64) .... 186 A 3
Casteide-Doat (64) .... 187 E 4
Casteil (66) .... 212 B 4
Castel (80) .... 15 G 3
Castel-Sarrazin (40) .... 185 H 2
Castelbajac (65) .... 205 E 1
Castelbiague (31) .... 205 H 2
Castelculier (47) .... 172 C 2
Castelferrus (82) .... 173 E 4
Castelfranc (46) .... 158 A 4
Castelgaillard (31) .... 188 C 4
Castelginest (31) .... 189 F 2
Casteljaloux (47) .... 171 G 1
Castella (47) .... 172 C 1
Castellane ⌖ (04) .... 182 A 4
Castellar (06) .... 183 G 4
Le Castellard-Mélan (04) .... 181 F 2
Castellare-di-Casinca (2B) ... 215 G 5
Castellare-di-Mercurio (2B) ... 217 F 2
Le Castellet (04) .... 181 E 4
Le Castellet (83) .... 196 C 5
Castellet (84) .... 180 B 5
Castellet-lès-Sausses (04) ... 182 B 3
Castello-di-Rostino (2B) .... 215 F 5
Castelmary (12) .... 175 E 2
Castelmaurou (31) .... 189 G 2
Castelmayran (82) .... 173 F 3
Castelmoron-d'Albret (33) ... 156 A 3
Castelmoron-sur-Lot (47) .... 156 D 5
Castelnau-Barbarens (32) .... 188 B 2
Castelnau-Chalosse (40) .... 185 G 1
Castelnau-d'Anglès (32) .... 187 G 2
Castelnau-d'Arbieu (32) .... 172 C 5
Castelnau-d'Auzan-Labarrère (32) .... 171 G 4
Castelnau-de-Brassac (81) ... 191 E 2
Castelnau-de-Guers (34) .... 192 C 4
Castelnau-de-Lévis (81) .... 174 D 4
Castelnau-de-Mandailles (12) .... 160 D 4
Castelnau-de-Médoc (33) ... 140 D 4
Castelnau-de-Montmiral (81) .... 174 B 4
Castelnau-d'Estrétefonds (31) 189 F 1
Castelnau-Durban (09) .... 206 C 3
Castelnau-le-Lez (34) .... 193 F 2
Castelnau-Magnoac (65) .... 187 H 5
Castelnau-Montratier (46) ... 173 G 1
Castelnau-Pégayrols (12) .... 176 A 3
Castelnau-Picampeau (31) ... 188 C 5
Castelnau-Rivière-Basse (65) .... 187 E 2
Castelnau-sur-Gupie (47) .... 156 B 4
Castelnau-sur-l'Auvignon (32) .... 172 A 4
Castelnau-Tursan (40) .... 186 B 2
Castelnau-Valence (30) .... 178 B 4

A B C D E F G H I J K L M N O P Q R S T U V W X Y Z

Localité *(Département)*　　Page　Coordonnées

Castelnaud-
de-Gratecambe (47).......157 E 4
Castelnau-la-Chapelle (24) ..157 H 2
Castelnaudary (11).........190 B 5
Castelnavet (32)............187 F 2
Castelner (40)..............186 A 4
Castelnou (66)..............212 D 3
Castelpers (12).............175 F 3
Castelreng (11).............207 H 2
Castels (11)................157 H 1
Castelsagrat (82)...........173 E 2
Castelsarrasin ⟨S⟩ (82).....173 F 3
Castelvieilh (65)...........187 F 5
Castelviel (33).............155 H 3
Le Castéra (31)............188 D 2
Castéra-Bouzet (82)........172 D 4
Castéra-Lanusse (65).......204 D 1
Castéra-Lectourois (32)....172 B 4
Castéra-Lou (65)...........187 F 5
Castéra-Loubix (64).........187 E 4
Castéra-Verduzan (32).....172 A 5
Castéra-Vignoles (31)......188 B 5
Castéras (09)...............206 D 2
Casterets (65)..............187 H 5
Casterino (06)..............183 G 2
Castéron (32)...............172 D 5
Castet (64).................203 H 2
Castet-Arrouy (32).........172 C 4
Castetbon (64)..............185 H 4
Castétis (64)...............185 H 3
Castetnau-Camblong (64) ...185 H 4
Castetner (64)..............185 H 3
Castetpugon (64)...........186 C 2
Castets (40)................168 D 4
Castets-en-Dorthe (33).....155 H 4
Castex (09).................206 C 1
Castex (32).................187 G 4
Castex-d'Armagnac (32).....171 E 5
Casties-Labrande (31)......188 C 5
Castifao (2B)...............215 E 5
Castiglione (2B)...........217 E 1
Castillon (06)..............183 G 4
Castillon (14)...............25 H 4
Castillon (65)..............204 D 2
Castillon *(près de*
Arthez-de-Béarn) (64) ..186 A 3
Castillon
(près de Lembeye) (64) ..186 D 3
Castillon-de-Castets (33) ...155 H 4
Castillon-de-Larboust (31) ..205 F 4
Castillon-de-St-Martory (31) ..205 H 1
Castillon-Debats (32).......187 F 1
Castillon-du-Gard (30).....178 D 4
Castillon-en-Auge (14).......28 A 4
Castillon-
en-Couserans (09).......206 A 3
Castillon-la-Bataille (33) ....156 A 1
Castillon-Massas (32)......187 H 1
Castillon-Savès (32)........188 C 3
Castillonnès (47)...........157 E 5
Castilly (14)................25 G 2
Castin (32).................187 H 1
Castineta (2B).............217 F 1
Castirla (2B)...............217 E 1
Castres (02)................16 D 2
Castres ⟨S⟩ (81)...........190 C 4
Castres-Gironde (33).......155 F 2
Castries (34)...............193 G 4
Le Cateau-Cambrésis (59)...9 F 5
Le Catelet (02).............16 D 1
Le Catelier (76)............13 H 3
Catenay (76)...............13 H 5
Catenoy (60)...............31 G 1
Cateri (2B).................214 C 5
Cathervielle (31)...........205 F 4
Catheux (60)...............15 E 4
Catigny (60)...............16 B 4
Catillon-Fumechon (60) ...15 G 5
Catillon-sur-Sambre (59)....9 F 5
Catllar (66)................212 B 3
Catonvielle (32)...........188 C 4
Cattenières (59)............9 E 4
Cattenom (57)..............21 E 3
Catteville (50).............22 C 4
Catus (46).................158 B 4
Catz (50)..................23 F 5
Caubeyres (47).............171 H 1
Caubiac (31)...............188 D 1
Caubios-Loos (64).........186 B 4
Caubon-St-Sauveur (47) ...156 B 3
Caubous (31)...............195 G 1
Caubous (65)...............187 H 5
Caucalières (81)...........190 D 3
La Cauchie (62)............7 H 4
Cauchy-à-la-Tour (62).......7 H 1
Caucourt (62)..............7 H 4
Caudan (56)...............62 D 5
Caudebec-en-Caux (76) ....13 E 5
Caudebec-lès-Elbeuf (76)...29 F 2
Caudebronde (11)..........190 D 4
Caudecoste (47)...........172 C 3
Caudéran (33).............155 E 1
Caudeval (09)..............207 G 2
Caudiès-de-Conflent (66)...212 A 3
Caudiès-
de-Fenouillèdes (66) .....208 B 4
Caudon (24)...............158 A 1
Caudos (33)...............154 C 4

Caudrot (33)...............155 H 3
Caudry (59)................9 E 5
Cauffry (60)...............31 G 2
Caugé (27)................29 F 4
Cujac (31).................189 F 5
Caulaincourt (02).........16 C 2
Le Caule-Ste-Beuve (76) ...14 B 3
Caulières (80).............14 D 3
Caullery (59)..............9 E 5
Caulnes (22)..............44 C 5
Caumont (02)..............16 C 4
Caumont (09)..............206 B 2
Caumont (27)..............29 E 1
Caumont (32)..............186 D 1
Caumont (33)..............156 A 2
Caumont (62)..............7 E 3
Caumont-l'Éventé (14)......25 H 3
Caumont-sur-Durance (84) ..179 F 4
Caumont-sur-Garonne (47) ..156 B 5
Caumont-sur-Orne (14).....27 E 4
Cauna (40).................169 H 5
Caunay (79)................115 G 4
Cauneille (40).............185 F 2
Caunes-Minervois (11).....191 E 5
La Caunette (34)..........191 G 5
Caunette-sur-Lauquet (11)..208 B 2
Caunettes-en-Val (11).....208 C 2
Caupenne (40).............185 H 1
Caupenne-d'Armagnac (32) ..171 F 5
La Caure (51).............33 F 5
Caurel (22)...............63 F 2
Caurel (51)...............33 H 2
Cauria (Mégalithes de) (2A)..218 D 4
Cauro (2A).................216 D 5
Cauroir (59)...............8 D 4
Cauroy (08)................34 B 1
Cauroy-lès-Hermonville (51) ..33 G 1
Le Causé (82)..............188 C 1
Cause-de-Clérans (24).....157 E 1
Caussade (82).............173 H 2
Caussade-Rivière (65).....187 E 3
Causse-Bégon (30)........176 D 3
Causse-de-la-Selle (34) ....177 F 5
Caussens (32).............172 A 4
Causses-et-Veyran (34)....192 A 3
Caussidières (31)..........189 G 4
Caussignac (48)...........176 D 1
Caussiniojouls (34).......192 A 3
Caussols (06).............182 C 5
Caussou (09)..............207 F 5
Cauterets (65)............204 B 3
Cauverville-en-Roumois (27) ..28 D 1
Cauvicourt (14)...........27 G 4
Cauvignac (33)............155 H 5
Cauvigny (60)..............31 E 2
Cauville (14)..............27 E 5
Cauville-sur-Mer (76) .....12 B 4
Caux (34).................192 C 3
Caux-et-Sauzens (11)......208 A 1
Cauzac (47)...............172 D 1
Cavagnac (46)............144 D 5
Cavaillon (84)............179 G 5
Cavalaire-sur-Mer (83) ....197 H 5
Cavalerie (09)............33 E 1
La Cavalerie (12).........176 C 4
Cavalière (83)............201 H 3
Cavan (22)................42 D 3
Cavanac (11).............208 B 1
Cavarc (47)..............157 E 3
Caveirac (30)............178 B 5
Caves (11)................209 F 3
Cavignac (33)............141 G 4
Cavigny (50).............25 F 2
Cavillargues (30)........178 D 3
Cavillon (80)............15 E 1
Cavron-St-Martin (62) ....7 E 2
Caychax (09).............207 F 5
Cayeux-en-Santerre (80)...15 H 4
Cayeux-sur-Mer (80).......6 B 4
Le Caylar (34)...........176 D 5
Caylus (82)..............174 B 2
Cayrac (82)..............173 H 3
Cayres (43)..............162 A 4
Cayriech (82)............174 A 2
Le Cayrol (12)...........160 C 4
Cayrols (15).............159 G 1
Cayron (32)..............187 F 2
Cazac (31)...............188 C 5
Cazalis (40).............170 D 1
Cazalis (33).............186 A 2
Cazalrenoux (11).........207 G 1
Cazals (46)..............158 A 3
Cazals (82)..............174 A 3
Cazals-des-Baylès (09) ...207 G 2
Cazan (31)...............195 G 1
Cazaril-Laspènes (31)....205 F 4
Cazaril-Tamboure s (31) ..205 F 1
Cazarilh (65)............205 F 3
Cazats (33).............155 H 4
Cazaubon (32)...........171 F 4
Cazaugitat (33).........156 A 2
Cazaunous (31)..........205 G 3
Cazaux (09).............206 D 2
Cazaux (33).............154 B 4
Cazaux-d'Anglès (32) ....187 G 2
Cazaux-Debat (65).......205 E 4
Cazaux-Fréchet-
Anéran-Camors (65)....205 F 4
Cazaux-Layrisse (31).....205 F 4
Cazaux-Savès (32).......188 C 3
Cazaux-Villecomtal (32)...187 F 4
Cazavet (09).............206 A 3

Cazeaux-de-Larboust (31)...205 F 4
Cazedarnes (34).........192 A 4
Cazenave-Serres-
et-Allens (09)........207 E 4
Cazeneuve (32)..........171 G 5
Cazeneuve-Montaut (31) ...205 H 1
Cazères (31)............206 B 1
Cazères-sur-l'Adour (40) ..186 C 1
Cazes-Mondenard (82)....173 F 2
Cazevieille (34)..........193 F 1
Cazideroque (47)........157 G 5
Cazilhac (11)............208 B 1
Cazilhac (34)............177 F 4
Cazillac (46)............144 C 5
Cazoulès (24)............158 B 1
Cazouls-d'Hérault (34)...192 C 3
Cazouls-lès-Béziers (34)....192 A 4
Ceaucé (61)..............46 D 4
Ceaulmont (36)..........117 F 1
Céaux (50)...............45 H 2
Céaux-d'Allègre (43).....148 A 3
Ceaux-en-Couhé (86).....115 F 3
Ceaux-en-Loudun (86)....102 A 2
Cébazan (34)............191 H 4
Cébazat (63)............133 F 3
Ceffia (39).............123 F 3
Ceffonds (52)...........54 D 4
Ceignac (12)............175 G 1
Ceignes (01)............123 F 5
Ceilhes-et-Rocozels (34)...192 A 1
Ceillac (05).............167 G 2
Ceilloux (63)...........133 H 4
Ceintrey (54)...........57 E 3
Celas (30)..............178 A 3
La Celette (18).........105 G 5
La Celle (03)...........119 F 4
La Celle (18)...........105 G 4
Cellé (41)..............69 E 5
La Celle (63)...........132 B 2
La Celle (83)...........196 D 4
La Celle-Condé (18).....105 E 4
La Celle-Dunoise (23)....117 G 3
La Celle-en-Morvan (71)...108 A 2
La Celle-Guenand (37)....103 E 3
La Celle-les-Bordes (78)...50 D 4
Celle-Lévescault (86).....115 F 2
La Celle-sous-Chantemerle (51)..53 F 3
La Celle-sous-Gouzon (23)..118 B 4
La Celle-sous-Montmirail (02)..53 E 1
La Celle-St-Avant (37)....102 C 2
La Celle-St-Cloud (78) ....51 E 1
La Celle-St-Cyr (89).......72 D 4
La Celle-sur-Loire (58)....90 A 3
La Celle-sur-Morin (77) ...52 B 1
La Celle-sur-Nièvre (58)...90 C 5
Cellefrouin (16).........128 D 2
Celles (09).............207 E 3
Celles (15)..............146 B 4
Celles (17)..............127 G 4
Celles (24)..............142 D 2
Celles (34)..............192 C 2
Celles-en-Bassigny (52)...76 A 4
Celles-lès-Condé (02)....33 E 4
Celles-sur-Aisne (02).....33 E 1
Celles-sur-Belle (79).....114 C 4
Celles-sur-Durolle (63) ...134 A 2
Celles-sur-Ource (10)....74 B 3
Celles-sur-Plaine (88)....58 A 4
La Cellette (19).........132 B 4
La Cellette (23).........118 A 3
La Cellette (16).........128 B 2
Cellettes (41)...........87 H 3
Cellieu (42)............135 G 5
Cellier-du-Luc (07)......162 B 3
La Cellule (63)..........133 F 2
Celon (36)..............117 F 1
Celony (13).............195 H 2
Celoux (15)............147 F 4
Celsoy (52).............76 A 4
Cély (77)...............51 G 4
Cemboing (70).........76 C 4
Cempuis (60)...........14 D 4
Cénac (33)..............155 F 2
Cénac-et-St-Julien (24) ...158 A 2
Cenans (70)............95 E 3
Cendras (30)............178 A 4
Le Cendre (63).........133 F 4
Cendrecourt (70).......76 C 4
Cendrey (25)...........95 F 3
Cendrieux (24).........143 F 5
Cénevières (46)........158 D 5
Cenne-Monestiés (11) ....190 C 5
Cenomes (12)..........192 A 1
Cenon (33)............155 F 1
Cenon-sur-Vienne (86)...102 C 4
Censeau (39)...........111 E 3
Censerey (21)..........92 B 5
Censy (89).............91 H 1
Les Cent-Acres (76).....13 G 3
Centrès (12)...........175 F 2
Centuri (2B)............215 F 1
Centuri-Port (2B)......215 F 1
Cenves (69)............122 A 4
Cépet (31).............189 F 1
Cépie (11)..............208 A 2
Cepoy (45).............71 H 3
Céran (32)..............172 C 5
Cérans-Foulletourte (72)...67 H 5
Cerbère (66)............213 G 4
Cerbois (18)............104 D 1

Cercié (69)............122 A 5
Cercier (74)............124 B 5
Cercles (24)...........142 D 2
Cercottes (45).........70 C 4
Cercoux (17)..........141 H 4
Le Cercueil (61).......47 H 3
Cerdon (01)...........123 F 5
Cerdon (45)...........89 F 2
Cère (40).............169 H 4
Céré-la-Ronde (37).....87 G 5
Cerelles (37)..........86 D 3
Cérences (50).........24 D 5
Céreste (04)..........180 C 5
Céret ⟨S⟩ (66)........212 D 4
Cerfontaine (59).......10 A 2
Le Cergne (42).........121 G 5
Cergy (95)............30 D 4
Cergy-Pontoise (95)....30 D 4
Cérilly (03)...........119 F 1
Cérilly (21)...........74 C 4
Cérilly (89)...........73 F 3
Cerisé (61)...........48 A 4
Cerisières (52)........55 F 5
Cerisy (80)...........15 H 1
Cerisy-Belle-Étoile (61)...46 D 1
Cerisy-Buleux (80).....14 C 1
Cerisy-la-Forêt (50)....25 G 2
Cerisy-la-Salle (50)....25 E 4
Cerizay (79)..........100 C 3
Cérizols (09).........206 A 1
Cerizy (02)...........16 D 3
La Cerlangue (76).....12 C 5
La Cerleau (08).......18 C 2
Cernans (39)..........110 D 2
Cernay (14)...........28 B 4
Cernay (28)...........49 G 5
Cernay (68)...........78 C 4
Cernay (86)...........102 A 4
Cernay-en-Dormois (51)...34 D 2
Cernay-la-Ville (78)....50 D 2
Cernay-l'Église (25)....96 C 4
Cernay-lès-Reims (51)...33 H 2
Cerneux (77)..........52 D 2
Cernex (74)...........124 B 5
Cerniébaud (39).......111 E 4
Cernion (08)..........18 C 2
Cernon (39)...........123 G 2
Cernon (51)...........54 B 1
Cernoy (60)...........31 G 1
Cernoy-en-Berry (45)...89 H 2
Cerny (91)............51 F 4
Cerny-en-Laonnois (02)...33 F 1
Cerny-lès-Bucy (02).....17 E 4
Céron (71)............121 E 4
Cérons (33)...........155 G 3
Cerqueux (14)........28 B 4
Les Cerqueux (49).....100 D 2
Les Cerqueux-
sous-Passavant (49)...101 E 1
Cerre-lès-Noroy (70)...95 F 1
Cers (34).............192 B 5
Cersay (79)...........101 E 2
Cerseuil (02).........33 E 2
Cerseuil (51).........33 F 4
Cersot (71)...........108 D 5
Certilleux (88).......56 B 5
Certines (01).........123 E 5
Cervens (74)..........124 D 3
Cervières (05)........153 F 5
Cervières (42)........134 B 2
Cerville (54).........57 E 2
Cervione (2B).........217 G 2
Cervisy (55)..........19 G 5
Cervon (58)..........91 G 5
Cerzat (43)...........147 G 3
Cesancey (39)........110 A 5
Césarches (73).......138 C 3
Césarville-Dossainville (45)...71 E 1
Cescau (09)..........206 A 3
Cescau (64)..........186 B 4
Cesny-aux-Vignes (14)....27 G 4
Cesny-Bois-Halbout (14)...27 F 4
Cessac (33)..........155 H 2
Cessales (31)........189 H 4
Cesse (55)...........19 G 5
Cessenon-sur-Orb (34)....192 A 4
Cessens (73).........137 H 2
Cesseras (34)........191 G 5
Cesset (03)..........119 H 3
Cesseville (27).......29 F 3
Cessey (25)..........110 D 1
Cessey-sur-Tille (21).....93 G 4
Cessières (02).......17 E 5
Cessieu (38).........137 E 5
Cesson (22)..........43 H 4
Cesson (77)..........51 G 3
Cesson-Sévigné (35)....65 F 2
Cessoy-en-Montois (77)....52 C 4
Cessy (01)...........18 D 3
Cessy-les-Bois (58)....90 C 4
Cestas (33)..........155 E 2
Cestayrols (81)......174 C 4
Ceton (61)...........68 D 1
Cette-Eygun (64).....203 G 3
Céüze (05)...........166 A 4
Cevins (73)..........138 D 4
Ceyrac (30)..........177 H 4
Ceyras (34)..........192 C 2
Ceyrat (63)..........133 E 3

Ceyreste (13)..........196 B 5
Ceyroux (23)...........117 G 5
Ceyssac (43)...........148 A 5
Ceyssat (63)...........132 D 3
Ceyzériat (01).........123 E 4
Ceyzérieu (01).........137 G 2
Cézac (46).............173 G 1
Cézac (33).............141 G 4
Cezais (85)............113 G 1
Cézan (32).............172 B 5
Cézas (30).............177 G 4
Cezay (42).............134 C 3
Cézens (15)............146 C 5
Cézia (39).............123 G 2
Cézy (89)..............72 D 3
Chaban (79)...........114 B 3
Chabanais (16)........129 F 2
La Chabanne (03).......134 B 1
Chabert (84)...........179 F 2
Chabestan (05)........165 H 4
Chabeuil (26)..........164 C 1
Chabournay (86).......102 A 5
Chabrac (16)...........129 F 2
Chabreloche (63)......134 A 2
Chabrignac (19).......144 B 2
Chabrillan (26).......164 C 2
Chabris (36)...........88 B 5
Chacé (49).............85 G 5
Chacenay (10).........74 C 2
Chacrise (02)..........32 D 2
Chadeleuf (63).........133 F 5
Chadenac (17).........127 G 5
Chadenet (48).........161 H 4
Chadrac (43)..........148 B 4
Chadron (43)..........148 B 5
Chadurie (16).........128 B 5
Chaffal (26)..........164 D 1
Chaffois (25).........111 F 2
Chagey (70)...........95 H 1
Chagnon (42)..........135 G 5
Chagny (08)...........18 D 4
Chagny (71)...........109 E 3
Chahaignes (72).......86 C 2
Chahains (61).........47 G 3
Chaignay (21).........93 F 3
Chaignes (27).........30 A 4
Chail (79)............114 D 4
Chaillac (36).........116 D 2
Chaillac-sur-Vienne (87)...129 G 2
Chailland (53)........66 C 1
Chaillé-les-Marais (85)...113 F 2
Chaillé-sous-les-Ormeaux (85)..99 G 5
Chailles (41).........87 H 2
Chaillevette (17).....126 C 3
Chaillevois (02)......17 E 5
Chailley (89).........73 F 3
Chaillol 1600 (05)....166 C 2
Chaillon (55).........36 A 5
Chailloué (61)........48 A 2
Chailly-en-Bière (51)...51 G 4
Chailly-en-Brie (77)...52 C 1
Chailly-en-Gâtinais (45)...71 G 4
Chailly-lès-Ennery (57)...21 E 5
Chailly-sur-Armançon (21)..92 C 5
Chailvet (02).........17 E 5
Chainaz-les-Frasses (74)...138 A 3
Chaînée-des-Coupis (39) ...110 A 3
Chaingy (45).........70 B 4
Chaintré (71)........122 B 4
Chaintreaux (77)......71 H 1
Chaintreaux (77)......72 A 2
Chaintrix-Bierges (51)...33 H 5
La Chaise (10)........54 D 5
La Chaise-Baudouin (50)...46 A 1
La Chaise-Dieu (43)...148 A 2
Chaise-Dieu-du-Theil (27)...49 E 2
Chaix (85)............113 G 2
La Chaize-Giraud (85)...98 D 5
La Chaize-le-Vicomte (85)..99 H 5
Chalabre (11)........207 H 3
Chalagnac (24).......143 F 4
Chalain-d'Uzore (42)...134 D 4
Chalain-le-Comtal (42)...134 D 4
Chalaines (55)........56 B 3
Chalais (16)..........142 A 2
Chalais (24)..........129 G 5
Chalais (36)..........116 D 1
Chalais (86)..........101 H 2
Chalamont (01)........136 D 1
Chalampé (68)........79 E 4
Chalancey (52).......93 G 1
Chalancon (26).......165 E 4
Chalandray (86)......101 G 5
Chalandrey (50)......46 A 2
Chalandry (02).......17 F 3
Chalandry-Elaire (08)...18 D 3
Le Chalange (61).....48 B 3
Le Chalard (87)......129 H 5
Chalautre-la-Grande (77)...53 E 4
Chalautre-la-Petite (77)...52 D 4
Chalaux (58).........91 H 4
La Chaldette (48)....161 E 2
Chaleins (01)........135 H 1
Chalencon (07)......163 F 1
Les Chalesmes (39)...111 E 4
Chalets de Laval (05)...152 D 4

Châtelet-sur-Loing (45)...71 H 3
Chalette-sur-Voire (10)...54 B 4
Chaley (01)...........137 F 1
Chalezeule (25).......95 E 4
Chalèze (25)..........95 E 4
Chaliers (15).........147 F 5
Chalifert (77)........51 H 1
Chaligny (54).........56 D 2
Chalinargues (15)....146 D 4
Chalindrey (52)......75 H 5
Chalivoy-Milon (18)...105 H 3
Challain-la-Potherie (49)...84 A 1
Challans (85).........98 D 3
Challement (58)......91 E 4
Challerange (08).....34 D 2
Challes (72)..........68 B 4
Challes-la-Montagne (01)...123 F 5
Challes-les-Eaux (73)...138 A 5
Challet (28)..........49 H 3
Challex (01)..........124 A 4
Challignac (16)......142 A 1
Challonges (74)......124 A 5
Challuy (58).........106 C 3
Chalmaison (77).....52 C 4
Chalmazel-
Jeansagnière (42)....134 B 4
Chalmessin (52).....93 F 1
Chalmoux (71).......120 D 1
Chalo-St-Mars (91)...50 D 5
Le Chalon (26).......164 D 1
Chalon-sur-Saône ⟨S⟩ (71) ..109 E 4
Chalonnes-sous-le-Lude (49)..86 A 2
Chalonnes-sur-Loire (49)...84 C 4
Chalons (17).........126 C 3
Châlons-d'Aix (19)...132 A 4
Châlons-du-Maine (53)....66 D 2
Châlons-en-Champagne Ⓡ (51)34B 5
Châlons-sur-Vesle (51)...33 G 2
Châlonvillars (70)....96 C 1
Chalou-Moulineux (91)...50 D 5
La Chalp (05).........167 F 1
Chaltrait (51)........33 G 5
Chalus (63)...........147 F 1
Châlus (87)...........129 H 4
Chalvignac (15)......145 G 3
Chalvraines (52).....76 A 1
Chamadelle (33).....142 A 4
Chamagne (88).......57 E 4
Chamagnieu (38).....136 D 4
Chamalières (63).....133 E 3
Chamalières-sur-Loire (43)..148 B 3
Chamaloc (26)........165 F 1
Chamant (60).........31 H 3
Chamarande (91).....51 E 4
Chamarandes-Choignes (52)..75 G 2
Chamaret (26)........163 H 5
La Chamba (42).......134 B 3
Chambain (21)........75 E 5
Chambeire (21).......93 H 4
Chambellay (49).....84 D 1
Chambéon (42).......134 D 4
Chambérat (03).......118 C 2
Chamberaud (23).....131 F 1
Chamberet (19)......130 D 5
Chambéria (39)......123 G 2
Chambéry Ⓟ (73).....137 H 4
Chambeugle (89)....72 B 5
Chambezon (43)......147 F 2
Chambilly (71).......121 E 4
Chambley (71)........29 H 5
Chambles (27)........29 H 5
Chambles (42)........148 D 1
Chamblet (03).........119 E 3
Chambley-Bussières (54)...36 C 4
Chamblay (39)........110 B 2
Chamblac (28)........28 C 5
Chamblanc (21).......109 G 2
Chamblet (03)........119 E 3
Chambley (54)........36 C 4
Chamblay (39)........110 B 2
Chambly (60).........31 F 4
Chambœuf (21)......93 F 5
Chambœuf (42)......135 E 5
Chambois (61)........48 A 1
Chambolle-Musigny (21)...93 F 5
Le Chambon (07)......163 E 1
Chambon (17).........113 G 5
Chambon (18).........105 F 4
Chambon (30).........177 H 1
Chambon (37).........103 E 4
Le Chambon (43)......148 B 3
Le Chambon-
Feugerolles (42).....149 E 1
Chambon-la-Forêt (45)...71 F 3
Chambon-le-Château (48)..161 H 1
Chambon-Ste-Croix (23)...117 G 3
Chambon-sur-Cisse (41)...87 G 2
Chambon-sur-Dolore (63)..147 H 1
Chambon-sur-Lac (63)...132 D 5
Le Chambon-sur-Lignon (43)...148 D 4
Chambon-sur-Voueize (23)...118 C 4
Chambonas (07)......162 C 5
Chambonchard (23)...118 D 5
La Chambonie (63)....134 B 3
Chamborand (23).....117 F 5
Chambord (27)........28 D 5
Chambord (41)........88 A 2
Chamboret (87).......130 A 1
Chamborigaud (30)...177 H 1
Chambornay-
lès-Bellevaux (70)....95 E 3
Chambornay-lès-Pin (70)..94 D 4
Chambors (60)........30 C 2
Chambost-Allières (69)...135 F 1

Localité (Département) Page Coordonnées

231

Chambost-Longessaigne (69) 135 E 3
Chamboulive (19) 144 D 1
Chambourcy (78) 30 D 5
Chambourg-sur-Indre (37) 103 F 1
Chambray (27) 29 H 4
Chambray-lès-Tours (37) 86 D 4
La Chambre (73) 152 C 1
Chambrecy (51) 33 G 3
Les Chambres (50) 45 H 1
Chambretaud (85) 100 B 3
Chambrey (57) 57 F 1
Chambroncourt (52) 55 H 5
Chambroutet (79) 101 E 3
Chambry (02) 17 F 4
Chambry (77) 32 A 5
Chaméane (63) 133 H 5
Chamelet (69) 135 F 1
Chameroy (52) 75 G 5
Chamery (51) 33 G 3
Chamesey (25) 95 H 4
Chamesol (25) 96 C 3
Chamesson (21) 74 C 5
Chameyrat (19) 144 D 3
Chamigny (77) 32 C 5
Chamilly (71) 108 D 3
Chammes (53) 67 F 2
Chamole (39) 110 C 3
Chamonix-Mont-Blanc (74) 139 F 1
Chamouillac (17) 141 F 2
Chamouille (02) 17 F 5
Chamouilley (52) 55 F 3
Chamousset (73) 138 B 4
Chamoux (89) 91 F 3
Chamoux-sur-Gelon (73) 138 B 5
Chamoy (10) 73 H 2
Le Champ-de-la-Pierre (61) 47 G 3
Champ-d'Oiseau (21) 92 B 2
Champ-Dolent (27) 29 F 5
Champ-du-Boult (14) 46 B 1
Champ-Gerbeau (52) 55 E 3
Champ-Haut (61) 48 B 2
Champ-Laurent (73) 138 B 5
Champ-le-Duc (88) 77 H 1
Le Champ-près-Froges (38) 152 A 2
Le Champ-St-Père (85) 112 D 1
Champ-sur-Barse (10) 74 B 1
Champ-sur-Drac (38) 151 G 4
Le Champ-sur-Layon (49) 84 D 5
Champagnac (15) 145 H 2
Champagnac (17) 141 G 1
Champagnac-de-Belair (24) 143 F 1
Champagnac-la-Noaille (19) 145 F 2
Champagnac-la-Prune (19) 145 F 3
Champagnac-la-Rivière (87) 129 G 4
Champagnac-le-Vieux (43) 147 G 2
Champagnat (23) 131 H 1
Champagnat (71) 123 F 1
Champagnat-le-Jeune (63) 147 G 1
Champagne (07) 149 H 2
Champagne (17) 126 D 2
Champagne (28) 50 A 2
Champagne (69) 135 H 3
Champagné (72) 68 B 3
Champagne-en-Valromey (01) 137 G 2
Champagne-et-Fontaine (24) 142 C 1
Champagné-le-Sec (86) 115 E 4
Champagné-les-Marais (85) 113 E 2
Champagne-Mouton (16) 128 D 1
Champagné-St-Hilaire (86) 115 F 3
Champagne-sur-Loue (39) 110 C 1
Champagne-sur-Oise (95) 31 E 3
Champagne-sur-Seine (77) 52 A 5
Champagne-sur-Vingeanne (21) 93 H 3
Champagne-Vigny (16) 128 B 5
Champagneux (73) 137 G 4
Champagney (25) 94 D 4
Champagney (39) 94 A 5
Champagney (70) 77 H 5
Champagnier (38) 151 G 4
Champagnole (39) 110 D 4
Champagnolles (17) 127 E 5
Champagny (21) 93 E 3
Champagny-en-Vanoise (73) 139 E 5
Champagny-sous-Uxelles (71) 122 B 1
Champaissant (72) 68 C 1
Champallement (58) 91 E 5
Champanges (74) 125 E 2
Champaubert (51) 53 F 1
Champcella (05) 167 E 2
Champcenest (77) 52 C 2
Champcerie (61) 47 G 1
Champcervon (50) 45 H 1
Champcevinel (24) 143 F 3
Champcevrais (89) 90 B 1
Champcey (50) 45 G 1
Champclause (43) 148 D 5
Champcourt (52) 75 E 1
Champcueil (91) 51 G 4
Champdeniers-St-Denis (79) 114 B 2
Champdeuil (77) 51 H 3
Champdieu (42) 134 C 4
Champdivers (39) 109 H 2
Champdolent (17) 126 D 1
Champdor-Corcelles (01) 137 F 1
Champdôtre (21) 93 H 5
Champdray (88) 77 H 1
Champeau-en-Morvan (21) 92 A 5
Champeaux (35) 65 H 2
Champeaux (50) 45 G 1
Les Champeaux (61) 28 A 5
Champeaux (77) 52 A 3
Champeaux (79) 114 B 2
Champeaux-et-la-Chapelle-Pommier (24) 143 E 1
Champeaux-sur-Sarthe (61) 48 C 3
Champeix (63) 133 F 5
Champenard (27) 29 H 4
La Champenoise (36) 104 C 3
Champenoux (54) 57 F 1
Champéon (53) 47 E 5
Champerboux (48) 161 G 5
Champétières (63) 134 A 5
Champey (70) 95 H 1
Champey-sur-Moselle (54) 36 D 4
Champfleur (72) 48 A 5
Champfleury (10) 53 H 3
Champfleury (51) 33 H 3
Champforgeuil (71) 109 E 4
Champfrémont (53) 47 G 4
Champfromier (01) 123 H 4
Champgenéteux (53) 67 F 1
Champguyon (51) 53 E 2
Champhol (28) 50 A 4
Champien (80) 16 A 3
Champier (38) 150 D 1
Champigné (49) 84 D 1
Champignelles (89) 72 B 5
Champigneul-Champagne (51) 34 A 5
Champigneul-sur-Vence (08) 18 D 3
Champigneulle (08) 35 E 1
Champigneulles (54) 57 E 1
Champigneulles-en-Bassigny (52) 76 B 2
Champignol-lez-Mondeville (10) 74 D 2
Champignolles (21) 108 C 2
Champignolles (27) 29 E 5
Champigny (51) 33 G 2
Champigny (89) 72 C 1
Champigny-en-Beauce (41) 87 G 1
Champigny-la-Futelaye (27) 49 H 1
Champigny-le-Sec (86) 101 H 5
Champigny-lès-Langres (52) 75 H 4
Champigny-sous-Varennes (52) 76 B 4
Champigny-sur-Aube (10) 53 H 3
Champigny-sur-Marne (94) 51 G 1
Champigny-sur-Veude (37) 102 B 2
Champillet (36) 118 A 1
Champillon (51) 33 H 4
Champis (07) 149 G 5
Champlan (91) 51 F 2
Champlat-et-Boujacourt (51) 33 G 3
Champlay (89) 72 D 4
Champlecy (71) 121 G 2
Champlemy (58) 90 D 5
Champlin (08) 10 B 5
Champlin (58) 91 E 5
Champlitte (70) 94 A 1
Champlitte-la-Ville (70) 94 A 1
Champlive (25) 95 F 4
Champlost (89) 73 F 3
Champmillon (16) 128 A 4
Champmotteux (91) 51 F 5
Champnétery (87) 130 C 3
Champneuville (55) 35 G 2
Champniers (16) 128 C 3
Champniers (86) 115 F 4
Champniers-et-Reilhac (24) 129 F 4
Champoléon (05) 166 C 2
Champoly (42) 134 B 2
Champosoult (61) 28 A 5
Champougny (55) 56 B 3
Champoulet (45) 90 A 1
Champoux (25) 95 E 4
Champrenault (21) 92 D 4
Champrepus (50) 45 H 1
Champrond (72) 68 D 3
Champrond-en-Gâtine (28) 49 F 5
Champrond-en-Perchet (28) 69 E 1
Champrougier (39) 110 A 3
Champs (02) 16 D 5
Champs (61) 48 C 3
Champs (63) 133 E 1
Les Champs-de-Losque (50) 25 E 2
Les Champs-Géraux (22) 44 D 4
Champs-Romain (24) 129 F 5
Champs-sur-Marne (77) 51 G 1
Champs-sur-Tarentaine-Marchal (15) 146 A 1
Champs-sur-Yonne (89) 91 F 1
Champsac (87) 129 G 4
Champsanglard (23) 117 H 4
Champsecret (61) 47 E 3
Champseru (28) 50 B 4
Champsevraine (52) 76 A 5
Champsiaux (87) 130 A 5
Champtercier (04) 181 F 2
Champtocé-sur-Loire (49) 84 B 3
Champtoceaux (49) 83 H 4
Champtonnay (70) 94 B 3
Champvallon (89) 72 D 4
Champvans (39) 110 A 1
Champvans (70) 94 B 3
Champvans-les-Moulins (25) 94 D 4
Champvert (58) 107 E 4
Champvoisy (51) 33 F 3
Champvoux (58) 106 B 1
Chamrousse (38) 151 H 3
Chamvres (89) 72 D 4
Chanac (48) 161 F 5
Chanac-les-Mines (19) 145 E 3
Chanaleilles (43) 161 G 1
Chanas (38) 149 H 2
Chanat-la-Mouteyre (63) 133 E 3
Chanay (01) 137 G 1
Chanaz (73) 137 G 2
Chançay (37) 87 E 3
Chancé (35) 65 H 3
Chanceaux (21) 92 D 2
Chanceaux-près-Loches (37) 103 E 1
Chanceaux-sur-Choisille (37) 86 D 3
Chancelade (24) 143 E 3
Chancenay (52) 55 F 2
Chancey (70) 94 B 4
Chancia (39) 123 G 3
Chandai (61) 48 D 2
Chandelles (28) 50 A 3
Chandolas (07) 162 D 5
Chandon (42) 121 F 5
Chanéac (07) 149 E 5
Chaneins (01) 122 B 5
Chânes (01) 136 C 2
Chânes (71) 122 B 4
Le Change (24) 143 G 3
Changé (53) 66 C 2
Change (71) 108 D 3
Changé (72) 68 B 3
Changey (52) 75 H 4
Changis-sur-Marne (77) 32 B 5
Changy (42) 120 D 5
Changy (51) 54 D 1
Changy-Tourny (71) 121 G 2
Chaniat (43) 147 G 2
Chaniaux (48) 162 B 3
Chaniers (17) 127 F 3
Channay (21) 74 B 4
Channay-sur-Lathan (37) 86 A 3
Channes (10) 74 A 4
Chanonat (63) 133 F 4
Chanos-Curson (26) 149 H 4
Chanousse (05) 165 G 5
Chanoy (52) 75 H 4
Chanoz-Châtenay (01) 122 D 4
Chanteau (45) 70 D 4
Chantecoq (45) 72 B 3
Chantecorps (79) 114 C 1
Chanteheux (54) 57 G 2
Chanteix (19) 144 D 2
Chantelle (03) 119 H 4
Chanteloube (87) 130 B 1
Chanteloup (27) 49 F 1
Chanteloup (35) 65 F 3
Chanteloup (50) 24 D 5
Chanteloup (79) 100 D 4
Chanteloup-en-Brie (77) 51 H 1
Chanteloup-les-Bois (49) 100 C 1
Chanteloup-les-Vignes (78) 30 D 5
Chantelouve (38) 152 A 5
Chantemerle (05) 153 E 5
Chantemerle (51) 53 F 3
Chantemerle-les-Blés (26) 149 H 4
Chantemerle-lès-Grignan (26) 163 H 5
Chantemerle-sur-la-Soie (17) 127 E 1
Chantenay (44) 83 F 5
Chantenay-St-Imbert (58) 106 C 5
Chantenay-Villedieu (72) 67 G 4
Chantepie (35) 65 F 2
Chantérac (24) 142 D 3
Chanterelle (15) 146 C 2
Chantes (70) 94 D 1
Chantesse (38) 151 F 2
Chanteuges (43) 147 H 4
Chantillac (16) 141 H 2
Chantilly (60) 31 G 3
Chantôme (36) 117 F 2
Chantonnay (85) 100 A 5
Chantraine (88) 77 F 1
Chantraines (52) 75 G 1
Chantrans (25) 111 E 1
Chantrezac (16) 129 E 2
Chantrigné (53) 47 E 4
Chanu (61) 46 D 2
Chanville (57) 37 F 4
Chanzeaux (49) 84 D 5
Chaon (25) 111 F 3
Chaon (41) 89 E 2
Chaouilley (54) 56 D 4
Chaource (10) 74 A 3
Chaourse (02) 17 H 3
Chapaize (71) 122 B 1
Chapareillan (38) 138 A 5
Chaparon (74) 138 B 2
Chapdes-Beaufort (63) 132 D 2
Chapdeuil (24) 142 D 2
Chapeau (03) 120 B 2
Chapeauroux (48) 162 A 1
Chapeiry (74) 138 A 2
Chapelaine (51) 54 C 3
La Chapelaude (03) 118 D 2
La Chapelle (03) 120 B 5
La Chapelle (08) 19 F 3
La Chapelle (16) 128 B 2
La Chapelle (19) 145 G 1
La Chapelle (73) 152 C 1
La Chapelle (89) 72 C 1
La Chapelle-en-Vexin (95) 30 B 3
La Chapelle-Achard (85) 99 E 5
La Chapelle-Agnon (63) 134 A 4
La Chapelle-Anthenaise (53) 66 D 2
La Chapelle-au-Mans (71) 107 H 5
La Chapelle-au-Moine (61) 47 E 2
La Chapelle-au-Riboul (53) 47 E 5
La Chapelle-Aubareil (24) 144 A 5
La Chapelle-Aubry (49) 84 B 5
La Chapelle-aux-Bois (88) 77 F 2
La Chapelle-aux-Brocs (19) 144 D 4
La Chapelle-aux-Chasses (03) 107 E 5
La Chapelle-aux-Choux (72) 86 A 1
La Chapelle-aux-Filtzméens (35) 45 E 4
La Chapelle-aux-Lys (85) 100 C 5
La Chapelle-aux-Naux (37) 86 B 4
La Chapelle-aux-Saints (19) 144 D 5
La Chapelle-Baloue (23) 117 F 3
La Chapelle-Basse-Mer (44) 83 H 4
La Chapelle-Bâton (17) 127 F 1
La Chapelle-Bâton (79) 114 B 2
La Chapelle-Bâton (86) 115 G 4
La Chapelle-Bayvel (27) 28 C 2
La Chapelle-Bertin (43) 147 H 3
La Chapelle-Bertrand (79) 101 F 5
La Chapelle-Biche (61) 46 D 2
La Chapelle-Blanche (22) 44 C 5
La Chapelle-Blanche (73) 138 A 5
La Chapelle-Blanche-St-Martin (37) 102 D 1
La Chapelle-Bouëxic (35) 64 D 3
La Chapelle-Caro (56) 64 A 4
La Chapelle-Cécelin (50) 46 A 1
La Chapelle-Chaussée (35) 45 E 5
La Chapelle-Craonnaise (53) 66 B 4
La Chapelle-d'Abondance (74) 125 F 3
La Chapelle-d'Alagnon (15) 146 D 4
La Chapelle-d'Aligné (72) 85 F 1
La Chapelle-d'Andaine (61) 47 E 3
La Chapelle-d'Angillon (18) 89 F 4
La Chapelle-d'Armentières (59) 4 B 3
La Chapelle-d'Aunainville (28) 50 C 5
La Chapelle-d'Aurec (43) 148 D 2
La Chapelle-de-Bragny (71) 109 E 5
La Chapelle-de-Brain (35) 64 D 5
La Chapelle-de-Guinchay (71) 122 B 4
La Chapelle-de-la-Tour (38) 137 F 4
La Chapelle-de-Mardore (69) 121 G 5
La Chapelle-de-Surieu (38) 149 H 1
Chapelle-des-Bois (25) 111 E 5
La Chapelle-des-Fougeretz (35) 65 F 1
La Chapelle-des-Marais (44) 82 B 2
La Chapelle-des-Pots (17) 127 F 3
La Chapelle-devant-Bruyères (88) 77 H 1
Chapelle-d'Huin (25) 111 E 2
La Chapelle-du-Bard (38) 152 B 1
La Chapelle-du-Bois (72) 68 C 1
La Chapelle-du-Bois-des-Faulx (27) 29 G 3
La Chapelle-du-Bourgay (76) 13 H 2
La Chapelle-du-Châtelard (01) 122 D 5
La Chapelle-du-Fest (50) 25 G 4
La Chapelle-du-Genêt (49) 84 A 5
La Chapelle-du-Lou-du-Lac (35) 64 D 1
La Chapelle-du-Mont-de-France (71) 121 H 3
La Chapelle-du-Mt-du-Chat (73) 137 H 3
La Chapelle-du-Noyer (28) 69 H 3
La Chapelle-en-Juger (50) 25 E 5
La Chapelle-en-Lafaye (42) 148 B 1
La Chapelle-en-Serval (60) 31 G 3
La Chapelle-en-Valgaudémar (05) 166 C 1
La Chapelle-en-Vercors (26) 151 E 5
La Chapelle-Enchérie (41) 69 G 5
La Chapelle-Engerbold (14) 26 D 5
La Chapelle-Erbrée (35) 66 A 2
La Chapelle-Faucher (24) 143 F 2
La Chapelle-Felcourt (51) 34 D 4
La Chapelle-Forainvilliers (28) 50 A 2
La Chapelle-Fortin (28) 49 E 3
La Chapelle-Gaceline (56) 64 C 5
La Chapelle-Gaudin (79) 101 E 3
La Chapelle-Gaugain (72) 68 D 5
La Chapelle-Gauthier (27) 28 C 5
La Chapelle-Gauthier (77) 52 A 4
La Chapelle-Geneste (43) 147 H 2
La Chapelle-Glain (44) 83 H 1
La Chapelle-Gonaguet (24) 143 E 3
La Chapelle-Grésignac (24) 142 C 1
Chapelle-Guillaume (28) 69 E 2
La Chapelle-Hareng (27) 28 C 5
La Chapelle-Haute-Grue (14) 28 A 5
La Chapelle-Hermier (85) 99 E 4
La Chapelle-Heulin (44) 83 G 5
La Chapelle-Hugon (18) 106 B 3
La Chapelle-Hullin (49) 66 A 5
La Chapelle-Huon (72) 68 D 5
La Chapelle-Iger (77) 52 B 3
La Chapelle-Janson (35) 46 A 5
La Chapelle-la-Reine (77) 71 G 1
La Chapelle-Largeau (79) 100 B 2
La Chapelle-Lasson (51) 53 G 3
La Chapelle-Launay (44) 82 D 3
La Chapelle-Laurent (15) 147 F 3
La Chapelle-lès-Luxeuil (70) 77 F 5
La Chapelle-Marcousse (63) 147 E 1
La Chapelle-Montabourlet (24) 142 D 1
La Chapelle-Montbrandeix (87) 129 G 4
La Chapelle-Monthodon (02) 33 F 4
La Chapelle-Montligeon (61) 48 D 4
La Chapelle-Montlinard (18) 106 B 1
La Chapelle-Montmartin (41) 88 B 5
La Chapelle-Montmoreau (24) 143 E 1
La Chapelle-Montreuil (86) 115 E 1
Chapelle-Morthemer (86) 115 H 2
La Chapelle-Moulière (86) 102 C 5
La Chapelle-Moutils (77) 52 D 1
La Chapelle-Naude (71) 122 D 1
La Chapelle-Neuve (22) 42 D 5
La Chapelle-Neuve (56) 63 F 5
La Chapelle-Onzerain (45) 70 B 3
La Chapelle-Orthemale (36) 103 H 4
La Chapelle-Palluau (85) 99 F 4
La Chapelle-Pouilloux (79) 114 D 5
La Chapelle-près-Sées (61) 48 A 3
La Chapelle-Rablais (77) 52 B 4
La Chapelle-Rainsouin (53) 67 E 2
La Chapelle-Rambaud (74) 124 C 5
La Chapelle-Réanville (27) 29 H 4
La Chapelle-Rousselin (49) 84 C 5
Chapelle-Royale (28) 69 F 2
La Chapelle-Souëf (61) 48 C 5
La Chapelle-sous-Brancion (71) 122 B 1
La Chapelle-sous-Dun (71) 121 G 4
La Chapelle-sous-Orbais (51) 33 F 5
La Chapelle-sous-Uchon (71) 108 A 4
Chapelle-Spinasse (19) 145 F 2
La Chapelle-St-André (58) 90 D 4
La Chapelle-St-Aubert (35) 45 H 5
La Chapelle-St-Aubin (72) 68 A 3
La Chapelle-St-Étienne (79) 100 D 5
La Chapelle-St-Florent (49) 84 A 4
La Chapelle-St-Fray (72) 67 H 2
La Chapelle-St-Géraud (19) 145 F 5
La Chapelle-St-Jean (24) 144 A 3
La Chapelle-St-Laud (49) 85 F 2
La Chapelle-St-Laurent (79) 101 E 4
La Chapelle-St-Laurian (36) 104 B 2
La Chapelle-St-Luc (10) 53 H 5
La Chapelle-St-Martial (23) 131 E 1
La Chapelle-St-Martin (73) 137 G 4
La Chapelle-St-Martin-en-Plaine (41) 87 H 1
La Chapelle-St-Maurice (74) 138 B 3
La Chapelle-St-Mesmin (45) 70 C 4
La Chapelle-St-Ouen (76) 14 A 5
La Chapelle-St-Quillain (70) 94 C 3
La Chapelle-St-Rémy (72) 68 C 2
La Chapelle-St-Sauveur (44) 84 B 3
La Chapelle-St-Sauveur (71) 109 H 3
La Chapelle-St-Sépulcre (45) 72 A 3
La Chapelle-St-Sulpice (77) 52 C 3
La Chapelle-sur-Aveyron (45) 72 A 5
La Chapelle-sur-Chézy (02) 32 D 5
La Chapelle-sur-Coise (69) 135 F 4
La Chapelle-sur-Dun (76) 13 F 2
La Chapelle-sur-Erdre (44) 83 F 4
La Chapelle-sur-Furieuse (39) 110 C 2
La Chapelle-sur-Loire (37) 86 A 5
La Chapelle-sur-Oreuse (89) 72 D 1
La Chapelle-sur-Oudon (49) 84 C 1
La Chapelle-sur-Usson (63) 147 G 1
La Chapelle-Taillefert (23) 117 H 5
La Chapelle-Thècle (71) 122 D 1
La Chapelle-Thémer (85) 113 F 1
La Chapelle-Thireuil (79) 114 A 1
La Chapelle-Thouarault (35) 65 E 2
La Chapelle-Urée (50) 46 A 2
Chapelle-Vallon (10) 53 H 4
La Chapelle-Vaupelteigne (89) 73 F 5
La Chapelle-Vendômoise (41) 87 G 1
La Chapelle-Vicomtesse (41) 69 F 3
La Chapelle-Viel (61) 48 D 2
La Chapelle-Villars (42) 149 G 1
Chapelle-Viviers (86) 116 A 2
Chapelle-Voland (39) 109 H 4
La Chapelle-Yvon (14) 28 B 4
Les Chapelles (53) 47 F 4
Les Chapelles (73) 139 E 4
Les Chapelles-Bourbon (77) 52 A 2
Chapelon (45) 71 G 3
La Chapelotte (18) 89 G 4
Chapet (78) 30 C 5
Les Chapieux (73) 139 E 3
Chapois (39) 110 D 3
Chaponnay (69) 136 B 4
Chaponost (69) 135 H 3
La Chappelle-St-Ursin (18) 105 F 2
Chappes (03) 119 F 3
Chappes (08) 18 B 4
Chappes (10) 74 A 2
Chappes (63) 133 F 2
Chaptelat (87) 130 A 2
Chapton (51) 53 F 1
Chaptuzat (63) 133 F 1
Le Chapus (17) 126 B 2
Charade (63) 133 E 3
Charancieu (38) 137 F 5
Charantonnay (38) 136 C 5
Charavines (38) 151 F 1
Charbogne (08) 18 C 5
Charbonnat (71) 108 A 4
Charbonnier-les-Mines (63) 147 F 1
Charbonnières (28) 69 E 2
Charbonnières (71) 122 B 2
Charbonnières-les-Bains (69) 135 H 3
Charbonnières-les-Sapins (25) 95 E 5
Charbonnières-les-Varennes (63) 133 E 2
Charbonnières-les-Vieilles (63) 133 E 1
Charbuy (89) 73 E 5
La Charce (26) 165 F 4
Charcé-St-Ellier-sur-Aubance (49) 85 E 4
Charcenne (70) 94 C 4
Charchigné (53) 47 F 4
Charchilla (39) 123 H 2
Charcier (39) 110 C 5
Chard (23) 132 B 2
Chardeny (08) 34 C 1
Chardes (17) 141 G 2
Chardogne (55) 55 F 1
Chardonnay (71) 122 B 1
Chareil-Cintrat (03) 119 H 4
Charencey (21) 92 D 3
Charency (39) 110 D 4
Charency-Vezin (54) 20 A 2
Charens (26) 165 F 4
Charensannes (87) 130 B 1
Charensat (63) 132 C 1
Charentay (69) 122 A 5
Charentenay (70) 94 C 2
Charentenay (89) 91 E 1
Charentilly (37) 86 C 3
Charenton-du-Cher (18) 105 H 5
Charenton-le-Pont (94) 51 F 1
Charentonnay (18) 106 A 1
Charette (38) 137 E 2
Charette-Varennes (71) 109 G 3
Charey (54) 36 C 4
Charézier (39) 110 C 5
Chargé (37) 87 F 3
Chargey-lès-Gray (70) 94 A 3
Chargey-lès-Port (70) 76 D 5
Chariez (70) 95 E 1
Charigny (21) 92 C 3
La Charité-sur-Loire (58) 106 B 1
Charix (01) 123 H 4
Charlas (31) 205 G 1
Charleval (13) 195 G 1
Charleval (27) 29 H 1
Charleville (51) 53 F 1
Charleville-Mézières P (08) 18 D 2
Charleville-sous-Bois (57) 21 F 5
Charlieu (42) 121 F 5
Charly (18) 105 H 3
Charly (69) 135 H 4
Charly-Oradour (57) 21 E 5
Charly-sur-Marne (02) 32 C 5
Charmant (16) 128 B 5
Charmauvillers (25) 96 D 4
Charmé (16) 128 B 1
La Charme (39) 110 B 3
Le Charme (45) 72 B 5
La Charmée (71) 109 E 5
Charmeil (03) 120 A 5
Le Charmel (02) 33 E 3
Charmensac (15) 147 E 3
Charmentray (77) 31 H 5
Charmes (02) 16 D 4
Charmes (03) 119 H 5
Charmes (21) 93 H 4
Charmes (52) 75 H 4
Charmes (88) 57 E 5
Charmes-en-l'Angle (52) 55 F 5
Charmes-la-Côte (54) 56 C 2
Charmes-la-Grande (52) 55 F 5
Charmes-St-Valbert (70) 76 B 5
Charmes-sur-l'Herbasse (26) 150 C 3
Charmes-sur-Rhône (07) 163 H 1
Charmoille (25) 95 H 4
Charmoille (70) 95 E 1
Charmoilles (52) 75 H 4
Charmois (54) 57 F 3
Charmois (90) 96 D 1
Charmois-devant-Bruyères (88) 77 G 1
Charmois-l'Orgueilleux (88) 77 E 2
Charmont (51) 35 E 5
Charmont (95) 30 C 3
Charmont-en-Beauce (45) 70 D 1
Charmont-sous-Barbuise (10) 54 A 5
Les Charmontois (51) 35 F 5
Charmoy (10) 53 E 5
Charmoy (52) 76 B 5
Charmoy (71) 108 B 4
Charmoy (89) 73 E 4

A B C D E F G H I J K L M N O P Q R S T U V W X Y Z

Localité *(Département)* Page Coordonnées

Charnas (07) .... 149 G 2
Charnat (63) .... 133 H 2
Charnay (25) .... 110 D 1
Charnay (69) .... 135 G 2
Charnay-lès-Chalon (71) ... 109 G 3
Charnay-lès-Mâcon (71) .. 122 B 3
Charnècles (38) .... 151 F 2
Charnizay (37) .... 103 F 3
Charnod (39) .... 123 F 3
Charnois (08) .... 11 E 3
Le Charnoy (77) .... 52 B 1
Charnoz-sur-Ain (01) .... 136 D 2
Charny (21) .... 92 C 4
Charny (77) .... 31 H 5
Charny-le-Bachot (10) .... 53 H 3
Charny-Orée-de-Puisaye (89) .72 B 4
Charny-sur-Meuse (55) .... 35 H 2
Charolles (71) .... 121 G 2
Charols (26) .... 164 C 3
Charonville (28) .... 69 H 1
Chârost (18) .... 105 E 2
Charpentry (55) .... 35 F 2
Charpey (26) .... 150 C 5
Charpont (28) .... 50 A 2
Charquemont (25) .... 96 C 5
Charrais (86) .... 102 A 5
Charraix (43) .... 147 H 5
Charras (16) .... 128 D 5
Charray (28) .... 69 H 4
Charre (64) .... 185 G 4
Charrecey (71) .... 108 D 3
Charrey-sur-Saône (21) .... 109 G 1
Charrey-sur-Seine (21) .... 74 C 4
Charrin (58) .... 107 F 4
Charritte-de-Bas (64) .... 185 G 5
Charron (17) .... 113 E 3
Charron (23) .... 132 B 1
Charroux (03) .... 119 H 4
Charroux (86) .... 115 G 5
Chars (95) .... 30 D 3
Charsonville (45) .... 70 A 4
Chartainvilliers (28) .... 50 A 4
Chartèves (02) .... 33 E 4
La Chartre-sur-le-Loir (72) .. 86 C 1
Chartrené (49) .... 85 G 3
Chartres P (28) .... 50 A 4
Chartres-de-Bretagne (35) ... 65 F 2
Chartrettes (77) .... 51 H 4
Chartrier-Ferrière (19) ... 144 B 4
Chartronges (77) .... 52 C 2
Chartuzac (17) .... 141 G 2
Charvieu-Chavagneux (38) .. 136 C 3
Charvonnex (74) .... 138 B 1
Charzais (85) .... 113 H 2
Chas (63) .... 133 G 3
Chaserey (10) .... 73 H 4
Chasnais (85) .... 113 E 2
Chasnans (25) .... 111 F 1
Chasnay (58) .... 90 C 5
Chasné-sur-Illet (35) .... 65 G 1
Chaspinhac (43) .... 148 B 4
Chaspuzac (43) .... 148 A 4
La Chassagne (39) .... 110 A 3
Chassagne (63) .... 147 E 1
Chassagne-Montrachet (21) .109 E 3
Chassagne-St-Denis (25) ... 111 F 1
Chassagnes (07) .... 162 D 5
Chassagnes (43) .... 147 H 3
Chassagny (69) .... 135 H 4
Chassaignes (24) .... 142 C 3
Chassal (39) .... 123 H 2
Chassant (28) .... 69 F 1
Chassé (72) .... 48 A 4
Chasse-sur-Rhône (38) ...... 135 H 5
Chasseguey (50) .... 46 B 2
Chasselas (71) .... 122 B 3
Chasselay (38) .... 151 E 2
Chasselay (69) .... 135 H 2
Chassemy (02) .... 33 E 1
Chassenard (03) .... 121 E 2
Chasseneuil (36) .... 104 A 5
Chasseneuil-du-Poitou (86). 102 B 5
Chasseneuil-
  sur-Bonnieure (16) .... 128 D 3
Chassenon (16) .... 129 F 2
Chasseradès (48) .... 162 B 4
Chassey (21) .... 92 C 3
Chassey-Beaupré (55) .... 55 H 4
Chassey-le-Camp (71) .... 108 D 3
Chassey-
  lès-Montbozon (70) .... 95 F 2
Chassey-lès-Scey (70) ...... 94 D 1
Chassiecq (16) .... 128 D 1
Chassiers (07) .... 163 E 4
Chassieu (69) .... 136 B 3
Chassignelles (89) .... 74 A 5
Chassignieu (38) .... 137 F 5
Chassignolles (36) .... 117 H 1
Chassignolles (43) .... 147 G 1
Chassigny (52) .... 93 H 1
Chassigny-sous-Dun (71) .. 121 G 4
Chassillé (72) .... 67 G 3
Chassors (16) .... 127 H 3
Chassy (18) .... 106 A 2
Chassy (71) .... 121 F 1
Chassy (89) .... 72 D 5
Chastanet (07) .... 162 D 4
Le Chastang (19) .... 144 D 3

Chastanier (48) .... 162 A 2
Chasteaux (19) .... 144 B 4
Chastel (43) .... 147 F 4
Chastel-Arnaud (26) .... 165 E 3
Chastel-Nouvel (48) .... 161 G 4
Chastel-sur-Murat (15) ... 146 C 4
Chastellux-sur-Cure (89) ... 91 G 4
Chastenay (89) .... 90 D 1
Chastreix (63) .... 132 C 5
La Châtaigneraie (85) .... 100 C 5
Chatain (86) .... 115 G 5
Châtaincourt (28) .... 49 G 2
Châtas (88) .... 58 B 4
Château (71) .... 122 A 2
Château-Arnoux-
  St-Auban (04) .... 181 E 2
Château-Bernard (38) .... 151 F 5
Château-Bréhain (57) .... 37 G 5
Château-Chalon (39) .... 110 B 4
Château-Chervix (87) .... 130 B 5
Château-Chinon (58) ... 107 H 2
Le Château-d'Almenêches (61).48 A 2
Château-des-Prés (39) .... 124 A 1
Le Château-d'Oléron (17) .. 126 B 2
Château-d'Olonne (85) .... 112 B 1
Château-du-Loir (72) .... 86 B 1
Château-Gaillard (01) .... 136 D 1
Château-Garnier (86) .... 115 G 4
Château-Gombert (13) ..... 195 H 4
Château-Gontier (53) ...... 66 D 5
Château-Guibert (85) .... 99 H 5
Château-la-Vallière (37) ...... 86 B 2
Château-Lambert (70) ...... 77 H 4
Château-Landon (77) .... 71 H 2
Château-Larcher (86) .... 115 F 2
Château-l'Évêque (24) .... 143 E 2
Château-l'Hermitage (72) ... 68 A 5
Château-Porcien (08) .... 18 A 5
Château-Queyras (05) ... 167 G 1
Château-Regnault (08) .... 11 E 5
Château-Renard (45) .... 72 A 4
Château-Renault (37) ...... 87 E 2
Château-Salins (57) .... 37 G 5
Château-sur-Allier (03) .. 106 B 4
Château-sur-Cher (63) .... 118 D 5
Château-sur-Epte (27) .... 30 B 3
Château-Thébaud (44) .... 99 G 1
Château-Thierry (02) ...... 32 D 4
Château-Verdun (09) .... 207 E 5
Château-Ville-Vieille (05) ... 167 G 1
Château-Voué (57) .... 37 G 5
Châteaubernard (16) .... 127 G 4
Châteaubleau (77) .... 52 B 3
Châteaubourg (07) .... 149 H 5
Châteaubourg (35) .... 65 G 2
Châteaubriant (44) ... 65 G 5
Châteaudouble (26) .... 164 D 1
Châteaudouble (83) .... 197 G 2
Châteaudun (28) ... 69 H 3
Châteaufort (04) .... 181 E 1
Châteaufort (78) .... 50 D 2
Châteaugay (63) .... 133 E 2
Châteaugiron (35) .... 65 G 2
Châteaulin (29) ... 61 G 1
Châteaumeillant (18) .... 118 B 1
Châteauneuf (21) .... 92 D 5
Châteauneuf (42) .... 135 G 5
Châteauneuf (71) .... 121 H 4
Châteauneuf (73) .... 138 B 5
Châteauneuf (85) .... 98 D 2
Châteauneuf-
  de-Bordette (26) .... 179 H 1
Châteauneuf-
  de-Chabre (05) .... 180 D 1
Châteauneuf-
  de-Gadagne (84) .... 179 F 4
Châteauneuf-
  de-Galaure (26) .... 150 B 3
Châteauneuf-
  de-Randon (48) .... 162 A 3
Châteauneuf-
  de-Vernoux (07) .... 149 G 5
Châteauneuf-
  d'Entraunes (06) .... 182 C 2
Châteauneuf-
  d'Ille-et-Vilaine (35) .... 45 E 3
Châteauneuf-d'Oze (05) ... 166 A 4
Châteauneuf-du-Faou (29) ... 62 A 2
Châteauneuf-du-Pape (84) .. 179 F 3
Châteauneuf-
  du-Rhône (26) .... 163 G 4
Châteauneuf-
  en-Thymerais (28) .... 49 G 3
Châteauneuf-Grasse (06) ... 199 E 1
Châteauneuf-la-Forêt (87) .. 130 C 4
Châteauneuf-
  le-Rouge (13) .... 196 A 3
Châteauneuf-les-Bains (63) .132 D 1
Châteauneuf-
  les-Martigues (13) .... 195 G 4
Châteauneuf-Miravail (04) .. 180 C 2
Châteauneuf-
  sur-Charente (16) .... 128 A 4
Châteauneuf-sur-Cher (18).. 105 F 4
Châteauneuf-sur-Isère (26)..150 B 5
Châteauneuf-sur-Loire (45)..71 E 5
Châteauneuf-sur-Sarthe (49).85 E 1
Châteauneuf-
  Val-de-Bargis (58) .... 90 C 5
Châteauneuf-
  Val-St-Donat (04) .... 181 E 2

Châteauneuf-Villevieille (06). 183 F 5
Châteauponsac (87) .... 116 D 5
Châteauredon (04) .... 181 G 3
Châteaurenard (13) .... 179 F 5
Châteaurenaud (71) .... 109 H 5
Châteauroux (36) ... 104 B 4
Châteauroux-les-Alpes (05).. 167 E 3
Châteauvert (83) .... 196 D 3
Châteauvieux (05) .... 166 B 4
Châteauvieux (41) .... 87 H 3
Châteauvieux (83) .... 182 A 5
Châteauvieux-les-Fossés (25).111 E 1
Châteauvilain (38) .... 137 E 5
Châteauvillain (52) .... 75 E 3
Le Châtel (73) .... 152 C 2
Châtel (74) .... 125 G 3
Châtel-Censoir (89) .... 91 F 2
Chatel-Chéhéry (08) .... 35 G 2
Châtel-de-Joux (39) .... 123 H 1
Châtel-de-Neuvre (03) .... 120 B 4
Châtel-Gérard (89) .... 91 H 2
Châtel-Guyon (63) .... 133 E 2
Châtel-Montagne (03) .... 120 C 5
Châtel-Moron (71) .... 108 D 4
Châtel-St-Germain (57) .... 20 D 5
Châtel-sur-Moselle (88) ...... 57 F 5
Châtelaillon-Plage (17) .... 113 E 5
Châtelain (53) .... 66 D 5
La Châtelaine (39) .... 110 C 3
Châtelais (49) .... 66 B 5
Châtelard (23) .... 132 B 1
Le Châtelard (38) .... 152 A 4
Le Châtelard (73) .... 138 B 3
Châtelaudren (22) .... 43 F 4
Chatelay (39) .... 110 B 2
Châtelblanc (25) .... 111 E 5
Châteldon (63) .... 133 H 1
Le Châtelet (18) .... 105 F 5
Le Châtelet-en-Brie (77) .... 52 A 4
Le Châtelet-sur-Retourne (08)..34 A 1
Le Châtelet-sur-Sormonne (08) 10 D 5
Les Châtelets (28) .... 49 F 3
Le Châteley (39) .... 110 B 3
Le Châtelier (51) .... 35 E 5
Châtellenot (21) .... 92 C 5
Châtellerault (86) ... 102 C 4
Le Châtellier (35) .... 45 H 4
Le Châtellier (61) .... 47 E 2
Les Châteliers-
  Châteaumur (85) .... 100 B 3
Les Châteliers-
  Notre-Dame (28) .... 49 G 5
Châtelneuf (39) .... 110 D 5
Châtelneuf (42) .... 134 C 4
Chateloy (03) .... 119 E 2
Châtelperron (03) .... 120 C 3
Châtelraould-St-Louvent (51) ..54 C 2
Châtelus (03) .... 120 C 4
Châtelus (38) .... 151 E 4
Châtelus (42) .... 135 F 5
Châtelus-le-Marcheix (23) .. 130 C 1
Châtelus-Malvaleix (23) .... 118 A 3
Châtenay (01) .... 123 E 5
Châtenay (28) .... 50 A 4
Châtenay (38) .... 150 D 2
Châtenay (71) .... 121 H 3
Châtenay-en-France (95) ... 31 G 4
Chatenay-Mâcheron (52) ... 75 H 4
Châtenay-Malabry (92) .... 51 E 2
Châtenay-sur-Seine (77) ... 52 B 5
Chatenay-Vaudin (52) .... 76 A 4
Chatenet (17) .... 141 G 2
Le Châtenet-en-Dognon (87) 130 C 2
Châteney (70) .... 95 F 1
Châtenois (39) .... 110 A 1
Châtenois (67) .... 58 D 5
Châtenois (70) .... 95 F 1
Châtenois (88) .... 56 C 5
Châtenois-les-Forges (90) ... 96 C 2
Châtenoy (45) .... 71 F 4
Châtenoy (77) .... 71 H 1
Châtenoy-en-Bresse (71) .. 109 F 4
Châtenoy-le-Royal (71) .. 109 E 4
Châtignac (16) .... 142 A 2
Chatignonville (91) .... 50 C 4
Châtillon (03) .... 119 H 2
Châtillon (39) .... 110 C 5
Châtillon (69) .... 135 G 2
Châtillon (86) .... 115 F 3
Châtillon (92) .... 51 F 1
Châtillon-Coligny (45) .... 72 A 5
Châtillon-en-Bazois (58) .. 107 F 2
Châtillon-en-Diois (26) .. 165 F 2
Châtillon-en-Dunois (28) .... 69 G 2
Châtillon-en-Michaille (01)... 123 H 4
Châtillon-en-Vendelais (35)...66 A 4
Châtillon-
  Guyotte (25) .... 95 E 4
Châtillon-la-Borde (77) .... 52 A 4
Châtillon-la-Palud (01) .... 136 D 1
Châtillon-le-Duc (25) .... 94 D 4
Châtillon-le-Roi (45) .... 70 D 2
Châtillon-lès-Sons (02) .... 17 G 4
Châtillon-sous-les-Côtes (55) ..20 B 5
Châtillon-St-Jean (26) .... 150 D 4
Châtillon-sur-Bar (08) .... 19 E 5
Châtillon-sur-Broué (51) .... 54 D 3
Châtillon-
  sur-Chalaronne (01) .... 122 C 5
Châtillon-sur-Cher (41) .... 88 A 5
Châtillon-sur-Cluses (74) ... 125 E 5
Châtillon-sur-Colmont (53)...46 A 5
Châtillon-sur-Indre (36) ... 103 G 2

Châtillon-sur-Lison (25) .... 110 D 1
Châtillon-sur-Loire (45) .... 89 H 2
Châtillon-sur-Marne (51) .... 33 F 4
Châtillon-sur-Morin (51) .... 53 E 2
Châtillon-sur-Oise (02) .... 17 E 2
Châtillon-sur-Saône (88) .... 76 C 3
Châtillon-sur-Seine (21) .... 74 C 4
Châtillon-sur-Thouet (79) ... 101 F 5
Châtin (58) .... 107 G 1
Châtonnay (38) .... 136 D 5
Châtonnay (39) .... 123 G 2
Chatonrupt-
  Sommermont (52) .... 55 F 4
Chatou (78) .... 51 E 1
La Châtre (36) .... 118 A 1
La Châtre-Langlin (36) .... 117 E 2
Châtres (10) .... 53 G 4
Châtres (24) .... 144 A 3
Châtres (77) .... 52 A 2
Châtres-la-Forêt (53) .... 67 E 2
Châtres-sur-Cher (41) .... 88 C 5
Châtrices (51) .... 35 E 4
Chattancourt (55) .... 35 G 2
Chatte (38) .... 151 E 3
Chattemoue (53) .... 47 F 5
Chaucenne (25) .... 94 D 4
Chauchailles (48) .... 161 E 2
Chauché (85) .... 99 H 3
Le Chauchet (23) .... 118 C 5
Chauchigny (10) .... 53 H 5
Chauconin-Neufmontiers (77).32 A 5
Chaucre (17) .... 126 A 1
Chaudardes (02) .... 33 F 1
Chaudebonne (26) .... 152 A 2
Chaudefonds-sur-Layon (49)..84 C 4
Chaudefontaine (25) .... 95 E 4
Chaudefontaine (51) .... 35 E 3
Chaudenay (52) .... 76 A 5
Chaudenay (71) .... 109 E 3
Chaudenay-la-Ville (21) ... 108 D 1
Chaudenay-le-Château (21)...92 D 5
Chaudeney-sur-Moselle (54)...56 C 2
Chaudes-Aigues (15) .... 160 D 1
Chaudeyrac (48) .... 162 A 3
Chaudeyrolles (43) .... 148 D 5
La Chaudière (26) .... 165 E 3
Chaudon (28) .... 50 A 3
Chaudon-Norante (04) .... 181 G 3
Chaudrey (10) .... 54 A 4
Le Chaudron (02) .... 10 A 5
Chaudron-en-Mauges (49)...84 B 4
Chauffailles (71) .... 121 G 4
Chauffayer (05) .... 166 B 2
Chauffecourt (88) .... 57 E 5
Chauffour-lès-Bailly (10) ... 74 B 2
Chauffour-lès-Étréchy (91)...51 E 4
Chauffour-sur-Vell (19) .... 144 D 5
Chauffours (28) .... 49 H 5
Chauffourt (52) .... 75 H 3
Chauffry (77) .... 52 C 1
Chaufour-lès-Bonnières (78)...30 A 4
Chaufour-Notre-Dame (72) .. 67 H 3
Chaugey (Près de
  Recey-sur-Ource) (21) .... 75 F 5
Chaugey (Près de
  Saint Jean-de-Losne) (21)... 109 H 1
Chaulgnes (58) .... 106 C 1
Chaulhac (48) .... 161 F 1
Chaulieu (50) .... 46 C 2
La Chaulme (63) .... 148 B 1
Chaulnes (80) .... 16 A 2
Chaum (31) .... 205 G 4
Chaumard (58) .... 107 G 1
La Chaume (21) .... 75 E 4
La Chaume (85) .... 112 A 1
Chaume-et-Courchamp (21)..93 H 2
Chaume-lès-Baigneux (21)...92 C 2
Chaumeil (19) .... 145 E 1
Chaumercenne (70) .... 94 B 4
Chaumeré (35) .... 65 G 3
Chaumergy (39) .... 110 A 3
Chaumes-en-Brie (77) .... 52 A 2
Chaumesnil (10) .... 54 C 5
Chaumont (52) P ... 75 G 2
Chaumont (61) .... 48 B 1
Chaumont (74) .... 124 A 5
Chaumont (89) .... 72 B 1
Chaumont-d'Anjou (49) .... 85 F 2
Chaumont-
  devant-Damvillers (55) .... 35 H 1
Chaumont-en-Vexin (60) .... 30 C 2
Chaumont-la-Ville (52) .... 76 B 2
Chaumont-le-Bois (21) .... 74 B 4
Chaumont-le-Bourg (63) ... 148 A 1
Chaumont-Porcien (08) .... 18 A 4
Chaumont-sur-Aire (55) .... 35 G 5
Chaumont-sur-Loire (41) .... 87 G 3
Chaumont-sur-Tharonne (41)..88 C 2
Chaumontel (95) .... 31 F 3
Chaumot (58) .... 91 F 5
Chaumot (89) .... 72 C 3
Chaumousey (88) .... 77 F 1
Chaumoux-Marcilly (18) ... 106 A 1
Chaumussay (37) .... 103 E 3
La Chaumusse (39) .... 110 D 5

Chaumuzy (51) .... 33 G 3
Chaunac (17) .... 141 G 1
Chaunay (86) .... 115 E 4
Chauny (02) .... 16 D 4
Chauray (79) .... 114 B 3
Chauriat (63) .... 133 G 3
La Chaussade (23) .... 131 G 1
La Chaussaire (49) .... 84 A 5
La Chaussée (76) .... 13 G 2
La Chaussée (86) .... 101 H 3
La Chaussée-d'Ivry (28) .... 50 A 1
La Chaussée-Neuve (44) ...... 82 B 3
La Chaussée-St-Victor (41)...87 H 2
La Chaussée-sur-Marne (51)..54 C 1
La Chaussée-Tirancourt (80)...15 E 1
Chaussenac (15) .... 145 H 3
Chaussenans (39) .... 110 C 3
Chausseterre (42) .... 134 B 2
Chaussin (39) .... 110 A 2
Chaussoy-Epagny (80) .... 15 F 3
Chaussy (45) .... 70 D 2
Chaussy (95) .... 30 B 3
Le Chautay (18) .... 106 B 2
Chauvac-Laux-Montaux (26)..180 B 1
Chauvé (44) .... 82 D 5
Chauvency-le-Château (55)...19 H 5
Chauvency-St-Hubert (55)...19 H 4
Chauvigné (35) .... 45 G 5
Chauvigny (86) .... 115 H 1
Chauvigny-du-Perche (41)...69 F 4
Chauvincourt (27) .... 30 B 2
Chauvirey-le-Châtel (70)...76 B 5
Chauvirey-le-Vieil (70) .... 76 B 5
Chaux (21) .... 109 F 1
Chaux (90) .... 78 A 5
La Chaux (25) .... 111 G 1
La Chaux (61) .... 47 G 3
La Chaux (71) .... 109 H 3
Chaux-Champagny (39) .... 110 D 3
Chaux-des-Crotenay (39) ... 110 D 5
Chaux-des-Prés (39) .... 124 A 1
La Chaux-du-Dombief (39)...110 D 5
La Chaux-en-Bresse (39) ... 110 A 3
Chaux-la-Lotière (70) .... 94 D 3
Chaux-lès-Clerval (25) .... 95 G 3
Chaux-lès-Passavant (25) ... 95 F 5
Chaux-lès-Port (70) .... 76 D 5
Chaux-Neuve (25) .... 111 E 5
Chauzon (07) .... 163 E 4
Chavagnac (15) .... 146 C 4
Chavagnac (24) .... 144 B 4
Chavagne (35) .... 65 E 2
Chavagnes (49) .... 85 E 5
Chavagnes-en-Paillers (85)...99 H 3
Chavagnes-les-Redoux (85).. 100 B 4
Chavaignes (49) .... 85 H 2
Chavanac (19) .... 131 F 4
Chavanat (23) .... 131 F 2
Chavanatte (90) .... 97 E 1
Chavanay (42) .... 149 G 1
Chavanges (10) .... 54 C 4
Chavaniac-Lafayette (43) ... 147 H 4
Chavannaz (74) .... 124 B 5
Chavanne (70) .... 95 H 2
La Chavanne (73) .... 138 A 5
Chavannes (18) .... 105 F 4
Chavannes (26) .... 149 H 4
Les Chavannes-
  en-Maurienne (73) .... 152 C 1
Chavannes-les-Grands (90)...97 E 1
Chavannes-sur-l'Étang (68)...96 D 1
Chavannes-sur-Reyssouze (01)122 C 2
Chavannes-sur-Suran (01)... 123 F 3
Chavanod (74) .... 138 A 2
Chavanoz (38) .... 136 D 3
Chavaroux (63) .... 133 G 2
La Chavatte (80) .... 16 A 3
Chaveignes (37) .... 102 B 2
Chavelot (88) .... 77 F 1
Chavenat (16) .... 142 B 1
Chavenay (78) .... 50 D 1
Chavençon (60) .... 30 D 3
Chavenon (03) .... 119 G 2
Chavéria (39) .... 123 G 1
Chaveroche (19) .... 131 G 5
Chaveyriat (01) .... 122 D 4
Chavignol (18) .... 90 A 4
Chavignon (02) .... 17 E 5
Chavigny (02) .... 32 D 1
Chavigny (54) .... 56 D 2
Chavigny-Bailleul (27) .... 49 G 1
Chaville (92) .... 51 E 1
Chavin (36) .... 117 F 1
Chavoire (74) .... 138 B 1
Chavonne (02) .... 33 E 1
Chavornay (01) .... 137 G 2
Chavot-Courcourt (51) .... 33 G 4
Chavoy (50) .... 45 H 1
Chavroches (03) .... 120 C 3
Le Chay (17) .... 126 D 4
Chay (25) .... 110 C 1
Chazay-d'Azergues (69) .... 135 H 2
La Chaze-de-Peyre (48) .... 161 F 3
Chazé-Henry (49) .... 66 A 5
Chazé-sur-Argos (49) .... 84 B 1
Chazeaux (07) .... 163 E 3
Chazelet (36) .... 117 E 2
Chazelles (15) .... 147 F 4

Chazelles (16) .... 128 D 4
Chazelles (39) .... 123 E 2
Chazelles (43) .... 147 G 5
Chazelles-sur-Albe (54) .... 57 H 2
Chazelles-sur-Lavieu (42) ... 134 C 5
Chazelles-sur-Lyon (42) .... 135 F 4
Chazemais (03) .... 118 D 2
Chazeuil (21) .... 93 H 2
Chazeuil (58) .... 90 D 5
Chazey-Bons (01) .... 137 G 3
Chazey-sur-Ain (01) .... 136 D 2
Chazilly (21) .... 92 D 5
Chazot (25) .... 95 G 4
Chécy (45) .... 70 D 4
Chédigny (37) .... 87 F 5
Chef-Boutonne (79) .... 114 D 5
Chef-du-Pont (50) .... 23 G 5
Chef-Haut (88) .... 56 D 5
Cheffes (49) .... 85 E 1
Cheffois (85) .... 100 C 5
Cheffreville-Tonnencourt (14)..28 B 4
Le Chefresne (50) .... 25 F 5
Chéhéry (08) .... 19 E 4
Cheignieu-la-Balme (01) ...... 137 F 2
Cheillé (37) .... 86 B 5
Cheilly-lès-Maranges (71) ... 108 D 3
Chein-Dessus (31) .... 205 H 2
Cheissoux (87) .... 130 D 3
Le Cheix (63) .... 133 E 5
Le Cheix-sur-Morge (63) ...... 133 F 1
Cheix-en-Retz (44) .... 83 E 5
Chélan (32) .... 187 H 5
Chelers (62) .... 7 H 2
Chélieu (38) .... 137 F 5
Chelle-Debat (65) .... 187 F 5
Chelle-Spou (65) .... 204 D 1
Chelles (60) .... 32 B 1
Chelles (77) .... 51 G 1
Chelun (35) .... 65 H 4
Chemaudin (25) .... 94 C 5
Chemault (45) .... 71 F 3
Chemazé (53) .... 66 C 5
Chémellier (49) .... 85 F 4
Chemenot (39) .... 110 A 3
Chéméré (44) .... 82 D 5
Chéméré-le-Roi (53) .... 67 E 4
Chémery (41) .... 88 A 4
Chémery (57) .... 21 F 4
Chémery-Chéhéry (08) .... 19 E 4
Chémery-les-Deux (57) .... 21 F 4
Chemilla (39) .... 123 G 3
Chemillé-en-Anjou (49) .... 84 C 5
Chemillé-sur-Dême (37) .... 86 D 1
Chemillé-sur-Indrois (37) ... 103 G 1
Chemilli (61) .... 48 C 5
Chemilly (03) .... 120 A 2
Chemilly (70) .... 94 D 1
Chemilly-sur-Serein (89) .... 73 G 5
Chemilly-sur-Yonne (89) .... 73 E 4
Chemin (39) .... 109 H 2
Le Chemin (51) .... 35 E 4
Chemin-d'Aisey (21) .... 92 C 1
Cheminas (07) .... 149 G 4
Cheminon (51) .... 55 E 2
Cheminot (57) .... 36 D 4
Chemiré-en-Charnie (72) .... 67 G 3
Chemiré-le-Gaudin (72) .... 67 H 4
Chemiré-sur-Sarthe (49) .... 67 E 5
Chemy (59) .... 4 C 1
Chenac-
  St-Seurin-d'Uzet (17) .... 126 D 5
Chenailler-Mascheix (19) ... 145 E 4
La Chenalotte (25) .... 111 H 1
Chénas (69) .... 122 B 4
Chenaud (24) .... 142 B 3
Chenay (51) .... 33 G 2
Chenay (72) .... 48 A 4
Chenay (79) .... 114 D 3
Chenay-le-Châtel (71) .... 121 E 4
Le Chêne (10) .... 54 A 3
Le Chêne (84) .... 180 A 5
Chêne-Arnoult (89) .... 72 B 4
Chêne-Bernard (39) .... 110 A 3
Chêne-Chenu (28) .... 49 H 3
Chêne-en-Semine (74) .... 124 A 5
Chêne-Sec (39) .... 110 A 3
Chenebier (70) .... 95 H 1
Chenecey-Buillon (25) .... 110 D 1
Cheneché (86) .... 102 A 4
Chênedollé (14) .... 25 H 5
Chênedouit (61) .... 47 F 1
Chênehutte-les-Tuffeaux (49)..85 G 4
Chénelette (69) .... 121 H 4
Chénérailles (23) .... 118 B 5
Chenereilles (42) .... 148 C 1
Chenereilles (43) .... 148 D 4
Chenevelles (86) .... 102 D 5
Chenevières (54) .... 57 G 3
Chenevrey-et-Morogne (70)..94 C 4
Chênex (74) .... 124 D 1
Cheney (89) .... 73 H 4
Chenicourt (54) .... 37 E 5
Chenières (54) .... 20 B 3
Cheniers (23) .... 117 H 3
Cheniers (51) .... 34 A 5
Chenillé-Champteussé (49)...84 D 1
Chenillé-Changé (49) .... 84 D 1
Cheniménil (88) .... 77 H 2
Chennebrun (27) .... 49 E 2
Chennegy (10) .... 73 G 1
Chennevières (55) .... 55 H 4
Chennevières-
  lès-Louvres (95) .... 31 G 4

Chennevières-sur-Marne (94) .... 51 G 1
Chenois (57) .... 37 F 4
Chenoise (77) .... 52 C 3
Chenommet (16) .... 128 C 1
Chenon (16) .... 128 C 1
Chenonceaux (37) .... 87 F 4
Chenou (77) .... 71 H 2
Chenôve (21) .... 93 F 4
Chenôves (71) .... 108 D 5
Chens-sur-Léman (74) .... 124 C 3
Chenu (72) .... 86 B 2
Cheny (89) .... 73 E 4
Chepniers (17) .... 141 G 2
Chepoix (60) .... 15 G 4
La Cheppe (51) .... 34 C 4
Cheppes-la-Prairie (51) .... 54 B 1
Cheppy (55) .... 35 F 2
Cheptainville (91) .... 51 E 4
Chepy (51) .... 34 B 5
Chépy (80) .... 6 C 5
Chérac (17) .... 127 G 3
Chérancé (53) .... 66 B 5
Chérancé (72) .... 68 A 1
Chéraute (64) .... 185 G 5
Chéray (17) .... 126 A 1
Cherbonnières (17) .... 127 G 1
Cherbourg-en-Cotentin (50) .... 22 C 2
Chérence (95) .... 30 B 4
Chérencé-le-Héron (50) .... 46 A 1
Chérencé-le-Roussel (50) .... 46 B 2
Chéreng (59) .... 4 D 4
Les Chères (69) .... 135 H 2
Chérêt (02) .... 17 F 5
Chériennes (62) .... 7 E 3
Cherier (42) .... 134 C 1
Chérigné (79) .... 114 C 5
Les Chéris (50) .... 46 A 2
Chérisay (72) .... 48 A 5
Chérisey (57) .... 37 E 4
Cherisy (28) .... 49 H 2
Chérisy (62) .... 8 B 4
Chérizet (71) .... 122 A 1
Chermignac (17) .... 127 E 4
Chermisey (88) .... 56 A 4
Chermizy-Ailles (02) .... 17 F 5
Chéronnac (87) .... 129 F 3
Chéronvilliers (27) .... 48 D 1
Chéroy (89) .... 72 B 2
Cherré (49) .... 84 D 1
Cherré (72) .... 68 D 2
Cherreau (72) .... 68 D 2
Cherrueix (35) .... 45 F 2
Cherval (24) .... 142 D 1
Cherveix-Cubas (24) .... 143 H 2
Cherves (86) .... 101 H 5
Cherves-Châtelars (16) .... 129 E 3
Cherves-Richemont (16) .... 127 G 3
Chervettes (17) .... 113 H 5
Cherveux (79) .... 114 B 2
Chervey (10) .... 74 C 2
Cherville (28) .... 50 B 4
Cherville (51) .... 34 A 4
Chéry (18) .... 104 D 1
Chéry-Chartreuve (02) .... 33 E 2
Chéry-lès-Pouilly (02) .... 17 F 4
Chéry-lès-Rozoy (02) .... 18 A 3
Chesley (10) .... 74 A 3
Le Chesnay (78) .... 51 E 1
Le Chesne (08) .... 19 E 5
Le Chesne (27) .... 29 E 5
Chesnois-Auboncourt (08) .... 18 C 4
Chesny (57) .... 37 E 3
Chessenaz (74) .... 124 A 5
Chessy (69) .... 135 G 2
Chessy (77) .... 51 H 1
Chessy-les-Prés (10) .... 73 G 3
Chéu (89) .... 73 F 4
Cheuge (21) .... 93 H 3
Cheust (65) .... 204 B 2
Cheux (14) .... 27 E 3
Chevagnes (03) .... 120 B 1
Chevagny-les-Chevrières (71) .... 122 B 3
Chevagny-sur-Guye (71) .... 121 H 1
Chevaigné (35) .... 65 F 1
Chevaigné-du-Maine (53) .... 47 F 4
Le Chevain (72) .... 48 A 4
Cheval-Blanc (84) .... 179 G 5
Chevaline (74) .... 138 B 3
La Chevallerais (44) .... 83 F 3
Chevanceaux (17) .... 141 H 2
Chevannay (21) .... 92 D 4
Chevannes (21) .... 109 E 1
Chevannes (45) .... 72 A 2
Chevannes (89) .... 91 E 1
Chevannes (91) .... 51 G 4
Chevannes-Changy (58) .... 91 E 5
Chevennes (02) .... 17 F 2
Chevenon (58) .... 106 C 3
Chevenoz (74) .... 125 E 2
Cheverny (41) .... 88 A 3
Cheveuges (08) .... 19 E 3
Chevières (08) .... 35 E 1
Chevigney (70) .... 94 B 4
Chevigney-lès-Vercel (25) .... 95 F 5
Chevigney-sur-l'Ognon (25) .... 94 C 4
Chevigny (21) .... 93 F 5
Chevigny (39) .... 94 A 5
Chevigny-en-Valière (21) .... 109 F 2
Chevigny-St-Sauveur (21) .... 93 G 4

Chevillard (01) .... 123 G 5
Chevillé (72) .... 67 G 4
Chevillon (52) .... 55 F 3
Chevillon (89) .... 72 C 4
Chevillon-sur-Huillard (45) .... 71 H 4
La Chevillotte (25) .... 95 E 5
Chevilly (45) .... 70 C 3
Chevilly-Larue (94) .... 51 F 2
Chevinay (69) .... 135 G 3
Chevincourt (60) .... 16 A 5
Cheviré-le-Rouge (49) .... 85 G 2
Chevrainvilliers (77) .... 71 H 1
Chevreaux (39) .... 123 F 1
Chevregny (02) .... 17 F 5
Chèvremont (90) .... 96 D 1
La Chèvrerie (16) .... 128 B 1
Chevresis-Monceau (02) .... 17 F 3
Chevrette (85) .... 113 F 1
Chevreuse (78) .... 50 D 2
Chèvreville (50) .... 46 B 3
Chèvreville (60) .... 32 A 4
Chevrey (71) .... 109 F 3
Chevrier (74) .... 124 A 5
Chevrières (38) .... 151 E 3
Chevrières (42) .... 135 F 5
Chevrières (60) .... 31 H 1
Chevroches (58) .... 91 E 3
La Chevrolière (44) .... 99 F 1
Chevrotaine (39) .... 110 C 5
Chevroux (01) .... 122 C 2
Chevroz (25) .... 94 D 4
Chevru (77) .... 52 C 2
Chevry (01) .... 124 B 3
Chevry (39) .... 123 H 2
Chevry (50) .... 25 F 4
Chevry-Cossigny (77) .... 51 H 2
Chevry-en-Sereine (77) .... 72 A 1
Chevry-sous-le-Bignon (45) .... 72 A 2
Chey (79) .... 114 D 3
Cheylade (15) .... 146 B 3
Le Cheylard (07) .... 163 E 1
Cheylard-l'Évêque (48) .... 162 A 3
Le Cheylas (38) .... 152 A 1
Cheyras (07) .... 178 A 1
Cheyssieu (38) .... 149 H 1
Chezal-Benoît (18) .... 105 E 4
La Chèze (22) .... 63 H 3
Chèze (65) .... 204 B 3
Chézeaux (52) .... 76 B 4
Chezelle (03) .... 119 H 4
Chezelles (36) .... 104 A 3
Chezelles (37) .... 102 B 2
Chèzeneuve (38) .... 136 D 5
Chézery-Forens (01) .... 124 A 4
Chézy (03) .... 120 B 1
Chézy-en-Orxois (02) .... 32 C 3
Chézy-sur-Marne (02) .... 32 D 5
Chiappa (Pointe de la) (2A) .... 219 G 3
Chiatra (2B) .... 217 G 2
Chiché (79) .... 101 E 4
Chicheboville (14) .... 27 G 3
Chichée (89) .... 73 G 5
Chichery (89) .... 73 E 4
Chichey (51) .... 53 F 2
Chichilianne (38) .... 165 G 1
Chicourt (57) .... 37 F 5
Chiddes (58) .... 107 H 3
Chiddes (71) .... 121 H 2
Chidrac (63) .... 133 F 5
Chierry (02) .... 32 D 4
Chieulles (57) .... 21 E 5
Chignat (63) .... 133 G 3
Chigné (49) .... 85 H 2
Chignin (73) .... 138 A 5
La Chignolle (16) .... 128 C 3
Chigny (02) .... 17 G 1
Chigny-les-Roses (51) .... 33 H 3
Chigy (89) .... 73 E 2
Chilhac (43) .... 147 G 4
Chille (39) .... 110 B 5
Chilleurs-aux-Bois (45) .... 71 E 3
Le Chillou (79) .... 101 G 4
Chilly (08) .... 10 C 5
Chilly (74) .... 137 H 1
Chilly (80) .... 16 A 2
Chilly-le-Vignoble (39) .... 110 A 5
Chilly-Mazarin (91) .... 51 F 2
Chilly-sur-Salins (39) .... 110 C 3
Chimilin (38) .... 137 F 4
Le Chinaillon (74) .... 138 C 1
Chindrieux (73) .... 137 H 2
Chinon (37) .... 102 A 1
Chipilly (80) .... 15 H 1
Chirac (16) .... 129 F 2
Chirac (48) .... 161 F 4
Chirac-Bellevue (19) .... 145 H 1
Chirassimont (42) .... 135 E 2
Chirat-l'Église (03) .... 119 G 4
Chiré-en-Montreuil (86) .... 101 H 5
Chirens (38) .... 151 F 1
Chirmont (80) .... 15 G 3
Chirols (07) .... 162 D 3
Chiroubles (69) .... 122 A 4
Chiry-Ourscamp (60) .... 16 B 5
Chis (65) .... 187 F 5
Chisa (2B) .... 217 F 5
Chissay-en-Touraine (41) .... 87 G 4
Chisseaux (37) .... 87 F 4
Chisséria (39) .... 123 G 2
Chissey-en-Morvan (71) .... 108 A 1
Chissey-lès-Mâcon (71) .... 122 B 1

Chissey-sur-Loue (39) .... 110 C 2
Chitenay (41) .... 87 H 3
Chitray (36) .... 103 H 5
Chitry (89) .... 73 F 5
Chitry-les-Mines (58) .... 91 F 5
Chiuni (Plage de) (2A) .... 216 B 3
Chives (17) .... 128 A 1
Chivres (21) .... 109 E 3
Chivres-en-Laonnois (02) .... 17 G 4
Chivres-Val (02) .... 32 D 1
Chivy-lès-Étouvelles (02) .... 17 F 5
Chizé (79) .... 114 B 5
Chocques (62) .... 7 H 1
Choilley (52) .... 93 H 1
Choisel (78) .... 50 D 2
Choiseul (52) .... 76 A 2
Choisey (39) .... 110 A 1
Choisies (59) .... 10 A 2
Choisy (74) .... 138 A 1
Choisy-au-Bac (60) .... 32 A 1
Choisy-en-Brie (77) .... 52 C 2
Choisy-la-Victoire (60) .... 31 G 1
Choisy-le-Roi (94) .... 51 F 2
Cholet (49) .... 100 B 1
Cholonge (38) .... 151 H 4
Choloy-Ménillot (54) .... 56 B 2
Chomelix (43) .... 148 A 3
Chomérac (07) .... 163 G 2
La Chomette (43) .... 147 G 3
Chonas-l'Amballan (38) .... 149 H 1
Chonville-Malaumont (55) .... 56 A 1
Chooz (08) .... 11 E 3
Choqueuse-les-Bénards (60) .... 15 E 4
Choranche (38) .... 151 E 3
Chorey-lès-Beaune (21) .... 109 E 2
Chorges (05) .... 166 C 3
Chouain (14) .... 26 D 2
Chouday (36) .... 104 D 3
Choue (41) .... 69 E 3
Chougny (58) .... 107 G 1
Chouilly (51) .... 33 H 4
Chouppes (86) .... 102 A 4
Chourgnac (24) .... 143 H 3
Choussy (41) .... 87 H 4
Chouvigny (03) .... 119 G 5
Choux (39) .... 123 H 3
Les Choux (45) .... 71 H 5
Chouy (02) .... 32 C 3
Chouzé-sur-Loire (37) .... 85 H 5
Chouzelot (25) .... 110 D 1
Chouzy-sur-Cisse (41) .... 87 G 3
Choye (70) .... 94 C 3
Chozeau (38) .... 136 D 4
Chuelles (45) .... 72 B 3
Chuffilly-Roche (08) .... 18 D 5
Chuignes (80) .... 16 A 2
Chuignolles (80) .... 16 A 2
Chuisnes (28) .... 49 G 4
Chusclan (30) .... 179 G 2
Chuyer (42) .... 149 G 1
Chuzelles (38) .... 136 B 5
Ciadoux (31) .... 188 B 5
Ciamannacce (2A) .... 217 E 5
Ciboure (64) .... 184 B 4
Cideville (76) .... 13 F 4
Ciel (71) .... 109 F 3
Cier-de-L. (31) .... 205 F 4
Cier-de-Rivière (31) .... 205 G 2
Cierges (02) .... 33 E 3
Cierges-sous-Montfaucon (55) .... 35 F 2
Cierp-Gaud (31) .... 205 G 3
Cierrey (27) .... 29 H 4
Cierzac (17) .... 127 G 5
Cieurac (46) .... 173 H 1
Cieutat (65) .... 204 D 1
Cieux (87) .... 129 H 1
Ciez (58) .... 90 C 3
Cigné (53) .... 46 D 4
Cigogné (37) .... 87 E 5
Cilly (02) .... 17 G 3
Cinais (37) .... 102 A 1
Cindré (03) .... 120 B 3
Cinq-Mars-la-Pile (37) .... 86 B 4
Cinqueux (60) .... 31 G 2
Cintegabelle (31) .... 189 G 5
Cintheaux (14) .... 27 F 4
Cintray (27) .... 49 E 1
Cintray (28) .... 49 H 4
Cintré (35) .... 65 E 2
Cintrey (70) .... 76 B 5
La Ciotat (13) .... 200 B 3
Cipières (06) .... 182 D 5
Ciral (61) .... 47 G 4
Ciran (37) .... 103 E 2
Circourt (88) .... 77 E 1
Circourt-sur-Mouzon (88) .... 56 B 5
Ciré-d'Aunis (17) .... 113 F 5
Cirès (31) .... 205 F 4
Cires-lès-Mello (60) .... 31 F 2
Cirey (21) .... 93 H 4
Cirey (70) .... 95 E 3
Cirey-lès-Mareilles (52) .... 75 H 1
Cirey-lès-Pontailler (21) .... 93 H 4
Cirey-sur-Blaise (52) .... 55 E 5
Cirey-sur-Vezouze (54) .... 58 A 2
Cirfontaines-en-Azois (52) .... 75 D 2
Cirfontaines-en-Ornois (52) .... 55 H 4
Cirières (79) .... 100 D 3
Ciron (36) .... 116 D 1

Ciry-le-Noble (71) .... 121 G 1
Ciry-Salsogne (02) .... 32 D 1
Cisai-St-Aubin (61) .... 48 B 1
Cisery (89) .... 91 H 3
Cissac-Médoc (33) .... 140 D 3
Cissé (86) .... 102 A 5
Cisternes-la-Forêt (63) .... 132 C 3
Cistrières (43) .... 147 H 2
Citerne (80) .... 14 C 1
Citers (70) .... 77 F 5
Citey (70) .... 94 C 3
Citou (11) .... 191 E 4
Citry (77) .... 32 C 5
Civaux (86) .... 115 H 2
Civens (42) .... 135 E 3
Civières (27) .... 30 A 3
Civrac-de-Blaye (33) .... 141 F 4
Civrac-en-Médoc (33) .... 140 D 2
Civrac-sur-Dordogne (33) .... 156 A 1
Civray (18) .... 105 E 3
Civray (86) .... 115 F 5
Civray-de-Touraine (37) .... 87 F 4
Civray-sur-Esves (37) .... 102 D 2
Civrieux (01) .... 136 B 2
Civrieux-d'Azergues (69) .... 135 H 2
Civry (28) .... 70 A 3
Civry-en-Montagne (21) .... 92 D 4
Civry-la-Forêt (78) .... 50 B 1
Cizancourt (80) .... 16 B 2
Cizay-la-Madeleine (49) .... 85 G 5
Cize (01) .... 123 F 4
Cize (39) .... 110 D 4
Cizely (58) .... 107 E 2
Cizos (65) .... 187 H 5
Clacy-et-Thierret (02) .... 17 F 5
Cladech (24) .... 157 H 2
Claira (66) .... 209 F 5
Clairac (47) .... 156 C 5
Clairavaux (23) .... 131 G 3
Clairefontaine-en-Yvelines (78) .... 50 C 3
Clairefougère (61) .... 46 D 1
Clairegoutte (70) .... 95 H 1
Clairfayts (59) .... 10 A 3
Clairfontaine (02) .... 17 H 1
Clairmarais (62) .... 3 E 4
Clairoix (60) .... 32 A 1
Clairvaux (10) .... 74 D 2
Clairvaux-d'Aveyron (12) .... 159 H 5
Clairvaux-les-Lacs (39) .... 123 H 1
Clairy-Saulchoix (80) .... 15 E 2
Clais (76) .... 14 A 2
Claix (16) .... 128 B 5
Claix (38) .... 151 G 3
Clam (17) .... 127 G 5
Clamanges (51) .... 53 H 1
Clamart (92) .... 51 E 1
Clamecy (02) .... 32 D 1
Clamecy (58) .... 91 E 3
Clamensane (04) .... 166 B 5
Clamerey (21) .... 92 C 4
Clans (06) .... 183 E 3
Clans (70) .... 94 D 1
Clansayes (26) .... 163 H 5
Le Claon (55) .... 35 E 3
Claouey (33) .... 154 B 2
Le Clapier (12) .... 176 C 5
Clapiers (34) .... 193 F 2
Clara (66) .... 212 B 3
Clarac (31) .... 205 G 2
Clarac (65) .... 204 D 1
Claracq (64) .... 186 C 3
Clarafond (74) .... 124 A 5
Clarbec (14) .... 28 A 2
Clarens (65) .... 205 E 1
Clarensac (30) .... 178 B 5
Claret (04) .... 166 A 5
Claret (34) .... 177 H 5
Clarques (62) .... 3 E 5
La Clarté (22) .... 42 D 1
Clasville (76) .... 12 D 2
Le Clat (11) .... 208 A 5
Claudon (88) .... 76 D 3
Les Claux (05) .... 167 F 3
Le Claux (15) .... 146 B 2
Clavans-en-Haut-Oisans (38) .... 152 B 4
Clavé (79) .... 114 C 2
Claveisolles (69) .... 121 H 5
Clavette (17) .... 113 F 4
Claveyson (26) .... 149 H 3
Clavières (15) .... 147 F 5
Clavières (30) .... 178 A 3
Clavières (36) .... 104 C 4
Claviers (83) .... 197 H 2
Claville (27) .... 29 F 4
Claville-Motteville (76) .... 13 H 4
Clavy-Warby (08) .... 18 C 3
La Claye (85) .... 112 D 1
Claye-Souilly (77) .... 31 H 5
Clayes (35) .... 65 E 1
Les Clayes-sous-Bois (78) .... 50 D 1
La Clayette (71) .... 121 G 3
Clayeures (54) .... 57 F 4
Clazay (79) .... 100 D 4
Clécy (14) .... 27 E 5
Cléden-Cap-Sizun (29) .... 60 D 2
Cléden-Poher (29) .... 62 B 1
Cléder (29) .... 41 H 2

Clèdes (40) .... 186 B 2
Cleebourg (67) .... 39 G 3
Clefmont (52) .... 76 A 2
Clefs-Val-d'Anjou (49) .... 85 G 2
Les Clefs (74) .... 138 C 2
Cléguer (56) .... 62 C 5
Cléguérec (56) .... 63 F 3
Clelles (38) .... 165 G 1
Clémencey (21) .... 93 E 5
Clémensat (63) .... 133 F 5
Clémery (54) .... 37 E 5
Clémont (18) .... 89 F 2
Clénay (21) .... 93 G 3
Clenleu (62) .... 6 D 1
Cléon (76) .... 29 F 2
Cléon-d'Andran (26) .... 164 C 3
Cléppé (42) .... 134 D 3
Clérac (17) .... 141 H 3
Cléré-du-Bois (36) .... 103 F 3
Cléré-les-Pins (37) .... 86 B 3
Cléré-sur-Layon (49) .... 101 E 1
Clères (76) .... 13 G 4
Clérey (10) .... 74 A 1
Clérey-la-Côte (88) .... 56 B 4
Clérey-sur-Brenon (54) .... 56 D 3
Clergoux (19) .... 145 F 3
Clérieux (26) .... 150 B 4
Les Clérimois (89) .... 72 D 1
Le Clerjus (88) .... 77 F 3
Clerlande (63) .... 133 F 2
Clermain (71) .... 122 A 3
Clermont (40) .... 185 G 1
Clermont (60) .... 31 F 1
Clermont (74) .... 137 H 1
Clermont-Créans (72) .... 85 H 1
Clermont-de-Beauregard (24) .... 143 E 5
Clermont-Dessous (47) .... 172 A 1
Clermont-d'Excideuil (24) .... 143 H 2
Clermont-en-Argonne (55) .... 35 F 3
Clermont-Ferrand (63) .... 133 E 3
Clermont-le-Fort (31) .... 189 F 4
Clermont-les-Fermes (02) .... 17 H 4
Clermont-l'Hérault (34) .... 192 C 2
Clermont-Pouyguillès (32) .... 187 H 3
Clermont-Savès (32) .... 188 D 2
Clermont-Soubiran (47) .... 172 D 2
Clermont-sur-Lauquet (11) .... 208 B 2
Cléron (25) .... 111 E 1
Clerques (62) .... 2 D 4
Clerval (25) .... 95 G 3
Cléry (21) .... 94 A 4
Cléry (73) .... 138 C 4
Cléry-en-Vexin (95) .... 30 C 3
Cléry-le-Grand (55) .... 35 F 1
Cléry-le-Petit (55) .... 35 F 1
Cléry-St-André (45) .... 70 B 5
Cléry-sur-Somme (80) .... 16 B 1
Clesles (51) .... 53 G 4
Clessé (71) .... 122 B 2
Clessé (79) .... 101 E 4
Clessy (71) .... 121 F 1
Cléty (62) .... 3 E 5
Cleurie (88) .... 77 H 2
Cleuville (76) .... 12 D 3
Cléville (14) .... 27 H 3
Cléville (76) .... 12 D 4
Clévilliers (28) .... 49 H 4
Cleyrac (33) .... 156 A 2
Cleyzieu (01) .... 137 E 2
Clézentaine (88) .... 57 G 4
Clichy (92) .... 31 F 5
Clichy-sous-Bois (93) .... 31 G 5
Climbach (67) .... 39 F 3
Clinchamp (52) .... 75 H 1
Clinchamps-sur-Orne (14) .... 27 F 4
Clion (17) .... 127 F 5
Clion (36) .... 103 G 3
Le Clion-sur-Mer (44) .... 82 C 5
Cliousclat (26) .... 163 H 2
Cliponville (76) .... 13 E 3
Cliron (08) .... 18 D 2
Clis (44) .... 82 A 3
La Clisse (17) .... 127 E 3
Clisson (44) .... 99 H 1
Clitourps (50) .... 23 E 2
Clohars-Carnoët (29) .... 62 B 5
Clohars-Fouesnant (29) .... 61 G 3
Le Cloître-Pleyben (29) .... 62 A 1
Le Cloître-St-Thégonnec (29) .... 42 A 4
Clomot (21) .... 92 C 5
Clonas-sur-Varèze (38) .... 149 G 1
Clos-Fontaine (77) .... 52 B 3
Clos-Ry (58) .... 106 C 3
La Clotte (17) .... 141 H 4
Clouange (57) .... 20 D 4
Cloué (86) .... 115 E 2
Les Clouzeaux (85) .... 99 F 5
Cloyes-sur-le-Loir (28) .... 69 G 3
Cloyes-sur-Marne (51) .... 54 C 2
Clucy (39) .... 110 D 2
Clugnat (23) .... 118 A 3
Cluis (23) .... 117 G 1
Cluny (71) .... 122 A 2
La Clusaz (74) .... 138 C 1
La Cluse (05) .... 166 A 3
La Cluse-et-Mijoux (25) .... 111 G 3
Les Cluses (66) .... 213 E 4

Cluses (74) .... 125 E 5
Clussais-la-Pommeraie (79) .... 114 D 4
Clux (71) .... 109 G 2
Coadout (22) .... 43 E 4
Coaraze (06) .... 183 F 4
Coarraze (64) .... 204 A 1
Coat-Méal (29) .... 41 E 3
Coatascorn (22) .... 43 E 3
Coatréven (22) .... 42 D 2
Cobonne (26) .... 164 D 2
Cocherel (27) .... 29 H 4
Cocheren (57) .... 37 H 2
Coclois (10) .... 54 B 4
Cocquerel (80) .... 7 E 3
Cocumont (47) .... 156 A 5
Codalet (66) .... 212 B 3
Codognan (30) .... 193 H 1
Codolet (30) .... 179 G 2
Coémont (72) .... 86 B 1
Coësmes (35) .... 65 G 4
Coëtlogon (22) .... 64 A 1
Coëtmieux (22) .... 43 H 5
Cœuvres-et-Valsery (02) .... 32 C 2
Coëx (85) .... 99 E 4
Coggia (2A) .... 216 C 4
Coglès (35) .... 45 H 4
Cogna (39) .... 123 H 1
Cognac (16) .... 127 G 4
Cognac-la-Forêt (87) .... 129 H 3
Cognat-Lyonne (03) .... 120 A 5
Cogners (72) .... 68 D 4
Cognet (38) .... 165 H 1
Cognières (70) .... 95 F 2
Cognin (73) .... 137 H 4
Cognin-les-Gorges (38) .... 151 E 3
Cognocoli-Monticchi (2A) .... 218 C 4
Cogny (18) .... 105 H 4
Cogny (69) .... 135 G 1
Cogolin (83) .... 197 H 5
Cohade (43) .... 147 G 2
Cohennoz (73) .... 138 D 3
Cohan (02) .... 33 F 3
Cohiniac (22) .... 43 F 5
Cohons (52) .... 75 H 5
Coiffy-le-Bas (52) .... 76 B 4
Coiffy-le-Haut (52) .... 76 B 4
Coigneux (80) .... 7 H 5
Coignières (78) .... 50 C 2
Coigny (50) .... 23 E 5
Coimères (33) .... 155 H 4
Coin-lès-Cuvry (57) .... 36 D 4
Coin-sur-Seille (57) .... 36 D 4
Coinces (45) .... 70 B 3
Coinches (88) .... 58 B 5
Coincourt (54) .... 57 G 2
Coincy (02) .... 32 D 3
Coincy (57) .... 37 E 3
Coindre (73) .... 146 B 2
Coings (36) .... 104 B 3
Coingt (02) .... 17 H 2
Coirac (33) .... 155 H 2
Coise (69) .... 135 F 3
Coise-St-Jean-Pied-Gauthier (73) .... 138 B 5
Coiserette (39) .... 123 H 3
Coisevaux (70) .... 95 H 1
Coisia (39) .... 123 G 3
Coisy (80) .... 15 F 1
Coivert (17) .... 114 A 5
Coivrel (60) .... 15 H 5
Coizard-Joches (51) .... 53 G 1
Colamine-sous-Vodable (63) .... 147 E 1
Colayrac-St-Cirq (47) .... 172 B 2
Colembert (62) .... 2 C 4
Coligny (01) .... 123 E 2
Coligny (51) .... 53 H 1
Colincamps (80) .... 7 H 5
Collan (89) .... 73 G 5
La Collancelle (58) .... 107 F 1
Collandres (15) .... 146 B 3
Collandres-Quincarnon (27) .... 29 E 5
Collanges (63) .... 147 F 1
Collat (43) .... 147 H 3
La Colle-sur-Loup (06) .... 199 F 1
Collégien (77) .... 51 H 1
Collemiers (89) .... 72 C 2
Colletot (27) .... 28 D 1
Colleville (76) .... 12 D 3
Colleville-Montgomery (14) .... 27 F 2
Colleville-sur-Mer (14) .... 23 H 5
Collias (30) .... 178 C 4
Colligis-Crandelain (02) .... 17 F 5
Colligny (57) .... 37 E 3
Colline-Beaumont (62) .... 6 C 3
Collinée (22) .... 44 A 5
Collioure (66) .... 213 G 4
Collobrières (83) .... 197 G 5
Collonge-en-Charollais (71) .... 108 C 5
Collonge-la-Madeleine (71) .... 108 C 3
Collonges (01) .... 124 A 4
Collonges (69) .... 135 H 2
Collonges-la-Rouge (19) .... 144 D 4

A B C D E F G H I J K L M N O P Q R S T U V W X Y Z

Localité *(Département)* Page Coordonnées

A B C D E F G H I J K L M N O P Q R S T U V W X Y Z

Collonges-lès-Bévy (21)......109 E1
Collonges-lès-Premières (21)..93 H5
Collonges-sous-Salève (74)..124 B4
Collongues (06).............182 C4
Collongues (65).............187 F5
Collorec (29)................62 A1
Collorgues (30)............178 B4
Colmar ℗ (68)...............78 D2
Colmars (04)...............182 A1
Colmen (57).................21 G3
Colméry (58)................90 C4
Colmesnil-Manneville (76)...13 G2
Colmey (54).................20 A3
Colmier-le-Bas (52).........75 F5
Colmier-le-Haut (52)........75 F5
Colognac (30)..............177 G3
Cologne (32)...............188 C1
Colomars (06)..............183 F5
Colombe (38)...............151 E1
La Colombe (41).............69 H4
La Colombe (50).............25 F5
Colombé-la-Fosse (10).......75 E1
Colombé-le-Sec (10).........75 E1
Colombe-lès-Bithaine (70)...77 F5
Colombe-lès-Vesoul (70).....95 E1
Colombelles (14)............27 F2
Colombes (92)...............31 E5
Colombey-les-Belles (54)....56 C3
Colombey-lès-Choiseul (52)..76 B2
Colombey-
  les-Deux-Églises (52)....75 E1
Colombier (03).............119 F4
Le Colombier (06)..........199 E5
Colombier (21).............108 D1
Colombier (24).............156 F2
Colombier (30).............178 D2
Colombier (42).............149 F2
Colombier (70)..............95 E1
Colombier-en-Brionnais (71).121 G3
Colombier-Fontaine (25).....95 H3
Colombier-le-Cardinal (07).149 G2
Colombier-le-Jeune (07)....149 G5
Colombier-le-Vieux (07)....149 G4
Colombier-Saugnieu (69)....136 C3
Colombières (25)............25 G2
Colombières-sur-Orb (34)...191 H3
Colombiers (17)............127 F4
Colombiers (18)............105 G5
Colombiers (34)............192 A5
Colombiers (61).............47 H4
Colombiers (86)............102 B4
Colombiers-du-Plessis (53)..46 C5
Colombiers-sur-Seulles (14).27 E2
Colombiès (12).............175 E1
Colombotte (70).............95 F1
Colomby (50)................22 D4
Colomby-Anguerny (14)......27 F2
Colomby-sur-Thaon (14).....27 F2
Colomiers (31).............189 F2
Colomieu (01)..............137 F3
Colonard-Corubert (61)......48 D5
Colondannes (23)...........117 F4
Colonfay (02)...............17 F2
Colonne (39)...............110 B3
Colonzelle (26)............163 H5
Colpo (56)..................63 G5
Colroy-la-Grande (88).......58 B5
Colroy-la-Roche (67)........58 C4
Coltainville (28)...........50 A4
Coltines (15)..............146 D4
Coly (24)..................144 A4
Combaillaux (34)...........193 E2
Combas (30)................178 A5
Combe (30).................178 D2
La Combe-de-Lancey (38)...151 H2
Combeaufontaine (70)........76 C5
Combefa (81)...............174 D3
La Combelle (63)...........147 F1
Comberanche-
  et-Épeluche (24).........142 C2
Comberjon (70)..............95 E1
Comberouger (82)...........173 E5
Combertault (21)...........109 F2
Les Combes (25)............111 H1
Combes (34)................192 A2
Combiers (16)..............128 D5
Comblanchien (21)..........109 F2
Comblat (15)...............146 B5
Combles (80)................16 A1
Combles-en-Barrois (55).....55 F1
Comblessac (35).............64 C4
Combleux (45)...............70 D4
Comblizy (51)...............33 F4
Comblot (61)................48 C4
Combloux (74)..............139 E1
Combon (27).................29 E4
Combourg (35)...............45 F4
Combourtillé (35)...........65 H1
Combovin (26)..............164 D1
Combrailles (63)...........132 C3
Combrand (79)..............100 C3
Combray (14)................27 F5
Combre (42)................135 E1
Combrée (49)................84 B1
Combres (28)................49 F5
Combres-sous-les-Côtes (55).36 A4
Combressol (19)............145 G1
Combret (12)...............175 H5

Combreux (45)...............71 F4
Combrimont (88).............58 B5
Combrit (29)................61 G4
Combronde (63).............133 E1
Combs-la-Ville (77).........51 E4
La Comelle (71)............108 A3
Comiac (46)................145 F5
Comigne (11)...............208 C1
Comines (59).................4 C2
Commana (29)................41 H4
Commarin (21)...............92 D5
Commeaux (61)...............47 G1
Commelle (38)..............150 D1
Commelle-Vernay (42)......134 D1
Commenailles (39)..........110 A4
Commenchon (02)............16 C4
Commensacq (40)...........169 G2
Commentry (03).............119 E4
Commeny (95)................30 C3
Commequiers (85)...........98 D4
Commer (53).................66 D1
Commercy ◈ (55).............56 A1
Commerveil (72).............48 B5
Commes (14).................23 H5
Commissey (89)..............73 H5
La Commodité (45)...........71 H4
Communailles-
  en-Montagne (39).........111 E3
Communay (69)..............135 H4
Compains (63)..............146 D1
Compainville (76)...........14 B4
Compans (77)................31 H5
Le Compas (23).............132 B1
Compertrix (51).............34 B5
Compeyre (12)..............176 B2
Compiègne ◈ (60)............32 A1
Compigny (89)...............52 C5
Compolibat (12)............159 G5
La Compôte (73)............138 B3
Comprégnac (12)............176 B3
Compreignac (87)...........130 A1
Comps (07).................162 D5
Comps (26).................164 D4
Comps (30).................178 D5
Comps (33).................141 E4
Comps-la-Grand-Ville (12)..175 G2
Comps-sur-Artuby (83)......197 G1
La Comté (62)...............7 H2
Comus (11).................207 G4
Conan (41)..................87 H1
Conand (01)................137 G3
Conat (66).................212 B3
Conca (2A).................219 G2
Concarneau (29).............61 H4
Concevreux (02).............33 F1
Concèze (19)...............144 B2
Les Conches (85)...........112 C2
Conches-en-Ouche (27)......29 F5
Conches-
  sur-Gondoire (77)........51 H1
Conchez-de-Béarn (64).....186 D3
Conchil-le-Temple (62).......6 C2
Conchy-les-Pots (60)........16 A4
Conchy-sur-Canche (62)......7 F3
Concorès (46)..............158 B3
Concoret (56)...............64 C2
Concots (46)...............158 D5
Concoules (30).............162 B5
Concourson-sur-Layon (49)..85 F5
Concremiers (36)...........116 C1
Concressault (18)...........89 G3
Concriers (41)..............70 A5
Condac (16)................128 C1
Condal (71)................123 H2
Condamine (01).............123 G5
Condamine (39).............110 A5
La Condamine (MCO).........183 G5
La Condamine-
  Châtelard (04)...........167 F4
Condat (15)................146 C2
Condat (46)................144 D5
Condat-
  en-Combraille (63).......132 B2
Condat-
  lès-Montboissier (63)....133 H5
Condat-sur-Ganaveix (19)..144 C1
Condat-sur-Trincou (24)....143 F1
Condat-sur-Vézère (24)....144 A4
Condat-sur-Vienne (87).....130 A3
Condé (36).................104 D3
Condé-en-Barrois (55)......55 G1
Condé-en-Brie (02)..........33 E4
Condé-en-Normandie (14)....47 E1
Condé-Folie (80)............15 E1
Condé-lès-Autry (08)........35 E2
Condé-lès-Herpy (08)........18 A5
Condé-lès-Vouziers (08).....34 D1
Condé-Northen (57)..........21 F5
Condé-Sainte-Libiaire (77)..32 A5
Condé-sur-Aisne (02)........32 D1
Condé-sur-Ifs (14)..........27 G4
Condé-sur-Iton (27).........49 F1
Condé-sur-l'Escaut (59)......5 F5
Condé-sur-Marne (51)........34 A4
Condé-sur-Risle (27)........28 D2
Condé-sur-Sarthe (61).......47 H4
Condé-sur-Seules (14).......26 D2
Condé-sur-Suippe (02).......33 G1
Condé-sur-Vesgre (78).......50 B2
Condé-sur-Vire (50).........25 G4
Condeau (61)................49 E5
Condécourt (95).............30 D4

Condeissiat (01)...........122 D4
Condéon (16)...............141 H1
Condes (39)................123 G3
Condes (52).................75 G2
Condette (62)................2 B5
Condezaygues (47)..........157 G4
Condillac (26).............163 H3
Condom ◈ (32)..............172 A4
Condom-d'Aubrac (12)......160 C3
Condorcet (26).............165 E5
Condren (02)................16 D4
Condrieu (69)..............149 G1
Conflandey (70).............76 D5
Conflans (01)..............138 C1
Conflandey (70).............76 D5
Conflans-
  Ste-Honorine (78)........30 D5
Conflans-sur-Anille (72)....68 D4
Conflans-sur-Lanterne (70)..77 E4
Conflans-sur-Loing (45).....72 A4
Conflans-sur-Seine (51).....53 F3
Confolens ◈ (16)...........129 F1
Confolent-Port-Dieu (19)...132 B5
Confort (01)...............123 H4
Confort-Meilars (29)........61 E2
Confracourt (70)............94 C1
Confrançon (01)............122 D3
Congé-sur-Orne (72)........68 A1
Congénies (30).............193 H1
Congerville-Thionville (91)..50 D5
Congis-sur-Thérouanne (77)..32 B4
Congrier (53)...............66 A5
Congy (51)..................53 G1
Conie-Molitard (28)........69 H2
Conilhac-Corbières (11)....208 D1
Conilhac-de-la-Montagne (11)208 A3
Conjux (73)................137 H3
Conleau (56)................81 G2
Conlie (72).................67 H2
Conliège (39)..............110 B5
Connac (12)................175 G4
Connangles (43)............147 H2
Connantray-Vaurefroy (51)...53 F2
Connantre (51)..............53 G2
Connaux (30)...............178 D3
Conne-de-Labarde (24).....157 E2
Connelles (27)..............29 H2
Connerré (72)...............68 C3
Connezac (24)..............129 E5
Connigis (02)...............33 E4
Conquereuil (44)............83 E1
Conques-en-Rouergue (12)..159 H4
Conques-sur-Orbiel (11)...191 E5
Le Conquet (29).............40 D4
Conqueyrac (30)............177 H4
Cons-la-Grandville (54).....20 B2
Cons-Ste-Colombe (74).....138 C3
Consac (17)................141 F1
Conségudes (06)............182 D4
Consenvoye (55)............35 G2
Consigny (52)...............75 H2
Consolation-Maisonnettes (25)95 H5
Le Contadour (04)..........180 C2
Contalmaison (80)............8 A5
Contamine-Sarzin (74)......124 D4
Contamine-sur-Arve (74)...124 D4
Les Contamines-Montjoie (74)139 E2
Contault (51)...............34 D5
Contay (80).................15 G1
Conte (39).................110 D4
Contes (06)................183 F4
Contes (62)..................7 E2
Contescourt (02)............16 D2
Contest (53)................66 D1
Conteville (14).............27 G4
Conteville (27).............28 C1
Conteville (60).............15 E4
Conteville (76).............14 B3
Conteville (80)..............7 E4
Conteville-en-Ternois (62)...7 G2
Conteville-lès-Boulogne (62)..2 B4
Conthil (57)................37 G5
Contigné (49)...............67 E5
Contigny (03)..............120 A3
Contilly (72)...............48 B5
Continvoir (37).............86 A4
Contis-Plage (40).........168 C2
Contoire (80)...............15 H3
Contrazy (09)..............206 B2
Contré (17)................127 H1
Contre (80).................15 E3
Contréglise (70)............76 D4
Contremoulins (76).........12 C3
Contres (18)...............105 G3
Contres (41)................87 H4
Contres-en-Vairais (72).....68 C1
Contreuve (08)..............34 C1
Contrevoz (01).............137 F2
Contrexéville (88)..........76 C3
Contrières (50).............24 D4
Contrisson (55).............55 E1
Conty (80)..................15 E3
Contz-les-Bains (57)........21 F2
Conzieu (01)...............137 F3
Coole (51)..................54 B2
Coolus (51).................34 B5
La Copechagnière (85)......99 G3
Copponex (74)..............124 B5
Coquainvilliers (14)........28 A3
Coquelles (62)...............2 C2
La Coquille (24)...........129 G5

Corancez (28)...............50 A5
Corancy (58)...............107 H1
Coray (29)..................62 A3
Corbara (2B)...............214 C4
Corbarieu (82).............173 G4
Corbas (69)................136 B4
Corbehem (62)................8 C3
Corbeil (51)................54 B3
Corbeil-Cerf (60)...........31 E2
Corbeil-Essonnes (91).......51 E3
Corbeilles (45).............71 G3
Corbel (73)................151 H1
Corbelin (38)..............137 F4
Corbenay (70)...............77 F4
Corbeny (02)................17 G5
Corbère (66)...............212 D2
Corbère-Abères (64).......186 D3
Corbère-les-Cabanes (66)..212 D2
Corberon (21)..............109 F2
Corbès (30)................177 H3
Corbie (80).................15 G1
Le Corbier (73)............152 C2
La Corbière (70)............77 G5
Corbières (04).............180 D5
Corbières (11).............207 H4
Corbigny (58)...............91 F5
Corbon (14).................27 H3
Corbon (61).................48 D4
Corbonod (01)..............137 H1
Corbreuse (91)..............50 D4
Corcelle-Mieslot (25).......95 E4
Corcelles-Ferrières (25)....94 C5
Corcelles-en-Beaujolais (69)122 B5
Corcelles-les-Arts (21)....109 E2
Corcelles-lès-Cîteaux (21)..93 G5
Corcelles-les-Monts (21)....93 F4
Corcieux (88)...............78 A1
Corcondray (25).............94 C5
Corconne (30)..............177 H5
Corcoué-sur-Logne (44).....99 F2
Corcy (02)..................32 C2
Cordéac (38)...............165 H1
Cordebugle (14).............28 B3
Cordelle (42)..............134 D1
Cordemais (44)..............82 D4
Cordes-sur-Ciel (81).......174 C3
Cordes-Tolosannes (82)....173 F4
Cordesse (15)..............160 D1
Cordesse (71)..............108 B2
Cordey (14).................47 G1
Cordon (74)................139 E1
Cordonnet (70)..............94 D3
Coren (15).................147 E4
Corenc (38)................151 H3
Corfélix (51)...............53 F1
Corgengoux (21)...........109 F2
Corgenon (01)..............122 D4
Corgirnon (52)..............76 A5
Corgnac-sur-l'Isle (24)....143 G2
Corgoloin (21).............109 F1
Corignac (17)..............141 G2
Corlay (22).................63 F1
Corlée (52).................75 H4
Cormainville (28)...........70 A2
Cormaranche-en-Bugey (01)..137 F1
Cormatin (71)..............122 A1
Corme-Écluse (17)..........126 D4
Corme-Royal (17)...........126 D3
Cormeilles (27).............28 B2
Cormeilles (60).............15 F4
Cormeilles-en-Parisis (95)..31 E5
Cormeilles-en-Vexin (95)....30 D4
Cormelles-le-Royal (14).....27 F3
Cormenon (41)...............69 E4
Cormeray (41)...............87 H3
Cormeray (50)...............45 G3
Cormery (37)................87 E5
Cormes (72).................68 D2
Cormicy (51)................33 G1
Le Cormier (27).............29 H5
Cormolain (14).............25 H3
Cormont (62)................6 C1
Cormontreuil (51)...........33 H2
Cormoranche-sur-Saône (01)122 B4
Cormost (10)................74 A2
Cormot-le-Grand (21)......108 D2
Cormoyeux (51)..............33 G2
Cormoz (01)................123 E2
Corn (46)..................159 E3
Cornac (46)................159 E1
Cornant (89)................72 C2
Cornas (07)................149 H5
Cornay (08).................35 E2
Corné (49)..................85 E3
Cornebarrieu (31)..........189 F2
Corneilhan (34)............192 B4
Corneilla-de-Conflent (66)..212 B3
Corneilla-del-Vercol (66)..213 F3
Corneilla-la-Rivière (66)..208 D5
Corneillan (32)............186 D2
Corneville-la-Fouquetière (27)28 D4
Corneville-sur-Risle (27)...28 D1
Cornier (74)...............124 C5
Corniéville (55)............56 B1
Cornil (19)................144 D3
Cornillac (26).............165 F5

Cornille (24)..............143 F3
Cornillé (35)...............65 H2
Cornillé-les-Caves (49).....85 F3
Cornillon (30).............178 C2
Cornillon-Confoux (13)....195 F2
Cornillon-en-Trièves (38)..165 H1
Cornillon-sur-l'Oule (26)..165 F4
Corminont (88)..............78 A3
Cornod (39)................123 G3
Cornot (70).................94 C1
La Cornuaille (49)..........84 B2
Cornus (12)................176 C5
Cornusse (18)..............105 H3
Corny (27)..................30 A2
Corny-Machéroménil (08)....18 C4
Corny-sur-Moselle (57)......36 D4
Coron (49).................100 D1
Corpe (85).................113 E1
Corpeau (21)...............109 E3
Corpoyer-la-Chapelle (21)...92 D2
Corps (38).................166 A1
Corps-Nuds (35).............65 F3
Corquilleroy (45)...........71 H3
Corquoy (18)...............105 F3
Corrano (2A)...............219 E1
Corravillers (70)...........77 H4
Corre (70)..................76 D4
Corrençon-en-Vercors (38)..151 F4
Correns (83)...............196 D3
Corrèze (19)...............145 E2
Corribert (51)..............33 F5
Corrobert (51)..............33 E5
Corrombles (21).............92 A3
Corronsac (31).............189 G3
Corroy (51).................53 G2
Corsaint (21)...............92 A2
Corsavy (66)...............212 C4
Corscia (2B)...............216 D2
Corsept (44)................82 C4
Corseul (22)................44 C3
Cortambert (71)............122 A2
Corte ◈ (2B)...............217 E2
Cortevaix (71).............122 A1
Cortone (Col de) (2A)......218 C2
Cortrat (45)................71 H4
Les Corvées-les-Yys (28)....49 G5
Corveissiat (01)...........123 F4
Corvol-d'Embernard (58).....90 D5
Corvol-l'Orgueilleux (58)...90 D3
Corzé (49)..................85 E2
Cos (09)...................207 E3
Cosges (39)................110 A4
Coslédaá-Lube-Boast (64)..186 C3
Cosmes (53).................66 C4
Cosnac (19)................144 C4
Cosne-Cours-
  sur-Loire ◈ (58).........90 A4
Cosne-d'Allier (03)........119 F2
Cosnes-et-Romain (54)......20 B2
Cosqueville (50)............23 E2
Cossaye (58)...............107 E4
Cossé-d'Anjou (49).........84 C5
Cossé-en-Champagne (53)....67 F3
Cossé-le-Vivien (53)........66 B3
Cossesseville (14)..........27 F5
Cosswiller (67).............58 D2
Costa (2B).................214 D5
Costaros (43)..............162 B1
La Coste (30)..............177 G3
Costedoat (65).............186 B5
Les Costes (05)............166 B2
Les Costes-Gozon (12).....175 H4
La Côte (70)................77 G5
La Côte-d'Aime (73)........139 E4
La Côte-d'Arbroz (74)......125 F4
La Côte-en-Couzan (42)....134 B3
Le Coteau (42).............134 D1
Côtebrune (25)..............95 F4
Les Côtes-d'Arey (38)......149 H1
Les Côtes-de-Corps (38)...166 A1
Coti-Chiavari (2A).........218 C2
Cotignac (83)..............197 E2
La Cotinière (17)..........126 A1
Cottance (42)..............135 E3
Cottenchy (80)..............15 G2
Cottévrard (76).............13 H4
Cottun (14).................25 H2
Couargues (18)..............90 A5
Coubert (77)................51 H2
Coubeyrac (33).............156 A2
Coubisou (12)..............160 C4
Coubjours (24).............144 A3
Coublanc (52)...............94 A1
Coublanc (71)..............121 G4
Coublevie (38).............151 G1
Coublucq (64)..............186 B3
Coubon (43)................148 B5
Coubron (93)................31 G5
Couches (71)...............108 D3
Couchey (21)................93 F5
La Coucourde (26)..........163 H3
Coucouron (07).............162 B2
Coucy (08)..................18 C5
Coucy-la-Ville (02).........16 D5
Coucy-le-Château-
  Auffrique (02)...........16 D5
Coucy-lès-Eppes (02)........17 G5
Couddes (41)................87 H4
Coudehard (61)..............48 A1

Coudekerque-Branche (59).....3 F2
Coudekerque-Village (59).....3 F2
Coudes (63)................133 F5
Coudeville-sur-Mer (50).....24 C5
Coudons (11)...............207 H4
Coudoux (13)...............195 G2
Coudray (27)................30 A2
Le Coudray (28).............50 A5
Le Coudray (28).............50 A3
Le Coudray (44).............83 E2
Coudray (45)................71 F1
Coudray (53)................66 D5
Coudray-au-Perche (28)......69 E1
Le Coudray-Macouard (49)...85 G5
Le Coudray-Montceaux (91)..51 E3
Coudray-Rabut (14)..........28 A2
Le Coudray-St-Germer (60)..30 C1
Le Coudray-sur-Thelle (60)..31 E2
La Coudre (79).............101 E1
Coudreceau (28).............49 E5
Coudrecieux (72)............68 D3
Coudres (27)................49 G1
Coudroy (45)................71 G4
Coudun (60).................16 A5
Coudures (40)..............186 B1
Coueilles (31).............188 C5
Couëron (44)................83 E5
Couesmes (37)...............86 B2
Couesmes-en-Froulay (53)....46 D4
Les Couets (44).............83 F5
Couffé (44).................83 H3
Couffoulens (11)...........208 B1
Couffy (41).................87 H5
Couffy-sur-Sarsonne (19)...131 H4
Couflens (09)..............206 B5
Coufouleux (81)............174 B5
Couhé (86).................115 E3
Couilly-Pont-aux-Dames (77).52 A1
Couin (62)...................7 H4
Couiza (11)................208 A3
Couladère (31).............206 B1
Coulaines (72)..............68 A3
Coulandon (03).............119 H1
Coulangeron (89)............91 E1
Coulanges (03).............120 D2
Coulanges (41)..............87 G2
Coulanges-la-Vineuse (89)...91 E1
Coulanges-lès-Nevers (58)..106 C2
Coulanges-sur-Yonne (89)....91 E3
Coulans-sur-Gée (72)........67 H3
Coulans-sur-Lizon (25).....110 D2
Coulaures (24).............143 G2
Couleuvre (03).............106 A5
Coulevon (70)...............95 E1
Coulgens (16)..............128 C3
Coulimer (61)...............48 C4
Coullemelle (80)............15 G4
Coullemont (62).............7 H4
Coullons (45)...............89 G2
Coulmer (61)................48 B1
Coulmier-le-Sec (21)........74 C5
Coulmiers (45)..............70 B4
Coulobres (34).............192 B4
Coulogne (62)...............2 C2
Couloisy (60)...............32 B1
Coulombiers (72)............68 A1
Coulombiers (86)...........115 F2
Coulombs (28)...............50 A3
Coulombs (80)...............50 A3
Coulombs-en-Valois (77).....32 B4
Coulomby (62)...............2 D4
Coulommes (51)..............34 A1
Coulommes-et-Marqueny (08).18 C5
Coulommes-la-Montagne (51).33 G2
Coulommiers (77)............52 B1
Coulommiers-la-Tour (41)....69 G5
Coulon (79)................114 A3
Coulonces (14)..............25 G4
Coulonces (61)..............47 H1
La Coulonche (61)...........47 E2
Coulongé (72)...............86 A1
Coulonges (16).............128 B2
Coulonges (17).............127 G4
Coulonges (27)..............49 G1
Coulonges (86).............116 C3
Coulonges-Cohan (02)........33 F3
Coulonges-les-Sablons (61)..49 E5
Coulonges-sur-l'Autize (79)114 A1
Coulonges-sur-Sarthe (61)...48 B4
Coulonges-Thouarsais (79)..101 F3
Coulonges (30).............178 C2
Coulonvillers (80)...........7 E4
Couloumé-Mondebat (32)....187 E2
Coulounieix-Chamiers (24)..143 F3
Coulours (89)...............73 E2
Couloutre (58)..............90 C4
Coulouvray-Boisbenâtre (50).46 A1
Coulvain (14)...............26 D4
Coulx (47).................156 D5
Coume (57)..................21 G5
Counozouls (11)............208 A5
Coupelle-Neuve (62).........7 F1
Coupelle-Vieille (62).......7 F1
Coupesarte (14).............28 A4
Coupetz (51)................54 B1
Coupéville (51).............54 C1
Coupiac (12)...............175 G4
Couplevoie (59)............10 A4
Coupray (52)................75 F3
Coupru (02).................32 C4
Couptrain (53)..............47 F4
Coupvray (77)...............32 A5

Couquèques (33) 140 D 2
Cour-Cheverny (41) 87 H 3
Cour-et-Buis (38) 150 C 1
Cour-l'Évêque (52) 75 F 3
La Cour-Marigny (45) 71 G 4
Cour-Maugis-sur-Huisne (61) 48 D 4
Cour-St-Maurice (25) 95 H 4
Cour-sur-Loire (41) 87 H 1
Courances (91) 51 G 4
La Courançonne (84) 179 F 2
Courant (17) 114 A 5
Le Courau (30) 178 C 2
Courban (21) 74 D 4
La Courbe (61) 47 G 2
Courbehaye (28) 70 A 2
Courbépine (27) 28 C 3
Courbes (02) 17 E 3
Courbessac (30) 178 C 5
Courbesseaux (54) 57 F 2
Courbetaux (51) 53 E 1
Courbette (39) 110 B 5
Courbeveille (53) 66 C 3
Courbevoie (92) 31 E 5
Courbiac (47) 157 H 5
Courbillac (16) 127 H 3
Courboin (02) 33 E 5
Courbons (04) 181 F 2
Courbouzon (39) 110 A 5
Courbouzon (41) 88 A 1
Courçais (03) 118 C 2
Courçay (37) 87 E 5
Courceaux (89) 52 D 5
Courcebœufs (72) 68 B 2
Courcelette (80) 8 A 5
Courcelles (17) 127 F 1
Courcelles (25) 110 D 1
Courcelles (25) 96 C 2
Courcelles (45) 71 F 3
Courcelles (54) 56 D 5
Courcelles (58) 90 D 4
Courcelles (60) 31 E 3
Courcelles (90) 97 E 2
Courcelles-au-Bois (80) 7 H 5
Courcelles-Chaussy (57) 37 F 3
Courcelles-de-Touraine (37) 86 B 3
Courcelles-en-Barrois (55) 55 H 1
Courcelles-en-Bassée (77) 52 B 5
Courcelles-
en-Montagne (52) 75 G 5
Courcelles-Epayelles (60) 15 H 4
Courcelles-Frémoy (21) 92 A 3
Courcelles-la-Forêt (72) 67 H 5
Courcelles-le-Comte (62) 8 A 4
Courcelles-lès-Gisors (60) 30 B 2
Courcelles-lès-Lens (62) 4 C 5
Courcelles-lès-Montbard (21) 92 B 2
Courcelles-lès-Semur (21) 92 B 3
Courcelles-Sapicourt (51) 33 G 2
Courcelles-
sous-Châtenois (88) 56 C 5
Courcelles-
sous-Moyencourt (80) 15 E 2
Courcelles-sous-Thoix (80) 15 E 3
Courcelles-sur-Aire (55) 35 G 5
Courcelles-sur-Aujon (52) 75 F 4
Courcelles-sur-Blaise (52) 55 E 4
Courcelles-sur-Nied (57) 37 E 3
Courcelles-sur-Seine (27) 29 H 3
Courcelles-sur-Vesle (02) 33 E 1
Courcelles-sur-Viosne (95) 30 D 4
Courcelles-sur-Voire (10) 54 C 4
Courcelles-Val-d'Esnoms (52) 93 G 1
Courcemain (51) 53 G 3
Courcemont (72) 68 B 2
Courcerac (17) 127 G 2
Courcerault (61) 48 D 4
Courceroy (10) 52 D 4
Courchamp (77) 52 C 3
Courchamps (02) 32 C 4
Courchamps (49) 85 G 5
Courchapon (25) 94 C 4
Courchaton (70) 95 G 2
Courchelettes (59) 8 C 3
Courchevel (73) 153 E 1
Courcité (53) 47 F 5
Courcival (72) 68 B 1
Courcôme (16) 128 B 1
Courçon (17) 113 G 4
Courcoué (37) 102 B 2
Courcouronnes (91) 51 F 3
Courcoury (17) 127 F 3
Courcuire (70) 94 C 4
Courcy (14) 27 H 5
Courcy (50) 24 D 4
Courcy (51) 33 H 2
Courcy-aux-Loges (45) 71 E 3
Courdemanche (27) 49 H 1
Courdemanche (72) 68 C 5
Courdemanges (51) 54 C 2
Courdimanche (95) 30 D 4
Courdimanche-
sur-Essonne (91) 51 F 5
Le Courégant (56) 80 C 1
Couret (31) 205 H 2
Courgains (72) 68 B 1
Courgeac (16) 142 B 1
Courgenard (72) 68 D 2
Courgenay (89) 73 E 1
Courgent (78) 30 B 5
Courgeon (61) 48 D 4
Courgeoût (61) 48 C 4
Courgis (89) 73 F 5
Courgivaux (51) 53 E 2
Courgoul (63) 133 E 5
Courjeonnet (51) 53 G 1
Courlac (16) 142 B 2
Courlandon (51) 33 F 2
Courlans (39) 110 A 5
Courlaoux (39) 110 A 5
Courlay (79) 100 D 4
Courlay-sur-Mer (17) 126 C 4
Courléon (49) 86 A 4
Courlon (21) 93 F 1
Courlon-sur-Yonne (89) 52 C 5
Courmangoux (01) 123 F 3
Courmas (51) 33 G 3
Courmelles (02) 32 D 1
Courmelois (51) 34 A 3
Courmemin (41) 88 B 3
Courménil (61) 48 A 1
Courmes (06) 182 D 5
Courmont (02) 33 E 3
Courmont (70) 95 H 1
Cournanel (11) 208 A 2
La Courneuve (93) 31 F 5
Courniou (34) 191 G 3
Cournols (63) 133 E 4
Cournon (56) 64 C 5
Cournon-d'Auvergne (63) 133 F 3
Cournonsec (34) 193 E 3
Cournonterral (34) 193 E 3
La Couronne (13) 195 F 4
La Couronne (16) 128 B 4
Courouvre (55) 35 H 5
Courpalay (77) 52 B 3
Courpiac (33) 155 H 2
Courpière (63) 133 H 3
Courpignac (17) 141 F 2
Courquetaine (77) 51 H 2
Courréjean (33) 155 F 2
Courrensan (32) 171 H 5
Courrières (62) 4 B 5
Courris (81) 175 F 4
Courruero (83) 197 H 4
Courry (30) 178 A 1
Cours (46) 158 C 4
Cours (47) 172 B 1
Le Cours (56) 64 A 5
Cours (58) 90 B 3
Cours (79) 114 B 1
Cours (69) 121 G 5
Cours-de-Monségur (33) 156 B 3
Cours-de-Pile (24) 157 E 1
Cours-les-Bains (33) 156 A 5
Cours-les-Barres (18) 106 B 2
Coursac (24) 143 E 4
Coursan (11) 209 G 1
Coursan-en-Othe (10) 73 G 3
Coursegoules (06) 182 D 5
Courset (62) 2 C 5
Courseulles-sur-Mer (14) 27 F 1
Courson (14) 25 F 5
Courson-les-Carrières (89) 91 E 2
Courson-Monteloup (91) 51 E 3
Courtacon (77) 52 D 2
Courtagnon (51) 33 G 3
Courtalain (28) 69 G 3
Courtaoult (10) 73 G 3
Courtauly (11) 207 H 2
Courtavon (68) 97 F 2
Courtefontaine (25) 96 D 4
Courtefontaine (39) 110 C 1
Courteilles (27) 49 F 2
Courteix (19) 131 H 4
Courtelevant (90) 97 E 2
Courtemanche (80) 15 H 4
Courtemaux (45) 72 A 3
Courtémont (51) 34 D 3
Courtemont-Varennes (02) 33 E 4
Courtempierre (45) 71 H 2
Courtenay (38) 137 E 3
Courtenay (45) 72 B 3
Courtenot (10) 74 B 2
Courteranges (10) 74 A 1
Courteron (10) 74 C 3
Courtes (01) 122 D 2
Courtesoult-et-Gatey (70) 94 B 1
Courtetain-et-Salans (25) 95 G 4
La Courtète (11) 207 H 1
Courteuil (60) 31 G 3
Courthézon (84) 179 F 3
Courthiézy (51) 33 E 4
Courties (32) 187 F 2
Courtieux (60) 32 B 1
Courtillers (72) 67 F 5
Courtils (50) 45 H 2
La Courtine (23) 131 H 4
Courtisols (51) 34 C 4
Courtivron (21) 93 F 1
Courtoin (89) 72 B 2
Courtois-sur-Yonne (89) 72 C 1
Courtomer (61) 48 B 3
Courtomer (77) 52 A 3
Courtonne-la-Meurdrac (14) 28 B 3
Courtonne-
les-Deux-Églises (14) 28 B 4
Courtrizy-et-Fussigny (02) 17 G 5
Courtry (77) 31 G 5
Courvaudon (14) 27 E 4
Courvières (25) 111 E 3
Courville (51) 33 F 2
Courville-sur-Eure (28) 49 G 4
Courzieu (69) 135 G 3
Cousance (39) 123 F 1
Cousances-au-Bois (55) 55 H 1
Cousances-les-Forges (55) 55 F 3
Cousolre (59) 10 A 2
Coussa (09) 207 E 2
Coussac-Bonneval (87) 130 B 5
Coussan (65) 187 E 3
Coussay (86) 102 A 4
Coussay-les-Bois (86) 102 D 4
Coussegrey (10) 73 H 4
Coussergues (12) 160 C 5
Coussey (88) 56 B 4
Les Coussières (23) 117 H 5
Coust (18) 105 G 5
Coustaussa (11) 208 A 3
Coustellet (84) 179 H 5
Coustouge (11) 208 D 2
Coustouges (66) 212 D 5
Coutances (50) 24 D 4
Coutansouze (03) 119 G 4
Coutarnoux (89) 91 H 2
Coutençon (77) 52 B 4
Coutens (09) 207 F 2
Couterne (61) 47 F 4
Couternon (21) 93 G 4
Couteuges (43) 147 G 3
Coutevroult (77) 52 A 1
Couthenans (70) 95 H 1
Couthures-sur-Garonne (47) 156 B 4
Coutiches (59) 4 D 5
Coutières (79) 114 D 1
Coutouvre (42) 121 F 5
Coutras (33) 141 H 4
La Coutronne (13) 196 B 4
Couture (16) 128 C 2
La Couture (62) 3 H 5
La Couture (85) 113 E 1
La Couture-Boussey (27) 29 H 5
Couture-d'Argenson (79) 128 A 1
Couture-sur-Loir (41) 68 D 5
Couturelle (62) 7 H 4
Coutures (24) 142 D 2
Coutures (33) 156 A 3
Coutures (49) 85 F 4
Coutures (82) 173 E 4
Couvains (50) 25 G 3
Couvains (61) 48 C 1
La Couvertoirade (12) 176 D 5
Couvertpuis (55) 55 G 3
Couvignon (10) 74 D 1
Couville (50) 22 C 3
Couvonges (55) 55 F 1
Couvrelles (02) 33 E 1
Couvron-
et-Aumencourt (02) 17 E 4
Couvrot (51) 54 C 2
Coux (07) 163 G 2
Coux (17) 141 G 2
Coux-et-Bigaroque
-Mouzens (24) 157 G 1
Couy (18) 106 A 1
La Couyère (35) 65 G 4
Couze-et-St-Front (24) 157 F 1
Couzeix (87) 130 A 2
Couziers (37) 101 H 1
Couzon (03) 106 C 5
Couzon (69) 135 H 2
Couzon-sur-Coulange (52) 93 H 1
Couzou (46) 158 C 2
Cox (31) 188 D 1
Coye-la-Forêt (60) 31 G 3
Coyecques (62) 3 E 5
Coyolles (02) 32 B 2
Coyrière (39) 124 A 3
Coyron (39) 123 H 1
Coyviller (54) 57 E 3
Cozance (38) 137 E 3
Cozes (17) 126 D 4
Cozzano (2A) 217 E 5
Crac'h (56) 81 F 2
Craches (78) 50 C 3
Crachier (38) 136 D 5
Crain (89) 91 E 3
Craincourt (57) 37 E 5
Craintilleux (42) 135 E 5
Crainvilliers (88) 76 C 2
Cramaille (02) 32 D 2
Cramans (39) 110 C 2
Cramant (51) 33 H 5
Cramchaban (17) 113 H 4
Craménil (61) 47 F 2
Cramoisy (60) 31 F 2
Cramont (80) 7 E 4
Crampagna (09) 207 E 2
Cran-Gevrier (74) 138 A 1
Crancey (10) 53 F 4
Crançot (39) 110 B 5
Crandelles (15) 145 H 5
Crannes-en-Champagne (72) 67 H 3
Crans (01) 136 D 1
Crans (39) 110 D 4
Cransac (12) 159 H 4
Crantenoy (54) 57 E 4
Cranves-Sales (74) 124 C 4
Craon (53) 66 B 4
Craon (86) 101 H 4
Craonne (02) 33 F 1
Craonnelle (02) 33 F 1
Crapeaumesnil (60) 16 A 4
Craponne (69) 135 H 3
Craponne-sur-Arzon (43) 148 A 2
Cras (38) 151 F 2
Cras (46) 158 C 4
Cras-sur-Reyssouze (01) 122 D 3
Crastatt (67) 58 D 2
Crastes (32) 188 B 1
Crasville (27) 29 F 3
Crasville (50) 23 E 3
Crasville-la-Mallet (76) 13 E 2
Crasville-la-Rocquefort (76) 13 F 2
La Crau (13) 179 F 5
La Crau (83) 201 E 3
Cravanche (90) 96 C 1
Cravans (17) 127 E 4
Cravant (45) 70 A 5
Cravant (89) 91 F 1
Cravant-les-Côteaux (37) 102 B 1
Cravencères (32) 187 E 1
Cravent (78) 30 A 5
Crayssac (46) 158 B 4
Craywick (59) 3 E 2
Crazannes (17) 127 E 2
Cré (72) 85 G 1
Créances (50) 24 C 2
Créancey (21) 92 D 5
Créancey (52) 75 E 3
Crécey-sur-Tille (21) 93 G 2
La Crèche (79) 114 B 3
Crêches-sur-Saône (71) 122 B 4
Créchets (65) 205 F 3
Créchy (03) 120 B 4
Crécy-au-Mont (02) 16 D 5
Crécy-Couvé (28) 49 H 2
Crécy-en-Ponthieu (80) 6 D 3
Crécy-la-Chapelle (77) 52 A 1
Crécy-sur-Serre (02) 17 F 3
Crédin (56) 63 G 4
Crégols (46) 158 D 5
La Crégut (15) 146 B 1
Crégy-lès-Meaux (77) 32 A 5
Créhange (57) 37 G 3
Créhen (22) 44 C 3
Creil (60) 31 G 2
Creissan (34) 191 H 4
Creissels (12) 176 B 3
Crémarest (62) 2 B 4
Cremeaux (42) 134 C 2
Crémery (80) 16 A 3
Crémieu (38) 136 D 3
Crempigny-
Bonneguête (74) 137 H 1
Cremps (46) 158 C 5
Crenans (39) 123 H 2
Crenay (52) 75 G 3
Creney-près-Troyes (10) 54 A 5
Crennes-sur-Fraubée (53) 47 F 5
Creno (Lac de) (2A) 216 D 3
Créon (33) 155 G 2
Créon-d'Armagnac (40) 171 F 4
Créot (71) 108 D 3
Crépand (21) 92 B 2
Crépey (54) 56 C 3
Crépol (26) 150 C 3
Crépon (14) 27 E 1
Crépy (02) 17 E 4
Crépy (62) 7 F 1
Crépy-en-Valois (60) 32 A 2
Créquy (62) 7 E 1
Le Crès (34) 193 G 2
Cresancey (70) 94 B 3
Crésantignes (10) 73 H 2
Les Cresnays (50) 46 A 2
Crespian (30) 178 A 5
Crespières (78) 50 C 1
Crespin (12) 175 E 2
Crespin (59) 5 F 5
Crespin (81) 175 E 3
Crespinet (81) 175 E 4
Crespy-le-Neuf (10) 54 C 5
Cressac-St-Genis (16) 142 A 1
Cressanges (03) 119 H 2
Cressat (23) 118 A 5
La Cresse (12) 176 C 2
Cressé (17) 127 H 2
Cressensac (46) 144 C 5
Cresserons (14) 27 F 2
Cresseveuille (14) 27 H 2
Cressia (39) 123 F 1
Cressin-Rochefort (01) 137 G 3
Cressonsacq (60) 15 H 5
Cressy (76) 13 H 3
Cressy-Omencourt (80) 16 B 3
Cressy-sur-Somme (71) 107 G 5
Crest (26) 164 C 2
Le Crest (63) 133 F 4
Crest-Voland (73) 138 D 2
Creste (63) 133 E 5
Le Crestet (07) 149 G 5
Crestet (84) 179 G 2
Crestot (27) 29 F 3
Créteil P (94) 51 G 1
Créton (27) 49 G 1
Cretteville (50) 23 E 5
Creuë (55) 36 A 4
Creully (14) 27 E 2
La Creuse (70) 95 F 1
Creuse (80) 15 E 2
Le Creusot (71) 108 C 4
Creutzwald (57) 21 H 5
Creuzier-le-Neuf (03) 120 B 4
Creuzier-le-Vieux (03) 120 B 5
Crevans-et-la-Chapelle-
lès-Granges (70) 95 H 2
Crevant (36) 117 H 2
Crevant-Laveine (63) 133 G 2
Crévéchamps (54) 57 E 3
Crèvecœur-en-Auge (14) 27 H 3
Crèvecœur-en-Brie (77) 52 A 2
Crèvecœur-le-Grand (60) 15 E 4
Crèvecœur-le-Petit (60) 15 G 4
Crèvecœur-sur-l'Escaut (59) 8 D 5
Creveney (70) 95 F 1
Crévic (54) 57 F 2
Crévin (35) 65 F 3
Crévoux (05) 167 E 3
Creyers (05) 165 G 3
Creys-Mépieu (38) 137 F 3
Creyssac
(près de Bourdeilles) (24) 143 E 2
Creyssac
(près de Ribérac) (24) 142 C 3
Creysse (24) 157 E 1
Creysse (46) 158 C 1
Creysseilles (07) 163 F 2
Creyssensac-et-Pissot (24) 143 E 4
Crézançay-sur-Cher (18) 105 F 4
Crézancy (02) 33 E 4
Crézancy-en-Sancerre (18) 89 H 5
Crézières (79) 114 C 5
Crézilles (54) 56 C 3
Cricquebœuf (14) 28 A 1
Cricqueville-en-Auge (14) 27 H 2
Cricqueville-en-Bessin (14) 23 G 5
Criel-sur-Mer (76) 6 A 5
Crillat (39) 123 H 1
Crillon (60) 14 D 5
Crillon-le-Brave (84) 179 H 2
Crimolois (21) 93 G 5
Crion (54) 57 G 2
La Crique (76) 13 H 3
Criquebeuf-en-Caux (76) 12 C 3
Criquebeuf-
la-Campagne (27) 29 F 3
Criquebeuf-sur-Seine (27) 29 G 2
Criquetot-le-Mauconduit (76) 12 D 2
Criquetot-l'Esneval (76) 12 B 4
Criquetot-
sur-Longueville (76) 13 G 3
Criquetot-sur-Ouville (76) 13 F 3
Criquiers (76) 14 C 4
Crisenoy (77) 51 H 3
Crisolles (60) 16 B 4
Crissay-sur-Manse (37) 102 C 1
Crissé (72) 67 H 2
Crissey (39) 110 A 1
Crissey (71) 109 E 4
Cristinacce (2A) 216 C 3
Cristot (14) 27 E 2
Criteuil-la-Magdeleine (16) 127 H 5
Critot (76) 13 H 4
Croce (2B) 217 F 1
Crochte (59) 3 F 2
Crocicchia (2B) 215 F 5
Crocq (23) 131 H 2
Le Crocq (60) 15 E 4
Crocy (14) 27 H 5
Crœttwiller (67) 39 G 4
Croignon (33) 155 G 1
Croisances (43) 161 H 1
Croisette (62) 7 F 3
Le Croisic (44) 81 H 5
La Croisière (23) 117 E 4
La Croisière (84) 179 E 1
La Croisille (27) 29 F 5
La Croisille-sur-Briance (87) 130 C 4
Croisilles (14) 27 E 4
Croisilles (28) 50 A 2
Croisilles (61) 48 B 1
Croisilles (62) 8 B 4
Croismare (54) 57 G 2
Croissanville (14) 27 H 3
Croisset (76) 29 F 1
Croissy-Beaubourg (77) 51 H 1
Croissy-sur-Celle (60) 15 E 3
Croissy-sur-Seine (78) 51 E 1
Le Croisty (56) 62 D 3
Croisy (18) 106 A 3
Croisy-sur-Andelle (76) 14 A 5
Croisy-sur-Eure (27) 29 H 4
Croix (59) 4 C 3
Croix (90) 96 D 2
Croix (Col de la) (2A) 216 B 2
La Croix-aux-Bois (08) 34 D 1
La Croix-aux-Mines (88) 78 B 1
La Croix-Avranchin (50) 45 H 3
La Croix-Blanche (47) 172 C 1
Croix-Caluyau (59) 9 F 4
Croix-Chapeau (17) 113 F 5
La Croix-Comtesse (17) 114 A 5
La Croix-de-la-Rochette (73) 138 B 5
Croix-du-Bac (59) 3 H 5
La Croix du Breuil (87) 117 E 5
La Croix-du-Perche (28) 69 F 1
La Croix-en-Brie (77) 52 B 3
La Croix-en-Champagne (51) 34 C 4
Croix-en-Ternois (62) 7 G 2
La Croix-en-Touraine (37) 87 F 4
Croix-Fonsomme (02) 17 E 1
La Croix-Helléan (56) 64 A 3
Croix-Mare (76) 13 F 4
Croix-Moligneaux (80) 16 B 2
La Croix-St-Leufroy (27) 29 G 4
La Croix-sur-Gartempe (87) 116 B 5
La Croix-sur-Ourcq (02) 32 D 3
La Croix-sur-Roudoule (06) 182 C 3
La Croix-Valmer (83) 197 H 5
Croixanvec (56) 63 G 3
Croixdalle (76) 14 A 2
La Croixille (53) 66 B 1
Croixrault (80) 14 D 3
Croizet-sur-Gand (42) 135 E 2
Crolles (38) 151 H 2
Crollon (50) 45 H 3
Cromac (87) 116 D 3
Cromary (70) 95 E 4
Cronat (71) 107 F 5
Cronce (43) 147 G 4
La Cropte (53) 67 E 3
Cropus (76) 13 G 3
Cros (30) 177 G 4
Le Cros (34) 176 D 5
Cros (63) 146 B 1
Les Cros-d'Arconsat (63) 134 A 2
Cros-de-Cagnes (06) 199 F 1
Cros-de-Géorand (07) 162 C 2
Cros-de-Montvert (15) 145 G 4
Cros-de-Ronesque (15) 160 B 1
Crosey-le-Grand (25) 95 G 3
Crosey-le-Petit (25) 95 G 3
Crosmières (72) 67 G 5
Crosne (91) 51 G 2
Crossac (44) 82 C 3
Crosses (18) 105 G 2
Crosville-la-Vieille (27) 29 F 3
Crosville-sur-Douve (50) 22 D 5
Crosville-sur-Scie (76) 13 G 2
Crotelles (37) 87 E 2
Crotenay (39) 110 C 4
Croth (27) 49 H 1
Le Crotoy (80) 6 C 4
Crots (05) 167 E 3
Crottes-en-Pithiverais (45) 70 D 2
Crottet (01) 122 C 3
Le Crouais (35) 64 C 1
Crouay (14) 25 H 2
La Croupte (14) 28 B 4
Crouseilles (64) 186 D 3
Croutelle (86) 115 F 1
Les Croûtes (10) 73 G 3
Croutoy (60) 32 B 1
Crouttes (61) 28 A 5
Crouttes-sur-Marne (02) 32 C 5
Crouy (02) 32 D 1
Crouy (80) 15 E 1
Crouy-en-Thelle (60) 31 F 3
Crouy-sur-Cosson (41) 88 A 1
Crouy-sur-Ourcq (77) 32 B 4
Le Crouzet (25) 111 E 4
Crouzet-Migette (25) 110 D 2
La Crouzille (63) 119 E 5
La Crouzille (87) 130 B 1
Crouzilles (37) 102 B 1
Crozant (23) 117 F 3
Croze (23) 131 G 3
Crozes-Hermitage (26) 149 H 4
Crozet (01) 124 B 3
Le Crozet (42) 120 D 5
Les Crozets (39) 123 H 2
Crozon (29) 41 E 5
Crozon-sur-Vauvre (36) 117 H 2
Cruas (07) 163 H 3
Crucey (28) 49 F 2
Crucheray (41) 87 F 1
Cruéjouls (12) 160 C 5
Cruet (73) 138 A 5
Crugey (21) 92 D 5
Crugny (51) 33 F 2
Cruguel (56) 63 H 5
Cruis (04) 180 D 3
Crulai (61) 48 D 2
Crupies (26) 164 D 4
Crupilly (02) 17 G 1
Cruscades (11) 209 E 1
Cruseilles (74) 124 B 5
Crusnes (54) 20 C 3
Cruviers-Lascours (30) 178 B 4
Crux-la-Ville (58) 107 E 1
Cruzille (71) 122 B 1
Cruzilles-lès-Mépillat (01) 122 C 4
Cruzy (34) 191 H 5
Cruzy-le-Châtel (89) 74 A 5
Cry (89) 92 A 1
Cubelles (43) 147 H 5
Cubières (48) 162 A 4
Cubières-sur-Cinoble (11) 208 C 4
Cubiérettes (48) 162 A 5
Cubjac (24) 143 G 3
Cublac (19) 144 A 4
Cublize (69) 135 E 1
Cubnezais (33) 141 G 4
Cubrial (25) 95 G 2
Cubry (25) 95 G 2
Cubry-lès-Faverney (70) 77 E 5
Cubry-lès-Soing (70) 94 C 1
Cubzac-les-Ponts (33) 141 F 5
Cucharmoy (77) 52 C 3
Cuchery (51) 33 G 3
Cucq (62) 6 C 1
Cucugnan (11) 208 D 4
Cucuron (84) 180 B 5
Cucuruzzu (Site de) (2A) 219 E 2
Cudos (33) 155 H 5
Cudot (89) 72 C 4
Cuébris (06) 182 D 4
Cuélas (32) 187 H 4

Localité *(Département)*   Page   Coordonnées

Cuers *(83)* .... 197 E 5
Cuffies *(02)* ....32 D 1
Cuffy *(18)* .... 106 B 3
Cugand *(85)* ....99 H 1
Cuges-les-Pins *(13)* .. 196 B 5
Cugnaux *(31)* .... 189 F 3
Cugney *(70)* ....94 B 4
Cugny *(02)* ....16 C 3
Cuguen *(35)* ....45 F 4
Cuguron *(31)* .... 205 F 2
Cuhon *(86)* .... 101 H 4
Cuignières *(60)* ....31 G 1
Cuigy-en-Bray *(60)*..........30 C 1
Cuillé *(53)* ....66 A 3
Cuinchy *(62)* .... 4 A 4
Cuincy *(59)* .... 8 C 2
Le Cuing *(31)*.......... 205 F 1
Cuinzier *(42)* .... 121 G 5
Cuirieux *(02)* ....17 G 3
Cuiry-Housse *(02)*..........33 E 2
Cuiry-lès-Chaudardes *(02)*..33 F 1
Cuiry-lès-Iviers *(02)*..........18 A 3
Cuis *(51)* ....33 H 4
Cuise-la-Motte *(60)*..........32 B 1
Cuiseaux *(71)* .... 123 F 1
Cuiserey *(21)* ....93 H 4
Cuisery *(71)* .... 122 C 1
Cuisia *(39)* .... 123 F 1
Cuisiat *(01)* .... 123 F 3
Cuisles *(51)* ....33 F 3
Cuissai *(61)* ....47 H 4
Cuissy-et-Geny *(02)*..........33 F 1
Cuisy *(55)* ....35 G 2
Cuisy *(77)* ....31 H 4
Cuisy-en-Almont *(02)*..........32 C 1
La Cula *(42)* .... 135 G 5
Culan *(18)* .... 118 C 1
Culètre *(21)* .... 108 D 1
Culey-le-Patry *(14)*..........27 E 5
Culhat *(63)* .... 133 G 2
Culin *(38)* .... 136 D 5
Culles-les-Roches *(71)* .. 108 D 5
Cully *(14)* ....27 E 2
Culmont *(52)* ....76 A 5
Culoz *(01)* .... 137 G 2
Cult *(70)* ....94 C 4
Cultures *(48)* .... 161 G 4
Cumières *(51)* ....33 G 4
Cumières-le-Mort-Homme *(55)* 35 G 2
Cumiès *(11)* .... 190 A 5
Cumont *(82)* .... 172 D 5
Cunac *(81)* .... 175 E 4
Cunault *(49)* ....85 F 4
Cuncy-lès-Varzy *(58)*..........91 E 4
Cunèges *(24)* .... 156 D 2
Cunel *(55)* ....35 F 1
Cunelières *(90)*..........96 D 1
Cunfin *(10)* ....74 D 3
Cunlhat *(63)* .... 133 H 4
Les Cuns *(12)* .... 176 D 3
Cuntorba *(Castello de) (2A)* .. 218 D 2
Cuon *(49)* ....85 G 3
Cuperly *(51)* ....34 B 4
Cuq *(47)* .... 172 C 3
Cuq *(81)* .... 190 B 2
Cuq-Toulza *(81)* .... 190 A 3
Cuqueron *(64)* .... 186 A 5
Curac *(16)* .... 142 A 2
Curan *(12)* .... 176 A 2
Curbans *(04)* .... 166 B 4
Curbigny *(71)* .... 121 G 3
Curçay-sur-Dive *(86)* .. 101 G 2
Curchy *(80)* ....16 A 3
Curciat-Dongalon *(01)* .. 122 D 2
Curcy-sur-Orne *(14)*..........27 E 4
Curdin *(71)* .... 121 E 1
Curel *(04)* .... 180 C 2
Curel *(52)* ....55 G 4
Curemonte *(19)* .... 144 D 5
Cures *(72)* ....67 H 2
Curey *(50)* ....45 G 3
Curgies *(59)* .... 9 F 3
Curgy *(71)* .... 108 B 2
Curienne *(73)* .... 138 A 4
Curières *(12)* .... 160 C 5
Curis-au-Mont-d'Or *(69)* .. 135 H 2
Curley *(21)* ....93 F 5
Curlu *(80)* ....16 A 1
Curmilhac *(43)* .... 147 H 4
Curmont *(52)* ....75 F 1
Curnier *(26)* .... 165 E 5
Cursan *(33)* .... 155 G 1
Curtafond *(01)* .... 122 D 3
Curtil-sous-Buffières *(71)* .. 121 H 2
Curtil-sous-Burnand *(71)* .. 122 A 1
Curtil-St-Seine *(21)* ....93 F 3
Curtil-Vergy *(21)* .... 109 E 1
Le Curtillard *(38)* .... 152 A 2
Curvalle *(81)* .... 175 G 5
Curzay-sur-Vonne *(86)* .. 115 E 2
Curzon *(85)* .... 112 D 2
Cusance *(25)* ....95 G 4
Cuse-et-Adrisans *(25)* ..95 F 2
Cusey *(52)* ....93 H 1
Cussac *(15)* .... 146 D 5
Cussac *(87)* .... 129 G 4
Cussac-Fort-Médoc *(33)*..141 E 4
Cussac-sur-Loire *(43)*.. 148 B 5

Cussangy *(10)*..........73 H 3
Cussay *(37)* .... 102 D 2
Cusset *(03)* .... 120 B 5
Cussey-les-Forges *(21)*..........93 F 1
Cussey-sur-Lison *(25)*.. 110 D 1
Cussey-sur-l'Ognon *(25)*..94 D 4
Cussy *(14)* ....25 H 2
Cussy-en-Morvan *(71)* .. 108 A 1
Cussy-la-Colonne *(21)* .. 108 D 2
Cussy-le-Châtel *(21)* .. 108 D 1
Cussy-les-Forges *(89)*..........91 H 3
Custines *(54)* ....56 D 1
Cusy *(74)* .... 138 A 3
Cutry *(02)* ....32 C 1
Cutry *(54)* ....20 B 2
Cutting *(57)* ....37 H 5
Cuttoli-Corticchiato *(2A)*.. 216 D 5
Cuttura *(39)* .... 123 H 2
Cuvat *(74)* .... 138 A 1
Cuve *(70)* ....77 E 4
Cuvergnon *(60)*..........32 B 3
Cuverville *(14)* ....27 G 3
Cuverville *(27)* ....29 H 2
Cuverville *(76)* ....12 B 3
Cuverville-sur-Yères *(76)* ..14 A 1
Cuves *(50)* ....46 A 2
Cuves *(52)* ....75 H 2
Cuvier *(39)* .... 111 E 3
Cuvillers *(59)* .... 8 D 4
Cuvilly *(60)* ....15 H 5
Cuvry *(57)* ....36 D 4
Cuxac-Cabardès *(11)* .. 190 D 4
Cuxac-d'Aude *(11)* .... 209 F 1
Cuy *(60)* ....16 B 4
Cuy *(89)* ....72 C 1
Cuy-St-Fiacre *(76)*..........14 C 5
Cuzac *(46)* .... 159 G 4
Cuzance *(46)* .... 144 C 3
Cuzieu *(01)* .... 137 G 2
Cuzieu *(42)* .... 135 E 4
Cuzion *(36)* .... 117 F 2
Cuzorn *(47)* .... 157 G 4
Cuzy *(71)* .... 107 H 4
Cys-la-Commune *(02)*..........33 E 1
Cysoing *(59)* .... 4 D 4

D

Dabisse *(04)* .... 181 E 3
Dabo *(57)* ....58 C 2
Dachstein *(67)* ....59 E 2
Dadonville *(45)* ....71 E 2
Daglan *(24)* .... 158 A 2
Dagneux *(01)* .... 136 C 2
Dagny *(77)* ....52 C 2
Dagny-Lambercy *(02)*..........17 H 3
Dagonville *(55)* ....55 H 1
La Daguenière *(49)* ....85 E 3
Dahlenheim *(67)*..........59 E 2
Dahouët *(22)* ....44 A 2
Daignac *(33)* .... 155 H 1
Daigny *(08)* ....19 F 3
Daillancourt *(52)*..........55 E 5
La Daillie *(71)* .... 139 G 5
Daillancourt *(52)* ....55 E 5
Daillecourt *(52)* ....76 A 2
Dainville *(62)* .... 8 A 3
Dainville-Bertheléville *(55)*..56 A 4
Daix *(21)* ....93 F 4
Dalem *(57)* ....21 G 4
Dalhain *(57)* ....37 G 5
Dalhunden *(67)* ....39 G 5
Dallet *(63)* .... 133 F 3
Dallon *(02)* ....16 D 2
Dalou *(09)* .... 207 E 2
Dalstein *(57)* ....21 F 4
Daluis *(06)* .... 182 C 3
Damas-aux-Bois *(88)*..........57 F 4
Damas-et-Bettegney *(88)*..77 E 1
Damazan *(47)* .... 171 H 1
Dambach *(67)* ....39 E 3
Dambach-la-Ville *(67)*..........58 D 5
Dambelin *(25)* ....95 H 3
Dambenois *(25)* ....96 C 2
Dambenoît-lès-Colombe *(70)*..77 F 5
Damblain *(88)* ....76 B 2
Damblainville *(14)*..........27 G 5
Dambron *(28)* ....70 C 2
Dame-Marie *(27)*..........49 F 1
Dame-Marie *(61)*..........48 D 5
Dame-Marie-les-Bois *(37)*..87 F 2
Damelevières *(54)* ....57 F 3
Daméraucourt *(60)*..........14 D 4
Damerey *(71)* .... 109 F 3
Damery *(51)* ....33 G 4
Damery *(80)* ....16 A 3
Damgan *(56)* ....81 H 3
Damiatte *(81)* .... 190 B 2
Damigny *(61)* ....47 H 4
Damloup *(55)* ....20 A 5
Dammard *(02)* ....32 C 3
Dammarie *(28)* ....50 A 5
Dammarie-en-Puisaye *(45)*..90 A 2
Dammarie-les-Lys *(77)*..........51 H 4
Dammarie-sur-Loing *(45)*..72 A 2
Dammarie-sur-Saulx *(55)*..55 G 3
Dammartin-en-Goële *(77)*..31 H 4
Dammartin-en-Serve *(78)*..30 B 5
Dammartin-les-Templiers *(25)*..95 H 4
Dammartin-Marpain *(39)*..94 A 5
Dammartin-sur-Meuse *(52)*..76 A 3
Dammartin-sur-Tigeaux *(77)*..52 A 1
Damousies *(59)* .... 9 H 4

Damouzy *(08)* ....18 D 2
Damparis *(39)* .... 110 A 1
Dampierre *(10)* ....54 B 3
Dampierre *(14)* ....25 H 4
Dampierre *(39)* ....94 C 5
Dampierre *(52)* ....75 H 3
Dampierre-au-Temple *(51)*..34 B 4
Dampierre-en-Bray *(76)*..........14 B 5
Dampierre-en-Bresse *(71)* .. 109 G 3
Dampierre-en-Burly *(45)*..........89 G 1
Dampierre-en-Crot *(18)*..........89 G 3
Dampierre-en-Graçay *(18)*.. 104 C 1
Dampierre-en-Montagne *(21)* .92 C 3
Dampierre-en-Yvelines *(78)*..50 D 2
Dampierre-et-Flée *(21)*..........93 H 3
Dampierre-le-Château *(51)*..34 D 4
Dampierre-les-Bois *(25)*..........96 D 2
Dampierre-lès-Conflans *(70)*..77 E 4
Dampierre-sous-Bouhy *(58)*..90 C 3
Dampierre-sous-Brou *(28)*..69 G 1
Dampierre-St-Nicolas *(76)*..13 H 2
Dampierre-sur-Avre *(28)*..........49 G 2
Dampierre-sur-Blévy *(28)*..........49 G 3
Dampierre-sur-Boutonne *(17)*.114 B 5
Dampierre-sur-le-Doubs *(25)*..96 C 2
Dampierre-sur-Linotte *(70)*..95 E 3
Dampierre-sur-Loire *(49)*..........85 H 5
Dampierre-sur-Moivre *(51)*..34 C 5
Dampierre-sur-Salon *(70)*..........94 B 2
Dampjoux *(25)* ....96 C 3
Dampleux *(02)* ....32 C 2
Dampmart *(77)* ....51 H 1
Dampniat *(19)* .... 144 D 3
Damprichard *(25)*..........96 D 4
Les Damps *(27)* ....29 G 2
Dampsmesnil *(27)* ....30 B 3
Damrémont *(52)* ....76 B 3
Damville *(27)* ....49 F 1
Damvillers *(55)* ....35 H 1
Damvix *(85)* .... 113 H 3
Dancé *(42)* .... 134 C 2
Dancé *(61)* ....48 D 5
Dancevoir *(52)* ....75 E 4
Dancharia *(64)* .... 184 C 4
La Danchère *(38)* .... 152 B 5
Dancourt *(76)* ....14 B 2
Dancourt-Popincourt *(80)*..16 A 4
Dancy *(28)* ....70 A 2
Danestal *(14)* ....27 H 2
Dangé-St-Romain *(86)*.. 102 C 3
Dangeau *(28)* ....69 H 2
Dangers *(28)* ....49 H 4
Dangeul *(72)* ....68 A 1
Dangolsheim *(67)* ....58 D 2
Dangu *(27)* ....30 B 2
Dangy *(50)* ....25 E 4
Danizy *(02)* ....16 D 4
Danjoutin *(90)* ....96 C 1
Danne-et-Quatre-Vents *(57)*..58 C 1
Dannelbourg *(57)*..........58 C 1
Dannemarie *(25)* ....96 D 3
Dannemarie *(68)* ....97 E 1
Dannemarie *(78)* ....50 B 2
Dannemarie-sur-Crète *(25)* ..94 C 5
Dannemoine *(89)* ....73 H 4
Dannemois *(91)* ....51 G 4
Dannes *(62)* .... 2 A 5
Dannevoux *(55)* ....35 G 2
Danvou-la-Ferrière *(14)*..........26 D 5
Danzé *(41)* ....69 F 4
Daon *(53)* ....66 D 5
Daoulas *(29)* ....41 G 4
Daours *(80)* ....15 G 2
Darazac *(19)* .... 145 F 3
Darbonnay *(39)* .... 110 B 3
Darbres *(07)* .... 163 F 3
Darcey *(21)* ....92 C 2
Dardenac *(33)* .... 155 H 2
Dardenay *(52)* ....93 H 1
Dardez *(27)* ....29 G 4
Dardilly *(69)* .... 135 H 3
Dareizé *(69)* .... 135 F 2
Dargies *(60)* ....14 D 3
Dargnies *(80)* .... 6 B 5
Dargoire *(42)* .... 135 G 5
Darmannes *(52)* ....75 G 2
Darnac *(87)* .... 116 B 4
Darnétal *(76)* ....29 G 1
Darnets *(19)* .... 145 G 1
Darney *(88)* ....76 D 2
Darney-aux-Chênes *(88)*..........56 C 5
Darnieulles *(88)* ....77 F 1
Darois *(21)* ....93 F 4
Darsac *(43)* .... 148 A 4
Darvault *(77)* ....71 H 1
Darvoy *(45)* ....70 D 5
Dasle *(25)* ....96 D 2
Daubensand *(67)* ....59 F 4
Daubeuf-la-Campagne *(27)*..29 F 3
Daubeuf-près-Vatteville *(27)*..29 H 2
Daubeuf-Serville *(76)*..........12 D 3
Daubèze *(33)* .... 155 H 2
Daucourt *(51)* ....35 E 4
Dauendorf *(67)* ....39 E 5
Daugnague *(40)* .... 169 G 1
Daumazan-sur-Arize *(09)*.. 206 C 1
Daumeray *(49)* ....85 F 1
Dauphin *(04)* .... 180 D 4
Dausse *(47)* .... 157 G 5

Daux *(31)* .... 189 E 2
Dauzat-sur-Vodable *(63)*..147 E 1
Davayat *(63)* .... 133 F 2
Davayé *(71)* .... 122 B 3
Davejean *(11)* .... 208 D 3
Davézieux *(07)* .... 149 G 2
Davignac *(19)* .... 145 F 1
Davrey *(10)* ....73 H 3
Davron *(78)* ....50 D 1
Dax ⬛ *(40)* .... 185 F 1
Deauville *(14)* ....28 A 1
Deaux *(30)* .... 178 A 3
Débats-Rivière-d'Orpra *(42)* .134 C 2
Decazeville *(12)* .... 159 G 4
Dechy *(59)* .... 8 C 3
Décines-Charpieu *(69)* .. 136 B 3
Decize *(58)* .... 107 E 4
La Défense *(92)* ....31 E 5
Dégagnac *(46)* .... 158 A 3
Degré *(72)* ....67 H 3
Dehault *(72)* ....68 C 2
Dehéries *(59)* .... 9 E 5
Dehlingen *(67)* ....38 B 4
Deinvillers *(88)* ....57 G 4
Déjointes *(18)* .... 106 A 2
Delain *(70)* ....94 B 2
Delettes *(62)* .... 3 E 5
Delincourt *(60)* ....30 C 2
Delle *(90)* ....96 D 2
Delme *(57)* ....37 F 5
Delouze-Rosières *(55)*..........56 A 3
Le Déluge *(60)* ....31 E 2
Delut *(55)* ....35 H 1
Deluz *(25)* ....95 E 4
Demandolx *(04)* .... 182 A 4
Demange-aux-Eaux *(55)*..........55 H 3
Demangevelle *(70)* ....76 D 4
Demi-Quartier *(74)* .... 139 E 2
La Demie *(70)* ....95 E 2
Demigny *(71)* .... 109 E 3
Démouville *(14)* ....27 G 3
Demptézieu *(38)* .... 137 E 4
Dému *(32)* .... 187 F 1
Démuin *(80)* ....15 H 2
Denain *(59)* .... 9 E 3
Dénat *(81)* .... 175 E 5
Denazé *(53)* ....66 B 4
Denée *(49)* ....84 D 4
Dénestanville *(76)* .... 13 G 2
Deneuille-lès-Chantelle *(03)* ..119 H 4
Deneuille-les-Mines *(03)* .. 119 F 3
Deneuvre *(54)* ....57 H 4
Denèvre *(70)* ....94 B 2
Dénezé-sous-Doué *(49)*..........85 F 5
Dénezé-sous-le-Lude *(49)*..85 A 2
Denezières *(39)* .... 110 C 5
Denguin *(64)* .... 186 A 4
Denicé *(69)* .... 135 G 1
Denier *(62)* .... 7 H 3
Denipaire *(88)* ....58 A 5
Dennebrœucq *(62)* .... 7 F 1
Denneville *(50)* ....22 C 5
Dennevy *(71)* .... 108 D 3
Denney *(90)* ....96 D 1
Denonville *(28)* ....50 C 5
Denting *(57)* ....21 G 5
Déols *(36)* .... 104 B 4
Derbamont *(88)* ....57 E 5
Dercé *(86)* .... 102 A 3
Derchigny *(76)* ....13 H 1
Dercy *(02)* ....17 F 3
Dernacueillette *(11)* .... 208 C 3
Dernancourt *(80)* ....15 H 1
Derval *(44)* ....83 F 1
Désaignes *(07)* .... 149 F 5
Descartes *(37)* .... 102 D 2
Desches *(25)* ....95 H 2
Désandans *(25)* ....95 H 2
Désaignes *(07)* .... 149 F 5
Le Désert *(14)* ....25 H 5
Le Désert *(38)* .... 166 B 1
Désertines *(03)* .... 119 E 3
Désertines *(53)* ....46 C 4
Désertines *(53)* ....46 C 4
Dimont *(59)* .... 10 A 2
Les Déserts *(73)* .... 138 A 4
Déservillers *(25)* .... 111 E 2
Desges *(43)* .... 147 G 5
Desingy *(74)* .... 137 H 1
Desmonts *(45)* ....71 G 1
Desnes *(39)* .... 110 A 4
Desseling *(57)* ....57 H 1
Dessenheim *(68)* ....79 E 3
Dessia *(39)* .... 123 F 2
Destord *(88)* ....57 G 5
La Destrousse *(13)* .... 196 A 4
Destry *(57)* ....37 G 4
Desvres *(62)* .... 2 C 5
Détain-et-Bruant *(21)* .. 109 E 1
Détrier *(73)* .... 138 B 5
Le Détroit *(14)* ....27 F 5
Dettey *(71)* .... 108 A 4
Dettwiller *(67)* ....58 D 1
Deuil-la-Barre *(95)* ....31 F 5
Deuillet *(02)* ....16 D 4
Deûlémont *(59)* .... 4 B 3
Les Deux-Alpes *(38)*.. 152 B 4
Les Deux-Aygues Granval *(07)* .. 162 D 4
Deux-Chaises *(03)* .... 119 G 3
Deux-Évailles *(53)*..........67 E 4
Les Deux-Fays *(39)* .... 110 A 3
Deux-Jumeaux *(14)* ....23 G 5
Deux-Verges *(15)* .... 160 D 2

Les Deux-Villes *(08)*..........19 G 3
Deuxnouds-
  devant-Beauzée *(55)*..........35 G 4
Deuxville *(54)* ....57 F 2
Devay *(58)* .... 107 E 4
Devecey *(25)* ....94 D 4
Devesset *(07)* .... 149 E 4
Devèze *(65)* .... 187 H 5
Déville *(08)* .... 11 E 5
Déville-lès-Rouen *(76)* .. 13 G 5
Devise *(80)* ....16 B 2
Dévoluy *(05)* .... 166 A 2
Devrouze *(71)* .... 109 G 4
Deycimont *(88)* ....77 H 1
Deyme *(31)* .... 189 G 3
Deyvillers *(88)* ....77 G 1
Le Dézert *(50)* ....25 F 2
Dezize-lès-Maranges *(71)* .. 108 D 3
Dhuisy *(77)* ....32 C 4
Dhuizel *(02)* ....33 E 1
Dhuizon *(41)* ....88 B 2
Diancey *(21)* ....92 B 5
Diane-Capelle *(57)*..........58 A 1
Diant *(77)* ....72 B 1
Diarville *(54)* ....56 D 4
Le Diben *(29)* ....42 A 2
Diconne *(71)* .... 109 G 4
Dicy *(89)* ....72 B 4
Didenheim *(68)* ....78 D 5
Die ⬛ *(26)* .... 165 F 2
Diebling *(57)* ....38 A 3
Diebolsheim *(67)* ....59 F 5
Diedendorf *(67)* ....38 B 5
Dieffenbach-au-Val *(67)*..........58 D 5
Dieffenbach-lès-Wœrth *(67)*..39 F 4
Dieffenthal *(67)* ....58 D 5
Diefmatten *(68)* ....78 C 5
Dielette *(50)* ....22 B 3
Dième *(69)* .... 135 F 1
Diemeringen *(67)* ....38 B 4
Diémoz *(38)* .... 136 C 4
Diénay *(21)* ....93 F 2
Dienne *(15)* .... 146 C 4
Dienné *(86)* .... 115 H 2
Diennes-Aubigny *(58)* .. 107 E 3
Dienville *(10)* ....54 C 5
Dieppe ⬛ *(76)* .... 13 G 1
Dieppe-
  sous-Douaumont *(55)*..........20 A 5
Dieppedalle *(76)* ....29 F 1
Dierre *(37)* ....87 E 4
Dierrey-St-Julien *(10)* ....73 G 1
Dierrey-St-Pierre *(10)* ....53 G 5
Diesen *(57)* ....21 H 5
Dietwiller *(68)* ....78 D 5
Dieudonné *(60)* ....31 E 2
Dieue-sur-Meuse *(55)*..........35 H 4
Dieulefit *(26)* .... 164 D 4
Dieulivol *(33)* .... 156 B 3
Dieulouard *(54)* ....36 D 5
Dieupentale *(82)* .... 173 G 5
Dieuze *(57)* ....37 H 5
Diéval *(62)* .... 7 H 2
Diffembach-lès-Hellimer *(57)* ..37 H 4
Diges *(89)* ....90 D 1
Digna *(39)* .... 123 F 1
Dignac *(16)* .... 128 C 5
La Digne-d'Amont *(11)*.. 208 A 2
La Digne-d'Aval *(11)* .. 208 A 2
Digne-les-Bains ⓟ *(04)*.. 181 F 3
Dignonville *(88)* ....77 G 1
Digny *(28)* ....49 G 4
Digoin *(71)* .... 121 E 2
Digosville *(50)* ....22 D 3
Digulleville *(50)* ....22 B 2
Dijon ⓡ *(21)* ....93 F 4
Dilo *(89)* ....73 E 3
Dimancheville *(45)* ....71 F 1
Dimbsthal *(67)* ....58 D 1
Dimechaux *(59)* .... 10 A 2
Dimont *(59)* .... 10 A 2
La Dominelais *(35)* ....65 F 3
Dinan ⬛ *(22)* ....44 D 4
Dinard *(35)* ....44 D 2
Dinéault *(29)* ....61 G 1
Dingé *(35)* ....45 E 4
Dingsheim *(67)* ....59 E 2
Dingy-en-Vuache *(74)* .. 124 A 5
Dingy-St-Clair *(74)* .... 138 B 1
Dinozé *(88)* ....77 G 2
Dinsac *(87)* .... 116 C 4
Dinsheim *(67)* ....58 D 3
Dio-et-Valquières *(34)* .. 192 B 2
Dionay *(38)* .... 150 D 3
Dions *(30)* .... 178 B 4
Dions *(36)* .... 104 C 4
Diou *(03)* .... 120 C 1
Diou *(36)* .... 104 D 2
Dirac *(16)* .... 128 C 4
Dirinon *(29)* ....41 G 4
Dirol *(58)* ....91 F 4
Dissais *(85)* .... 113 E 1
Dissangis *(89)* ....91 H 2
Dissay *(86)* .... 102 A 5
Dissay-sous-Courcillon *(72)*..86 C 1
Dissé-sous-Ballon *(72)*..........68 A 2
Dissé-sous-le-Lude *(72)*..........86 A 2
Distré *(49)* ....85 G 5
Distroff *(57)* ....21 E 4
Diusse *(64)* .... 186 D 2

Divajeu *(26)* .... 164 C 2
Dives *(60)* ....16 B 4
Dives-sur-Mer *(14)*..........27 H 2
Divion *(62)* .... 7 H 1
Divonne-les-Bains *(01)*.. 124 B 2
Dixmont *(89)* ....72 D 3
Dizimieu *(38)* .... 136 D 3
Dizy *(51)* ....33 G 4
Dizy-le-Gros *(02)* .... 17 H 4
Doazit *(40)* .... 186 A 1
Doazon *(64)* .... 186 A 3
Docelles *(88)* ....77 H 1
Doëlan *(29)* ....80 B 1
Dœuil-sur-le-Mignon *(17)*..114 A 5
Dognen *(64)* .... 185 H 5
Dogneville *(88)* ....77 F 1
Dohem *(62)* .... 3 E 5
Dohis *(02)* ....18 A 3
Doignies *(59)* .... 8 C 5
Doingt *(80)* ....16 B 1
Doissat *(24)* .... 157 H 2
Doissin *(38)* .... 137 E 5
Doix lès Fontaines *(85)*.. 113 G 2
Doizieux *(42)* .... 149 F 1
Dol-de-Bretagne *(35)*..........45 F 3
Dolaincourt *(88)* ....56 C 5
Dolancourt *(10)* ....74 C 1
Dolcourt *(54)* ....56 C 4
Dole ⬛ *(39)* .... 110 A 1
Dolignon *(02)* .... 17 H 3
Dolleren *(68)* ....78 B 4
Dollon *(72)* ....68 C 3
Dollot *(89)* ....72 B 2
Dolmayrac *(47)* .... 157 E 5
Dolo *(22)* ....44 B 4
Dolomieu *(38)* .... 137 F 4
Dolus-d'Oléron *(17)*.. 126 B 1
Dolus-le-Sec *(37)* .... 103 E 1
Dolving *(57)* ....58 B 1
Dom-le-Mesnil *(08)* .... 19 E 3
Domagné *(35)* ....65 H 2
Domaize *(63)* .... 133 H 4
Domalain *(35)* ....65 H 3
Domancy *(74)* .... 139 E 1
Domarin *(38)* .... 136 D 4
Domart-en-Ponthieu *(80)*.. 7 F 5
Domart-sur-la-Luce *(80)*..........15 G 2
Domats *(89)* ....72 B 2
Domazan *(30)* .... 178 D 4
Dombasle-
  devant-Darney *(88)*..........76 D 2
Dombasle-en-Argonne *(55)*..35 G 3
Dombasle-en-Xaintois *(88)*..56 D 5
Dombasle-sur-Meurthe *(54)*..57 F 2
Domblain *(52)* ....55 F 4
Domblans *(39)* .... 110 B 4
Dombras *(55)* ....20 A 3
Dombrot-le-Sec *(88)*..........76 C 2
Dombrot-sur-Vair *(88)*..........76 C 1
Domecy-sur-Cure *(89)*..........91 G 4
Domecy-sur-le-Vault *(89)*..........91 G 3
Doméliers *(60)* ....15 E 4
Domène *(38)* .... 151 H 3
Domérat *(03)* .... 118 D 3
Domesmont *(80)* .... 7 F 5
Domessargues *(30)*.......... 178 A 4
Domessin *(73)* .... 137 G 5
Domèvre-en-Haye *(54)*..........56 C 1
Domèvre-sous-Montfort *(88)*..76 D 1
Domèvre-sur-Avière *(88)*..........77 F 1
Domèvre-sur-Durbion *(88)*..57 G 5
Domèvre-sur-Vezouze *(54)*..57 H 3
Domeyrat *(43)* .... 147 G 3
Domeyrot *(23)* .... 118 B 4
Domezain-Berraute *(64)*.. 185 F 4
Domfaing *(88)* ....77 H 1
Domfessel *(67)* ....38 B 4
Domfront *(60)* ....15 H 4
Domfront-
  en-Champagne *(72)*..........67 H 2
Domfront-en-Poiraie *(61)*..46 D 3
Domgermain *(54)* ....56 C 2
La Dominelais *(35)*..........65 F 3
Domino *(17)* .... 126 A 1
Domjean *(50)* ....25 G 4
Domjevin *(54)* ....57 H 3
Domjulien *(88)* ....76 D 1
Domléger-Longvillers *(80)*...... 7 E 4
Domloup *(35)* ....65 G 2
Dommarien *(52)* ....93 H 1
Dommartin *(01)* .... 122 C 3
Dommartin *(25)* .... 111 F 2
Dommartin *(58)* .... 107 G 2
Dommartin *(69)* .... 135 H 2
Dommartin *(80)* ....15 G 2
Dommartin-aux-Bois *(88)*......77 E 1
Dommartin-Dampierre *(51)*....34 D 4
Dommartin-la-Chaussée *(54)*..36 C 4
Dommartin-la-Montagne *(55)*..36 A 4
Dommartin-le-Coq *(10)*..........54 B 4
Dommartin-le-Franc *(52)*..........55 E 4
Dommartin-le-St-Père *(52)*..55 E 5
Dommartin-
  lès-Cuiseaux *(71)* .... 123 E 1
Dommartin-
  lès-Remiremont *(88)*..........77 H 3
Dommartin-lès-Toul *(54)*..........56 C 2
Dommartin-lès-Vallois *(88)*..76 D 1
Dommartin-Lettrée *(51)*..........54 A 1

Dommartin-
sous-Amance (54).......57 E 1
Dommartin-sous-Hans (51)...34 D 3
Dommartin-sur-Vraine (88)...56 C 5
Dommartin-Varimont (51)....34 D 5
Dommary-Baroncourt (55)....20 B 4
Domme (24).................158 A 2
Dommiers (02)...............18 C 3
Dommiers (02)...............32 C 2
Domnom-lès-Dieuze (57).....37 H 5
Domois (21).................93 F 5
Domont (95).................31 F 4
Dompaire (88)...............77 E 1
Dompcevrin (55)............35 H 5
Dompierre (60).............15 H 4
Dompierre (61).............47 E 2
Dompierre (88).............57 G 5
Dompierre-aux-Bois (55)....36 A 4
Dompierre-Becquincourt (80).16 A 1
Dompierre-du-Chemin (35)...66 A 1
Dompierre-en-Morvan (21)...92 A 4
Dompierre-les-Églises (87)..116 D 4
Dompierre-les-Ormes (71)...121 H 3
Dompierre-les-Tilleuls (25).111 E 3
Dompierre-
sous-Sanvignes (71)......108 A 5
Dompierre-sur-Authie (80)...6 D 3
Dompierre-
sur-Besbre (03)...........120 C 1
Dompierre-
sur-Chalaronne (01)......122 C 5
Dompierre-sur-Charente (17).127 F 3
Dompierre-sur-Helpe (59)....9 H 4
Dompierre-sur-Héry (58).....91 E 5
Dompierre-sur-Mer (17).....113 F 4
Dompierre-sur-Mont (39)....123 G 1
Dompierre-sur-Nièvre (58)...90 C 5
Dompierre-sur-Veyle (01)...122 B 5
Dompierre-sur-Yon (85).....99 G 4
Dompnac (07)...............162 C 4
Domprel (25)................95 G 5
Dompremy (51)..............54 D 2
Domprix (54)................20 B 4
Domps (87).................130 D 4
Domptail (88)...............57 G 4
Domptail-en-l'Air (54)......57 F 3
Domptin (02)................32 C 4
Domqueur (80)...............7 E 5
Domremy-aux-Bois (55).....55 H 2
Domremy-en-Ornois (52)....55 G 5
Domremy-la-Canne (55).....20 B 4
Domrémy-la-Pucelle (88)....56 B 4
Domsure (01)...............123 E 2
Domvallier (88).............56 D 5
Domvast (80)................6 D 4
Don (59)....................4 B 4
Donazac (11)...............207 H 2
Donchery (08)...............19 E 3
Doncières (88)..............57 G 4
Doncourt-aux-Templiers (55)..36 B 4
Doncourt-lès-Conflans (54)...20 C 5
Doncourt-lès-Longuyon (54)..20 B 3
Doncourt-sur-Meuse (52).....76 A 2
Dondas (47)................172 D 2
Donges (44).................82 C 4
Donjeux (52)................55 G 5
Donjeux (57)................37 F 5
Le Donjon (03).............120 D 3
Donnat (07).................178 D 2
Donnay (14).................27 F 5
Donnazac (81)..............174 C 4
Donnelay (57)...............57 H 1
Donnemain-St-Mamès (28)...69 H 2
Donnemarie (52)............75 H 2
Donnemarie-Dontilly (77)....52 C 4
Donnement (10).............54 B 4
Donnenheim (67)............59 E 1
Donnery (45)................70 D 4
Donneville (31)............189 G 3
Donnezac (33)..............141 F 2
Dontreix (23)..............132 B 1
Dontrien (51)...............34 B 2
Donville-les-Bains (50).....24 C 5
Donzac (33)................155 G 3
Donzac (82)................172 D 3
Donzacq (40)...............185 H 1
Le Donzeil (23)............131 F 1
Donzenac (19)..............144 C 3
Donzère (26)...............163 G 5
Donzy (58)..................90 C 4
Donzy-le-National (71).....122 A 2
Donzy-le-Pertuis (71)......122 B 2
Donzy-le-Pré (58)...........90 C 4
Doranges (63)..............147 H 1
Dorans (90).................96 C 1
Dorat (63).................133 H 2
Le Dorat (87)..............116 C 4
Dorceau (61)................49 E 5
Dordives (45)...............71 H 2
Dore-l'Église (63).........148 A 2
La Dorée (53)...............46 B 4
Dorengt (02)................17 F 1
Dorlisheim (67).............58 D 3
Dormans (51)...............33 F 4
Dormelles (77)..............72 A 1
Dormillouse (05)...........166 D 2
La Dornac (24).............144 B 4
Dornas (07)................163 E 1
Dornecy (58)................91 E 3
Dornes (58)................106 D 5
Dornot (57).................36 D 4
Dorres (66)................211 G 4

Dortan (01)................123 G 3
Dosches (10)................54 A 5
Dosnon (10).................54 A 3
Dossenheim-
Kochersberg (67)..........59 E 2
Dossenheim-sur-Zinsel (67)..38 D 5
Douadic (36)...............103 F 5
Douai <SP> (59).............8 C 2
Douains (27)................29 H 4
Le Douard (13).............195 G 4
Douarnenez (29)............61 F 2
Douaumont (55).............35 H 2
Doubs (25).................111 F 2
Doucelles (72).............68 A 1
Douces (49).................85 F 5
Douchapt (24)..............142 D 3
Douchy (02).................16 C 2
Douchy-Montcorbon (45)....72 B 4
Douchy-lès-Ayette (62)......8 A 4
Douchy-les-Mines (59).......9 E 3
Doucier (39)...............110 C 5
Doucy (73).................138 D 5
Doucy-en-Bauges (73)......138 B 3
Doudeauville (62)...........2 C 5
Doudeauville (76)..........14 C 4
Doudeauville-en-Vexin (27)..30 A 2
Doudelainville (80)........14 C 1
Doudeville (76).............13 E 3
Doudrac (47)...............157 E 3
Doue (77)...................52 C 1
Doué-la-Fontaine (49)......85 F 5
Douelle (46)...............158 B 5
Le Douhet (17).............127 F 2
Douillet (72)...............67 H 1
Douilly (80)................16 C 2
Doulaincourt (52)..........55 G 5
Doulcon (55)................35 F 1
Doulevant-le-Château (52)..55 E 5
Doulevant-le-Petit (52).....55 E 4
Doulezon (33)..............156 A 2
Le Doulieu (59).............3 H 5
Doullens (80)...............7 G 4
Doumely-Bégny (08)........18 B 4
Doumy (64).................186 B 3
Dounoux (88)...............77 F 2
Les Dourbes (04)..........181 G 3
Dourbies (30)..............177 E 3
Dourdain (35)..............65 H 1
Dourdan (91)...............50 D 4
Le Dourduff (29)...........42 A 3
Dourges (62)................4 C 5
Dourgne (81)...............190 C 3
Douriez (62)................6 D 3
Dourlers (59)...............9 H 4
Le Dourn (81)..............175 F 4
Dournazac (87)............129 G 4
Dournon (39)...............110 D 2
Dours (65).................187 F 5
Doussard (74)..............138 B 3
Doussay (86)...............102 A 3
Douvaine (74)..............124 C 3
Douville (24)..............143 E 5
Douville-en-Auge (14).......27 H 2
Douville-sur-Andelle (27)...29 H 1
Douvrend (76)..............13 H 2
Douvres (01)...............137 E 1
Douvres-
la-Délivrande (14)........27 F 2
Douvrin (62)................4 B 5
Doux (08)...................18 C 5
Doux (79)..................101 H 4
Douy (28)...................69 G 3
Douy-la-Ramée (77).........32 A 4
Douzains (47)..............157 E 3
Douzat (16)................128 A 3
Douze (16).................143 G 4
La Douze (24)..............143 G 4
Douzens (11)...............208 C 1
Douzies (59)................9 H 3
Douzillac (24).............142 D 4
Douzy (08)..................19 F 3
Doville (50)................22 D 5
La Doye (39)...............124 B 1
Doye (39)..................110 D 4
Doyet (03).................119 F 3
Dozulé (14).................27 H 2
Dracé (69).................122 B 4
Draché (37)................102 C 2
Drachenbronn-
Birlenbach (67)..........39 F 4
Dracy (89)..................90 C 1
Durdat-Larequille (03).....119 E 4
Dracy-le-Fort (71).........109 E 4
Dracy-St-Loup (71).........108 B 2
Dragey (50).................45 G 2
Draguignan <SP> (83)......197 G 2
Draillant (74).............124 D 3
Drain (49)..................83 H 4
Draix (04).................181 G 2
Draize (08).................18 B 4
Drambon (21)...............93 H 4
Dramelay (39).............123 G 2
Le Dramont (83)...........198 D 3
Drancy (93).................31 G 5
Drap (06)..................183 F 5
Dravegny (02)..............33 E 2
Draveil (91)................51 F 2
Drée (21)...................92 D 4
Drefféac (44)...............82 C 2
Drémil-Lafage (31)........189 G 2
Le Drennec (29)............41 F 3

Dreslincourt (60)..........16 B 5
Dreuil-Hamel (80)..........14 D 1
Dreuil-lès-Amiens (80).....15 F 1
Dreuil-lès-Molliens (80)...15 E 2
Dreuilhe (09)..............207 G 3
Dreux <SP> (28)............49 H 2
Drevant (18)...............105 G 5
Dricourt (08)...............34 C 1
Driencourt (80)............16 B 1
Drignac (15)...............145 H 4
Drincham (59)...............3 E 3
Drocourt (62)...............8 B 2
Drocourt (78)..............30 C 4
Droisy (27).................49 G 1
Droisy (74)................137 H 1
Droitaurier (03)...........120 C 4
Droizy (02).................32 D 2
Drom (01)..................123 F 4
Dromesnil (80).............14 D 2
Drosay (76).................13 E 2
Drosnay (51)...............54 C 3
Droué (41)..................69 F 3
Droue-sur-Drouette (28)....50 B 3
Drouges (35)...............65 H 4
Drouilly (51)...............54 C 1
Droupt-St-Basle (10).......53 G 4
Droupt-Ste-Marie (10)......53 G 4
Drouville (54)..............57 F 2
Drouvin-le-Marais (62)......4 A 5
Droux (87).................116 C 5
Droyes (52).................54 D 4
Drubec (14).................28 A 2
Drucat (80)..................6 D 4
Drucourt (27)..............28 C 3
Drudas (31)................188 D 1
Druelle (12)...............175 G 1
Drueil (02).................55 G 5
Drugeac (15)...............145 H 3
Druillat (01)..............123 E 5
Drulhe (12)................159 G 5
Drulingen (67).............38 B 5
Drumettaz-Clarafond (73)..137 H 4
Drusenheim (67)............39 G 5
Druy-Parigny (58).........106 D 3
Druye (37)..................86 C 4
Druyes-
les-Belles-Fontaines (89)..90 D 2
Dry (45)....................70 B 5
Duault (22).................42 C 5
Ducey-les-Chéris (50).......45 H 2
Duclair (76)................13 F 5
Ducy-Ste-Marguerite (14)...27 E 2
Duerne (69)................135 G 4
Duesme (21).................92 D 1
Duffort (32)...............187 H 5
Dugny (93)..................31 F 5
Dugny-sur-Meuse (55).......35 H 3
Duhort-Bachen (40).........186 C 1
Duilhac-
sous-Peyrepertuse (11)...208 C 4
Duingt (74)................138 B 2
Duisans (62)................8 A 3
Dullin (73)................137 G 5
Dumes (40).................186 A 1
Dun (09)...................207 F 2
Dun-le-Palestel (23).......117 G 3
Dun-le-Poëlier (36)........88 B 5
Dun-les-Places (58)........91 H 5
Dun-sur-Auron (18)........105 G 3
Dun-sur-Grandry (58)......107 G 1
Dun-sur-Meuse (55).........35 G 1
Duneau (72).................68 C 3
Dunes (82).................172 C 3
Dunet (36).................116 D 2
Dung (25)...................96 C 2
Dunière-sur-Eyrieux (07)...163 G 1
Dunières (43)..............149 E 3
Dunkerque <SP> (59).........3 F 1
Duntzenheim (67)...........59 E 1
Duppigheim (67)............59 E 3
Duran (32).................188 A 2
Durance (47)...............171 G 2
Duranus (06)...............183 F 4
Duranville (27).............28 C 3
Duras (47).................156 B 3
Duravel (46)...............157 H 4
Durban (32)................188 A 3
Durban-Corbières (11).....209 E 3
Durban-sur-Arize (09).....206 C 2
Durbans (46)...............158 D 3
Durcet (61).................47 E 1
Durdat-Larequille (03).....119 E 4
Dureil (72).................67 G 5
Durenque (12)..............175 G 3
Durfort (09)...............206 D 1
Durfort (81)...............190 B 4
Durfort-et-St-Martin-
de-Sossenac (30).........177 H 4
Durfort-Lacapelette (82)...173 F 2
Durlinsdorf (68)............97 F 2
Durmenach (68).............97 F 2
Durmignat (63).............119 F 4
Durningen (67)..............59 E 1
Durrenbach (67)............39 F 4
Durrenentzen (68)..........79 E 2
Durstel (67)................38 C 5
Durtal (49).................85 F 1
Durtol (63)................133 E 3
Dury (02)...................16 C 3
Dury (62)..................15 E 3
Dury (80)...................15 F 2

Dussac (24)................143 H 1
Duttlenheim (67)...........59 E 3
Duvy (60)...................32 A 2
Duzey (55)..................20 B 3
Dyé (89)....................73 G 4
Dyo (71)...................121 H 3

E

Eancé (35)..................65 H 4
Eaubonne (95)..............31 F 5
Eaucourt-sur-Somme (80).....6 D 5
Eaunes (31)................189 F 4
Eaux-Bonnes (64)...........203 H 3
Eaux-Chaudes (64).........203 H 3
Eaux-Puiseaux (10).........73 G 2
Eauze (32).................171 G 5
Ébaty (21).................109 E 3
Ebblinghem (59).............3 F 4
Ébéon (17).................127 G 2
Eberbach-Seltz (67)........39 H 4
Ebersheim (67).............59 E 5
Ebersmunster (67)..........59 E 5
Ébersviller (57)............21 F 4
Éblange (57)................21 G 4
Ébouleau (02)...............17 G 3
Ébréon (16)................128 B 1
Ébreuil (03)...............119 G 5
L'Écaille (08)..............34 A 1
Écaillon (59)...............8 D 3
Écalles-Alix (76)..........13 F 4
Écaquelon (27).............28 D 2
Écardenville-
la-Campagne (27).........29 E 3
Écardenville-sur-Eure (27)..29 H 4
Écausseville (50)..........23 E 4
Écauville (27)..............29 F 3
Eccica-Suarella (2A).......216 D 5
Eccles (59).................10 A 2
Échalas (69)...............135 H 5
Échallon (01)..............124 B 3
Échalot (21)................93 E 2
Échalou (61)................47 E 2
Échandelys (63)............133 H 5
Échannay (21)...............92 D 5
Écharcon (91)..............51 F 3
Échassières (03)...........119 G 4
Échauffour (61).............48 B 2
Échavanne (70).............95 H 1
Échay (25).................110 D 1
Échebrune (17)............127 G 4
Échemines (10).............53 E 5
L'Échelle (08).............18 C 2
L'Échelle-le-Franc (51).....33 E 5
L'Échelle-St-Aurin (80)....16 A 3
Les Échelles (73).........151 G 1
Échemiré (49)..............85 G 2
Échenans (25)..............96 B 2
Échenans-
sous-Mont-Vaudois (70)...96 C 1
Échenay (52)...............55 H 4
Échenevex (01).............124 B 3
Échenon (21)..............109 H 1
Échenoz-la-Méline (70).....95 E 1
Échenoz-le-Sec (70)........95 E 2
Échevanne (70).............94 B 3
Échevannes (21)............93 G 2
Échevannes (25)...........111 F 1
Échevis (26)...............151 E 4
Échevronne (21)...........109 E 1
Échigey (21)................93 G 5
Échillais (17).............126 C 2
Échilleuses (45)...........71 G 2
Échinghen (62)..............2 B 4
Échiré (79)................114 B 2
Échirolles (38)...........151 G 3
Échouboulains (77).........52 A 4
Échourgnac (24)...........142 C 4
Eckartswiller (67).........58 D 1
Eckbolsheim (67)...........59 F 2
Eckwersheim (67)...........59 F 1
Éclaibes (59)...............9 H 4
Éclaires (51)...............35 F 4
Éclance (10)................54 D 5
Éclans-Nenon (39).........110 B 1
Éclaron-Braucourt-
Ste-Livière (52)..........55 E 3
Eclassan (07)..............149 G 3
Éclèche-en-Val..
L'Éclème (62)...............7 H 1
Écleux (39)................110 C 2
Éclimeux (62)...............7 F 2
Eclose (38)................136 D 5
Éclusier-Vaux (80).........16 A 1
Écluzelles (28)............49 H 2
Écly (08)...................18 B 5
Écoche (42)................121 G 5
Écoivres (62)...............7 G 3
École (73).................138 B 4
École-Valentin (25)........94 D 4
Écollemont (51)............54 D 3
Écoman (41).................69 H 4
Écorcei (61)................48 A 1
Les Écorces (25)...........96 C 5
Écorches (61)...............48 A 1
Écordal (08)................18 C 5
Écorpain (72)...............68 D 4
Écos (27)...................30 B 3
Écot (25)...................96 C 3
Écot-la-Combe (52).........75 H 1

Écotay-l'Olme (42)........134 C 5
Écots (61)..................27 H 4
Écouché (61)................47 G 2
Écoust-St-Mein (62)........8 B 4
Écoust-St-Quentin (62)......8 C 3
Écouviez (55)...............20 A 2
L'Écouvotte (25)............95 F 4
Écoyeux (17)...............127 F 2
Ecquedecques (62)...........7 H 1
Ecques (62).................3 E 5
Ecquetot (27)..............29 F 3
Ecquevilly (78)............30 C 5
Ecrainville (76)............12 C 4
Écrammeville (14)..........23 G 5
Les Écrennes (77)..........52 A 4
Écretteville-lès-Baons (76).13 E 4
Écretteville-sur-Mer (76)..12 D 2
Écrille (39)...............123 G 1
Écromagny (70).............77 G 5
Écrosnes (28)...............50 B 4
Écrouves (54)..............56 C 2
Ectot-l'Auber (76).........13 F 4
Ectot-lès-Baons (76).......13 E 4
Écublé (28).................49 H 3
Écueil (51).................33 G 3
Écueillé (36)..............103 H 1
Écuélin (59)................9 H 4
Écuelle (70)................94 A 2
Écuelles (71)..............109 G 2
Écuelles (77)...............52 A 5
Écuillé (49)................84 D 1
Écuires (62)................6 D 2
Écuisses (71)..............108 C 4
Éculleville (50)...........22 B 2
Écully (69)................135 H 3
Écuras (16)................129 E 4
Écurat (17)................127 E 3
Écurcey (25)................96 C 3
Écurey-en-Verdunois (55)...35 G 1
Écurie (62)..................8 A 3
Écury-le-Repos (51)........53 H 1
Écury-sur-Coole (51).......34 B 5
Écuvilly (60)...............16 B 4
Edern (29)..................61 H 2
Édon (16)..................128 D 5
Les Éduts (17).............127 H 1
Eecke (59)...................3 G 4
Effiat (63)................133 F 1
Effincourt (52)............55 G 4
Effry (02)..................17 H 1
Égat (66)..................211 H 4
Égleny (89).................72 D 5
Égletons (19)..............145 F 1
Égligny (77)................52 C 5
Églingen (68)...............78 C 5
L'Église (30)..............177 H 2
L'Église (83)..............198 D 2
L'Église-aux-Bois (19)....131 E 4
L'Église-de-Cros (30).....177 G 4
Église-Neuve-de-Vergt (24).143 F 4
Église-Neuve-d'Issac (24)..142 D 5
Égliseneuve-
d'Entraigues (63)........146 C 1
Égliseneuve-des-Liards (63).133 H 5
Égliseneuve-
près-Billom (63).........133 G 4
Les Églises-d'Argenteuil (17).127 G 1
Les Églises-des-Lindes..
Les Églisottes-
et-Chalaures (33)........142 A 4
Égly (91)...................51 E 3
Égreville (77)..............72 A 2
Égriselles-le-Bocage (89)..72 C 2
Éguelshardt (57)...........38 D 3
Éguenigue (90).............96 D 1
L'Éguille (17).............126 C 3
Éguilles (13)..............195 H 2
Éguilly (21)................92 C 4
Éguilly-sous-Bois (10).....74 C 2
Éguisheim (68)..............78 D 2
Éguzon (36)................117 F 2
Éhuns (70)..................77 F 5
Eichhoffen (67)............58 D 4
Eincheville (57)...........37 G 4
Einvaux (54)................57 F 3
Einville-au-Jard (54)......57 F 2
Eix (55)....................20 A 5
Élan (08)...................18 D 3
Élancourt (78).............50 D 1
Elange (57).................20 D 3
Elbach (68).................97 E 1
Elbeuf (76).................29 F 2
Elbeuf-en-Bray (76)........14 B 5
Elbeuf-sur-Andelle (76)....14 A 5
Élesmes (59)................9 H 3
Életot (76).................12 C 2
Éleu-dit-Leauwette (62).....4 B 5
Élincourt (59)..............9 E 5
Élincourt-
Ste-Marguerite (60)......16 A 5
Élise-Daucourt (51)........35 E 4
Elizaberry (64)...........184 D 3
Ellecourt (76).............14 C 2
Elliant (29)................61 H 3

Ellon (14)..................26 D 2
Elne (66)..................213 F 3
Elnes (62)..................2 D 5
Éloie (90)..................78 A 5
Éloise (74)................124 A 5
Éloyes (88)................77 G 2
Elsenheim (67).............79 E 1
Elvange (57)................37 G 3
Elven (56)..................81 H 1
Elze (30)..................162 C 5
Émagny (25).................94 C 4
Émalleville (27)...........29 G 4
Émancé (78)................50 B 3
Émanville (27)..............29 E 4
Émanville (76).............13 F 4
Emberménil (54)............57 H 2
Embourie (16)..............128 B 1
Embres-et-Castelmaure (11).209 E 3
Embreville (80).............6 B 5
Embrun (05)................167 E 3
Les Embruscalles (34).....177 H 5
Embry (62)..................7 E 1
Émerainville (77)..........51 H 1
Émerchicourt (59)...........8 D 3
Émeringes (69).............122 A 4
Éméville (60)...............32 B 2
Émiéville (14)..............27 G 3
Emlingen (68)...............97 F 1
Emmerin (59)................4 C 4
Émondeville (50)...........23 E 4
Empeaux (31)...............188 D 3
Empurany (07)..............149 F 5
Empuré (16)................128 B 1
Empury (58).................91 G 4
Enaux (06).................182 B 2
Encausse (32)..............188 D 1
Encausse-les-Thermes (31)..205 G 2
Enchastrayes (04).........167 F 5
Enchenberg (57)............38 C 3
Encourtiech (09)..........206 B 3
Endoufielle (32)..........188 D 3
Énencourt-le-Sec (60)......30 C 2
Énencourt-Léage (60).......30 C 2
Enfonvelle (52)............76 C 4
Engayrac (47)..............172 D 1
Engente (10)...............74 D 1
Engenville (45)............71 E 1
Enghien-les-Bains (95).....31 F 5
Engins (38)................151 G 3
Englancourt (02)...........17 G 1
Englebelmer (80)............7 H 5
Englefontaine (59)..........9 F 4
Englesqueville-en-Auge (14).28 A 1
Englesqueville-la-Percée (14).23 G 5
Englos (59).................4 C 4
Engomer (09)...............206 A 3
Enguinegatte (62)...........3 E 5
Engwiller (67).............39 E 5
Ennemain (80)..............16 B 2
Ennery (57).................21 E 5
Ennery (95).................31 E 4
Ennetières-
en-Weppes (59)...........4 B 3
Ennevelin (59)..............4 C 4
Ennezat (63)...............133 F 2
Ennordres (18)..............89 F 3
Enquin-les-Mines (62).......3 E 5
Enquin-sur-Baillons (62)....6 D 1
Enriez (04)................182 B 3
Ens (65)...................205 E 4
Ensigné (79)...............114 C 5
Ensisheim (68).............78 D 4
Ensuès-la-Redonne (13)....195 G 4
Entrages (04)..............181 G 3
Entraigues (38)...........152 A 5
Entraigues (63)...........133 G 2
Entraigues-sur-la-Sorgue (84).179 F 4
Entrains-sur-Nohain (58)....90 C 3
Entrammes (53).............66 D 3
Entraunes (06)............182 B 1
Entraygues-sur-Truyère (12).160 A 3
Entre-deux-Eaux (88).......78 B 1
Entre-deux-Guiers (38)....151 G 1
Entre-deux-Monts (39).....110 D 5
Entre-lès-Fourg (39)......111 G 4
Entrecasteaux (83)........197 F 3
Entrechaux (84)...........179 H 2
Entremont (74)............138 C 1
Entremont-le-Vieux (73)...137 H 5
Entrepierres (04).........181 E 2
Entressen (13)............195 E 2
Entrevaux (04)............182 C 3
Entrevennes (04)..........181 E 4
Entrevernes (74)..........138 B 2
Entzheim (67)..............59 E 3
Enval (63).................133 E 2
Envermeu (76)..............13 H 2
Envronville (76)...........13 E 4
Éourres (05)...............180 C 1
Éoux (31)..................188 C 5
Épagne (10).................54 C 5
Épagne-Épagnette (80).......6 D 5
Épagny (02).................16 D 5

Localité *(Département)* — Page — Coordonnées

Épagny (21)....93 F 3
Épagny-Metz-Tessy (74)....138 A 1
Épaignes (27)....28 C 2
Épaney (14)....27 G 5
Épannes (79)....114 A 4
Éparcy (02)....10 A 5
Les Éparges (55)....36 A 4
Épargnes (17)....126 D 5
Les Éparres (38)....136 D 5
Épaumesnil (80)....14 D 1
Épaux-Bézu (02)....32 D 4
Épeautrolles (28)....69 H 1
Épécamps (80)....7 F 5
Épégard (27)....29 E 3
Épehy (80)....16 C 1
Épeigné-les-Bois (37)....87 F 5
Épeigné-sur-Dême (37)....86 C 4
Épénancourt (80)....16 B 2
Épenède (16)....115 H 5
Épenouse (25)....95 G 5
Épenoy (25)....95 F 5
Épense (51)....35 E 5
Épercieux-St-Paul (42)....135 E 3
Éperlecques (62)....3 E 4
Épernay (51)....33 G 4
Épernay-sous-Gevrey (21)....93 F 5
Épernon (28)....50 B 3
Éperrais (61)....48 C 5
Épersy (73)....138 A 3
Épertully (71)....108 D 3
Épervans (71)....109 F 4
Les Épesses (85)....100 B 3
Épeugney (25)....110 D 1
Épfig (67)....58 D 4
Épiais (41)....69 G 5
Épiais-lès-Louvres (95)....31 G 4
Épiais-Rhus (95)....30 D 3
Épieds (02)....32 D 4
Épieds (27)....29 H 5
Épieds (49)....101 G 1
Épieds-en-Beauce (45)....70 B 4
Épierre (73)....138 C 5
Épiez-sur-Chiers (54)....20 A 2
Épiez-sur-Meuse (55)....56 A 3
Épinac (71)....108 C 2
Épinal [P] (88)....77 F 1
Épinant (52)....76 A 3
Épinay (27)....28 D 5
Épinay-Champlâtreux (95)....31 F 4
L'Épinay-le-Comte (61)....46 C 4
Épinay-sous-Sénart (91)....51 G 2
Épinay-sur-Duclair (76)....13 F 5
Épinay-sur-Odon (14)....26 D 4
Épinay-sur-Orge (91)....51 F 2
Épinay-sur-Seine (93)....31 F 5
L'Épine (05)....165 G 5
L'Épine (51)....34 B 5
L'Épine (85)....98 B 2
L'Épine-aux-Bois (02)....52 D 1
L'Épine-des-Champs (61)....46 C 3
Épineau-les-Voves (89)....73 E 4
Épineu-le-Chevreuil (72)....67 G 3
Épineuil (89)....73 H 4
Épineuil-le-Fleuriel (18)....118 D 1
Épineuse (60)....31 G 1
Épineux-le-Seguin (53)....67 F 4
Épiniac (35)....45 F 3
Épinonville (55)....35 F 2
Épinouze (26)....149 H 2
Épinoy (62)....8 D 4
Épire (49)....84 D 3
Épiry (58)....107 F 1
Épisy (77)....52 A 5
Épizon (52)....55 H 5
Éplessier (80)....14 D 3
Éply (54)....37 E 5
Époisses (21)....92 A 3
Épône (70)....30 C 5
Épothémont (10)....54 D 4
Épouville (76)....12 B 4
Époye (51)....34 A 2
Eppe-Sauvage (59)....10 A 3
Eppes (02)....17 G 5
Eppeville (80)....16 C 3
Epping (57)....38 C 3
Épretot (76)....12 C 5
Épreville (76)....12 C 3
Épreville-en-Lieuvin (27)....28 C 3
Épreville-en-Roumois (27)....29 E 2
Épreville-
  près-le-Neubourg (27)....29 E 3
Épron (14)....27 F 2
Eps (62)....7 G 2
Épuisay (41)....69 E 4
Équancourt (80)....8 C 5
Équemauville (14)....28 A 1
Équennes-Éramecourt (80)....14 D 3
Équeurdreville-
  Hainneville (50)....22 C 2
Équevilley (70)....77 E 5
Équevillon (39)....110 D 4
Équihen-Plage (62)....2 A 5
Équilly (50)....24 D 5
Équirre (62)....7 F 1
Éragny (95)....30 D 4
Éragny-sur-Epte (60)....30 C 2
Éraines (14)....27 G 5
Éraville (16)....128 A 5

Erbajolo (2B)....217 F 2
Erbalunga (2B)....215 G 3
Erbéviller-
  sur-Amezule (54)....57 F 1
Erbray (44)....83 H 1
Erbrée (35)....66 A 2
Ercé (09)....206 C 4
Ercé-en-Lamée (35)....65 F 4
Ercé-près-Liffré (35)....65 G 1
Erceville (45)....70 D 1
Erches (80)....15 H 3
Ercheu (80)....16 B 3
Erchin (59)....8 D 3
Erching (57)....38 C 3
Erckartswiller (67)....38 C 5
Ercourt (80)....6 C 5
Ercuis (60)....31 F 2
Erdeven (56)....81 E 2
Erdre-en-Anjou (49)....84 C 2
Éréac (22)....44 B 5
Ergersheim (67)....59 E 2
Ergnies (80)....7 E 5
Ergny (62)....2 D 5
Ergué-Gabéric (29)....61 H 3
Érigné (49)....85 E 3
Érin (62)....7 F 2
Éringes (21)....92 C 2
Eringhem (59)....3 F 3
Erize-la-Brûlée (55)....55 G 1
Érize-la-Grande (55)....35 G 5
Érize-la-Petite (55)....35 G 5
Érize-St-Dizier (55)....55 G 1
Erlon (02)....17 F 3
Erloy (02)....17 G 1
Ermenonville (60)....31 H 3
Ermenonville-la-Grande (28)....49 H 5
Ermenonville-la-Petite (28)....69 H 1
Ermenouville (76)....13 E 2
Ermont (95)....31 E 5
Ernecourt (55)....55 H 1
Ernée (53)....46 B 5
Ernemont-Boutavent (60)....14 C 4
Ernemont-la-Villette (76)....14 C 5
Ernemont-sur-Buchy (76)....14 A 5
Ernes (14)....27 G 4
Ernestviller (57)....38 A 3
Ernolsheim-Bruche (67)....59 E 2
Ernolsheim-lès-Saverne (67)....38 D 5
Erny-St-Julien (62)....3 E 5
Érôme (26)....149 H 4
Érondelle (80)....6 D 5
Érone (2B)....217 F 1
Éroudeville (50)....23 E 4
Erp (09)....206 B 3
Erquery (60)....31 G 1
Erquinghem-le-Sec (59)....4 B 4
Erquinghem-Lys (59)....4 B 3
Erquinvillers (60)....15 G 5
Erquy (22)....44 A 2
Err (66)....211 H 4
Erre (59)....8 D 2
Errevet (70)....78 A 5
Errouville (54)....20 C 3
Ersa (2B)....215 F 1
Erstein (67)....59 F 4
Erstroff (57)....37 H 4
Ervauville (45)....72 B 3
Ervillers (62)....8 B 4
Ervy-le-Châtel (10)....73 G 3
Esbareich (65)....205 F 3
Esbarres (21)....109 G 1
Esbly (77)....32 A 5
Esboz-Brest (70)....77 G 4
Escala (65)....205 E 2
Escalans (40)....171 G 4
Les Escaldes (66)....211 G 4
L'Escale (04)....181 E 3
Escales (11)....208 D 1
Escalles (62)....2 B 3
Escalquens (31)....189 G 3
Escames (60)....14 C 5
Escamps (46)....174 A 1
Escamps (89)....91 E 1
Escandolières (12)....159 H 5
Escanecrabe (31)....188 B 5
Escardes (51)....53 E 2
L'Escarène (06)....183 F 4
Escarmain (59)....9 F 4
Escaro (66)....212 B 4
Escassefort (47)....156 C 4
Escatalens (82)....173 F 4
Escaudain (59)....9 E 3
Escaudes (33)....171 E 1
Escaudœuvres (59)....8 D 4
Escaufourt (59)....9 F 5
Escaunets (65)....186 D 4
Escautpont (59)....5 F 5
Escazeaux (82)....173 E 5
Eschau (67)....59 F 3
Eschbach (67)....39 F 5
Eschbach-au-Val (68)....78 C 2
Eschbourg (67)....38 C 5
Eschentzwiller (68)....78 D 5
Escherange (57)....20 D 3
Eschwiller (67)....38 B 5
Esclagne (09)....207 G 3
Esclainvillers (80)....15 G 3
Esclanèdes (48)....161 G 5
Esclassan-Labastide (32)....187 H 4
Esclauzels (46)....158 C 5
Esclavelles (76)....14 A 3

Esclavolles-Lurey (51)....53 F 3
Escles (88)....77 E 2
Escles-St-Pierre (60)....14 C 3
Esclottes (47)....156 B 2
Escobecques (59)....4 B 4
Escœuilles (62)....2 C 4
Escoire (24)....143 G 3
Escolives-Ste-Camille (89)....91 F 1
Escombres-
  et-le-Chesnois (08)....19 G 3
Escondeaux (65)....187 F 4
Esconnets (65)....204 D 2
Escorailles (15)....145 H 3
Escornebœuf (32)....188 C 2
Escorpain (28)....49 G 2
Escos (64)....185 F 3
Escosse (09)....207 E 2
Escot (64)....203 F 2
Escots (65)....204 D 2
Escou (64)....203 G 1
Escoubès (64)....186 C 4
Escoubès-Pouts (65)....204 C 2
Escoulis (31)....206 A 2
Escouloubre (11)....207 H 5
Escource (40)....169 E 2
Escoussans (33)....155 G 3
Escoussens (81)....190 C 3
Escout (64)....203 G 1
Escoutoux (63)....133 H 3
Escoville (14)....27 G 2
Escragnolles (06)....182 C 5
Escrennes (45)....71 E 2
Escrignelles (45)....90 A 1
Escroux (81)....191 F 1
Escueillens (11)....207 H 2
Escurès (64)....186 D 3
Escurolles (03)....120 A 5
Eslettes (76)....13 G 5
Esley (88)....76 D 1
Eslourenties-Daban (64)....186 D 5
Esmans (77)....52 B 5
Esmery-Hallon (80)....16 B 3
Esmoulières (70)....77 H 4
Esmoulins (70)....94 A 3
Esnandes (17)....113 E 3
Esnans (25)....95 F 4
Esnes (59)....8 D 5
Esnes-en-Argonne (55)....35 G 2
Esnoms-au-Val (52)....93 G 1
Esnon (89)....73 E 3
Esnouveaux (52)....75 H 2
Espagnac (19)....145 E 3
Espagnac-Ste-Eulalie (46)....159 E 4
Espalais (82)....172 D 3
Espalem (43)....147 F 2
Espalion (12)....160 B 4
Espaly-St-Marcel (43)....148 B 4
Espanès (31)....189 G 4
Espaon (32)....188 B 4
Esparron (05)....166 A 4
Esparron (31)....188 B 5
Esparron (83)....196 C 2
Esparron-de-Verdon (04)....196 D 1
Esparros (65)....204 D 2
Esparsac (82)....172 D 5
Espartignac (19)....144 C 1
Espas (32)....187 E 1
Espaubourg (60)....30 C 1
Espèche (65)....204 D 2
Espéchède (64)....186 D 5
Espédaillac (46)....158 D 3
Espelette (64)....184 C 4
Espeluche (26)....163 H 4
Espenel (26)....165 E 2
Espérausses (81)....191 E 2
Espéraza (11)....208 A 3
Esperce (31)....189 F 5
L'Espérou (30)....177 E 3
Espès-Undurein (64)....185 G 5
Espeyrac (12)....160 A 3
Espeyroux (46)....159 E 2
Espezel (11)....207 H 4
Espiaube (65)....204 D 4
Espieilh (65)....204 D 2
Espiens (47)....172 A 2
Espiet (33)....155 G 1
L'Espinas (48)....177 H 1
Espinas (82)....174 B 2
Espinasse (15)....160 D 1
Espinasse (63)....132 C 1
Espinasse-Vozelle (03)....120 A 5
Espinasses (05)....166 C 4
Espinchal (63)....146 C 1
Espins (14)....27 F 4
Espira-de-Conflent (66)....212 C 3
Espira-de-l'Agly (66)....209 E 5
Espirat (63)....133 G 3
Espiute (64)....185 G 4
Esplantas-Vazeilles (43)....161 H 1
Esplas (09)....206 D 1
Esplas-de-Sérou (09)....206 C 3
Espoey (64)....186 D 5
Espondeilhan (34)....192 B 4
Espradels (48)....162 B 3
Esprels (70)....95 F 2
Esquay-Notre-Dame (14)....27 E 3
Esquay-sur-Seulles (14)....27 E 2
Esquéhéries (02)....17 G 1
Esquelbecq (59)....3 F 3
Esquennoy (60)....15 F 4

Esquerchin (59)....8 C 2
Esquerdes (62)....3 E 4
Esquibien (29)....61 E 2
Esquièze-Sère (65)....204 B 4
Esquiule (64)....203 F 1
Les Essards (16)....142 B 3
Les Essards (17)....127 E 3
Les Essards (37)....86 A 4
Les Essards-
  Taignevaux (39)....110 A 3
Essarois (21)....75 E 5
Essars (62)....4 A 4
Les Essarts (27)....29 F 5
Les Essarts (41)....86 D 1
Les Essarts (85)....99 H 4
Les Essarts en Bocage (85)....99 H 4
Les Essarts-le-Roi (78)....50 C 2
Les Essarts-le-Vicomte (51)....53 E 2
Les Essarts-lès-Sézanne (51)....53 F 2
Essay (61)....48 A 3
Esse (16)....129 F 1
Essé (35)....65 G 3
Essegney (88)....57 F 5
Les Esseintes (33)....156 A 3
Essert (89)....91 G 2
Essert (90)....96 C 1
Essert-Romand (74)....125 F 4
Essertaux (80)....15 F 3
Essertenne (71)....108 C 4
Essertenne-et-Cecey (70)....94 A 3
Essertines-
  en-Châtelneuf (42)....134 C 4
Essertines-en-Donzy (42)....135 E 3
Esserts-Blay (73)....138 D 4
Esserval-Combe (39)....111 E 3
Esserval-Tartre (39)....111 E 3
Essey (21)....92 C 5
Essey-et-Maizerais (54)....36 B 5
Essey-la-Côte (54)....57 F 4
Essey-les-Eaux (52)....75 H 3
Essey-lès-Nancy (54)....57 E 2
Essey-les-Ponts (52)....75 E 3
Essia (39)....123 G 1
Essigny-le-Grand (02)....16 D 3
Essigny-le-Petit (02)....16 D 2
Essises (02)....32 D 5
Essômes-sur-Marne (02)....32 D 4
Esson (14)....27 E 5
Essoyes (10)....74 C 3
Essuiles (60)....15 F 5
Les Estables (43)....162 D 1
Estables (48)....161 G 3
Establet (26)....165 F 4
Estadens (31)....205 H 2
Estagel (66)....208 D 5
Estaing (12)....160 B 4
Estaing (65)....204 A 3
Estaires (59)....3 H 5
Estal (65)....159 E 1
Estampes (32)....187 G 4
Estampures (65)....187 G 4
Estancarbon (31)....205 H 2
Estandeuil (63)....133 H 4
Estang (32)....171 F 5
L'Estaque (13)....195 H 4
Estarvielle (65)....205 E 4
Estavar (66)....211 H 4
Esteil (63)....147 F 1
Esténos (65)....205 G 3
Estensan (65)....205 E 4
Estérençuby (64)....202 C 1
Esternay (51)....53 E 2
Esterre (65)....204 B 4
Estevelles (62)....4 B 5
Esteville (76)....13 H 4
Estézargues (30)....178 A 4
Estialescq (64)....186 A 5
Estibeaux (40)....185 G 2
Estigarde (40)....171 F 3
Estillac (47)....172 B 2
Estipouy (32)....187 G 3
Estirac (65)....187 E 3
Estissac (10)....73 G 1
Estivals (19)....144 B 5
Estivareilles (03)....119 E 2
Estivareilles (42)....148 C 1
Estivaux (19)....144 C 2
Estoher (66)....212 C 3
Estos (64)....186 A 5
Estoublon (04)....181 F 4
Estourmel (59)....9 E 4
Estouteville-Écalles (76)....13 H 4
Estouy (45)....71 F 2
Estrablin (38)....136 B 5
Estramiac (32)....172 D 5
Estrébay (08)....10 C 5
Estrebœuf (80)....6 C 4
L'Estréchure (30)....177 G 3
Estrée (62)....2 D 5
Estrée-Blanche (62)....3 E 5
Estrée-Cauchy (62)....7 H 2
Estrée-Wamin (62)....7 G 3
Estréelles (62)....6 D 1
Estrées (02)....16 D 1
Estrées (59)....8 C 5
Estrées-Deniécourt (80)....16 A 2
Estrées-la-Campagne (14)....27 G 4
Estrées-lès-Crécy (80)....7 E 3
Estrées-Mons (80)....16 B 2
Estrées-St-Denis (60)....31 H 1
Estrées-sur-Noye (80)....15 F 3

Estrennes (88)....76 D 1
Estreux (59)....9 F 2
Estrun (59)....8 D 3
Estry (14)....25 H 5
Esves-le-Moutier (37)....103 E 2
Esvres (37)....86 D 5
Étable (73)....138 B 5
Étables (07)....149 G 4
Étables-sur-Mer (22)....43 G 3
Étagnac (16)....129 F 2
Étaimpuis (76)....13 G 4
Étain (55)....20 B 5
Étaing (62)....8 C 3
Étainhus (76)....12 C 4
Étais (21)....92 C 1
Étais-la-Sauvin (89)....90 D 3
Étalans (25)....95 F 5
Étalante (21)....93 E 1
Étalle (08)....10 C 5
Étalon (80)....16 A 3
Étalondes (76)....6 A 5
Étampes [logo] (91)....51 E 5
Étampes-sur-Marne (02)....32 D 4
L'Étang-Bertrand (50)....22 D 4
Étang de la Galoperie (59)....10 A 4
L'Étang-la-Ville (78)....50 D 1
Étang-sur-Arroux (71)....108 A 3
L'Étang-Vergy (21)....93 E 5
Les Étangs (57)....21 F 5
Étaples (62)....6 C 1
Étaule (89)....91 G 3
Étaules (17)....126 B 3
Étaules (21)....93 F 3
Étauliers (33)....141 F 3
Étaves-et-Bocquiaux (02)....17 E 1
Étavigny (60)....32 B 3
Etcharry (64)....185 G 4
Etchebar (64)....203 E 2
Éteaux (74)....124 C 5
Éteignières (08)....10 C 5
Eteimbes (68)....78 B 5
Étel (56)....80 D 2
Ételfay (80)....15 H 4
L'Ételon (03)....105 G 5
Éterpigny (62)....8 C 3
Éterpigny (80)....16 B 2
Éterville (14)....27 F 3
Étevaux (21)....93 H 4
Eth (59)....9 G 3
Étienville (50)....22 D 5
Étigny (89)....72 D 2
Les Étilleux (28)....69 E 1
Étinehem (80)....15 H 1
Étiolles (91)....51 G 3
Étion (08)....18 D 2
Étival (39)....123 H 1
Étival-Clairefontaine (88)....58 A 4
Étival-lès-le-Mans (72)....67 H 4
Étivey (89)....92 A 1
Étobon (70)....95 H 1
Étoges (51)....33 G 5
L'Étoile (39)....110 B 4
L'Étoile (80)....7 E 5
Étoile-St-Cyrice (05)....180 C 1
Étoile-sur-Rhône (26)....163 H 1
Éton (55)....20 B 4
Étormay (21)....92 C 2
Étouars (24)....129 E 5
Étourvy (10)....74 A 4
Étoutteville (76)....13 E 3
Étouvans (25)....95 H 2
Étouvelles (02)....17 F 5
Étouvy (14)....25 G 5
Étoy (60)....31 F 1
Étrabonne (25)....94 C 5
Étran (76)....13 G 1
Étrappe (25)....95 H 2
L'Étrat (42)....149 E 1
Étray (25)....111 F 1
Étraye-Wavrille (55)....35 H 1
Étréaupont (02)....17 H 1
Étrechet (36)....104 B 4
Étréchy (18)....105 H 1
Étréchy (51)....33 G 5
Étréchy (91)....51 E 4
Étréham (14)....23 H 5
Étreillers (02)....16 C 2
Étréjust (80)....14 D 1
Étrelles (35)....66 A 2
Étrelles-
  et-la-Montbleuse (70)....94 C 3
Étrelles-sur-Aube (10)....53 G 3
Étremblières (74)....124 C 4
Étrépagny (27)....30 B 2
Étrépigney (39)....110 B 1
Étrépigny (08)....18 D 3
Étrépilly (02)....32 D 4
Étrépilly (77)....32 A 4
Étrepy (51)....54 D 1
Étretat (76)....12 B 3
Étreux (02)....17 F 1
Étreval (54)....56 D 4
Étréville (27)....28 D 1
Étrez (01)....122 D 3
Étriac (16)....128 A 5
Étriché (49)....85 E 1
Étricourt-Manancourt (80)....8 C 5

Étrigny (71)....122 B 1
Étrochey (21)....74 C 4
Étrœungt (59)....9 H 5
Étroitefontaine (70)....95 G 1
Étroussat (03)....119 H 4
Étrun (62)....8 A 3
Etsaut (64)....203 G 3
Eswars (59)....8 D 4
Etting (57)....38 B 3
Étueffont (90)....78 A 5
Étupes (25)....96 C 2
Éturqueraye (27)....28 D 1
Étusson (79)....100 D 2
Étuz (70)....94 D 4
Etzling (57)....38 A 2
Eu (76)....6 B 5
Euffigneix (52)....75 F 2
Eugénie-les-Bains (40)....186 B 1
Euilly-et-Lombut (08)....19 G 4
Eulmont (54)....57 E 1
Eup (31)....205 G 3
Eurre (26)....164 C 2
Eurville-Bienville (52)....55 F 3
Eus (66)....212 C 3
Euvezin (54)....36 B 5
Euville (55)....56 A 1
Euvy (51)....53 H 2
L'Euze (84)....179 G 5
Euzet (30)....178 B 3
Évaillé (72)....68 D 4
Évans (39)....94 C 5
Évaux-et-Ménil (88)....57 F 5
Évaux-les-Bains (23)....118 D 5
Ève (60)....31 H 4
Évecquemont (78)....30 D 4
Évenos (83)....200 D 3
Évergnicourt (02)....33 H 1
Everly (77)....52 C 4
Évette-Salbert (90)....96 C 1
Éveux (69)....135 G 2
Évian-les-Bains (74)....125 E 2
Évigny (08)....18 D 3
Évillers (25)....111 F 2
Évin-Malmaison (62)....4 C 5
Évires (74)....124 C 5
Évisa (2A)....216 C 3
Évosges (01)....137 F 1
Évran (22)....44 D 4
Évrange (57)....21 E 2
Évrecy (14)....27 E 3
Évres (55)....35 F 4
Évreux [P] (27)....29 G 4
Évricourt (60)....16 B 4
Évriguet (56)....64 A 2
Évron (53)....67 E 2
Évrunes (85)....100 B 2
Évry (89)....72 C 1
Évry [P] (91)....51 F 3
Évry-Grégy-sur-Yerres (77)....51 H 3
Excenevex (74)....124 D 2
Excideuil (24)....143 H 2
Exermont (08)....35 E 2
Exideuil (16)....129 F 2
Exincourt (25)....96 C 2
Exireuil (79)....114 C 2
Exmes (61)....48 A 1
Exoudun (79)....114 D 3
Expiremont (17)....141 G 2
Eybens (38)....151 G 3
Eybouleuf (87)....130 C 3
Eyburie (19)....144 D 1
Eycheil (09)....206 B 3
Eydoche (38)....151 E 1
Eygalayes (26)....180 C 1
Eygalières (13)....195 E 1
Eygaliers (26)....179 H 1
Eygliers (05)....167 F 2
Eygluy-Escoulin (26)....164 D 2
Eyguians (05)....165 H 5
Eyguières (13)....195 F 1
Eygurande (19)....132 A 4
Eygurande-
  et-Gardedeuil (24)....142 B 4
Eyjeaux (87)....130 B 3
Eyliac (24)....143 G 3
Eymet (24)....156 D 3
Eymeux (26)....150 D 4
Eymouthiers (16)....129 E 3
Eymoutiers (87)....130 D 3
Eyne (66)....211 H 4
Eyne 2600 (66)....211 H 4
Eynesse (33)....156 B 1
Eyragues (13)....179 F 5
Eyrans (33)....141 E 3
Eyrein (19)....145 F 2
Eyrenville (24)....157 E 3
Eyres-Moncube (40)....186 A 1
Eyroles (26)....165 G 5
Eysines (33)....155 E 1
Eysson (25)....95 G 5
Eysus (64)....203 G 1
Eyvirat (24)....143 F 2
Eyzahut (26)....164 C 4
Eyzerac (24)....143 G 1
Les Eyzies-de-Tayac (24)....143 H 5
Eyzin-Pinet (38)....136 C 5
Ézanville (95)....31 F 4
Èze (06)....183 F 5
Eze-Bord-de-Mer (06)....183 F 5
Ézy-sur-Eure (27)....49 H 1

Localité (Département) Page Coordonnées
239

F

Fa (11) 208 A 3
Fabas (09) 206 B 2
Fabas (31) 188 C 5
Fabas (82) 173 G 5
Fabras (07) 162 D 3
La Fabrègue (30) 177 H 3
Fabrègues (34) 193 E 3
Fabrègues (48) 177 G 2
Fabrezan (11) 208 D 1
Faches-Thumesnil (59) 4 C 4
Fâchin (58) 107 H 2
Facture (33) 154 C 3
La Fage-Montivernoux (48) 161 E 2
La Fage-St-Julien (48) 161 E 2
Le Faget (31) 190 A 3
Faget-Abbatial (32) 188 A 3
Fagnières (51) 34 B 5
Fagnon (08) 18 D 3
Fahy-lès-Autrey (70) 94 A 2
Failly (57) 21 E 5
Faimbe (25) 95 H 2
Fain-lès-Montbard (21) 92 B 2
Fain-lès-Moutiers (21) 92 A 2
Fains (27) 29 H 5
Fains-la-Folie (28) 70 B 1
Fains-les-Sources (55) 55 F 1
Fains-Véel (55) 55 F 1
Faissault (08) 18 C 4
Fajac-en-Val (11) 208 C 2
Fajac-la-Relenque (11) 189 H 5
Fajoles (46) 158 B 2
La Fajolle (11) 207 G 5
Fajolles (82) 173 E 4
Falaise (08) 34 D 1
Falaise (14) 27 G 5
La Falaise (78) 30 C 5
Falck (57) 21 H 4
Faleyras (33) 155 H 2
Falga (31) 190 A 3
Le Falgoux (15) 146 B 4
Falgueyrat (24) 157 E 3
Falicon (06) 183 F 5
Falkwiller (68) 78 C 5
Fallencourt (76) 14 B 2
Fallerans (25) 95 F 5
Falleron (85) 99 E 3
Falletans (39) 110 B 1
Fallières (88) 77 G 3
Fallon (70) 95 G 2
La Faloise (80) 15 F 3
Fals (47) 172 C 3
Falvy (80) 16 B 2
Famars (59) 9 F 3
Famechon (62) 7 H 4
Famechon (80) 15 E 3
Fameck (57) 20 D 4
Familly (14) 28 B 5
Fampoux (62) 8 B 3
Fanjeaux (11) 207 H 1
Fanlac (24) 143 H 4
Le Faou (29) 41 G 5
Le Faouët (22) 43 F 3
Le Faouët (56) 62 C 3
Faramans (01) 136 C 2
Faramans (38) 150 D 1
Farbus (62) 8 B 2
Farceaux (27) 30 A 2
La Fare-en-Champsaur (05) 166 B 2
La Fare-les-Oliviers (13) 195 G 2
Farébersviller (57) 37 H 3
Fareins (01) 135 H 1
Faremoutiers (77) 52 B 1
Farges (01) 124 A 4
Les Farges (24) 144 A 4
Farges (63) 132 B 3
Farges-Allichamps (18) 105 F 4
Farges-en-Septaine (18) 105 H 2
Farges-lès-Chalon (71) 109 E 4
Farges-lès-Mâcon (71) 122 C 1
Fargniers (02) 16 D 4
Fargues (33) 155 G 4
Fargues (40) 186 B 1
Fargues (46) 158 A 5
Fargues-St-Hilaire (33) 155 F 1
Fargues-sur-Ourbise (47) 171 G 2
Farincourt (52) 94 B 1
Farinole (2B) 215 F 3
Les Farjons (84) 179 E 2
La Farlède (83) 201 E 3
Farnay (42) 135 G 5
Faronville (45) 70 D 2
Farrou (12) 159 F 5
Farschviller (57) 38 A 3
Fatines (72) 68 B 3
Fatouville-Grestain (27) 28 B 1
Le Fau (15) 146 B 4
Fau-de-Peyre (48) 161 F 2
Fauch (81) 175 E 5
Faucigny (74) 124 D 4
Faucogney-et-la-Mer (70) 77 G 4
Faucompierre (88) 77 H 1
Faucon (84) 179 H 1
Faucon-de-B. (04) 167 F 5
Faucon-du-Caire (04) 166 B 5
Fauconcourt (88) 57 G 4
Faucoucourt (02) 17 E 5
Faudoas (82) 173 E 5
Le Fauga (31) 189 E 4
Faugères (07) 162 D 4
Faugères (34) 192 B 3
Fauguernon (14) 28 B 3
Fauguerolles (47) 156 C 5
Fauillet (47) 156 C 5
Le Faulq (14) 28 B 2
Faulquemont (57) 37 G 3
Faulquemont-Cité (57) 37 G 3
Faulx (54) 57 E 1
Faumont (59) 4 C 5
Fauquembergues (62) 2 D 5
La Faurie (05) 165 H 3
Faurilles (24) 157 F 2
Fauroux (82) 173 E 2
Faussergues (81) 175 F 3
La Faute-sur-Mer (85) 112 D 3
Fauverney (21) 93 G 5
Fauville (27) 29 G 4
Fauville-en-Caux (76) 12 D 4
Faux (08) 18 C 5
Faux (24) 157 E 2
Faux-Fresnay (51) 53 G 3
Faux-la-Montagne (23) 131 F 3
Faux-Mazuras (23) 131 E 2
Faux-Vésigneul (51) 54 B 1
Faux-Villecerf (10) 53 F 5
Favalello (2B) 217 F 2
Favars (19) 144 D 3
Faveraye-Mâchelles (49) 85 E 5
Faverdines (18) 105 G 5
Faverelles (45) 90 A 2
Faverges-de-la-Tour (38) 137 F 4
Faverges-Seythenex (74) 138 C 3
Faverney (70) 77 E 5
Faverois (90) 96 D 2
Faverolles (02) 32 C 3
Faverolles (15) 147 E 5
Faverolles (28) 50 A 2
Faverolles (36) 103 H 1
Faverolles (52) 75 G 4
Faverolles (61) 47 F 2
Faverolles (80) 15 H 4
Faverolles-et-Coëmy (51) 33 F 2
Faverolles-la-Campagne (27) 29 F 4
Faverolles-lès-Lucey (21) 75 E 5
Faverolles-les-Mares (27) 28 C 3
Faverolles-sur-Cher (41) 87 G 4
La Favière (39) 111 E 4
Favières (28) 49 G 4
Favières (54) 56 C 4
Favières (77) 51 H 2
Favières (80) 6 C 4
Favone (2A) 219 G 2
Favresse (51) 54 D 2
Favreuil (62) 8 B 5
Favrieux (78) 30 B 5
Le Favril (27) 28 C 3
Le Favril (28) 49 G 4
Le Favril (59) 9 G 5
Fay (61) 48 B 2
Le Fay (71) 109 H 5
Fay (72) 67 H 3
Fay (80) 16 A 2
Fay-aux-Loges (45) 71 E 4
Fay-de-Bretagne (44) 83 E 3
Fay-en-Montagne (39) 110 C 4
Fay-le-Clos (26) 149 H 3
Fay-les-Étangs (60) 30 D 2
Fay-lès-Marcilly (10) 53 E 5
Faÿ-lès-Nemours (77) 71 H 1
Le Fay-St-Quentin (60) 31 E 1
Fay-sur-Lignon (43) 148 D 5
Faycelles (46) 159 F 4
La Faye (16) 128 B 1
Faye (41) 69 G 5
Faye-d'Anjou (49) 84 D 4
Faye-la-Vineuse (37) 102 B 2
Faye-l'Abbesse (79) 101 E 3
Faye-sur-Ardin (79) 114 A 2
Le Fayel
(près de Compiègne) (60) 31 H 1
Le Fayel (près de Gisors) (60) 30 C 3
Fayence (83) 197 H 1
Fayet (02) 16 D 2
Fayet (12) 191 H 1
Le Fayet (74) 139 E 1
Fayet-le-Château (63) 133 H 4
Fayet-Ronaye (63) 147 H 1
Fayl-Billot (52) 76 B 5
Faymont (70) 95 H 1
Faymont (88) 77 G 3
Faymoreau (85) 113 H 1
Fays (52) 55 F 4
Fays (88) 77 H 1
Fays-la-Chapelle (10) 73 H 2
Fayssac (81) 174 C 4
Féas (64) 203 F 1
Febvin-Palfart (62) 7 G 1
Fécamp (76) 12 C 3
Féchain (59) 8 D 3
Fêche-l'Église (90) 96 D 2
La Féclaz (73) 138 A 4
Fécocourt (54) 56 D 4
Fédry (70) 94 C 1
Fegersheim (67) 59 F 3
Fégréac (44) 82 C 1
Feigères (74) 124 B 5
Feigneux (60) 32 A 2
Feignies (59) 9 H 3
Feillens (01) 122 C 3
Feings (41) 87 H 3
Feings (61) 48 D 3
Feins (35) 45 F 5
Feins-en-Gâtinais (45) 90 A 1
Feissons-sur-Isère (73) 138 D 4
Feissons-sur-Salins (73) 138 D 5
Le Fel (12) 160 A 3
Fel (61) 48 A 1
Felce (2B) 217 G 1
Feldbach (68) 97 F 2
Feldkirch (68) 78 D 4
Feliceto (2B) 214 D 5
Félines (07) 149 G 2
Félines (43) 148 A 2
Félines-Minervois (34) 191 F 5
Félines-sur-Rimandoule (26) 164 D 3
Félines-Termenès (11) 208 D 3
Felleries (59) 10 A 3
Fellering (68) 78 B 4
Felletin (23) 131 G 2
Fellons (66) 208 C 5
Felon (90) 78 B 5
Felzins (46) 159 G 3
Fenain (59) 8 D 2
Fénay (21) 93 F 5
Fendeille (11) 190 A 5
Fénery (79) 101 E 5
Fénétrange (57) 38 A 5
Feneu (49) 84 D 2
Féneyrols (82) 174 B 3
Féniers (23) 131 G 3
Fenioux (17) 127 F 2
Fenioux (79) 114 A 1
Fenneviller (54) 58 A 3
Fénols (81) 174 D 5
Le Fenouiller (85) 98 D 4
Fenouillet (31) 189 F 2
Fenouillet (66) 208 B 5
Fenouillet-du-Razès (11) 207 H 1
Féole (85) 100 A 5
Fépin (08) 11 E 4
Ferayola (2B) 216 B 1
Fercé (44) 65 G 5
Fercé-sur-Sarthe (72) 67 H 4
Ferdrupt (88) 77 H 4
La Fère (02) 16 D 4
Fère-Champenoise (51) 53 H 2
Fère-en-Tardenois (02) 33 E 3
Fèrebrianges (51) 53 G 1
La Férée (08) 18 B 3
Férel (56) 82 A 2
Ferfay (62) 7 G 1
Féricy (77) 52 A 4
Férin (59) 8 C 3
Fermaincourt (28) 49 H 2
Fermanville (50) 22 D 2
La Fermeté (58) 106 D 3
Ferney-Voltaire (01) 124 B 3
Fernoël (63) 132 A 3
Férolles (45) 71 E 5
Férolles-Attilly (77) 51 H 2
Féron (59) 10 A 4
Ferques (62) 2 B 3
Ferrals-les-Corbières (11) 208 D 1
Ferrals-les-Montagnes (34) 191 F 4
Ferran (11) 207 H 1
Ferrassières (26) 180 B 2
Le Ferré (35) 45 H 4
Ferrensac (47) 157 E 3
Ferrère (65) 205 F 3
Les Ferres (06) 183 E 4
Ferrette (68) 97 F 2
Ferreux (10) 53 E 4
La Ferrière (22) 63 H 3
La Ferrière (37) 86 D 2
La Ferrière (38) 152 A 2
La Ferrière (85) 99 G 4
La Ferrière-Airoux (86) 115 G 3
La Ferrière-au-Doyen (14) 25 H 4
La Ferrière-au-Doyen (61) 48 C 2
La Ferrière-aux-Étangs (61) 47 E 2
La Ferrière-Béchet (61) 47 H 3
La Ferrière-Bochard (61) 47 H 5
La Ferrière-de-Flée (49) 66 C 5
La Ferrière-
en-Parthenay (79) 101 G 5
Ferrière-et-Lafolie (52) 55 F 5
La Ferrière-Harang (14) 25 G 4
Ferrière-la-Grande (59) 9 H 3
Ferrière-la-Pite (59) 10 A 2
Ferrière-Larçon (37) 103 E 2
Ferrière-sur-Beaulieu (37) 103 F 1
La Ferrière-sur-Risle (27) 29 E 5
Ferrières (17) 113 G 4
Ferrières (50) 46 B 3
Ferrières (54) 57 E 3
Ferrières (60) 15 G 4
Ferrières (65) 204 A 2
Ferrières (80) 15 E 2
Ferrières (81) 191 E 2
Ferrières-en-Bray (76) 14 C 5
Ferrières-en-Brie (77) 51 H 3
Ferrières-en-Gâtinais (45) 72 A 3
Ferrières-Haut-Clocher (27) 29 F 4
Ferrières-la-Verrerie (61) 48 B 2
Ferrières-le-Lac (25) 96 D 4
Ferrières-les-Bois (25) 94 C 5
Ferrières-lès-Ray (70) 94 C 2
Ferrières-lès-Scey (70) 94 D 1
Ferrières-les-Verreries (34) 177 G 5
Ferrières-Poussarou (34) 191 H 3
Ferrières-St-Hilaire (27) 28 C 4
Ferrières-St-Mary (15) 147 E 3
Ferrières-sur-Ariège (09) 207 E 3
Ferrières-sur-Sichon (03) 134 A 1
Ferrussac (43) 147 G 4
Fertans (25) 111 E 1
La Ferté (39) 110 B 2
La Ferté-Alais (91) 51 F 4
La Ferté-Beauharnais (41) 88 C 2
La Ferté-Bernard (72) 68 D 2
La Ferté-en-Ouche (02) 17 E 3
La Ferté-Frênel (61) 48 C 1
La Ferté-Gaucher (77) 52 D 1
La Ferté-Hauterive (03) 120 A 3
La Ferté-Imbault (41) 88 D 4
La Ferté-Loupière (89) 72 C 4
La Ferté-Macé (61) 47 F 3
La Ferté-Milon (02) 32 B 3
La Ferté-sous-Jouarre (77) 32 C 5
La Ferté-St-Aubin (45) 88 C 1
La Ferté-St-Cyr (41) 88 B 1
La Ferté-St-Samson (76) 14 B 4
La Ferté-sur-Chiers (08) 19 G 4
La Ferté-Vidame (28) 49 E 3
La Ferté-Villeneuil (28) 69 H 4
Fertrève (58) 107 F 2
Fervaches (50) 25 F 4
Fervaques (14) 28 B 4
Fescamps (80) 15 H 4
Fesches-le-Châtel (25) 96 D 2
Fesmy-le-Sart (02) 9 G 5
Fesques (76) 14 A 2
Fessanvilliers-
Mattanvilliers (28) 49 F 2
Fessenheim (68) 79 E 3
Fessenheim-le-Bas (67) 59 E 2
Fessevillers (25) 96 D 4
Les Fessey (70) 77 G 4
Fessy (74) 124 D 3
Festalemps (24) 142 C 3
Festes-et-St-André (11) 207 H 3
Festieux (02) 17 G 5
Festigny (51) 33 F 4
Festigny (89) 91 E 2
Festubert (62) 4 A 4
Le Fête (21) 108 C 1
Féternes (74) 125 E 2
Fétigny (39) 123 G 2
Feucherolles (78) 50 D 1
Feuchy (62) 8 B 3
Feugarolles (47) 172 A 2
Feugères (50) 25 E 3
Feuges (10) 53 H 5
Feuguerolles (27) 29 F 3
Feuguerolles-sur-Orne (14) 27 F 3
Feuguerolles-sur-Seulles (14) 26 D 3
Feuilla (11) 209 F 3
Feuillade (16) 128 D 4
La Feuillade (24) 144 B 4
La Feuillée (29) 42 A 5
Feuillères (80) 16 A 1
Feuilleuse (28) 49 G 3
La Feuillie (50) 24 D 2
La Feuillie (76) 14 B 5
Feule (25) 96 C 3
Feuquières (60) 14 D 4
Feuquières-en-Vimeu (80) 6 C 5
Feurs (42) 135 E 3
Feusines (36) 118 A 1
Feux (18) 90 A 5
Fèves (57) 21 E 5
Féy (57) 36 D 4
Fey-en-Haye (54) 36 C 5
Feyt (19) 132 B 4
Feytiat (87) 130 B 3
Feyzin (69) 136 B 4
Fiac (81) 190 A 1
Ficaja (2B) 217 G 1
Ficajola (2A) 216 B 3
Ficheux (62) 8 A 4
Fichous-Riumayou (64) 186 B 3
Le Fidelaire (27) 29 E 5
Le Fied (39) 110 C 4
Le Fief-Sauvin (49) 84 A 5
Fieffes-Montrelet (80) 7 F 5
Fiefs (62) 7 G 1
Fiélouse (13) 194 C 3
Fiennes (62) 2 C 3
Fienvillers (80) 7 F 5
Fierville-la-Campagne (14) 27 G 4
Fierville-les-Mines (50) 22 C 5
Fierville-les-Parcs (14) 28 A 2
Le Fieu (33) 142 A 4
Fieulaine (02) 17 E 2
Fieux (47) 172 A 3
Figanières (83) 197 G 2
Figareto (2B) 217 H 1
Figari (2A) 219 F 4
Figarol (31) 205 H 2
Figeac (SP) (46) 159 F 3
Fignévelle (88) 76 C 3
Fignières (80) 15 H 3
Filain (02) 17 F 5
Filain (70) 95 E 2
Filitosa
(Site Préhistorique de) (2A) 218 D 2
Fillé (72) 68 A 4
Fillières (54) 20 C 3
Fillièvres (62) 7 F 3
Fillinges (74) 124 D 4
Fillols (66) 212 B 3
Filstroff (57) 21 G 4
Fiménil (88) 77 H 1
Finestret (66) 212 C 3
Finhan (82) 173 F 5
Finiels (48) 162 A 5
Les Fins (25) 111 H 1
Fins (80) 8 C 5
Fiquefleur-Équainville (27) 28 B 1
Firbeix (24) 129 G 5
Firfol (14) 28 B 3
Firmi (12) 159 H 4
Firminy (42) 148 D 1
Fislis (68) 97 G 2
Fismes (51) 33 F 2
Fitilieu (38) 137 F 5
Fitou (11) 209 F 4
Fitz-James (60) 31 F 1
Fix-St-Geneys (43) 147 H 4
Fixem (57) 21 E 3
Fixin (21) 93 F 5
Flacey (21) 93 G 3
Flacey (28) 69 H 2
Flacey-en-Bresse (71) 110 A 5
La Flachère (38) 152 A 1
Flachères (38) 137 E 5
Flacourt (78) 30 B 5
Flacy (89) 73 E 1
Flagey (25) 111 E 1
Flagey (52) 75 G 5
Flagey-Echézeaux (21) 109 F 1
Flagey-lès-Auxonne (21) 109 H 1
Flagey-Rigney (25) 95 E 3
Flagnac (12) 159 G 3
Flagy (70) 77 E 5
Flagy (71) 122 A 1
Flagy (77) 72 A 1
Flaignes-Havys (08) 18 B 2
Flaine (74) 125 F 5
Flainval (54) 57 F 2
Flamanville (50) 22 B 3
Flamanville (76) 13 F 4
Flamarens (32) 172 D 4
La Flamengrie (02) 17 H 1
La Flamengrie (59) 9 G 3
Flamets-Frétils (76) 14 B 3
Flamicourt (80) 16 B 1
Flammerans (21) 94 A 5
Flammerécourt (52) 55 F 5
Flancourt (52) 54 D 4
Flancourt-Catelon (27) 29 E 1
Flancourt-Crescy
-en-Roumois (27) 29 E 2
Flangebouche (25) 95 G 5
Flassan (84) 179 H 3
Flassans-sur-Issole (83) 197 E 4
Flassigny (55) 19 H 5
Flastroff (57) 21 G 3
Flaucourt (80) 16 A 1
Flaugeac (24) 156 D 2
Flaujac-Gare (46) 159 E 3
Flaujac-Poujols (46) 158 C 5
Flaujagues (33) 156 A 1
Flaumont-Waudrechies (59) 9 H 4
Flaux (30) 178 C 3
Flavacourt (60) 30 C 2
Flaviac (07) 163 G 2
Flavignac (87) 129 H 4
Flavignerot (21) 93 F 5
Flavigny (18) 106 A 3
Flavigny (51) 33 H 5
Flavigny-le-Grand-
et-Beaurain (02) 17 F 2
Flavigny-sur-Moselle (54) 57 E 3
Flavigny-sur-Ozerain (21) 92 C 3
Flavin (12) 175 G 1
Flavy-le-Martel (02) 16 C 3
Flavy-le-Meldeux (60) 16 B 3
Flaxieu (01) 137 G 2
Flaxlanden (68) 78 D 5
Flayat (23) 131 H 3
Flayosc (83) 197 G 2
Fléac (16) 128 B 4
Fléac-sur-Seugne (17) 127 F 5
La Flèche (SP) (72) 85 G 1
Fléchin (62) 7 G 1
Fléchy (60) 15 F 4
Flée (21) 92 B 3
Flée (72) 86 B 1
Fleigneux (08) 19 F 3
Fleisheim (57) 58 B 1
Le Fleix (24) 156 C 1
Fleix (86) 116 A 1
Fléré-la-Rivière (36) 103 F 2
Flers (61) 47 E 1
Flers (62) 7 F 3
Flers (80) 8 B 5
Flers-en-Escrebieux (59) 8 C 2
Flers-sur-Noye (80) 15 F 3
Flesquières (59) 8 C 5
Flesselles (80) 15 F 1
Flétrange (57) 37 G 3
Flêtre (59) 3 G 4
Fléty (58) 107 G 4
Fleurac (16) 128 A 3
Fleurac (24) 143 H 5
Fleurance (32) 172 C 5
Fleurat (23) 117 G 4
Fleurbaix (62) 3 H 5
Fleuré (61) 47 H 2
Fleuré (86) 115 H 2
Fleurey (25) 96 C 4
Fleurey-lès-Faverney (70) 76 D 5
Fleurey-lès-Lavoncourt (70) 94 C 1
Fleurey-lès-St-Loup (70) 77 F 4
Fleurey-sur-Ouche (21) 93 E 4
Fleurie (69) 122 A 4
Fleuriel (03) 119 H 4
Fleurieu-sur-Saône (69) 135 H 2
Fleurieux-sur-l'Arbresle (69) 135 G 2
Fleurigné (35) 46 A 5
Fleurigny (89) 72 D 1
Fleurines (60) 31 G 2
Fleurville (71) 122 C 2
Fleury (02) 32 C 2
Fleury (11) 209 G 1
Fleury (50) 25 E 5
Fleury (57) 37 E 4
Fleury (60) 30 D 2
Fleury (62) 7 F 2
Fleury (80) 15 E 3
Fleury-
devant-Douaumont (55) 35 H 2
Fleury-en-Bière (77) 51 G 4
Fleury-la-Forêt (27) 30 A 1
Fleury-la-Montagne (71) 121 F 4
Fleury-la-Rivière (51) 33 G 4
Fleury-la-Vallée (89) 73 E 4
Fleury-les-Aubrais (45) 70 C 4
Fleury-Mérogis (91) 51 F 3
Fleury-sur-Aire (55) 35 F 4
Fleury-sur-Andelle (27) 29 H 1
Fleury-sur-Loire (58) 106 D 4
Fleury-sur-Orne (14) 27 F 3
Fléville (08) 35 E 2
Fléville-devant-Nancy (54) 57 E 2
Fléville-Lixières (54) 20 C 4
Flévy (57) 21 E 4
Flexanville (78) 50 B 1
Flexbourg (67) 58 D 2
Fley (71) 108 D 5
Fleys (89) 73 G 5
Flez-Cuzy (58) 91 F 4
Fligny (08) 10 B 5
Flin (54) 57 H 3
Flines-lès-Mortagne (59) 5 E 5
Flines-lez-Raches (59) 4 D 5
Flins-Neuve-Église (78) 30 A 5
Flins-sur-Seine (78) 30 C 5
Flipou (27) 29 H 2
Flirey (54) 36 C 5
Flixecourt (80) 15 E 1
Flize (08) 19 E 3
La Flocellière (85) 100 B 3
Flocourt (57) 37 F 4
Flocques (76) 6 A 5
Flogny-la-Chapelle (89) 73 G 4
Floing (08) 19 E 3
Floirac (17) 127 E 5
Floirac (33) 155 F 1
Floirac (46) 158 D 1
Florac-Trois
-Rivières (SP) (48) 177 F 1
Florange (57) 20 D 4
Florémont (88) 57 E 5
Florensac (34) 192 C 4
Florent-en-Argonne (51) 35 E 3
Florentia (39) 123 F 2
Florentin (81) 174 D 5
Florentin-la-Capelle (12) 160 B 3
Floressas (46) 157 H 5
Florimont (90) 97 E 2
Florimont-Gaumier (24) 158 A 3
Floringhem (62) 7 G 1
Flornoy (52) 55 F 3
Flosaille (38) 136 D 4
La Flotte (17) 112 D 4
Flottemanville (50) 22 D 4
Flottemanville-Hague (50) 22 C 3
Floudès (33) 156 A 4
Floure (11) 208 C 1
Flourens (31) 189 G 2
Floursies (59) 9 H 4
Floyon (59) 9 H 5
Flumet (73) 138 D 2
Fluquières (02) 16 C 2
Fluy (80) 15 E 2
Foameix-Ornel (55) 20 A 5
Foce (2A) 219 E 3
Focicchia (2B) 217 F 2
Foëcy (18) 105 E 1
Le Fœil (22) 43 G 5
Foisches (08) 11 E 3
Foissac (12) 159 F 4
Foissac (30) 178 B 3
Foissiat (01) 122 D 3
Foissy (21) 108 C 1
Foissy-lès-Vézelay (89) 91 G 3
Foissy-sur-Vanne (89) 73 E 1
Foix (P) (09) 207 E 3
Folcarde (31) 190 A 4
Folelli (2B) 215 G 5
Folembray (02) 16 D 5
Foleux (56) 82 B 1
Folgensbourg (68) 97 G 1
Le Folgoët (29) 41 F 2
La Folie (14) 25 G 2
La Folie (28) 50 C 4
Folies (80) 15 H 3
Folkling (57) 38 A 2
Follainville-Dennemont (78) 30 B 4
Folles (87) 117 E 5
La Folletière (76) 13 E 4
La Folletière-Abenon (14) 28 C 5
Folleville (27) 28 C 3
Folleville (80) 15 G 4
Folligny (50) 45 H 1

A B C D E F G H I J K L M N O P Q R S T U V W X Y Z

A B C D E F G H I J K L M N O P Q R S T U V W X Y Z

Folschviller (57)...............37 G 3
Fomerey (88)...............77 F 1
Fomperron (79)...............114 D 2
Fonbeauzard (31)...............189 F 2
Foncegrive (21)...............93 G 2
Fonches-Fonchette (80)......16 A 3
Foncine-le-Bas (39)...............111 E 5
Foncine-le-Haut (39)...............111 E 5
Foncquevillers (62)...............8 A 4
Fond-de-France (38)...............152 A 2
Fondamente (12)...............176 C 5
Fondettes (37)...............86 C 4
Fondremand (70)...............94 D 3
Fongalop (24)...............157 G 2
Fongrave (47)...............156 D 5
Fongueusemare (76)...............12 C 3
Fonroque (24)...............156 D 2
Fons (07)...............163 E 4
Fons (30)...............178 A 5
Fons (46)...............159 F 3
Fons-sur-Lussan (30)...............178 B 2
Fonsommes (02)...............17 E 1
Fonsorbes (31)...............189 E 3
Font-Brun (83)...............201 F 4
Font-Romeu-
  Odeillo-Via (66)...............211 H 4
Fontafie (16)...............129 E 2
Fontain (25)...............94 D 5
Fontaine (10)...............74 D 1
Fontaine (38)...............151 G 3
Fontaine (90)...............96 D 1
Fontaine-au-Bois (59)......9 F 4
Fontaine-au-Pire (59)......9 E 4
Fontaine-Bellenger (27)......29 H 3
Fontaine-Bonneleau (60)......15 E 4
Fontaine-Chaalis (60)...............31 H 3
Fontaine-Chalendray (17)......127 H 1
Fontaine-Couverte (53)......66 A 4
Fontaine-Daniel (53)...............66 D 1
Fontaine-de-Vaucluse (84)......179 H 4
Fontaine-Denis-Nuisy (51)......53 F 3
La Fontaine-du-Buis (30)......179 E 4
Fontaine-en-Bray (76)......14 A 4
Fontaine-en-Dormois (51)......34 D 2
Fontaine-Étoupefour (14)......27 E 3
Fontaine-Fourches (77)......52 D 5
Fontaine-Française (21)......93 H 2
Fontaine-Guérin (49)......85 G 3
Fontaine-Henry (14)......27 F 2
Fontaine-Heudebourg (27)......29 G 3
Fontaine-la-Gaillarde (89)......72 D 1
Fontaine-la-Guyon (28)......49 H 4
Fontaine-la-Louvet (27)......28 C 3
Fontaine-la-Mallet (76)......12 B 5
Fontaine-la-Rivière (91)......51 E 5
Fontaine-la-Soret (27)......28 D 3
Fontaine-l'Abbé (27)......28 D 4
Fontaine-Lavaganne (60)......14 D 4
Fontaine-le-Bourg (76)......13 H 5
Fontaine-le-Comte (86)......115 F 1
Fontaine-le-Dun (76)......13 F 2
Fontaine-le-Pin (14)......27 F 5
Fontaine-le-Port (77)......51 H 4
Fontaine-le-Puits (73)......138 D 5
Fontaine-le-Sec (80)......14 C 1
Fontaine-les-Bassets (61)......47 H 1
Fontaine-lès-Boulans (62)......7 G 1
Fontaine-lès-Cappy (80)......16 A 2
Fontaine-lès-Clercs (02)......16 D 2
Fontaine-lès-Clerval (25)......95 G 3
Fontaine-lès-Coteaux (41)......69 E 5
Fontaine-lès-Croisilles (62)......8 B 4
Fontaine-lès-Dijon (21)......93 F 4
Fontaine-les-Grès (10)......53 G 5
Fontaine-lès-Hermans (62)......7 G 1
Fontaine-lès-Luxeuil (70)......77 F 4
Fontaine-les-Ribouts (28)......49 G 3
Fontaine-lès-Vervins (02)......17 G 2
Fontaine-l'Étalon (62)......7 F 5
Fontaine-Luyères (10)......54 A 5
Fontaine-Mâcon (10)......53 E 4
Fontaine-Notre-Dame (02)......17 E 2
Fontaine-Notre-Dame (59)......8 D 4
Fontaine-Raoul (41)......69 G 3
Fontaine-Simon (28)......49 F 4
Fontaine-sous-Jouy (27)......29 H 4
Fontaine-
  sous-Montdidier (80)......15 G 4
Fontaine-sous-Préaux (76)......13 H 5
Fontaine-St-Lucien (60)......15 E 5
La Fontaine-St-Martin (72)......67 H 5
Fontaine-sur-Ay (51)......33 H 4
Fontaine-sur-Coole (51)......54 B 1
Fontaine-sur-Maye (80)......7 E 4
Fontaine-sur-Somme (80)......7 E 2
Fontaine-Uterte (02)......16 D 1
Fontainebleau (77)......51 H 5
Fontainebrux (39)......110 A 5
Fontaines (71)......109 E 3
Fontaines (85)......113 G 2
Fontaines (89)......90 C 1
Fontaines-d'Ozillac (17)......141 G 1
Fontaines-en-Duesmois (21)......92 C 1
Fontaines-en-Sologne (41)......88 A 3
Fontaines-les-Sèches (21)......74 B 5
Fontaines-St-Clair (55)......35 G 1
Fontaines-sur-Marne (52)......55 F 3
Fontaines-sur-Saône (69)......135 H 2

Les Fontainettes (60)......30 C 1
Fontains (77)......52 B 4
Fontan (06)......183 H 3
Fontanès (30)......178 A 5
Fontanès (34)......193 F 1
Fontanes (42)......135 F 5
Fontanes (46)......173 H 1
Fontanes (48)......162 A 4
Fontanès-de-Sault (11)......207 H 5
Fontanes-du-Causse (46)......158 D 3
Fontanges (15)......146 A 4
Fontangy (21)......92 B 4
Fontanières (23)......118 D 5
Fontanil-Cornillon (38)......151 G 2
Fontanes (43)......147 G 2
Fontans (48)......161 G 2
Fontarèches (30)......178 C 3
Fontclaireau (16)......128 C 2
Fontcouverte (11)......208 D 1
Fontcouverte (17)......127 F 3
Fontcouverte-
  La-Toussuire (73)......152 C 2
La Fontelaye (76)......13 F 3
Fontenai-les-Louvets (61)......47 H 4
Fontenai-sur-Orne (61)......47 H 2
Fontenailles (77)......52 B 3
Fontenailles (89)......91 E 2
Fontenay (27)......30 A 3
Fontenay (36)......104 B 2
Fontenay (50)......46 B 2
Fontenay (71)......121 G 2
Fontenay (76)......12 B 4
Fontenay (88)......77 G 1
Fontenay-aux-Roses (92)......51 F 1
Fontenay-de-Bossery (10)......53 E 4
Fontenay-en-Parisis (95)......31 G 4
Fontenay-le-Comte (85)......113 G 2
Fontenay-le-Fleury (78)......50 D 3
Fontenay-le-Marmion (14)......27 F 3
Fontenay-le-Pesnel (14)......27 E 3
Fontenay-le-Vicomte (91)......51 F 4
Fontenay-lès-Briis (91)......51 E 3
Fontenay-Mauvoisin (78)......30 B 5
Fontenay-près-Chablis (89)......73 G 5
Fontenay-près-Vézelay (89)......91 F 4
Fontenay-sous-Bois (94)......51 G 1
Fontenay-
  sous-Fouronnes (89)......91 E 2
Fontenay-St-Père (78)......30 B 4
Fontenay-sur-Conie (28)......70 B 2
Fontenay-sur-Eure (28)......49 H 5
Fontenay-sur-Loing (45)......71 H 2
Fontenay-sur-Mer (50)......23 E 4
Fontenay-sur-Vègre (72)......67 G 4
Fontenay-Torcy (60)......14 C 5
Fontenay-Trésigny (77)......52 A 2
Fontenelle (02)......9 H 5
Fontenelle (21)......93 H 2
La Fontenelle (35)......45 G 4
La Fontenelle (41)......69 F 3
Fontenelle (90)......96 D 1
Fontenelle-en-Brie (02)......33 E 5
Fontenelle-Montby (25)......95 G 3
Les Fontenelles (25)......96 C 5
Fontenermont (14)......46 B 1
Fontenet (17)......127 G 2
Fontenille (16)......128 B 2
Fontenille-St-Martin-
  d'Entraigues (79)......114 C 5
Fontenilles (31)......189 E 3
Les Fontenis (70)......94 D 3
Fontenois-la-Ville (70)......77 E 3
Fontenois-
  lès-Montbozon (70)......95 E 2
Fontenotte (25)......95 F 3
Fontenouilles (89)......72 B 4
Fontenoy (02)......32 C 1
Fontenoy (89)......90 D 1
Fontenoy-la-Joûte (54)......57 H 4
Fontenoy-le-Château (88)......77 E 3
Fontenoy-sur-Moselle (54)......56 C 2
Fontenu (39)......110 C 5
Fonters-du-Razès (11)......207 G 1
Fontès (34)......192 C 3
Fontet (33)......156 A 4
Fontette (10)......74 C 2
Fontevraud-l'Abbaye (49)......85 H 5
Fontfreyde (63)......133 E 4
Fontgombault (36)......103 F 5
Fontguenand (36)......88 A 5
Fontienne (04)......180 D 3
Fontiers-Cabardès (11)......190 C 4
Fontiès-d'Aude (11)......208 C 1
Fontjoncouse (11)......209 E 2
Fontjouvale (84)......180 A 4
Fontoy (57)......20 D 3
Fontpédrouse (66)......212 A 4
Fontrabiouse (66)......211 H 3
Fontrailles (65)......187 G 4
Fontvannes (10)......73 G 1
Fontvieille (13)......194 D 1
Fonville (28)......49 H 2
Forbach (57)......38 A 2
Forcalqueiret (83)......197 E 4
Forcalquier (04)......180 D 4
La Force (11)......207 H 1
La Force (24)......156 D 1
Forcé (53)......66 D 3
Forcelles-sous-Gugney (54)......56 D 4
Forcelles-St-Gorgon (54)......56 D 4
Forceville (80)......7 H 5

Forceville-en-Vimeu (80)......14 C 1
Forcey (52)......75 H 2
Forciolo (2A)......219 E 1
La Forclaz (74)......125 E 3
Forest-en-Cambrésis (59)......9 F 4
Forest-l'Abbaye (80)......6 D 4
La Forest-Landerneau (29)......41 F 4
Forest-Montiers (80)......6 C 3
La Forestière (51)......53 E 3
La Forêt (33)......155 E 1
La Forêt-Auvray (61)......47 F 1
Forêt de Guînes (62)......2 C 3
La Forêt-de-Tessé (16)......115 E 5
La Forêt-du-Parc (27)......29 G 5
La Forêt-du-Temple (23)......117 H 2
La Forêt-Fouesnant (29)......61 H 3
Forêt-la-Folie (27)......30 A 3
La Forêt-le-Roi (91)......50 D 4
La Forêt-Ste-Croix (91)......51 E 5
La Forêt-sur-Sèvre (79)......100 D 4
Forfry (77)......32 A 4
La Forge (88)......77 H 2
La Forge-de-l'Île (36)......104 B 4
Forges (17)......113 G 5
Forgès (19)......145 E 4
Les Forges (23)......118 B 5
Forges (49)......85 F 5
Les Forges (56)......63 H 4
Les Forges (61)......48 A 4
Forges (77)......52 B 5
Les Forges (79)......114 D 1
Les Forges (88)......77 F 1
Les Forges-de-Paimpont (35)......64 C 3
Forges-la-Forêt (35)......65 H 4
Forges-les-Bains (91)......50 D 3
Forges-les-Eaux (76)......14 B 4
Forges-sur-Meuse (55)......35 G 2
Forgevieille (23)......117 F 3
Forgues (31)......188 D 4
La Forie (63)......134 B 5
Forléans (21)......92 A 3
Formentin (14)......28 A 3
Formerie (60)......14 C 4
Formigny (14)......23 G 4
Formiguères (66)......211 H 3
Fornex (09)......206 C 1
Fors (79)......114 B 4
Forstfeld (67)......39 H 5
Forstheim (67)......39 F 4
Fort-du-Plasne (39)......110 D 5
Fort-Louis (67)......39 H 5
Fort-Mahon-Plage (80)......6 B 3
Fort-Mardyck (59)......3 E 2
Fort-Moville (27)......28 C 1
Le Fort-Vert (62)......2 C 2
Fortan (41)......69 E 5
Fortel-en-Artois (62)......7 F 3
La Forteresse (38)......151 E 2
Fortschwihr (68)......78 D 2
Fos (31)......205 G 4
Fos (34)......192 B 3
Fos-sur-Mer (13)......195 E 4
Le Fossat (09)......206 D 1
Fossé (08)......19 F 5
Fossé (41)......87 H 2
Fosse (66)......208 B 5
La Fosse-Corduan (10)......53 F 4
La Fosse-de-Tigné (49)......85 E 5
Fosse-Nouvelle (18)......105 G 5
Fossemagne (24)......143 G 4
Fossemanant (80)......15 F 2
Les Fosses (79)......114 B 4
Fosses (95)......31 G 4
Fossès-et-Baleyssac (33)......156 A 3
Fosseuse (60)......31 E 3
Fosseux (62)......7 H 3
Fossieux (57)......37 E 5
Fossoy (02)......33 E 4
Foucarmont (76)......14 B 2
Foucart (76)......12 D 4
Foucaucourt-en-Santerre (80)......16 A 2
Foucaucourt-Hors-Nesle (80)......14 C 1
Foucaucourt-sur-Thabas (55)......35 F 4
Fouchécourt (70)......76 D 5
Fouchécourt (88)......76 C 3
Foucherans (25)......95 E 5
Foucherans (39)......110 A 1
Fouchères (10)......74 A 2
Fouchères (89)......72 C 2
Fouchères-aux-Bois (55)......55 G 3
Foucherolles (45)......72 B 3
Fouchy (67)......58 C 5
Foucrainville (27)......29 H 5
Fouday (67)......58 C 4
Foudon (49)......85 E 3
Fouencamps (80)......15 G 2
Fouesnant (29)......61 H 4
Foufflin-Ricametz (62)......7 G 3
Foug (54)......56 B 2
Fougaron (31)......205 H 3
Fougax-et-Barrineuf (09)......207 G 4
Fougeré (49)......85 G 1
Fougeré (85)......99 H 5
Fougères (35)......46 A 5
Fougères (36)......117 F 2
Fougères-sur-Bièvre (41)......87 H 3
Les Fougerêts (56)......64 B 5

Fougerolles (36)......117 H 1
Fougerolles (70)......77 F 4
Fougerolles-du-Plessis (53)......46 B 4
Fougueyrolles (24)......156 B 1
La Fouillade (12)......174 D 2
Fouillouse (05)......166 B 4
La Fouillouse (42)......135 E 5
Le Fouilloux (17)......141 H 3
Fouilloy (60)......14 C 3
Fouilloy (80)......15 G 2
Fouju (77)......51 H 3
Foulain (52)......75 G 3
Foulangues (60)......31 F 2
Foulayronnes (47)......172 C 1
Foulbec (27)......28 C 1
Foulcrey (57)......58 A 2
Fouleix (24)......143 F 5
Foulenay (39)......110 A 3
Fouligny (57)......37 F 3
Foulognes (14)......25 H 3
Foulzy (08)......10 C 5
Fouquebrune (16)......128 C 5
Fouquenies (60)......15 E 5
Fouquereuil (62)......7 H 1
Fouquescourt (80)......16 A 3
Fouqueville (27)......29 F 3
Fouquières-lès-Béthune (62)......7 H 1
Fouquières-lès-Lens (62)......4 B 5
Four (38)......136 D 4
Four d'en-Haut (60)......32 A 2
Fouras (17)......126 C 1
Fourbanne (25)......95 F 4
Fourcatier-
  et-Maison-Neuve (25)......111 F 4
Fourcès (32)......171 H 4
Fourchambault (58)......106 B 2
Fourches (14)......47 H 1
Fourcigny (80)......14 C 3
Fourdrain (02)......17 E 4
Fourdrinoy (80)......15 E 1
Fourg (25)......110 C 1
Les Fourgs (25)......111 G 3
Fourilles (03)......119 H 4
Fourmagnac (46)......159 F 3
Fourmetot (27)......28 D 1
Fourmies (59)......10 A 4
Fournaudin (89)......73 F 2
Fourneaux (23)......131 G 1
Fourneaux (42)......135 E 2
Fourneaux (45)......70 C 5
Fourneaux (50)......25 F 4
Fourneaux (73)......153 E 3
Fourneaux-le-Val (14)......47 G 1
Fournels (48)......161 E 2
Fournès (30)......178 D 4
Fournes-Cabardès (11)......190 D 5
Fournes-en-Weppes (59)......4 B 4
Le Fournet (14)......28 A 3
Fournet-Blancheroche (25)......96 C 5
Fournets-Luisans (25)......111 H 1
Fourneville (14)......28 B 1
Fournival (60)......15 G 5
Fournols (63)......134 A 5
Fournoulès (15)......159 H 3
Fouronnes (89)......91 E 2
Fourques (30)......194 C 1
Fourques (66)......213 E 3
Fourques-sur-Garonne (47)......156 B 5
Fourqueux (78)......50 D 1
Fourquevaux (31)......189 G 3
Fours (33)......141 E 3
Fours (58)......107 F 4
Fours-en-Vexin (27)......30 B 3
Fours-Saint-Laurent (04)......167 F 5
Fourtou (11)......208 B 4
Foussais-Payré (85)......113 H 1
Foussemagne (90)......96 D 1
Le Fousseret (31)......188 D 5
Foussignac (16)......128 A 3
Foussignargues (30)......178 A 1
Fouvent-le-Haut (70)......94 B 1
La Foux (04)......182 B 5
La Foux-d'Allos (04)......182 A 1
Fouzilhon (34)......192 B 3
Foville (57)......37 E 5
Fox-Amphoux (83)......197 E 2
La Foye-Monjault (79)......114 A 4
Fozières (34)......192 C 1
Fozzano (2A)......219 E 2
Fragnes-la-Loyère (71)......109 E 3
Frahier-et-Chatebier (70)......96 C 1
Fraignot-et-Vesvrotte (21)......93 F 1
Fraillicourt (08)......18 A 3
Fraimbois (54)......57 G 3
Frain (88)......76 C 2
Frainville (28)......50 B 5
Frais (39)......96 D 1
Fraisans (39)......94 C 5
Fraisnes-en-Saintois (54)......56 D 5
Fraisse (24)......156 C 1
Fraisse-Cabardès (11)......190 D 5
Fraissé-des-Corbières (11)......209 E 3
Fraisse-sur-Agout (34)......191 G 2
Fraisses (42)......148 D 1
Fraissines (81)......175 G 4
Fraissinet-de-Fourques (48)......177 E 2
Fraissinet-de-Lozère (48)......162 A 5
Fraize (88)......78 B 1

Fralignes (10)......74 B 2
La Framboisière (28)......49 F 3
Frambouhans (25)......96 C 5
Framecourt (62)......7 G 3
Framerville-Rainecourt (80)......16 A 2
Framicourt (80)......14 C 1
Framont (70)......77 F 4
Frampas (52)......55 F 4
Francalmont (70)......77 F 4
Francaltroff (57)......37 H 4
Francardo (2B)......217 E 1
Francarville (31)......189 H 2
Francastel (60)......15 E 4
Françay (41)......87 G 2
Francazal (31)......206 A 2
Francescas (47)......172 A 3
Francheleins (01)......122 B 5
Franchesse (03)......106 B 5
Francheval (08)......19 F 3
Franchevelle (70)......77 G 5
La Francheville (08)......18 D 3
Francheville (21)......93 E 3
Francheville (27)......49 E 1
Francheville (39)......110 A 3
Francheville (51)......34 C 5
Francheville (54)......56 C 1
Francheville (61)......47 H 3
Francheville (69)......135 H 3
Francières (60)......31 H 1
Francières (80)......7 E 5
Francillon (36)......104 A 3
Francillon-sur-Roubion (26)......164 D 3
Francilly-Selency (02)......16 D 2
Francin (73)......138 A 5
Franclens (74)......124 A 5
François (79)......114 B 3
Francon (31)......188 D 5
Franconville (54)......57 F 3
Franconville (95)......31 E 5
Francoulès (46)......158 C 4
Francourt (70)......94 B 1
Francourville (28)......50 B 5
Le Francport (60)......32 A 1
Francs (33)......142 A 5
Francueil (37)......87 F 4
La Frandière (85)......98 B 2
Franey (25)......94 C 4
Frangy (74)......124 A 5
Frangy-en-Bresse (71)......109 H 4
Franken (68)......97 F 1
Franleu (80)......6 C 5
Franois (25)......94 D 5
Franquevaux (30)......194 A 2
Franquevielle (31)......205 F 1
Franqueville (02)......17 G 2
Franqueville (27)......28 D 3
Franqueville (80)......7 F 5
Franqueville-St-Pierre (76)......29 G 1
Frans (01)......135 H 1
Fransart (80)......16 A 3
Fransèches (23)......131 F 1
Fransu (80)......7 E 5
Fransures (80)......15 F 3
Franvillers (80)......15 G 1
Franxault (21)......109 H 1
Frapelle (88)......58 B 5
Fraquelfing (57)......58 A 2
Fraroz (39)......111 E 4
Frasnay-Reugny (58)......107 E 2
Frasne (25)......111 E 3
Frasne (39)......94 A 5
Frasne-le-Château (70)......94 C 3
La Frasnée (39)......123 H 1
Le Frasnois (39)......110 D 5
Frasnoy (59)......9 G 3
La Frasse (74)......125 F 5
Frasseto (2A)......219 E 1
Frauenberg (57)......38 B 2
Frausseilles (81)......174 C 4
Fravaux (10)......74 D 1
Le Fraysse (81)......175 F 5
Frayssinet (46)......158 C 3
Frayssinet-le-Gélat (46)......158 A 4
Frayssinhes (46)......159 F 1
Frazé (28)......69 F 1
Fréauville (76)......14 A 2
Frebécourt (88)......56 B 5
Frébuans (39)......110 A 5
Le Frêche (40)......171 E 4
Fréchède (65)......187 G 4
Fréchencourt (80)......15 G 1
Fréchendets (65)......204 D 2
Le Fréchet (31)......206 A 1
Fréchet-Aure (65)......205 E 3
Le Fréchou (47)......171 H 4
Fréchou-Fréchet (65)......204 C 1
Frécourt (52)......76 A 3
Frédéric-Fontaine (70)......95 H 1
La Frédière (17)......127 F 2
Frédille (36)......104 A 2
Frégimont (47)......172 A 1
Frégouville (32)......188 C 2
Fréhel (22)......44 B 2
Freigné (49)......84 A 2
Freissinières (05)......167 E 1
La Freissinouse (05)......166 B 4
Freistroff (57)......21 G 4
Freix-Anglards (15)......145 H 5
Fréjairolles (81)......175 G 5
Fréjeville (81)......190 C 2

Fréjus (83)......198 C 3
Fréland (68)......78 C 1
Frelinghien (59)......4 B 3
Frémainville (95)......30 C 4
Frémécourt (95)......30 D 3
Fréménil (54)......57 H 3
Frémeréville-
  sous-les-Côtes (55)......56 A 1
Frémery (57)......37 F 5
Frémestroff (57)......37 H 4
Frémicourt (62)......8 B 5
Fremifontaine (88)......57 H 5
Frémontiers (80)......15 E 3
Frémonville (54)......58 A 2
La Frénaye (76)......12 D 5
Frencq (62)......6 C 1
Frenelle-la-Grande (88)......56 D 5
Frenelle-la-Petite (88)......56 D 5
Frênes (61)......46 D 1
Freneuse (76)......29 G 2
Freneuse (78)......30 B 4
Freneuse-sur-Risle (27)......28 D 2
Freney (73)......153 E 3
Le Freney-d'Oisans (38)......152 B 4
Fréniches (60)......16 B 4
Frénois (21)......93 E 2
Frénois (88)......76 D 1
Frénouville (14)......27 G 3
Frépillon (95)......31 E 4
Fresles (76)......14 A 3
La Fresnaie-Fayel (61)......48 A 1
La Fresnais (35)......45 E 2
Fresnay (51)......54 D 5
Fresnay-en-Retz (44)......98 D 1
Fresnay-le-Comte (28)......70 A 1
Fresnay-le-Gilmert (28)......49 H 4
Fresnay-le-Long (76)......13 G 4
Fresnay-le-Samson (61)......28 A 5
Fresnay-l'Évêque (28)......70 C 1
Fresnay-sur-Sarthe (72)......67 H 1
La Fresnaye-au-Sauvage (61)......47 G 2
La Fresnaye-
  sur-Chédouet (72)......48 A 4
Le Fresne (21)......29 F 5
Le Fresne (51)......34 C 5
Le Fresne-Camilly (14)......27 E 2
Fresne-Cauverville (27)......28 C 3
Fresné-la-Mère (14)......27 G 5
Fresne-l'Archevêque (27)......29 H 2
Fresne-le-Plan (76)......29 H 1
Fresne-Léguillon (60)......30 D 2
Le Fresne-Poret (50)......46 C 2
Fresne-St-Mamès (70)......94 B 1
Le Fresne-sur-Loire (44)......84 B 3
Fresneaux-
  Montchevreuil (60)......30 D 2
Fresnes (02)......16 D 5
Fresnes (21)......92 C 2
Fresnes (41)......87 H 3
Fresnes (89)......73 H 5
Fresnes (94)......51 F 2
Fresnes-au-Mont (55)......35 H 5
Fresnes-en-Saulnois (57)......37 F 5
Fresnes-en-Tardenois (02)......33 E 3
Fresnes-en-Woëvre (55)......36 A 3
Fresnes-lès-Montauban (62)......8 B 3
Fresnes-Mazancourt (80)......16 A 2
Fresnes-sur-Apance (52)......76 C 3
Fresnes-sur-Escaut (59)......5 F 5
Fresnes-sur-Marne (77)......31 H 3
Fresnes-Tilloloy (80)......14 C 1
Fresneville (80)......14 C 2
Fresney (27)......29 H 5
Fresney-le-Puceux (14)......27 F 4
Fresney-le-Vieux (14)......27 F 4
Fresnicourt (62)......7 H 2
Fresnières (60)......16 A 4
Fresnois-la-Montagne (54)......20 B 2
Fresnoy (62)......7 F 2
Fresnoy-Andainville (80)......14 C 1
Fresnoy-au-Val (80)......15 E 2
Fresnoy-en-Bassigny (52)......76 B 3
Fresnoy-en-Chaussée (80)......15 H 3
Fresnoy-en-Gohelle (62)......8 B 2
Fresnoy-en-Thelle (60)......31 E 3
Fresnoy-Folny (76)......14 A 2
Fresnoy-la-Rivière (60)......32 A 2
Fresnoy-le-Château (10)......74 A 1
Fresnoy-le-Grand (02)......17 E 1
Fresnoy-le-Luat (60)......31 H 3
Fresnoy-lès-Roye (80)......16 A 3
Frespech (47)......172 D 1
Fresquiennes (76)......13 G 5
Fressac (30)......177 H 4
Fressain (59)......8 D 3
Fressancourt (02)......17 E 4
Fresse (70)......77 H 5
Fresse-sur-Moselle (88)......78 A 4
Fresselines (23)......117 G 3
Fressenneville (80)......6 B 5
Fressies (59)......8 D 3
Fressin (62)......7 E 2
Fressines (79)......114 B 3
Fréterive (73)......138 B 4
Frétéval (41)......69 G 4
Fréthun (62)......2 C 3

Fretigney-et-Velloreille (70)....94 D 2
Frétigny (28)..................49 F 5
Fretin (59)....................4 C 4
Frétoy (77)...................52 C 2
Frétoy-le-Château (60)......16 B 4
La Frette (38)................151 E 1
La Frette (71)...............109 G 5
La Frette-sur-Seine (95)....31 E 5
Frettecuisse (80)............14 C 1
Frettemeule (80).............14 B 1
Fretterans (71).............109 H 3
Frettes (70)..................94 A 1
Le Fréty (08).................18 B 3
Freulleville (76)............13 H 2
Frévent (62)...................7 G 3
Fréville (76)..................13 F 4
Fréville (88).................56 A 5
Fréville-du-Gâtinais (45)...71 G 3
Frévillers (62)................7 H 2
Frévin-Capelle (62)...........8 A 3
Freybouse (57)...............37 H 4
Freycenet-la-Cuche (43)....162 C 1
Freycenet-la-Tour (43).....148 C 5
Freychenet (09)............207 F 3
Freyming-Merlebach (57)...37 H 2
Freysselines (19)...........145 E 1
Freyssenet (07).............163 F 3
Friaize (28)..................49 G 5
Friardel (14).................28 B 4
Friaucourt (80)................6 B 5
Friauville (54)...............20 C 5
Fribourg (57).................58 A 1
Fricamps (80)................14 D 2
Frichemesnil (76)...........13 G 4
Fricourt (80).................16 A 1
Fridefont (15)..............161 E 1
Friedolsheim (67)...........58 A 1
Frières-Faillouël (02)......16 D 3
Friesen (68)..................97 E 1
Friesenheim (67)............59 F 5
Frignicourt (51).............54 C 2
Frise (80)....................16 A 1
Friville-Escarbotin (80)......6 B 5
Frizon (88)...................57 F 5
Froberville (76).............12 C 3
Frocourt (60)................30 D 1
Frœningen (68)..............78 D 5
Frœschwiller (67)...........39 F 4
Froges (38).................151 H 2
Frohen-le-Grand (80).........7 F 4
Frohen-le-Petit (80).........7 F 4
Frohmuhl (67)...............38 C 4
Froideconche (70)...........77 F 4
Froidefontaine (90).........96 D 1
Froidestrées (02)...........17 G 1
Froideterre (70).............77 G 5
Froidevaux (25).............95 H 4
Froideville (39)............110 A 4
Froidfond (85)...............99 E 3
Froidmont (60)..............31 E 1
Froidmont-Cohartille (02)...17 F 3
Froidos (55)..................35 F 4
Froissy (60)..................15 F 5
Frôlois (21)..................92 D 2
Frolois (54)..................56 D 3
Fromelennes (08)............11 E 3
Fromelles (59)................4 B 4
Fromental (87).............117 E 5
Fromentières (51)...........33 F 5
Fromentières (53)...........66 B 4
Fromentine (85).............98 B 2
Fromeréville-les-Vallons (55)...35 G 3
Fromezey (55)...............20 A 5
Fromont (77).................71 G 1
Fromy (08)....................19 G 4
Froncles-Buxières (52)......55 G 5
Fronsac (31)................205 G 3
Fronsac (33)................141 E 5
Le Frontal (30)............162 C 5
Frontenac (33).............155 H 2
Frontenac (46).............159 F 4
Frontenard (71)............109 G 3
Frontenas (69).............135 G 2
Frontenaud (71)............123 E 1
Frontenay (39).............110 B 4
Frontenay-
  Rohan-Rohan (79).......114 A 4
Frontenay-sur-Dive (86)....101 H 3
Frontenex (73).............138 C 4
Frontignan (34)............193 E 4
Frontignan-
  de-Comminges (31)......205 G 3
Frontignan-Plage (34).....193 E 4
Frontignan-Savès (31).....188 C 4
Fronton (31)...............173 G 5
Frontonas (38).............136 D 4
Fronville (52)...............55 G 5
Frossay (44).................82 D 4
Frosse (85).................113 E 1
Frotey-lès-Lure (70).........95 G 1
Frotey-lès-Vesoul (70)......95 E 1
Frouard (54).................56 D 1
Frouville (95)................31 E 3
Frouzins (31)..............189 E 3
Froville (54).................57 F 4
Froyelles (80).................7 E 4
Frozes (86).................101 H 5
Frucourt (80)................14 C 1
Frugerès-les-Mines (43)....147 F 2
Fruges (62)....................7 F 1
Frugières-le-Pin (43)......147 G 3
La Fruitière (65)...........204 B 4

Fruncé (28)..................49 G 5
Fry (76)......................14 B 5
Fuans (25)...................95 H 5
Fublaines (77)..............32 A 5
Le Fugeret (04)............182 B 3
Le Fuilet (49)...............84 A 4
Fuilla (66).................212 B 3
Fuissé (71).................122 B 3
Fuligny (10).................54 D 5
Fulleren (68)................97 E 1
Fultot (76)..................13 E 3
Fulvy (89)...................92 A 1
Fumay (08)...................11 E 4
Les Fumades-les-Bains (30)...178 B 2
Fumel (47)..................157 G 4
Fumichon (14)...............28 B 3
Furchhausen (67)............58 D 1
Furdenheim (67).............59 E 2
Furiani (2B)................215 G 4
Furmeyer (05)..............166 A 4
Fussey (21).................109 E 1
Fussy (18)..................105 F 1
Fustérouau (32)............187 E 1
Fustignac (31).............188 C 5
Futeau (55)..................35 F 4
Fuveau (13).................196 A 3
Fyé (72)......................47 H 5

G
Gaas (40)...................185 F 2
Gabarnac (33)..............155 G 3
Gabarret (40)..............171 F 4
Gabaston (64)..............186 A 4
Gabat (64)..................185 F 4
Gabian (34).................192 B 3
Gabillou (24)...............143 H 3
Gabre (09)..................206 D 2
Gabriac (12)................160 C 5
Gabriac (48)................177 F 2
Gabrias (48)................161 G 4
La Gabrière (36)...........103 G 4
Gacé (61).....................48 B 1
La Gacilly (56)..............64 C 5
Gâcogne (58).................91 G 5
Gadancourt (95).............30 C 4
Gadencourt (27)..............29 H 5
Gaël (35).....................64 C 1
Gageac-et-Rouillac (24)....156 C 2
Gages-le-Haut (12).........160 B 5
Gagnac-sur-Cère (46)......145 E 5
Gagnac-sur-G. (31).........189 F 1
Gagnières (30).............178 A 1
Gagny (93)...................51 G 1
Gahard (35)..................45 G 5
Gailhan (34)................177 H 5
Gaillac (81)................174 C 5
Gaillac-d'Aveyron (12).....176 A 1
Gaillac-Toulza (31)........189 F 5
Gaillagos (65).............204 A 3
Gaillan-en-Médoc (33).....140 C 2
Gaillard (74)...............124 C 4
Gaillardbois-Cressenville (27)...29 H 1
La Gaillarde (76)............13 F 2
Gaillefontaine (76).........14 B 4
Gaillères (40)..............170 D 4
Gaillon (27).................29 H 3
Gaillon-sur-Montcient (96)...30 C 4
Gainneville (76)............12 B 5
Gaja-et-Villedieu (11).....208 A 2
Gaja-la-Selve (11).........207 G 1
Gajac (33)..................155 H 5
Gajan (09)..................206 B 4
Gajan (30)..................178 B 5
Gajoubert (87).............116 A 5
Galametz (62).................7 F 3
Galan (65)..................205 E 1
Galapian (47)..............172 A 1
Galargues (34).............193 G 1
La Galère (06).............199 E 2
Galéria (2B)................216 B 1
Galey (09)..................205 H 3
Galez (65)..................205 E 1
Galfingue (68)..............78 C 5
Galgan (12).................159 G 4
Galgon (33).................141 G 5
Galiax (32).................187 E 2
Galié (31)..................205 G 3
Galimas (47)...............172 C 1
Galinagues (11)............207 H 4
Gallardon (28)..............50 B 4
La Galle (84)..............179 E 2
Le Gallet (60)..............15 E 4
Gallician (30).............194 A 2
Galluis (78).................50 C 1
Gamaches (80)...............14 B 1
Gamaches-en-Vexin (27)....30 B 2
Gamarde-les-Bains (40)...185 G 1
Gamarthe (64)..............185 E 5
Gambais (78).................50 B 2
Gambaiseuil (78)...........50 B 2
Gambsheim (67).............59 G 1
Gan (64)....................186 B 5
Ganac (09)..................207 E 3
Ganagobie (04).............181 E 3
Ganay (13)..................195 H 2
Gancourt-St-Étienne (76)...14 C 5
Gandelain (61)..............47 G 4
Gandelu (02).................32 C 4
Gandiempré (62)..............7 H 4
Gandrange (57)..............21 E 4
Ganges (34)................177 G 4

Gannat (03).................119 H 5
Gannay-sur-Loire (03).....107 F 5
Gannes (60)..................15 G 4
Les Gannes (63)............132 B 5
Gans (31)...................155 H 5
Ganties (31)...............205 H 2
Ganzeville (76).............12 C 3
Gap P (05).................166 B 3
Gapennes (80).................7 E 4
Gâprée (61)..................48 B 3
Garac (31)..................188 D 2
Garancières (78)............50 B 1
Garancières-en-Beauce (28)...50 C 5
Garancières-en-Drouais (28)...49 H 2
Garanou (09)...............207 F 5
Garat (16)..................128 C 4
Garbic (32).................188 C 2
Garcelles-Secqueville (14)...27 G 3
Garches (92).................51 E 1
Garchizy (58)..............106 B 2
Garchy (58)..................90 B 5
Gardanne (13)..............196 A 3
La Garde (04)..............182 A 5
La Garde (38)..............152 A 4
La Garde (48)..............161 F 1
La Garde (83)..............201 E 3
La Garde-Adhémar (26).....163 H 5
La Garde-Freinet (83)......197 G 4
La Garde-Guérin (48)......162 B 5
Gardefort (18)..............90 A 5
Gardegan-et-Tourtirac (33)...156 A 1
Gardères (65)..............186 D 5
Les Gardes (49)............100 C 1
Gardes-le-Pontaroux (16)...128 C 5
Gardie (11).................208 B 2
La Gardiole (80)...........177 H 4
Gardonne (24)..............156 C 1
Gardouch (31)..............189 H 4
Garein (40).................169 H 3
Garencières (27)............29 H 5
La Garenne-
  Colombes (92).............31 E 5
Garennes-sur-Eure (27).....30 A 5
Garentreville (77)..........71 G 1
Garéoult (83)..............196 D 4
La Garette (79)............114 A 3
Gargantvillar (82).........173 E 4
Gargas (31).................189 F 1
Gargas (84).................180 A 4
Gargenville (78)............30 C 5
Garges-lès-Gonesse (95)....31 E 5
Gargilesse-Dampierre (36)...117 F 2
Garidech (31)..............189 G 1
Gariès (82).................173 E 5
Garigny (18)...............106 A 1
Garin (31)..................205 F 4
Garindein (64).............185 G 5
Garlan (29)...................42 B 3
Garlède-Mondebat (64).....186 C 3
Garlin (64).................186 C 2
Le Garn (30)...............178 C 1
La Garnache (85)...........99 E 3
Garnat-sur-Engièvre (03)...107 F 5
Garnay (28)..................49 H 2
Garnerans (01).............122 B 4
Garons (30).................194 B 1
Garos (64)..................186 B 3
Garravet (32)..............188 C 4
Garrebourg (57).............58 C 1
Garrevaques (81)...........190 B 3
Garrey (40).................185 G 1
Le Garric (81).............174 D 4
Garrigues (34).............193 G 1
Garrigues (81).............189 H 2
Garrigues-Ste-Eulalie (30)...178 B 4
Garris (64).................185 F 4
Garrosse (40)..............169 F 3
Gars (06)...................182 C 4
Gartempe (23)..............117 G 5
Gas (28).....................50 B 3
Gascougnolles (79)........114 B 3
Gasny (27)...................30 B 4
Gasparets (11).............209 E 1
Gasques (82)...............172 D 2
Gassin (83).................197 H 5
Le Gast (14).................46 B 1
Gastes (40).................154 B 5
Gastines (53)...............66 A 3
Gastines-sur-Erve (72).....67 F 4
Gastins (77).................52 B 3
Gasville-Oisème (28).......50 A 4
Gatey (39)..................110 A 2
Gathemo (50).................46 B 1
Gatteville-le-Phare (50)....23 E 2
Gattières (06).............183 E 5
Gattigues (30).............178 B 3
Gatuzières (48)............177 E 2
Gaubertin (45)..............71 F 2
La Gaubretière (85)........100 A 2
La Gaucherie (41)...........88 A 3
Gauchin-Légal (62)..........7 H 2
Gauchin-Verloingt (62).......7 G 2
Gauchy (02)..................16 D 1
Gauciel (27).................29 G 4
La Gaudaine (28)............69 E 1
La Gaude (06)..............183 E 5
La Genevraie (61)...........48 B 2
Gaudechart (60).............14 D 4
Gaudent (65)...............205 F 3
Gaudiempré (62).............7 H 4
Gaudiès (09)...............207 F 1
Gaudonville (32)...........172 D 5

Gaudreville (28)...........50 D 5
Gaudreville-la-Rivière (27)...29 F 5
Gaugeac (24)...............157 G 3
Gaujac (30)................178 D 3
Gaujac (32)................188 B 3
Gaujac (47)................156 B 4
Gaujacq (40)...............185 H 2
Gaujan (32)................188 B 4
Le-Gault-du-Perche (41)...69 F 2
Le Gault-Soigny (51).......53 E 1
Le Gault-St-Denis (28).....70 A 1
Gauré (31).................189 H 2
Gauriac (33)...............141 E 4
Gauriaguet (33)............141 G 4
Gaussan (65)...............205 F 1
Gausson (22)................63 H 1
Gauville (61)...............48 C 1
Gauville (80)...............14 C 3
Gauville-la-Campagne (27)...29 G 4
Gavarnie (65)..............204 B 5
Gavarnie-Gèdre (65).......204 B 4
Gavarret-sur-Aulouste (32)...188 A 1
Gavaudun (47)..............157 G 4
Gavet (38).................151 H 4
Gavignano (2B).............217 F 1
Gavisse (57).................21 E 3
La Gavotte (13)............195 H 4
Gavray (50)..................25 E 5
Le Gâvre (44)...............83 E 2
Gavrelle (62).................8 B 3
Gâvres (56)..................80 D 1
Gavrus (14)..................27 E 3
Gayan (65).................187 E 5
Gaye (51)....................53 G 2
Gayon (64).................186 D 3
Gazaupouy (32).............172 A 4
Gazave (2B)................205 E 2
Gazax-et-Baccarisse (32)...187 F 2
Gazeran (78).................50 C 3
Gazinet (33)...............155 H 1
Gazost (65)................204 B 2
Geaune (40)................186 B 2
Geay (17)..................127 E 2
Geay (79)..................101 F 3
Gée (49).....................85 F 3
Gée-Rivière (32)...........186 D 1
Geffosses (50)..............24 C 3
Géfosse-Fontenay (14)......23 F 5
Gehée (36).................104 A 2
Geishouse (68)..............78 B 4
Geispitzen (68).............79 E 5
Geispolsheim (67)..........59 E 3
Geiswasser (68).............79 E 3
Geiswiller (67).............38 D 5
Gélacourt (54)..............57 H 3
Gélannes (10)...............53 F 4
Gélaucourt (54)............56 D 4
Gellainville (28)...........50 A 5
Gellenoncourt (54).........57 F 2
Gelles (63).................132 C 3
Gellin (25).................111 F 4
Gelos (64).................186 B 5
Geloux (40)................169 H 4
Gelucourt (57)..............57 H 1
Gelvécourt-et-Adompt (88)...77 E 1
Gémages (61)................68 D 1
Gemaingoutte (88)..........58 B 5
Gembrie (65)...............205 F 3
Gemeaux (21)................93 G 3
Gémenos (13)...............196 B 5
Gémigny (45)................70 B 4
Gémil (31).................189 G 1
Gemmelaincourt (88)........56 D 5
Gémonval (25)...............95 H 2
Gémonville (54).............56 C 4
Gémozac (17)...............127 E 5
Genac-Bignac (16)..........128 B 3
Genainville (95)............30 B 3
Genas (69).................136 C 3
Génat (09).................207 E 4
Genay (21)...................92 B 3
Genay (69).................135 H 2
Gençay (86)................115 G 3
Gendreville (88)............76 B 1
Gendrey (39)................94 B 5
Gené (49)...................84 C 1
Génébrières (82)...........173 H 4
Genech (59)...................4 D 4
Génelard (71)..............121 G 1
Générac (30)...............194 A 1
Générac (33)...............141 F 3
Générargues (30)...........177 H 3
Générest (65)..............205 F 2
Generville (11)............207 G 1
Geneslay (61)...............47 E 4
Le Genest (53)..............66 C 2
Genestelle (07)............163 E 2
Geneston (44)...............99 F 1
Le Genestoux (63).........132 D 5
La Genête (71).............122 D 1
La Genétouze (17).........142 A 3
La Genétouze (85)...........99 F 4
Genêts (50).................45 G 2
Les Genettes (61)..........48 C 2
Geneuille (25)..............95 E 3
La Genevraie (61)...........48 B 2
La Genevraye (77)...........71 H 1
Genevreuille (70)...........95 F 1
Genevrey (70)...............77 F 5
Genevrières (52)............76 B 5
La Genevroye (52)..........75 F 1

Geney (25)..................95 G 2
La Geneytouse (87)........130 C 3
Génicourt (95)..............30 D 4
Génicourt-sur-Meuse (55)...35 H 4
Genilac (42)...............135 G 5
Genillé (37)...............103 F 1
Génis (24).................144 A 2
Génissac (33)..............155 H 1
Génissieux (26)...........150 C 4
Genlis (21).................93 G 5
Gennes (25).................95 E 5
Gennes (49).................85 F 4
Gennes-Ivergny (62).........7 E 3
Gennes-sur-Glaize (53).....66 D 4
Gennes-sur-Seiche (35).....66 A 3
Genneteil (49)..............85 H 2
Gennetines (03)............106 D 5
Genneton (79)..............101 E 1
Genneville (14).............28 B 1
Gennevilliers (92)..........31 E 5
Genod (39).................123 G 3
Génois (Pont) (2B).........217 F 3
Génolhac (30)..............177 H 1
Génos (30).................205 G 3
Génos (65).................205 E 4
Genouillac (16)............129 E 2
Genouillac (23)............118 A 3
Genouillé (17).............113 G 5
Genouillé (86).............115 F 5
Genouilleux (01)...........122 B 5
Genouilly (18).............104 C 1
Genouilly (71).............108 D 5
Genrupt (52).................76 B 4
Gensac (33)................156 B 1
Gensac (65)................187 E 4
Gensac (82)................173 E 4
Gensac-de-Boulogne (31)...188 A 5
Gensac-la-Pallue (16)......127 H 4
Gensac-sur-Garonne (31)...206 B 1
Genté (16).................127 G 4
Gentelles (80)..............15 G 2
Les Gentillons (05).......166 B 3
Gentilly (94)...............51 F 1
Gentioux-Pigerolles (23)...131 F 3
Genvry (60).................16 B 4
Georfans (70)...............95 G 2
Les Georgets (71).........108 B 5
Ger (50).....................46 C 2
Ger (64)...................186 D 5
Ger (65)...................204 B 2
Ger de Boutx (31).........205 H 3
Geraise (39)...............110 D 2
Gérard (33).................65 H 2
Gérardmer (88)..............78 A 2
Géraudot (10)...............74 B 1
Gérauvilliers (55)..........56 A 3
Gerbaix (73)...............137 G 4
Gerbamont (88)..............77 H 3
Gerbécourt (57).............37 G 5
Gerbécourt-
  et-Haplemont (54).......57 E 4
Gerbépal (88)...............78 A 1
Gerberoy (60)...............14 D 5
Gerbéviller (54)............57 G 3
Gercourt-et-Drillancourt (55)...35 G 2
Gercy (02)...................17 G 2
Gerde (65).................204 D 2
Gerderest (64).............186 D 4
Gère-Bélesten (64)........203 H 2
Gergny (02)..................17 H 1
Gergueil (21)...............93 E 5
Gergy (71)..................109 F 3
Gerland (21)...............109 F 1
Germ (65)..................205 E 4
Germagnat (01).............123 F 3
Germagny (71)..............108 D 5
Germaine (02)...............16 C 2
Germaine (51)...............33 H 3
Germainville (28)...........50 A 4
Germainvilliers (52)........76 B 2
Germay (52).................55 H 4
Germéfontaine (25).........95 G 5
Germigny (51)...............33 G 2
Germigny (89)...............73 G 3
Germigny-des-Prés (45).....71 E 5
Germigny-l'Évêque (77).....32 A 5
Germigny-l'Exempt (18)....106 A 1
Germigny-
  sous-Coulombs (77).......32 C 4
Germigny-sur-Loire (58)...106 B 2
Germinon (51)...............34 A 5
Germiny (54)................56 D 3
Germisay (52)...............55 H 5
Germolles-sur-Grosne (71)...122 A 3
Germond-Rouvre (79).......114 B 2
Germondans (25)............95 E 3
Germont (08)................19 E 5
Germonville (54)............57 E 4
Germs-sur-l'Oussouet (65)...204 C 2
Gernelle (08)................19 E 3
Gernicourt (02)..............33 G 1
Géroménil (88)..............77 G 2
Géronce (64)...............185 H 5
Gerponville (76)............12 D 3
Gerrots (14).................27 H 3

Gerstheim (67)..............59 F 4
Gertwiller (67).............58 D 4
Geruge (39)................110 A 5
Gervans (26)...............149 H 4
Gerville (76)................12 C 3
Gerville-la-Forêt (50).....24 D 2
Géry (55).....................55 G 1
Gerzat (63).................133 F 3
Gesnes (53)..................66 D 2
Gesnes-en-Argonne (55).....35 F 2
Gesnes-le-Gandelin (72)....47 H 5
Gespunsart (08).............11 E 5
Gestas (64)................185 G 4
Geste (49)..................84 A 5
Gestel (56).................62 C 5
Gestiès (09)...............207 E 5
Gesvres (53)................47 G 5
Gesvres-le-Chapitre (77)...32 A 4
Les Gets (74)..............125 F 4
Geu (65)...................204 B 2
Geudertheim (67)............59 F 1
Géus-d'Arzacq (64)........186 A 3
Géus-d'Oloron (65).........185 H 5
Gévezé (35).................65 E 1
Gevigney-et-Mercey (70)....76 D 5
Gevingey (39)..............110 A 5
Gevresin (25)..............111 E 2
Gevrey-Chambertin (21).....93 F 5
Gevrolles (21)..............75 E 3
Gevry (39).................110 A 2
Gex P (01).................124 B 3
Geyssans (26)..............150 C 4
Gez (65)...................204 B 2
Gez-ez-Angles (65)........204 C 2
Gézaincourt (80).............7 G 4
Gézier-et-Fontenelay (70)...94 C 4
Gézoncourt (54).............36 C 5
Ghisonaccia (2B)...........217 G 4
Ghisoni (2B)...............217 F 4
Ghissignies (59)............9 F 4
Ghyvelde (59)................3 G 1
Giat (63)..................132 B 5
Gibeaumeix (54).............56 B 3
Gibel (31).................189 H 5
Gibercourt (02).............16 D 3
Giberville (14).............27 G 3
Gibles (71)................121 G 3
Gibourne (17)..............127 H 1
Gicourt (60)................31 F 1
Le Gicq (17)...............127 H 1
Giel-Courteilles (61).......47 G 1
Gien (45)...................89 H 1
Gien-sur-Cure (58)........108 A 1
Giens (83).................201 F 4
Gières (38)................151 H 3
La Giettaz (73)............138 D 2
Gièvres (41)................88 B 5
Giey-sur-Aujon (52).........75 F 4
Giez (74)..................138 B 3
Gif-sur-Yvette (91).........51 E 2
Giffaumont-Champaubert (51)...54 D 3
Gigaro (83)................197 H 5
Gigean (34)................193 E 3
Gignac (34)................192 D 2
Gignac (46)................144 B 5
Gignac (84)................180 B 4
Gignac-la-Nerthe (13).....195 G 4
Gignat (63)................147 F 1
Gignéville (88).............77 F 1
Gigney (88)..................77 F 1
Gigny (39).................123 F 2
Gigny (89)..................74 B 5
Gigny-Bussy (51)...........54 C 3
Gigny-sur-Saône (71)......109 F 5
Gigondas (84)..............179 G 2
Gigors (04)................166 C 5
Gigors-et-Lozeron (26)....164 D 1
Gigot (32)..................95 H 5
Gigouzac (46)..............158 B 4
Gijounet (81)..............191 F 1
Gildwiller (68).............78 C 5
Gilette (06)...............183 E 4
Gilhac-et-Bruzac (07).....163 G 1
Gilhoc-sur-Ormèze (07)....149 G 5
Gilancourt (52).............75 F 2
Gillaumé (52)...............55 H 4
Gilles (28).................30 A 5
Gilley (25)................111 G 1
Gilley (52)..................94 B 1
Gillois (39)...............110 D 4
Gillonnay (38).............151 E 1
Gilly-lès-Cîteaux (21).....93 F 5
Gilly-sur-Isère (73)......138 C 3
Gilly-sur-Loire (71)......120 D 1
Gilocourt (60)..............32 A 2
Gimbrède (32)..............172 C 3
Gimeaux (63)...............133 F 2
Gimel-les-Cascades (19)...145 E 2
Gimécourt (55)..............55 H 1
Gimeux (16)................127 G 4
La Gimond (42).............135 F 5
Gimont (32)................188 C 2
Gimouille (58).............106 B 3

Localité *(Département)* Page **Coordonnées**

Ginai (61)...............48 A 2
Ginals (82)..............174 B 2
Ginasservis (83)..........196 C 1
Ginchy (80)...............8 B 5
Gincla (11)..............208 B 5
Gincrey (55)...............20 A 5
Gindou (46)...............158 A 3
Ginestas (11)............191 H 5
Ginestet (24)............156 D 1
Gingsheim (67)............59 E 1
Ginoles (11).............208 A 4
Ginouillac (46)..........158 C 2
Gintrac (46).............158 D 1
Giocatojo (2B)...........217 F 1
Gionges (51)..............33 H 5
Giou-de-Mamou (15).......160 A 1
Gioux (23)...............131 G 3
Gipcy (03)...............119 G 2
Girac (46)...............159 E 1
Girancourt (88)...........77 F 1
Giraumont (54)............20 C 5
Giraumont (60)............16 A 5
Girauvoisin (55)..........56 A 1
Gircourt-lès-Viéville (88)...57 E 5
Girecourt-sur-Durbion (88)...77 G 1
Girefontaine (70).........77 H 4
Giremoutiers (77).........52 B 1
Girgols (15).............146 A 5
Giriviller (54)...........57 G 4
Girmont (88)..............57 F 5
Girmont-Val-d'Ajol (88)...77 G 3
Girolles (45).............71 H 3
Girolles (89).............91 G 2
Giromagny (90)............78 A 5
Giron (01)..............123 H 4
Gironcourt-sur-Vraine (88)...56 C 5
Gironde-sur-Dropt (33)...155 H 3
Girondelle (08)...........10 C 5
Gironville (77)...........71 G 2
Gironville-et-Neuville (28)...49 H 3
Gironville-sous-les-Côtes (55)...56 B 1
Gironville-sur-Essonne (91)...51 F 5
Le Girouard (85)..........99 F 5
Giroussens (81).........189 H 1
Giroux (36).............104 C 2
Giroux-Vieux (63).......134 A 4
Giry (58).................90 D 5
Gisay-la-Coudre (27)......28 D 5
Giscaro (32)............188 C 2
Giscos (33).............171 E 1
Gisors (27)..............30 C 2
Gissac (12).............176 A 5
Gissey-le-Vieil (21)......92 C 4
Gissey-sous-Flavigny (21)...92 D 3
Gissey-sur-Ouche (21).....93 E 5
Gisy-les-Nobles (89).....72 C 1
Giuncaggio (2B).........217 G 3
Giuncheto (2A)..........218 D 3
Givardon (18)...........106 A 4
Givarlais (03)..........119 E 2
Givenchy-en-Gohelle (62)...8 A 2
Givenchy-le-Noble (62)...7 H 3
Givenchy-lès-la-Bassée (62)...4 A 4
Giverny (27)..............30 A 4
Giverville (27)...........28 C 3
Givet (08)................11 E 3
Givonne (08)..............19 F 3
Givors (69).............135 H 5
Givraines (45)...........71 F 2
Givrand (85).............98 D 4
Givrauval (55)............55 H 2
Le Givre (85)...........112 D 1
Givrezac (17)...........127 E 5
Givron (08)..............18 B 4
Givry (08)...............18 C 5
Givry (71)..............109 E 4
Givry (89)...............91 G 3
Givry-en-Argonne (51).....35 E 5
Givry-lès-Loisy (51)......33 G 5
Givrycourt (57)...........38 A 4
Gizaucourt (51)...........34 D 4
Gizay (86)..............115 G 2
Gizeux (37)..............86 A 4
Gizia (39)..............123 F 1
Gizy (02)................17 G 4
La Glacerie (50).........22 D 3
Glageon (59)..............10 A 3
Glaignes (60)............32 A 2
Glainans (25)............95 H 3
Glaine-Montaigut (63)...133 G 3
Glaire (08)..............19 E 3
Le Glaizil (05).........166 A 2
Glamondans (25)..........95 F 4
Gland (02)...............32 D 4
Gland (89)...............74 A 5
Glandage (26)...........165 G 2
Glandelles (77)..........71 H 2
Glandon (87)............144 A 1
Glanes (46).............159 E 1
Glanges (87)............130 B 4
Glannes (51).............54 C 2
Glanon (21)............109 G 2
Glanville (14)...........28 A 2
Glatens (82)............172 D 5
Glatigny (50)............24 C 2
Glatigny (57)............21 F 5
Glatigny (60)............14 D 5
Glay (25)................96 D 3

Gleizé (69).............135 H 1
Glénac (56)..............64 C 5
Glénat (15).............159 G 1
Glénay (79).............101 F 3
Glénic (23).............117 H 4
Glennes (02).............33 H 1
Glénouze (86)...........101 H 2
Glény (19)..............145 F 4
Glère (25)...............96 D 3
Glicourt (76)............13 H 1
Glisolles (27)...........29 F 5
Glisy (80)...............15 G 2
Glomel (22)..............62 D 2
Glonville (54)...........57 H 3
Glorianes (66)..........212 C 3
Glos (14)................28 B 3
Glos-la-Ferrière (61)....48 D 1
Glos-sur-Risle (27)......28 D 2
Glozel (03).............134 A 1
Gluges (46).............158 D 1
Gluiras (07)............163 F 1
Glun (07)...............149 H 5
Glux-en-Glenne (58)....107 H 3
Goas (82)...............173 E 5
La Godefroy (50).........45 H 2
Godenvillers (60)........15 H 4
Goderville (76)..........12 C 4
Godewaersvelde (59)......3 G 4
Godisson (61)............48 B 2
La Godivelle (63).......146 D 2
Godoncourt (88)..........76 C 3
Gœrlingen (67)...........58 B 1
Goersdorf (67)...........39 F 4
Goès (64)...............203 G 1
Goetzenbruck (57)........38 D 4
Gœulzin (59).............8 C 3
Gogney (54)..............58 A 2
Gognies-Chaussée (59)....9 H 3
La Gohannière (50).......46 A 2
Gohier (49)..............85 F 3
Gohory (28)..............69 G 2
Goimpy (28)..............50 B 5
Goin (57)................37 E 4
Goincourt (60)...........30 D 1
Golancourt (60)..........16 C 3
Golbey (88)..............77 F 1
Goldbach-Altenbach (68)...78 C 4
Golfe-Juan (06).........199 E 2
Le Goulet (27)...........29 H 3
Golfech (82)............172 D 3
Golinhac (12)...........160 B 3
Golleville (50)..........22 D 4
Gombergean (41)..........87 F 1
Gomelange (57)...........21 G 4
Gomené (22)..............64 A 1
Gomer (64)..............186 D 5
Gometz-la-Ville (91).....51 E 2
Gometz-le-Châtel (91)....51 E 2
Gomiécourt (62)..........8 A 4
Gommecourt (62)..........8 A 4
Gommecourt (78)..........30 A 4
Gommegnies (59).........9 G 3
Gommenec'h (22).........43 F 3
Gommersdorf (68).........97 E 1
Gommerville (28).........50 D 5
Gommerville (76).........12 C 4
Gomméville (21).........74 C 4
Gomont (08)..............18 A 5
Goncelin (38)...........152 A 1
Goncourt (52)............76 A 2
Gond-Pontouvre (16).....128 B 4
Gondecourt (59)..........4 C 4
Gondenans-les-Moulins (25)...95 H 2
Gondenans-Montby (25)...95 G 3
Gondeville (16).........127 H 4
Gondrecourt-Aix (54).....21 H 2
Gondrecourt-le-Château (55)...56 A 1
Gondreville (45).........71 H 3
Gondreville (54).........56 C 2
Gondreville (60).........32 A 3
Gondrexange (57).........58 A 2
Gondrexon (54)...........57 H 2
Gondrin (32)............171 H 5
Les Gonds (17)..........127 F 3
Gonesse (95).............31 G 5
Gonez (65)..............187 F 5
Gonfaron (83)...........197 H 4
Gonfreville (50).........24 D 2
Gonfreville-Caillot (76)...12 C 4
Gonfreville-l'Orcher (76)...12 B 5
La Gonfrière (61)........48 C 1
Gonnehem (62)............7 H 1
Gonnelieu (59)...........8 D 5
Gonnetot (76)............13 F 3
Gonneville-en-Auge (14)...27 G 2
Gonneville-la-Mallet (76)...12 B 4
Gonneville-sur-Honfleur (14)...28 B 1
Gonneville-sur-Mer (14)...27 H 2
Gonneville-sur-Scie (76)...13 G 3
Gonsans (25).............95 F 5
Gontaud-de-Nogaret (47)...156 C 5
La Gonterie-Boulouneix (24)...143 E 1
Gonzeville (76)..........13 F 3
Goos (40)...............185 G 1
Gorbio (06).............183 G 5
Gorcy (54)...............20 B 2
Gordes (84).............179 H 4
Gorenflos (80)...........7 E 5
Gorges (44)..............99 H 1
Gorges (50)..............24 D 2
Gorges (80)..............7 F 5
Gorges de Franchard (77)...51 H 5

La Gorgue (59)...........3 H 5
Gorhey (88)..............77 E 1
Gornac (33).............155 H 3
Gorniès (34)............177 F 5
Gorre (87)..............129 H 3
Gorrevod (01)...........122 C 2
Gorron (53)..............46 C 4
Gorses (46).............159 F 2
Gorze (57)...............36 C 4
Gosnay (62)..............7 H 1
Gosné (35)...............65 G 1
Gosselming (57)..........58 A 1
Gotein-Libarrenx (64)...203 E 1
Les Goths (45)...........72 A 3
Gottenhouse (67).........58 D 1
Gottesheim (67)..........58 D 1
Gouaix (77)..............52 D 4
Goualade (33)...........171 F 1
Gouarec (22).............63 E 2
Gouaux (65).............205 E 4
Gouaux-de-Larboust (31)...205 F 4
Gouaux-de-Luchon (31)...205 F 4
Gouberville (50).........23 E 2
Gouchaupre (76).........13 H 1
Goudargues (30).........178 C 2
Goudelancourt-
  lès-Berrieux (02)......17 G 5
Goudelancourt-
  lès-Pierrepont (02)....17 G 4
Goudelin (22)............43 F 3
Goudet (43).............162 B 1
Goudex (31).............188 C 4
Goudon (65).............187 F 5
Goudourville (82).......172 D 3
Gouesnach (29)...........61 G 3
La Gouesnière (35).......45 E 2
Gouesnou (29)............41 E 3
les Gouëts (41)..........87 H 2
Gouex (86)..............116 A 3
Gouézec (29).............61 H 1
Gougenheim (67)..........59 E 1
Gouhelans (70)...........95 F 3
Gouhenans (70)..........95 G 1
Gouillons (28)...........50 C 5
Gouise (03).............120 B 2
Goujounac (46)..........158 A 4
La Goulafrière (27)......28 C 5
Le Goulet (27)...........29 H 3
Goulet (61)..............47 H 2
Goulien (29).............60 D 2
Goulier (09)............206 D 5
Goulles (19)............145 F 5
Les Goulles (21).........75 E 4
Goulven (29).............41 G 2
Goumois (25).............96 D 4
Goupillières (14)........27 E 4
Goupillières (27)........29 E 3
Goupillières (76)........13 F 4
Goupillières (78)........50 B 1
Gouraincourt (55)........20 B 4
Le Gouray (22)...........44 A 5
Gourbera (40)...........169 E 5
Gourbesville (50)........22 D 4
Gourbit (09)............206 D 4
Gourchelles (60).........14 C 3
Gourdan-Polignan (31)...205 F 2
Gourdièges (15).........160 C 1
Gourdon (06)............182 D 5
Gourdon (07)............163 E 2
Gourdon ⬖ (46)..........158 B 2
Gourdon (71)............108 C 5
Gourdon-Murat (19).....131 E 5
Gourette (64)...........203 H 3
Gourfaleur (50)..........25 F 3
Gourgançon (51)..........53 H 2
Gourgé (79).............101 F 4
Gourgeon (70)............76 C 5
Gourgue (65)............204 D 1
Gourhel (56).............64 B 3
Gourin (56)..............62 B 2
Gourlizon (29)...........61 F 2
Gournay (27).............30 A 4
Gournay (36)............117 G 2
Gournay (76)............12 B 5
Gournay-en-Bray (76)....14 C 5
Gournay-le-Guérin (27)...49 E 2
Gournay-Loizé (79).....114 D 5
Gournay-sur-Aronde (60)...15 H 5
Gournay-sur-Marne (93)...51 G 1
Les Gours (16)..........128 A 1
Gours (33)..............142 A 5
Gourvieille (11)........189 H 5
Gourville (16)..........128 A 2
Gourvillette (17).......127 H 2
Goury (50)...............22 A 2
Goussaincourt (55).......56 B 4
Goussainville (28).......50 A 1
Goussainville (95).......31 G 4
Goussancourt (02).......33 F 3
Gousse (40).............169 F 5
Goussonville (78)........30 B 5
Goustranville (14).......27 H 2
La Goutelle (63)........132 C 3
Goutevernisse (31)......206 B 1
Goutrens (12)...........159 H 5
Gouts (40)..............169 G 5
Gouts (82)..............173 E 1
Gouts-Rossignol (24)...142 D 1

Gouttières (27)..........29 E 4
Gouttières (63).........132 C 1
Goutz (32)..............172 C 5
Gouvernes (77)...........51 H 1
Gouves (62)..............8 A 3
Gouvets (50).............25 F 5
Gouvieux (60)............38 D 2
Gouville (27)............49 F 1
Gouville-sur-Mer (50)...24 C 3
Goux (14)................27 F 4
Goux (32)...............187 E 2
Goux (39)...............110 A 2
Goux-lès-Dambelin (25)...95 H 3
Goux-les-Usiers (25)...111 F 2
Goux-sous-Landet (25)...110 D 1
Gouy (16)................16 D 1
Gouy (76)................29 G 1
Gouy-en-Artois (62)......7 H 3
Gouy-en-Ternois (62).....7 G 3
Gouy-les-Groseillers (60)...15 F 3
Gouy-l'Hôpital (80).......14 D 2
Gouy-Servins (62)........8 A 2
Gouy-sous-Bellonne (62)...8 C 3
Gouy-St-André (62)........6 D 2
Gouzangrez (95)..........30 C 4
Gouze (64)..............185 H 3
Gouzeaucourt (59)........8 C 5
Gouzens (31)............206 B 1
Gouzon (23).............118 B 4
Gouzougnat (23).........118 B 5
Goven (35)...............65 E 3
Goviller (54)............56 D 3
Goxwiller (67)...........58 D 4
Goyencourt (80)..........16 A 3
Goyrans (31)............189 F 3
Grabels (34)............193 F 2
Graçay (18).............104 C 1
Grâce-Uzel (22)..........63 G 2
Grâces (22)..............43 E 4
Gradignan (33)..........155 E 2
Graffigny-Chemin (52)....76 B 1
Gragnague (31)..........189 G 2
Graignes (50)............25 F 2
Grailhen (65)...........205 E 4
Graimbouville (76).......12 C 4
Graincourt-
  lès-Havrincourt (62)...8 C 4
Grainville (27)..........29 H 1
Grainville-la-Teinturière (76)...13 E 3
Grainville-Langannerie (14)...27 G 4
Grainville-sur-Odon (14)...27 E 3
Grainville-sur-Ry (76)...13 H 5
Grainville-Ymauville (76)...12 C 4
Le Grais (61)............47 F 2
Graissac (12)...........160 C 2
Graissessac (34)........192 A 2
Graix (42)..............149 F 2
Le Grallet (17).........126 C 3
Gramat (46).............158 D 2
Gramazie (11)...........207 H 2
Grambois (84)...........196 A 1
Grammond (42)...........135 F 5
Grammont (70)............95 G 2
Gramond (12)............179 F 1
Gramont (82)............172 C 4
Granace (2A)............219 E 3
Grancey-le-Château-
  Neuville (21)..........93 F 1
Grancey-sur-Ource (21)...74 C 3
Grand (88)...............56 A 5
Le Grand-Abergement (01)...123 H 5
Grand-Auverné (44).......83 H 2
Le Grand Bergebal (13)...194 D 1
Grand Boisviel (13).....194 D 3
Le Grand-Bornand (74)...138 C 1
Le Grand-Bourg (23).....117 G 5
Grand-Bourgtheroulde (27)...29 E 2
Grand-Brassac (24)......142 D 2
La Grand-Cabane (30)....194 B 1
Grand-Camp (27)..........28 C 4
Grand-Camp (76)..........12 D 4
Grand-Castang (24)......157 F 1
Le Grand-Celland (50)....46 A 2
Grand-Champ (56)........81 G 1
Grand-Charmont (25).....96 C 2
Grand-Châtel (39).......123 H 2
La Grand-Combe (30).....177 H 2
Grand-Corent (01).......123 F 4
Grand-Couronne (76).....29 F 1
La Grand-Croix (42).....135 G 5
Grand-Failly (54).......20 A 3
Grand-Fayt (59)..........9 G 5
Grand-Fort-Philippe (59)...2 D 2
Grand-Fougeray (35).....65 E 5
Grand-Laviers (80).......6 D 5
Le Grand-Lemps (38)....151 E 1
Le Grand-Lucé (72).......68 C 4
Le Grand Madieu (16)...128 D 1
Le Grand-Millebrugge (59)...3 F 2
Le Grand Piquey (33)...154 A 2
Le Grand-Pressigny (37)...102 D 3
Le Grand-Quevilly (76)...29 F 1
Grand-Rozoy (02)........32 D 2
Grand-Rullecourt (62)...7 H 3
Le Grand-Serre (26)....150 C 2
Grand Taureau (25).....111 G 2
Grand-Vabre (12)........159 H 3
Grand-Verly (02)........17 F 1
Grand-Viel (85)..........98 B 1
Le Grand-Village-Plage (17)...126 B 2
Grandcamp-Maisy (14)...23 G 5
Grandchain (27).........28 D 4

Grandchamp (08).........18 B 4
Grandchamp (52).........76 A 5
Grandchamp (72).........68 A 1
Grandchamp (78).........50 B 2
Grandchamp (89).........72 C 5
Grandchamp-le-Château (14)...28 A 4
Grandchamps-
  des-Fontaines (44).....83 F 3
Grand'Combe-Châteleu (25)...111 H 1
Grand'Combe-des-Bois (25)...96 C 5
Grandcourt (76).........14 A 1
Grandcourt (80)..........8 A 5
La Grande-Fosse (88)....58 B 5
La Grande-Motte (34)...193 G 3
La Grande-Paroisse (77)...52 A 5
La Grande-Résie (70)....94 A 4
Grande-Rivière (39)....124 A 1
La Grande-Romaine (77)...51 H 2
Grande-Synthe (59)......3 E 2
Grandecourt (70)........94 C 1
Les Grandes-Armoises (08)...19 E 5
Les Grandes-Chapelles (10)...53 H 4
Les Grandes-Dalles (76)...12 D 2
Les Grandes-Loges (51)...34 A 4
Grandeyrolles (63)......133 E 5
Grandfontaine (25)......94 D 5
Grandfontaine (67)......58 C 3
Grandfontaine-sur-Creuse (25)...95 G 5
Grandfresnoy (60).......31 H 1
Grandham (08)...........35 E 2
Grandjean (17).........127 F 2
Grand'Landes (85).......99 E 3
Grandmesnil (14)........27 H 5
Grandpré (08)...........35 E 1
Grandpuits (77).........52 B 3
Grandrieu (48).........161 H 2
Grandrieux (02).........18 A 3
Grandrif (63)..........134 B 5
Grandris (69)..........135 F 1
Grandrû (60)............16 C 4
Grandrupt (88)..........58 B 4
Grandrupt-de-Bains (88)...77 E 2
Les Grands-Chézeaux (87)...117 E 3
Grandsaigne (19)........145 E 1
Grandval (63)..........134 A 5
Grandvals (48).........160 D 2
Grandvaux (71).........121 G 1
Grandvelle-et-le-Perrenot (70)...94 D 2
Grandvillars (90).......96 D 2
La Grandville (08)......19 E 2
Grandville (10).........54 A 3
Grandvillers (88).......77 H 1
Grandvillers-aux-Bois (60)...15 H 5
Grandvilliers (27)......49 F 1
Grandvilliers (60)......14 D 4
Grane (26).............164 C 2
Granès (11)............208 A 4
La Grange (25)..........96 A 5
La Grange (73).........196 A 2
Grange-de-Vaivre (39)...110 C 2
Grange-le-Bocage (89)...52 D 5
Grange-Neuve (04)......178 D 1
Grangermont (45)........71 F 2
Les Granges (10)........73 H 3
Granges (71)...........109 E 4
Granges-Aumontzey (88)...77 H 1
Granges-d'Ans (24).....143 H 3
Granges-de-la-Brasque (06)...183 F 3
Granges-de-Vienney (25)...95 F 5
Granges-Gontardes (26)...163 H 5
Granges-la-Ville (70)...95 G 2
Granges-le-Bourg (70)...95 H 2
Les Granges-le-Roi (91)...50 D 4
Granges-les-Beaumont (26)...150 C 4
Granges-Narboz (25).....111 F 3
Granges-Ste-Marie (25)...111 F 4
Granges-sur-Aube (51)...53 G 3
Granges-sur-Baume (39)...110 B 4
Granges-sur-Lot (47)...156 D 5
Les Grangettes (25).....111 F 3
Grangues (14)...........27 H 2
Granier (73)...........139 E 4
Granieu (38)...........137 F 4
Les Granons (04).......180 C 5
Grans (13).............195 F 2
Granville (50)..........24 C 5
Granzay-Gript (79).....114 A 4
Gras (07)..............163 F 5
Les Gras (25)..........111 H 2
Grassac (16)...........128 D 5
Grasse ⬖ (06)..........198 D 1
Grassendorf (67)........39 E 5
Grateloup-St-Gayrand (47)...156 D 5
Gratens (31)...........188 D 5
Gratentour (31)........189 F 1
Gratibus (80)...........15 H 3
Gratot (50).............24 D 3
Gratreuil (51)..........34 D 2
Grattepanche (80).......15 F 3
Grattery (70)..........94 D 1
Le Grau-du-Roi (30)...193 H 3
Graufthal (57).........38 C 5
Les Graulges (24).....128 D 5
Graulhet (81)..........190 B 1
Grauves (51)...........33 G 5
Graval (76)............14 B 3
La Grave (05)..........152 C 4
Gravelines (59)........2 D 2
La Gravelle (53).......66 B 2

Gravelotte (57).........36 D 3
La Graverie (14)........25 G 5
Graveron-Sémerville (27)...29 F 4
Graves-St-Amant (16)...128 A 4
Graveson (13)..........179 E 5
Gravières (07).........162 C 5
Gravigny (27)...........29 G 4
Gravon (77).............52 C 5
Gray (70)...............94 B 3
Gray-la-Ville (70)......94 A 3
Grayan-et-l'Hôpital (33)...140 B 1
Graye-et-Charnay (39)...123 F 2
Graye-sur-Mer (14)......27 E 1
Grayssas (47)..........172 D 2
Grazac (31)............189 F 5
Grazac (43)............148 D 3
Grazac (81)............174 A 5
Grazay (53).............67 E 1
La Grde-Verrière (71)...108 A 2
Les Grdes-Ventes (76)...13 H 3
Gréalou (46)...........159 E 4
Gréasque (13)..........196 A 3
Grébault-Mesnil (80)....6 C 5
Grécourt (80)...........16 B 3
Gredisans (39)..........94 A 5
La Grée-Penvins (56)....81 H 3
La Grée-St-Laurent (56)...64 A 3
Greffeil (11)..........208 B 2
Grèges (76)............13 H 1
Grémecey (57)..........57 F 1
Grémévillers (60)......14 D 5
Gremilly (55)..........20 A 4
Grémonville (76).......13 F 4
Grenade (31)..........189 E 1
Grenade-sur-l'Adour (40)...186 B 1
Grenant (52)...........94 A 1
Grenant-lès-Sombernon (21)...92 D 5
Grenay (38)...........136 C 4
Grenay (62)............4 A 5
Grendelbruch (67)......58 C 3
Greneville-en-Beauce (45)...71 E 2
Grenier-Montgon (43)...147 G 2
Grenoble P (38)........151 G 3
Grenois (58)...........91 E 4
Grentheville (14)......27 F 4
Grentzingen (68).......97 F 1
Greny (76).............13 H 1
Gréolières (06).......182 D 5
Gréolières-les-Neiges (06)...182 D 4
Gréoux-les-Bains (04)...181 E 5
Grépiac (31)..........189 F 4
Le Grès (31)..........188 D 1
Grésigny-Ste-Reine (21)...92 C 2
Gresin (73)...........137 G 4
La Gresle (42)........121 G 5
Gresse-en-Vercors (38)...151 F 5
Gressey (78)...........50 B 1
Gresswiller (67).......58 D 3
Gressy (77)............31 H 5
Grésy-sur-Aix (73)....137 H 3
Grésy-sur-Isère (73)...138 B 4
Gretz-Armainvilliers (77)...51 H 2
Greucourt (70).........94 C 2
Greuville (76).........13 F 2
Greux (88).............56 B 4
La Grève-sur-Mignon (17)...113 H 4
Les Grèves (22)........43 H 5
Gréville-Hague (50)....22 B 2
Grévillers (62)........8 B 5
Grevilly (71).........122 B 1
Grez (60)..............14 D 4
Grez (72)..............67 G 1
Grez-en-Bouère (53)...67 E 4
Grez-Neuville (49).....84 D 2
Grez-sur-Loing (77)...71 H 1
Grézac (17)...........126 D 4
Grézels (47)..........157 H 5
Grèzes (24)...........144 B 4
Grèzes (43)...........161 G 1
Grèzes (46)...........159 E 3
Grèzes (48)...........161 F 4
Grézet-Cavagnan (47)...156 B 5
Grézian (31)..........205 E 4
Grézieu-la-Varenne (69)...135 H 3
Grézieu-le-Marché (69)...135 G 4
Grézieux-le-Fromental (42)...134 D 4
Grézillac (33)........155 H 1
Grézillé (49)..........85 F 4
Grézolles (42)........134 C 2
La Grière (85)........112 D 2
Grièges (01)..........122 B 4
Grignan (26)..........164 C 5
Grigneuseville (76)...13 H 4
Grignols (24).........143 E 4
Grignols (33).........156 A 5
Grignon (21)..........92 B 2
Grignon (73)..........138 C 4
Grignoncourt (88).....76 C 3
Grigny (62)............7 E 2
Grigny (69)...........135 H 4
Grigny (91)...........51 F 3
La Grigonnais (44)...83 F 2
La Grillette (30)....179 E 4

Grillon (84) ....164 C 5
Grilly (01) ....124 B 3
Grimaucourt-en-Woëvre (55) ..20 A 5
Grimaucourt-
  près-Sampigny (55) ....55 H 1
Grimaud (83) ....197 G 5
La Grimaudière (86)......101 H 4
Grimault (89) ....91 H 1
Grimbosq (14) ....27 E 4
Grimesnil (50) ....25 E 4
Grimone (26) ....165 G 2
Grimonviller (54) ....56 D 4
Grincourt-lès-Pas (62) .....7 H 4
Grindorff-Bizing (57) .....21 G 3
Gripp (65) ....204 D 3
La Gripperie-
  St-Symphorien (17) ...126 C 2
Gripport (54) ....57 E 4
Gript (79) ....114 A 4
Griscourt (54) ....36 D 5
Griselles (45) ....72 A 3
Griselles (21) ....74 B 4
Grisolles (02) ....32 D 3
Grisolles (82) ....173 G 5
Grisy (14) ....27 H 4
Grisy-les-Plâtres (95) .....30 D 3
Grisy-Suisnes (77) ....51 H 2
Grisy-sur-Seine (77) ......52 D 4
Grives (24) ....157 H 2
Grivesnes (80) ....15 G 3
Grivillers (80) ....16 A 4
Grivy-Loisy (08) ....34 C 1
Groffliers (62) ....6 C 2
La Groise (59) ....9 G 5
Groissiat (01) ....123 G 4
Groisy (74) ....124 C 5
Groix (56) ....80 C 2
Groléjac (24) ....158 A 2
Gron (18) ....105 H 1
Gron (89) ....72 C 2
Gronard (02) ....17 G 2
Gros-Chastang (19) ......145 F 3
Gros-Réderching (57) .....38 C 3
Grosbliederstroff (57) ....38 A 2
Grosbois (25) ....95 F 4
Grosbois-en-Montagne (21) ..92 D 4
Grosbois-lès-Tichey (21) ..109 H 2
Grosbreuil (85) ....112 B 1
Les Groseillers (79) ......114 B 1
Groslay (95) ....31 F 5
Groslée (71) ....137 F 3
Groslée-St-Benoît (01) ...137 F 3
Grosley-sur-Risle (27) ....29 E 4
Grosmagny (90) ....78 A 5
Grosne (90) ....96 D 1
Grospierres (07) ....163 E 5
Grosrouvre (78) ....50 B 1
Grosrouvres (54) ....56 C 1
Grossa (2A) ....218 D 3
Grosseto-Prugna (2A) ....218 D 1
Grossœuvre (27) ....29 G 5
Grossouvre (18) ....106 B 3
Grostenquin (57) ....37 H 4
Grosville (50) ....22 C 4
Le Grouanec (29) ....41 F 2
Grouches-Luchuel (80) .....7 G 4
Grougis (02) ....17 E 1
La Groutte (18) ....105 G 5
Grozon (39) ....110 B 3
Gruchet-le-Valasse (76)...12 D 4
Gruchet-St-Siméon (76) ...13 F 2
Grues (85) ....112 D 4
Gruey-lès-Surance (88) ...77 E 2
Gruffy (74) ....138 A 2
Grugé-l'Hôpital (49) ......66 A 5
Grugies (02) ....16 D 2
Grugny (76) ....13 G 4
Gruissan (11) ....209 G 2
Gruissan-Plage (11) .....209 G 2
Grumesnil (76) ....14 C 4
Grun-Bordas (24) ....143 E 4
Grundviller (57) ....38 A 3
Gruny (80) ....16 A 3
Grury (71) ....107 H 5
Gruson (59) ....4 D 4
Grusse (39) ....110 A 5
Grussenheim (68) ....79 E 1
Grust (65) ....204 B 3
Gruyères (08) ....18 D 3
Le Gua (17) ....126 C 3
Le Gua (38) ....151 G 4
Guagno (2A) ....216 D 3
Guagno-les-Bains (2A) ...216 D 3
Guainville (28) ....30 A 5
Guarbecque (62) ....3 F 4
Guargualé (2A) ....218 D 1
Guchan (65) ....205 E 4
Guchen (65) ....205 E 4
Gudas (09) ....207 E 3
Gudmont (52) ....55 G 5
Güe (55) ....55 F 3
Le Gué-d'Alleré (17) .....113 G 4
Le Gué-de-la-Chaîne (61) ..48 C 5
Le Gué-de-Longroi (28) ...50 B 4
Le Gué-de-Velluire (85) ..113 G 2
Gué-d'Hossus (08) ....10 D 4
Le Gué-du-Loir (41) ......69 F 5
Le Gué-Lian (72) ....67 H 1
Gué-Plat (61) ....47 E 2
Guebenhouse (57) ....38 A 3
Gueberschwihr (68).......78 C 2

Guébestroff (57) ....37 H 5
Guéblange-lès-Dieuze (57) ..57 H 1
Guébling (57) ....37 H 5
Guebwiller ⟨S⟩ (68) ....78 C 3
Guécélard (72) ....68 A 4
Le Guédeniau (49) ....85 G 3
Guégon (56) ....63 H 4
Guéhébert (50) ....24 D 4
Guéhenno (56) ....63 H 5
Gueltas (56) ....63 G 3
Guémappe (62) ....8 B 3
Guémar (68) ....78 D 1
Guémené-Penfao (44) .....83 E 1
Guémené-sur-Scorff (56)...63 E 3
Guemps (62) ....2 D 3
Guénange (57) ....21 E 4
Guengat (29) ....61 G 2
Guénin (56) ....63 F 5
Guénouvry (44) ....83 E 1
Guenroc (22) ....44 D 5
Guenrouet (44) ....82 D 2
Guentrange (57) ....21 E 3
Guenviller (57) ....37 H 3
Guêprei (61) ....47 H 1
Guer (56) ....64 C 3
Guérande (44) ....82 A 3
Guérard (77) ....52 B 1
Guerbigny (80) ....15 H 3
La Guerche (37) ....102 D 3
La Guerche-de-Bretagne (35)..86 B 5
La Guerche-sur-l'Aubois (18)..106 B 3
Guercheville (77) ....71 G 1
Guerchy (89) ....72 D 4
Guéreins (01) ....122 B 5
Guéret ℗ (23) ....117 H 5
Guerfand (71) ....109 F 4
Guérigny (58) ....106 C 1
Guérin (81) ....190 B 2
La Guérinière (85) ....98 B 2
Guerlesquin (29) ....42 C 4
Guermange (57) ....57 H 1
Guermantes (77) ....51 H 1
Guern (56) ....63 E 3
Guernanville (27) ....29 E 5
Guernes (78) ....30 B 4
Le Guerno (56) ....82 A 1
Guerny (27) ....30 B 3
Guéron (14) ....25 H 2
La Guéroulde (27) ....49 E 1
Guerpont (55) ....55 G 2
Guerquesalles (61) ....28 A 5
Les Guerreaux (71) ......121 E 1
Guerstling (57) ....21 G 3
Guerting (57) ....21 G 5
Guerville (76) ....14 B 1
Guerville (78) ....30 B 5
Gueschart (80) ....7 E 4
Guesnain (59) ....8 C 3
Guesnes (86) ....102 A 3
Guessling-Hémering (57)...37 G 4
Guéthary (64) ....184 B 3
Guéthary (64) ....184 B 3
Guéthary (64) ....184 B 3
Gueudecourt (80) ....8 B 5
Gueugnon (71) ....121 E 1
Gueures (76) ....13 F 2
Gueutteville (76) ....13 G 4
Gueutteville-les-Grès (76)..13 E 2
Gueux (51) ....33 G 2
Guevenatten (68) ....78 B 5
Guewenheim (68) ....78 C 5
Gueynard (33) ....141 G 4
Gueytes-et-Labastide (11)..207 H 3
Gueyze (47) ....171 G 3
Gugnécourt (88) ....77 G 1
Gugney (54) ....56 D 4
Gugney-aux-Aulx (88) ....57 E 5
Guibermesnil (80) ....14 D 2
Guibeville (91) ....51 E 3
Guichainville (27) ....29 G 5
Guiche (64) ....185 E 3
La Guiche (71) ....121 H 1
Guichen (35) ....65 E 3
Guiclan (29) ....41 H 3
Guidel (56) ....62 C 5
Guidon du Bouquet (30)..178 B 2
La Guierche (72) ....68 A 2
Guignecourt (60) ....15 E 5
Guignemicourt (80) ....15 E 2
Guignen (35) ....65 E 3
Guignes (77) ....52 A 3
Guigneville (45) ....71 H 2
Guigneville-sur-Essonne (91)..51 F 4
Guignicourt (02) ....33 G 1
Guignicourt-sur-Vence (08)..18 D 3
Guignière (37) ....86 D 4
Guignonville (45) ....71 H 2
Guigny (62) ....7 E 3
Les Guigues (13) ....195 G 2
Guilberville (50) ....25 G 4
Le Guildo (22) ....44 C 3
Guiler-sur-Goyen (29) ....61 F 2
Guilers (29) ....41 E 4
Guilherand-Granges (07) .149 H 5
Guilhemfay (32) ....
Guillac (33) ....155 H 1
Guillac (56) ....64 A 3
Guillaucourt (80) ....15 H 2
Guillaumes (06) ....182 C 2
Guillemont (80) ....16 A 1
La Guillermie (03) ......134 A 1
Guillerval (91) ....50 D 5
Guilleville (28) ....70 C 1
Guilliers (56) ....64 A 2

Guilligomarc'h (29) ....62 C 4
Guillon (89) ....91 H 3
Guillon-les-Bains (25) ....95 G 4
Guillonville (28) ....70 B 3
Guillos (33) ....155 F 4
Guilly (36) ....104 B 2
Guilly (45) ....71 F 5
Guilmécourt (76) ....13 H 1
Guilvinec (29) ....61 F 4
Guimaëc (29) ....42 B 3
Guimiliau (29) ....41 H 3
La Guimorais (35) ....45 E 2
Guimps (16) ....141 H 1
Guinarthe-Parenties (64)..185 G 4
Guincourt (08) ....18 D 4
Guindrecourt-
  aux-Ormes (52) ....55 H 4
Guindrecourt-sur-Blaise (52)..75 F 1
Guinecourt (62) ....7 F 3
Guînes (62) ....2 C 3
Guingamp ⟨S⟩ (22) ......43 E 4
Guinglange (57) ....37 F 3
Guinkirchen (57) ....21 F 5
Guinzeling (57) ....37 H 5
Guipavas (29) ....41 E 4
Guipel (35) ....45 F 5
Guipronvel (29) ....41 E 3
Guipry-Messac (35) ....65 E 4
Guipy (58) ....91 E 5
Guiry-en-Vexin (95) ......30 C 4
Guiscard (60) ....16 C 4
Guiscriff (56) ....62 B 3
Guise (02) ....17 F 1
Guiseniers (27) ....30 A 3
Le Guislain (50) ....25 E 4
Guissény (29) ....41 F 2
Guisy (62) ....7 E 2
Guitalens (81) ....190 B 2
Guitalens-l'Albarède (81) .190 B 2
Guitera-les-Bains (2A) ...217 E 5
Guitinières (17) ....141 F 1
Guitrancourt (78) ....30 C 4
Guîtres (33) ....141 H 4
Guitté (22) ....44 C 5
Guivry (02) ....16 C 4
Guizancourt (80) ....14 D 3
Guizengeard (16) ....142 A 2
Guizerix (65) ....187 H 5
Gujan-Mestras (33) .....154 B 3
Gumbrechtshoffen (67) ...39 E 4
Gumery (10) ....52 D 4
Gumiane (26) ....165 E 4
Gumières (42) ....134 C 5
Gumond (19) ....145 F 3
Gundershoffen (67) ....39 E 4
Gundolsheim (68) ....78 D 3
Gungwiller (67) ....38 B 5
Gunsbach (68) ....78 C 2
Gunstett (67) ....39 E 4
Guntzviller (57) ....58 B 1
Guny (02) ....16 D 5
Guran (31) ....205 F 4
Gurat (16) ....142 C 1
Gurcy-le-Châtel (77) .....52 B 4
Gurgy (89) ....73 E 5
Gurgy-la-Ville (21) ....75 F 4
Gurgy-le-Château (21) ....75 E 5
Gurmençon (64) ....203 G 1
Gurs (64) ....185 H 5
Gurunhuel (22) ....42 D 4
Gury (60) ....16 A 4
Gussainville (55) ....20 B 5
Gussignies (59) ....9 G 3
Guyancourt (78) ....50 D 2
Guyans-Durnes (25) .....111 F 1
Guyans-Vennes (25) ......95 H 5
Guyencourt (02) ....33 G 1
Guyencourt-Saulcourt (80)..16 C 1
Guyencourt-sur-Noye (80)..15 G 3
La Guyonnière (85) ....99 H 2
Guyonvelle (52) ....76 B 4
Guzargues (34) ....193 F 1
Guzet-Neige (09) ....206 C 5
Gy (70) ....94 C 3
Gy-en-Sologne (41) ....88 A 4
Gy-les-Nonains (45) ......72 A 4
Gy-l'Évêque (89) ....91 E 1
Gye (54) ....56 C 2
Gyé-sur-Seine (10) ....74 B 3

H

Habarcq (62) ....7 H 3
Habas (40) ....185 G 2
Habère-Lullin (74) ......124 D 3
Habère-Poche (74) ......124 D 3
L'Habit (27) ....49 H 1
L'Habitarelle (près de Châteauneuf-
  de-Randon) (48) ......162 A 3
L'Habitarelle
  (près de Villefort) (48) ..162 B 5
Hablainville (54) ....57 H 3
Habloville (61) ....47 G 1
Haboudange (57) ....38 A 5
Habsheim (68) ....78 D 5
Hachan (65) ....187 H 5
Hâcourt (52) ....76 A 2
Hacqueville (27) ....30 A 2
Hadancourt-
  le-Haut-Clocher (60) ...30 C 3
Hadigny-les-Verrières (88)..57 F 5
Hadol (88) ....77 G 2

Haegen (67) ....58 C 1
Hagécourt (88) ....77 E 1
Hagedet (65) ....187 E 3
Hagen (57) ....21 E 2
Hagenbach (68) ....97 E 1
Hagenthal-le-Bas (68) ...97 G 2
Hagenthal-le-Haut (68) ..97 G 2
Haget (32) ....187 F 4
Hagetaubin (64) ....186 A 3
Hagetmau (40) ....186 A 2
Hagéville (54) ....36 C 4
Hagnéville-et-Roncourt (88)..76 C 1
Hagnicourt (08) ....18 C 4
Hagondange (57) ....21 E 4
Haguenau ⟨S⟩ (67) ....39 F 5
La Haie-Fouassière (44) ..83 G 5
La Haie-Longue (49) .....84 C 4
Les Haies (69) ....135 H 5
Haignerville (57) ....57 F 3
Haillainville (88) ....57 G 4
Le Haillan (33) ....155 E 1
Hailles (80) ....15 G 2
Haillicourt (62) ....7 H 1
Haimps (17) ....127 H 2
Haims (86) ....116 B 2
Hainvillers (60) ....15 H 4
Haironville (55) ....55 F 2
Haisnes (62) ....4 A 5
Haleine (61) ....47 E 4
Hallencourt (80) ....14 D 1
Hallennes-lez-Haubourdin (59)..4 B 4
Hallering (57) ....21 G 5
Les Halles (69) ....135 F 3
Halles-sous-les-Côtes (55)..19 G 5
Hallignicourt (52) ....55 E 2
Hallines (62) ....3 E 4
Hallivillers (80) ....15 F 3
La Hallotière (76) ....14 A 5
Halloville (54) ....58 A 3
Halloy (60) ....14 D 4
Halloy (62) ....7 G 4
Halloy-lès-Pernois (80) ....7 F 5
Hallu (80) ....16 A 2
Halluin (59) ....4 C 3
Halsou (64) ....184 D 4
Halstroff (57) ....21 G 3
Le Ham (50) ....22 D 4
Le Ham (53) ....47 F 5
Ham (80) ....16 C 3
Ham-en-Artois (62) ....3 F 5
Ham-les-Moines (08) ....18 C 2
Ham-sous-Varsberg (57) ..21 H 5
Ham-sur-Meuse (08) .....11 E 3
Hamars (14) ....27 E 4
Hambach (57) ....38 A 3
Hambers (53) ....67 E 1
Hamblain-les-Prés (62) ....8 B 3
Hambye (50) ....25 E 5
Le Hamel (60) ....14 D 4
Le Hamel (80) ....15 H 2
Hamel (59) ....8 C 3
Le Hamel (60) ....14 D 4
Le Hamel (80) ....15 H 2
Hamelet (80) ....15 H 1
Hamelin (50) ....46 A 3
Hamelincourt (62) ....8 B 4
Hames-Boucres (62) ....2 C 3
Hammeville (54) ....56 D 3
Hamonville (54) ....56 B 1
Hampigny (10) ....54 C 4
Hampont (57) ....37 G 5
Han-devant-Pierrepont (54)..20 B 3
Han-lès-Juvigny (55) .....19 H 5
Han-sur-Meuse (55) ......36 A 5
Han-sur-Nied (57) ....37 F 4
Hanc (79) ....114 D 5
Hanches (28) ....50 B 3
Hancourt (80) ....16 C 2
Handschuheim (67) ....59 E 2
Hangard (80) ....15 G 2
Hangenbieten (67) ....59 E 2
Hangest-en-Santerre (80)..15 H 3
Hangest-sur-Somme (80) ..15 E 1
Hangviller (57) ....38 C 5
Hannaches (60) ....14 C 5
Hannapes (02) ....17 F 1
Hannappes (08) ....18 A 2
Hannescamps (62) ....8 A 4
Hannocourt (57) ....37 F 5
Hannogne-St-Martin (08)..19 E 3
Hannogne-St-Rémy (08) ..18 A 4
Hannonville-
  sous-les-Côtes (55) ....36 A 4
Hannonville-Suzémont (54)..36 B 3
Le Hanouard (76) ....13 E 3
Hans (51) ....34 D 3
Hantay (59) ....4 B 4
Hanvec (29) ....41 G 5
Hanviller (57) ....38 D 3
Hanvoile (60) ....14 D 5
Haplincourt (62) ....8 B 5
Happencourt (02) ....16 C 3
Happonvilliers (28) ......49 H 4
Haramont (02) ....32 B 2
Haravesnes (62) ....7 F 3
Haravilliers (95) ....30 D 3
Harbonnières (80) ....15 H 2

Harbouey (54) ....58 A 3
Harcanville (76) ....13 E 3
Harchéchamp (88) ....56 B 5
Harcigny (02) ....17 H 2
Harcourt (27) ....29 E 3
Harcy (08) ....10 D 5
Hardancourt (88) ....57 G 4
Hardanges (53) ....47 F 5
Hardecourt-aux-Bois (80)..16 A 1
Hardelot-Plage (62) ....2 A 5
Hardencourt-Cocherel (27)..29 H 4
Hardifort (59) ....3 F 3
Hardinghen (62) ....2 C 4
Hardinvast (50) ....22 C 3
Hardivillers (60) ....15 F 4
Hardivillers-en-Vexin (60)..30 D 2
La Hardoye (08) ....18 A 3
Haréville (88) ....76 D 1
La Harengère (27) ....29 F 2
Harfleur (76) ....12 B 5
Hargarten-aux-Mines (57)..21 G 4
Hargeville (78) ....30 B 5
Hargeville-sur-Chée (55)..55 G 1
Hargicourt (02) ....16 C 1
Hargicourt (80) ....15 H 3
Hargnies (08) ....11 E 4
Hargnies (59) ....9 H 3
Harly (02) ....16 D 2
Harméville (52) ....55 H 4
Harmonville (88) ....56 C 4
La Harmoye (22) ....63 F 1
Harnes (62) ....4 B 5
Harol (88) ....77 E 1
Haroué (54) ....57 E 4
Harponville (80) ....7 H 5
Harprich (57) ....37 G 4
Harquency (27) ....30 A 2
Harreberg (57) ....58 B 2
Harréville-les-Chanteurs (52)..76 B 1
Harricourt (08) ....19 F 5
Harricourt (52) ....75 E 1
Harsault (88) ....77 E 2
Harskirchen (67) ....38 B 4
Hartennes-et-Taux (02) ..32 D 2
Hartmannswiller (68) ....78 C 4
Hartzviller (57) ....58 B 2
Harville (55) ....36 B 3
Hary (02) ....17 H 2
Haselbourg (57) ....58 C 1
Hasnon (59) ....5 E 5
Hasparren (64) ....184 D 4
Haspelschiedt (57) ....38 D 3
Haspres (59) ....9 E 3
Hastingues (40) ....185 E 2
Hatrize (54) ....20 C 5
Hatten (67) ....39 G 4
Hattencourt (80) ....16 A 3
Hattenville (76) ....12 D 4
Hattigny (57) ....58 A 2
Hattmatt (67) ....38 D 5
Hattonchâtel (55) ....36 B 4
Hattonville (55) ....36 B 4
Hattstatt (68) ....78 D 2
Hauban (65) ....204 C 2
Haubourdin (59) ....4 C 4
Hauconcourt (57) ....21 E 5
Haucourt (60) ....14 D 5
Haucourt (62) ....8 B 3
Haucourt (76) ....14 B 4
Haucourt-en-Cambrésis (59)..9 E 5
Haucourt-Moulaine (54)...20 C 2
Haudainville (55) ....35 H 3
Haudiomont (55) ....36 A 3
Haudivillers (60) ....15 F 5
Haudonville (54) ....57 G 3
Haudrecy (08) ....18 D 2
Haudricourt (76) ....14 B 4
Haulchin (59) ....9 E 3
Haulies (32) ....188 A 3
Haulmé (08) ....11 E 5
Haumont-lès-Lachaussée (55)..36 B 4
Haumont-
  près-Samogneux (55)...35 H 2
Hauriet (40) ....185 H 1
Hausgauen (68) ....97 F 1
Haussez (76) ....14 B 4
Haussignémont (51) ......54 D 2
Haussimont (51) ....54 A 2
Haussonville (54) ....57 F 3
Haussy (59) ....9 E 4
Haut-Asco (2B) ....216 D 1
Haut-Clocher (57) ....58 A 1
Le Haut-Corlay (22) .....63 F 1
Haut-de-Bosdarros (64) ..203 H 1
Le Haut-du-Them-
  Château-Lambert (70)...77 H 4
Haut-Lieu (59) ....9 H 5
Haut-Loquin (62) ....2 C 4
Haut-Mauco (40) ....169 H 5
Le Haut-Vauguière (34) ..193 G 2
Hautaget (65) ....205 E 2
Hautbos (60) ....14 D 4
Haute-Amance (52) ....76 A 4
La Haute-Beaume (05) ..165 G 3
La Haute-Chapelle (61) ..46 D 3
Haute-Épine (60) ....14 D 4
Haute-Isle (95) ....30 B 4
Haute-Kontz (57) ....21 F 2
La Haute-Maison (77) ....52 B 1
Haute-Vigneulles (57) ....37 G 3

Hautecour (39) ....123 H 1
Hautecour (73) ....138 D 5
Hautecourt-Romanèche (01)..123 F 4
Hautefage (19) ....145 F 4
Hautefage-la-Tour (47)...172 C 1
Hautefaye (24) ....143 H 3
Hautefeuille (77) ....52 B 2
Hautefond (71) ....121 F 2
Hautefontaine (60) ....32 B 1
Hautefort (24) ....143 H 3
Hauteluce (73) ....138 D 3
Hautepierre-le-Châtelet (25)..111 F 1
Hauterive (03) ....120 B 5
Hauterive (61) ....48 A 4
Hauterive (89) ....73 E 4
Hauterive-la-Fresse (25)..111 G 2
Hauterives (26) ....150 C 2
Hauteroche (21) ....92 C 3
Hautes-Duyes (04) .....181 F 2
Les Hautes-Rivières (08) ..11 E 5
Hautesvignes (47) ......156 C 5
Hautevelle (70) ....77 H 4
Hautevesnes (02) ....32 C 4
Hauteville (02) ....17 E 2
Hauteville (08) ....18 B 4
Hauteville (51) ....54 D 3
Hauteville (62) ....7 H 3
Hauteville (73) ....138 B 5
La Hauteville (78) ....50 B 2
Hauteville-la-Guichard (50)..25 E 3
Hauteville-lès-Dijon (21)..93 F 4
Hauteville-Lompnes (01)..137 F 1
Hauteville-sur-Fier (74) ..138 A 1
Hauteville-sur-Mer (50) ..24 C 4
Hautmesnil (76) ....
Hautmont (59) ....9 H 3
Hautmougey (88) ....77 E 3
Hautot-l'Auvray (76) .....13 E 3
Hautot-le-Vatois (76) ....13 E 4
Hautot-St-Sulpice (76) ...13 E 3
Hautot-sur-Mer (76) .....13 G 2
Hautot-sur-Seine (76) ....29 F 1
Hautteville-Bocage (50) ..22 D 4
Hautvillers (51) ....33 G 4
Hautvillers-Ouville (80) ...6 D 4
Hauville (27) ....29 E 1
Hauviné (08) ....34 B 2
Haux (33) ....155 G 2
Haux (64) ....203 E 2
Havelu (28) ....50 A 1
Haveluy (59) ....9 E 2
Havernas (80) ....7 F 5
Haverskerque (59) ....3 G 5
Le Havre ⟨S⟩ (76) ....12 A 5
Havrincourt (62) ....8 C 5
L'Haÿ-les-Roses ⟨S⟩ (94)..51 F 2
Hayange (57) ....20 D 4
Haybes (08) ....11 E 4
La Haye (88) ....77 E 2
La Haye (76) ....14 A 5
La Haye-Aubrée (27) .....28 D 1
La Haye-Bellefond (50) ..25 F 4
La Haye-de-Calleville (27)..29 E 3
La Haye-de-Routot (27) ..28 D 1
La Haye-d'Ectot (50) .....22 C 5
La Haye-du-Puits (50) ....24 D 1
La Haye-du-Theil (27) ....29 E 2
La Haye-le-Comte (27) ...29 G 3
La Haye-Malherbe (27) ...29 F 2
La Haye-Pesnel (50) ......45 H 1
La Haye-St-Sylvestre (27)..28 D 5
Les Hayes (41) ....86 D 1
Hayes (57) ....21 F 5
Haynecourt (59) ....8 D 4
Les Hays (39) ....110 A 3
Hazebrouck (59) ....3 G 4
Hazembourg (57) ....38 A 4
Le Heaulme (95) ....30 D 3
Héauville (50) ....22 B 3
Hébécourt (27) ....30 B 1
Hébécourt (80) ....15 F 2
Hébécrevon (50) ....25 F 3
Herberville (76) ....13 E 3
Héberterne (62) ....8 A 5
Hèches (65) ....205 E 2
Hecken (68) ....78 C 5
Hecmanville (27) ....28 D 3
Hécourt (27) ....29 H 5
Hécourt (60) ....14 C 5
Hecq (59) ....9 F 4
Hectomare (27) ....29 F 3
Hédauville (80) ....7 H 5
Hédé-Bazouges (35) ......45 E 5
Hédouville (95) ....31 E 3
Hegeney (67) ....39 F 4
Hégenheim (68) ....97 G 1
Heidolsheim (67) ....79 E 1
Heidwiller (68) ....97 F 1
Heiligenberg (67) ....58 D 3
Heiligenstein (67) ....58 D 4
Heillecourt (54) ....57 E 2
Heilles (60) ....31 E 2
Heilly (80) ....15 H 1
Heiltz-le-Hutier (51) .....54 D 2
Heiltz-le-Maurupt (51) ...55 E 1
Heiltz-l'Évêque (51) .....54 D 1
Heimersdorf (68) ....97 F 1

Localité *(Département)*   Page   Coordonnées

Localité (Département)	Page	Coord.
Heimsbrunn (68)	78	C 5
Heining-lès-Bouzonville (57)	21	G 4
Heippes (55)	35	G 4
Heiteren (68)	79	E 3
Heiwiller (68)	97	F 1
Hélesmes (59)	9	E 2
Hélette (64)	185	E 4
Helfaut (62)	3	E 4
Helfrantzkirch (68)	97	G 1
Helléan (56)	64	A 3
Hellenvilliers (27)	49	G 1
Hellering-lès-Fénétrange (57)	38	B 5
Helleville (50)	22	B 3
Hellimer (57)	37	H 4
Héloup (61)	47	H 5
Helstroff (57)	21	G 5
Hem (59)	4	D 3
Hem-Hardinval (80)	7	G 4
Hem-Lenglet (59)	8	D 3
Hem-Monacu (80)	16	A 1
Hémevez (50)	22	D 4
Hémévillers (60)	15	H 5
Hémilly (57)	37	F 3
Héming (57)	58	A 1
Les Hemmes (62)	2	C 2
Hémonstoir (22)	63	G 2
Hénaménil (54)	57	G 2
Hénanbihen (22)	44	B 3
Hénansal (22)	44	B 3
Hendaye (64)	184	A 4
Hendecourt-lès-Cagnicourt (62)	8	B 4
Hendecourt-lès-Ransart (62)	8	A 4
Hénencourt (80)	15	H 1
Henflingen (68)	97	F 1
Hengoat (22)	43	E 2
Hengwiller (67)	58	C 2
Hénin-Beaumont (62)	4	B 5
Hénin-sur-Cojeul (62)	8	B 4
Héninel (62)	8	B 4
Hennebont (56)	62	D 5
Hennecourt (88)	77	E 1
Hennemont (55)	20	B 5
Hennequeville (14)	28	A 1
Henneveux (62)	2	C 4
Hennezel (88)	77	E 2
Hennezis (27)	30	A 3
Hénon (22)	43	H 5
Hénonville (60)	30	D 3
Hénouville (76)	13	F 5
Henrichemont (18)	89	G 5
Henridorff (57)	58	C 1
Henriville (57)	37	H 3
Hénu (62)	7	H 4
Henvic (29)	42	A 3
Hérange (57)	58	B 1
L'Herbaudière (85)	98	B 1
Herbault (41)	87	G 2
Herbeauvilliers (77)	71	G 1
Herbécourt (80)	16	A 1
Herbelles (62)	3	E 5
L'Herbergement (85)	99	G 3
Herbeuval (08)	19	H 4
Herbeuville (55)	36	A 4
Herbeville (78)	30	C 5
Herbéviller (54)	57	H 3
Herbeys (38)	151	H 3
Les Herbiers (85)	100	A 3
Herbignac (44)	82	B 2
Herbinghen (62)	2	C 4
Herbisse (10)	53	H 3
Herbitzheim (67)	38	B 4
Herblay (95)	31	E 5
Herbsheim (67)	59	E 4
Hercé (53)	46	C 4
Herchies (60)	14	D 5
La Hérelle (60)	15	G 4
Hérenguerville (50)	24	D 4
Hérépian (34)	192	A 2
Hères (65)	187	E 2
Hergnies (59)	5	F 5
Hergugney (88)	57	E 4
Héric (44)	83	F 3
Héricourt (62)	7	F 3
Héricourt (70)	96	C 1
Héricourt-en-Caux (76)	13	E 3
Héricourt-sur-Thérain (60)	14	C 4
Héricy (77)	51	H 4
La Hérie (02)	10	A 5
Le Hérie-la-Viéville (02)	17	F 2
Hériménil (54)	57	G 3
Hérimoncourt (25)	96	D 3
Hérin (59)	9	E 2
Hérissart (80)	7	G 5
Hérisson (03)	119	E 2
Herleville (80)	16	A 2
La Herlière (62)	7	H 4
Herlies (59)	4	B 4
Herlin-le-Sec (62)	7	G 3
Herlincourt (62)	7	G 3
Herly (62)	7	E 1
Herly (80)	16	D 4
L'Herm (09)	207	E 3
Herm (40)	168	D 5
Hermanville (76)	13	G 2
Hermanville-sur-Mer (14)	27	F 2
Les Hermaux (48)	161	E 4
Hermaville (62)	7	H 3
Hermé (77)	52	D 4
Hermelange (57)	58	B 2
Hermelinghen (62)	2	C 4
L'Hermenault (85)	113	G 1
Herment (63)	132	B 3
Hermeray (78)	50	B 3
Hermes (60)	31	E 1
Hermeville (76)	12	B 4
Herméville-en-Woëvre (55)	20	A 5
Hermies (62)	8	C 5
Hermillon (73)	152	C 2
Hermin (62)	7	H 2
L'Hermitage (35)	65	G 2
L'Hermitage-Lorge (22)	63	G 1
Les Hermites (37)	86	D 1
L'Hermitière (61)	68	D 1
Hermival-les-Vaux (14)	28	B 3
Hermonville (51)	33	G 1
Hernicourt (62)	7	G 2
Herny (57)	37	F 4
Le Héron (76)	14	A 5
Héronchelles (76)	14	A 5
Hérouville (95)	31	E 4
Hérouville-St-Clair (14)	27	F 2
Hérouvillette (14)	27	G 2
Herpelmont (88)	77	H 1
Herpont (51)	34	D 4
Herpy-l'Arlésienne (08)	18	A 5
Herqueville (27)	29	H 2
Herqueville (50)	22	B 2
Herran (31)	205	H 3
Herré (40)	171	F 4
Herrère (64)	203	G 1
Herrin (59)	4	B 4
Herrlisheim (67)	59	G 1
Herrlisheim-près-Colmar (68)	78	D 2
Herry (18)	90	B 5
Hersbach (67)	58	C 3
Herserange (54)	20	B 2
Hersin-Coupigny (62)	4	A 5
Hertzing (57)	58	A 2
Hervelinghen (62)	2	B 3
Hervilly (80)	16	C 1
Héry (58)	91	E 5
Héry (73)	138	D 2
Héry (89)	73	F 4
Héry-sur-Alby (74)	138	A 2
Herzeele (59)	3	G 3
Hesbécourt (80)	16	C 1
Hescamps (80)	14	D 3
Hesdigneul-lès-Béthune (62)	2	B 5
Hesdigneul-lès-Boulogne (62)	7	H 1
Hesdin (62)	7	E 2
Hesdin-l'Abbé (62)	2	B 5
Hésingue (68)	97	G 1
Hesmond (62)	7	E 2
Hesse (57)	58	B 1
Hessenheim (67)	79	E 1
Hestroff (57)	21	F 4
Hestrud (59)	10	A 2
Hestrus (62)	7	G 2
Hétomesnil (60)	15	E 4
Hettange-Grande (57)	21	E 3
Hettenschlag (68)	79	E 2
Heubécourt-Haricourt (27)	30	A 3
Heuchin (62)	7	G 1
Heucourt-Croquoison (80)	14	D 1
Heudebouville (27)	29	G 3
Heudicourt (27)	30	B 2
Heudicourt (80)	8	C 5
Heudicourt-sous-les-Côtes (55)	36	B 5
Heudreville-en-Lieuvin (27)	28	C 3
Heudreville-sur-Eure (27)	29	G 3
Heugas (40)	185	F 1
Heugleville-sur-Scie (76)	13	G 3
Heugnes (36)	103	H 2
Heugon (61)	48	B 1
Heugueville-sur-Sienne (50)	24	D 4
Heuilley-Cotton (52)	75	H 5
Heuilley-le-Grand (52)	75	H 5
Heuilley-sur-Saône (21)	94	A 4
Heuland (14)	27	H 2
Heume-l'Église (63)	132	C 4
La Heunière (27)	29	H 4
Heuqueville (27)	29	H 2
Heuqueville (76)	12	B 4
Heuringhem (62)	3	E 5
Heurteauville (76)	13	E 5
Heurtevent (14)	28	A 4
Heussé (50)	46	C 4
Heutrégiville (51)	34	A 2
Heuzecourt (80)	7	F 4
Hévillers (55)	55	H 3
Heyrieux (38)	136	C 4
Hézecques (62)	7	F 1
Le Hézo (56)	81	G 3
Hibarette (65)	204	C 1
Hières-sur-Amby (38)	136	D 3
Hierges (08)	11	E 3
Hiermont (80)	7	E 4
Hiers-Brouage (17)	126	C 2
Hiersac (16)	128	A 4
Hiesse (16)	129	E 1
Hiesville (50)	23	E 5
Hiéville (14)	27	H 4
Higuères-Souye (64)	186	C 4
Hiis (65)	204	C 1
Hilbesheim (57)	58	B 1
Hillion (22)	43	H 4
Hilsenheim (67)	59	E 5
Hilsprich (57)	38	A 4
Hinacourt (02)	16	D 3
Hinckange (57)	21	F 5
Hindisheim (67)	59	E 3
Hindlingen (68)	97	E 1
Hinges (62)	7	H 1
Hinsbourg (67)	38	C 4
Hinsingen (67)	38	A 4
Hinx (40)	185	G 1
Hipsheim (67)	59	F 3
Hirel (35)	45	E 2
Hirmentaz (74)	125	E 3
Hirschland (67)	38	B 5
Hirsingue (68)	97	F 1
Hirson (02)	10	A 5
Hirtzbach (68)	97	F 1
Hirtzfelden (68)	79	E 3
His (31)	206	A 2
Hitte (65)	204	D 1
Hix (66)	211	G 4
Hochfelden (67)	59	E 1
Hochstatt (68)	78	D 5
Hochstett (67)	39	E 5
Hocquigny (50)	45	H 1
Hocquincourt (80)	14	D 1
Hocquinghen (62)	2	C 4
Hodenc-en-Bray (60)	14	D 5
Hodenc-l'Evêque (60)	31	E 2
Hodeng-au-Bosc (76)	14	C 2
Hodeng-Hodenger (76)	14	B 5
Hodent (95)	30	C 3
Hœdic (56)	81	F 5
Hœnheim (67)	59	F 2
Hœrdt (67)	59	F 1
Hoéville (54)	57	F 2
Hoff (57)	58	B 1
Hoffen (67)	39	G 4
Les Hogues (27)	29	H 1
La Hoguette (14)	27	G 5
Hohatzenheim (67)	59	E 1
Hohengœft (67)	58	D 2
Hohfrankenheim (67)	59	E 1
Hohrod (68)	78	C 2
Le Hohwald (67)	58	D 4
Holacourt (57)	37	F 4
Holling (57)	21	G 4
Holnon (02)	16	C 2
Holque (59)	3	E 3
Holtzheim (67)	59	E 2
Holtzwihr (68)	78	D 1
Holving (57)	38	A 4
Hombleux (80)	16	B 3
Homblières (02)	16	D 2
Hombourg (68)	79	E 5
Hombourg-Budange (57)	21	F 4
Hombourg-Haut (57)	21	H 5
Le Hôme (14)	27	G 2
L'Hôme-Chamondot (61)	48	D 3
Homécourt (54)	20	D 5
Hommarting (57)	58	B 1
L'Homme-d'Armes (26)	163	G 3
Hommert (57)	58	C 2
Hommes (37)	86	A 3
Le Hommet-d'Arthenay (50)	25	F 2
Homps (11)	191	G 5
Homps (32)	172	D 5
Hon-Hergies (59)	9	G 3
Hondainville (60)	31	F 2
Hondeghem (59)	3	G 4
Hondevilliers (77)	32	D 5
Hondouville (27)	29	G 3
Hondschoote (59)	3	G 2
Honfleur (14)	28	B 1
Honguemare-Guenouville (27)	29	E 1
Honnechy (59)	9	E 5
Honnecourt-sur-Escaut (59)	8	D 5
L'Honor-de-Cos (82)	173	G 3
Honskirch (57)	38	A 4
Hontanx (40)	171	E 5
L'Hôpital (22)	43	H 5
L'Hôpital (57)	21	H 5
Hôpital-Camfrout (29)	41	G 5
L'Hôpital-d'Orion (64)	185	G 3
L'Hôpital-du-Grosbois (25)	95	F 5
L'Hôpital-le-Grand (42)	134	D 5
L'Hôpital-le-Mercier (71)	121	E 3
L'Hôpital-sous-Rochefort (42)	134	C 3
L'Hôpital-St-Blaise (64)	185	H 5
Hôpital-St-Jean (46)	144	C 5
L'Hôpital-St-Lieffroy (25)	95	G 3
Les Hôpitaux-Neufs (25)	111	G 4
Les Hôpitaux-Vieux (25)	111	G 3
Horbourg-Wihr (68)	78	D 2
Hordain (59)	8	D 3
La Horgne (08)	18	D 4
Horgues (65)	204	C 1
L'Horme (42)	135	G 5
Hornaing (59)	9	E 2
Hornoy-le-Bourg (80)	14	D 2
Le Horps (53)	47	E 5
Horsarrieu (40)	186	A 1
Hortes (52)	76	A 4
Horville-en-Ornois (55)	55	H 4
Les Hosmes (27)	49	F 1
L'Hospitalet (04)	180	C 3
L'Hospitalet (46)	158	C 2
L'Hospitalet-du-Larzac (12)	176	C 4
L'Hospitalet-près-l'Andorre (09)	211	F 3
Hossegor (40)	184	D 1
Hosta (64)	202	C 1
Hoste (57)	38	A 3
Hostens (33)	155	E 4
Hostiaz (01)	137	F 2
Hostun (26)	150	D 4
L'Hôtellerie (14)	28	C 3
L'Hôtellerie-de-Flée (49)	66	B 5
Hotonnes (01)	137	G 1
Hotot-en-Auge (14)	27	H 3
Hottot-les-Bagues (14)	26	D 3
Hottviller (57)	38	C 3
La Houblonnière (14)	28	A 3
Les Houches (74)	139	F 1
Houchin (62)	7	H 1
Houdain (62)	7	H 2
Houdain-lez-Bavay (59)	9	H 3
Houdan (78)	50	A 1
Houdancourt (60)	31	H 1
Houdelaincourt (55)	55	H 3
Houdelmont (54)	56	D 3
Houdemont (54)	57	E 2
Houdetot (76)	13	E 2
Houdilcourt (08)	33	H 1
Houdreville (54)	56	D 3
Houécourt (88)	56	C 5
Houeillès (47)	171	G 2
Houesville (50)	23	E 5
Houetteville (27)	29	G 3
Houéville (88)	56	C 5
Houeydets (65)	205	E 1
Le Houga (32)	186	D 1
Houilles (78)	31	E 5
Houlbec-Cocherel (27)	29	H 4
Houlbec-près-le-Gros-Theil (27)	29	E 2
Houldizy (08)	18	D 2
Houlette (16)	127	H 3
Houlgate (14)	27	H 2
Houlle (62)	3	E 4
Le Houlme (76)	13	G 5
L'Houmeau (17)	113	E 4
Hounoux (11)	207	H 2
Houplin-Ancoisne (59)	4	C 4
Houplines (59)	4	B 3
Houppeville (76)	13	G 5
Houquetot (76)	12	C 4
Hourc (65)	187	F 5
Le Hourdel (80)	6	B 4
Hourges (51)	33	F 2
Hours (64)	186	D 5
Hourtin (33)	140	C 3
Hourtin-Plage (33)	140	B 3
Houry (02)	17	G 3
La House (33)	155	E 2
Houssay (41)	87	E 1
Houssay (53)	66	C 4
La Houssaye (27)	29	E 5
La Houssaye-Béranger (76)	13	G 4
La Houssaye-en-Brie (77)	52	A 2
Le Housseau (53)	47	E 4
Houssen (68)	78	D 1
Housseras (88)	57	H 5
Housset (02)	17	F 2
Housséville (54)	56	D 4
La Houssière (88)	78	A 1
La Houssoye (60)	30	D 1
Houtaud (25)	111	F 2
Houtkerque (59)	3	G 3
Houville-en-Vexin (27)	29	H 2
Houville-la-Branche (28)	50	B 4
Houvin-Houvigneul (62)	7	G 3
Houx (28)	50	B 3
Hoymille (59)	3	F 2
Huanne-Montmartin (25)	95	F 3
Hubersent (62)	2	B 5
Hubert-Folie (14)	27	F 3
Huberville (50)	22	D 4
Huby-Saint-Leu (62)	7	E 2
Huchenneville (80)	6	D 5
Huclier (62)	7	G 2
Hucqueliers (62)	6	D 1
Hudimesnil (50)	24	D 5
Hudiviller (54)	57	F 2
Huelgoat (29)	42	B 5
Huest (27)	29	G 4
Huêtre (45)	70	C 3
Huez (38)	152	A 4
Hugier (70)	94	B 4
Hugleville-en-Caux (76)	13	G 4
Huillé (49)	85	F 1
Huilliécourt (52)	76	A 2
Huilly-sur-Seille (71)	122	D 1
Huiron (51)	54	C 2
Huismes (37)	86	A 5
Huisnes-sur-Mer (50)	45	G 2
D'Huison-Longueville (91)	51	F 4
Huisseau-en-Beauce (41)	87	F 1
Huisseau-sur-Cosson (41)	88	A 2
Huisseau-sur-Mauves (45)	70	B 4
L'Huisserie (53)	66	C 3
Hulluch (62)	4	B 5
Hultehouse (57)	58	C 1
Humbauville (51)	54	B 2
Humbécourt (52)	55	E 3
Humbercamps (62)	7	H 4
Humbercourt (80)	7	H 4
Humbert (62)	6	D 1
Humberville (52)	75	H 1
Humbligny (18)	89	H 5
La Hume (33)	154	B 3
Humerœuille (62)	7	F 2
Humes (52)	75	H 4
Humières (62)	7	F 2
Hunawihr (68)	78	D 1
Hundling (57)	38	A 3
Hundsbach (68)	97	F 1
Huningue (68)	97	H 1
Hunspach (67)	39	G 4
Hunting (57)	21	F 3
Huos (31)	205	F 2
Huparlac (12)	160	C 2
Huppy (80)	6	D 5
Hurbache (88)	58	A 5
Hure (33)	156	A 4
Hurecourt (70)	76	D 4
Hures-la-Parade (48)	176	D 2
Huriel (03)	118	D 3
Hurigny (71)	122	B 3
Hurtières (38)	152	A 2
Hurtigheim (67)	59	E 2
Husseau (37)	87	E 4
Husseren-les-Châteaux (68)	78	C 2
Husseren-Wesserling (68)	78	B 4
Hussigny-Godbrange (54)	20	C 2
La Hutte (72)	67	H 1
Huttendorf (67)	39	E 5
Huttenheim (67)	59	E 4
Hyds (03)	119	F 4
Hyémondans (25)	95	H 3
Hyencourt-le-Grand (80)	16	A 2
Hyenville (50)	24	D 4
Hyères (83)	201	F 3
Hyères-Plage (83)	201	F 4
Hyet (70)	95	E 3
Hyèvre-Magny (25)	95	G 3
Hyèvre-Paroisse (25)	95	G 3
Hymont (88)	77	E 1

I

Localité (Département)	Page	Coord.
Ibarrolle (64)	185	F 5
Ibarron (64)	184	C 4
Ibigny (57)	58	A 2
Ibos (65)	187	E 5
Ichtratzheim (67)	59	F 3
Ichy (77)	71	G 2
Idaux-Mendy (64)	202	D 1
Idrac-Respaillès (32)	187	H 3
Idron (64)	186	C 5
Ids-St-Roch (18)	105	E 5
Iffendic (35)	64	D 2
Les Iffs (35)	45	E 5
Ifs (14)	27	F 3
Les Ifs (près de Fécamp) (76)	12	C 3
Les Ifs (près de Londinières) (76)	14	A 2
Igé (61)	48	C 5
Igé (71)	122	B 2
Iges (08)	19	E 3
Ignaucourt (80)	15	H 2
Ignaux (09)	207	F 5
Igney (54)	57	H 2
Igney (88)	57	F 5
Ignol (18)	106	A 3
Igny (70)	94	C 3
Igny (91)	51	E 2
Igny-Comblizy (51)	33	F 4
Igon (64)	204	A 1
Igornay (71)	108	B 2
Igoville (27)	29	G 2
Iguerande (71)	121	F 4
Iholdy (64)	185	E 5
Île-aux-Moines (56)	81	G 3
L'Île-Bouchard (37)	102	B 1
Île-d'Aix (17)	113	E 5
Île-d'Arz (56)	81	G 2
Île-de-Batz (29)	41	H 4
Île de Bréhat (22)	43	F 1
Île-de-Sein (29)	60	C 2
L'Île-d'Elle (85)	113	F 3
Île-d'Houat (56)	81	F 4
L'Île-d'Olonne (85)	98	D 5
L'Île-d'Yeu (85)	98	A 4
Île-Molène (29)	40	B 4
Île-Rousse (2B)	214	C 4
L'Île-Saint-Denis (93)	31	F 5
Île-Tudy (29)	61	G 4
Ilharre (64)	185	F 4
Ilhat (09)	207	F 3
Les Ilhes (11)	190	D 5
Ilhet (65)	205	E 3
Ilheu (65)	205	F 3
Iliz-Koz (29)	41	E 2
Illange (57)	21	E 4
Illartein (09)	206	A 3
Las Illas (66)	213	E 4
Illats (33)	155	G 3
Ille-sur-Têt (66)	212	D 2
Illeville-sur-Montfort (27)	28	D 2
Illfurth (68)	97	F 1
Illhaeusern (68)	78	D 1
Illiat (01)	122	C 4
Illier-et-Laramade (09)	207	E 5
Illiers-Combray (28)	69	G 1
Illiers-l'Évêque (27)	49	H 1
Illies (59)	4	B 4
Illifaut (22)	64	B 1
Illkirch-Graffenstaden (67)	59	F 3
Illois (76)	14	B 3
Illoud (52)	76	A 1
Illy (08)	19	F 3
Illzach (68)	78	D 4
Ilonse (06)	183	E 3
Les Imberts (84)	179	H 5
Imbleville (76)	13	F 3
Imécourt (08)	35	E 1
Imling (57)	58	B 1
L'Immaculée (44)	82	B 4
Imphy (58)	106	D 3
Inaumont (08)	18	B 4
Incarville (27)	29	G 2
Incheville (76)	6	B 5
Inchy (59)	9	E 4
Inchy-en-Artois (62)	8	C 4
Incourt (62)	7	F 2
Indevillers (25)	96	D 4
Indre (44)	83	E 5
Ineuil (18)	105	F 4
Les Infournas (05)	166	B 2
Ingenheim (67)	59	E 1
Ingersheim (68)	78	D 2
Inghem (62)	3	E 5
Inglange (57)	21	F 3
Ingolsheim (67)	39	G 4
Ingouville (76)	13	E 2
Ingrandes (36)	116	B 1
Ingrandes (86)	102	C 3
Ingrandes-de-Touraine (37)	86	A 5
Ingrandes-le-Fresne-sur-Loire (49)	84	B 3
Ingrannes (45)	71	E 3
Ingré (45)	70	C 4
Inguiniel (56)	62	D 4
Ingwiller (67)	38	D 5
Inières (12)	175	H 1
Injoux-Génissiat (01)	123	H 5
Innenheim (67)	59	E 3
Innimond (01)	137	F 3
Inor (55)	19	G 4
Insming (57)	38	A 4
Insviller (57)	38	A 5
Intraville (76)	13	H 1
Intres (07)	149	E 5
Intréville (28)	70	C 1
Intville-la-Guétard (45)	71	E 1
Inval-Boiron (80)	14	C 2
Inxent (62)	6	D 1
Inzinzac-Lochrist (56)	62	D 5
Ippécourt (55)	35	G 4
Ippling (57)	38	A 3
Irai (61)	48	D 2
Irais (79)	101	G 3
Irancy (89)	91	F 1
Iré-le-Sec (55)	19	H 5
Irigny (69)	135	H 4
Irissarry (64)	185	E 5
Irleau (79)	113	H 3
Irles (80)	8	A 5
Irodouër (35)	44	D 5
Iron (02)	17	F 1
Irouléguy (64)	202	B 1
Irreville (27)	29	G 4
Irvillac (29)	41	G 4
Is-en-Bassigny (52)	75	H 3
Is-sur-Tille (21)	93	G 2
Isbergues (62)	3	F 5
Isches (88)	76	C 3
Isdes (45)	89	E 1
Isenay (58)	107	F 3
Isigny-le-Buat (50)	46	A 2
Isigny-sur-Mer (14)	23	F 5
Island (89)	91	G 3
Isle (87)	130	A 3
L'Isle-Adam (95)	31	E 4
L'Isle-Arné (32)	188	B 2
Isle-Aubigny (10)	54	A 4
Isle-Aumont (10)	74	A 1
L'Isle-Bouzon (32)	172	C 4
L'Isle-d'Abeau (38)	136	D 4
L'Isle-de-Noé (32)	187	H 2
L'Isle-d'Espagnac (16)	128	C 4
L'Isle-en-Dodon (31)	188	B 4
Isle-et-Bardais (03)	106	A 5
L'Isle-Jourdain (32)	188	D 2
L'Isle-Jourdain (86)	116	A 4
Isle-St-Georges (33)	155	F 2
L'Isle-sur-la-Sorgue (84)	179	G 4
L'Isle-sur-le-Doubs (25)	95	H 3
Isle-sur-Marne (51)	54	D 3
L'Isle-sur-Serein (89)	91	H 2
Les Isles-Bardel (14)	47	F 1
Isles-les-Meldeuses (77)	32	B 5
Isles-lès-Villenoy (77)	32	A 5
Isles-sur-Suippe (51)	34	A 1
Les Islettes (55)	35	F 3
Les Isnards (84)	180	A 3
Isneauville (76)	13	G 5
Isola (06)	182	D 1
Isola 2000 (06)	183	E 1
Isolaccio-di-Fiumorbo (2B)	217	F 5
Isômes (52)	93	H 1
Ispagnac (48)	161	H 5
Ispes (40)	154	A 4
Ispoure (64)	202	B 1
Isques (62)	2	B 5
Issac (24)	139	D 5
Les Issambres (83)	198	C 4
Issamoulenc (07)	163	F 2

Issancourt-et-Rumel (08) 19 E 3
Issanlas (07) 162 C 2
Issans (25) 95 H 2
Les Issards (09) 207 F 2
Issarlès (07) 162 C 1
Issé (44) 83 G 1
Isse (51) 34 A 4
Issel (11) 190 B 4
Issendolus (46) 159 E 2
Issenhausen (67) 39 E 5
Issenheim (68) 78 C 3
Issepts (46) 159 E 3
Isserpent (03) 120 C 5
Isserteaux (63) 133 G 4
Issigeac (24) 157 E 2
Issirac (30) 178 C 1
Issoire (SP) (63) 133 G 5
Issoncourt (55) 35 G 5
Issor (64) 203 F 1
Issou (78) 30 C 5
Issoudun (SP) (36) 104 D 3
Issoudun-Létrieix (23) 131 G 1
Issus (31) 189 G 4
Issy-les-Moulineaux (92) 51 E 1
Issy-l'Évêque (71) 107 H 5
Istres (SP) (13) 195 E 3
Les Istres-et-Bury (51) 33 H 5
Isturits (64) 185 E 4
Itancourt (02) 16 D 2
Iteuil (86) 115 F 2
Ittenheim (67) 59 E 2
Itterswiller (67) 58 D 4
Itteville (91) 51 F 4
Ittlenheim (67) 59 E 2
Itxassou (64) 184 D 4
Itzac (81) 174 B 3
Ivergny (62) 7 G 4
Iverny (77) 31 H 5
Iviers (02) 18 A 2
Iville (27) 29 F 3
Ivors (60) 32 B 3
Ivory (39) 110 C 3
Ivoy-le-Pré (18) 89 G 4
Ivrey (39) 110 D 2
Ivry-en-Montagne (21) 108 D 2
Ivry-la-Bataille (27) 50 A 1
Ivry-le-Temple (60) 30 D 3
Ivry-sur-Seine (94) 51 F 1
Iwuy (59) 9 E 4
Izaourt (65) 205 F 2
Izaut-de-l'Hôtel (31) 205 G 2
Izaux (65) 205 E 2
Izé (53) 67 F 1
Izeaux (38) 151 E 2
Izel-lès-Équerchin (62) 8 B 2
Izel-lès-Hameau (62) 7 H 3
Izenave (01) 123 G 5
Izernore (01) 123 G 4
Izeron (38) 151 E 3
Izeste (64) 203 H 2
Izeure (21) 93 G 5
Izier (21) 93 G 4
Izieu (01) 137 G 4
Izon (33) 141 G 5
Izon-la-Bruisse (26) 180 B 1
Izotges (32) 187 E 2
Izy (45) 70 D 2

J

Jablines (77) 31 H 5
Jabreilles-les-Bordes (87) 130 C 1
Jabron (83) 182 A 5
Jabrun (15) 160 D 2
Jacob-Bellecombette (73) 137 H 5
Jacou (34) 193 F 2
Jacque (65) 187 F 5
Jaffe (17) 126 C 4
Jagny-sous-Bois (95) 31 G 4
Jaignes (77) 32 B 5
Jaillans (26) 150 D 4
La Jaille-Yvon (49) 84 D 1
Jaillon (54) 56 C 1
Jailly (58) 107 E 1
Jailly-les-Moulins (21) 92 D 3
Jainvillotte (88) 76 B 1
Jalesches (23) 118 A 3
Jaleyrac (15) 145 H 3
Jaligny-sur-Besbre (03) 120 C 3
Jallais (49) 84 B 5
Jallanges (21) 109 G 2
Jallans (28) 69 H 3
Jallaucourt (57) 37 F 5
Jallerange (25) 94 B 5
Jalognes (18) 90 A 5
Jalogny (71) 122 A 2
Jâlons (51) 34 A 4
Jambles (71) 108 D 4
Jambville (78) 30 C 4
Jaméricourt (60) 30 C 2
Jametz (55) 19 H 5
Jameyzieu (38) 136 D 3
Janailhac (87) 130 A 4
Janaillat (23) 130 D 1
Jancigny (21) 93 H 3
Jandun (08) 18 C 3
Janneyrias (38) 136 C 3
Jans (44) 83 F 1
Janville (14) 27 G 3
Janville (28) 70 C 2
Janville (60) 16 A 5
Janville (76) 13 E 2
Janville-sur-Juine (91) 51 E 4
Janvilliers (51) 33 F 5
Janvry (51) 33 G 2
Janvry (91) 51 E 3
Janzé (35) 65 G 3
Jarcieu (38) 149 H 2
La Jard (17) 127 F 4
Jard-sur-Mer (85) 112 C 2
Le Jardin (19) 145 F 2
Jardin (38) 136 B 5
Jardres (86) 115 H 1
Jargeau (45) 71 E 5
Jarjayes (05) 166 B 4
Jarménil (88) 77 G 2
Jarnac (16) 127 H 4
Jarnac-Champagne (17) 127 G 5
Jarnages (23) 118 A 5
La Jarne (17) 113 F 5
Jarnioux (69) 135 G 1
Jarnosse (42) 121 G 5
Jarny (54) 20 C 5
Jarret (65) 204 B 2
La Jarrie (17) 113 F 5
Jarrie (38) 151 H 3
La Jarrie-Audouin (17) 127 F 1
Jarrier (73) 152 C 2
Jars (18) 89 H 4
Jarsy (73) 138 B 4
Jarville-la-Malgrange (54) 57 E 2
Jarzé Villages (49) 85 F 2
Jas (42) 135 E 3
Jasney (70) 77 E 4
Jassans-Riottier (01) 135 H 1
La Jasse-de-Bernard (30) 178 A 3
Jasseines (10) 54 B 4
Jasseron (01) 123 E 4
Jasses (64) 185 H 5
Le Jassonneix (19) 131 G 5
Jatxou (64) 184 C 4
Jau-Dignac-et-Loirac (33) 140 C 1
Jaucourt (10) 74 D 1
La Jaudonnière (85) 100 B 5
Jaudrais (28) 49 G 3
Jaujac (07) 162 D 3
Jauldes (16) 128 C 3
Jaulges (89) 73 G 4
Jaulgonne (02) 33 E 4
Jaulnay (37) 102 B 3
Jaulnes (77) 52 C 5
Jaulny (54) 36 C 4
Jaulzy (60) 32 B 1
Jaunac (07) 163 E 1
Jaunay-Clan (86) 102 B 5
La Jaunière (78) 50 B 2
Jaures (24) 143 E 4
Jausiers (04) 167 F 4
Jaux (60) 31 H 1
Jauzé (72) 68 B 1
Javaugues (43) 147 G 2
Javené (35) 46 A 5
Javerdat (87) 129 H 1
Javerlhac-et-la-Chapelle-St-Robert (24) 129 E 5
Javernant (10) 73 H 2
La Javie (04) 181 G 2
Javols (48) 161 F 3
Javrezac (16) 127 G 3
Javron (53) 47 F 4
Jax (43) 147 H 3
Jaxu (64) 185 E 5
Jayac (24) 144 B 5
Jayat (01) 122 D 3
Jazeneuil (86) 115 E 2
Jazennes (17) 127 E 4
Jeancourt (02) 16 C 1
Jeandelaincourt (54) 37 E 5
Jeandelize (54) 20 C 5
Jeanménil (88) 57 H 5
Jeansagnière (42) 134 B 3
Jeantes (02) 17 H 2
Jebsheim (68) 79 E 1
Jegun (32) 187 H 1
La Jemaye (24) 142 C 3
Jenlain (59) 9 F 3
Jenzat (03) 119 H 5
Jésonville (88) 76 D 2
Jessains (10) 74 C 1
Jetterswiller (67) 58 D 2
Jettingen (68) 97 F 1
Jeu-les-Bois (36) 104 C 5
Jeu-Maloches (36) 103 G 2
Jeufosse (78) 30 A 4
Jeugny (10) 73 H 2
Jeumont (59) 10 A 1
Jeurre (39) 123 H 2
Jeux-lès-Bard (21) 92 A 2
Jeuxey (88) 77 G 1
Jevoncourt (54) 57 E 4
Jezainville (54) 36 D 5
Jézeau (65) 205 E 3
Joannas (07) 162 D 4
Les Joannins (26) 163 G 5
Job (63) 134 B 4
Jobourg (50) 22 B 2
Joch (66) 212 C 3
Jœuf (54) 20 D 5
Joganville (50) 23 E 4
Joigny (89) 72 D 3
Joigny-sur-Meuse (08) 11 E 5
Joinville (52) 55 G 4
Joinville-le-Pont (94) 51 G 1
Joiselle (51) 53 E 2
Jolimetz (59) 9 G 4
Jolivet (54) 57 G 2
Jonage (69) 136 C 3
Joncels (34) 192 B 1
La Jonchère (85) 112 D 2
La Jonchère-St-Maurice (87) 130 C 1
Jonchères (26) 165 F 3
Joncherey (90) 96 D 2
Jonchery (52) 75 F 2
Jonchery-sur-Suippe (51) 34 B 3
Jonchery-sur-Vesle (51) 33 G 2
Joncourt (02) 16 D 1
Joncreuil (10) 54 C 4
Joncy (71) 108 D 5
Jongieux (73) 137 H 3
Jonquerets-de-Livet (27) 28 D 4
Jonquerettes (84) 179 F 4
Jonquery (51) 33 F 3
Le Jonquet (04) 180 C 3
Jonquières (11) 208 D 2
Jonquières (34) 192 C 2
Jonquières (60) 31 H 1
Jonquières (81) 190 C 2
Jonquières (84) 179 F 4
Jonquières-St-Vincent (30) 178 D 5
Jons (69) 136 C 3
Jonval (08) 18 D 4
Jonvelle (70) 76 C 3
Jonville-en-Woëvre (55) 36 B 4
Jonvilliers (28) 50 B 3
Jonzac (SP) (17) 141 G 1
Jonzier-Épagny (74) 124 B 5
Jonzieux (42) 149 E 2
Joppécourt (54) 20 C 3
Les Jordes (19) 145 E 3
Jorquenay (52) 75 H 4
Jort (14) 27 H 5
Jorxey (88) 57 E 5
Josat (43) 147 H 3
Josnes (41) 70 A 5
Josse (40) 185 E 1
Josselin (56) 64 A 3
Jossigny (77) 51 H 1
Jou-sous-Monjou (15) 160 B 1
Jouac (87) 116 D 3
Jouaignes (02) 33 E 2
Jouancy (89) 91 H 1
Jouarre (77) 32 C 5
Jouars Pontchartrain (78) 50 C 1
Jouaville (54) 20 D 5
Joucas (84) 179 H 4
Joucou (11) 207 H 4
Joudes (71) 123 E 2
Joudreville (54) 20 B 4
Joué-du-Bois (61) 47 G 3
Joué-du-Plain (61) 47 G 2
Joué-en-Charnie (72) 67 G 3
Joué-Étiau (49) 84 D 5
Joué-l'Abbé (72) 68 A 2
Joué-lès-Tours (37) 86 D 4
Joué-sur-Erdre (44) 83 G 2
Jouet-sur-l'Aubois (18) 106 B 2
Jouey (21) 108 C 1
Jougne (25) 111 G 4
Jouhe (39) 110 A 1
Jouhet (86) 116 B 2
Jouillat (23) 117 H 4
Jouques (13) 196 B 2
Jouqueviel (81) 174 D 2
Jourgnac (87) 130 A 4
Journans (01) 123 E 4
Journet (86) 116 B 2
Journiac (24) 143 G 5
Journy (62) 2 D 4
Jours-en-Vaux (21) 108 D 2
Jours-lès-Baigneux (21) 92 D 1
Joursac (15) 146 D 4
Joussé (86) 115 G 4
Jouvençon (71) 122 D 1
La Jouvente (35) 44 D 2
La Joux (39) 110 D 3
Joux (69) 135 E 2
Joux-la-Ville (89) 91 G 2
Jouy (28) 50 A 4
Jouy (89) 72 B 2
Jouy-aux-Arches (57) 36 D 3
Jouy-en-Argonne (55) 35 G 3
Jouy-en-Josas (78) 51 E 2
Jouy-en-Pithiverais (45) 71 E 2
Jouy-le-Châtel (77) 52 C 2
Jouy-le-Moutier (95) 30 D 4
Jouy-le-Potier (45) 88 C 1
Jouy-lès-Reims (51) 33 G 3
Jouy-Mauvoisin (78) 30 B 5
Jouy-sous-les-Côtes (55) 56 B 1
Jouy-sous-Thelle (60) 30 D 2
Jouy-sur-Eure (27) 29 H 4
Jouy-sur-Morin (77) 52 C 1
Joyeuse (07) 162 D 4
Joyeux (01) 136 C 1
Joze (63) 133 G 2
Jozerand (63) 133 F 1
Jû-Belloc (32) 187 E 2
Juan-les-Pins (06) 199 F 2
Juaye-Mondaye (14) 26 D 2
Jubainville (88) 56 B 4
La Jubaudière (49) 84 B 5
Jubécourt (55) 35 F 3
Jublains (53) 67 E 1
Le Juch (29) 61 F 2
Jugazan (33) 155 H 2
Jugeals-Nazareth (19) 144 C 4
Jugon-les-Lacs (22) 44 B 4
Jugy (71) 122 B 1
Juicq (17) 127 F 2
Juif (71) 109 G 5
Juignac (16) 142 B 1
Juigné-des-Moutiers (44) 84 A 1
Juigné-sur-Loire (49) 85 E 3
Juigné-sur-Sarthe (72) 67 F 4
Juignettes (27) 48 D 1
Juillac (19) 144 B 2
Juillac (32) 187 F 3
Juillac (33) 156 A 1
Juillac-le-Coq (16) 127 H 4
Juillaguet (16) 142 C 1
Juillan (65) 204 C 1
Juillé (16) 128 B 2
Juillé (72) 68 A 1
Juillé (79) 114 C 5
Juillenay (21) 92 B 4
Juilles (32) 188 B 2
Juilley (50) 45 H 3
Juilly (21) 92 B 3
Juilly (77) 31 H 4
Jujols (66) 212 A 3
Jujurieux (01) 123 F 5
Julianges (48) 161 F 1
Juliénas (69) 122 B 4
Julienne (16) 127 H 4
Julienrupt (88) 77 H 2
Jullianges (43) 148 A 2
Jullié (69) 122 A 4
Jullouville (50) 45 G 1
Jully (89) 74 B 5
Jully-lès-Buxy (71) 108 D 5
Jully-sur-Sarce (10) 74 B 2
Julos (65) 204 B 1
Julvécourt (55) 35 G 4
Jumeauville (78) 30 C 5
Jumeaux (63) 147 F 1
Les Jumeaux (79) 101 G 4
Jumel (80) 15 F 3
Jumelles (27) 29 G 5
Jumelles (49) 85 G 3
La Jumellière (49) 84 C 4
Jumencourt (02) 16 D 5
Jumièges (76) 29 E 1
Jumigny (02) 33 F 1
Jumilhac-le-Grand (24) 143 H 1
Junas (30) 193 H 1
Junay (89) 73 H 4
Juncalas (65) 204 B 2
Jungholtz (68) 78 C 4
Junhac (15) 160 A 3
Les Junies (46) 158 A 4
Juniville (08) 34 B 1
Jupilles (72) 68 B 5
Jurançon (64) 186 B 5
Juranville (45) 71 G 3
Juré (42) 134 B 2
Jurignac (16) 128 A 5
Jurques (14) 25 H 4
Jurvielle (31) 205 F 4
Jury (57) 37 E 3
Juscorps (79) 114 B 4
Jusix (47) 156 A 4
Jussac (15) 146 A 5
Jussarupt (88) 77 H 1
Jussas (17) 141 G 2
Jussat (63) 133 G 1
Jussecourt-Minecourt (51) 54 D 1
Jussey (70) 76 C 4
Jussy (02) 16 D 3
Jussy (57) 36 D 3
Jussy (89) 91 E 1
Jussy-Champagne (18) 105 H 2
Jussy-le-Chaudrier (18) 106 A 1
Justian (32) 171 H 5
Justine-Herbigny (08) 18 B 4
Justiniac (09) 206 D 1
Jutigny (77) 52 C 4
Juvaincourt (88) 56 D 5
Juvancourt (10) 75 E 2
Juvanzé (10) 54 C 5
Juvardeil (49) 85 E 1
Juvelize (57) 57 G 1
Juvignac (34) 193 F 2
Juvigné (53) 66 B 1
Juvignies (60) 15 E 5
Juvigny (02) 32 D 1
Juvigny (51) 34 A 4
Juvigny (74) 124 C 4
Juvigny-en-Perthois (55) 55 G 3
Juvigny-le-Tertre (50) 46 B 2
Juvigny-sous-Andaine (61) 47 E 3
Juvigny-sur-Loison (55) 19 H 5
Juvigny-sur-Orne (61) 47 H 2
Juvigny-sur-Seulles (14) 27 E 3
Juville (57) 37 F 5
Juvinas (07) 163 E 2
Juvincourt-et-Damary (02) 17 G 5
Juvisy-sur-Orge (91) 51 F 2
Juvrecourt (54) 57 G 1
Juxue (64) 185 F 5
Juzancourt (08) 18 A 5
Juzanvigny (10) 54 C 5
Juzennecourt (52) 75 F 2
Juzes (31) 189 H 4
Juzet-de-Luchon (31) 205 F 4
Juzet-d'Izaut (31) 205 G 3
Juziers (78) 30 C 5

K

Kalhausen (57) 38 B 3
Kaltenhouse (67) 39 F 5
Kanfen (57) 20 D 3
Kappelen (68) 97 G 1
Kappelkinger (57) 38 A 4
Les Karellis (73) 152 D 2
Katzenthal (68) 78 C 2
Kauffenheim (67) 39 G 5
Kaysersberg Vignoble (68) 78 C 1
Kédange-sur-Canner (57) 21 F 4
Keffenach (67) 39 G 4
Kembs (68) 79 E 5
Kembs-Loéchlé (68) 79 E 5
Kemplich (57) 21 F 4
Kerascoët (29) 62 A 5
Kerauzern (22) 42 D 3
Kerbabu (29) 42 A 2
Kerbach (57) 38 A 2
Kerbiquet (56) 62 B 3
Kerbors (22) 43 E 1
Kerbourg (44) 82 A 3
Kerdruc (29) 62 A 5
Kerfany-les-Pins (29) 62 A 5
Kerfot (22) 43 F 2
Kerfourn (56) 63 G 3
Kergloff (29) 62 B 1
Kergrist (56) 63 F 2
Kergrist-Moëlou (22) 62 D 1
Kergroës (29) 62 B 5
Kerien (22) 43 E 5
Kérity (22) 43 F 2
Kérity (29) 61 F 4
Kerlaz (29) 61 F 2
Kerling-lès-Sierck (57) 21 F 3
Kerlouan (29) 41 F 2
Kermaria (22) 43 F 3
Kermaria-Sulard (22) 42 D 2
Kermoroc'h (22) 43 E 3
Kernascléden (56) 62 D 4
Kernével (29) 62 A 4
Kernilis (29) 41 F 2
Kernouës (29) 41 F 2
Kerpape (56) 80 C 1
Kerpert (22) 43 E 5
Kerprich-aux-Bois (57) 58 A 1
Kerroch (56) 80 C 1
Kersaint (29) 40 D 2
Kersaint-Plabennec (29) 41 F 3
Kertzfeld (67) 59 E 4
Kervalet (44) 82 A 4
Kervignac (56) 80 D 1
Kervoyal (56) 81 H 3
Keskastel (67) 38 B 4
Kesseldorf (67) 39 H 4
Kienheim (67) 59 E 1
Kientzheim (68) 78 C 1
Kiffis (68) 97 F 2
Killem (59) 3 G 2
Kilstett (67) 59 G 1
Kindwiller (67) 39 E 5
Kingersheim (68) 78 D 4
Kintzheim (67) 58 D 5
Kirchberg (68) 78 B 4
Kirchheim (67) 58 D 2
Kirrberg (67) 38 B 5
Kirrwiller (67) 39 E 5
Kirsch-lès-Sierck (57) 21 F 3
Kirschnaumen (57) 21 F 3
Kirviller (57) 38 A 4
Klang (57) 21 F 4
Kleingœft (67) 58 D 1
Klingenthal (67) 58 D 3
Knœringue (68) 97 G 1
Knœrsheim (67) 58 D 1
Knutange (57) 20 D 4
Kœnigsmacker (57) 21 E 3
Kœstlach (68) 97 F 2
Kœtzingue (68) 97 G 1
Kœur-la-Grande (55) 35 H 5
Kœur-la-Petite (55) 35 H 5
Kogenheim (67) 59 E 4
Kolbsheim (67) 59 E 2
Krafft (67) 59 F 4
Krautergersheim (67) 59 E 3
Krautwiller (67) 59 E 1
Le Kremlin-Bicêtre (94) 51 F 1
Kriegsheim (67) 59 F 1
Kruth (68) 78 B 3
Kunheim (68) 79 E 2
Kuntzig (57) 21 E 3
Kurtzenhouse (67) 59 F 1
Kuttolsheim (67) 59 E 2
Kutzenhausen (67) 39 F 4

L

L'Haÿ-les-Roses (SP) (94) 51 F 2
Laà-Mondrans (64) 185 H 3
Laas (32) 187 G 3
Laas (45) 71 E 2
Laàs (64) 185 G 4
Labalme (01) 123 F 5
Labarde (33) 141 E 4
Labaroche (68) 78 C 2
Labarrère (32) 171 G 4
Labarthe (32) 188 A 3
Labarthe (82) 173 G 2
Labarthe-Bleys (81) 174 C 3
Labarthe-Inard (31) 205 H 2
Labarthe-Rivière (31) 205 G 2
Labarthe-sur-Lèze (31) 189 F 4
Labarthète (32) 186 D 2
Labassère (65) 204 C 2
Labastide (65) 205 E 2
Labastide-Beauvoir (31) 189 H 3
Labastide-Castel-Amouroux (47) 171 G 1
Labastide-Cézéracq (64) 186 A 4
Labastide-Chalosse (40) 186 A 2
Labastide-Clermont (31) 188 D 5
Labastide-d'Anjou (11) 190 A 5
Labastide-d'Armagnac (40) 171 E 4
Labastide-de-Lévis (81) 174 C 4
Labastide-de-Penne (82) 174 A 1
Labastide-de-Virac (07) 178 C 1
Labastide-Dénat (81) 175 E 5
Labastide-du-Haut-Mont (46) 159 G 1
Labastide-du-Temple (82) 173 F 3
Labastide-du-Vert (46) 158 A 4
Labastide-en-Val (11) 208 C 2
Labastide-Esparbairenque (11) 190 D 4
Labastide-Gabausse (81) 174 D 3
Labastide-Marnhac (46) 158 B 5
Labastide-Monréjeau (64) 186 A 4
Labastide-Murat (46) 158 C 3
Labastide-Paumès (31) 188 C 5
Labastide-Rouairoux (81) 191 F 3
Labastide-Savès (32) 188 C 3
Labastide-St-Georges (81) 190 A 1
Labastide-St-Pierre (82) 173 G 5
Labastide-St-Sernin (31) 189 F 1
Labastide-sur-Bésorgues (07) 163 E 2
Labastide-Villefranche (64) 185 F 3
Labastidette (31) 189 E 4
Labathude (46) 159 F 2
Labatie-d'Andaure (07) 149 F 5
Labatmale (64) 204 A 1
Labatut (09) 189 G 5
Labatut (40) 185 F 2
Labatut (64) 187 E 4
Labatut-Rivière (65) 187 E 3
Labaume (30) 178 C 3
Labbeville (95) 31 E 3
Labeaume (07) 163 E 5
Labécède-Lauragais (11) 190 B 4
Labège (31) 189 G 3
Labégude (07) 163 E 3
Labéjan (32) 187 H 3
Labenne (40) 184 D 2
Labenne-Océan (40) 184 C 2
Labergement-du-Navois (25) 111 E 2
Labergement-Foigney (21) 93 H 5
Labergement-lès-Auxonne (21) 109 H 1
Labergement-lès-Seurre (21) 109 G 2
Labergement-Ste-Marie (25) 111 F 4
Laberlière (60) 16 A 4
Labescau (33) 155 H 5
Labesserette (15) 160 A 2
Labessette (63) 146 A 1
Labessière-Candeil (81) 190 B 1
Labets-Biscay (64) 185 F 4
Labeuville (55) 36 B 3
Labeuvrière (62) 7 H 1
Labeyrie (64) 186 A 3
Lablachère (07) 162 D 5
Laboissière-en-Santerre (80) 15 H 4
Laboissière-en-Thelle (60) 31 E 2
Laboissière-St-Martin (80) 14 C 2
Laborde (65) 204 D 2
Laborel (26) 180 B 1
Labosse (60) 30 C 1
Labouheyre (40) 169 F 2
Laboulbène (81) 190 C 2
Laboule (07) 162 D 3
Labouquerie (24) 157 F 2
Labourgade (82) 173 E 4
Labourse (62) 4 A 5
Laboutarie (81) 190 C 1
Labretonie (47) 156 C 4
Labrihe (32) 188 C 1
Labrit (40) 169 H 3
Labroquère (31) 205 F 2
Labrosse (45) 71 F 1
Labrousse (15) 160 A 1
Labroye (62) 7 E 3
Labruguière (81) 190 D 3
Labruyère (21) 109 G 2
Labruyère (60) 31 G 1
Labruyère-Dorsa (31) 189 F 4
Labry (54) 20 C 5
Laburgade (46) 158 C 5
Lac de Chalain (39) 110 C 5
Lac de St-Point (25) 111 F 3
Lac-des-Rouges-Truites (39) 110 D 5
Le Lac-d'Issarlès (07) 162 C 1
Lacabarède (81) 191 F 4
Lacadée (64) 186 A 3
Lacajunte (40) 186 B 2
Lacalm (12) 160 C 2
Lacam-d'Ourcet (46) 159 F 1
Lacanau (33) 140 B 5
Lacanau-de-Mios (33) 154 D 3
Lacanau-Océan (33) 140 B 4
Lacanche (21) 108 C 1
Lacapelle-Barrès (15) 160 B 1
Lacapelle-Biron (47) 157 G 3

Localité *(Département)* Page Coordonnées

Lacapelle-Cabanac (46) ....157 H 5
Lacapelle-del-Fraisse (15). 160 A 2
Lacapelle-Livron (82) ....174 B 1
Lacapelle-Marival (46) ....159 E 2
Lacapelle-Pinet (81) ....175 F 3
Lacapelle-Ségalar (81) ....174 C 3
Lacapelle-Viescamp (15) ......159 H 1
Lacarre (64) ....202 C 1
Lacarry-Arhan-
  Charritte-de-Haut (64) .....202 D 1
Lacassagne (65) ....187 F 4
Lacaugne (31) ....189 E 5
Lacaune (81) ....191 F 1
Lacaussade (47) ....157 H 4
Lacave (09) ....206 A 2
Lacave (46) ....158 C 1
Lacaze (81) ....191 H 4
Lacelle (19) ....131 E 4
Lacenas (69) ....135 G 1
Lacépède (47) ....172 A 1
Lachaise (16) ....127 H 5
Lachalade (55) ....35 E 3
Lachambre (57) ....37 H 3
Lachamp (48) ....161 G 3
Lachamp-Raphaël (07). ....162 D 2
Lachapelle (47) ....156 C 4
Lachapelle (54) ....57 H 4
Lachapelle (80) ....14 D 3
Lachapelle (82) ....172 D 4
Lachapelle-aux-Pots (60) .....30 C 1
Lachapelle-Auzac (46) ....158 C 1
Lachapelle-en-Blaisy (52) ....75 F 1
Lachapelle-Graillouse (07) ...162 C 2
Lachapelle-
  sous-Aubenas (07) . ...163 E 4
Lachapelle-
  sous-Chanéac (07) .. ..149 E 5
Lachapelle-sous-Chaux (90) ...78 A 5
Lachapelle-
  sous-Gerberoy (60)... ....14 D 5
Lachapelle-
  sous-Rougemont (90) ....78 B 5
Lachapelle-St-Pierre (60).....31 E 2
Lachassagne (69) ....135 H 2
Lachau (26) ....180 C 1
Lachaud (43) ....147 H 4
Lachaussée (55) ....36 B 4
Lachaussée-du-Bois-d'Écu (60) 15 E 5
Lachaux (63) ....134 A 1
Lachelle (60).................31 H 1
Lachy (51) ....53 F 2
Lacollonge (90) ....96 D 1
Lacombe (11) ....190 C 4
Lacommande (64) ....186 A 5
Lacoste (34) ....192 C 2
Lacoste (84) ....180 A 5
Lacougotte-Cadoul (81) ....190 A 2
Lacour (82) ....173 E 1
Lacour-d'Arcenay (21)........92 A 4
Lacourt (09) ....206 B 3
Lacourt-St-Pierre (82)........173 E 2
Lacq (64) ....186 A 4
Lacquy (40) ....171 E 4
Lacrabe (40) ....186 A 2
Lacres (62) ....2 B 5
Lacroisille (81) ....190 A 3
Lacroix-Barrez (12)..........160 B 2
Lacroix-Falgarde (31) ....189 F 3
Lacroix-St-Ouen (60)........31 H 1
Lacroix-sur-Meuse (55) ....36 A 4
Lacropte (24) ....143 F 5
Lacrost (71) ....122 C 1
Lacrouzette (81) ....190 D 2
Les Lacs (35) ....65 H 2
Lacs (36) ....118 A 1
Ladapeyre (23) ....118 A 4
Ladaux (33) ....155 H 2
Ladern-sur-Lauquet (11) ......208 B 2
Ladevèze-Rivière (32) ....187 E 3
Ladevèze-Ville (32) ....187 E 3
Ladignac-le-Long (87) ....129 H 5
Ladignac-sur-Rondelles (19) ..145 E 3
Ladinhac (15) ....160 A 2
Ladirat (46) ....159 F 2
Ladiville (16) ....128 A 5
Ladoix-Serrigny (21) ....109 E 1
Ladon (45) ....71 G 3
Ladoye-sur-Seille (39)........110 B 4
Laduz (89) ....72 D 4
Lafage (11) ....207 G 1
Lafage-sur-Sombre (19) ....145 F 2
Lafare (84) ....179 G 2
Lafarge (87) ....129 H 4
Lafarre (07) ....149 F 4
Lafarre (43) ....162 C 1
Lafat (23) ....117 F 3
Lafauche (52) ....56 A 5
Laféline (03) ....119 H 3
Laferté-sur-Amance (52)......76 B 4
Laferté-sur-Aube (52)........75 E 2
Lafeuillade-en-Vézie (15) ....160 A 2
Laffaux (02) ....32 D 1
Laffite-Toupière (31) ....205 H 1
Laffrey (38) ....151 H 4
Lafitole (65) ....187 E 4
Lafitte (82) ....173 F 4
Lafitte-sur-Lot (47) ....172 A 1

Lafitte-Vigordane (31) ....188 D 5
Lafosse (33)..................141 F 4
Lafox (47)....................172 C 2
Lafrançaise (82)..............173 F 3
Lafraye (60)..................15 F 5
Lafresnoye (80)...............14 C 2
Lafrimbolle (57)..............58 B 2
Lagamas (34)..................192 D 2
Lagarde (09)..................207 G 2
Lagarde (31)..................189 H 5
Lagarde (32)..................172 B 4
Lagarde (57)..................57 H 2
Lagarde (65)..................187 E 5
Lagarde-d'Apt (84)............180 B 4
Lagarde-Enval (19)............145 E 3
Lagarde-Hachan (32)...........187 H 4
Lagarde-Paréol (84)...........179 F 2
Lagarde-sur-le-Né (16)........127 H 5
Lagardelle (46)...............158 A 4
Lagardelle-sur-Lèze (31)......189 F 4
Lagardère (32)................171 H 5
Lagardiolle (81)..............190 B 3
Lagarrigue (47)...............172 A 1
Lagarrigue (81)...............190 D 3
Lageon (79)...................101 F 4
Lagery (51)...................33 F 3
Lagesse (10)..................74 A 3
Laghet (06)...................183 G 5
Lagleygeolle (19).............144 D 4
Laglorieuse (40)..............170 D 5
Lagnes (84)...................179 G 4
Lagney (54)...................56 C 1
Lagnicourt-Marcel (62)........8 B 4
Lagnieu (01)..................137 E 2
Lagny (16)....................16 B 4
Lagny-le-Sec (60).............31 H 4
Lagny-sur-Marne (77)..........51 H 1
Lagor (64)....................186 A 4
Lagorce (07)..................163 E 5
Lagorce (33)..................141 H 4
Lagord (17)...................113 E 4
Lagos (64)....................204 A 1
Lagrâce-Dieu (31).............189 F 5
Lagrand (05)..................165 H 5
Lagrange (40).................171 F 4
Lagrange (65).................205 E 1
Lagrange (90).................78 B 5
Lagrasse (11).................208 D 2
Lagraulas (32)................187 F 1
Lagraulet-du-Gers (32)........171 H 5
Lagraulet-St-Nicolas (31).....188 D 1
Lagraulière (19)..............144 D 2
Lagrave (81)..................174 C 5
Lagruère (47).................156 C 5
Laguenne (19).................145 E 3
Laguépie (82).................174 C 3
Laguian-Mazous (32)...........187 G 4
Laguinge-Restoue (64).........203 E 1
Laguiole (12).................160 C 3
Lagupie (47)..................156 B 4
Lahage (31)...................188 D 4
Laharie (40)..................169 E 3
Laharmand (52)................75 F 2
Lahas (32)....................188 C 3
Lahaymeix (55)................35 H 5
Lahayville (55)...............36 B 5
Laheycourt (55)...............35 F 5
Lahitère (31).................206 B 1
Lahitte (32)..................188 A 2
Lahitte (65)..................204 D 2
Lahitte-Toupière (65).........187 E 3
Lahonce (64)..................184 D 3
Lahontan (64).................185 G 3
Lahosse (40)..................185 H 1
Lahourcade (64)...............186 A 4
Lahoussoye (80)...............15 G 1
Laifour (08)..................10 D 5
La Laigne (17)................113 H 4
Laigné (53)...................66 C 4
Laigné-en-Belin (72)..........68 A 4
Laignelet (35)................46 A 5
Laignes (21)..................74 B 5
Laigneville (60)..............31 G 2
Laigny (02)...................17 G 2
Laillé (35)...................65 F 3
Laillé (72)...................68 B 5
Lailly (89)...................73 E 1
Lailly-en-Val (45)............70 B 5
Laimont (55)..................55 F 1
Lain (89).....................90 D 2
Laines-aux-Bois (10)..........73 H 1
Lains (39)....................123 F 2
Lainsecq (89).................90 D 2
Lainville-en-Vexin (78).......30 C 4
Laire (25)....................95 H 2
Laires (62)...................7 F 1
Lairière (11).................208 C 3
Lairoux (85)..................99 H 5
Laissac-Sévérac-l'Église (12). 160 C 5
Laissaud (73).................138 A 5
Laissey (25)..................95 F 4
Laître-sous-Amance (54).......57 E 1
Laives (71)...................109 E 5
Laix (54).....................20 B 3
Laiz (01).....................122 C 4
Laize-la-Ville (14)...........27 F 4
Laizy (71)....................108 A 3
Lajo (48).....................161 G 1
Lajoux (39)...................124 A 2
Lalacelle (61)................47 G 4
Lalande (89)..................90 D 1

Lalande-de-Pomerol (33)..141 H 5
Lalande-en-Son (60).........30 C 1
Lalandelle (60).............30 C 1
Lalandusse (47)............156 D 3
Lalanne (32)...............188 A 1
Lalanne (65)...............188 A 5
Lalanne-Arqué (32).........188 A 5
Lalanne-Trie (65)..........187 G 5
Lalaye (67)................58 C 5
Lalbenque (46).............173 H 1
Laleu (61).................48 B 3
Laleu (80).................14 D 1
Lalevade-d'A. (07).........163 E 3
Lalheue (71)...............109 E 5
Lalinde (24)...............157 F 1
Lalizolle (03).............119 G 5
Lallaing (59)..............8 D 2
Lalleu (35)................65 G 4
Lalley (38)................165 G 2
Lalobbe (08)...............18 B 3
Lalœuf (54)................56 D 4
Lalongue (64)..............186 D 3
Lalonquette (64)...........186 C 3
Laloubère (65).............204 C 1
Lalouret-Laffiteau (31)....205 G 1
Lalouvesc (07).............149 F 4
Laluque (40)...............169 E 5
Lama (2B)..................215 E 5
Lamadeleine-
  Val-des-Anges (90)......78 A 5
Lamagdelaine (46)..........158 C 5
Lamagistère (82)...........172 D 3
Lamaguère (32).............188 A 3
Lamaids (03)...............118 C 3
Lamairé (79)...............101 G 4
Lamalou-les-Bains (34).....192 A 2
Lamancine (52).............75 G 1
Lamanère (66)..............212 C 5
Lamanon (13)...............195 F 1
Lamarche (88)..............76 B 2
Lamarche-sur-Saône (21)....93 H 5
Lamargelle (21)............93 E 2
Lamargelle-aux-Bois (52)...93 F 1
Lamaronde (80).............14 D 2
Lamarque (33)..............141 E 4
Lamarque-Pontacq (65)......204 B 1
Lamarque-Rustaing (65).....187 G 5
Lamasquère (31)............189 E 3
Lamastre (07)..............149 F 5
Lamath (54)................57 F 3
Lamativie (46).............145 F 5
Lamayou (64)...............187 E 4
Lamazère (32)..............187 H 3
Lamazière-Basse (19).......145 G 2
Lamazière-Haute (19).......131 H 4
Lambach (57)...............38 C 3
Lambader (29)..............41 H 3
Lamballe (22)..............44 A 3
Lambel (63)................63 F 5
Lambersart (59)............4 C 3
Lambert (04)...............181 G 1
Lamberville (50)...........25 G 3
Lamberville (76)...........13 G 3
Lambesc (13)...............195 G 2
Lamblore (28)..............49 E 3
Lambres (59)...............8 C 3
Lambres (62)...............3 F 5
Lambrey (70)...............76 C 5
Lambruisse (04)............181 H 3
Lamécourt (60).............31 G 1
Lamelouze (30).............177 H 2
Lamenay-sur-Loire (58).....107 E 4
Lamérac (16)...............141 H 1
Lametz (08)................18 D 5
Lamillarié (81)............174 D 5
Lammerville (76)...........13 G 2
Lamnay (72)................68 D 2
Lamongerie (19)............130 C 5
Lamontélarié (81)..........191 F 2
Lamontgie (63).............147 F 1
Lamontjoie (47)............172 B 3
Lamonzie-Montastruc (24)...157 E 1
Lamonzie-St-Martin (24)....156 D 1
Lamorlaye (60).............31 F 3
Lamorville (55)............36 A 5
Lamothe (40)...............169 H 5
Lamothe (43)...............147 G 2
Lamothe-Capdeville (82)....173 G 3
Lamothe-Cassel (46)........158 C 3
Lamothe-Cumont (82)........172 D 5
Lamothe-en-Blaisy (52).....75 E 1
Lamothe-Fénelon (46).......158 B 1
Lamothe-Goas (32)..........172 B 5
Lamothe-Landerron (33).....156 A 4
Lamothe-Montravel (24).....156 A 1
Lamotte-Beuvron (41).......88 D 2
Lamotte-Brebière (80)......15 G 2
Lamotte-Buleux (80)........6 D 4
Lamotte-du-Rhône (84)......179 E 1
Lamotte-Warfusée (80)......15 H 2
Lamouilly (55).............19 G 4
Lamoura (39)...............124 A 2
Lampaul-Guimiliau (29).....41 H 3
Lampaul-Plouarzel (29).....40 B 3
Lampaul-Ploudalmézeau (29)..40 D 2
Lampertheim (67)...........59 F 2
Lampertsloch (67)..........39 F 4
Lamure-sur-Azergues (69)...121 H 5
Lanans (25)................95 G 4
Lanarce (07)...............162 C 2

Lanarvily (29)...............41 F 3
Lanas (07)...................163 E 4
Lancé (41)...................87 F 1
Lancerf (22).................43 F 2
Lancey (38)..................151 H 2
Lanchères (80)...............6 B 4
Lanches-St-Hilaire (80)......7 F 5
Lanchy (02)..................16 C 2
Lancié (69)..................122 B 4
Lancieux (22)................44 C 2
Lancôme (41).................87 G 1
Lançon (08)..................35 E 2
Lançon (65)..................205 E 4
Lançon-Provence (13).........195 F 2
Lancrans (01)................124 A 5
Landas (59)..................8 D 5
Landaul (56).................81 E 1
Landaville (88)..............56 B 5
Landavran (35)...............65 H 2
La Lande-Chasles (49)........85 G 3
La Lande-d'Airou (50)........45 H 1
La Lande-de-Fronsac (33).....141 G 5
La Lande-de-Goult (61).......47 H 3
La Lande-de-Lougé (61).......47 G 2
La Lande-Patry (61)..........47 E 1
La Lande-St-Léger (27).......28 B 2
La Lande-St-Siméon (61)......47 F 1
La Lande-sur-Drôme (14)......25 H 4
La Lande-sur-Eure (61).......49 E 3
Landéan (35).................46 A 4
Landebaëron (22).............43 E 3
Landébia (22)................44 B 3
Le Landec (22)...............44 C 4
Landécourt (54)..............57 F 3
Landéda (29).................41 E 2
Landéhen (22)................44 A 4
Landeleau (29)...............62 B 1
Landelles (28)...............49 G 4
Landelles-et-Coupigny (14)...25 G 5
Landemont (49)...............83 H 4
Landepéreuse (27)............28 D 4
Landerneau (29)..............41 G 3
Landeronde (85)..............99 F 5
Landerrouat (33).............156 B 2
Landerrouet-sur-Ségur (33)...156 A 3
Landersheim (67).............58 D 1
Landes (17)..................127 F 1
Les Landes-Genusson (85).....100 A 2
Landes-le-Gaulois (41).......87 G 1
Landes-sur-Ajon (14).........26 A 4
Landes-Vieilles-et-Neuves (76). 14 B 3
Landévant (56)...............81 E 1
Landevieille (85)............98 D 5
Landeyrat (15)...............146 C 3
Landifay-et-Bertaignemont (02) 17 F 2
Landigou (61)................47 E 1
Le Landin (27)...............29 E 1
Landiras (33)................155 F 4
Landisacq (61)...............46 D 1
Landivisiau (29).............41 H 3
Landivy (53).................46 B 4
Landogne (63)................132 C 2
Landorthe (31)...............205 H 1
Landos (43)..................162 A 1
Landouge (87)................130 A 2
Landouzy-la-Cour (02)........17 H 2
Landouzy-la-Ville (02).......10 A 5
Landrais (17)................113 G 5
Le Landreau (44).............83 H 5
Landrecies (59)..............9 G 4
Landrecourt-Lempire (55).....35 H 3
Landremont (54)..............36 D 5
Landres (54).................20 C 4
Landres-et-St-Georges (08)...35 E 1
Landresse (25)...............95 G 4
Landrethun-le-Nord (62)......2 B 3
Landrethun-lès-Ardres (62)...2 C 3
Landrévarzec (29)............61 H 2
Landreville (10).............74 C 3
Landrichamps (08)............11 E 3
Landricourt (02).............16 D 5
Landricourt (51).............55 E 3
Landroff (57)................37 G 4
Landry (73)..................139 F 4
Landser (68).................78 D 5
Landudal (29)................61 H 2
Landudec (29)................61 F 2
Landujan (35)................44 D 5
Landunvez (29)...............40 D 3
Lanespède (65)...............204 D 1
Lanester (56)................80 D 1
Laneuvelle (52)..............76 B 4
Laneuvelotte (54)............57 E 1
Laneuville-au-Bois (52)......57 G 2
Laneuville-derrière-Foug (54) 56 B 2
Laneuville-
  devant-Bayon (54).........57 E 4
Laneuville-devant-Nancy (54) 57 E 2
Laneuville-en-Saulnois (57)..37 F 5
Laneuville-lès-Lorquin (57)..58 A 2
Laneuville-à-Bayard (52).....55 F 3
Laneuville-à-Rémy (52).......55 F 4
Laneuville-au-Bois (52)......55 H 4
Laneuville-au-Pont (52)......55 E 3
Laneuville-au-Rupt (55)......56 A 2
Laneuville-sur-Meuse (55)....19 G 5
Laneuvilleroy (60)...........15 H 5
Lanfains (22)................63 G 1

Lanfroicourt (54)...........57 E 1
Langan (35).................65 E 1
Langast (22)................63 H 1
Langatte (57)...............58 A 1
Langé (36)..................104 A 2
Langeac (43)................147 G 4
Langeais (37)...............86 B 4
Langennerie (37)............86 D 3
Langensoultzbach (67).......39 F 4
Langeron (58)...............106 B 4
Langesse (45)...............71 H 5
Langey (28).................69 G 3
Langlade (30)...............178 B 5
Langley (88)................57 F 5
Langoat (22)................43 E 2
Langoëlan (56)..............63 E 3
Langogne (48)...............162 B 2
Langoiran (33)..............155 G 2
Langolen (29)...............61 H 2
Langon ⟨⟩ (33)..............155 G 4
Langon (35).................65 E 5
Langon (41).................88 C 5
Le Langon (85)..............113 F 2
Langonnet (56)..............62 C 3
Langouet (35)...............65 E 1
Langourla (22)..............44 A 5
Langres ⟨⟩ (52).............75 H 4
Langrolay-sur-Rance (22)....44 D 3
Langrune-sur-Mer (14).......27 F 1
Languédias (22).............44 C 4
Languenan (22)..............44 C 3
Langueux (22)...............43 H 5
Languevoisin-Quiquery (80)..16 B 3
Languidic (56)..............63 E 5
Languimberg (57)............58 A 1
Langy (03)..................120 B 4
Lanhélin (35)...............45 E 4
Lanhères (55)...............20 B 5
Lanhouarneau (29)...........41 G 2
Lanildut (29)...............40 D 3
Laning (57).................37 H 3
Laniscat (22)...............63 E 2
Laniscourt (02).............17 E 5
Lanleff (22)................43 F 3
Lanloup (22)................43 G 2
Lanmérin (22)...............42 D 2
Lanmeur (29)................42 B 3
Lanmodez (22)...............43 F 1
Lanne (65)..................204 C 1
Lanne-en-Barétous (64)......203 E 1
Lanne-Soubiran (32).........186 D 1
Lannéanou (29)..............42 B 4
Lannebert (22)..............43 F 3
Lannecaube (64).............186 C 3
Lannédern (29)..............62 A 1
Lannemaignan (32)...........171 E 4
Lannemezan (65).............205 E 1
Lannepax (32)...............171 H 5
Lanneplaà (64)..............185 H 3
Lanneray (28)...............69 G 3
Lannes (47).................171 H 3
Lannes (52).................75 H 4
Lanneuffret (29)............41 G 3
Lannilis (29)...............41 E 2
Lannion ⟨⟩ (22).............42 D 2
Lannoy (59).................4 D 3
Lannoy-Cuillère (60)........14 C 3
Lannux (32).................186 C 2
Lano (2B)...................217 F 1
Lanobre (15)................146 A 1
Lanot (33)..................154 C 4
Lanouaille (24).............143 H 1
Lanouée (56)................63 H 4
Lanoux (09).................206 D 2
Lanquais (24)...............157 E 1
Lanques-sur-Rognon (52).....75 H 2
Lanquetot (76)..............12 D 4
Lanrelas (22)...............44 B 5
Lanriec (29)................61 H 4
Lanrigan (35)...............45 F 4
Lanrivain (22)..............63 E 1
Lanrivoaré (29).............40 D 3
Lanrodec (22)...............43 F 4
Lans (71)...................109 F 4
Lans-en-Vercors (38)........151 F 3
Lansac (13).................194 C 1
Lansac (33).................141 F 4
Lansac (65).................204 D 1
Lansac (66).................208 C 5
Lansargues (34).............193 G 2
Lanslebourg-
  Mont-Cenis (73)..........153 G 2
Lanslevillard (73)..........153 G 2
Lanta (31)..................189 H 3
Lantages (10)...............74 A 3
Lantan (18).................105 H 3
Lantéfontaine (54)..........20 C 4
Lantenay (01)...............123 G 5
Lantenay (21)...............93 E 3
Lantenne-Vertière (25)......94 C 4
Lantenot (70)...............77 G 5
La Lanterne-et-les-Armonts (70) 77 G 5
Lanteuil (19)...............144 D 4
Lanthenans (25).............95 H 3
Lanthes (21)................109 G 2
Lantheuil (14)..............27 E 2
Lantic (22).................43 G 3
Lantignié (69)..............122 A 5
Lantillac (56)..............63 H 4
Lantilly (21)...............92 B 2
Lanton (33).................154 B 2
Lantosque (06)..............183 F 3

Lantriac (43)...............148 C 5
Lanty (58)..................107 G 4
Lanty-sur-Aube (52).........74 D 3
Lanuéjols (30)..............176 D 3
Lanuéjols (48)..............161 H 4
Lanuéjouls (12).............159 G 5
Lanvallay (22)..............44 D 4
Lanvaudan (56)..............62 D 5
Lanvellec (22)..............42 C 3
Lanvénégen (56).............62 C 4
Lanvéoc (29)................41 E 5
Lanvézéac Caouënnec (22)....42 D 2
Lanvollon (22)..............43 F 3
Lanzac (46).................158 C 1
Laon P (02).................17 F 4
Laons (28)..................49 G 2
Lapalisse (03)..............120 C 4
Lapalud (84)................179 E 1
Lapan (18)..................105 F 3
Lapanouse (12)..............176 B 1
Lapanouse-de-Cernon (12)....176 B 4
Laparade (47)...............156 D 5
Laparrouquial (81)..........174 C 3
Lapège (09).................207 E 4
Lapenche (82)...............174 A 2
Lapenne (09)................207 F 1
Lapenty (50)................46 D 4
Laperche (47)...............156 D 4
Laperrière-sur-Saône (21)...109 H 1
Lapeyrade (40)..............171 F 3
Lapeyre (65)................187 G 5
Lapeyrère (31)..............206 C 1
Lapeyrouse (01).............136 B 1
Lapeyrouse (63).............119 F 4
Lapeyrouse-Fossat (31)......189 G 2
Lapeyrouse-Mornay (26)......150 C 2
Lapeyrugue (15).............160 A 2
Lapleau (19)................145 G 2
Laplume (47)................172 B 3
Lapoutroie (68).............78 C 1
Lapouyade (33)..............141 G 4
Lappion (02)................17 H 4
Laprade (11)................190 D 4
Laprade (16)................142 B 2
Lapradelle (11).............208 B 4
Laprugne (03)...............134 B 1
Laps (63)...................133 G 4
Lapte (43)..................148 D 3
Lapugnoy (62)...............7 H 1
Laquenexy (57)..............37 E 3
Laqueuille (63).............132 C 4
Laragne-Montéglin (05)......180 D 1
Larajasse (69)..............135 F 4
Laramière (46)..............174 C 1
Laran (65)..................187 H 5
Larbey (40).................185 H 1
Larbont (09)................206 D 3
Larbroye (60)...............16 B 4
Larcan (31).................205 G 1
Larcat (09).................207 E 5
Larçay (37).................86 D 4
Larcenac (43)...............148 B 4
Larceveau-Arros-Cibits (64).185 F 5
Larchamp (53)...............46 B 5
Larchamp (61)...............46 D 2
Larchant (77)...............71 G 1
Larche (04).................167 G 4
Larche (19).................144 B 4
Le Larderet (39)............110 D 3
Lardier-et-Valença (05).....166 A 4
Lardiers (04)...............180 C 3
Le Lardin-St-Lazare (24)....144 A 4
Lardy (91)..................51 E 4
Larée (32)..................171 F 4
Laréole (31)................188 D 1
Largeasse (79)..............100 D 3
Largentière ⟨⟩ (07).........163 E 4
Largillay-Marsonnay (39)....123 G 1
Largitzen (68)..............97 E 1
Largny-sur-Automne (02).....32 B 2
Larians-et-Munans (70)......95 F 3
Larivière (90)..............78 B 5
Larivière-sur-Apance (52)...76 B 3
Larmor-Baden (56)...........81 F 2
Larmor-Plage (56)...........80 C 1
Larnac (près de Alès) (30)..178 A 3
Larnac (près de Uzès) (30)..178 C 3
Larnage (26)................149 H 4
Larnagol (46)...............158 D 5
Larnas (07).................163 G 5
Larnat (09).................207 E 4
Larnaud (39)................110 A 4
Larnod (25).................94 D 5
Laroche-près-Feyt (19)......132 B 4
Laroche-St-Cydroine (89)....73 E 4
Larochemillay (58)..........107 H 3
Larodde (63)................132 B 5
Laroin (64).................186 B 5
Laronxe (54)................57 G 2
Laroque (33)................155 G 3
Laroque (34)................177 H 4
Laroque-de-Fa (11)..........208 C 3
Laroque-des-Albères (66)....213 F 4
Laroque-des-Arcs (46).......158 B 5
Laroque-d'Olmes (09)........207 G 3
Laroque-Timbaut (47)........172 C 1
Laroquebrou (15)............145 G 5
Laroquevieille (15).........146 A 5
Larouillies (59)............9 H 5
Larra (31)..................189 E 1

A B C D E F G H I J K L M N O P Q R S T U V W X Y Z

Larrau (64) 202 D 2
Larrazet (82) 173 E 4
Larré (56) 64 A 5
Larré (61) 48 A 4
Larressingle (32) 171 H 4
Larressore (64) 184 C 4
Larret (29) 40 D 3
Larret (70) 94 B 1
Larreule (64) 186 B 3
Larreule (65) 187 E 4
Larrey (21) 74 B 4
Larribar-Sorhapuru (64) 185 F 5
Larringes (74) 125 E 2
Larrivière-Saint-Savin (40) 186 B 1
Larrivoire (39) 123 H 3
Larroque (31) 205 F 1
Larroque (65) 187 H 5
Larroque (81) 174 A 4
Larroque-Engalin (32) 172 B 4
Larroque-St-Sernin (32) 172 A 5
Larroque-sur-l'Osse (32) 171 H 4
Larroque-Toirac (46) 159 E 4
Lartigue (32) 188 B 3
Lartigue (33) 171 F 1
Laruns (64) 203 H 2
Laruscade (33) 141 G 4
Larzac (24) 157 H 2
Larzicourt (51) 54 D 3
Lasalle (30) 177 G 3
Lasbordes (11) 190 B 5
Lasbordes (31) 189 G 2
Lascabanes (46) 173 G 1
Lascaux (19) 144 B 2
Lascazères (65) 187 E 3
Lascelle (15) 146 A 5
Lasclaveries (64) 186 C 4
Lascours (13) 196 A 4
Lasfaillades (81) 191 E 3
Lasgraisses (81) 174 D 5
Laslades (65) 187 F 5
Lassales (65) 205 F 1
Lassay-les-Châteaux (53) 47 E 4
Lassay-sur-Croisne (41) 88 B 4
Lasse (49) 85 H 2
Lasse (64) 202 B 1
Lasserade (32) 187 E 2
Lasséran (32) 187 H 2
Lasserre (09) 206 B 2
Lasserre (31) 188 D 2
Lasserre (47) 172 A 3
Lasserre (64) 186 D 3
Lasserre-de-Prouille (11) 207 H 1
Lasseube (64) 186 B 5
Lasseube-Propre (32) 188 A 2
Lasseubetat (64) 203 G 1
Lassicourt (10) 54 C 4
Lassigny (60) 16 A 4
Lasson (14) 27 E 2
Lasson (89) 73 G 3
Lassouts (12) 160 C 5
Lassur (09) 207 F 5
Lassy (14) 26 D 5
Lassy (35) 65 E 3
Lassy (95) 31 G 4
Lastelle (50) 24 D 2
Lastic (15) 147 F 4
Lastic (63) 132 B 4
Lastours (11) 190 D 5
Lataule (60) 15 H 5
Le Latet (39) 110 D 3
La Latette (39) 111 E 4
Lathuile (74) 138 B 2
Lathus-St-Rémy (86) 116 B 3
Latillé (86) 101 H 5
Latilly (02) 32 D 3
Latoue (31) 205 H 1
Latouille-Lentillac (46) 159 F 1
Latour (31) 206 C 1
Latour-Bas-Elne (66) 213 F 3
Latour-de-Carol (66) 211 G 4
Latour-de-France (66) 208 D 5
Latour-en-Woëvre (55) 36 B 3
Latrape (31) 189 E 5
Latrecey (52) 75 E 3
Latresne (33) 155 F 2
Latrille (40) 186 C 2
Latronche (19) 145 G 2
Latronquière (46) 159 F 2
Lattainville (60) 30 C 2
Les Lattes (06) 182 B 5
Lattes (34) 193 F 3
Lattre-St-Quentin (62) 7 H 3
Lau-Balagnas (65) 204 B 2
Laubach (67) 39 F 5
Lauberlach (29) 41 F 4
Laubert (48) 161 H 4
Les Laubies (48) 161 G 3
Laubressel (10) 74 A 1
Laubrières (53) 66 A 3
Laucourt (80) 16 A 4
Laudrefang (57) 37 G 3
Laudun-l'Ardoise (30) 178 D 3
Laugnac (47) 172 B 1
Laujuzan (32) 171 F 5
Laulne (50) 24 D 2
Laumesfeld (57) 21 F 3
Launac (31) 189 E 1
Launac-St-André (34) 193 E 3
Launaguet (31) 189 F 2
Launay (27) 29 E 4
Launay-Villiers (53) 66 B 2
Launois-sur-Vence (08) 18 C 4
Launoy (02) 32 D 2
Launstroff (57) 21 G 3
La Laupie (26) 163 H 3
Laurabuc (11) 190 B 5
Laurac (11) 207 G 1
Laurac-en-Vivarais (07) 163 E 4
Lauraët (32) 171 H 4
Lauraguel (11) 208 A 2
Laurade (13) 179 E 5
Laure (13) 195 G 4
Laure-Minervois (11) 191 E 5
Laurède (40) 185 H 1
Laurenan (22) 64 A 1
Laurens (34) 192 B 3
Lauresses (46) 159 G 2
Lauret (34) 177 H 5
Lauret (40) 186 C 2
Laurie (15) 147 E 3
Laurière (87) 117 E 5
Lauris (84) 195 G 1
Lauroux (34) 192 B 1
Laussac (12) 160 C 1
Laussonne (43) 148 C 5
Laussou (47) 157 F 4
Lautenbach (68) 78 C 3
Lautenbachzell (68) 78 C 3
Lauterbourg (67) 39 H 3
Lauthiers (86) 116 A 1
Lautignac (31) 188 D 4
Lautrec (81) 190 C 1
Lauw (68) 78 B 5
Lauwin-Planque (59) 8 C 2
Laux-Montaux (26) 180 B 1
Lauzach (56) 81 H 2
Lauzerte (82) 173 F 2
Lauzerville (31) 189 G 3
Lauzès (46) 158 C 4
Le Lauzet-Ubaye (04) 166 D 4
Lauzières (17) 113 E 4
Lauzun (47) 156 D 3
Lava (Col de) (2A) 216 B 3
Lava (Golfe de) (2A) 216 B 5
Lavacquerie (60) 15 E 3
Lavagnac (33) 155 H 1
Laval (38) 152 A 2
Laval (53) 66 C 2
Laval-Atger (48) 162 A 2
Laval-d'Aix (26) 165 F 2
Laval-d'Aurelle (07) 162 B 4
Laval-de-Cère (46) 145 E 5
Laval-du-Tarn (48) 176 D 1
Laval-en-Brie (77) 52 B 5
Laval-en-Laonnois (02) 17 F 5
Laval-le-Prieuré (25) 95 H 5
Laval-Morency (08) 10 C 5
Laval-Pradel (30) 178 A 2
Laval-Roquecezière (12) 191 F 1
Laval-St-Roman (30) 178 C 1
Laval-sur-Doulon (43) 147 H 2
Laval-sur-Luzège (19) 145 G 3
Laval-sur-Tourbe (51) 34 D 3
Laval-sur-Vologne (88) 77 H 1
Lavalade (24) 157 G 3
Lavaldens (38) 151 H 5
Lavalette (11) 208 A 1
Lavalette (31) 189 G 2
Lavalette (34) 192 B 2
Lavallée (55) 55 H 1
Le Lavancher (74) 139 F 1
Lavancia-Epercy (39) 123 H 3
Le Lavandou (83) 201 G 3
Lavangeot (39) 110 B 1
Lavannes (51) 34 A 2
Lavans-lès-Dole (39) 94 B 5
Lavans-lès-Saint-Claude (39) 123 H 2
Lavans-Quingey (25) 110 C 1
Lavans-sur-Valouse (39) 123 G 3
Lavans-Vuillafans (25) 111 F 1
Lavaqueresse (02) 17 F 1
Lavardac (47) 171 H 2
Lavardens (32) 187 H 1
Lavardin (41) 87 E 1
Lavardin (72) 67 H 3
Lavaré (72) 68 D 3
Lavars (38) 165 G 1
Lavasina (2B) 215 F 3
Lavastrie (15) 160 D 1
Lavatoggio (2B) 214 C 5
Lavau (10) 53 H 5
Lavau (89) 90 B 2
Lavau-sur-Loire (44) 82 D 4
Lavaudieu (43) 147 G 3
Lavaufranche (23) 118 B 3
Lavault-de-Frétoy (58) 107 H 1
Lavault-Ste-Anne (03) 118 D 3
Les Lavaults (89) 91 H 4
Lavaur (24) 157 H 3
Lavaur (81) 190 A 1
Lavaurette (82) 174 A 2
Lavausseau (86) 115 E 1
Lavaveix-les-Mines (23) 118 A 5
Lavazan (33) 155 H 5
Laveissenet (15) 146 C 4
Laveissière (15) 146 C 4
Lavelanet (09) 207 G 3
Lavelanet-
de-Comminges (31) 188 D 5
Laveline-
devant-Bruyères (88) 77 H 1
Laveline-du-Houx (88) 77 H 1
Lavenay (72) 68 D 5
Laventie (62) 3 H 5
Laventure (76) 14 B 3
Lavera (13) 195 F 4
Laveraët (32) 187 F 3
Lavercantière (46) 158 A 3
Laverdines (18) 106 A 2
Lavergne (46) 158 D 2
Lavergne (47) 156 D 3
Lavernat (72) 86 B 1
Lavernay (25) 94 C 5
Lavernhe (12) 176 B 1
Lavernose-Lacasse (31) 189 E 4
Lavernoy (52) 76 A 4
Laverrière (60) 14 D 3
Laversine (02) 32 C 1
Laversines (60) 31 E 1
Lavérune (34) 193 F 2
Laveyron (26) 149 H 3
Laveyrune (07) 162 B 3
Laveyssière (24) 142 D 5
Lavieu (42) 134 C 5
Laviéville (80) 15 H 1
Lavigerie (15) 146 C 4
Lavignac (87) 129 H 4
Lavignéville (55) 36 A 5
Lavigney (70) 76 C 5
Lavignolle (33) 154 D 3
Lavigny (39) 110 B 4
Lavillatte (07) 162 B 2
Laville-aux-Bois (52) 75 G 2
Lavilledieu (07) 163 F 4
Lavilleneuve (52) 76 A 3
Lavilleneuve-au-Roi (52) 75 E 2
Lavilleneuve-aux-Fresnes (52) 75 E 1
Lavilletertre (60) 30 C 3
Lavincourt (55) 55 G 2
Laviolle (07) 163 E 2
Laviron (25) 95 H 4
Lavit (82) 172 D 4
Lavoine (03) 134 A 1
Lavoncourt (70) 94 C 1
Lavours (01) 137 G 2
Lavoûte-Chilhac (43) 147 G 4
Lavoûte-sur-Loire (43) 148 B 4
Lavoux (86) 115 H 1
Lavoye (55) 35 F 4
Lawarde-
Mauger-l'Hortoy (80) 15 F 3
Laxou (54) 56 D 2
Lay (42) 135 E 1
Lay-Lamidou (64) 185 H 5
Lay-St-Christophe (54) 57 E 1
Lay-St-Remy (54) 56 B 2
Laye (05) 166 B 3
Laymont (32) 188 C 4
Layrac (47) 172 C 3
Layrac-sur-Tarn (31) 173 H 5
Layrisse (65) 204 C 1
Lays-sur-le-Doubs (71) 109 H 3
Laz (29) 62 A 2
Lazenay (18) 104 D 2
Lazer (05) 166 A 5
Léalvillers (80) 7 H 5
Léaupartie (14) 27 E 3
Léaz (01) 124 A 5
Lebetain (90) 96 D 2
Lebeuville (54) 57 E 4
Lebiez (62) 7 E 1
Leboulin (32) 188 A 2
Lebreil (46) 173 F 1
Lebucquière (62) 8 B 5
Lécaude (14) 28 A 3
Lecci (2A) 219 G 2
Lecelles (59) 5 E 5
Lecey (52) 76 A 4
Lechâtelet (21) 109 G 1
Léchelle (62) 8 C 5
Léchelle (77) 52 D 3
La Léchère (73) 138 D 5
Les Lèches (24) 142 D 5
Lechiagat (29) 61 F 4
Lécluse (59) 8 C 3
Lécourt (52) 76 A 3
Lécousse (35) 46 A 5
Lecques (30) 178 A 5
Les Lecques (83) 200 C 3
Lect (39) 123 G 2
Lectoure (32) 172 B 4
Lecumberry (64) 202 C 1
Lécussan (31) 205 F 1
Lédas-et-Penthiès (81) 175 F 3
Le Lédat (47) 157 E 5
Lédenon (30) 178 D 4
Lédergues (12) 175 F 3
Lederzeele (59) 3 E 3
Ledeuix (64) 186 A 5
Lédignan (30) 178 A 4
Ledinghem (62) 2 D 5
Ledringhem (59) 3 F 3
Lée (64) 186 C 5
Leers (59) 4 D 3
Lées-Athas (64) 203 F 3
Lefaux (62) 6 C 1
Leffard (14) 27 F 5
Leffincourt (08) 34 C 1
Leffond (70) 94 A 1
Leffonds (52) 75 G 3
Leffrinckoucke (59) 3 F 1
Leforest (62) 4 C 5
Lège (31) 205 F 4
Legé (44) 99 F 3
Lège-Cap-Ferret (33) 154 B 1
Légéville-et-Bonfays (88) 77 E 1
Léglantiers (60) 15 H 5
Légna (39) 123 G 2
Légny (69) 135 G 2
Léguevin (31) 189 E 2
Léguillac-de-Cercles (24) 143 E 1
Léguillac-de-l'Auche (24) 143 E 3
Lehaucourt (02) 16 D 1
Léhon (22) 44 D 4
Leigné-les-Bois (86) 102 D 4
Leigné-sur-Usseau (86) 102 B 3
Leignecq (42) 148 C 2
Leignes-sur-Fontaine (86) 116 A 2
Leigneux (42) 134 C 3
Leimbach (68) 78 C 4
Leintrey (54) 57 H 2
Lélex (01) 124 A 3
Lelin-Lapujolle (32) 186 D 1
Lelling (57) 37 H 3
Lemainville (54) 57 E 3
Lembach (67) 39 F 3
Lemberg (57) 38 D 4
Lembeye (64) 186 D 3
Lembras (24) 157 E 1
Lemé (02) 17 G 2
Lème (64) 186 B 3
Leménil-Mitry (54) 57 E 4
Lémeré (37) 102 B 1
Lemmecourt (88) 76 B 1
Lemmes (55) 35 G 4
Lemoncourt (57) 37 F 5
Lempaut (81) 190 B 3
Lempdes (63) 133 F 3
Lempdes-sur-Allagnon (43) 147 F 2
Lempire (02) 16 C 1
Lemps (07) 149 G 4
Lemps (26) 165 F 5
Lempty (63) 133 G 3
Lempzours (24) 143 F 2
Lemud (57) 37 F 4
Lemuy (39) 110 D 3
Lénault (14) 26 D 5
Lenax (03) 120 D 3
Lencloître (86) 102 B 4
Lencouacq (40) 170 D 3
Lendresse (64) 185 H 4
Lengelsheim (57) 38 D 3
Lengronne (50) 24 D 5
Lenharrée (51) 53 H 1
Léning (57) 37 H 4
Lénizeul (52) 76 A 3
Lennon (29) 62 A 2
Lenoncourt (54) 57 E 2
Lens (62) 4 B 5
Lens-Lestang (26) 150 C 2
Lent (01) 123 E 5
Lent (39) 110 D 4
Lentigny (42) 134 C 1
Lentillac-du-Causse (46) 158 D 4
Lentillac-St-Blaise (46) 159 G 4
Lentillères (07) 163 E 3
Lentilles (10) 54 C 4
Lentilly (69) 135 G 3
Lentiol (38) 150 C 2
Lento (2B) 215 F 5
Léobard (46) 158 A 2
Léogeats (33) 155 G 4
Léognan (33) 155 E 2
Léojac (82) 173 H 4
Léon (40) 168 C 4
Léoncel (26) 150 D 5
Léotoing (43) 147 F 2
Léouvé (06) 182 C 3
Léouville (45) 70 D 1
Léoville (17) 141 G 1
Lépanges-sur-Vologne (88) 77 H 1
Lépaud (23) 118 C 4
Lépin-le-Lac (73) 137 H 5
Lépinas (23) 117 H 5
Lépine (62) 6 C 2
Lépron-les-Vallées (08) 18 C 3
Lepuix (90) 78 A 5
Lepuix-Neuf (90) 97 E 2
La Lèque (30) 178 C 2
Léran (09) 207 G 3
Lercoul (09) 207 E 5
Léré (18) 90 A 3
Léren (64) 185 F 3
Lérigneux (42) 134 C 5
Lerm-et-Musset (33) 171 E 1
Lerné (37) 101 H 1
Lérouville (55) 56 A 1
Lerrain (88) 77 E 2
Léry (21) 93 E 2
Léry (27) 29 G 2
Lerzy (02) 17 G 1
Lesbœufs (80) 8 B 5
Lesbois (53) 46 C 4
Lescar (64) 186 B 4
Leschaux (74) 138 B 3
Leschelle (02) 17 G 1
Lescheraines (73) 138 A 3
Leschères (39) 123 H 2
Leschères-
sur-le-Blaiseron (52) 55 F 5
Lescherolles (77) 52 D 2
Lescheroux (01) 122 D 2
Lesches (77) 31 H 5
Lesches-en-Diois (26) 165 G 3
Lescoff (29) 60 D 2
Lesconil (29) 61 F 4
Lescouët-Gouarec (22) 63 E 2
Lescouët-Jugon (22) 44 B 4
Lescousse (09) 206 B 1
Lescout (81) 190 C 3
Lescun (64) 203 F 3
Lescuns (31) 188 C 5
Lescure (09) 206 C 3
Lescure-d'Albigeois (81) 174 D 4
Lescure-Jaoul (12) 174 D 2
Lescurry (65) 187 F 5
Lesdain (59) 8 D 5
Lesdins (02) 16 D 2
Lesges (02) 33 E 2
Lesgor (40) 169 F 5
Lésignac-Durand (16) 129 E 3
Lésigny (77) 51 H 2
Lésigny (86) 102 D 3
Le Leslay (22) 43 F 5
Lesme (71) 107 F 5
Lesménils (54) 36 D 5
Lesmont (10) 54 B 4
Lesneven (29) 41 F 2
Lesparre-Médoc (33) 140 C 2
Lesparrou (09) 207 G 3
Lespars (64) 202 B 1
Lespéron (07) 162 B 2
Lesperon (40) 169 E 4
Lespesses (62) 7 G 1
Lespielle (64) 186 D 3
Lespignan (34) 192 B 5
Lespinasse (31) 189 F 1
Lespinassière (11) 191 E 4
Lespinoy (62) 6 D 2
Lespitallet (43) 147 H 4
Lespiteau (31) 205 G 2
Lesponne (65) 204 C 2
Lespouey (65) 204 D 1
Lespourcy (64) 186 D 4
Lespugue (31) 205 G 1
Lesquerde (66) 208 C 4
Lesquielles-St-Germain (02) 17 F 1
Lesquin (59) 4 C 4
Lessac (16) 115 H 5
Lessard-en-Bresse (71) 109 G 4
Lessard-et-le-Chêne (14) 28 A 4
Lessard-le-National (71) 109 E 3
Lessay (50) 24 D 2
Lesse (57) 37 F 4
Lesseux (88) 58 B 5
Lesson (85) 114 A 2
Lessy (57) 20 D 5
Lestanville (76) 13 F 3
Lestards (19) 131 E 5
Lestelle-Bétharram (64) 204 A 1
Lestelle-de-St-Martory (31) 205 H 2
Lesterps (16) 129 F 1
Lestiac-sur-Garonne (33) 155 G 2
Lestiou (41) 88 A 1
Lestonan (29) 61 H 2
Lestrade-et-Thouels (12) 175 H 3
Lestre (50) 23 E 4
Lestrem (62) 3 H 5
Létanne (08) 19 F 4
Léthuin (28) 50 C 5
Letia (2A) 216 C 3
Létra (69) 135 F 1
Létrade (23) 132 B 2
Létricourt (54) 37 E 5
Letteguives (27) 29 H 1
Lettrée (51) 54 A 1
Lettret (05) 166 B 4
Le Letty (29) 61 G 4
Leubringhen (62) 2 B 3
Leuc (11) 208 B 1
Leucamp (15) 160 A 2
Leucate (11) 209 F 3
Leucate-Plage (11) 209 F 4
Leuchey (52) 75 G 5
Leudeville (91) 51 F 3
Leudon-en-Brie (77) 52 C 2
Leuglay (21) 75 E 5
Leugny (86) 102 D 3
Leugny (89) 90 D 1
Leuhan (29) 62 A 3
Leuilly-sous-Coucy (02) 16 D 5
Leulinghem (62) 3 E 4
Leulinghen-Bernes (62) 2 B 3
Leurville (52) 55 H 5
Leury (02) 32 D 1
Leutenheim (67) 39 G 5
Leuville-sur-Orge (91) 51 E 3
Leuvrigny (51) 33 F 4
Le Leuy (40) 169 H 5
Leuze (02) 10 A 5
La Levade (30) 177 H 2
Levainville (28) 50 B 4
Leval (59) 9 G 4
Leval (90) 78 B 5
Levallois-Perret (92) 31 F 5
Levaré (53) 46 C 4
Levécourt (52) 76 A 2
Levens (06) 183 F 4
Levergies (02) 16 D 1
Levernois (21) 109 E 2
Lèves (28) 50 A 4
Les Lèves-
et-Thoumeyragues (33) 156 B 2
Levesville-la-Chenard (28) 70 C 1
Levet (18) 105 F 3
Levie (2A) 219 E 2
Levier (25) 111 E 2
Lévignac (31) 189 E 2
Lévignac-de-Guyenne (47) 156 B 3
Lévignacq (40) 168 D 3
Lévignen (60) 32 A 3
Lévigny (10) 74 D 1
Levis (89) 90 D 1
Lévis-St-Nom (78) 50 D 2
Levoncourt (55) 55 H 1
Levoncourt (68) 97 F 2
Levroux (36) 104 A 2
Lewarde (59) 8 D 3
Lexos (82) 174 C 3
Lexy (54) 20 B 2
Ley (57) 57 G 1
Leychert (09) 207 F 3
Leyme (46) 159 E 2
Leymen (68) 97 G 2
Leyment (01) 136 D 1
Leynes (71) 122 B 4
Leynhac (15) 159 H 2
Leyr (54) 57 E 1
Leyrat (23) 118 C 3
Leyrieu (38) 136 D 3
Leyritz-Moncassin (47) 171 H 1
Leyssard (01) 123 F 4
Leyvaux (15) 147 E 2
Leyviller (57) 37 H 4
Lez (31) 205 G 3
Lez-Fontaine (59) 10 A 2
Lézan (30) 178 A 4
Lézardrieux (22) 43 F 2
Lézat (39) 124 A 1
Lézat-sur-Lèze (09) 189 F 5
Lezay (79) 114 D 4
Lezennes (59) 4 C 4
Lezéville (52) 55 H 4
Lezey (57) 57 G 1
Lézignan (65) 204 B 2
Lézignan-Corbières (11) 209 E 1
Lézignan-la-Cèbe (34) 192 C 3
Lézigné (49) 85 F 1
Lézigneux (42) 134 D 5
Lézinnes (89) 73 H 5
Lezoux (63) 133 G 3
Lhéraule (60) 14 D 5
Lherm (31) 189 E 4
Lherm (46) 158 A 4
Lhéry (51) 33 F 3
Lhez (65) 204 D 1
Lhommaizé (86) 115 H 2
Lhomme (72) 86 C 1
Lhôpital (01) 123 H 5
Lhor (57) 38 A 5
Lhospitalet (46) 173 H 1
Lhoumois (79) 101 G 5
Lhuis (01) 137 F 3
Lhuître (10) 54 A 3
Lhuys (02) 33 E 2
Liac (65) 187 E 4
Liancourt (60) 31 G 2
Liancourt-Fosse (80) 16 A 3
Liancourt-St-Pierre (60) 30 C 2
Liart (08) 18 B 3
Lias (32) 188 D 3
Lias-d'Armagnac (32) 171 F 5
Liausson (34) 192 C 2
Libaros (65) 187 G 5
Libercourt (62) 4 C 5
Libermont (60) 16 B 3
Libourne (33) 141 H 5
Librecy (08) 18 B 3
Licey-sur-Vingeanne (21) 93 H 3
Lichans-Sunhar (64) 203 E 1
Lichères (16) 128 C 2
Lichères-près-Aigremont (89) 91 G 1
Lichères-sur-Yonne (89) 91 E 3
Lichos (64) 185 G 5
Lichtenberg (67) 38 D 4
Licourt (80) 16 B 2
Licq-Athérey (64) 203 E 2
Licques (62) 2 C 4
Licy-Clignon (02) 32 C 4
Lidrezing (57) 37 H 5
Liebenswiller (68) 97 G 2
Liebsdorf (68) 97 F 2
Liebvillers (25) 96 C 4
Liederschiedt (57) 38 D 2
Lieffrans (70) 94 D 2
Le Liège (37) 87 F 5
Liéhon (57) 37 E 4
Liencourt (62) 7 H 3
Lieoux (31) 205 G 1
Lièpvre (68) 58 C 5
Liéramont (80) 16 B 1
Liercourt (80) 6 D 5
Lières (62) 7 G 1
Liergues (69) 135 G 1
Liernais (21) 92 B 5
Liernolles (03) 120 D 3
Lierval (02) 17 F 5
Lierville (60) 30 C 3
Lies (65) 204 D 2
Liesle (25) 110 C 1
Liesse-Notre-Dame (02) 17 G 4
Liessies (59) 10 A 3
Liesville-sur-Douve (50) 23 E 5
Liettres (62) 3 F 5
Lieu-St-Amand (59) 9 E 3
Lieuche (06) 182 D 3
Lieucourt (70) 94 B 4
Lieudieu (38) 150 D 1

Localité (Département)   Page Coordonnées

Lieurac (09) ..... 207 F 3
Lieuran-Cabrières (34) ..... 192 C 2
Lieuran-lès-Béziers (34) ..... 192 B 4
Lieurey (27) ..... 28 C 2
Lieuron (35) ..... 64 D 4
Lieury (14) ..... 27 H 4
Lieusaint (50) ..... 22 D 4
Lieusaint (77) ..... 51 G 3
Lieutadès (15) ..... 160 D 1
Lieuvillers (60) ..... 15 G 5
Liévans (70) ..... 95 F 1
Liévin (62) ..... 4 A 5
Lièvremont (25) ..... 111 G 2
Liez (02) ..... 16 D 3
Liez (85) ..... 113 H 2
Liézey (88) ..... 78 A 2
Liffol-le-Grand (88) ..... 56 A 5
Liffol-le-Petit (52) ..... 56 A 5
Liffré (35) ..... 65 G 1
Ligardes (32) ..... 172 A 3
Ligescourt (80) ..... 6 D 3
Liginiac (19) ..... 145 H 1
Liglet (86) ..... 116 C 2
Lignac (36) ..... 116 D 2
Lignairolles (11) ..... 207 H 2
Lignan-de-Bazas (33) ..... 155 G 5
Lignan-de-Bordeaux (33) ..... 155 F 1
Lignan-sur-Orb (34) ..... 192 B 4
Lignane (13) ..... 195 H 2
Lignareix (19) ..... 131 H 5
Ligné (16) ..... 128 B 2
Ligné (44) ..... 83 G 3
Lignères (61) ..... 48 B 2
Lignereuil (62) ..... 7 H 3
Lignerolles (03) ..... 118 D 4
Lignerolles (21) ..... 75 E 4
Lignerolles (27) ..... 49 H 1
Lignerolles (36) ..... 118 B 2
Lignerolles (61) ..... 48 C 3
Lignéville (88) ..... 76 C 1
Ligneyrac (19) ..... 144 C 4
Lignières (10) ..... 73 H 4
Lignières (18) ..... 105 E 4
Lignières (41) ..... 69 G 5
Lignières (80) ..... 15 H 4
Lignières-Châtelain (80) ..... 14 D 3
Lignières-de-Touraine (37) ..... 86 B 4
Lignières-en-Vimeu (80) ..... 14 C 1
Lignières-la-Carelle (72) ..... 48 A 4
Lignières-Orgères (53) ..... 47 G 3
Lignières-Sonneville (16) ..... 127 H 5
Lignières-sur-Aire (55) ..... 55 H 1
Lignol (62) ..... 62 D 3
Lignol-le-Château (10) ..... 75 E 1
Lignon (52) ..... 54 C 3
Lignorelles (89) ..... 73 F 5
Lignou (61) ..... 47 F 2
Ligny-en-Barrois (55) ..... 55 H 2
Ligny-en-Brionnais (71) ..... 121 F 4
Ligny-en-Cambrésis (59) ..... 9 E 5
Ligny-le-Châtel (89) ..... 73 F 4
Ligny-le-Ribault (45) ..... 88 C 1
Ligny-lès-Aire (62) ..... 7 G 1
Ligny-St-Flochel (62) ..... 7 G 2
Ligny-sur-Canche (62) ..... 7 F 3
Ligny-Thilloy (62) ..... 8 B 5
Ligré (37) ..... 102 A 1
Ligron (72) ..... 67 H 5
Ligsdorf (68) ..... 97 F 2
Ligueil (37) ..... 103 E 2
Ligueux (24) ..... 143 F 2
Ligueux (33) ..... 156 C 2
Ligugé (86) ..... 115 F 1
Lihons (80) ..... 16 A 2
Lihus (60) ..... 15 E 4
Les Lilas (93) ..... 51 F 1
Lilhac (31) ..... 188 B 5
Lille Ⓡ (59) ..... 4 C 3
Lillebonne (76) ..... 12 D 5
Lillemer (35) ..... 45 E 3
Lillers (62) ..... 7 H 1
Lilly (27) ..... 30 A 1
Limalonges (79) ..... 115 E 5
Limans (04) ..... 180 C 3
Limanton (58) ..... 107 F 2
Limas (69) ..... 135 H 1
Limay (78) ..... 30 B 5
Limbrassac (09) ..... 207 G 3
Limbre (86) ..... 102 A 5
Limé (02) ..... 33 E 2
Limeil-Brévannes (94) ..... 51 G 2
Limendous (64) ..... 186 D 5
Limeray (37) ..... 87 F 3
Limersheim (67) ..... 59 E 3
Limerzel (56) ..... 82 B 1
Limésy (76) ..... 13 F 4
Limetz-Villez (78) ..... 30 A 4
Limeuil (24) ..... 157 G 1
Limeux (18) ..... 104 D 2
Limeux (80) ..... 6 D 5
Limey-Remenauville (54) ..... 36 C 5
Limeyrat (24) ..... 143 G 3
Limoges Ⓡ (87) ..... 130 A 3
Limoges-Fourches (77) ..... 51 H 3
Limogne-en-Quercy (46) ..... 158 D 5
Limoise (03) ..... 106 B 5
Limon (58) ..... 106 D 2
Limonest (69) ..... 135 H 2

Limons (63) ..... 133 H 1
Limont-Fontaine (59) ..... 9 H 4
Limony (07) ..... 149 G 2
Limours (91) ..... 50 D 3
Limousis (11) ..... 191 H 5
Limoux ⬦ (11) ..... 208 A 2
La Limouzinière (44) ..... 99 F 2
La Limouzinière (85) ..... 99 G 5
Limpiville (76) ..... 12 D 3
Linac (46) ..... 159 G 3
Linard (23) ..... 117 H 3
Linards (87) ..... 130 C 4
Linars (16) ..... 128 B 4
Linas (91) ..... 51 E 3
Linay (08) ..... 19 G 4
Linazay (86) ..... 115 E 4
Lincel (04) ..... 180 C 4
Linchamps (08) ..... 11 E 5
Lincheux-Hallivillers (80) ..... 14 D 2
Lindebeuf (76) ..... 13 F 3
Le Lindois (16) ..... 129 E 3
Lindre-Basse (57) ..... 57 H 1
Lindre-Haute (57) ..... 37 H 5
Lindry (89) ..... 72 D 5
Linexert (70) ..... 77 G 5
Lingé (36) ..... 103 F 4
Lingeard (50) ..... 46 B 1
Lingèvres (14) ..... 26 D 3
Linghem (62) ..... 3 F 5
Lingolsheim (67) ..... 59 F 2
Lingreville (50) ..... 24 D 4
Linguizzetta (2B) ..... 217 G 2
La Linière (85) ..... 98 B 1
Liniers (86) ..... 115 H 1
Liniez (36) ..... 104 B 2
Linsdorf (68) ..... 97 G 2
Linselles (59) ..... 4 C 3
Linthal (68) ..... 78 C 3
Linthelles (51) ..... 53 G 2
Linthes (51) ..... 53 G 2
Lintot (76) ..... 12 D 4
Lintot-les-Bois (76) ..... 13 G 2
Linxe (40) ..... 168 D 4
Liny-devant-Dun (55) ..... 35 G 1
Linzeux (62) ..... 7 F 3
Liocourt (57) ..... 37 E 5
Liomer (80) ..... 14 C 2
Le Lion-d'Angers (49) ..... 84 C 1
Lion-devant-Dun (55) ..... 35 G 1
Lion-en-Beauce (45) ..... 70 C 2
Lion-en-Sullias (45) ..... 89 G 1
Lion-sur-Mer (14) ..... 27 F 2
Liorac-sur-Louyre (24) ..... 157 E 1
Le Lioran (15) ..... 146 C 4
Liouc (30) ..... 177 H 5
Lioujas (12) ..... 160 B 5
Liourdres (19) ..... 159 F 1
Lioux (84) ..... 180 A 4
Lioux-les-Monges (23) ..... 132 A 2
Liposthey (40) ..... 169 F 1
Lipsheim (67) ..... 59 F 3
Lirac (30) ..... 179 E 3
Liré (49) ..... 84 A 4
Lirey (10) ..... 73 H 2
Lironcourt (88) ..... 76 C 3
Lironville (54) ..... 36 C 5
Liry (08) ..... 34 C 2
Lisbourg (62) ..... 7 F 1
Liscia (Golfe de la) (2A) ..... 216 C 4
Lisieux ⬦ (14) ..... 28 A 3
Lisle (24) ..... 143 E 2
Lisle (41) ..... 69 G 5
Lisle-en-Barrois (55) ..... 35 F 5
Lisle-en-Rigault (55) ..... 55 F 2
Lisle-sur-Tarn (81) ..... 174 B 5
Lislet (02) ..... 17 H 3
Lison (14) ..... 25 G 2
Lisores (14) ..... 28 A 5
Lisors (27) ..... 30 A 1
Lissac (09) ..... 189 G 5
Lissac (43) ..... 148 A 4
Lissac-et-Mouret (46) ..... 159 F 3
Lissac-sur-Couze (19) ..... 144 B 4
Lissay-Lochy (18) ..... 105 F 3
Lisse (47) ..... 171 H 3
Lisse-en-Champagne (51) ..... 54 C 1
Lisses (91) ..... 51 F 3
Lisseuil (63) ..... 132 D 1
Lissey (55) ..... 35 G 1
Lissieu (69) ..... 135 H 2
Lissy (77) ..... 51 H 3
Listrac-de-Durèze (33) ..... 156 A 2
Listrac-Médoc (33) ..... 140 D 4
Lit-et-Mixe (40) ..... 168 D 3
Lithaire (50) ..... 24 D 1
Litteau (14) ..... 25 G 3
Littenheim (67) ..... 58 D 1
Litz (60) ..... 31 F 1
Livaie (61) ..... 47 H 4
Livarot-Pays-d'Auge (14) ..... 28 A 4
Liverdun (54) ..... 56 D 1
Liverdy-en-Brie (77) ..... 51 H 2
Livernon (46) ..... 159 E 3
Livers-Cazelles (81) ..... 174 C 3
Livet (53) ..... 67 E 2
Livet-en-Saosnois (72) ..... 48 A 5
Livet-et-Gavet (38) ..... 152 A 3
Livet-sur-Authou (27) ..... 28 D 2
Livilliers (95) ..... 30 D 4
Livinhac-le-Haut (12) ..... 159 G 4
La Livinière (34) ..... 191 F 5

Livré-la-Touche (53) ..... 66 B 4
Livré-sur-Changeon (35) ..... 65 H 1
Livron (64) ..... 186 D 5
Livron-sur-Drôme (26) ..... 163 H 2
Livry (14) ..... 25 H 3
Livry (58) ..... 106 B 4
Livry-Gargan (93) ..... 31 G 5
Livry-Louvercy (51) ..... 34 A 3
Livry-sur-Seine (77) ..... 51 H 4
Lixhausen (67) ..... 39 E 5
Lixheim (57) ..... 58 B 1
Lixing-lès-Rouhling (57) ..... 38 A 2
Lixing-lès-St-Avold (57) ..... 37 H 3
Lixy (89) ..... 72 B 1
Lizac (82) ..... 173 F 3
Lizant (86) ..... 115 F 5
Lizeray (36) ..... 104 C 2
Lizières (23) ..... 117 F 4
Lizine (25) ..... 110 D 1
Lizines (77) ..... 52 C 4
Lizio (56) ..... 64 A 4
Lizos (65) ..... 187 F 5
Lizy (02) ..... 17 E 5
Lizy-sur-Ourcq (77) ..... 32 B 4
La Llagonne (66) ..... 211 H 4
Llauro (66) ..... 212 D 3
Llo (66) ..... 211 H 4
Llupia (66) ..... 213 E 3
Lobsann (67) ..... 39 F 4
Loc-Brévalaire (29) ..... 41 E 2
Loc-Eguiner (29) ..... 41 H 3
Loc-Eguiner-St-Thégonnec (29) ..... 41 H 4
Loc-Envel (22) ..... 42 D 4
Locarn (22) ..... 62 D 1
Loché-sur-Indrois (37) ..... 103 G 1
Loches ⬦ (37) ..... 103 F 1
Loches-sur-Ource (10) ..... 74 C 3
Le Locheur (14) ..... 27 E 3
Lochieu (01) ..... 137 G 1
Lochwiller (67) ..... 58 D 1
Locmalo (56) ..... 63 E 3
Locmaria (22) ..... 42 D 4
Locmaria (Belle-Île) (56) ..... 81 E 5
Locmaria (Île de Groix) (56) ..... 80 C 2
Locmaria-Berrien (29) ..... 42 B 5
Locmaria-Grand-Champ (56) ..... 81 G 1
Locmaria-Plouzané (29) ..... 40 D 4
Locmariaquer (56) ..... 81 F 3
Locmélar (29) ..... 41 H 4
Locminé (56) ..... 63 G 5
Locmiquélic (56) ..... 80 D 1
Locoal-Mendon (56) ..... 81 E 1
Locon (62) ..... 4 A 4
Loconville (60) ..... 30 C 2
Locqueltas (56) ..... 81 G 1
Locquémeau (22) ..... 42 C 2
Locquénolé (29) ..... 42 A 3
Locquignol (59) ..... 9 G 4
Locquirec (29) ..... 42 B 2
Locronan (29) ..... 61 G 2
Loctudy (29) ..... 61 G 4
Locunolé (29) ..... 62 C 4
Loddes (03) ..... 120 D 3
Lodes (31) ..... 205 G 1
Lodève ⬦ (34) ..... 192 B 1
Lods (25) ..... 111 F 1
Lœuilley (70) ..... 93 H 3
Lœuilly (80) ..... 15 E 3
Loffre (59) ..... 8 D 2
La Loge (62) ..... 7 E 2
La Loge (84) ..... 180 A 3
La Loge-aux-Chèvres (10) ..... 74 B 1
La Loge des Gardes (03) ..... 134 B 1
Loge-Fougereuse (85) ..... 100 C 5
La Loge-Pomblin (10) ..... 73 H 3
Logelheim (68) ..... 78 D 2
Le Logeo (56) ..... 81 G 3
Les Loges (14) ..... 25 H 4
Les Loges (52) ..... 76 A 5
Les Loges (72) ..... 68 C 3
Les Loges-en-Josas (78) ..... 51 E 2
Les Loges-Marchis (50) ..... 46 B 3
Les Loges-Margueron (10) ..... 73 H 3
Les Loges-Saulces (14) ..... 27 E 4
Les Loges-sur-Brécey (50) ..... 46 A 1
Les Logis-du-Pin (06) ..... 182 B 5
Le Logis-Neuf (01) ..... 122 D 4
Le Logis-Neuf (26) ..... 163 H 4
Lognes (77) ..... 51 H 1
Logny-Bogny (08) ..... 18 B 2
Logny-lès-Aubenton (02) ..... 10 B 5
Logny-lès-Chaumont (08) ..... 18 A 4
Logonna-Daoulas (29) ..... 41 F 5
Logonna-Quimerch (29) ..... 41 G 5
Logrian-Florian (30) ..... 177 H 4
Logron (28) ..... 69 G 2
Loguivy-de-la-Mer (22) ..... 43 F 1
Loguivy-lès-Lannion (22) ..... 42 C 2
Loguivy-Plougras (22) ..... 42 C 4
Lohéac (35) ..... 64 D 4
Lohitzun-Oyhercq (64) ..... 185 F 5
Lohr (67) ..... 38 C 5
Lohuec (22) ..... 42 C 4
Loigné-sur-Mayenne (53) ..... 66 C 4
Loigny-la-Bataille (28) ..... 70 B 2
Loiré (17) ..... 113 F 4
Loiré (49) ..... 84 B 1
Loiré-sur-Nie (17) ..... 127 H 1

Loire-sur-Rhône (69) ..... 135 H 5
Loiron-Ruillé (53) ..... 66 B 2
Loisail (61) ..... 48 C 4
Loisey-Culey (55) ..... 55 G 1
Loisia (39) ..... 123 F 1
Loisieux (73) ..... 137 G 4
Loisin (74) ..... 124 C 3
Loison (55) ..... 20 B 4
Loison-sous-Lens (62) ..... 4 B 5
Loison-sur-Créquoise (62) ..... 6 D 2
Loisy (54) ..... 36 D 5
Loisy (71) ..... 122 C 1
Loisy-en-Brie (51) ..... 33 G 5
Loisy-sur-Marne (51) ..... 54 C 1
Loivre (51) ..... 33 H 1
Loix (17) ..... 112 C 4
Loizé (79) ..... 114 D 5
Lolif (50) ..... 45 H 1
Lolme (24) ..... 157 G 2
Lombard (25) ..... 110 C 1
Lombard (39) ..... 110 A 4
Lombers (81) ..... 190 C 1
Lombez (32) ..... 188 C 3
Lombia (64) ..... 186 D 5
Lombrès (65) ..... 205 F 2
Lombreuil (45) ..... 71 H 4
Lombron (72) ..... 68 B 3
Lomener (56) ..... 80 C 1
Lomme (59) ..... 4 C 3
Lommerange (57) ..... 20 D 4
Lommoye (78) ..... 30 A 5
Lomné (65) ..... 204 D 2
Lomont (70) ..... 95 H 1
Lomont-sur-Crête (25) ..... 95 G 4
Lompnas (01) ..... 137 F 2
Lompnieu (01) ..... 137 G 1
Lompret (59) ..... 4 C 3
Lonçon (64) ..... 186 D 5
La Londe (76) ..... 29 F 2
La Londe-les-Maures (83) ..... 201 G 3
Londigny (16) ..... 115 E 5
Londinières (76) ..... 14 A 2
Long (80) ..... 7 E 5
Longages (31) ..... 189 E 4
Longaulnay (35) ..... 44 D 5
Longavesnes (80) ..... 16 C 1
Longchamp (21) ..... 93 H 5
Longchamp (52) ..... 75 H 2
Longchamp (73) ..... 152 C 1
Longchamp (88) ..... 77 G 1
Longchamp-sous-Châtenois (88) ..... 56 C 5
Longchamp-sur-Aujon (10) ..... 75 E 2
Longchamps (02) ..... 17 E 1
Longchamps (27) ..... 30 B 1
Longchamps-sur-Aire (55) ..... 35 G 5
Longchaumois (39) ..... 124 A 2
Longcochon (39) ..... 111 E 4
Longeau (52) ..... 75 H 5
Longeault (21) ..... 93 H 5
Longeaux (55) ..... 55 H 2
Longechaux (25) ..... 95 G 5
Longechenal (38) ..... 151 E 1
Longecourt-en-Plaine (21) ..... 93 G 5
Longecourt-lès-Culêtre (21) ..... 108 C 1
Longefoy (73) ..... 139 E 4
Longemaison (25) ..... 111 G 1
Longepierre (71) ..... 109 G 3
Le Longeron (49) ..... 100 A 2
Longes (69) ..... 135 H 5
Longessaigne (69) ..... 135 F 3
Longevelle (70) ..... 95 H 5
Longevelle-lès-Russey (25) ..... 95 H 5
Longevelle-sur-Doubs (25) ..... 95 H 3
Longèves (17) ..... 113 F 4
Longèves (85) ..... 113 G 1
La Longeville (25) ..... 111 G 2
Longeville (25) ..... 111 F 1
Longeville-en-Barrois (55) ..... 55 G 2
Longeville-lès-Metz (57) ..... 21 E 5
Longeville-lès-St-Avold (57) ..... 21 H 5
Longeville-sur-la-Laines (52) ..... 54 D 4
Longeville-sur-Mer (85) ..... 112 C 2
Longeville-sur-Mogne (10) ..... 73 H 2
Longeville-Mont-d'Or (25) ..... 111 F 4
Longfossé (62) ..... 2 C 5
La Longine (70) ..... 77 G 4
Longjumeau (91) ..... 51 F 2
Longlaville (54) ..... 20 C 2
Longmesnil (76) ..... 14 B 4
Longnes (72) ..... 67 G 3
Longnes (78) ..... 30 A 5
Longny-au-Perche (61) ..... 48 D 4
Longperrier (77) ..... 31 H 4
Longpont (02) ..... 32 C 2
Longpont-sur-Orge (91) ..... 51 F 3
Longpré (41) ..... 87 F 1
Longpré-le-Sec (10) ..... 74 C 2
Longpré-les-Corps-Saints (80) ..... 14 D 1
Longraye (14) ..... 26 D 3

Longues (63) ..... 133 F 4
Longues-sur-Mer (14) ..... 26 C 3
Longuesse (95) ..... 30 C 4
Longueval (80) ..... 8 B 5
Longueval-Barbonval (02) ..... 33 F 1
Longueville (14) ..... 23 G 5
Longueville (47) ..... 156 B 5
Longueville (50) ..... 24 C 5
La Longueville (59) ..... 9 H 3
Longueville (62) ..... 2 C 4
Longueville (77) ..... 52 C 4
Longueville-sur-Aube (10) ..... 53 G 3
Longueville-sur-Scie (76) ..... 13 G 2
Longuevillette (80) ..... 7 G 5
Longuyon (54) ..... 20 A 3
Longvic (21) ..... 93 F 4
Longvillers (14) ..... 26 D 4
Longvillers (62) ..... 6 C 1
Longvilliers (78) ..... 50 D 3
Longwé (08) ..... 34 D 1
Longwy (54) ..... 20 B 2
Longwy-sur-le-Doubs (39) ..... 109 H 2
Lonlay-l'Abbaye (61) ..... 46 D 2
Lonlay-le-Tesson (61) ..... 47 F 2
Lonnes (16) ..... 128 B 1
Lonny (08) ..... 18 C 2
Lonrai (61) ..... 47 H 4
Lons (64) ..... 186 B 5
Lons-le-Saunier Ⓟ (39) ..... 110 B 5
Lonzac (17) ..... 127 G 4
Le Lonzac (19) ..... 144 D 1
Looberghe (59) ..... 3 E 3
Loon-Plage (59) ..... 3 E 2
Loos (59) ..... 4 C 4
Loos-en-Gohelle (62) ..... 4 A 5
Looze (89) ..... 72 D 3
Lopérec (29) ..... 41 G 5
Loperhet (29) ..... 41 F 4
Lopigna (2A) ..... 216 C 4
Loqueffret (29) ..... 62 A 1
Lor (02) ..... 17 H 5
Loray (25) ..... 95 G 5
Lorcières (15) ..... 147 F 5
Lorcy (45) ..... 71 G 3
Lordat (09) ..... 207 F 5
Loré (61) ..... 47 E 4
Lorentzen (67) ..... 38 B 5
Loreto-di-Casinca (2B) ..... 215 G 5
Loreto-di-Tallano (2A) ..... 219 E 2
Lorette (42) ..... 135 G 4
Le Loreur (50) ..... 24 D 5
Loreux (41) ..... 88 C 4
Lorey (27) ..... 29 H 5
Le Lorey (50) ..... 25 E 3
Lorey (54) ..... 57 E 3
Lorges (41) ..... 70 A 5
Lorgies (62) ..... 4 A 4
Lorgues (83) ..... 197 F 3
Lorient ⬦ (56) ..... 80 D 1
Loriges (03) ..... 120 A 4
Lorignac (17) ..... 141 E 1
Lorigné (79) ..... 115 E 5
Loriol-du-Comtat (84) ..... 179 G 3
Loriol-sur-Drôme (26) ..... 163 H 2
Lorlanges (43) ..... 147 F 2
Lorleau (27) ..... 30 A 1
Lormaison (60) ..... 31 E 2
Lormaye (28) ..... 50 A 3
Lormes (58) ..... 91 G 5
Lormont (33) ..... 155 F 1
Lornay (74) ..... 137 H 1
Loromontzey (54) ..... 57 F 4
Le Loroux (37) ..... 102 D 1
Le Loroux-Bottereau (44) ..... 83 G 5
Lorp-Sentaraille (09) ..... 206 B 2
Lorquin (57) ..... 58 A 2
Lorrez-le-Bocage-Préaux (77) ..... 72 A 1
Lorris (45) ..... 71 G 4
Lorry-lès-Metz (57) ..... 21 E 5
Lorry-Mardigny (57) ..... 36 D 4
Lortet (65) ..... 205 E 2
Loscouët-sur-Meu (22) ..... 64 B 1
Losne (21) ..... 109 H 1
Losse (40) ..... 171 F 3
Lostanges (19) ..... 144 D 4
Lostroff (57) ..... 37 H 5
Lothey (29) ..... 61 G 3
Lothiers (36) ..... 104 A 5
Lottinghen (62) ..... 2 D 5
Le Lou-du-Lac (35) ..... 64 D 1
Louailles (72) ..... 67 F 5
Louan (77) ..... 53 E 3
Louannec (22) ..... 42 D 2
Louans (37) ..... 102 D 1
Louargat (22) ..... 42 D 4
Louâtre (02) ..... 32 C 2
Loubajac (65) ..... 204 B 1
Loubaresse (07) ..... 162 C 3
Loubaresse (15) ..... 161 F 1
Loubaut (09) ..... 206 C 1
Loubédat (32) ..... 187 E 1
Loubejac (24) ..... 157 H 1
Loubens (09) ..... 207 E 2
Loubens (33) ..... 156 A 2
Loubens-Lauragais (31) ..... 189 H 3
Loubers (81) ..... 174 C 3
Loubersan (32) ..... 187 H 3
Loubès-Bernac (47) ..... 156 C 2
Loubeyrat (63) ..... 133 E 2
Loubieng (64) ..... 185 H 3
La Loubière (12) ..... 175 H 1

Loubières (09) ..... 207 E 3
Loubigné (79) ..... 114 C 5
Loubillé (79) ..... 114 D 5
Loublande (79) ..... 100 B 2
Loubressac (46) ..... 159 E 1
Loucé (61) ..... 47 G 2
Loucelles (14) ..... 27 E 2
Louchats (33) ..... 155 E 4
Louches (62) ..... 2 D 3
Louchy-Montfand (03) ..... 119 H 3
Loucrup (65) ..... 204 C 1
Loudéac (22) ..... 63 G 2
Loudenvielle (65) ..... 205 E 4
Loudervielle (65) ..... 205 E 4
Loudes (43) ..... 148 A 4
Loudet (31) ..... 205 F 1
Loudrefing (57) ..... 38 A 5
Loudun (86) ..... 101 H 2
Loué (72) ..... 67 G 3
Louens (33) ..... 141 E 5
Louer (40) ..... 185 G 1
Louerre (49) ..... 85 F 4
Louesme (21) ..... 74 D 4
Louesme (89) ..... 72 C 5
Louestault (37) ..... 86 D 2
Loueuse (60) ..... 14 C 4
Louey (65) ..... 204 C 1
Lougé-sur-Maire (61) ..... 47 G 2
Lougratte (47) ..... 157 E 4
Lougres (25) ..... 95 H 2
Louhans-Châteaurenaud ⬦ (71) ..... 109 H 5
Louhossoa (64) ..... 184 D 4
Louignac (19) ..... 144 A 3
Louin (79) ..... 101 G 4
Louisfert (44) ..... 83 G 1
Louit (65) ..... 187 F 5
Loulans-Verchamp (70) ..... 95 E 3
Loulay (17) ..... 114 A 5
Loulle (39) ..... 110 D 4
La Loupe (28) ..... 49 F 4
Loupeigne (02) ..... 33 E 2
Loupershouse (57) ..... 38 A 3
Loupes (33) ..... 155 G 1
Loupfougères (53) ..... 47 F 5
Loupia (11) ..... 207 H 2
Loupiac (12) ..... 159 F 4
Loupiac (15) ..... 145 H 4
Loupiac (33) ..... 155 G 3
Loupiac (46) ..... 158 B 2
Loupiac (81) ..... 174 B 5
Loupiac-de-la-Réole (33) ..... 156 A 4
Loupian (34) ..... 192 D 4
Louplande (72) ..... 67 H 4
Loupmont (55) ..... 36 B 5
Louppy-le-Château (55) ..... 35 F 5
Louppy-sur-Chée (55) ..... 35 F 5
Louppy-sur-Loison (55) ..... 19 H 5
La Louptière-Thénard (10) ..... 52 D 5
Lourches (59) ..... 9 E 3
Lourde (31) ..... 205 G 3
Lourdes (65) ..... 204 B 2
Lourdios-Ichère (64) ..... 203 F 2
Lourdoueix-St-Michel (36) ..... 117 G 2
Lourdoueix-St-Pierre (23) ..... 117 H 2
Lourenties (64) ..... 186 D 5
Loures-Barousse (65) ..... 205 F 2
Louresse-Rochemenier (49) ..... 85 F 5
Lourmarin (84) ..... 195 H 1
Lournand (71) ..... 122 A 2
Lourouer-St-Laurent (36) ..... 118 A 1
Le Louroux (37) ..... 102 D 1
Le Louroux-Béconnais (49) ..... 84 B 2
Louroux-Bourbonnais (03) ..... 119 F 1
Louroux-de-Beaune (03) ..... 119 F 4
Louroux-de-Bouble (03) ..... 119 G 4
Louroux-Hodement (03) ..... 119 E 2
Lourquen (40) ..... 185 H 1
Lourties-Monbrun (32) ..... 187 H 4
Loury (45) ..... 70 D 3
Louslitges (32) ..... 187 F 2
Loussous-Débat (32) ..... 187 F 2
Loutehel (35) ..... 64 C 3
Loutzviller (57) ..... 38 C 2
Louvagny (14) ..... 27 H 5
Louvaines (49) ..... 84 C 1
Louvatange (39) ..... 94 B 3
Louveciennes (78) ..... 51 E 1
Louvemont (52) ..... 55 E 3
Louvemont-Côte-du-Poivre (55) ..... 35 H 2
Louvencourt (80) ..... 7 H 5
Louvenne (39) ..... 123 F 2
Louvergny (08) ..... 18 D 4
Louverné (53) ..... 66 D 2
Le Louverot (39) ..... 110 B 4
Louvetot (76) ..... 13 E 4
Louvie-Juzon (64) ..... 203 H 1
Louvie-Soubiron (64) ..... 203 H 2
La Louvière-Lauragais (11) ..... 189 H 5
Louvières (14) ..... 23 G 5
Louvières (52) ..... 75 H 3
Louvières-en-Auge (61) ..... 27 H 5
Louviers (27) ..... 29 G 3
Louvigné (53) ..... 66 D 3
Louvigné-de-Bais (35) ..... 65 H 2
Louvigné-du-Désert (35) ..... 46 A 4
Louvignies-Quesnoy (59) ..... 9 F 4
Louvigny (14) ..... 27 F 3
Louvigny (57) ..... 37 E 4
Louvigny (64) ..... 186 B 3

Localité (Département) Page Coordonnées
251

Maubert-Fontaine *(08)* 10 C 5
Maubeuge *(59)* 9 H 3
Maubourguet *(65)* 187 E 3
Maubuisson *(33)* 140 B 4
Mauchamps *(91)* 51 E 4
Maucomble *(76)* 13 H 3
Maucor *(64)* 186 C 4
Maucourt *(60)* 16 C 4
Maucourt *(80)* 16 A 2
Maucourt-sur-Orne *(55)* 20 A 4
Maudétour-en-Vexin *(95)* 30 C 4
Mauguio *(34)* 193 G 2
Maulain *(52)* 76 A 3
Maulais *(79)* 101 G 3
Maulan *(55)* 55 G 2
Maulay *(86)* 102 A 2
Maulde *(59)* 5 E 5
Maule *(78)* 30 C 5
Mauléon *(79)* 100 C 3
Mauléon-Barousse *(65)* 205 F 3
Mauléon-d'Armagnac *(32)* 171 E 4
Mauléon-Licharre *(64)* 185 G 5
Maulers *(60)* 15 E 5
Maulette *(78)* 50 B 1
Maulévrier *(49)* 100 C 2
Maulévrier-Ste-Gertrude *(76)* 13 E 5
Maulichères *(32)* 186 D 1
Maumusson *(44)* 84 A 3
Maumusson *(82)* 172 D 4
Maumusson-Laguian *(32)* 186 D 2
Mauny *(76)* 29 E 1
Maupas *(10)* 73 H 2
Le Maupas *(21)* 92 B 5
Maupas *(32)* 171 E 5
Mauperthuis *(77)* 52 B 2
Maupertuis *(50)* 25 F 4
Maupertus-sur-Mer *(50)* 22 D 2
Mauprévoir *(86)* 115 G 4
Mauquenchy *(76)* 14 A 4
Mauran *(31)* 206 A 1
Maure *(64)* 186 D 4
Maure-de-Bretagne *(35)* 64 D 4
Maurecourt *(78)* 30 D 5
Mauregard *(77)* 31 G 4
Mauregny-en-Haye *(02)* 17 G 5
Maureilhan *(34)* 192 A 4
Maureillas-las-Illas *(66)* 213 E 4
Mauremont *(31)* 189 H 4
Maurens *(24)* 142 D 5
Maurens *(31)* 190 A 4
Maurens *(32)* 188 C 2
Maurens-Scopont *(81)* 190 A 2
Maurepas *(78)* 50 D 2
Maurepas *(80)* 16 A 1
Les Maures *(50)* 46 C 1
Mauressac *(31)* 189 F 5
Mauressargues *(30)* 178 A 4
Maureville *(31)* 189 H 3
Mauriac (SP) *(15)* 145 H 3
Mauriac *(33)* 156 A 2
Mauries *(40)* 186 C 2
Maurin *(34)* 193 F 3
Maurines *(15)* 161 E 1
Maurioun *(06)* 183 G 3
Maurois *(59)* 9 E 5
Mauron *(56)* 64 B 2
Mauroux *(32)* 172 D 5
Mauroux *(46)* 157 H 5
Maurrin *(40)* 170 D 5
Maurs *(15)* 159 G 3
Maurupt-le-Montois *(51)* 55 E 2
Maury *(66)* 208 C 4
Mausoléo *(2B)* 214 D 5
Maussac *(19)* 145 G 1
Maussane-les-Alpilles *(13)* 194 D 1
Maussans *(70)* 95 F 3
Mautes *(23)* 131 H 2
Mauvages *(55)* 56 A 3
Mauvaisin *(31)* 189 G 5
Mauves *(07)* 149 H 4
Mauves-sur-Huisne *(61)* 48 D 4
Mauves-sur-oire *(44)* 83 G 4
Mauvezin *(31)* 188 C 4
Mauvezin *(32)* 188 C 1
Mauvezin *(65)* 204 D 1
Mauvezin-d'Armagnac *(40)* 171 F 4
Mauvezin-de-Prat *(09)* 205 E 4
Mauvezin-de-Ste-Croix *(09)* 206 B 2
Mauvezin-sur-Gupie *(47)* 156 B 4
Mauvières *(36)* 116 C 1
Mauvilly *(21)* 92 D 1
Maux *(58)* 107 G 2
Mauzac *(31)* 189 E 4
Mauzac-et-St-Meyme-de-Rozens *(24)* 157 F 1
Mauzé-sur-le-Mignon *(79)* 113 H 4
Mauzé-Thouarsais *(79)* 101 F 2
Mauzens-et-Miremont *(24)* 143 G 5
Mauzun *(63)* 133 H 4
Mavaleix *(24)* 129 G 5
Maves *(41)* 87 H 1
Mavilly-Mandelot *(21)* 109 E 2
La Maxe *(57)* 21 E 5
Maxent *(35)* 64 D 3
Maxéville *(54)* 57 E 2
Maxey-sur-Meuse *(88)* 56 B 4
Maxey-sur-Vaise *(55)* 56 B 3
Maxilly-sur-Léman *(74)* 125 E 2
Maxilly-sur-Saône *(21)* 94 A 4
Maxou *(46)* 158 B 4
Maxstadt *(57)* 37 H 3
May-en-Multien *(77)* 32 B 4
Le May-sur-Evre *(49)* 100 B 1
May-sur-Orne *(14)* 27 F 3
Mayac *(24)* 143 G 2
Mayenne (SP) *(53)* 46 D 5
Mayet *(72)* 68 A 5
Le Mayet-de-Montagne *(03)* 120 C 5
Le Mayet-d'École *(03)* 119 H 5
Maylis *(40)* 185 H 1
Maynal *(39)* 123 F 1
Les Mayons *(83)* 197 F 4
Mayot *(02)* 16 D 3
Mayrac *(46)* 158 C 1
Mayran *(12)* 159 H 5
La Mayrand *(63)* 146 D 1
Mayrègne *(31)* 205 F 4
Mayres *(63)* 148 A 1
Mayres *(près de St Romain-de-Lerps) (07)* 149 G 5
Mayres *(près de Thueyts) (07)* 162 C 3
Mayres-Savel *(38)* 165 H 1
Mayreville *(11)* 207 G 1
Mayrinhac-Lentour *(46)* 159 E 2
Mayronnes *(11)* 208 C 2
Maysel *(60)* 31 F 2
Mayun *(44)* 82 B 3
Mazagran *(08)* 34 C 1
Mazamet *(81)* 190 D 3
Mazan *(84)* 179 H 3
Mazan-l'Abbaye *(07)* 162 C 2
Mazangé *(41)* 69 F 5
Mazaugues *(83)* 196 D 4
Mazaye *(63)* 132 D 3
Mazé *(49)* 85 F 3
Mazé-Milon *(49)* 85 F 3
Le Mazeau *(85)* 113 H 3
Mazeirat *(23)* 118 A 5
Le Mazel *(48)* 162 A 5
Mazeley *(88)* 77 F 1
Mazerat-Aurouze *(43)* 147 H 3
Mazeray *(17)* 127 F 2
Mazères *(09)* 189 H 5
Mazères *(33)* 155 G 4
Mazères-de-Neste *(65)* 205 F 2
Mazères-Lezons *(64)* 186 B 5
Mazères-sur-Salat *(31)* 206 A 1
Mazerier *(03)* 119 H 5
Mazerny *(08)* 18 D 4
Mazerolles *(16)* 129 E 3
Mazerolles *(17)* 127 F 5
Mazerolles *(40)* 170 D 5
Mazerolles *(64)* 186 B 4
Mazerolles *(65)* 187 G 4
Mazerolles *(86)* 116 A 2
Mazerolles-du-Razès *(11)* 207 H 1
Mazerolles-le-Salin *(25)* 94 C 5
Mazerulles *(54)* 57 F 1
Mazet-St-Voy *(43)* 148 D 4
Mazeuil *(86)* 101 H 4
Mazeyrat-d'Allier *(43)* 147 G 4
Mazeyrolles *(24)* 157 H 3
La Mazière-aux-Bons-Hommes *(23)* 132 A 2
Mazières *(16)* 129 E 2
Mazières-de-Touraine *(37)* 86 B 4
Mazières-en-Gâtine *(79)* 114 B 1
Mazières-en-Mauges *(49)* 100 C 1
Mazières-Naresse *(47)* 157 F 3
Mazières-sur-Béronne *(79)* 114 C 4
Mazille *(71)* 122 A 2
Mazingarbe *(62)* 4 A 5
Mazinghem *(62)* 3 F 5
Mazinghien *(59)* 9 F 5
Mazion *(33)* 141 E 3
Mazirat *(03)* 118 D 4
Mazirot *(88)* 57 E 5
Le Mazis *(80)* 14 C 2
Mazoires *(63)* 146 D 1
Mazouau *(65)* 205 E 2
Mazuby *(11)* 207 H 4
Les Mazures *(08)* 10 D 5
Mazzola *(2B)* 217 F 2
Méailles *(04)* 182 B 3
Méallet *(15)* 146 A 3
Méasnes *(23)* 117 G 2
Meaucé *(28)* 49 F 4
La Meauffe *(50)* 25 F 3
La Méaugon *(22)* 43 G 4
Meaulne *(03)* 119 E 1
Méaulte *(80)* 15 H 1
Méautis *(50)* 25 E 2
Meaux (SP) *(77)* 32 A 5
Meaux-la-Montagne *(69)* 135 F 1
Meauzac *(82)* 173 F 3
Mecé *(35)* 65 H 1
Mechmont *(46)* 158 B 4
Mécleuves *(57)* 37 E 4
Mecquignies *(59)* 9 G 3
Mécrin *(55)* 56 A 1
Mécringes *(51)* 53 E 1
Médan *(78)* 30 D 5
Médavy *(61)* 48 A 2
La Mède *(13)* 195 F 4
Medeyrolles *(63)* 148 A 1
Médière *(25)* 95 H 3
Médillac *(16)* 142 A 3
Médis *(17)* 126 C 4
Médonville *(88)* 76 B 1
Médréac *(35)* 44 D 5
Le Mée *(28)* 69 H 4
Mée *(53)* 66 C 5
Le Mée-sur-Seine *(77)* 51 H 4
Les Mées *(04)* 181 E 3
Mées *(40)* 185 F 1
Les Mées *(72)* 48 A 5
Mégange *(57)* 21 F 5
Megève *(74)* 139 E 2
Mégevette *(74)* 125 E 4
Mégier *(30)* 178 D 3
Mégrit *(22)* 44 C 4
Méharicourt *(80)* 16 A 2
Méharin *(64)* 185 E 4
Méhers *(41)* 87 H 4
Méhoncourt *(54)* 57 F 3
Méhoudin *(61)* 47 F 4
Mehun-sur-Yèvre *(18)* 105 E 1
La Meignanne *(49)* 84 D 2
Meigné *(49)* 85 F 5
Meigné-le-Vicomte *(49)* 86 A 3
Meigneux *(77)* 52 B 4
Meigneux *(80)* 14 D 3
Meilhac *(87)* 130 A 4
Meilhan *(32)* 188 A 4
Meilhan *(40)* 169 G 5
Meilhan-sur-Garonne *(47)* 156 A 4
Meilhards *(19)* 130 D 5
Meilhaud *(63)* 133 F 5
Meillac *(35)* 45 E 4
Meillant *(18)* 105 G 4
Meillard *(03)* 119 H 3
Le Meillard *(80)* 7 F 4
La Meilleraie-Tillay *(85)* 100 B 4
Meilleray *(77)* 52 D 1
La Meilleraye-de-Bretagne *(44)* 83 G 2
Meillerie *(74)* 125 F 2
Meillers *(03)* 119 G 2
Meillier-Fontaine *(08)* 11 E 5
Meillon *(64)* 186 C 5
Meillonnas *(01)* 123 F 4
Meilly-sur-Rouvres *(21)* 92 C 5
Meisenthal *(57)* 38 C 4
Meistratzheim *(67)* 59 E 3
Le Meix *(21)* 93 F 2
Le Meix-St-Epoing *(51)* 53 F 2
Le Meix-Tiercelin *(51)* 54 B 3
Méjannes-le-Clap *(30)* 178 B 2
Méjannes-lès-Alès *(30)* 178 A 3
Mela *(2A)* 219 E 2
Mélagues *(12)* 191 H 1
Mélamare *(76)* 12 C 5
Melay *(49)* 84 C 5
Melay *(52)* 76 C 4
Melay *(71)* 121 E 4
Le Mêle-sur-Sarthe *(61)* 48 B 4
Mélecey *(70)* 95 G 2
Melesse *(35)* 65 F 1
Melgven *(29)* 62 A 4
Mélicocq *(60)* 16 A 5
Mélicourt *(27)* 28 C 5
Méligny-le-Grand *(55)* 56 A 2
Méligny-le-Petit *(55)* 55 H 2
Melin *(70)* 76 C 5
Melincourt *(70)* 77 E 4
Mélisey *(70)* 77 G 5
Mélisey *(89)* 73 H 4
Meljac *(12)* 175 F 3
Mellac *(29)* 62 B 4
Mellé *(35)* 46 A 4
Melle *(79)* 114 C 4
Mellecey *(71)* 109 E 4
Melleran *(79)* 114 D 5
Melleray *(72)* 69 E 2
Melleray-la-Vallée *(53)* 47 E 4
Melleroy *(45)* 72 B 4
Melles *(31)* 205 G 4
Melleville *(76)* 14 A 1
Mellionnec *(22)* 62 D 2
Mello *(60)* 31 F 2
Meloisey *(21)* 109 E 2
Melrand *(56)* 63 E 4
Melsheim *(67)* 59 E 1
Melun (P) *(77)* 51 H 4
Melve *(04)* 166 B 5
Melz-sur-Seine *(77)* 52 D 4
Membrey *(70)* 94 B 2
La Membrolle-sur-Choisille *(37)* 86 D 3
La Membrolle-sur-Longuenée *(49)* 84 D 2
Membrolles *(41)* 70 A 4
Méménil *(88)* 77 G 1
Memmelshoffen *(67)* 39 F 4
Le Mémont *(25)* 95 H 5
Menades *(89)* 91 G 3
Ménarmont *(88)* 57 H 4
Ménars *(41)* 87 H 2
Menat *(63)* 119 F 5
Menaucourt *(55)* 55 H 2
Mencas *(62)* 7 F 1
Menchhoffen *(67)* 38 D 5
Mende (P) *(48)* 161 G 4
Mendionde *(64)* 184 D 4
Menditte *(64)* 203 E 1
Mendive *(64)* 202 C 1
Ménéac *(56)* 64 A 1
Ménerbes *(84)* 179 H 5
Ménerval *(76)* 14 B 5
Ménerville *(78)* 30 B 5
Menesble *(21)* 75 E 5
Méneslies *(80)* 6 B 5
Ménesplet *(24)* 142 B 5
Ménesqueville *(27)* 29 H 1
Ménessaire *(21)* 108 A 1
Ménestérol *(24)* 142 B 5
Menestreau *(58)* 90 C 4
Ménestreau-en-Villette *(45)* 82 D 1
Menet *(15)* 146 B 2
Menetou-Couture *(18)* 106 A 2
Menetou-Râtel *(18)* 89 H 4
Menetou-Salon *(18)* 89 G 5
Menetou-sur-Nahon *(36)* 88 B 5
Ménétréol-sous-Sancerre *(18)* 90 A 4
Ménétréol-sur-Sauldre *(18)* 89 F 3
Ménétréols-sous-Vatan *(36)* 104 C 2
Ménetreuil *(71)* 122 D 1
Ménétreux-le-Pitois *(21)* 92 C 2
Ménétrol *(63)* 133 F 2
Menétru-le-Vignoble *(39)* 110 B 4
Menétrux-en-Joux *(39)* 110 C 5
Ménévillers *(60)* 15 H 5
Menglon *(26)* 165 F 3
Ménigoute *(79)* 114 D 1
Ménil *(53)* 66 D 5
Le Ménil *(88)* 78 A 3
Ménil-Annelles *(08)* 18 C 5
Ménil-aux-Bois *(55)* 55 H 1
Le Ménil-Bérard *(61)* 48 C 2
Le Ménil-Broût *(61)* 48 A 4
Le Ménil-Ciboult *(61)* 46 C 1
Le Ménil-de-Briouze *(61)* 47 F 2
Ménil-de-Senones *(88)* 58 B 4
Ménil-en-Xaintois *(88)* 56 D 5
Ménil-Erreux *(61)* 48 A 4
Ménil-Froger *(61)* 48 B 2
Ménil-Glaise *(61)* 47 G 2
Ménil-Gondouin *(61)* 47 F 1
Le Ménil-Guyon *(61)* 48 B 3
Ménil-Hermei *(61)* 47 F 1
Ménil-Hubert-en-Exmes *(61)* 48 A 1
Ménil-Hubert-sur-Orne *(61)* 47 F 1
Ménil-Jean *(61)* 47 G 2
Ménil-la-Horgne *(55)* 56 A 2
Ménil-la-Tour *(54)* 56 C 1
Ménil-Lépinois *(08)* 34 A 1
Le Ménil-Scelleur *(61)* 47 G 3
Ménil-sur-Belvitte *(88)* 57 H 4
Ménil-sur-Saulx *(55)* 55 G 3
Le Ménil-Vicomte *(61)* 48 B 2
Ménil-Vin *(61)* 47 F 1
Ménilles *(27)* 29 H 4
La Ménitré *(49)* 85 F 3
Mennecy *(91)* 51 F 3
Mennessis *(02)* 16 D 3
Mennetou-sur-Cher *(41)* 88 C 5
Menneval *(27)* 28 D 4
Menneville *(02)* 33 H 1
Menneville *(62)* 2 C 5
Mennevret *(02)* 17 E 1
Mennouveaux *(52)* 75 H 2
Ménoire *(19)* 145 E 4
Menomblet *(85)* 100 C 4
Menoncourt *(90)* 96 D 1
Ménonval *(76)* 14 A 3
Menotey *(39)* 94 A 5
Menou *(58)* 90 D 4
Menouville *(95)* 31 E 3
Le Menoux *(36)* 117 F 1
Menoux *(70)* 77 E 5
Mens *(38)* 165 H 1
Mensignac *(24)* 143 E 3
Menskirch *(57)* 21 F 4
Mentheville *(76)* 12 C 3
Menthon-St-Bernard *(74)* 138 B 2
Menthonnex-en-Bornes *(74)* 124 C 5
Menthonnex-sous-Clermont *(74)* 137 H 1
Mentières *(15)* 147 E 4
Menton *(06)* 183 G 5
Mentque-Nortbécourt *(62)* 2 D 4
Menucourt *(95)* 30 D 4
Les Menuires *(73)* 152 D 1
Les Menus *(61)* 49 F 4
Menville *(31)* 189 E 2
Méobecq *(36)* 103 H 5
Méolans-Revel *(04)* 167 E 5
Méon *(49)* 85 H 3
Méounes-lès-Montrieux *(83)* 196 D 5
Mer *(41)* 88 A 1
Méracq *(64)* 186 B 3
Méral *(53)* 66 B 3
Méras *(09)* 206 C 1
Mercatel *(62)* 8 A 4
Mercenac *(09)* 206 A 2
Merceuil *(21)* 109 E 2
Mercey *(27)* 29 H 4
Mercey-le-Grand *(25)* 94 C 5
Mercey-sur-Saône *(70)* 94 B 2
Mercin-et-Vaux *(02)* 32 C 1
Merck-St-Liévin *(62)* 2 D 5
Merckeghem *(59)* 3 E 3
Mercœur *(19)* 145 F 5
Mercœur *(43)* 147 F 3
Mercuer *(07)* 163 E 3
Mercuès *(46)* 158 B 4
Mercurey *(71)* 108 D 3
Mercurol-Veaunes *(26)* 149 H 4
Mercury *(73)* 138 C 3
Mercus-Garrabet *(09)* 207 E 4
Mercy *(03)* 120 B 2
Mercy *(89)* 73 F 3
Mercy-le-Bas *(54)* 20 B 3
Mercy-le-Haut *(54)* 20 C 3
Merdrignac *(22)* 64 A 1
Méré *(78)* 50 C 1
Méré *(89)* 73 G 4
Méreau *(18)* 104 D 1
Méréaucourt *(80)* 14 D 3
Méréglise *(28)* 69 G 1
Mérélessart *(80)* 14 D 1
Mérens *(32)* 187 H 1
Mérens-les-Vals *(09)* 211 F 2
Mérenvielle *(31)* 188 D 2
Méreuil *(05)* 165 H 5
Méréville *(54)* 56 D 3
Méréville *(91)* 70 D 1
Merey *(27)* 29 H 5
Mérey-sous-Montrond *(25)* 95 E 5
Mérey-Vieilley *(25)* 94 D 4
Merfy *(51)* 33 G 2
Mergey *(10)* 53 H 5
Meria *(2B)* 215 G 1
Mériadec *(56)* 81 F 2
Mérial *(11)* 207 G 5
Méribel *(73)* 152 D 1
Méribel-Mottaret *(73)* 153 E 1
Méricourt *(62)* 8 B 2
Méricourt *(78)* 30 B 4
Méricourt-en-Vimeu *(80)* 14 D 2
Méricourt-l'Abbé *(80)* 15 H 1
Méricourt-sur-Somme *(80)* 15 H 1
Mériel *(95)* 31 E 4
Mérifons *(34)* 192 B 2
Mérignac *(16)* 128 A 4
Mérignac *(17)* 141 G 2
Mérignac *(33)* 155 E 1
Mérignas *(33)* 156 A 2
Mérignat *(01)* 123 F 5
Mérignies *(59)* 4 C 5
Mérigny *(36)* 103 E 5
Mérigon *(09)* 206 B 2
Mérilheu *(65)* 204 D 2
Mérillac *(22)* 44 B 5
Mérinchal *(23)* 132 B 2
Mérindol *(84)* 195 G 1
Mérindol-les-Oliviers *(26)* 179 H 1
Mérinville *(45)* 72 A 3
Le Mériot *(10)* 52 D 4
Méritein *(64)* 185 H 4
Merkwiller-Pechelbronn *(67)* 39 F 4
Merlas *(38)* 151 G 1
La Merlatière *(85)* 99 H 4
Merlaut *(51)* 54 D 1
Merle-Leignec *(42)* 148 C 1
Merléac *(22)* 63 G 1
Le Merlerault *(61)* 48 B 2
Merles *(82)* 173 E 3
Merles-sur-Loison *(55)* 20 A 3
Merlevenez *(56)* 80 D 1
Merlieux-et-Fouquerolles *(02)* 17 E 5
Merlimont *(62)* 6 C 2
Merlimont-Plage *(62)* 6 B 2
Merlines *(19)* 132 B 4
Mernel *(35)* 64 D 4
Mérobert *(91)* 50 D 5
Méron *(49)* 101 G 1
Mérona *(39)* 123 G 1
Mérouville *(28)* 70 C 1
Meroux *(90)* 96 D 1
Merpins *(16)* 127 G 4
Merrey *(52)* 76 A 3
Merrey-sur-Arce *(10)* 74 B 2
Merri *(61)* 47 H 1
Merris *(59)* 3 G 4
Merry-la-Vallée *(89)* 72 D 5
Merry-Sec *(89)* 91 E 1
Merry-sur-Yonne *(89)* 91 F 2
Mers-les-Bains *(80)* 6 A 5
Mers-sur-Indre *(36)* 104 C 5
Merschweiller *(57)* 21 F 2
Mersuay *(70)* 77 E 5
Merten *(57)* 21 H 4
Mertrud *(52)* 55 E 4
Mertzen *(68)* 97 E 1
Mertzwiller *(67)* 39 E 5
Méru *(60)* 31 E 2
Merval *(02)* 33 F 1
Mervans *(71)* 109 G 4
Mervent *(85)* 113 H 1
Merviel *(09)* 207 F 3
Mervilla *(31)* 189 F 3
Merville *(31)* 189 E 1
Merville *(59)* 3 G 5
Merville-Franceville-Plage *(14)* 27 G 2
Merviller *(54)* 57 H 3
Merxheim *(68)* 78 D 3
Méry *(73)* 137 H 4
Méry-Corbon *(14)* 27 H 3
Méry-ès-Bois *(18)* 89 F 4
Méry-la-Bataille *(60)* 15 H 5
Méry-Prémecy *(51)* 33 G 2
Méry-sur-Cher *(18)* 88 D 5
Méry-sur-Marne *(77)* 32 C 5
Méry-sur-Oise *(95)* 31 E 4
Méry-sur-Seine *(10)* 53 G 4
Le Merzer *(22)* 43 F 4
Mésandans *(25)* 95 F 3
Mésanger *(44)* 83 H 3
Mésangueville *(76)* 14 B 5
Mesbrecourt-Richecourt *(02)* 17 E 3
Meschers-sur-Gironde *(17)* 126 C 5
Mescoules *(24)* 156 D 2
Le Mesge *(80)* 15 E 1
Mesgrigny *(10)* 53 G 4
Mésigny *(74)* 138 A 1
Meslan *(56)* 62 C 4
Mesland *(41)* 87 G 3
Meslay *(14)* 27 F 5
Meslay *(41)* 69 F 5
Meslay-du-Maine *(53)* 67 E 4
Meslay-le-Grenet *(28)* 49 H 5
Meslay-le-Vidame *(28)* 70 A 1
Meslières *(25)* 96 D 3
Meslin *(22)* 44 A 4
Mesmay *(25)* 110 C 1
Mesmont *(08)* 18 B 4
Mesmont *(21)* 93 E 4
Mesnac *(16)* 127 G 3
Mesnard-la-Barotière *(85)* 100 A 3
Mesnay *(39)* 110 C 3
Les Mesneux *(51)* 33 G 2
La Mesnière *(61)* 48 C 4
Mesnières-en-Bray *(76)* 14 A 3
Le Mesnil *(50)* 22 C 5
Le Mesnil-Adelée *(50)* 46 B 2
Le Mesnil-Amand *(50)* 25 E 5
Le Mesnil-Amelot *(77)* 31 G 4
Le Mesnil-Amey *(50)* 25 F 3
Le Mesnil-Angot *(50)* 25 F 2
Le Mesnil-au-Grain *(14)* 27 E 4
Le Mesnil-au-Val *(50)* 22 D 3
Le Mesnil-Aubert *(50)* 24 D 4
Le Mesnil-Aubry *(95)* 31 F 4
Le Mesnil-Auzouf *(14)* 25 H 4
Le Mesnil-Bacley *(14)* 28 A 4
Le Mesnil-Benoist *(14)* 25 G 5
Le Mesnil-Bœufs *(50)* 46 A 2
Mesnil-Bruntel *(80)* 16 B 2
Le Mesnil-Caussois *(14)* 25 G 5
Mesnil-Clinchamps *(14)* 25 G 5
Le Mesnil-Conteville *(60)* 15 E 4
Mesnil-David *(76)* 14 B 3
Mesnil-Domqueur *(80)* 7 E 4
Le Mesnil-Durand *(14)* 28 A 4
Le Mesnil-Durdent *(76)* 13 E 2
Mesnil-en-Arrouaise *(80)* 8 B 5
Le Mesnil-en-Thelle *(60)* 31 F 3
Le Mesnil-en-Vallée *(49)* 84 B 4
Le Mesnil-Esnard *(76)* 29 G 1
Le Mesnil-Eudes *(14)* 28 A 4
Le Mesnil-Eury *(50)* 25 E 3
Mesnil-Follemprise *(76)* 13 H 3
Le Mesnil-Fuguet *(27)* 29 G 4
Le Mesnil-Garnier *(50)* 25 E 5
Le Mesnil-Germain *(14)* 28 A 4
Le Mesnil-Gilbert *(50)* 46 B 2
Le Mesnil-Guillaume *(14)* 28 B 3
Le Mesnil-Hardray *(27)* 29 F 5
Le Mesnil-Herman *(50)* 25 F 4
Le Mesnil-Hue *(50)* 25 E 5
Le Mesnil-Jourdain *(27)* 29 G 3
Mesnil-la-Comtesse *(10)* 54 A 4
Le Mesnil-le-Roi *(78)* 31 E 5
Mesnil-Lettre *(10)* 54 A 4
Le Mesnil-Lieubray *(76)* 14 B 5
Mesnil-Martinsart *(80)* 8 A 5
Le Mesnil-Mauger *(14)* 27 H 4
Mesnil-Mauger *(76)* 14 B 4
Le Mesnil-Milon *(27)* 30 A 4
Le Mesnil-Opac *(50)* 25 F 4
Le Mesnil-Ozenne *(50)* 46 A 2
Mesnil-Panneville *(76)* 13 F 4
Le Mesnil-Patry *(14)* 27 E 3
Mesnil-Racoin *(91)* 51 E 4
Le Mesnil-Rainfray *(50)* 46 B 2
Mesnil-Raoul *(76)* 29 H 1
Le Mesnil-Raoult *(50)* 25 F 4
Le Mesnil-Réaume *(76)* 14 A 1
Le Mesnil-Robert *(14)* 25 G 5
Le Mesnil-Rogues *(50)* 24 D 5
Mesnil-Rousset *(27)* 28 C 5
Le Mesnil-Rouxelin *(50)* 25 F 3
Mesnil-Sellières *(10)* 54 A 5
Le Mesnil-Simon *(14)* 28 A 4
Le Mesnil-Simon *(28)* 30 A 5
Le Mesnil-sous-Jumièges *(76)* 29 E 1
Le Mesnil-sous-L. *(76)* 12 D 5
Mesnil-sous-Vienne *(27)* 30 B 1
Le Mesnil-St-Denis *(78)* 50 D 2
Le Mesnil-St-Firmin *(60)* 15 G 4
Mesnil-St-Georges *(80)* 15 G 4
Mesnil-St-Laurent *(02)* 16 D 2
Mesnil-St-Loup *(10)* 73 F 1
Mesnil-St-Nicaise *(80)* 16 B 3
Mesnil-St-Père *(10)* 74 B 1
Le Mesnil-sur-Blangy *(14)* 28 B 2
Le Mesnil-sur-Bulles *(60)* 15 F 5
Mesnil-sur-l'Estrée *(27)* 49 H 2
Le Mesnil-sur-Oger *(51)* 33 H 5
Le Mesnil-Thébault *(50)* 46 A 3
Le Mesnil-Théribus *(60)* 30 D 2
Le Mesnil-Thomas *(28)* 49 G 3
Le Mesnil-Tôve *(50)* 46 B 2
Mesnil-Val *(76)* 6 A 5
Le Mesnil-Véneron *(50)* 25 F 2
Mesnil-Verclives *(27)* 30 A 2
Le Mesnil-Vigot *(50)* 25 E 3
Le Mesnil-Villeman *(50)* 25 E 5
Le Mesnil-Villement *(14)* 47 F 1
Le Mesnilbus *(50)* 25 E 3
Le Mesnillard *(50)* 46 B 2

A B C D E F G H I J K L M N O P Q R S T U V W X Y Z

Localité (Département) Page Coordonnées

Mesnois (39)...........110 B 5
Les Mesnuls (78).........50 C 2
Mespaul (29)...........41 H 2
Mesplède (64)...........186 A 3
Mesples (03)...........118 C 2
Mespuits (91)...........51 E 5
Mesquer (44)...........82 A 3
Messac (17)...........141 G 2
Messac (35)...........65 E 4
Messais (86)...........101 H 3
Messanges (21)...........109 E 1
Messanges (40)...........168 A 5
Messas (45)...........70 B 5
Messé (79)...........115 E 4
Messei (61)...........47 E 2
Messein (54)...........56 D 2
Messeix (63)...........132 B 5
Messemé (86)...........102 A 2
Messery (74)...........124 C 2
Messeux (16)...........128 D 1
Messey-sur-Grosne (71)...109 E 5
Messia-sur-Sorne (39)...110 A 5
Messigny-et-Vantoux (21)...93 F 3
Messimy (69)...........135 G 4
Messimy-sur-Saône (01)...122 B 5
Messincourt (08)...........19 G 3
Messon (10)...........73 G 1
Messy (77)...........31 H 5
Mesterrieux (33)...........156 A 3
Mestes (19)...........145 H 1
Mestry (14)...........25 G 2
Mesves-sur-Loire (58)...90 B 5
Mesvres (71)...........108 B 3
Métabief (25)...........111 G 4
Les Métairies (16)...........127 H 3
Métairies-St-Quirin (57)...58 B 2
Méteren (59)...........3 H 4
Méthamis (84)...........179 H 3
Métigny (80)...........14 D 1
Metting (57)...........38 C 5
Mettray (37)...........86 D 3
Metz [R] (57)...........21 E 5
Metz-en-Couture (62)...8 C 5
Metz-le-Comte (58)...91 F 4
Metz-Robert (10)...........73 H 3
Metz-Tessy (74)...........138 A 1
Metzeral (68)...........78 B 2
Metzeresche (57)...........21 F 4
Metzervisse (57)...........21 E 4
Metzing (57)...........38 A 3
Meucon (56)...........81 G 1
Meudon (92)...........51 E 1
Meuilley (21)...........109 E 1
Meulan-en-Yvelines (78)...30 C 4
Meulers (76)...........13 H 2
Meulles (14)...........28 B 5
Meulson (21)...........92 D 1
Meunet-Planches (36)...104 D 4
Meunet-sur-Vatan (36)...104 C 2
Meung-sur-Loire (45)...70 B 5
Meurcé (72)...........68 A 1
Meurchin (62)...........4 B 5
Meurcourt (70)...........77 E 5
La Meurdraquière (50)...24 D 5
Meures (52)...........75 F 1
Meurival (02)...........33 F 1
Meursac (17)...........126 D 4
Meursanges (21)...........109 F 2
Meursault (21)...........109 E 2
Meurville (10)...........74 D 1
Meuse (52)...........76 A 3
Meusnes (41)...........88 A 5
Meussia (39)...........123 H 1
Meuvaines (14)...........27 E 1
Meuvy (52)...........76 A 2
Meux (17)...........141 G 1
Le Meux (60)...........31 H 1
Meuzac (87)...........130 B 5
Mévoisins (28)...........50 A 3
Mévouillon (26)...........180 B 1
Meximieux (01)...........136 D 2
Mexy (54)...........20 B 2
Mey (57)...........21 E 5
Meyenheim (68)...........78 D 3
Meylan (38)...........151 H 3
Meylan (47)...........171 G 3
Meymac (19)...........131 G 5
Meynes (30)...........178 D 5
Meyrals (24)...........157 H 1
Meyrannes (30)...........178 A 1
Meyrargues (13)...........196 A 2
Meyras (07)...........162 D 3
Meyreuil (13)...........196 A 3
Meyrié (38)...........136 D 5
Meyrieu-les-Étangs (38)...136 D 5
Meyrieux-Trouet (73)...137 H 4
Meyrignac-l'Église (19)...145 E 1
Meyronne (46)...........158 C 2
Meyronnes (04)...........167 G 4
Meyrueis (48)...........177 E 2
Meys (69)...........135 F 4
Meyssac (19)...........144 D 4
Meysse (07)...........163 G 3
Meyssiez (38)...........150 C 1
Meythet (74)...........138 A 1
La Meyze (87)...........130 A 4
Meyzieu (69)...........136 C 3
Mézangers (53)...........67 E 1

Mèze (34)...........192 D 4
Mézel (04)...........181 F 3
Mezel (63)...........133 F 3
Mézens (81)...........189 H 1
Mézeray (72)...........67 H 5
Mézères (43)...........148 C 3
Mézériat (01)...........122 D 4
Les Mézières (27)...........49 F 1
Le Minihic-sur-Rance (35)...44 D 3
Mézerville (11)...........189 H 5
Mézidon (14)...........27 H 4
La Mézière (35)...........65 E 1
Mézières-au-Perche (28)...69 H 1
Mézières-en-Brenne (36)...103 G 4
Mézières-en-Drouais (28)...49 H 2
Mézières-en-Gâtinais (45)...71 G 3
Mézières-en-Santerre (80)...15 H 3
Mézières-en-Vexin (27)...30 A 3
Mézières-lez-Cléry (45)...70 C 5
Mézières-sous-Lavardin (72)...67 H 2
Mézières-sur-Couesnon (35)...45 G 5
Mézières-sur-Issoire (87)...116 B 5
Mézières-sur-Oise (02)...17 E 3
Mézières-sur-Ponthouin (72)...68 B 2
Mézières-sur-Seine (78)...30 C 5
Mézilhac (07)...........163 E 2
Mézilles (89)...........90 C 1
Mézin (47)...........171 H 3
Méziré (90)...........96 D 2
Mézos (40)...........168 D 3
Mézy-Moulins (02)...........33 E 4
Mézy-sur-Seine (78)...........30 C 5
Mhère (58)...........91 G 5
Mialet (24)...........129 G 5
Mialet (30)...........177 H 3
Mialos (64)...........186 B 3
Miannay (80)...........6 C 5
Michaugues (58)...........91 E 5
Michelbach (68)...........78 C 5
Michelbach-le-Bas (68)...97 G 1
Michelbach-le-Haut (68)...97 G 1
Michery (89)...........72 C 1
Midrevaux (88)...........56 A 5
Mièges (39)...........111 E 4
Miélan (32)...........187 G 4
Miellin (70)...........77 H 4
Miermaigne (28)...........69 F 1
Miers (46)...........158 D 1
Miéry (39)...........110 B 3
Mietesheim (67)...........39 E 5
Mieussy (74)...........125 E 4
Mieuxcé (61)...........47 H 5
Mifaget (64)...........203 H 1
Migé (89)...........91 E 1
Migennes (89)...........73 E 4
Miglos (09)...........207 E 5
Mignaloux-Beauvoir (86)...115 G 1
Mignavillers (70)...........95 G 1
Migné (36)...........103 H 5
Migné-Auxances (86)...102 A 5
Mignères (45)...........71 H 3
Mignerette (45)...........71 G 3
Mignéville (54)...........57 H 3
Mignières (28)...........49 H 2
Mignovillard (39)...........111 E 4
Migny (36)...........104 D 2
Migré (17)...........114 A 5
Migron (17)...........127 G 3
Mijanès (09)...........207 H 5
Mijoux (01)...........124 A 2
La Milesse (72)...........68 A 3
Milhac (46)...........158 B 2
Milhac-d'Auberoche (24)...143 G 4
Milhac-de-Nontron (24)...143 F 1
Milhaguet (87)...........129 F 4
Milhars (81)...........174 C 3
Milhas (31)...........205 H 3
Milhaud (30)...........194 A 1
Milhavet (81)...........174 C 4
Millac (86)...........116 A 4
Millam (59)...........3 E 3
Millançay (41)...........88 B 3
Millas (66)...........208 D 5
Millau [S] (12)...........176 B 3
Millebosc (76)...........14 A 1
Millemont (78)...........50 B 1
Millencourt (80)...........15 H 1
Millencourt-en-Ponthieu (80)...6 D 4
Millery (21)...........92 B 3
Millery (54)...........56 D 1
Millery (69)...........135 H 4
Les Milles (13)...........195 H 4
Millevaches (19)...........131 G 4
Millières (50)...........24 D 2
Millières (52)...........75 H 2
Millières (52)...........75 H 2
Millonfosse (59)...........5 E 5
Milly (50)...........46 B 3
Milly-la-Forêt (91)...........51 G 5
Milly-Lamartine (71)...122 A 3
Milly-sur-Bradon (55)...35 G 1
Milly-sur-Thérain (60)...14 D 5
Milon-la-Chapelle (78)...50 D 2
Mimbaste (40)...........185 G 2
Mimet (13)...........196 A 4
Mimeure (21)...........108 C 1
Mimizan (40)...........168 C 1
Mimizan-Plage (40)...168 D 1
Minaucourt-
le-Mesnil-lès-Hurlus (51)...34 D 3

Mindin (44)...........82 B 4
Minerve (34)...........191 G 5
Mingot (65)...........187 F 4
Mingoval (62)...........7 H 2
Miniac-Morvan (35)...45 E 3
Miniac-sous-Bécherel (35)...44 D 5
Les Minières (27)...........49 F 1
Le Minihic-sur-Rance (35)...44 D 3
Minihy-Tréguier (22)...43 E 2
Minorville (54)...........56 C 1
Minot (21)...........93 E 1
Minversheim (67)...........39 E 5
Minzac (24)...........142 A 5
Minzier (74)...........124 B 5
Miolans (73)...........138 B 4
Miolles (81)...........175 G 5
Miomo (2B)...........215 G 3
Mionnay (01)...........136 B 2
Mions (69)...........136 B 4
Mios (33)...........154 C 3
Miossens-Lanusse (64)...186 C 3
La Miouze (63)...........132 D 3
Mirabeau (17)...........141 F 1
Mirabeau (84)...........196 B 5
Mirabel (07)...........163 F 3
Mirabel (82)...........173 H 3
Mirabel-aux-Baronnies (26)...179 G 1
Mirabel-et-Blacons (26)...164 D 2
Miradoux (32)...........172 C 4
Le Mirail (31)...........189 F 3
Miramar (06)...........199 E 3
Miramas (13)...........195 E 2
Mirambeau (17)...........141 F 1
Mirambeau (31)...........188 B 4
Miramont-d'Astarac (32)...187 H 3
Miramont-de-Comminges (31)205 G 2
Miramont-de-Guyenne (47)...156 C 3
Miramont-de-Quercy (82)...173 E 2
Miramont-Latour (32)...188 A 1
Miramont-Sensacq (40)...186 C 2
Mirande <S> (32)...........187 G 3
Mirandol-Bourgnounac (81)...174 D 3
Mirannes (32)...........187 G 2
Miraumont (80)...........8 A 5
Miraval-Cabardès (11)...190 D 4
Mirbel (52)...........75 F 1
Miré (49)...........67 E 5
Mirebeau (86)...........102 A 4
Mirebeau-sur-Bèze (21)...93 H 3
Mirebel (39)...........110 C 4
Mirecourt (88)...........57 E 5
Mirefleurs (63)...........133 F 4
Miremont (31)...........189 F 4
Miremont (63)...........132 C 2
Mirepeisset (11)...........191 H 5
Mirepeix (64)...........204 A 1
Mirepoix (09)...........207 G 2
Mirepoix (32)...........188 A 1
Mirepoix-sur-Tarn (31)...174 A 5
Mireval (34)...........193 F 3
Mireval-Lauragais (11)...190 B 5
Miribel (01)...........136 B 2
Miribel (26)...........150 C 3
Miribel-Lanchâtre (38)...151 G 5
Miribel-les-Échelles (38)...151 E 2
Mirmande (26)...........163 H 2
Le Miroir (71)...........123 E 1
Mirvaux (80)...........15 G 1
Mirville (76)...........12 C 4
Miscon (26)...........165 G 3
Miserey (27)...........29 H 4
Miserey-Salines (25)...94 D 4
Misérieux (01)...........135 H 1
Misery (80)...........16 B 2
Mison (04)...........180 D 1
Missé (79)...........101 F 2
Missècle (81)...........190 B 1
Missègre (11)...........208 B 3
Missery (21)...........92 B 4
Missillac (44)...........82 C 2
Missiriac (56)...........64 B 4
Misson (40)...........185 G 2
Missy (14)...........27 E 3
Missy-aux-Bois (02)...32 C 2
Missy-lès-Pierrepont (02)...17 G 4
Missy-sur-Aisne (02)...32 D 1
Mitry-Mory (77)...........31 H 5
Mittainville (78)...........50 B 2
Mittainvilliers-Vérigny (28)...49 H 4
Mittelbergheim (67)...58 D 4
Mittelbronn (57)...........58 C 1
Mittelhausbergen (67)...59 F 2
Mittelhausen (67)...........59 E 1
Mittelschaeffolsheim (67)...59 E 1
Mittelwihr (68)...........78 D 1
Mittersheim (57)...........38 A 5
Mittlach (68)...........78 B 3
Mittois (14)...........27 H 4
Mitzach (68)...........78 B 4
Mixe (40)...........168 D 3
Mizérieux (42)...........134 D 3
Mizoën (38)...........152 A 4
Mobecq (50)...........24 D 2
Moca-Croce (2A)...........219 E 1
Modane (73)...........153 E 2
Modène (84)...........179 G 3
Moëlan-sur-Mer (29)...62 B 5
Les Moëres (59)...........3 G 2
Moëslains (52)...........55 E 3
Mœurs-Verdey (51)...........53 F 2

Mœuvres (59)...........8 C 4
Moëze (17)...........126 C 1
Moffans-et-Vacheresse (70)...95 G 1
Mogeville (55)...........20 A 5
Mognard (73)...........137 H 3
Mogneneins (01)...........122 B 5
Mognéville (55)...........55 F 1
Mogneville (60)...........31 G 2
Moguériec (29)...........41 H 1
Mogues (08)...........19 G 3
Mohon (56)...........64 A 2
Moidieu-Détourbe (38)...136 C 5
Moidrey (50)...........45 G 3
Moigné (35)...........65 E 2
Moigny-sur-École (91)...51 G 5
Moimay (70)...........95 G 2
Moineville (54)...........20 D 5
Moings (17)...........127 G 5
Moingt (42)...........134 D 5
Moinville-la-Jeulin (28)...50 B 5
Moirans (38)...........151 F 2
Moirans-
en-Montagne (39)...123 H 2
Moirax (47)...........172 B 2
Moiré (69)...........135 G 2
Moiremont (51)...........35 E 3
Moirey-Flabas-Crépion (55)...35 H 1
Moiron (39)...........110 B 5
Moiry (08)...........19 H 4
Moisdon-la-Rivière (44)...83 G 1
Moisenay (77)...........51 H 3
Moislains (80)...........16 B 1
Moissac (82)...........173 E 3
Moissac-Bellevue (83)...197 E 1
Moissac-Vallée-Française (48)177 G 2
Moissannes (87)...........130 C 2
Moissat (63)...........133 G 3
Moisselles (95)...........31 F 4
Moissey (39)...........94 A 5
Moissieu-sur-Dolon (38)...150 C 1
Moisson (78)...........30 B 4
Moissy-Cramayel (77)...51 G 3
Moissy-Moulinot (58)...91 F 4
Moisville (27)...........49 G 1
Moisy (41)...........69 H 4
Moïta (2B)...........217 G 2
Les Moitiers-d'Allonne (50)...22 B 5
Les Moitiers-en-Bauptois (50)...22 D 5
Moitron (21)...........93 E 1
Moitron-sur-Sarthe (72)...67 H 1
Moivre (51)...........34 D 5
Moivrons (54)...........57 E 1
Molac (56)...........64 A 5
Molagnies (76)...........14 C 5
Molain (02)...........9 F 5
Molain (39)...........110 C 3
Molamboz (39)...........110 B 2
Molandier (11)...........189 H 5
Molas (31)...........188 B 4
Molay (70)...........76 B 5
Molay (39)...........94 A 4
Môlay (89)...........91 H 1
Le Molay-Littry (14)...25 H 4
La Môle (83)...........197 G 5
Moléans (28)...........69 H 2
Molèdes (15)...........146 D 3
Molère (65)...........204 D 2
Molesme (21)...........74 B 4
Molesmes (89)...........91 E 2
La Molette (48)...........162 B 4
Molezon (48)...........177 F 2
Moliens (60)...........14 C 4
Molières (24)...........157 F 2
Molières (46)...........159 E 2
Molières (82)...........173 G 2
Les Molières (91)...........50 D 2
Molières-Cavaillac (30)...177 F 4
Molières-Glandaz (26)...165 F 2
Molières-sur-Cèze (30)...178 A 1
Moliets-et-Maa (40)...168 C 5
Moliets-Plage (40)...168 C 5
Molinchart (02)...........17 E 5
Molines-en-Queyras (05)...167 G 2
Molinet (03)...........121 E 2
Molineuf (41)...........87 G 2
Molinges (39)...........123 H 3
Molinons (89)...........73 E 1
Molinot (21)...........108 D 2
Molins-sur-Aube (10)...54 B 4
Molitg-les-Bains (66)...212 B 3
Mollans (70)...........95 F 1
Mollans-sur-Ouvèze (26)...179 H 1
Mollau (68)...........78 B 4
Mollégès (13)...........179 F 5
Molles (03)...........120 B 5
Les Mollettes (73)...........138 A 5
Molleville (11)...........190 A 5
Molliens-au-Bois (80)...15 G 1
Molliens-Dreuil (80)...........15 E 2
La Mollière (80)...........6 B 4
Mollkirch (67)...........58 D 3
Mollon (01)...........136 D 1
Molompize (15)...........147 E 3
Molosmes (89)...........73 H 4
Moloy (21)...........93 F 2
Molphey (21)...........92 A 4
Molpré (39)...........111 E 4
Molring (57)...........37 H 5
Molsheim <S> (67)...........58 D 3
Moltifao (2B)...........215 E 5
Les Molunes (39)...........124 A 3
Momas (64)...........186 B 3

Mombrier (33)...........141 F 4
Momères (65)...........204 C 1
Momerstroff (57)...........21 G 5
Mommenheim (67)...........59 E 1
Momuy (40)...........186 A 2
Momy (64)...........186 D 4
Mon Idée (08)...........10 C 5
Monacia-d'Aullène (2A)...219 E 4
Monacia-d'Orezza (2B)...217 G 1
Monaco (MCO)...........183 G 5
Monampteuil (02)...........17 F 5
Monassut-Audiracq (64)...186 D 4
Le Monastère (12)...........175 G 1
Le Monastier (48)...........161 F 4
Le Monastier-
sur-Gazeille (43)...148 C 5
Monay (39)...........110 B 3
Monbadon (33)...........142 A 5
Monbahus (47)...........156 D 4
Monbalen (47)...........172 C 1
Monbardon (32)...........188 A 4
Monbazillac (24)...........156 D 2
Monbéqui (82)...........173 F 5
Monblanc (32)...........188 C 4
Monbos (24)...........156 D 2
Monbrun (32)...........188 D 2
Moncale (2B)...........214 C 5
Moncassin (32)...........187 H 4
Moncaup (31)...........205 G 3
Moncaup (64)...........186 D 4
Moncaut (47)...........172 B 2
Moncayolle-
Larrory-Mendibieu (64)...185 G 5
Moncé-en-Belin (72)...68 A 4
Moncé-en-Saosnois (72)...68 B 1
Monceau-le-Neuf-
et-Faucouzy (02)...17 F 3
Monceau-le-Waast (02)...17 F 4
Monceau-lès-Leups (02)...17 E 4
Monceau-St-Waast (59)...9 H 4
Monceau-sur-Oise (02)...17 F 1
Les Monceaux (14)...........28 A 3
Monceaux (60)...........31 G 2
Monceaux-au-Perche (61)...48 D 4
Monceaux-en-Bessin (14)...26 D 2
Monceaux-l'Abbe (60)...14 C 4
Monceaux-le-Comte (58)...91 F 4
Monceaux-sur-Dordogne (19) 145 E 4
Moncel-lès-Lunéville (54)...57 G 3
Moncel-sur-Seille (54)...57 F 1
Moncel-sur-Vair (88)...56 B 4
La Moncelle (08)...........19 F 3
Moncetz-l'Abbaye (51)...54 D 2
Moncetz-Longevas (51)...34 B 5
Moncey (25)...........95 E 3
Monchaux (80)...........6 C 3
Monchaux-Soreng (76)...14 B 1
Monchaux-sur-Écaillon (59)...9 E 3
Moncheaux (59)...........4 C 5
Moncheaux-lès-Frévent (62)...7 G 3
Monchecourt (59)...........8 D 3
Monchel-sur-Canche (62)...7 F 3
Moncheux (57)...........37 E 5
Monchiet (62)...........8 A 4
Monchy-au-Bois (62)...........8 A 4
Monchy-Breton (62)...........7 H 2
Monchy-Cayeux (62)...........7 G 2
Monchy-Humières (60)...16 A 5
Monchy-Lagache (80)...16 B 2
Monchy-le-Preux (62)...........8 B 3
Monchy-St-Éloi (60)...........31 G 2
Monchy-sur-Eu (76)...........14 A 1
Moncla (64)...........186 C 2
Monclar (32)...........171 H 4
Monclar (47)...........156 D 5
Monclar-de-Quercy (82)...174 A 4
Monclar-sur-Losse (32)...187 G 3
Moncley (25)...........94 C 4
Moncontour (22)...........63 H 1
Moncontour (86)...........101 G 3
Moncorneil-Grazan (32)...188 A 4
Moncourt (57)...........57 G 1
Moncoutant (79)...........100 D 4
Moncrabeau (47)...........172 A 3
Moncy (61)...........46 D 1
Mondavezan (31)...........188 D 5
Mondelange (57)...........21 E 4
Mondement-Montgivroux (51) 53 F 1
Mondescourt (60)...........16 C 4
Mondevert (35)...........66 A 2
Mondeville (14)...........27 F 3
Mondeville (91)...........51 F 4
Mondicourt (62)...........7 H 4
Mondigny (08)...........18 D 3
Mondilhan (31)...........188 B 4
Mondion (86)...........102 C 3
Mondon (25)...........95 F 3
Mondonville (31)...........189 E 2
Mondonville-St-Jean (28)...50 C 5
Mondorff (57)...........21 E 2
Mondoubleau (41)...........69 E 3
Mondouzil (31)...........189 G 2
Mondragon (84)...........179 E 1
Mondrainville (14)...........27 E 3
Mondrecourt (55)...........35 G 4
Mondrepuis (02)...........10 A 4
Mondreville (77)...........71 H 2
Mondreville (78)...........30 A 5
Monein (64)...........186 A 4
Monès (31)...........188 D 4
Monesple (09)...........206 D 2
Monestier (03)...........119 H 4

Monestier (07)...........149 F 3
Monestier (24)...........156 C 2
Le Monestier (63)...........134 A 5
Monestier-d'Ambel (38)...166 A 1
Monestier-
de-Clermont (38)...151 G 5
Le Monestier-du-Percy (38)...165 G 1
Monestier-Merlines (19)...132 B 4
Monestier-Port-Dieu (19)...146 A 1
Monestiés (81)...........174 D 3
Monestrol (31)...........189 H 5
Monétay-sur-Allier (03)...120 A 3
Monétay-sur-Loire (03)...120 D 2
Monéteau (89)...........73 E 5
Monêtier-Allemont (05)...166 A 5
Le Monêtier-les-Bains (05)...152 D 4
Monfaucon (24)...........156 C 1
Monfaucon (65)...........187 F 3
Monferran-Plavès (32)...188 A 3
Monferran-Savès (32)...188 C 2
Monflanquin (47)...........157 F 4
Monfort (32)...........188 B 1
Monfréville (14)...........25 G 1
Mongaillard (47)...........171 H 2
Mongausy (32)...........188 B 3
Mongauzy (33)...........156 A 4
Monget (40)...........186 A 2
La Mongie (65)...........204 D 3
Monguilhem (32)...........171 E 5
Monheurt (47)...........171 H 1
Monhoudou (72)...........68 B 1
Monieux (84)...........180 A 3
Monistrol-d'Allier (43)...147 H 5
Monistrol-sur-Loire (43)...148 D 2
Monlaur-Bernet (32)...187 H 4
Monléon-Magnoac (65)...187 H 5
Monlet (43)...........148 A 3
Monlezun (32)...........187 F 3
Monlezun-d'Armagnac (32)...171 E 5
Monlong (65)...........205 F 1
Monmadalès (24)...........157 E 2
Monmarvès (24)...........157 E 2
Monnai (61)...........28 B 5
Monnaie (37)...........86 D 2
Monneren (57)...........21 F 3
La Monnerie-le-Montel (63)...134 A 2
Monnerville (91)...........50 D 5
Monnes (02)...........32 C 3
Monnet-la-Ville (39)...........110 C 4
Monnetay (39)...........123 F 2
Monnetier-Mornex (74)...124 C 4
Monneville (60)...........30 D 3
Monnières (39)...........110 A 1
Monnières (44)...........99 G 1
Monoblet (30)...........177 H 4
Monpardiac (32)...........187 F 3
Monpazier (24)...........157 G 3
Monpezat (64)...........186 D 3
Monplaisant (24)...........157 G 2
Monprimblanc (33)...........155 G 3
Mons (16)...........128 A 2
Mons (17)...........127 G 2
Mons (30)...........178 A 3
Mons (31)...........189 G 2
Mons (34)...........191 H 3
Mons (63)...........133 G 1
Mons (83)...........198 C 1
Mons-Boubert (80)...........6 C 4
Mons-en-Barœul (59)...........4 C 3
Mons-en-Chaussée (80)...16 B 2
Mons-en-Laonnois (02)...17 E 5
Mons-en-Montois (77)...52 C 4
Mons-en-Pévèle (59)...........4 C 5
Monsac (24)...........157 F 2
Monsaguel (24)...........157 E 2
Monsec (24)...........143 E 1
Monségur (33)...........156 B 3
Monségur (40)...........186 A 2
Monségur (47)...........157 G 4
Monségur (64)...........187 E 4
La Monselie (15)...........146 A 2
Monsempron-Libos (47)...157 G 4
Monsireigne (85)...........100 B 4
Monsols (69)...........121 H 4
Monsteroux-Milieu (38)...149 H 1
Monsures (80)...........15 E 3
Monswiller (67)...........58 D 1
Mont (65)...........205 E 4
Le Mont (70)...........77 G 5
Mont (71)...........107 G 5
Le Mont (88)...........58 B 4
Mont-Bernanchon (62)...........3 G 5
Mont-Bertrand (14)...........25 G 4
Mont-Bonvillers (54)...20 C 4
Mont-Cauvaire (76)...........13 G 4
Mont-d'Astarac (32)...........187 H 5
Mont-Dauphin (05)...........167 F 2
Mont-de-Galié (31)...........205 G 3
Mont-de-Lans (38)...........152 B 4
Mont-de-Laval (25)...........95 H 5
Mont-de-l'If (76)...........13 F 4
Mont-de-Marrast (32)...........187 G 4
Mont-de-Marsan [P] (40)...170 C 4
Mont-de-Vougney (25)...96 C 4
Mont denis (31)...........152 D 2
Mont des Cats (59)...........3 G 4
Mont-devant-Sassey (55)...35 F 1
Le Mont-Dieu (08)...........19 E 4
Mont-Disse (64)...........186 D 2
Mont-Dol (35)...........45 F 3
le Mont-Dore (63)...........132 D 5

Mont-d'Origny (02) .... 17 E 2
Mont-et-Marré (58) .... 107 F 1
Mont-Laurent (08) .... 18 C 5
Mont-le-Franois (70) .... 94 A 2
Mont-le-Vernois (70) .... 94 D 1
Mont-le-Vignoble (54) .... 56 C 3
Mont-lès-Lamarche (88) .... 76 C 3
Mont-lès-Neufchâteau (88) .... 56 B 5
Mont-lès-Seurre (71) .... 109 G 2
Mont-l'Étroit (54) .... 56 B 4
Mont-l'Évêque (60) .... 31 H 3
Mont-Louis (66) .... 211 H 4
Mont-Notre-Dame (02) .... 33 E 2
Mont-Ormel (61) .... 48 A 1
Mont-près-Chambord (41) .... 88 A 2
Mont-Roc (81) .... 190 D 1
Mont-Saxonnex (74) .... 125 E 5
Mont-sous-Vaudrey (39) .... 110 B 2
Le Mont-St-Adrien (60) .... 30 D 1
Mont-St-Aignan (76) .... 13 G 5
Mont-St-Éloi (62) .... 8 A 3
Mont-St-Jean (02) .... 18 A 2
Mont-St-Jean (21) .... 92 B 5
Mont-St-Jean (72) .... 67 G 1
Mont-St-Léger (70) .... 94 C 1
Mont-St-Martin (02) .... 33 E 2
Mont-St-Martin (08) .... 34 C 1
Mont-St-Martin (38) .... 151 G 2
Mont-St-Martin (54) .... 20 B 2
Le Mont-St-Michel (50) .... 45 G 2
Mont-St-Père (02) .... 33 E 4
Mont-St-Quentin (80) .... 16 B 1
Mont-St-Remy (08) .... 34 B 1
Mont-St-Sulpice (89) .... 73 F 4
Mont-St-Vincent (71) .... 108 C 5
Mont-sur-Courville (51) .... 33 F 2
Mont-sur-Meurthe (54) .... 57 F 3
Mont-sur-Monnet (39) .... 110 C 4
Montabard (61) .... 47 H 1
Montaban (72) .... 86 B 1
Montabot (50) .... 25 F 5
Montacher (89) .... 72 B 2
Montadet (32) .... 188 C 4
Montady (34) .... 192 A 5
Montagagne (09) .... 206 D 3
Montagna-le-Reconduit (39) .... 123 F 2
Montagna-le-Templier (39) .... 123 F 3
Montagnac (30) .... 178 A 4
Montagnac (34) .... 192 D 3
Montagnac-
 d'Auberoche (24) .... 143 G 3
Montagnac-la-Crempse (24) .... 143 E 5
Montagnac-Montpezat (04) .... 181 F 5
Montagnac-
 sur-Auvignon (47) .... 172 A 2
Montagnac-sur-Lède (47) .... 157 F 4
Montagnat (01) .... 123 E 4
Montagne (33) .... 141 H 5
Montagne (38) .... 150 D 3
La Montagne (44) .... 83 E 5
La Montagne (70) .... 77 G 3
Montagne-Fayel (80) .... 14 D 1
Montagney (70) .... 94 B 4
Montagney-Servigney (25) .... 95 F 2
Montagnieu (01) .... 137 E 3
Montagnieu (38) .... 137 E 5
Montagnol (12) .... 176 B 5
Montagnole (73) .... 137 H 5
Montagny (42) .... 135 E 1
Montagny (69) .... 135 H 4
Montagny (73) .... 139 E 5
Montagny-en-Vexin (60) .... 30 C 3
Montagny-lès-Beaune (21) .... 109 E 2
Montagny-lès-Buxy (71) .... 108 D 5
Montagny-les-Lanches (74) .... 138 A 2
Montagny-lès-Seurre (21) .... 109 H 2
Montagny-
 près-Louhans (71) .... 109 H 5
Montagny-Ste-Félicité (60) .... 31 H 3
Montagny-sur-Grosne (71) .... 121 H 3
Montagoudin (33) .... 156 A 3
Montagrier (24) .... 142 D 2
Montagudet (82) .... 173 E 2
Montagut (64) .... 186 B 3
Montaignac (19) .... 145 F 2
Montaignac-
 St-Hippolyte (19) .... 145 F 2
Montaigu (02) .... 17 G 5
Montaigu (39) .... 110 B 5
Montaigu (85) .... 99 H 2
Montaigu-de-Quercy (82) .... 173 E 1
Montaigu-la-Brisette (50) .... 23 E 3
Montaigu-le-Blin (03) .... 120 B 3
Montaigu-les-Bois (50) .... 25 E 5
Montaiguët-en-Forez (03) .... 120 D 4
Montaigut (63) .... 119 F 1
Montaigut-le-Blanc (23) .... 117 G 5
Montaigut-le-Blanc (63) .... 133 F 5
Montaigut-sur-Save (31) .... 189 E 2
Montaillé (72) .... 68 D 4
Montailleur (73) .... 138 C 4
Montaillou (09) .... 207 G 5
Montaimont (73) .... 152 C 1
Montain (39) .... 110 B 4
Montaïn (82) .... 173 H 4
Montainville (28) .... 70 A 1
Montainville (78) .... 50 C 1
Montalba-d'Amélie (66) .... 212 D 4
Montalba-le-Château (66) .... 208 C 4
Montalembert (79) .... 115 E 5
Montalet-le-Bois (78) .... 30 C 4
Montalieu-Vercieu (38) .... 137 E 2

Montalivet-les-Bains (33) .... 140 B 1
Montalzat (82) .... 173 H 2
Montamat (32) .... 188 B 3
Montambert (58) .... 107 F 4
Montamel (46) .... 158 B 3
Montamisé (86) .... 102 B 5
Montamy (14) .... 25 H 4
Montanay (69) .... 136 B 2
Montanceix (24) .... 143 E 4
Montancy (25) .... 96 C 3
Montandon (25) .... 96 C 4
Montardon (64) .... 186 C 4
Montaren-
 et-St-Médiers (30) .... 178 C 3
Montargis (19) .... 144 D 2
Montargis ⊗ (45) .... 71 H 3
Montarlot (77) .... 52 A 5
Montarlot-
 lès-Champlitte (70) .... 94 A 1
Montarlot-lès-Rioz (70) .... 94 D 3
Montarnaud (34) .... 193 E 2
Montaron (58) .... 107 G 3
Montastruc (47) .... 156 D 4
Montastruc (65) .... 205 E 1
Montastruc (82) .... 173 G 3
Montastruc-de-Salies (31) .... 205 H 2
Montastruc-
 la-Conseillère (31) .... 189 G 1
Montastruc-Savès (31) .... 188 C 4
Le Montat (46) .... 158 B 5
Montataire (60) .... 31 F 2
Montauban ℗ (82) .... 173 G 4
Montauban-
 de-Bretagne (35) .... 64 D 1
Montauban-de-Luchon (31) .... 205 F 4
Montauban-de-Picardie (80) .... 16 A 1
Montauban-
 sur-l'Ouvèze (26) .... 180 B 1
Montaud (34) .... 193 G 1
Montaud (38) .... 151 F 2
Montaudin (53) .... 46 B 5
Montaulieu (26) .... 165 E 5
Montaulin (10) .... 74 A 1
Montaure (27) .... 29 G 2
Montauriol (11) .... 190 A 5
Montauriol (47) .... 157 E 3
Montauriol (66) .... 212 D 3
Montauroux (83) .... 198 C 1
Montaut (09) .... 207 E 1
Montaut (24) .... 157 E 2
Montaut (31) .... 189 E 4
Montaut (32) .... 187 H 4
Montaut (40) .... 186 A 1
Montaut (47) .... 157 E 3
Montaut (64) .... 204 A 1
Montaut-les-Créneaux (32) .... 188 A 1
Montautour (35) .... 66 A 1
Montauville (54) .... 36 D 5
Montay (59) .... 9 F 5
Montayral (47) .... 157 G 5
Montazeau (24) .... 156 B 1
Montazels (11) .... 208 A 3
Montbard ⊗ (21) .... 92 B 2
Montbarla (82) .... 173 E 2
Montbarrey (39) .... 110 B 2
Montbarrois (45) .... 71 F 3
Montbartier (82) .... 173 G 5
Montbavin (02) .... 17 E 5
Montbazens (12) .... 159 G 5
Montbazin (34) .... 193 E 3
Montbazon (37) .... 86 D 5
Montbel (09) .... 207 G 3
Montbel (48) .... 162 A 4
Montbéliard ⊗ (25) .... 96 C 2
Montbéliardot (25) .... 95 H 5
Montbellet (71) .... 122 B 2
Montbenoît (25) .... 111 G 2
Montberaud (31) .... 206 B 1
Montbernard (31) .... 188 B 5
Montberon (31) .... 189 G 1
Montbert (44) .... 99 G 1
Montberthault (21) .... 92 A 3
Montbeton (82) .... 173 G 4
Montbeugny (03) .... 120 B 1
Montbizot (72) .... 68 A 2
Montblainville (55) .... 35 F 2
Montblanc (34) .... 192 C 4
Montboillon (70) .... 94 D 3
Montboissier (28) .... 69 H 1
Montbolo (66) .... 212 D 4
Montbonnot-St-Martin (38) .... 151 H 2
Montboucher (26) .... 130 D 2
Montboucher-
 sur-Jabron (26) .... 163 H 4
Montboudif (15) .... 146 B 2
Montbouton (90) .... 96 D 2
Montbouy (45) .... 72 A 5
Montboyer (16) .... 142 B 2
Montbozon (70) .... 95 F 3
Montbrand (05) .... 165 H 3
Montbras (55) .... 56 B 3
Montbray (50) .... 25 F 5
Montbré (51) .... 33 H 3

Montbrehain (02) .... 16 D 1
Montbrison (26) .... 164 C 5
Montbrison ⊗ (42) .... 134 D 4
Montbron (16) .... 129 E 4
Montbronn (57) .... 38 C 4
Montbrun (46) .... 159 E 4
Montbrun (48) .... 177 E 1
Montbrun-Bocage (31) .... 206 C 2
Montbrun-
 des-Corbières (11) .... 208 D 1
Montbrun-Lauragais (31) .... 189 G 4
Montbrun-les-Bains (26) .... 180 A 2
Montcabrier (46) .... 157 H 4
Montcabrier (81) .... 189 H 2
Montcalm (30) .... 194 A 2
Montcaret (24) .... 156 B 1
Montcarra (38) .... 137 E 4
Montcavrel (62) .... 6 D 1
Montceau (38) .... 137 E 4
Montceau-et-Écharnant (21) .... 108 D 2
Montceau-les-Mines (71) .... 108 B 5
Montceaux (01) .... 122 B 5
Montceaux-lès-Meaux (77) .... 32 B 5
Montceaux-lès-Provins (77) .... 52 D 2
Montceaux-lès-Vaudes (10) .... 74 A 2
Montceaux-l'Étoile (71) .... 121 E 3
Montceaux-Ragny (71) .... 109 E 5
Montcel (63) .... 133 E 1
Le Montcel (73) .... 138 A 3
Montcenis (71) .... 108 B 4
Montcet (01) .... 122 D 4
Montcey (70) .... 95 E 1
Montchaboud (38) .... 151 H 4
Montchal (42) .... 135 E 2
Montchâlons (02) .... 17 F 5
Montchamp (14) .... 25 H 5
Montchamp (15) .... 147 F 5
Montchanin (71) .... 108 C 4
Montcharvot (52) .... 76 B 4
Montchaton (50) .... 24 D 4
Montchaude (16) .... 141 H 1
Montchauvet (14) .... 25 H 5
Montchauvet (78) .... 30 B 5
Montchauvrot (39) .... 110 B 4
Montchavin (73) .... 139 E 4
Montchenot (51) .... 33 H 3
Montchenu (26) .... 150 C 3
Montcheutin (08) .... 34 D 2
Montchevrel (61) .... 48 B 3
Montchevrier (36) .... 117 G 2
Montclar (04) .... 166 D 5
Montclar (11) .... 208 A 1
Montclar (12) .... 175 H 4
Montclar-
 de-Comminges (31) .... 206 A 1
Montclar-Lauragais (31) .... 189 H 4
Montclar-sur-Gervanne (26) .... 164 D 2
Montclard (43) .... 147 H 3
Montcléra (46) .... 158 A 3
Montclus (05) .... 165 H 5
Montclus (30) .... 178 C 1
Montcombroux-
 les-Mines (03) .... 120 C 3
Montcony (71) .... 109 H 5
Montcorbon (45) .... 72 B 4
Montcornet (02) .... 17 H 3
Montcornet (08) .... 10 D 5
Montcourt (70) .... 76 D 4
Montcourt-Fromonville (77) .... 71 H 1
Montcoy (71) .... 109 F 4
Montcresson (45) .... 72 A 4
Montcuit (50) .... 25 E 3
Montcul (69) .... 136 C 2
Montcuq-en-
 Quercy-Blanc (46) .... 173 F 1
Montcusel (39) .... 123 G 3
Montcy-Notre-Dame (08) .... 18 D 2
Montdardier (30) .... 177 H 4
Montdauphin (77) .... 52 D 1
Montdidier (57) .... 37 H 4
Montdidier ⊗ (80) .... 15 H 4
Montdoré (70) .... 76 D 4
Montdoumerc (46) .... 173 H 1
Montdragon (81) .... 190 C 1
Montdurausse (81) .... 174 A 4
Monte (2B) .... 215 G 5
Monte-Carlo (MCO) .... 183 G 5
Monte Cecu (2B) .... 217 E 2
Monte d'Oro (2A) .... 217 E 3
Monteaux (41) .... 87 E 4
Montebourg (50) .... 23 E 4
Montech (82) .... 173 F 4
Montécheroux (25) .... 96 C 3
Montegrosso (2B) .... 214 C 5
Montégut (32) .... 188 A 2
Montégut (40) .... 171 E 5
Montégut (65) .... 205 F 2
Montégut-Arros (32) .... 187 F 4
Montégut-Bourjac (31) .... 188 C 5
Montégut-
 en-Couserans (09) .... 206 B 3
Montégut-Lauragais (31) .... 190 A 3
Montégut-Plantaurel (09) .... 206 D 2
Montégut-Savès (32) .... 188 C 4
Monteignet-
 sur-l'Andelot (03) .... 120 A 5
Le Monteil (15) .... 146 A 2
Le Monteil (43) .... 148 B 4
Le Monteil-au-Vicomte (23) .... 131 F 2
Monteille (14) .... 27 H 3
Monteils (12) .... 174 C 1
Monteils (30) .... 178 D 5
Monteils (82) .... 173 H 2

Monteils (Près de Alès) (30) .... 178 A 3
Monteils
 (Près de Barjac) (30) .... 178 C 1
Montel-de-Gelat (63) .... 132 B 2
Montéléger (26) .... 164 C 1
Montélier (26) .... 150 C 5
Montélimar (26) .... 163 G 4
Le Montellier (01) .... 136 C 1
Montels (09) .... 206 D 3
Montels (34) .... 192 A 5
Montels (81) .... 174 C 4
Montembœuf (16) .... 129 E 3
Montenach (57) .... 21 F 3
Montendre (17) .... 141 G 2
Montené-en-Goële (77) .... 31 H 4
Monteneuf (56) .... 64 C 4
Montenescourt (62) .... 7 H 3
Montenils (77) .... 53 E 1
Montenois (25) .... 95 H 2
Montenoison (58) .... 91 E 5
Montenoy (54) .... 57 E 1
Montépilloy (60) .... 31 H 3
Monteplain (39) .... 94 B 5
Montépreux (51) .... 53 H 2
Montereau (45) .... 71 G 5
Montereau-
 Fault-Yonne (77) .... 52 B 5
Montereau-sur-le-Jard (77) .... 51 H 4
Monterfil (35) .... 64 D 2
Monterolier (76) .... 14 A 4
Monterrein (56) .... 64 B 4
Montertelot (56) .... 64 A 4
Montescot (66) .... 213 F 3
Montescourt-Lizerolles (02) .... 16 D 3
Montespan (31) .... 205 H 2
Montesquieu (34) .... 192 B 3
Montesquieu (47) .... 172 A 2
Montesquieu (82) .... 173 E 2
Montesquieu-Avantès (09) .... 206 B 2
Montesquieu-
 des-Albères (66) .... 213 E 4
Montesquieu-Guittaut (31) .... 188 B 5
Montesquieu-Lauragais (31) .... 189 G 4
Montesquieu-
 Volvestre (31) .... 206 C 1
Montesquiou (32) .... 187 G 2
Montessaux (70) .... 77 G 5
Montesson (52) .... 76 B 5
Montesson (78) .... 31 E 5
Montestruc-sur-Gers (32) .... 188 A 1
Montestrucq (64) .... 185 H 3
Le Montet (03) .... 119 G 2
Montet-et-Bouxal (46) .... 159 F 2
Monteton (47) .... 156 C 3
Monteux (84) .... 179 G 3
Montévrain (77) .... 51 H 1
Monteynard (38) .... 151 G 5
Montézic (12) .... 160 B 3
Montfa (09) .... 206 C 2
Montfa (81) .... 190 D 2
Montfalcon (38) .... 150 D 2
Montfarville (50) .... 23 E 2
Montfaucon (02) .... 32 D 5
Montfaucon (25) .... 95 E 5
Montfaucon (30) .... 179 E 3
Montfaucon (46) .... 158 C 3
Montfaucon (49) .... 100 A 1
Montfaucon (73) .... (no entry clear)
Montfaucon-
 d'Argonne (55) .... 35 F 2
Montfaucon-
 en-Velay (43) .... 148 D 3
Montfavet (84) .... 179 F 4
Montfermeil (93) .... 31 G 5
Montfermier (82) .... 173 H 2
Montfermy (63) .... 132 D 2
Montferrand (11) .... 190 A 4
Montferrand (63) .... 133 F 3
Montferrand-
 du-Périgord (24) .... 157 G 2
Montferrand-la-Fare (26) .... 165 F 5
Montferrand-
 le-Château (25) .... 94 D 5
Montferrat (38) .... 137 F 5
Montferrat (83) .... 197 G 2
Montferrer (66) .... 212 C 4
Montferrier (09) .... 207 F 4
Montferrier-sur-Lez (34) .... 193 E 2
Montfey (10) .... 73 G 3
Montfiquet (14) .... 25 G 3
Montfleur (39) .... 123 F 3
Montflours (53) .... 66 C 2
Montflovin (25) .... 111 G 2
Montfort (04) .... 181 E 3
Montfort (24) .... 158 A 1
Montfort (25) .... 110 D 1
Montfort (49) .... 85 F 5
Montfort (64) .... 185 G 4
Montfort-
 en-Chalosse (40) .... 185 G 1
Montfort-l'Amaury (78) .... 50 C 2
Montfort-le-Gesnois (72) .... 68 B 3
Montfort-
 sur-Argens (83) .... 197 G 2
Montfort-sur-Boulzane (11) .... 208 B 5
Montfort-sur-Meu (35) .... 64 D 1
Montfort-sur-Risle (27) .... 28 D 2
Montfranc (12) .... 175 G 5
Montfrin (30) .... 178 D 3
Montfroc (26) .... 180 B 2

Montfuron (04) .... 180 C 5
Montgaillard (09) .... 207 E 2
Montgaillard (11) .... 208 D 3
Montgaillard (40) .... 186 B 1
Montgaillard (65) .... 204 C 1
Montgaillard (81) .... 174 A 5
Montgaillard (82) .... 172 D 4
Montgaillard-de-Salies (31) .... 206 A 2
Montgaillard-Lauragais (31) .... 189 H 4
Montgaillard-sur-Save (31) .... 188 B 5
Montgardin (05) .... 166 C 3
Montgardon (50) .... 24 C 1
Montgaroult (61) .... 47 G 2
Montgauch (09) .... 206 A 3
Montgaudry (61) .... 48 B 5
Montgazin (31) .... 189 E 5
Montgé-en-Goële (77) .... 31 H 4
Montgeard (31) .... 189 H 5
Montgellafrey (73) .... 152 C 1
Montgenèvre (05) .... 153 F 5
Montgenost (51) .... 53 E 3
Montgérain (60) .... 15 H 5
Montgermont (35) .... 65 F 1
Montgeron (91) .... 51 G 2
Montgeroult (95) .... 30 D 4
Montgesoye (25) .... 111 E 1
Montgesty (46) .... 158 A 4
Montgey (81) .... 190 A 3
Montgibaud (19) .... 130 B 5
Montgilbert (73) .... 138 C 5
Montgirod (73) .... 139 E 5
Montgiscard (31) .... 189 G 4
Montgivray (36) .... 118 A 1
Montgobert (02) .... 32 C 2
Montgon (08) .... 18 D 5
Montgothier (50) .... 46 A 2
Montgradail (11) .... 207 H 2
Montgras (31) .... 188 D 4
Montgreleix (15) .... 146 C 2
Montgrésin (60) .... 31 G 3
Montgru-St-Hilaire (02) .... 32 D 3
Montguers (26) .... 180 B 1
Montgueux (10) .... 73 H 1
Montguillon (49) .... 66 C 5
Montguyon (17) .... 141 H 3
Les Montharirons (55) .... 35 H 4
Montharville (28) .... 69 H 2
Monthault (35) .... 46 A 3
Monthaut (11) .... 207 H 2
Monthelie (21) .... 109 E 2
Monthelon (51) .... 33 G 4
Monthelon (71) .... 108 A 2
Montheries (52) .... 75 E 2
Montherlant (60) .... 30 D 2
Monthermé (08) .... 11 E 5
Monthiers (02) .... 32 D 4
Monthieux (01) .... 136 B 1
Monthion (73) .... 138 C 4
Monthodon (37) .... 87 E 1
Monthoiron (86) .... 102 C 5
Monthois (08) .... 34 D 2
Montholier (39) .... 110 B 3
Monthou-sur-Bièvre (41) .... 87 H 3
Monthou-sur-Cher (41) .... 87 H 4
Monthuchon (50) .... 24 D 3
Monthurel (02) .... 33 E 4
Monthureux-le-Sec (88) .... 76 D 1
Monthureux-
 sur-Saône (88) .... 76 D 3
Monthyon (77) .... 32 A 4
Monti (06) .... 183 G 4
Monticello (2B) .... 214 D 4
Montier-en-Der (52) .... 54 D 4
Montier-en-l'Isle (10) .... 74 D 1
Montiéramey (10) .... 74 B 1
Montierchaume (36) .... 104 B 3
Montiers (60) .... 15 H 5
Montiers-sur-Saulx (55) .... 55 G 3
Monties (32) .... 188 A 4
Montignac (24) .... 144 A 4
Montignac (33) .... 155 H 2
Montignac (65) .... 204 C 1
Montignac (près de
 Montpon-Menesterol) (24) .... 142 B 4
Montignac (près de
 Sarlat-la-Canéda) (24) .... 144 A 4
Montignac-Charente (16) .... 128 B 3
Montignac-de-Lauzun (47) .... 156 D 4
Montignac-le-Coq (16) .... 142 C 2
Montignac-Toupinerie (47) .... 156 C 4
Montignargues (30) .... 178 B 4
Montigné (16) .... 128 A 2
Montigné (79) .... 114 C 4
Montigné-le-Brillant (53) .... 66 C 3
Montigné-lès-Rairies (49) .... 85 G 2
Montigné-sur-Moine (49) .... 100 A 1
Montigny (14) .... 27 E 4
Montigny (18) .... 89 H 5
Montigny (45) .... 71 E 2
Montigny (54) .... 57 H 3
Montigny (72) .... 48 A 4
Montigny (76) .... 13 G 5
Montigny (79) .... 100 D 4
Montigny-
 aux-Amognes (58) .... 106 D 2
Montigny-devant-Sassey (55) .... 19 G 5
Montigny-en-Arrouaise (02) .... 17 E 1
Montigny-en-Cambrésis (59) .... 9 E 5
Montigny-en-Gohelle (62) .... 4 B 5
Montigny-en-Morvan (58) .... 107 G 1
Montigny-en-Ostrevant (59) .... 8 D 2

Montigny-la-Resle (89) .... 73 F 5
Montigny-l'Allier (02) .... 32 B 4
Montigny-
 le-Bretonneux (78) .... 50 D 2
Montigny-le-Chartif (28) .... 69 G 1
Montigny-le-Franc (02) .... 17 H 3
Montigny-le-Gannelon (28) .... 69 G 3
Montigny-le-Guesdier (77) .... 52 C 5
Montigny-le-Roi (52) .... 76 A 3
Montigny-Lencoup (77) .... 52 B 4
Montigny-Lengrain (02) .... 32 B 1
Montigny-lès-Arsures (39) .... 110 C 2
Montigny-lès-Cherlieu (70) .... 76 C 5
Montigny-lès-Condé (02) .... 33 E 5
Montigny-lès-Cormeilles (95) .... 31 E 5
Montigny-lès-Jongleurs (80) .... 7 F 4
Montigny-lès-Metz (57) .... 36 D 3
Montigny-lès-Monts (10) .... 73 H 2
Montigny-
 lès-Vaucouleurs (55) .... 56 A 3
Montigny-lès-Vesoul (70) .... 94 D 1
Montigny-Montfort (21) .... 92 B 2
Montigny-Mornay-Villeneuve-
 sur-Vingeanne (21) .... 94 A 2
Montigny-sous-Marle (02) .... 17 G 3
Montigny-St-Barthélemy (21) .... 92 B 3
Montigny-sur-Armançon (21) .... 92 B 3
Montigny-sur-Aube (21) .... 75 E 2
Montigny-sur-Avre (28) .... 49 F 2
Montigny-sur-Canne (58) .... 107 F 3
Montigny-sur-Chiers (54) .... 20 B 2
Montigny-sur-Crécy (02) .... 17 F 3
Montigny-sur-l'Ain (39) .... 110 C 4
Montigny-sur-l'Hallue (80) .... 15 G 1
Montigny-sur-Loing (77) .... 51 H 5
Montigny-sur-Meuse (08) .... 11 E 3
Montigny-sur-Vence (08) .... 18 D 4
Montigny-sur-Vesle (51) .... 33 F 2
Montilliers (49) .... 85 E 5
Montillot (89) .... 91 F 3
Montilly (03) .... 119 H 1
Montilly-sur-Noireau (61) .... 47 E 1
Montils (17) .... 127 F 4
Les Montils (41) .... 87 H 3
Les Montils (77) .... 52 A 4
Montipouret (36) .... 104 C 5
Montirat (11) .... 208 B 1
Montirat (81) .... 174 D 2
Montireau (28) .... 49 F 5
Montiron (32) .... 188 B 2
Montivernage (25) .... 95 G 4
Montivilliers (76) .... 12 B 5
Montjardin (11) .... 207 H 3
Montjaux (12) .... 176 A 3
Montjavoult (60) .... 30 C 3
Montjay (05) .... 165 G 5
Montjay (71) .... 109 H 4
Montjean (16) .... 115 E 5
Montjean (53) .... 66 B 3
Montjean-sur-Loire (49) .... 84 B 3
Montjézieu (48) .... 161 F 4
Montjoi (11) .... 208 C 3
Montjoi (82) .... 172 D 2
Montjoie (63) .... 119 F 5
Montjoie-
 en-Couserans (09) .... 206 B 3
Montjoie-le-Château (25) .... 96 D 3
Montjoie-St-Martin (50) .... 45 H 4
Montjoire (31) .... 189 G 1
Montjouvent (39) .... 123 G 1
Montjoux (26) .... 164 D 4
Montjoyer (26) .... 163 H 4
Montjustin (04) .... 180 C 5
Montjustin-et-Velotte (70) .... 95 F 1
Montlandon (28) .... 49 F 5
Montlandon (52) .... 76 A 4
Montlaur (12) .... 208 C 2
Montlaur (12) .... 176 A 5
Montlaur (31) .... 189 G 3
Montlaur-en-Diois (26) .... 165 F 3
Montlaux (04) .... 180 D 3
Montlauzun (46) .... 173 F 1
Montlay-en-Auxois (21) .... 92 B 4
Montlebon (25) .... 111 H 1
Montlegun (11) .... 208 B 1
Montlevicq (36) .... 118 A 1
Montlevon (02) .... 33 E 5
Montliard (45) .... 71 F 3
Montlieu-la-Garde (17) .... 141 H 4
Montlignon (95) .... 31 F 4
Montliot-et-Courcelles (21) .... 74 C 4
Montlivault (41) .... 87 H 2
Montlobre (34) .... 193 E 2
Montlognon (60) .... 31 H 3
Montloué (02) .... 17 H 3
Montlouis (18) .... 105 E 4
Montlouis-sur-Loire (37) .... 87 E 4
Montluçon ⊗ (03) .... 118 D 3
Montluel (01) .... 136 C 2
Montmachoux (77) .... 72 B 1
Montmacq (60) .... 16 B 5
Montmagny (95) .... 31 F 5
Montmahoux (25) .... 110 D 2
Montmain (21) .... 109 G 2
Montmain (76) .... 29 G 1
Montmalin (39) .... 110 C 2
Montmançon (21) .... 93 H 4
Montmarault (03) .... 119 G 2

Localité *(Département)* Page Coordonnées

A B C D E F G H I J K L M N O P Q R S T U V W X Y Z

Montmarlon (39) .....110 D 3
Montmarquet (80) .....14 C 2
Montmartin (60) .....15 H 5
Montmartin-en-Graignes (50) .....25 F 2
Montmartin-le-Haut (10) .....74 C 1
Montmartin-sur-Mer (50) .....24 D 4
Montmaur (05) .....166 A 3
Montmaur (11) .....190 A 4
Montmaur-en-Diois (26) .....165 F 2
Montmaurin (31) .....205 G 1
Montmédy (55) .....19 H 5
Montmeillant (08) .....18 B 3
Montmelard (71) .....121 H 3
Montmelas-St-Sorlin (69) .....135 G 1
Montmélian (73) .....138 A 5
Montmerle-sur-Saône (01) .....122 B 5
Montmerrei (61) .....47 H 3
Montmeyan (83) .....196 D 1
Montmeyran (26) .....164 C 1
Montmin (74) .....138 B 2
Montmirail (51) .....53 E 1
Montmirail (72) .....69 E 2
Montmiral (26) .....150 D 3
Montmirat (30) .....178 A 5
Montmirey-la-Ville (39) .....94 A 5
Montmirey-le-Château (39) .....94 A 5
Montmoreau-St-Cybard (16) .....142 B 1
Montmorency (95) .....31 F 5
Montmorency-Beaufort (10) .....54 C 4
Montmorillon (86) .....116 B 2
Montmorin (05) .....165 G 4
Montmorin (63) .....133 G 4
Montmorot (39) .....110 A 5
Montmort (51) .....33 G 5
Montmort (71) .....108 A 4
Montmotier (88) .....77 E 3
Montmoyen (21) .....93 E 1
Montmurat (15) .....159 G 3
Montner (66) .....208 D 5
Montoillot (21) .....92 D 5
Montoir-de-Bretagne (44) .....82 C 4
Montoire-sur-le-Loir (41) .....87 E 1
Montois-la-Montagne (57) .....20 D 5
Montoison (26) .....164 C 1
Montoldre (03) .....120 B 3
Montolieu (11) .....190 C 5
Montolivet (77) .....52 D 1
Montonvillers (80) .....15 F 1
Montord (03) .....119 H 3
Montory (64) .....203 E 1
Montot (21) .....109 H 1
Montot (70) .....94 B 2
Montot-sur-Rognon (52) .....75 H 1
Montouliers (34) .....191 H 5
Montoulieu (09) .....207 E 3
Montoulieu (34) .....177 G 4
Montoulieu-St-Bernard (31) .....205 H 1
Montournais (85) .....100 C 4
Montours (35) .....45 H 4
Montourtier (53) .....67 E 1
Montoussé (65) .....205 E 2
Montoussin (31) .....188 C 5
Montoy-Flanville (57) .....21 F 5
Montpascal (73) .....152 C 1
Montpellier (34) .....193 F 2
Montpellier-de-Médillan (17) .....127 E 4
Montpellier-la-Paillade (34) .....193 F 2
Montpensier (63) .....133 F 1
Montperreux (25) .....111 F 3
Montpeyroux (12) .....160 C 3
Montpeyroux (24) .....142 B 5
Montpeyroux (34) .....192 D 1
Montpeyroux (63) .....133 F 4
Montpezat (04) .....181 F 5
Montpezat (30) .....178 A 5
Montpezat (32) .....188 C 4
Montpezat-d'Agenais (47) .....172 B 1
Montpezat-de-Quercy (82) .....173 H 2
Montpezat-sous-Bauzon (07) .....162 D 2
Montpinchon (50) .....25 E 4
Montpinier (81) .....190 C 2
Montpitol (31) .....189 H 1
Montplonne (55) .....55 G 2
Montpollin (49) .....85 G 2
Montpon-Ménestérol (24) .....142 B 5
Montpont-en-Bresse (71) .....122 D 1
Montpothier (10) .....53 E 3
Montpouillan (47) .....156 B 4
Montrabé (31) .....189 G 2
Montrabot (50) .....25 G 3
Montracol (01) .....122 D 4
Montravers (79) .....100 C 3
Montréal (07) .....163 E 4
Montréal (11) .....207 H 1
Montréal (32) .....171 H 4
Montréal (89) .....91 H 2
Montréal-la-Cluse (01) .....123 G 4
Montréal-les-Sources (26) .....165 E 5
Montrécourt (59) .....9 E 4
Montredon (11) .....208 B 1
Montredon (13) .....195 H 5
Montredon (46) .....159 G 3
Montredon-des-Corbières (11) .....209 F 1

Montredon-Labessonnié (81) .....190 D 1
Montregard (43) .....149 E 3
Montréjeau (31) .....205 F 2
Montrelais (44) .....84 B 3
Montrelet (80) .....7 F 5
Montrem (24) .....143 E 4
Montrésor (37) .....103 G 1
Montret (71) .....109 G 5
Montreuil (28) .....49 H 1
Montreuil (53) .....47 E 5
Montreuil (62) .....6 D 2
Montreuil (85) .....113 G 2
Montreuil (93) .....51 F 1
Montreuil-au-Houlme (61) .....47 F 2
Montreuil-aux-Lions (02) .....32 C 4
Montreuil-Bellay (49) .....101 G 1
Montreuil-Bonnin (86) .....115 E 1
Montreuil-des-Landes (35) .....66 A 1
Montreuil-en-Auge (14) .....27 H 3
Montreuil-en-Caux (76) .....13 G 3
Montreuil-en-Touraine (37) .....87 E 3
Montreuil-Juigné (49) .....84 D 2
Montreuil-la-Cambe (61) .....27 H 5
Montreuil-l'Argillé (27) .....28 C 5
Montreuil-le-Chétif (72) .....67 H 1
Montreuil-le-Gast (35) .....65 F 1
Montreuil-le-Henri (72) .....68 C 4
Montreuil-sous-Pérouse (35) .....65 H 2
Montreuil-sur-Barse (10) .....74 B 1
Montreuil-sur-Blaise (52) .....55 E 4
Montreuil-sur-Brêche (60) .....15 F 5
Montreuil-sur-Epte (95) .....30 B 3
Montreuil-sur-Ille (35) .....45 F 5
Montreuil-sur-Loir (49) .....85 E 2
Montreuil-sur-Lozon (50) .....25 E 3
Montreuil-sur-Maine (49) .....84 D 1
Montreuil-sur-Thérain (60) .....31 E 1
Montreuil-sur-Thonnance (52) .....55 G 4
Montreuillon (58) .....107 G 1
Montreux (54) .....58 A 3
Montreux-Château (90) .....96 D 1
Montreux-Jeune (68) .....96 D 1
Montreux-Vieux (68) .....96 D 1
Montrevault-sur-Èvre (49) .....84 A 5
Montrevel (38) .....137 E 5
Montrevel (39) .....123 F 2
Montrevel-en-Bresse (01) .....122 D 3
Montribourg (52) .....75 E 3
Montrichard-Val-de-Cher (41) .....87 G 4
Montricher-Albanne (73) .....152 D 2
Montricoux (82) .....174 A 3
Montrieux-en-Sologne (41) .....88 B 2
Montrigaud (26) .....150 D 3
Montriond (74) .....125 F 4
Montroc-le-Planet (74) .....125 G 5
Montrodat (48) .....161 F 4
Montrol-Sénard (87) .....129 G 1
Montrollet (16) .....129 G 1
Montromant (69) .....135 F 4
Montrond (05) .....165 H 5
Montrond (39) .....110 C 4
Montrond (73) .....152 C 3
Montrond-le-Château (25) .....94 D 5
Montrond-les-Bains (42) .....135 E 4
Montrosier (81) .....174 B 3
Montrottier (69) .....135 F 3
Montroty (76) .....30 B 1
Montrouge (92) .....51 F 1
Montrouveau (41) .....86 D 1
Montroy (17) .....113 F 4
Montrozier (12) .....160 C 5
Montry (77) .....52 A 1
Monts (37) .....86 C 5
Monts (60) .....30 D 3
Monts-de-Vaux (39) .....110 A 5
Les Monts d'Olmes (09) .....207 F 4
Monts-en-Bessin (14) .....27 E 3
Monts-en-Ternois (62) .....7 G 3
Monts-sur-Guesnes (86) .....102 A 3
Montsalès (12) .....159 F 4
Montsalier (04) .....180 C 3
Montsalvy (15) .....160 A 3
Montsaon (52) .....75 F 2
Montsapey (73) .....138 C 5
Montsauche-les-Settons (58) .....91 H 5
Montsaugeon (52) .....93 H 1
Montsaunès (31) .....206 A 2
Montsec (55) .....36 B 5
Montsecret (61) .....46 D 1
Montségur (09) .....207 F 4
Montségur-sur-Lauzon (26) .....163 H 5
Montselgues (07) .....162 C 4
Montséret (11) .....209 E 2
Montsérié (65) .....205 E 2
Montseron (09) .....206 C 3
Montseugny (70) .....94 A 4
Montseveroux (38) .....150 B 1
Montsoreau (49) .....85 H 5
Montsoué (40) .....186 B 1
Montsoult (95) .....31 F 4
Montsûrs (53) .....67 E 2
Montsurvent (50) .....24 D 3
Montsuzain (10) .....54 A 4
Montureux-et-Prantigny (70) .....94 B 2
Montureux-lès-Baulay (70) .....76 D 5
Montursin (25) .....96 D 3
Montusclat (43) .....148 C 5
Montussaint (25) .....95 F 3

Montussan (33) .....155 F 1
Montvalen (81) .....174 A 5
Montvalent (46) .....158 C 5
Montvalezan (73) .....139 F 4
Montvendre (26) .....164 C 1
Montverdun (42) .....134 D 4
Montvernier (73) .....152 C 1
Montvert (15) .....145 G 5
Montviette (14) .....28 A 4
Montville (76) .....13 G 5
Montviron (50) .....45 H 1
Montzéville (55) .....35 G 3
Monze (11) .....208 C 1
Moon-sur-Elle (50) .....25 G 2
Moosch (68) .....78 B 4
Mooslargue (68) .....97 F 2
Moraches (58) .....91 E 5
Moragne (17) .....126 D 1
Morains (51) .....53 G 1
Morainville (28) .....50 C 5
Morainville-Jouveaux (27) .....28 C 2
Morainvilliers (78) .....30 D 5
Morancé (69) .....135 H 2
Morancez (28) .....50 A 5
Morancourt (52) .....55 F 4
Morand (37) .....87 F 2
Morangis (51) .....33 G 5
Morangis (91) .....51 F 2
Morangles (60) .....31 F 3
Morannes-sur-Sarthe (49) .....67 E 5
Moranville (55) .....20 A 5
Moras (38) .....136 D 4
Moras-en-Valloire (26) .....150 C 2
Morbecque (59) .....3 G 5
Morbier (39) .....124 B 1
Morcenx (40) .....169 F 3
Morchain (80) .....16 B 2
Morchies (62) .....8 B 4
Morcourt (02) .....16 D 2
Morcourt (80) .....15 H 2
Mordelles (35) .....65 E 2
Mordreuc (22) .....44 D 3
Moréac (56) .....63 G 5
Morée (41) .....69 G 4
Moreilles (85) .....113 F 2
Morello (Col de) (2B) .....217 F 3
Morelmaison (88) .....56 C 5
Morembert (10) .....54 B 4
Morestel (38) .....137 F 4
Moret-sur-Loing-et-Orvanne (77) .....52 A 5
Morêtel-de-Mailles (38) .....152 A 1
Morette (38) .....151 F 2
Moreuil (80) .....15 G 3
Morey (70) .....94 B 1
Morey (71) .....108 D 4
Morey-St-Denis (21) .....93 F 5
Morez (39) .....124 B 1
Morfontaine (54) .....20 C 3
Morganx (40) .....186 A 2
Morgat (29) .....41 E 5
Morgemoulin (55) .....20 A 5
Morgny (27) .....30 A 1
Morgny-en-Thiérache (02) .....17 H 3
Morgny-la-Pommeraye (76) .....13 H 5
Morhange (57) .....37 G 5
Moriani-Plage (2B) .....217 H 4
Moriat (63) .....147 F 1
Moricq (85) .....112 D 2
Morienne (76) .....14 C 3
Morienval (60) .....32 A 2
Morières-lès-A. (84) .....179 F 4
Moriers (28) .....69 H 1
Morieux (22) .....43 H 4
Moriez (04) .....181 H 3
Morigny (50) .....25 F 5
Morigny-Champigny (91) .....51 E 4
Morillon (74) .....125 F 5
Morionvilliers (52) .....55 H 5
Morisel (80) .....15 G 3
Moriville (88) .....57 F 5
Moriviller (54) .....57 F 4
Morizécourt (88) .....76 C 2
Morizès (33) .....155 H 3
Morlaàs (64) .....186 C 4
Morlac (18) .....105 F 5
Morlaincourt (55) .....55 H 2
Morlaix (29) .....42 A 3
Morlancourt (80) .....15 H 1
Morlanne (64) .....186 A 3
Morlet (71) .....108 C 2
Morley (55) .....55 G 3
Morlhon-le-Haut (12) .....174 D 1
Morlincourt (60) .....16 B 4
Mormaison (85) .....99 G 3
Mormant (77) .....52 A 3
Mormant-sur-Vernisson (45) .....71 H 4
Mormès (32) .....171 E 5
Mormoiron (84) .....179 E 5
Mornac (16) .....128 C 4
Mornac-sur-Seudre (17) .....126 C 3
Mornand-en-Forez (42) .....134 D 4
Mornans (26) .....164 D 3
Mornant (69) .....135 G 4
Mornas (84) .....178 C 4
Mornay (21) .....94 A 2
Mornay (71) .....121 G 1
Mornay-Berry (18) .....106 A 2

Mornay-sur-Allier (18) .....106 B 4
Moroges (71) .....108 D 4
Morogues (18) .....89 G 5
Morosaglia (2B) .....217 F 1
Morre (25) .....95 E 5
Morsain (02) .....16 C 5
Morsains (51) .....53 E 1
Morsalines (50) .....23 E 3
Morsang-sur-Orge (91) .....51 F 3
Morsang-sur-Seine (91) .....51 G 3
Morsbach (57) .....37 H 2
Morsbronn-les-Bains (67) .....39 F 4
Morschwiller (67) .....39 E 5
Morschwiller-le-Bas (68) .....78 D 5
Morsiglia (2B) .....215 F 1
Mortagne-au-Perche (61) .....48 C 4
Mortagne-du-Nord (59) .....5 E 5
Mortagne-sur-Gironde (17) .....126 D 5
Mortagne-sur-Sèvre (85) .....100 B 2
Mortain-Bocage (50) .....46 B 2
Mortcerf (77) .....52 A 1
Morteau (25) .....111 H 1
Morteaux-Coulibœuf (14) .....27 H 5
Mortefontaine (02) .....32 B 2
Mortefontaine (60) .....31 G 4
Mortefontaine-en-Thelle (60) .....31 E 2
Mortemart (87) .....129 G 1
Mortemer (60) .....15 H 4
Mortemer (76) .....14 B 3
Mortery (77) .....52 C 3
Morthemer (86) .....115 H 2
Morthomiers (18) .....105 F 2
Le Mortier (19) .....145 E 3
Mortiers (02) .....17 F 3
Mortiers (17) .....141 G 1
Morton (86) .....101 H 1
Mortrée (61) .....47 H 3
Mortroux (23) .....117 H 3
Mortzwiller (68) .....78 B 5
Morval (62) .....8 B 5
Morvillars (90) .....96 D 2
Morville (50) .....22 D 4
Morville (88) .....76 C 1
Morville-en-Beauce (45) .....71 E 1
Morville-lès-Vic (57) .....57 G 1
Morville-sur-Andelle (76) .....14 A 5
Morville-sur-Nied (57) .....37 F 4
Morville-sur-Seille (54) .....36 D 5
Morvillers (60) .....14 D 4
Morvillers-St-Saturnin (80) .....14 C 3
Morvilliers (10) .....54 C 5
Morvilliers (28) .....49 F 3
Mory (62) .....8 B 4
Mory-Montcrux (60) .....15 G 4
Morzine (74) .....125 F 4
Mosles (14) .....25 H 1
Moslins (51) .....33 G 5
Mosnac (16) .....128 A 4
Mosnac (17) .....127 F 5
Mosnay (36) .....117 F 1
Mosnes (37) .....87 F 3
Mosset (66) .....212 B 2
Mosson (21) .....74 D 4
Mostuéjouls (12) .....176 C 2
Motey-Besuche (70) .....94 B 4
Motey-sur-Saône (70) .....94 B 2
La Mothe-Achard (85) .....99 E 5
La Mothe-St-Héray (79) .....114 D 3
Mothern (67) .....39 H 4
Motreff (29) .....62 C 2
La Motte (04) .....63 H 2
La Motte (60) .....32 B 1
La Motte (83) .....197 G 3
La Motte-au-Bois (59) .....3 G 5
La Motte-Chalancon (26) .....165 F 4
La Motte-d'Aigues (84) .....180 B 5
La Motte-d'Aveillans (38) .....151 H 5
La Motte-de-Galaure (26) .....149 H 3
La Motte-du-Caire (04) .....166 B 5
La Motte-en-Bauges (73) .....138 B 3
La Motte-en-Champsaur (05) .....166 B 2
La Motte-Fanjas (26) .....150 D 4
La Motte-Feuilly (36) .....118 A 1
La Motte-Fouquet (61) .....47 F 3
La Motte-Servolex (73) .....137 H 4
La Motte-St-Jean (71) .....121 E 2
La Motte-St-Martin (38) .....151 G 5
La Motte-Ternant (21) .....92 B 4
La Motte-Tilly (10) .....52 D 4
Mottereau (28) .....69 G 1
Motteville (76) .....13 F 4
Mottier (38) .....151 E 1
Motz (73) .....137 H 1
Mouacourt (54) .....57 G 2
Mouais (44) .....65 F 5
Mouans-Sartoux (06) .....199 E 1
Mouaville (54) .....20 B 5
Mouazé (35) .....65 F 1
Mouchamps (85) .....100 A 4
Mouchan (32) .....171 H 5
Mouchard (39) .....110 C 2
La Mouche (50) .....45 H 1
Mouchès (32) .....187 H 3
Mouchin (59) .....4 D 4
Mouchy-le-Châtel (60) .....31 E 2
Moudeyres (43) .....148 C 5

Mouen (14) .....27 E 3
Mouettes (27) .....29 H 5
Mouffy (89) .....91 E 1
Mouflaines (27) .....30 A 2
Mouflers (80) .....7 E 5
Mouflières (80) .....14 C 1
Mougau-Bian (29) .....41 H 4
Mougins (06) .....199 E 1
Mougon (79) .....114 C 3
Mouguerre (64) .....184 D 3
Mouhers (36) .....117 G 1
Mouhet (36) .....117 E 3
Mouhous (64) .....186 C 3
Mouillac (33) .....141 G 5
Mouillac (82) .....174 A 1
La Mouille (39) .....124 A 1
Mouilleron (52) .....93 G 1
Mouilleron-le-Captif (85) .....99 G 4
Mouilleron-St-Germain (85) .....100 B 5
Mouilly (55) .....36 A 4
Moulainville (55) .....20 A 5
Moularès (81) .....175 E 3
Moulay (53) .....66 D 1
Moulayrès (81) .....190 B 1
Mouledous (65) .....187 F 5
Moulès (13) .....194 D 2
Moulès-et-Baucels (34) .....177 G 4
Mouleydier (24) .....157 E 1
Moulézan (30) .....178 A 4
Moulhard (28) .....69 F 1
Moulicent (61) .....49 E 3
Moulidars (16) .....128 A 4
Mouliets-et-Villemartin (33) .....156 A 1
Mouliherne (49) .....85 H 3
Moulin-de-Redon (29) .....196 B 4
Moulin-du-Pont (29) .....61 G 3
Moulin-Mage (81) .....191 G 1
Moulin-Neuf (09) .....207 G 2
Moulin-Neuf (24) .....142 A 5
Moulin-sous-Touvent (60) .....16 C 5
Moulin-Vieux (06) .....198 D 1
La Mouline (12) .....175 G 1
Le Moulinet (30) .....178 A 2
Moulinet (47) .....157 E 4
Le Moulinet-sur-Solin (45) .....71 H 5
Moulins (02) .....33 F 1
Moulins (03) .....120 A 1
Moulins (35) .....65 H 3
Moulins (79) .....100 C 2
Les Moulins (83) .....200 D 3
Les Moulins (Près de Courregoules) (06) .....183 E 5
Les Moulins (Près de Falicon) (06) .....183 F 5
Moulins-en-Tonnerrois (89) .....91 H 1
Moulins-Engilbert (58) .....107 G 2
Moulins-la-Marche (61) .....48 C 3
Moulins-le-Carbonnel (72) .....47 H 5
Moulins-lès-Metz (57) .....36 D 3
Moulins-St-Hubert (55) .....19 G 4
Moulins-sur-Céphons (36) .....104 A 2
Moulins-sur-Orne (61) .....47 H 1
Moulins-sur-Ouanne (89) .....90 D 1
Moulins-sur-Yèvre (18) .....105 G 2
Moulis (09) .....206 B 3
Moulis-en-Médoc (33) .....140 D 4
Moulismes (86) .....116 A 3
Moulle (62) .....3 E 4
Le Moulleau (33) .....154 B 3
Moulon (33) .....155 H 1
Moulon (45) .....71 G 3
Moulons (17) .....141 G 2
Moulot (58) .....91 E 3
Moulotte (55) .....36 B 3
Moult (14) .....27 G 3
Moumoulous (65) .....187 F 4
Moumour (64) .....185 H 5
Mounes-Prohencoux (12) .....191 G 1
La Moure (47) .....197 G 4
Mourède (32) .....171 H 5
Mourens (33) .....155 H 3
Mourenx (64) .....186 A 4
Mouret (12) .....160 A 4
Moureuille (63) .....119 F 5
Mourèze (34) .....192 C 2
Mourioux-Vieilleville (23) .....117 F 5
Mourjou (15) .....159 H 3
Mourmelon-le-Grand (51) .....34 B 3
Mourmelon-le-Petit (51) .....34 A 3
Mournans-Charbonny (39) .....110 A 4
Mouron (08) .....34 D 2
Mouron-sur-Yonne (58) .....91 F 5
Mouroux (77) .....52 B 1
Mours (95) .....31 E 3
Mours-St-Eusèbe (26) .....150 C 4
Moussac (30) .....178 B 4
Moussac (86) .....116 A 4
Moussages (15) .....146 A 3
Moussan (11) .....209 F 1
Moussé (35) .....65 H 4

Mousseaux-Neuville (27) .....29 H 5
Mousseaux-sur-Seine (78) .....30 B 4
Moussey (10) .....73 H 1
Moussey (57) .....57 H 2
Moussey (88) .....58 B 4
Les Moussières (39) .....124 A 3
Mousson (54) .....36 D 5
Moussonvilliers (61) .....49 E 3
Moussoulens (11) .....190 C 5
Moussy (51) .....33 G 4
Moussy (58) .....91 E 5
Moussy (95) .....30 C 3
Moussy-le-Neuf (77) .....31 G 4
Moussy-le-Vieux (77) .....31 H 4
Moussy-Verneuil (02) .....33 E 1
Moustajon (31) .....205 F 4
Mousterlin (29) .....61 H 4
Moustéru (22) .....43 E 4
Moustey (40) .....154 D 5
Le Moustier (24) .....143 H 5
Moustier (47) .....156 C 3
Moustier-en-Fagne (59) .....10 B 3
Moustier-Ventadour (19) .....145 G 1
Moustiers-Ste-Marie (04) .....181 G 5
Le Moustoir (22) .....62 C 1
Moustoir-Ac (56) .....63 G 5
Moustoir-Remungol (56) .....63 F 4
Moutardon (16) .....128 C 1
La Moutade (63) .....133 F 1
Le Moutaret (38) .....152 A 1
Le Moutchic (33) .....140 B 4
Mouterhouse (57) .....38 D 4
Mouterre-Silly (86) .....101 H 2
Mouterre-sur-Blourde (86) .....116 A 4
Mouthe (25) .....111 F 4
Le Moutherot (25) .....94 C 5
Mouthier-en-Bresse (71) .....110 A 3
Mouthier-Haute-Pierre (25) .....111 F 1
Mouthiers-sur-Boëme (16) .....128 B 5
Mouthoumet (11) .....208 C 3
Le Moutier (78) .....50 B 1
Moutier-d'Ahun (23) .....118 A 5
Moutier-Malcard (23) .....117 H 3
Moutier-Rozeille (23) .....131 G 2
Moutiers (28) .....70 C 1
Moutiers (35) .....66 A 3
Moutiers (54) .....20 D 5
Moûtiers (73) .....138 D 5
Moutiers-au-Perche (61) .....49 E 4
Les Moutiers-en-Auge (14) .....27 H 5
Les Moutiers-en-Cinglais (14) .....27 F 4
Moutiers-en-Puisaye (89) .....90 C 2
Les Moutiers-en-Retz (44) .....98 C 1
Les Moutiers-Hubert (14) .....28 B 5
Moutiers-les-Mauxfaits (85) .....112 D 1
Moutiers-sous-Argenton (79) .....101 E 2
Moutiers-sous-Chantemerle (79) .....100 D 5
Moutiers-St-Jean (21) .....92 A 2
Moutiers-sur-le-Lay (85) .....113 E 1
Mouton (16) .....128 C 2
Moutonne (39) .....123 G 1
La Moutonne (83) .....201 E 3
Moutonneau (16) .....128 C 2
Moutoux (39) .....110 D 4
Moutrot (54) .....56 C 3
Mouvaux (59) .....4 C 3
Moux (11) .....208 D 1
Moux-en-Morvan (58) .....108 A 1
Mouxy (73) .....137 H 3
Mouy (60) .....31 F 2
Mouy-sur-Seine (77) .....52 C 5
Mouzay (37) .....103 E 1
Mouzay (55) .....19 G 5
Mouzeil (44) .....83 H 3
Mouzens (24) .....157 H 1
Mouzens (81) .....190 A 3
Mouzeuil-St-Martin (85) .....113 F 2
Mouzieys-Panens (81) .....174 C 3
Mouzieys-Teulet (81) .....175 E 5
Mouzillon (44) .....99 H 1
Mouzon (08) .....19 F 4
Mouzon (16) .....129 E 3
Moval (90) .....96 D 1
Moÿ-de-l'Aisne (02) .....16 D 3
Moyaux (14) .....28 B 3
Moydans (05) .....165 F 5
Moye (74) .....137 H 2
Moyemont (88) .....57 G 5
Moyen (54) .....57 G 3
Moyencourt (80) .....16 B 3
Moyencourt-lès-Poix (80) .....15 E 2
Moyenmoutier (88) .....58 A 4
Moyenneville (60) .....15 H 5
Moyenneville (62) .....8 A 4
Moyenneville (80) .....6 C 5
Moyenvic (57) .....57 G 1
Moyeuvre-Grande (57) .....20 D 4
Moyeuvre-Pite (57) .....20 D 4
Moyon Villages (50) .....25 F 4
Moyrazès (12) .....175 F 1
Moyvillers (60) .....31 H 5
Mozac (63) .....133 F 2
Mozé-sur-Louet (49) .....84 D 4
Muchedent (76) .....13 H 3
Muel (35) .....64 C 2
Muespach (68) .....97 G 1
Muespach-le-Haut (68) .....97 G 1
Mugron (40) .....185 H 1
Muhlbach-sur-Bruche (67) .....58 C 3
Muhlbach-sur-Munster (68) .....78 B 2

Muides-sur-Loire (41) ....88 A 1
Muidorge (60) ....15 E 5
Muids (27) ....29 H 3
Muille-Villette (60) ....16 C 3
Muirancourt (60) ....16 B 4
Muizon (51) ....33 G 2
Les Mujouls (06) ....182 C 4
La Mulatière (69) ....135 H 3
Mulcent (78) ....50 B 1
Mulcey (57) ....57 G 1
Mulhausen (67) ....39 E 5
Mulhouse ⬙ (68) ....78 D 5
Mulsanne (72) ....68 A 4
Mulsans (41) ....87 H 1
Mun (65) ....187 G 5
Munchhausen (67) ....39 H 4
Munchhouse (68) ....79 E 4
Muncq-Nieurlet (62) ....2 D 3
Mundolsheim (67) ....59 F 2
Muneville-le-Bingard (50) .....24 D 3
Muneville-sur-Mer (50) ....24 D 5
Le Mung (17) ....127 E 2
Munster (57) ....38 A 5
Munster (68) ....78 C 2
Muntzenheim (68) ....79 E 2
Munwiller (68) ....78 D 3
Mur-de-Barrez (12) ....160 B 1
Mûr-de-Bretagne (22) ....63 F 2
Mur-de-Sologne (41) ....88 A 4
Muracciole (2B) ....217 E 3
Murasson (12) ....191 G 1
Murat (03) ....119 F 3
Murat (15) ....146 C 4
Murat-le-Quaire (63) ....132 C 5
Murat-sur-Vèbre (81) ....191 G 2
Murato (2B) ....215 F 4
La Muraz (74) ....124 C 4
Murbach (68) ....78 C 3
La Mure (38) ....151 H 5
La Mure-Argens (04) ....182 A 3
Mureaumont (14) ....14 C 4
Les Mureaux (78) ....30 C 5
Mureils (26) ....149 H 3
Mûres (74) ....138 A 2
Muret ⬙ (31) ....189 E 4
Le Muret (40) ....154 D 5
Muret-et-Crouttes (02) ....32 D 2
Muret-le-Château (12) ....160 B 4
La Murette (38) ....151 F 1
Murianette (38) ....151 H 3
Murinais (38) ....151 E 3
Murles (34) ....193 E 2
Murlin (58) ....90 C 5
Muro (2B) ....214 C 5
Murol (63) ....133 E 5
Murols (12) ....160 B 2
Muron (17) ....113 G 5
Murs (36) ....103 G 3
Murs (84) ....179 H 4
Mûrs-Érigné (49) ....84 D 3
Murs-et-Gélignieux (01) .....137 G 4
Murtin-et-Bogny (08) ....18 C 2
Murvaux (55) ....35 G 1
Murviel-lès-Béziers (34) .....192 A 4
Murviel-
  lès-Montpellier (34) ......193 E 2
Murville (54) ....20 C 4
Murzo (2A) ....216 C 3
Mus (30) ....193 H 1
Muscourt (02) ....33 F 1
Musculdy (64) ....202 D 1
Musièges (74) ....124 A 5
Musigny (21) ....108 C 1
La Musse (28) ....50 A 2
Musseau (52) ....93 G 1
Mussey (55) ....55 F 1
Mussey-sur-Marne (52) ....55 G 5
Mussidan (24) ....142 D 5
Mussig (67) ....59 E 5
Mussy-la-Ville (21) ....92 C 2
Mussy-sous-Dun (71) ....121 G 4
Mussy-sur-Seine (10) ....74 C 3
Mutigney (39) ....94 A 4
Mutigny (51) ....33 H 4
Mutrécy (14) ....27 F 4
Muttersholtz (67) ....59 E 5
Mutzenhouse (67) ....59 E 1
Mutzig (67) ....58 D 3
Le Muy (83) ....197 H 3
Muzeray (55) ....20 B 4
Muzillac (56) ....82 A 1
Muzy (27) ....49 H 1
Myans (73) ....138 A 5
Myennes (58) ....90 A 3
Myon (25) ....110 D 2

N

Nabas (64) ....185 G 4
Nabinaud (16) ....142 C 2
Nabirat (24) ....158 A 2
Nabringhen (62) ....2 C 4
Nachamps (17) ....127 F 1
Nadaillac (24) ....144 B 5
Nadaillac-de-Rouge (46) ....158 B 1
Nadaillat (63) ....133 E 4
Nades (03) ....119 G 5
Nadillac (46) ....158 C 4
Naftel (50) ....46 A 3
Nagel-Séez-Mesnil (27) ......29 F 5
Nages (81) ....191 G 2
Nages-et-Solorgues (30) ....193 H 1
Nahuja (66) ....211 H 5

Nailhac (24) ....143 A 3
Naillat (23) ....117 F 4
Nailloux (31) ....189 G 5
Nailly (89) ....72 C 1
Naintré (86) ....102 B 4
Nainville-les-Roches (91) .....51 G 4
Naisey-les-Granges (25) ......95 F 5
Naives-en-Blois (55) ....56 A 2
Naives-Rosières (55) ....55 G 1
Naix-aux-Forges (55) ....55 H 2
Naizin (56) ....63 G 4
Najac (12) ....174 C 2
Nalliers (85) ....113 F 2
Nalliers (86) ....116 B 1
Nalzen (09) ....207 F 3
Nambsheim (68) ....79 E 3
Nampcel (60) ....16 C 5
Nampcelles-la-Cour (02) ......17 H 3
Nampont-St-Martin (80) ....6 C 3
Namps-au-Mont (80) ....15 E 2
Namps-au-Val (80) ....15 E 2
Nampteuil-sous-Muret (02) ...32 D 2
Nampty (80) ....15 F 2
Nan-sous-Thil (21) ....92 B 4
Nanc-lès-Saint-Amour (39) ...123 F 2
Nançay (18) ....89 E 4
Nance (39) ....110 A 4
Nances (73) ....137 H 4
Nanclars (16) ....128 C 2
Nançois-le-Grand (55) ....55 H 2
Nançois-sur-Ornain (55) .....55 G 2
Neauphle-
  le-Château (78) ....50 C 1
Neauphle-le-Vieux (78) ......50 C 1
Neauphlette (78) ....30 A 5
Neaux (42) ....134 D 1
Nébian (34) ....192 C 2
Nébias (11) ....207 H 4
Nébing (57) ....37 H 5
Nébouzat (63) ....132 D 4
Nécy (61) ....47 G 1
Nedde (87) ....131 E 4
Nédon (62) ....7 G 1
Nédonchel (62) ....7 G 1
Neewiller-
  près-Lauterbourg (67) .....39 H 4
Neffes (05) ....166 B 4
Neffiès (34) ....192 C 3
Néfiach (66) ....208 D 5
Nègrepelisse (82) ....173 H 3
Négreville (50) ....22 D 4
Négron (37) ....86 C 2
Négrondes (24) ....143 G 2
Néhou (50) ....22 C 3
Nehwiller (67) ....39 E 4
Nelling (57) ....38 A 4
Nemours (77) ....71 H 1
Nempont-St-Firmin (62) ....6 C 2
Nénigan (31) ....188 A 4
Néons-sur-Creuse (36) ......103 E 4
Néoules (83) ....196 D 4
Néoux (23) ....131 H 2
Nepvant (55) ....19 G 4
Nérac ⬙ (47) ....172 A 2
Nerbis (40) ....185 H 1
Néré (17) ....127 H 1
Néret (36) ....118 B 1
Nérigean (33) ....155 G 1
Nérignac (86) ....116 A 3
Néris-les-Bains (03) ......119 E 4
Nermier (39) ....123 G 1
Nernier (74) ....124 C 2
Néron (28) ....50 A 3
Néronde (42) ....135 E 2
Néronde-sur-Dore (63) .....133 H 3
Nérondes (18) ....106 A 2
Ners (30) ....178 A 3
Nersac (16) ....128 B 4
Nervezain (70) ....94 C 1
Nervieux (42) ....134 D 3
Nerville-la-Forêt (95) ....31 F 4
Néry (60) ....31 H 2
La Nerthe (83) ....197 H 4
Nesbinals (48) ....161 E 3
Nesle (80) ....16 B 3
Nesle-et-Massoult (21) ......74 B 5
Nesle-la-Reposte (51) ....53 E 3
Nesle-le-Repons (51) ....33 F 4
Nesle-l'Hôpital (80) ....14 C 1
Nesle-Normandeuse (76) .....14 C 1
Nesles (62) ....2 B 5
Nesles (77) ....52 B 2
Nesles-la-Montagne (02) .....32 D 4
Nesles-la-Vallée (95) ....31 E 3
Neslette (80) ....14 B 1
Nesmy (85) ....99 G 5
Nesploy (45) ....71 F 3
Nespouls (19) ....144 C 5
Nessa (2B) ....214 D 5
Nestier (65) ....205 F 2
Nettancourt (55) ....35 E 5
Nett-Abergement (39) ......109 H 3
Neubois (67) ....58 D 5
Le Neubourg (27) ....29 E 3
Neuchâtel-Urtière (25) ....96 C 3
Neuf-Berquin (59) ....3 H 5
Neuf-Brisach (68) ....79 E 2
Neuf-Église (63) ....119 F 5
Neuf-Marché (76) ....30 B 1
Neuf-Mesnil (59) ....9 H 3
Neufbosc (76) ....14 A 4

Nauvay (72) ....68 B 1
Nauviale (12) ....160 A 4
Naux (08) ....11 E 5
Navacelles (30) ....178 B 2
Navarosse (40) ....154 A 5
Navarrenx (64) ....185 H 4
Naveil (41) ....69 F 5
Navenne (70) ....95 E 1
Naves (03) ....119 H 5
Naves (07) ....162 C 5
Naves (19) ....144 D 2
Naves (59) ....8 D 4
Naves (73) ....138 D 4
Navès (81) ....190 C 3
Nâves-Parmelan (74) ....138 B 1
Navilly (71) ....109 G 3
Nay (50) ....25 E 2
Nay (64) ....204 A 1
Nayemont-les-Fosses (88) ....58 B 5
Le Nayrac (12) ....160 B 3
Nazelles-Négron (37) ....87 E 3
Néac (33) ....141 H 5
Néant-sur-Yvel (56) ....64 B 2
Neau (53) ....67 E 2
Neaufles-Auvergny (27) ......48 D 1
Neaufles-St-Martin (27) ......30 D 2
Neauphe-sous-Essai (61) .....48 A 3
Neauphe-sous-Dive (61) ......47 H 1
Le Neufbourg (50) ....46 B 2
Neufchâteau ⬙ (88) ....56 B 5
Neufchâtel-en-Bray (76) .....14 A 3
Neufchâtel-en-Saosnois (72) ..48 A 5
Neufchâtel-Hardelot (62) ......2 B 5
Neufchâtel-
  sur-Aisne (02) ....33 H 1
Neufchef (57) ....20 D 4
Neufchelles (60) ....32 B 3
Neuffons (33) ....156 A 3
Neuffontaines (58) ....91 F 4
Neufgrange (57) ....38 B 3
Neuflieux (02) ....16 C 4
Neuflize (08) ....34 A 1
Neufmaison (08) ....18 C 3
Neufmaisons (54) ....58 A 4
Neufmanil (08) ....19 E 2
Neufmesnil (50) ....22 D 5
Neufmoulin (80) ....6 D 5
Neufmoutier (59) ....18 A 2
Neufmoutiers-en-Brie (77) ...52 A 2
Le Neufour (55) ....35 E 3
Neufvillage (57) ....37 H 4
Neufvy-sur-Aronde (60) .....15 H 5
Neugartheim (67) ....39 F 3
Neuhaeusel (67) ....39 H 4
Neuil (37) ....102 C 1
Neuilh (65) ....204 C 2
Neuillac (17) ....127 G 5
Neuillay-les-Bois (36) ......104 A 4
Neuillé (49) ....85 G 4
Neuillé-le-Lierre (37) ....87 E 3
Neuillé-Pont-Pierre (37) .....86 C 2
Neuilly (27) ....29 H 5
Neuilly (58) ....91 E 5
Neuilly (89) ....72 D 4
Neuilly-en-Donjon (03) .....120 D 3
Neuilly-en-Dun (18) ....106 A 4
Neuilly-en-Sancerre (18) .....89 H 5
Neuilly-en-Thelle (60) ....31 F 3
Neuilly-en-Vexin (95) ....30 D 3
Neuilly-la-Forêt (14) ....25 F 2
Neuilly-le-Bisson (61) ....48 A 4
Neuilly-le-Brignon (37) .....102 D 2
Neuilly-le-Dien (80) ....7 E 4
Neuilly-le-Réal (03) ....120 B 2
Neuilly-le-Vendin (53) ....47 F 4
Neuilly-lès-Dijon (21) ....93 G 4
Neuilly-l'Évêque (52) ....75 H 4
Neuilly-l'Hôpital (80) ....6 D 4
Neuilly-Plaisance (93) ....51 G 1
Neuilly-
  sous-Clermont (60) ....31 F 1
Neuilly-St-Front (02) ....32 C 3
Neuilly-sur-Eure (61) ....49 E 4
Neuilly-sur-Marne (93) ......51 G 1
Neuilly-sur-Seine (92) ....51 E 1
Neuilly-sur-Suize (52) ....75 G 3
Neulette (62) ....7 F 2
Neulise (42) ....134 D 2
Neulles (17) ....127 G 5
Neulliac (56) ....63 F 3
Neung-sur-Beuvron (41) .....88 C 3
Neunhoffen (67) ....39 E 3
Neunkirchen-
  lès-Bouzonville (57) ......21 G 3
Neure (03) ....106 B 4
Neurey-en-Vaux (70) ....77 E 5
Neurey-lès-la-Demie (70) ....95 E 3
Neussargues-Moissac (15) ...146 D 4
Neuve-Chapelle (62) ....3 H 5
La Neuve-Grange (27) ....30 A 1
La Neuve-Lyre (27) ....28 D 5
Neuve-Maison (02) ....10 A 5
Neuvecelle (74) ....125 E 2
Neuvéglise (15) ....160 D 1
Neuvelle-lès-Champlitte (70) ..94 A 2
Neuvelle-lès-Cromary (70) ....95 E 3
Neuvelle-lès-la-Charité (70) ..94 D 2
La Neuvelle-lès-Lure (70) ....77 G 5
La Neuvelle-lès-Scey (70) ....94 D 1
Neuvelle-lès-Voisey (52) .....76 C 4
Neuves-Maisons (54) ....56 D 2
La Neuveville-
  devant-Lépanges (88) .....77 H 1
La Neuveville-
  sous-Châtenois (88) ......56 C 5
La Neuveville-
  sous-Montfort (88) ....76 D 1
Neuvic (19) ....145 H 2
Neuvic (24) ....142 D 4
Neuvic-Entier (87) ....130 C 4
Neuvicq (17) ....141 H 3
Neuvicq-le-Château (17) ....127 H 3
Neuvillalais (72) ....67 H 2
Neuville (19) ....145 E 4
Neuville (03) ....120 A 2
La Neuville (59) ....4 C 5
La Neuville (63) ....133 H 3
La Neuville (80) ....15 G 1
La Neuville-au-Bois (08) .....19 E 4
La Neuville-au-Bois (80) .....14 C 1
Neuville-au-Cornet (62) ......7 G 3
La Neuville-au-Plain (50) ....23 E 4
La Neuville-au-Pont (51) .....35 E 3
La Neuville-aux-Bois (45) ....70 D 3
La Neuville-aux-Bois (51) ....35 E 5
La Neuville-aux-Joûtes (08) ..10 B 5
La Neuville-aux-Larris (51) ...33 G 3
La Neuville-aux-Tourneurs (08) 10 B 5
Neuville-Bosc (60) ....30 D 3
La Neuville-Bosmont (02) ...17 G 3
Neuville-Bourjonval (62) ......8 C 5

Le Neufbourg (50) ....46 B 2
La Neuville-
  Chant-d'Oisel (76) ....29 G 1
Neuville-Coppegueule (80) ...14 C 2
La Neuville-d'Aumont (60) ....31 E 2
Neuville-Day (08) ....18 D 5
Neuville-de-Poitou (86) ....102 A 5
La Neuville-du-Bosc (27) .....29 E 3
La Neuville-en-Avesnois (59) ..9 F 4
La Neuville-en-Beaumont (50) .22 C 5
La Neuville-en-Beine (02) ....16 C 4
La Neuville-en-Ferrain (59) ....4 D 2
La Neuville-en-Hez (60) ......31 F 1
La Neuville-
  en-Tourne-à-Fuy (08) .....34 B 1
Neuville-en-Verdunois (55) ...35 G 5
Neuville-Ferrières (76) ......14 A 3
La Neuville-Garnier (60) .....30 D 2
La Neuville-Housset (02) .....17 F 2
La Neuville-lès-Bray (80) .....16 A 1
La Neuville-les-Dames (01) ..122 C 4
La Neuville-lès-Decize (58) ..106 D 4
La Neuville-lès-Dieppe (76) ...13 G 1
La Neuville-lès-Dorengt (02) ..17 H 1
La Neuville-lès-Lœuilly (80) ..15 F 3
La Neuville-lès-This (08) .....18 C 3
Neuville-lès-Vaucouleurs (55) .56 B 3
Neuville-lès-Wasigny (08) ....18 B 4
La Neuville-Sire-Bernard (80) .15 G 3
La Neuville-sous-Montreuil (62) ..6 D 1
La Neuville-St-Amand (02) ...16 D 2
La Neuville-St-Pierre (60) ....15 F 5
Neuville-St-Rémy (59) ....8 D 4
Neuville-St-Vaast (62) ....8 A 3
Neuville-sur-Ailette (02) .....17 F 5
Neuville-sur-Ain (01) ....123 F 5
Neuville-sur-Authou (27) .....28 D 3
Neuville-sur-Brenne (37) .....87 E 2
Neuville-sur-Escaut (59) ......9 E 3
La Neuville-sur-Essonne (45) ..71 F 2
Neuville-sur-Margival (02) ....17 E 5
Neuville-sur-Oise (95) ....30 D 4
Neuville-sur-Ornain (55) .....55 F 1
La Neuville-sur-Oudeuil (60) ..14 D 4
La Neuville-sur-Ressons (60) ..16 A 5
Neuville-sur-Saône (69) .....135 H 2
Neuville-sur-Sarthe (72) ......68 A 3
Neuville-sur-Seine (10) ......74 B 3
Neuville-sur-Touques (61) ....48 B 1
La Neuville-sur-Vanne (10) ...73 G 1
Neuville-Vault (60) ....14 D 5
Neuville-Vitasse (62) ....8 B 3
Neuviller-la-Roche (67) ......58 C 4
Neuviller-lès-Badonviller (54) .58 A 3
Neuviller-sur-Moselle (54) ....57 E 3
Neuvillers-sur-Fave (88) .....58 B 5
Neuvillette (02) ....17 E 2
Neuvillette (80) ....7 G 4
Neuvillette-en-Charnie (72) ..67 G 2
Neuvilley (39) ....110 B 3
Neuvilly (59) ....9 F 4
Neuvilly-en-Argonne (55) ....35 F 3
Neuvireuil (62) ....8 B 3
Neuvizy (08) ....18 C 4
Neuvy (03) ....120 A 1
Neuvy (41) ....88 A 2
Neuvy (51) ....53 E 2
Neuvy-au-Houlme (61) ....47 G 1
Neuvy-Bouin (79) ....101 E 3
Neuvy-Deux-Clochers (18) ....89 H 5
Neuvy-en-Beauce (28) ......70 C 1
Neuvy-en-Champagne (72) ....67 H 2
Neuvy-en-Dunois (28) ....70 A 2
Neuvy-en-Mauges (49) ......84 C 5
Neuvy-en-Sullias (45) ....71 E 5
Neuvy-Grandchamp (71) ....121 E 1
Neuvy-le-Barrois (18) ....106 B 3
Neuvy-le-Roi (37) ....86 C 2
Neuvy-Pailloux (36) ....104 C 3
Neuvy-Sautour (89) ....73 G 3
Neuvy-St-Sépulchre (36) ....117 H 1
Neuvy-sur-Barangeon (18) ...89 E 4
Neuvy-sur-Loire (58) ....90 A 3
Neuwiller (68) ....97 G 2
Neuwiller-lès-Saverne (67) ...38 D 5
Neuzy (71) ....121 E 2
Névache (05) ....153 E 4
Nevers ⬙ (58) ....106 C 2
Névez (29) ....62 A 5
Névian (11) ....209 E 1
Néville (76) ....13 E 2
Néville-sur-Mer (50) ....23 E 2
Nevoy (45) ....89 G 1
Nevy-lès-Dole (39) ....110 A 2
Nevy-sur-Seille (39) ....110 B 4
Nexon (87) ....130 A 4
Ney (39) ....110 D 4
Neydens (74) ....124 B 4
Neyrac-les-Bains (07) ......162 D 3
Neyron (01) ....136 B 2
Nézel (78) ....30 C 5
Nézignan-l'Évêque (34) ....192 C 4
Niafles (53) ....66 B 4
Niaux (09) ....207 E 4
Nibas (80) ....6 C 5
Nibelle (45) ....71 F 3
Nibles (04) ....181 E 1
Nice ⬙ (06) ....183 F 5
Nicey (21) ....74 B 4
Nicey-sur-Aire (55) ....35 H 5

Nicole (47) ....172 A 1
Nicorps (50) ....24 D 4
Niderhoff (57) ....58 B 2
Niderviller (57) ....58 B 1
Niederbronn-les-Bains (67) ...39 E 4
Niederbruck (68) ....78 B 4
Niederentzen (68) ....78 D 3
Niederhaslach (67) ....58 D 3
Niederhausbergen (67) ......59 F 2
Niederhergheim (68) ....78 D 3
Niederlauterbach (67) ......39 H 4
Niedermodern (67) ....39 E 5
Niedermorschwihr (68) .....78 C 2
Niedernai (67) ....59 E 3
Niederrœdern (67) ....39 H 4
Niederschaeffolsheim (67) ...39 F 5
Niedersoultzbach (67) ......38 D 5
Niedersteinbach (67) ....39 E 3
Niederstinzel (57) ....38 B 5
Niedervisse (57) ....21 G 5
Nielles-lès-Ardres (62) ....2 D 3
Nielles-lès-Bléquin (62) ......2 D 5
Nielles-lès-Calais (62) ....2 C 3
Nieppe (59) ....3 H 4
Le Nieppe (59) ....3 F 4
Niergnies (59) ....8 D 4
Nieudan (15) ....145 G 5
Nieuil (16) ....129 E 2
Nieuil-l'Espoir (86) ....115 G 2
Nieul (87) ....130 A 2
Nieul-le-Dolent (85) ....99 F 5
Nieul-le-Virouil (17) ....141 F 1
Nieul-lès-Saintes (17) ......127 E 3
Nieul-sur-l'Autise (85) .....113 H 2
Nieul-sur-Mer (17) ....113 E 4
Nieul-sur-Seudre (17) ......126 C 3
Nieulay (59) ....3 E 4
Niévroz (01) ....136 C 2
Niffer (68) ....79 E 5
Niherne (36) ....104 A 4
Nijon (52) ....76 B 1
Nilvange (57) ....20 D 4
Nîmes ⬙ (30) ....178 C 5
Niort ⬙ (79) ....114 A 3
Niort-de-Sault (11) ....207 H 4
Niort-la-Fontaine (53) ....47 E 4
Niozelles (04) ....180 D 4
Nissan-lez-Enserune (34) ...192 A 5
Nistos (65) ....205 E 3
Nitry (89) ....91 G 1
Nitting (57) ....58 B 2
Nivelle (59) ....5 E 5
Nivillac (56) ....82 B 2
Nivillers (60) ....15 E 5
Nivolas-Vermelle (38) ......137 E 5
Nivollet-Montgriffon (01) ...137 E 1
Nixéville-Blercourt (55) .....35 G 3
Nizan-Gesse (31) ....205 F 1
Nizas (32) ....188 C 3
Nizas (34) ....192 C 3
Nizerolles (03) ....120 C 5
Nizon (29) ....62 A 5
Nizy-le-Comte (02) ....17 H 4
Noailhac (12) ....159 H 4
Noailhac (19) ....144 C 4
Noailhac (81) ....190 D 3
Noaillac (33) ....156 A 4
Noaillan (33) ....155 G 4
Noailles (19) ....144 C 4
Noailles (60) ....31 E 2
Noailles (81) ....174 C 4
Noailly (42) ....121 E 5
Noalhac (48) ....161 E 2
Noalhat (63) ....133 H 2
Noards (27) ....28 C 3
Nocario (2B) ....217 F 1
Nocé (61) ....48 D 5
Noceta (2B) ....217 F 3
Nochize (71) ....121 F 2
La Nocle-Maulaix (58) .....107 G 4
Nod-sur-Seine (21) ....74 C 5
Nods (25) ....111 F 1
Noé (31) ....189 E 5
Noé (89) ....72 D 2
La Noë-Blanche (35) ....65 E 5
Noé-les-Mallets (10) ....74 C 4
La Noë-Poulain (27) ....28 C 2
Noël-Cerneux (25) ....111 H 1
Noëllet (49) ....84 A 1
Nœrs (54) ....20 A 3
Les Noës (42) ....134 B 1
Les Noës-près-Troyes (10) ...73 H 1
Nœux-lès-Auxi (62) ....7 F 4
Nœux-les-Mines (62) ....4 A 5
Nogaret (31) ....190 A 3
Nogaro (32) ....187 E 1
Nogent (52) ....75 H 3
Nogent-en-Othe (10) ....73 F 1
Nogent-l'Abbesse (51) ......33 H 2
Nogent-l'Artaud (02) ....32 D 5
Nogent-le-Bernard (72) .....68 C 1
Nogent-le-Phaye (28) ....50 A 4
Nogent-le-Roi (28) ....50 A 5
Nogent-le-Rotrou ⬙ (28) ..49 E 5

A
B
C
D
E
F
G
H
I
J
K
L
M
N
O
P
Q
R
S
T
U
V
W
X
Y
Z

Localité *(Département)*   Page   Coordonnées

A B C D E F G H I J K L M N O P Q R S T U V W X Y Z

Nogent-le-Sec (27)............29 F 5
Nogent-lès-Montbard (21)....92 B 2
Nogent-sur-Aube (10)........54 B 4
Nogent-sur-Eure (28)........49 H 5
Nogent-sur-Loir (72)........86 B 1
Nogent-sur-Marne <> (94)....51 G 1
Nogent-sur-Oise (60)........31 G 2
Nogent-sur-Seine <> (10)....53 E 4
Nogent-sur-Vernisson (45)...71 H 5
Nogentel (02)...............32 D 4
Nogna (39)..................110 B 5
Noguères (64)...............186 A 4
Nohan (08)..................11 E 5
Nohanent (63)...............133 E 2
Nohant-en-Goût (18).........105 G 1
Nohant-en-Graçay (18).......104 C 1
Nohant-Vic (36).............118 A 1
Nohèdes (66)................212 A 3
Nohic (82)..................173 H 5
Noidan (21).................92 B 4
Noidans-le-Ferroux (70).....94 D 2
Noidans-lès-Vesoul (70).....95 E 1
Noidant-Chatenoy (52).......75 H 5
Noidant-le-Rocheux (52).....75 G 5
Noilhan (32)................188 C 3
Nointel (60)................31 G 1
Nointel (95)................31 F 3
Nointot (76)................12 D 4
Noircourt (02)..............18 A 4
Noirefontaine (25)..........96 C 3
Noirémont (60)..............15 H 5
Noirétable (42).............134 B 3
Noirlieu (51)...............34 D 5
Noirlieu (79)...............101 E 3
Noirmoutier-en-l'Île (85)...98 B 1
Noiron (70).................94 B 3
Noiron-sous-Gevrey (21).....93 G 5
Noiron-sur-Bèze (21)........93 H 3
Noiron-sur-Seine (21).......74 C 4
Noironte (25)...............94 C 4
Noirpalu (50)...............45 H 1
Noirterre (79)..............101 E 3
Noirval (08)................19 E 5
Noiseau (94)................51 G 1
Noisiel (77)................51 H 1
Noisseville (57)............21 E 5
Noisy-le-Grand (93).........51 G 1
Noisy-le-Roi (78)...........50 D 1
Noisy-le-Sec (93)...........51 G 1
Noisy-Rudignon (77).........52 A 5
Noisy-sur-École (77)........51 G 5
Noisy-sur-Oise (95).........31 F 3
Noizay (37).................87 E 3
Noizé (79)..................101 G 3
Nojals-et-Clotte (24).......157 F 2
Nojeon-en-Vexin (27)........30 A 2
Nolay (21)..................108 D 2
Nolay (58)..................106 D 1
Nolléval (76)...............14 A 5
Nollieux (42)...............134 C 3
Nomain (59).................4 D 5
Nomdieu (47)................172 A 3
Nomécourt (52)..............55 F 4
Nomeny (54).................37 E 5
Nomexy (88).................57 F 5
Nommay (25).................96 C 2
Nompatelize (88)............58 A 5
Nonac (16)..................142 B 1
Nonancourt (27).............49 G 2
Nonant (14).................26 D 2
Nonant-le-Pin (61)..........48 A 2
Nonards (19)................145 E 5
Nonaville (16)..............128 A 5
Noncourt (88)...............56 B 5
Noncourt-
  sur-le-Rongeant (52)......55 G 4
Nondkeil (57)...............20 D 3
Nonette-Orsonnette (63).....147 F 1
Nonglard (74)...............138 A 1
Nonhigny (54)...............58 A 3
Nonières (07)...............149 F 5
Les Nonières (26)...........165 G 2
Nonsard-Lamarche (55).......36 B 5
Nontron <> (24).............129 F 5
Nonville (77)...............72 A 1
Nonville (88)...............76 D 2
Nonvilliers-Grandhoux (28)..49 G 5
Nonza (2B)..................215 F 3
Nonzeville (88).............57 H 5
Noordpeene (59).............3 F 4
Nordausques (62)............2 D 3
Nordheim (67)...............59 E 2
Nordhouse (67)..............59 F 3
Noreuil (62)................8 B 4
Norges-la-Ville (21)........93 G 3
La Norma (73)...............153 E 2
Normandel (61)..............48 D 3
Normanville (27)............29 G 4
Normanville (76)............12 D 3
Normée (51).................53 H 1
Normier (21)................92 C 4
Norolles (14)...............28 B 3
Noron-la-Poterie (14).......25 H 2
Noron-l'Abbaye (14).........27 G 5
Noroy (60)..................31 G 1
Noroy-le-Bourg (70).........95 F 1
Noroy-lès-Jussey (70).......76 C 5
Noroy-sur-Ourcq (02)........32 C 3

Norrent-Fontes (62).........3 F 5
Norrey-en-Auge (14).........27 H 5
Norrois (51)................54 C 2
Norroy (88).................76 C 1
Norroy-le-Sec (54)..........20 C 4
Norroy-le-Veneur (57).......20 D 5
Norroy-
  lès-Pont-à-Mousson (54)...36 D 4
Nort-Leulinghem (62)........2 D 4
Nort-sur-Erdre (44).........83 G 3
La Norville (91)............51 E 3
Nossage-et-Bénévent (05)....180 C 1
Nossoncourt (88)............57 H 4
Nostang (56)................81 E 1
Noth (23)...................117 F 4
Nothalten (67)..............58 D 4
Notre-Dame-
  d'Aliermont (76).........13 H 2
Notre-Dame-d'Allençon (49)..85 E 4
Notre-Dame-
  de-Bellecombe (73).......138 C 2
Notre-Dame-
  de-Bliquetuit (76).......13 E 5
Notre-Dame-de-Boisset (42)..134 D 1
Notre-Dame-
  de-Bon-Secours (07)......162 D 5
Notre-Dame-
  de-Bondeville (76).......13 G 5
Notre-Dame-
  de-Briançon (73).........138 D 5
Notre-Dame-de-Cenilly (50)..25 E 4
Notre-Dame-
  de-Commiers (38).........151 G 4
Notre-Dame-de-Courson (14)..28 B 4
Notre-Dame-de-Fresnay (14)..27 H 5
Notre-Dame-de-Grace (44)....82 D 2
Notre-Dame-
  de-Gravenchon (76).......12 D 5
Notre-Dame-de-la-Cour (22)..43 G 4
Notre-Dame-
  de-la-Rouvière (30)......177 F 3
Notre Dame de la Serra
  (Belvédère de) (2B)......214 B 5
Notre-Dame-de-l'Isle (27)...30 A 3
Notre-Dame-de-Livaye (14)...27 H 3
Notre-Dame-de-Livoye (50)...46 A 1
Notre-Dame-
  de-Londres (34).........177 G 5
Notre-Dame-de-l'Osier (38)..151 E 2
Notre-Dame-
  de-Mésage (38)..........151 H 4
Notre-Dame-de-Monts (85)....98 B 3
Notre-Dame-de-Riez (85).....98 D 4
Notre-Dame-de-Sanilhac (24).143 F 4
Notre-Dame-
  de-Valfrancesque (48)....177 G 2
Notre-Dame-de-Vaulx (38)....151 H 5
Notre-Dame-d'Elle (50)......25 G 3
Notre-Dame-d'Épine (27).....30 A 3
Notre-Dame-des-Landes (44)..83 E 3
Notre-Dame-
  des-Millières (73).......138 C 4
Notre-Dame-d'Estrées (14)...27 H 3
Notre-Dame-d'Oé (37)........86 D 3
Notre-Dame-d'Or (86)........101 H 4
Notre-Dame-du-Bec (76)......12 B 4
Notre-Dame-du-Cruet (73)....152 C 1
Notre-Dame-du-Hamel (27)....28 C 5
Notre-Dame-du-Parc (76).....13 G 3
Notre-Dame-du-Pé (72).......85 F 1
Notre-Dame-du-Pré (73)......139 E 5
Notre-Dame-du-Rocher (61)...47 F 1
Notre-Dame-du-Touchet (50)..46 B 3
Notre-Dame-Limite (13)......195 H 4
Nottonville (28)............70 A 2
La Nouaille (23)............131 F 2
Nouaillé-Maupertuis (86)....115 G 1
Nouainville (50)............22 C 3
Nouan (18)..................105 E 3
Nouan-le-Fuzelier (41)......88 D 3
Nouan-sur-Loire (41)........88 A 1
Nouans (72).................68 A 1
Nouans-les-Fontaines (37)...103 H 1
Nouart (08).................19 F 5
Nouâtre (37)................102 C 2
La Nouaye (35)..............64 D 1
La Noue (17)................112 D 4
La Noue (51)................53 E 2
Noueilles (31)..............189 G 4
Nougaroulet (32)............188 B 1
Nouhant (23)................118 C 4
Nouic (87)..................116 B 5
Nouilhan (65)...............187 E 4
Les Nouillers (17)..........127 E 1
Nouillonpont (55)...........20 B 3
Nouilly (57)................21 E 5
Noulens (32)................171 G 5
Nourard-le-Franc (60).......15 G 5
Nourray (41)................87 F 1
Nousse (40).................185 H 1
Nousseviller-lès-Bitche (57).38 C 3
Nousseviller-St-Nabor (57)..38 A 3
Nousty (64).................186 C 5
Nouvel-Avricourt (57).......57 H 2
Nouvelle-Église (62)........2 D 2
Nouvion (80)................6 D 4
Le Nouvion-
  en-Thiérache (02)........9 G 5
Nouvion-et-Catillon (02)....17 E 3
Nouvion-le-Comte (02).......17 E 3

Nouvion-le-Vineux (02)......17 F 5
Nouvion-sur-Meuse (08)......19 E 3
Nouvoitou (35)..............65 G 2
Nouvron-Vingré (02).........32 C 1
Nouzerines (23).............118 A 3
Nouzerolles (23)............117 G 3
Nouziers (23)...............117 H 2
Nouzilly (37)...............86 D 2
Nouzonville (08)............18 D 2
Novacelles (63).............147 H 1
Novalaise (73)..............137 G 4
Novale (2B).................217 G 2
Novéant-sur-Moselle (57)....36 D 4
Novel (74)..................125 F 2
Novella (2B)................215 E 4
Noves (13)..................179 F 5
Noviant-aux-Prés (54).......36 C 5
Novillard (90)..............96 D 1
Novillars (25)..............95 E 4
Novillers (60)..............31 G 1
Novion-Porcien (08).........18 C 4
Novy-Chevrières (08)........18 C 5
Noyal (22)..................44 A 4
Noyal-Châtillon-
  sur-Seiche (35)..........65 F 2
Noyal-Muzillac (56).........82 A 1
Noyal-Pontivy (56)..........63 G 3
Noyal-sous-Bazouges (35)....45 F 4
Noyal-sur-Brutz (44)........65 H 5
Noyal-sur-Vilaine (35)......65 G 2
Noyales (02)................17 E 2
Noyalo (56).................81 H 2
Noyant (49).................85 H 3
Noyant-d'Allier (03)........119 H 2
Noyant-de-Touraine (37).....102 C 1
Noyant-et-Aconin (02).......32 D 2
Noyant-la-Gravoyère (49)....84 B 1
Noyant-la-Plaine (49).......85 E 5
Noyarey (38)................151 G 2
Noyelle-Vion (62)...........7 H 3
Noyelles-en-Chaussée (80)...7 E 4
Noyelles-Godault (62).......4 C 5
Noyelles-lès-Humières (62)..7 F 2
Noyelles-lès-Seclin (59)....4 C 4
Noyelles-lès-Vermelles (62).4 A 5
Noyelles-sous-Bellonne (62).8 C 3
Noyelles-sous-Lens (62).....4 B 5
Noyelles-sur-Escaut (59)....8 D 4
Noyelles-sur-Mer (80).......6 C 4
Noyelles-sur-Sambre (59)....9 G 4
Noyelles-sur-Selle (59).....9 E 3
Noyellette (62).............7 H 3
Noyen-sur-Sarthe (72).......67 G 4
Noyen-sur-Seine (77)........52 D 4
Le Noyer (05)...............166 B 2
Le Noyer (18)...............89 H 4
Le Noyer (73)...............138 A 3
Le Noyer-en-Ouche (27)......29 E 4
Noyers (27).................30 B 2
Noyers (45).................71 G 4
Noyers (52).................76 A 2
Noyers (89).................91 H 1
Noyers-Auzécourt (55).......35 E 5
Noyers-Missy (14)...........27 E 3
Noyers-Pont-Maugis (08).....19 E 3
Noyers-St-Martin (60).......15 F 5
Noyers-sur-Cher (41)........87 H 5
Noyers-sur-Jabron (04)......180 D 2
Noyon (60)..................16 B 4
Nozay (10)..................53 H 4
Nozay (44)..................83 F 2
Nozay (91)..................51 E 3
Nozeroy (39)................111 E 4
Nozières (07)...............149 F 5
Nozières (18)...............105 F 5
Nuaillé (49)................100 C 1
Nuaillé-d'Aunis (17)........113 G 4
Nuaillé-sur-Boutonne (17)...127 G 1
Nuars (58)..................91 F 4
Nubécourt (55)..............35 G 4
Nuces (12)..................160 A 5
Nucourt (95)................30 C 3
Nueil-les-Aubiers (79)......100 D 2
Nueil-sous-Faye (86)........102 A 3
Nueil-sur-Layon (49)........101 E 1
Nuelles (69)................135 G 2
Nuillé-le-Jalais (72).......68 C 3
Nuillé-sur-Ouette (53)......67 E 3
Nuillé-sur-Vicoin (53)......66 C 3
Nuisement-sur-Coole (51)....34 A 5
Nuits (89)..................92 A 1
Nuits-St-Georges (21).......109 F 1
Nullemont (76)..............14 B 3
Nully (52)..................55 E 5
Nuncq-Hautecôte (62)........7 G 3
Nuret-le-Ferron (36)........103 H 5
Nurieux-Volognat (01).......123 G 4
Nurlu (80)..................16 B 1
Nuzéjouls (46)..............158 B 4
Nuzéjoux (19)...............146 A 1
Nve-Église (67).............58 D 5
Nyer (66)...................212 A 4
Nyoiseau (49)...............84 B 1
Nyons <> (26)...............164 D 5

O

Obenheim (67)...............59 F 4
Oberbronn (67)..............39 E 4
Oberbruck (68)..............78 B 4
Oberdorf (68)...............97 F 1
Oberdorf-Spachbach (67).....39 F 4
Oberdorff (57)..............21 G 4

Oberentzen (68).............78 D 3
Obergailbach (57)...........38 C 3
Oberhaslach (67)............58 C 3
Oberhausbergen (67).........59 F 2
Oberhergheim (68)...........78 D 3
Oberhoffen-
  lès-Wissembourg (67).....39 G 3
Oberhoffen-sur-Moder (67)...39 G 5
Oberlarg (68)...............97 F 2
Oberlauterbach (67).........39 H 4
Obermodern-Zutzendorf (67)..39 E 5
Obermorschwihr (68).........78 D 2
Obermorschwiller (68).......97 F 1
Obernai (67)................58 D 3
Oberroedern (67)............39 G 4
Obersaasheim (67)...........79 E 2
Oberschaeffolsheim (67).....59 E 2
Obersoultzbach (67).........38 D 5
Obersteigen (67)............58 C 2
Obersteinbach (67)..........39 E 3
Oberstinzel (57)............58 B 1
Obervisse (57)..............21 G 5
Obies (59)..................9 G 3
Objat (19)..................144 B 3
Oblinghem (62)..............7 H 1
Obrechies (59)..............10 A 2
Obreck (57).................37 G 5
Obsonville (77).............71 G 1
Obterre (36)................103 F 3
Obtrée (21).................74 C 4
Ocana (2A)..................216 D 5
Occagnes (61)...............47 H 1
Occey (52)..................93 H 2
Occhiatana (2B).............214 D 5
Occoches (80)...............7 F 4
Occonville (28).............50 D 2
Ochancourt (80).............6 C 5
Oches (08)..................19 E 5
Ochey (54)..................56 C 3
Ochiaz (01).................123 H 5
Ochtezeele (59).............3 F 3
Ocquerre (77)...............32 B 4
Ocqueville (76).............13 E 3
Octeville-l'Avenel (50).....23 E 3
Octeville-sur-Mer (76)......12 A 4
Octon (34)..................192 B 2
Odars (31)..................189 G 3
Odeillo (66)................211 H 4
Odenas (69).................122 A 5
Oderen (68).................78 B 3
Odet (29)...................61 H 2
Odival (52).................75 H 3
Odomez (59).................5 F 5
Odos (65)...................204 C 1
Odratzheim (67).............58 D 2
Oëlleville (88).............56 D 5
Oermingen (67)..............38 B 4
Œting (57)..................38 A 2
Œuf-en-Ternois (62).........7 F 2
Œuilly (02).................33 F 1
Œuilly (51).................33 H 4
Oëy (55)....................55 H 2
Oeyregave (40)..............185 F 2
Oeyreluy (40)...............185 F 1
Offekerque (62).............2 D 2
Offémont (60)...............32 B 1
Offemont (90)...............96 C 1
Offendorf (67)..............59 G 1
Offignies (80)..............14 D 2
Offin (62)..................7 E 2
Offlanges (39)..............94 A 5
Offoy (60)..................15 E 3
Offoy (80)..................16 B 3
Offranville (76)............13 G 2
Offrethun (62)..............2 B 4
Offroicourt (88)............56 D 5
Offwiller (67)..............39 E 4
Ogenne-Camptort (64).......185 H 5
Oger (51)...................33 H 5
Ogeu-les-Bains (64).........203 G 1
Ogéviller (54)..............57 H 3
Ogliastro (2B)..............215 F 2
Ognes (02)..................16 C 4
Ognes (51)..................53 G 2
Ognes (60)..................31 H 2
Ognéville (54)..............56 D 4
Ognolles (60)...............16 B 3
Ognon (60)..................31 H 2
Ogy (57)....................37 E 3
Ohain (59)..................10 A 4
Oherville (76)..............13 E 3
Ohis (02)...................10 A 5
Ohlungen (67)...............39 F 5
Ohnenheim (67)..............79 E 1
L'Oie (85)..................100 A 4
Oigney (70).................76 C 5
Oignies (62)................4 C 5
Oigny (21)..................92 D 2
Oigny (41)..................69 E 3
Oigny-en-Valois (02)........32 C 3
Oingt (69)..................135 G 1
Oinville-sous-Auneau (28)...50 B 4
Oinville-St-Liphard (28)....70 C 1
Oinville-sur-Montcient (78).30 C 4
Oiron (79)..................101 G 2
Oiry (51)...................33 G 5
Oiselay-et-Grachaux (70)....94 D 3
Oisemont (80)...............14 C 1
Oisilly (21)................93 H 3
Oisly (41)..................87 H 4
Oison (45)..................70 D 2
Oisseau (53)................46 D 5

Oisseau-le-Petit (72).......47 H 5
Oissel (76).................29 G 1
Oissery (77)................32 A 4
Oissy (80)..................15 E 2
Oisy (02)...................9 G 5
Oisy (58)...................91 E 3
Oisy (59)...................9 E 2
Oisy-le-Verger (62).........8 C 3
Oizé (72)...................67 H 5
Oizon (18)..................89 G 3
Olargues (34)...............191 H 3
Olby (63)...................132 D 3
Olcani (2B).................215 F 2
Oléac-Debat (65)............187 F 5
Oléac-Dessus (65)...........204 D 1
Olemps (12).................175 G 1
Olendon (14)................27 G 5
Oletta (2B).................215 F 4
Olette (66).................212 A 3
Olivese (2A)................219 E 1
Olivet (45).................70 C 5
Olivet (53).................66 B 2
Olizy (51)..................33 F 3
Olizy-Primat (08)...........34 D 1
Olizy-sur-Chiers (55).......19 G 4
Ollainville (88)............76 C 1
Ollainville (91)............51 E 3
Ollans (25).................95 F 3
Ollé (28)...................49 H 5
Olley (54)..................20 B 5
Ollezy (02).................16 C 3
Les Ollières (74)...........138 B 1
Ollières (83)...............196 C 3
Les Ollières-sur-Eyrieux (07).163 G 2
Olliergues (63).............134 A 4
Ollioules (83)..............200 D 3
Olloix (63).................133 E 4
Les Olmes (69)..............135 F 2
Olmet (63)..................134 A 4
Olmet-et-Villecun (34)......192 B 1
Olmeta-di-Capocorso (2B)....215 F 3
Olmeta-di-Tuda (2B).........215 F 4
Olmeto (2A).................218 D 2
Olmi-Cappella (2B)..........214 D 5
Olmiccia (2A)...............219 E 2
Olmo (2B)...................215 G 5
Olonne-sur-Mer (85).........112 A 1
Olonzac (34)................191 G 5
Oloron-Ste-Marie <> (64)....203 F 1
Ols-et-Rinhodes (12)........159 F 5
Oltingue (68)...............97 G 2
Olwisheim (67)..............59 E 1
Omblèze (26)................165 E 1
Omécourt (60)...............14 D 4
Omelmont (54)...............56 D 3
Les Omergues (04)...........180 C 2
Omerville (95)..............30 B 3
Omessa (2B).................217 E 1
Omet (33)...................155 G 3
Omex (65)...................204 B 2
Omey (51)...................54 C 1
Omicourt (08)...............19 E 4
Omiécourt (80)..............16 A 2
Omissy (02).................16 D 2
Ommeel (61).................47 H 1
Ommeray (57)................57 H 1
Ommoy (61)..................47 H 1
Omont (08)..................18 D 4
Omonville (76)..............13 G 2
Omonville-la-Petite (50)....22 B 2
Omonville-la-Rogue (50).....22 B 2
Omps (15)...................159 H 1
Oms (66)....................212 D 3
Onans (25)..................95 H 2
Onard (40)..................169 F 5
Onay (70)...................94 B 3
Oncieu (01).................137 E 1
Oncourt (88)................77 F 1
Oncy-sur-École (91).........51 G 5
Ondefontaine (14)...........26 D 4
Ondes (31)..................189 E 1
Ondres (40).................184 C 2
Ondreville-sur-Essonne (45).71 F 2
Onesse-Laharie (40).........169 E 3
Onet-le-Château (12)........175 G 1
Oneux (80)..................7 E 4
Ongles (04).................180 C 3
Onglières (39)..............110 D 4
Onival (80).................6 B 5
Onjon (10)..................54 A 5
Onlay (58)..................107 G 2
Onnaing (59)................9 F 2
Onnion (74).................125 E 4
Onoz (39)...................123 G 2
Ons-en-Bray (60)............30 C 1
Ontex (73)..................137 H 3
Onville (54)................36 C 4
Onzain (41).................79 F 3
Oô (31).....................205 F 4
Oost-Cappel (59)............3 G 2
Opio (06)...................199 E 1
Opme (63)...................133 F 4
Opoul-Périllos (66).........209 E 4
Oppède (84).................179 H 5
Oppède-le-Vieux (84)........179 H 5
Oppedette (04)..............180 C 4
Oppenans (70)...............95 F 1

Oppy (62)...................8 B 3
Optevoz (38)................137 E 1
Oraàs (64)..................185 F 3
Oradour (15)................160 D 1
Oradour (16)................128 A 2
Oradour-Fanais (16).........116 A 5
Oradour-St-Genest (87)......116 C 4
Oradour-sur-Glane (87)......129 H 2
Oradour-sur-Vayres (87).....129 G 3
Orain (21)..................94 A 2
Orainville (02).............33 H 1
Oraison (04)................181 E 4
Orange (84).................179 E 2
Orbagna (39)................123 F 1
Orbais-l'Abbaye (51)........33 F 5
Orban (81)..................174 D 5
Orbé (79)...................101 G 2
Orbec (14)..................28 B 4
Orbeil (63).................133 G 5
Orbessan (32)...............188 A 3
Orbey (68)..................78 C 1
Orbigny (37)................87 G 5
Orbigny-au-Mont (52)........76 A 4
Orbigny-au-Val (52).........75 H 4
Orbois (14).................26 D 3
L'Orbrie (85)...............113 H 1
Orçay (41)..................88 D 5
Orcemont (78)...............50 C 3
Orcenais (18)...............105 F 5
Orcet (63)..................133 F 4
Orcevaux (52)...............75 H 5
Orchaise (41)...............87 G 2
Orchamps (39)...............110 B 1
Orchamps-Vennes (25)........95 G 5
Orches (86).................102 A 3
Orchies (59)................4 D 5
Orcier (74).................125 E 3
Orcières (05)...............166 D 2
Orcières (48)...............162 A 5
Orcières-Merlette (05)......166 D 2
Orcinas (26)................164 D 4
Orcines (63)................133 E 3
Orcival (63)................132 D 4
Orconte (51)................54 D 2
Ordan-Larroque (32).........187 H 1
Ordiarp (64)................202 D 1
Ordizan (65)................204 C 2
Ordonnac (33)...............140 D 2
Ordonnaz (01)...............137 F 2
Ore (31)....................205 G 3
Orègue (64).................185 E 4
Oreilla (66)................212 A 3
Orelle (73).................152 D 2
Oresmaux (80)...............15 F 3
Orezza (Couvent d') (2B)....217 G 1
Organ (65)..................187 H 5
Orgeans (25)................96 C 4
Orgedeuil (16)..............128 D 2
Orgeix (09).................207 G 5
Orgelet (39)................123 G 1
Orgères (61)................48 B 1
Orgères-en-Beauce (28)......70 B 2
Orgères-la-Roche (53).......47 G 3
Orgerus (78)................50 B 1
Orges (52)..................75 E 2
Orgeux (21).................93 G 4
Orgeval (02)................17 F 5
Orgeval (78)................30 D 5
Orgibet (09)................206 A 3
Orglandes (50)..............22 D 4
Orgnac-l'Aven (07)..........178 C 1
Orgnac-sur-Vézère (19)......144 B 2
Orgon (13)..................179 G 5
Orgueil (82)................173 H 5
Orgy (89)...................73 G 2
Orieux (65).................187 G 5
Orignac (65)................204 D 1
Origne (33).................155 F 4
Origné (53).................66 C 3
Orignolles (17).............141 H 3
Origny (21).................92 D 1
Origny-en-Thiérache (02)....10 A 4
Origny-le-Butin (61)........48 C 5
Origny-le-Roux (61).........48 B 5
Origny-le-Sec (10)..........53 F 4
Origny-Ste-Benoite (02).....17 E 2
Orin (64)...................185 H 5
Orincles (65)...............204 C 1
Oriocourt (57)..............37 F 5
Oriol-en-Royans (26)........151 E 5
Oriolles (16)...............141 H 2
Orion (64)..................185 G 4
Oris-en-Rattier (38)........151 H 5
Orist (40)..................185 E 2
Orival (16).................142 B 2
Orival (76).................29 F 2
Orival (80).................14 D 2
Orléans R (45)..............70 C 4
Orléat (63).................133 H 2
Orleix (65).................187 F 5
Orliac (24).................157 H 2
Orliac-de-Bar (19)..........145 E 2
Orliaguet (24)..............158 B 1
Orliénas (69)...............135 H 4
Orlu (09)...................207 G 5
Orlu (28)...................50 C 5
Orly (94)...................51 F 2
Orly-sur-Morin (77).........32 C 5
Ormancey (52)...............75 G 4
Ormeaux (77)................52 B 2

Ormenans (70)...............95 E 3
Ormersviller (57)...........38 C 2
Ormes (10)..................53 H 3
Ormes (27)..................29 F 4
Ormes (45)..................70 C 4
Ormes (51)..................33 G 2
Ormes (71).................109 F 5
Les Ormes (86).............102 C 2
Les Ormes (89)..............72 C 5
Ormes-et-Ville (54).........57 E 4
Les Ormes-sur-Voulzie (77)..52 C 4
Ormesson (77)...............71 H 1
Ormesson-sur-Marne (94).....51 G 1
Ormoiche (70)...............77 F 5
Ormoy (28)..................50 A 3
Ormoy (70)..................76 D 4
Ormoy (89)..................73 E 4
Ormoy (91)..................51 G 3
Ormoy-la-Rivière (91).......51 E 5
Ormoy-le-Davien (60)........32 B 3
Ormoy-lès-Sexfontaines (52).75 F 1
Ormoy-sur-Aube (52).........75 E 3
Ormoy-Villers (60)..........32 A 3
Ornacieux (38).............150 D 1
Ornaisons (11).............209 E 1
Ornans (25)................111 E 1
Ornes (55)..................20 A 4
Ornex (01).................124 B 3
Ornézan (32)...............188 A 3
Orniac (46)................158 D 4
Ornolac-Ussat-les-Bains (09). 207 E 4
Ornon (38).................152 A 4
Orny (57)...................37 F 4
Oroër (60)..................15 E 5
Oroix (65).................187 E 5
Oron (57)...................37 F 5
Orouet (85).................98 C 4
Oroux (79).................101 G 5
Orphin (78).................50 C 3
Orpierre (05)..............180 C 1
Orquevaux (52)..............55 H 5
Les Orres (05).............167 E 4
Orret (21)..................92 D 2
Orriule (64)...............185 G 4
Orrouer (28)................49 H 5
Orrouy (60).................32 A 2
Orry-la-Ville (60)..........31 G 3
Ors (59).....................9 F 5
Orsan (30).................179 E 2
Orsanco (64)...............185 F 5
Orsans (11)................207 G 1
Orsans (25).................95 G 4
Orsay (91)..................51 E 2
Orschwihr (68)..............78 C 3
Orschwiller (67)............58 D 5
Orsennes (36)..............117 G 2
Orsinval (59)................9 F 3
Orsonnette (63)............147 F 1
Orsonville (78).............50 C 4
Ortaffa (66)...............213 F 3
Ortale (2B)................217 G 2
Orthevielle (40)...........185 E 2
Orthez (64)................185 H 3
Orthoux-
 Sérignac-Quilhan (30).....177 H 5
Ortillon (10)...............54 A 4
Ortiporio (2B).............215 F 5
Orto (2A)..................216 D 3
Ortoncourt (88).............57 G 4
Orus (09)..................206 D 5
Orval (18).................105 G 5
Orval-sur-Sienne (50).......24 D 4
Orvault (44)................83 F 4
Orvaux (27).................29 F 5
Orve (25)...................95 H 4
Orveau (91).................51 F 4
Orveau-Bellesauve (45)......71 F 1
Orville (21)................93 G 2
Orville (36)...............104 C 1
Orville (45)................71 G 1
Orville (61)................28 B 5
Orville (62).................7 G 4
Orvillers-Sorel (60)........15 H 4
Orvilliers (78).............50 B 1
Orvilliers-St-Julien (10)...53 G 4
Orx (40)...................184 D 2
Orzilhac (43)..............148 B 5
Os-Marsillon (64)..........186 A 4
Osani (2A).................216 B 2
Osches (55).................35 G 4
Osenbach (68)...............78 C 3
Oslon (71).................109 F 4
Osly-Courtil (02)...........32 C 1
Osmanville (14).............23 F 5
Osmery (18)................105 H 3
Osmets (65)................187 G 5
Osmoy (18).................105 G 2
Osmoy (78)..................50 B 1
Osmoy-St-Valery (76)........13 H 2
Osne-le-Val (52)............55 G 4
Osnes (08)..................19 G 3
Osny (95)...................30 D 4
L'Ospédale (2A)............219 F 3
Ossages (40)...............185 G 2
Ossas-Suhare (64)..........203 E 1
Osse (25)...................95 E 4
Ossé (35)...................65 G 2
Osse-en-Aspe (64)..........203 F 2
Osséja (66)................211 G 5
Osselle-Routelle (25)......110 C 1
Ossen (65).................204 B 2
Ossenx (64)................185 G 4

Osserain-Rivareyte (64)....185 G 4
Ossès (64).................184 D 5
Ossey-les-Trois-Maisons (10).53 F 4
Ossonville (28).............50 B 5
Ossun (65).................204 B 1
Ossun-ez-Angles (65).......204 C 2
Ostabat-Asme (64)..........185 F 5
Ostel (02)..................33 E 1
Ostheim (68)................78 D 1
Osthoffen (67)..............59 E 2
Osthouse (67)...............59 E 4
Ostreville (62)..............7 G 2
Ostricourt (59)..............4 C 5
Ostwald (67)................59 F 3
Ota (2A)...................216 B 3
Othe (54)...................19 H 5
Othis (77)..................31 H 4
Ottange (57)................20 D 3
Ottersthal (67).............58 C 1
Otterswiller (67)...........58 D 1
Ottmarsheim (68)............79 E 4
Ottonville (57).............21 G 4
Ottrott (67)................58 D 3
Ottwiller (67)..............38 C 5
Ouagne (58).................91 E 4
Ouainville (76).............12 D 2
Ouanne (89).................90 D 1
Ouarville (28)..............50 B 5
Les Oubeaux (14)............25 F 2
Ouchamps (41)...............87 H 3
Ouches (42)................134 C 1
Oucques (41)................69 H 5
Oudalle (76)................12 B 5
Oudan (58)..................90 D 4
Oudeuil (60)................15 E 5
Oudezeele (59)..............3 G 3
Oudincourt (52).............75 F 1
Oudon (44)..................83 H 4
Oudrenne (57)...............21 F 3
Oudry (71).................121 F 1
Ouerre (28).................50 A 2
Ouessant (29)...............40 B 3
Ouézy (14)..................27 E 4
Ouffières (14)..............27 E 4
Ouge (70)...................76 B 5
Ougney (39).................94 B 5
Ougney-Douvot (25)..........95 F 4
Ougny (58)..................91 E 3
Ouhans (25)................111 F 2
Ouides (43)................162 A 1
Ouillon (64)...............186 C 5
Ouilly-du-Houley (14).......28 B 3
Ouilly-le-Tesson (14).......27 G 4
Ouilly-le-Vicomte (14)......28 A 3
Ouistreham (14).............27 G 2
Oulches (36)...............116 D 1
Oulches-
 la-Vallée-Foulon (02)......33 F 1
Oulchy-la-Ville (02)........32 D 3
Oulchy-le-Château (02)......32 D 3
Oulins (28).................50 A 1
Oulles (38)................152 A 4
Oullins (69)...............135 H 3
Oulmes (85)................113 H 2
Oulon (58)..................90 D 5
Ounans (39)................110 B 2
Oupia (34).................191 G 5
Our (39)...................110 B 1
Ourcel-Maison (60)..........15 E 4
Ourches (26)...............164 C 1
Ourches-sur-Meuse (55)......56 B 2
Ourde (65).................205 F 3
Ourdis-Cotdoussan (65).....204 C 2
Ourdon (65)................204 B 2
Ourouër (58)...............106 D 2
Ourouer-les-Bourdelins (18).106 A 3
Ouroux (69)................122 A 4
Ouroux-en-Morvan (58)......107 H 1
Ouroux-sous-le-Bois-
 Ste-Marie (71)............121 G 3
Ouroux-sur-Saône (71)......109 F 4
Oursbelille (65)...........187 E 5
Les Oursinières (83).......201 E 4
Ourton (62)..................7 H 2
Ourville-en-Caux (76).......12 D 3
Ousse (64).................186 C 5
Ousse-Suzan (40)...........169 G 4
Oussières (39).............110 B 3
Ousson-sur-Loire (45).......90 A 2
Oussoy-en-Gâtinais (45).....71 H 4
Oust (09)..................206 B 4
Oust-Marest (80).............6 B 5
Ousté (65).................204 B 2
Outarville (45).............70 D 2
Outines (51)................54 D 3
Outreau (62).................2 A 4
Outrebois (80)...............7 F 4
Outremécourt (52)...........76 B 1
Outrepont (51)..............54 D 1
Outriaz (01)...............123 G 5
Outtersteene (59)............3 H 4
Ouvans (25).................95 G 4
Ouveillan (11).............191 H 5
Ouville (50)................24 D 5
Ouville-la-Bien-Tournée (14).27 H 4
Ouville-la-Rivière (76).....13 F 2
Ouville-l'Abbaye (76).......13 F 3
Ouvrouer-les-Champs (45)....71 E 5

Ouzilly (86)...............102 B 4
Ouzilly-Vignolles (86).....101 H 3
Ouzouer-des-Champs (45).....71 H 4
Ouzouer-le-Doyen (41).......69 H 4
Ouzouer-le-Marché (41)......70 A 4
Ouzouer-
 sous-Bellegarde (45)......71 G 3
Ouzouer-sur-Loire (45)......71 G 5
Ouzouer-sur-Trézée (45).....90 A 1
Ouzous (65)................204 B 2
Ovanches (70)...............94 D 1
Ovillers-la-Boisselle (80)...8 A 5
Oxelaëre (59)................3 F 4
Oyé (71)...................121 F 3
Oye-et-Pallet (25).........111 F 3
Oye-Plage (62)...............2 D 2
Oyes (51)...................53 F 1
Oyeu (38)..................151 F 1
Oyonnax (01)...............123 G 3
Oyré (86)..................102 C 3
Oyrières (70)...............94 A 2
Oysonville (28).............50 D 5
Oytier-St-Oblas (38).......136 C 5
Oz (38)....................152 A 3
Ozan (01)..................122 C 2
Ozenay (71)................122 B 1
Ozenx (64).................185 H 3
Ozerailles (54).............20 C 5
Ozeville (50)...............23 E 4
Ozières (52)................76 A 1
Ozillac (17)...............141 G 1
Ozoir-la-Ferrière (77)......51 H 2
Ozoir-le-Breuil (28)........70 A 3
Ozolles (71)...............121 G 3
Ozon (07)..................149 H 3
Ozon (65)..................204 D 1
Ozouer-le-Voulgis (77)......51 H 3
Ozourt (40)................185 G 1

P

Paars (02)..................33 E 2
Pabu (22)...................43 E 4
La Pacaudière (42).........120 D 4
Pacé (35)...................65 E 1
Pacé (61)...................47 H 4
Pact (38)..................150 C 2
Pacy-sur-Armançon (89)......73 H 5
Pacy-sur-Eure (27)..........29 H 4
Padern (11)................208 D 4
Padiès (81)................175 F 3
Padirac (46)...............158 D 1
Padoux (88).................57 G 5
Pageas (87)................129 H 4
Pagney (39).................94 B 5
Pagney-derrière-Barine (54).56 C 2
Pagnoz (39)................110 C 2
Pagny-la-Blanche-Côte (55)..56 B 3
Pagny-la-Ville (21)........109 G 1
Pagny-le-Château (21)......109 G 2
Pagny-lès-Goin (57).........37 E 4
Pagny-sur-Meuse (55)........56 B 2
Pagny-sur-Moselle (54)......36 D 3
Pagolle (64)...............185 F 5
Pailhac (65)...............205 E 3
Pailharès (07).............149 F 4
Pailherols (15)............146 B 5
Pailhès (09)...............206 D 2
Pailhès (34)...............192 B 4
Paillart (60)...............15 F 4
Paillé (17)................127 G 1
Paillencourt (59)............8 D 3
Paillères (48).............162 B 5
Pailles (37)...............133 G 3
La Paillette (26)..........164 D 4
Le Pailly (52)..............75 H 5
Pailly (89).................52 D 5
Paimbœuf (44)...............82 C 4
Paimpol (22)................43 F 2
Paimpont (35)...............64 C 2
Painblanc (21).............108 D 1
Pair-et-Grandrupt (88)......58 B 5
Pairis (68).................78 C 2
Paissy (02).................33 F 1
Paisy-Cosdon (10)...........73 F 1
Paizay-le-Chapt (79).......114 C 5
Paizay-le-Sec (86).........116 A 1
Paizay-le-Tort (79)........114 C 4
Paizay-Naudouin-
 Embourie (16).............128 A 1
Pajay (38).................150 D 1
Paladru (38)...............137 E 2
Palagaccio (2B)............215 G 3
Palairac (11)..............208 D 3
Le Palais (56)..............81 E 4
Le Palais-sur-Vienne (87)..130 B 2
Palaiseau ◆ (91)............51 E 2
Palaiseul (52)..............75 H 5
Palaja (11)................208 B 1
Palaminy (31)..............206 A 1
Palante (70)................95 H 1
Palantine (25).............110 D 1
Palasca (2B)...............214 D 4
Palau-de-Cerdagne (66).....211 G 5
Palau-del-Vidre (66).......213 F 3
Palavas-les-Flots (34).....193 F 3
Palazinges (19)............144 D 4
Palesne (60)................32 A 2
Paley (77)..................72 A 1
Paleyrac (24)..............157 G 1
Palhers (48)...............161 F 4

Palinges (71)..............121 F 1
Palis (10)..................73 F 1
Palise (25).................95 E 3
Palisse (19)...............145 G 1
Palladuc (63)..............134 A 2
Pallanne (32)..............187 F 3
Palleau (71)...............109 F 2
Pallegney (88)..............57 F 5
Le Pallet (44)..............99 G 1
Palleville (81)............190 B 3
La Pallice (17)............113 E 4
Pallier (23)...............131 F 3
La Pallu (53)...............47 F 4
Palluau (85)................99 F 3
Palluau-sur-Indre (36).....103 H 3
Palluaud (16)..............142 C 2
Pallud (73)................138 C 3
Palluel (62).................8 C 3
Palmas d'Aveyron (12)......160 C 5
La Palme (11)..............209 F 3
La Palmyre (17)............126 B 3
Palneca (2A)...............217 F 5
Palogneux (42).............134 C 3
Palombaggia (Plage de) (2A).219 G 3
Palot (09).................207 F 3
La Palud-sur-Verdon (04)...181 G 5
Paluds-de-Noves (13).......179 F 5
Paluel (76).................12 D 2
Palus (30).................178 D 3
Le Palus-Plage (22)........43 G 3
Pamfou (77).................52 A 4
Pamiers ◆ (09).............207 E 2
Pampelonne (81)............175 E 3
Pamplie (79)...............114 B 1
Pamproux (79)..............114 D 2
Panassac (32)..............187 H 4
Panazol (87)...............130 B 2
Pancé (35)..................65 F 4
Pancheraccia (2B)..........217 G 3
Pancy-Courtecon (02)........17 F 5
Pandrignes (19)............145 E 3
Pange (57)..................37 E 3
Panges (21).................93 E 4
Panilleuse (27).............30 A 3
Paniscoulé (03)............178 D 2
Panissage (38).............137 F 5
Panissières (42)...........135 E 3
Panjas (32)................171 F 5
Panlatte (27)...............49 G 1
Pannecé (44)................83 H 2
Pannecières (45)............71 E 1
Pannes (45).................71 H 3
Pannes (54).................36 B 5
Pannessières (39)..........110 B 5
Panon (72)..................48 B 5
Panossas (38)..............136 D 4
La Panouse (48)............161 H 2
Pansey (52).................55 G 4
Pantin (93).................31 F 5
Panzoult (37)..............102 B 1
Papleux (02).................9 H 5
La Pâquelais (44)...........83 E 4
Paquier (25)...............108 D 1
Paradou (13)...............194 D 1
Paramé (35).................44 D 2
Parassy (18)................89 G 5
Parata (2B)................217 G 1
Parata (Pointe de la) (2A).218 B 1
Paray-Douaville (78)........50 C 4
Paray-le-Frésil (03).......107 F 5
Paray-le-Monial (71).......121 F 2
Paray-sous-Briailles (03)..120 A 3
Paray-Vieille-Poste (91)....51 F 2
Paraza (11)................191 G 5
Parbayse (64)..............186 A 4
Parc-d'Anxtot (76)..........12 C 4
Parçay-les-Pins (49)........86 A 3
Parçay-Meslay (37)..........86 D 3
Parçay-sur-Vienne (37).....102 C 1
Parcé (35)..................66 A 1
Parcé-sur-Sarthe (72).......67 G 5
Parcey (39)................110 A 2
Parcieux (01)..............135 H 2
Parcoul-Chenaud (24).......142 A 3
Le Parcq (62)...............7 F 2
Parcy-et-Tigny (02).........32 D 2
Pardailhan (34)............191 G 4
Pardaillan (47)............156 C 3
Pardies (64)...............186 A 4
Pardies-Piétat (64)........203 H 1
Pardines (63)..............133 F 5
Paréac (65)................204 C 1
Pareid (55).................36 B 3
Parempuyre (33)............141 E 5
Parennes (72)...............67 G 2
Parent (63)................133 F 4
Parentignat (63)...........133 G 5
Parentis-en-Born (40)......154 B 5
Parenty (62).................2 C 5
Parey-sous-Montfort (88)....76 C 1
Parey-St-Césaire (54).......56 D 3
Parfondeval (02)............18 A 3
Parfondeval (61)............48 C 4
Parfondru (02)..............17 F 5
Parfondrupt (55)............36 B 3
Parfouru-sur-Odon (14)......27 E 4
Pargnan (02)................33 F 1
Pargny (80).................16 B 2
Pargny-Filain (02)..........17 F 5
Pargny-la-Dhuys (02)........33 E 5
Pargny-les-Bois (02)........17 F 3
Pargny-lès-Reims (51).......33 G 2

Pargny-Resson (08)..........18 B 5
Pargny-sous-Mureau (88).....56 A 5
Pargny-sur-Saulx (51).......55 E 1
Pargues (10)................74 A 3
Parignargues (30)..........178 B 5
Parigné (35)................46 A 4
Parigné-le-Pôlin (72).......67 H 5
Parigné-l'Évêque (72).......68 B 4
Parigné-sur-Braye (53)......46 D 5
Parigny (42)...............134 D 1
Parigny (50)................46 B 3
Parigny-la-Rose (58)........91 E 4
Parigny-les-Vaux (58)......106 C 1
Paris (75)..................51 F 1
Paris-l'Hôpital (71).......108 D 3
Parisot (81)...............190 A 1
Parisot (82)...............174 B 1
Parlan (15)................159 G 1
Parleboscq (40)............171 G 4
Parly (89)..................72 D 5
Parmain (95)................31 E 4
Parmilieu (38).............137 E 2
Parnac (36)................115 F 3
Parnac (46)................158 A 4
Parnans (26)...............150 D 4
Parnay (18)................105 G 4
Parnay (49).................85 H 5
Parné-sur-Roc (53)..........66 D 3
Parnes (60).................30 B 3
Parnoy-en-Bassigny (52).....76 B 3
Les Paroches (55)...........36 A 5
Parois (55).................35 F 3
Paron (89)..................72 C 2
Paroy (25).................110 D 1
Paroy (77)..................52 C 4
Paroy-en-Othe (89)..........73 E 3
Paroy-sur-Saulx (52)........55 G 4
Paroy-sur-Tholon (89).......72 D 4
Parpeçay (36)...............88 B 5
Parpeville (02).............17 E 3
Parranquet (47)............157 F 3
Parroy (54).................57 G 2
Pars-lès-Chavanges (10).....54 C 4
Pars-lès-Romilly (10).......53 F 4
Parsac (33)................156 A 1
Parsac-Rimondeix (23)......118 B 4
Parthenay ◆ (79)...........101 F 5
Parthenay-de-Bretagne (35)..65 E 1
Parthenay-le-Vieux (79)....101 F 5
Partinello (2A)............216 B 2
Parux (54)..................58 A 3
Parves-et-Nattages (01)....137 G 3
Parville (27)...............29 G 4
Parvillers-le-Quesnoy (80)..16 A 3
Parzac (16)................128 D 2
Les Pas (50)................45 G 3
Le Pas (53).................46 D 4
Pas-de-Jeu (79)............101 G 2
Pas-des-Lanciers (13)......195 G 4
Pas-en-Artois (62)..........7 H 4
Le Pas-St-l'Homer (61)......49 F 4
Pasilly (89)................91 H 1
Paslières (63).............133 H 2
Pasly (02)..................32 C 1
Pasques (21)................93 E 4
Le Pasquier (39)...........110 D 4
Passa (66).................213 E 3
Le Passage (38)............137 F 5
Le Passage (47)............172 B 2
Passais (41)................46 C 3
Passavant (25)..............95 F 4
Passavant-en-Argonne (51)...35 F 4
Passavant-la-Rochère (70)...76 D 3
Passavant-sur-Layon (49)...101 E 1
Passay (44).................99 F 1
Passel (60).................16 B 5
Passenans (39).............110 B 4
Les Passerons (13).........194 C 2
Passins (38)...............137 E 4
Passirac (16)..............142 A 4
Passonfontaine (25)........111 G 1
Passy (71).................121 H 1
Passy (74).................139 E 1
Passy (89)..................72 D 2
Passy-en-Valois (02)........32 C 3
Passy-Grigny (51)...........33 F 3
Passy-sur-Marne (02)........33 E 4
Passy-sur-Seine (77)........52 D 5
Pastricciola (2A)..........216 D 3
Patay (45)..................70 B 3
Patornay (39)..............110 C 5
Patrimonio (2B)............215 F 3
Le Paty (28)................50 B 3
Pau ◆ (64).................186 B 5
Paucourt (45)...............72 A 3
Paudy (36).................104 C 2
Pauilhac (32)..............172 B 5
Pauillac (33)..............140 D 3
Paule (22)..................62 C 1
Paulhac (15)...............146 D 5
Paulhac (43)...............147 F 2
Paulhac (31)...............189 G 1
Paulhac-en-Margeride (48)..147 G 3
Paulhaguet (43)............147 G 3
Paulhan (34)...............192 C 3
Paulhe (12)................176 B 2
Paulhenc (15)..............160 C 1
Paulhiac (47)..............157 F 2
Pauligne (11)..............208 A 2
Paulin (24)................144 B 3

Paulinet (81)..............175 F 5
Paulmy (37)................103 E 2
Paulnay (36)...............103 G 4
Paunat (24)................157 G 1
Paussac-et-St-Vivien (24)..143 E 4
Pautaines-Augeville (52)....55 H 3
Pauvres (08)................34 B 1
Pavant (02).................32 C 5
Pavezin (42)...............149 G 1
Pavie (32).................188 A 2
Le Pavillon-Ste-Julie (10)..53 G 5
Les Pavillons-sous-Bois (93).31 G 5
Pavilly (76)................13 F 4
Payra-sur-l'Hers (11)......190 A 5
Payrac (46)................158 B 2
Payré (86).................116 B 3
Payré-sur-Vendée (85)......113 H 1
Payrignac (46).............158 B 2
Payrin-Augmontel (81)......190 D 3
Payros-Cazautets (40)......186 B 2
Payroux (86)...............115 G 4
Payssous (31)..............205 G 2
Payzac (07)................162 D 5
Payzac (24)................144 A 1
Pazac (30).................178 D 5
Pazayac (24)...............144 B 4
Paziols (11)...............208 D 4
Pazy (58)...................91 F 3
Le Péage-de-Roussillon (38).149 F 1
Péas (51)...................53 F 2
Peaugres (07)..............149 G 2
Péault (85)................113 E 1
Pébées (32)................188 D 4
Pébrac (43)................147 G 5
Pech (09)..................207 E 5
Pech-Luna (11).............207 G 1
Péchabou (31)..............189 G 3
Pécharic-et-le-Py (11).....207 F 1
Péchaudier (81)............190 B 3
Pechbonnieu (31)...........189 F 1
Pechbusque (31)............189 F 3
Le Pêchereau (36)..........117 F 1
Pécorade (40)..............186 B 2
Le Pecq (78)...............30 D 5
Pecquencourt (59)...........8 D 2
Pecqueuse (91)..............50 D 3
Pécy (77)...................52 B 3
Pédernec (22)...............43 E 3
Pégairolles-
 de-l'Escalette (34).......192 B 1
Pégomas (06)...............199 E 2
Le Pègue (26)..............164 D 5
Peigney (52)................75 H 4
Peillac (56)................64 B 5
Peille (06)................183 G 5
Peillon (06)...............183 G 5
Peillonnex (74)............124 D 4
Peintre (39)................94 A 5
Les Peintures (33).........142 A 4
Peipin (04)................181 E 2
Peira-Cava (06)............183 F 3
Peisey-Nancroix (73).......139 F 4
Pel-et-Der (10).............54 B 5
Pelacoy (46)...............158 B 4
Pélissanne (13)............195 F 2
Pellafol (38)..............166 A 1
Pelleautier (05)...........166 B 4
Pellefigue (32)............188 B 3
Pellegrue (33).............156 B 2
Pelleport (31).............188 D 1
Pellerey (21)...............93 E 3
Le Pellerin (44)...........83 E 5
La Pellerine (49)..........85 H 3
La Pellerine (53)..........46 B 5
Pellevoisin (36)...........103 H 2
Pelonne (26)...............165 F 5
Pelouse (48)...............161 H 4
Pelousey (25)...............94 D 4
Peltre (57).................37 E 3
Pélussin (42)..............149 G 1
Pelves (62)..................8 B 3
Pelvoux (05)...............152 D 5
Pen Bé (44)................82 A 3
Pen-Guen (22)..............44 C 2
Penchard (77)...............32 A 5
Pencran (29)................41 G 4
Pendé (80)...................6 C 4
Pénestin (56)..............82 A 2
Penguily (22)..............44 A 4
Penhoat (22)................43 F 2
Penhors (29)................61 E 3
Le Pénity (22).............42 C 5
Penly (76)..................13 H 1
Penmarch (29)...............61 E 4
Penne (81).................174 B 3
Penne-d'Agenais (47).......157 F 5
La Penne-sur-Huveaune (13).196 A 5
La Penne-sur-l'Ouvèze (26).179 H 1

A B C D E F G H I J K L M N O P Q R S T U V W X Y Z

258

Localité *(Département)*   Page   Coordonnées

Pennedepie (14)....28 A 1
Pennes-le-Sec (26)....165 E 3
Les Pennes-Mirabeau (13)....195 H 4
Pennesières (70)....95 E 2
Penol (38)....150 D 1
Le Penon (40)....184 D 1
Pensol (87)....129 G 4
Penta-Acquatella (2B)....215 F 5
Penta-di-Casinca (2B)....215 G 5
Penthièvre (56)....81 E 3
Pentrez-Plage (29)....61 F 1
Penvénan (22)....43 E 1
Penvins (56)....81 G 3
Péone (06)....182 C 2
Pépieux (11)....191 F 5
Pérassay (36)....118 B 2
Peray (72)....68 B 1
Perceneige (89)....52 D 5
Percey (89)....73 G 4
Percey-le-Grand (70)....93 H 2
Percey-le-Pautel (52)....75 H 5
Percey-sous-Montormentier (52)....93 H 1
Le Perchay (95)....30 C 4
La Perche (18)....105 G 5
Perchède (32)....186 D 1
Le Percy (38)....165 G 1
Percy-en-Auge (14)....27 H 4
Percy-en-Normandie (50)....25 F 5
Perdreauville (78)....30 B 5
Péré (17)....113 G 5
Péré (65)....204 D 1
Péreille (09)....207 F 3
Perelli (2B)....217 G 2
Perello (56)....80 C 1
Pérenchies (59)....4 B 3
Péret (34)....192 C 3
Péret-Bel-Air (19)....145 F 1
Péreuil (16)....128 A 5
Péreyres (07)....162 D 2
Pergain-Taillac (32)....172 B 3
Peri (2A)....216 D 5
Le Périer (38)....152 A 5
Périers (50)....24 D 2
Périers-en-Auge (14)....27 H 2
Périers-sur-le-Dan (14)....27 F 2
Pérignac (16)....142 B 1
Pérignac (17)....127 F 4
Pérignat-lès-Sarliève (63)....133 F 3
Pérignat-sur-Allier (63)....133 F 3
Périgné (79)....114 C 4
Périgneux (42)....148 C 1
Périgny (03)....120 B 4
Périgny (14)....27 E 5
Périgny (17)....113 F 4
Périgny (41)....87 G 1
Périgny (86)....102 A 5
Périgny (94)....51 G 2
Périgny-la-Rose (10)....53 F 3
Périgueux Ⓟ (24)....143 F 3
Périssac (33)....141 G 5
Perles (02)....33 F 2
Perles-et-Castelet (09)....207 F 5
Pern (46)....173 H 1
Pernand-Vergelesses (21)....109 E 1
Pernant (02)....32 C 1
Pernay (37)....86 C 3
La Pernelle (50)....23 E 3
Pernes (62)....7 G 1
Pernes-lès-Boulogne (62)....2 B 4
Pernes-les-Fontaines (84)....179 G 4
Pernois (80)....7 F 5
Pero (Plage de) (2A)....216 B 4
Pero-Casevecchie (2B)....217 G 1
Pérols (34)....193 G 3
Pérols-sur-Vézère (19)....131 F 5
Péron (01)....124 A 4
Péronnas (01)....123 E 4
Péronne (71)....122 B 2
Péronne <S> (80)....16 B 1
Péronne-en-Mélantois (59)....4 D 4
Péronville (28)....70 A 3
Pérouges (01)....136 D 2
La Pérouille (36)....104 A 5
Pérouse (90)....96 D 1
Péroy-lès-Gombries (60)....32 A 3
Perpezac-le-Blanc (19)....144 B 3
Perpezac-le-Noir (19)....144 C 2
Perpezat (63)....132 D 4
Perpignan Ⓟ (66)....209 E 5
Les Perques (50)....22 C 4
Perquie (40)....171 E 5
Perrancey-les-Vieux-Moulins (52)....75 H 4
Le Perray-en-Yvelines (78)....50 C 2
Perrecy-les-Forges (71)....121 F 1
Le Perréon (69)....122 A 5
Perret (22)....63 E 2
Perreuil (71)....108 D 4
Perreuse (89)....90 C 2
Perreux (42)....134 D 1
Perreux (89)....90 C 2
Le Perreux-sur-Marne (94)....51 G 1
Perrex (01)....122 C 4
Le Perrier (30)....193 H 3
Perrier (63)....133 F 5
Le Perrier (85)....98 C 3
La Perrière (61)....48 C 5

La Perrière (73)....139 E 5
Perrières (14)....27 G 5
Perriers-en-Beauficel (50)....46 B 1
Perriers-la-Campagne (27)....29 E 3
Perriers-sur-Andelle (27)....29 H 1
Perrignier (74)....124 D 3
Perrigny (39)....110 B 5
Perrigny (71)....109 F 4
Perrigny (89)....73 E 5
Perrigny-lès-Dijon (21)....93 F 5
Perrigny-sur-Armançon (89)....92 A 1
Perrigny-sur-l'Ognon (21)....94 A 4
Perrigny-sur-Loire (71)....120 D 1
Perrogney (52)....75 G 5
Le Perron (50)....25 G 4
Perros-Guirec (22)....42 D 1
Perrou (61)....47 E 3
Perrouse (70)....94 D 4
Perroy (58)....90 C 4
Perruel (27)....29 H 1
Perrusse (52)....76 A 2
Perrusson (37)....103 F 1
Pers (15)....159 G 1
Pers (79)....115 E 4
Pers-en-Gâtinais (45)....72 A 2
Pers-Jussy (74)....124 C 4
Persac (86)....116 A 3
Persan (95)....31 E 3
Persquen (56)....63 E 3
Pertain (80)....16 A 2
Perthes (08)....18 B 5
Perthes (52)....55 E 2
Perthes (77)....51 G 4
Perthes-lès-Brienne (10)....54 C 4
Pertheville-Ners (14)....27 G 5
Le Perthus (66)....213 E 4
Perthuis (51)....53 E 1
Le Pertre (35)....66 B 3
Le Pertuis (43)....148 C 4
Pertuis (84)....196 A 1
Le Pertuiset (42)....148 D 1
La Péruse (16)....129 E 2
Pervenchères (61)....48 B 4
Perville (82)....172 D 2
Pescadoires (46)....157 H 4
Peschadoires (63)....133 H 3
Le Pescher (19)....144 D 4
Péseux (25)....95 H 4
Peseux (39)....109 H 2
Peslières (63)....147 G 1
Pesmes (70)....94 A 4
Pessac (33)....155 E 1
Pessac-sur-Dordogne (33)....156 B 1
Pessan (32)....188 A 2
Pessans (25)....110 C 1
Pessat-Villeneuve (63)....133 F 2
La Pesse (39)....124 A 3
Pessines (17)....127 E 3
Pessoulens (32)....172 D 5
Petersbach (67)....38 C 5
Petichet (38)....151 H 5
Le Petit-Abergement (01)....123 H 5
Petit-Appeville (76)....13 G 1
Petit-Auverné (44)....83 H 1
Petit-Bersac (24)....142 C 2
Le Petit-Bornand-les-Glières (74)....124 D 5
Le Petit-Celland (50)....46 A 2
Petit-Couronne (76)....29 F 1
Petit-Croix (90)....96 D 1
Petit-Failly (54)....20 A 3
Petit-Fayt (59)....9 G 5
Petit-Fort-Philippe (59)....2 D 2
Le Petit-Fougeray (35)....65 F 3
Petit-Landau (68)....79 E 5
Petit-Mars (44)....83 G 3
Le Petit-Mercey (39)....94 C 5
Petit-Mesnil (10)....54 C 5
Petit-Noir (39)....109 H 2
Petit-Palais-et-Cornemps (33)....142 A 5
Petit-Piquey (33)....154 A 2
Le Petit-Pressigny (37)....103 E 3
Le Petit-Quevilly (76)....29 F 1
Petit-Réderching (57)....38 C 3
Petit-Tenquin (57)....37 H 4
Petit-Val (27)....30 A 4
Petit-Verly (02)....17 E 1
La Petite-Boissière (79)....100 C 3
Petite-Chaux (25)....111 E 4
La Petite-Fosse (88)....58 B 5
La Petite-Marche (03)....118 D 4
La Petite-Pierre (67)....38 C 5
La Petite-Raon (88)....58 B 4
Petite-Rosselle (57)....37 H 2
La Petite-Verrière (71)....108 A 2
Petitefontaine (90)....78 B 5
Les Petites-Armoises (08)....19 E 5
Les Petites-Dalles (76)....12 D 2
Les Petites-Loges (51)....34 A 3
Petitmagny (90)....78 A 5
Petitmont (54)....58 A 3
Les Petits-Robins (26)....163 H 1
Petiville (14)....27 G 2
Petiville (76)....12 D 5
Petosse (85)....113 G 1
Petreto-Bicchisano (2A)....218 D 2
Pettoncourt (57)....57 F 1
Pettonville (54)....57 H 3
Peujard (33)....141 F 4

Peumerit (29)....61 F 3
Peumerit-Quintin (22)....42 D 5
Peuplingues (62)....2 B 3
Peuton (53)....66 C 4
Peuvillers (55)....35 H 1
Peux-et-Couffouleux (12)....191 H 1
Pévange (57)....37 G 5
Pévy (51)....33 G 2
Pexiora (11)....190 B 5
Pexonne (54)....58 A 3
Pey (40)....185 E 2
Peymeinade (06)....198 D 1
Peynier (13)....196 B 3
Peypin (13)....196 A 4
Peypin-d'Aigues (84)....180 B 5
Peyrabout (23)....117 H 5
La Peyrade (34)....193 E 4
Peyragudes (65)....205 E 4
Le Peyrat (09)....207 G 3
Peyrat-de-Bellac (87)....116 C 5
Peyrat-la-Nonière (23)....118 A 3
Peyrat-le-Château (87)....130 D 3
Peyraube (65)....204 D 1
Peyraud (07)....149 G 2
Peyre (07)....162 C 4
Peyre (40)....186 A 2
Peyre-Auselère (09)....206 C 4
Peyrecave (32)....172 D 4
Peyrefitte-du-Razès (11)....207 H 2
Peyrefitte-sur-l'Hers (11)....190 A 4
Peyregoux (81)....190 C 1
Peyrehorade (40)....185 F 2
Peyrelade (87)....129 H 1
Peyreleau (12)....176 C 2
Peyrelevade (19)....131 F 4
Peyrelongue-Abos (64)....186 D 4
Peyremale (30)....178 A 1
Peyrens (11)....190 B 4
Peyrestortes (66)....209 E 5
Peyret-St-André (65)....187 H 5
Peyriac-de-Mer (11)....209 F 2
Peyriac-Minervois (11)....191 F 5
Peyriat (01)....123 G 4
Peyrière (47)....156 C 4
Peyrieu (01)....137 G 4
Peyrignac (24)....144 A 4
Peyriguère (65)....187 F 5
Peyrilhac (87)....129 H 1
Peyrillac-et-Millac (24)....158 B 1
Peyrilles (46)....158 B 3
Peyrins (26)....150 C 4
Peyrissac (19)....144 D 1
Peyrissas (31)....188 C 5
Peyrole (81)....190 A 1
Peyrolles (11)....208 B 3
Peyrolles (30)....177 G 3
Peyrolles-en-Provence (13)....196 A 2
Peyroules (04)....182 B 5
Peyrouse (65)....204 B 2
Peyrouzet (31)....205 H 1
Peyruis (04)....181 A 5
Peyrun (65)....187 F 5
Peyrus (26)....150 C 5
Peyrusse (15)....146 D 3
Peyrusse-Grande (32)....187 F 2
Peyrusse-le-Roc (12)....159 G 4
Peyrusse-Massas (32)....187 H 1
Peyrusse-Vieille (32)....187 F 2
Peyrusses (43)....147 G 4
Peyssies (31)....189 E 5
Peyzac-le-Moustier (24)....143 H 5
Peyzieux-sur-Saône (01)....122 B 5
Pézarches (77)....52 B 2
Pezé-le-Robert (72)....67 H 1
Pézenas (34)....192 C 4
Pézènes-les-Mines (34)....192 B 2
Pezens (11)....190 D 5
Pézilla-de-Conflent (66)....208 C 5
Pézilla-la-Rivière (66)....209 E 5
Pezou (41)....69 G 5
Pezuls (24)....157 F 1
Pézy (28)....70 A 1
Pfaffenheim (68)....78 D 3
Pfaffenhoffen (67)....39 E 5
Pfalzweyer (67)....38 C 5
Pfastatt (68)....78 D 5
Pfetterhouse (68)....97 E 2
Pfettisheim (67)....59 E 1
Pfulgriesheim (67)....59 E 2
Phaffans (90)....96 D 1
Phalempin (59)....4 C 4
Phalsbourg (57)....58 C 1
Philippsbourg (57)....39 E 4
Philondenx (40)....186 B 2
Phlin (54)....37 E 5
Pia (66)....209 F 5
Piacé (72)....68 A 1
Le Pian-Médoc (33)....141 E 5
Le Pian-sur-Garonne (33)....155 H 3
Piana (2A)....216 B 3
Pianello (2B)....217 G 1
Piano (2B)....217 G 1
Pianottoli-Caldarello (2A)....219 E 4
Piaon (06)....183 G 4
Les Piards (39)....123 H 1
La Piarre (05)....165 G 4
Piau-Engaly (65)....204 C 4
Piazzali (2B)....217 G 2
Piazzole (2B)....217 G 1
Piblange (57)....21 F 4

Pibrac (31)....189 E 2
Picarreau (39)....110 C 4
Picarrou (31)....189 G 5
Picauville (50)....23 E 5
Pichanges (21)....93 G 3
Picherande (63)....146 C 1
Picquigny (80)....15 E 1
Pie-d'Orezza (2B)....217 F 1
Pied-de-Borne (48)....162 C 5
Piedicorte-di-Gaggio (2B)....217 F 2
Piedicroce (2B)....217 F 1
Piedigriggio (2B)....217 E 1
Piedipartino (2B)....217 F 1
Piégon (26)....179 G 1
Piégros-la-Clastre (26)....164 D 2
Piégut (04)....166 B 4
Piégut-Pluviers (24)....129 F 4
Piencourt (27)....28 B 3
Piène-Haute (06)....183 G 4
Piennes (54)....20 C 4
Piennes-Onvillers (80)....15 H 4
Piépape (52)....93 H 1
Pierlas (06)....182 D 3
La Pierre (38)....152 A 2
Pierre-Bénite (69)....135 H 4
Pierre-Buffière (87)....130 B 4
Pierre-Châtel (38)....151 H 5
Pierre-de-Bresse (71)....109 H 3
Pierre-la-Treiche (54)....56 C 2
Pierre-Levée (77)....32 B 5
Pierre-Morains (51)....53 H 1
Pierre-Percée (54)....58 A 3
Pierre-Perthuis (89)....91 G 3
Pierrebrune (30)....178 C 1
Pierreclos (71)....122 A 3
Pierrecourt (76)....14 A 4
Pierrecourt (70)....94 A 1
Pierrefeu (06)....183 E 4
Pierrefeu-du-Var (83)....197 E 5
Pierrefiche (12)....160 D 5
Pierrefiche (48)....162 A 4
Pierrefiques (76)....12 B 3
Pierrefitte (19)....144 D 1
Pierrefitte (23)....118 B 5
Pierrefitte (79)....101 F 3
Pierrefitte (88)....77 E 1
Pierrefitte-en-Auge (14)....28 A 2
Pierrefitte-en-Beauvaisis (60)....14 D 5
Pierrefitte-en-Cinglais (14)....27 F 5
Pierrefitte-ès-Bois (45)....89 H 3
Pierrefitte-Nestalas (65)....204 B 3
Pierrefitte-sur-Aire (55)....35 H 5
Pierrefitte-sur-Loire (03)....120 D 2
Pierrefitte-sur-Sauldre (41)....89 E 3
Pierrefitte-sur-Seine (93)....31 F 5
Pierrefonds (60)....32 B 1
Pierrefontaine-lès-Blamont (25)....96 C 3
Pierrefontaine-les-Varans (25)....95 G 5
Pierrefort (15)....160 C 1
Pierregot (80)....15 G 1
Pierrelatte (26)....163 G 5
Pierrelaye (95)....31 E 4
Pierrelongue (26)....179 H 1
Pierremande (02)....16 D 4
Pierremont (62)....7 F 2
Pierrepont (02)....17 G 4
Pierrepont (14)....27 F 5
Pierrepont (54)....20 B 3
Pierrepont-sur-Avre (80)....15 H 3
Pierrepont-sur-l'Arentèle (88)....57 H 5
Pierrerue (04)....180 D 4
Pierrerue (34)....191 H 4
Pierres (14)....25 H 5
Pierres (28)....50 A 3
Pierres Pouquelées (50)....22 B 2
Pierreval (76)....13 H 5
Pierrevert (04)....180 D 5
Pierreville (50)....22 B 4
Pierreville (54)....56 D 3
Pierreville (76)....13 G 2
Pierrevillers (57)....20 D 5
Pierric (44)....83 E 1
Pierroton (33)....154 D 2
Pierry (51)....33 G 4
Pietra-di-Verde (2B)....217 G 2
Pietracorbara (2B)....215 G 2
Pietralba (2B)....215 E 5
Pietranera (2B)....215 G 3
Pietraserena (2B)....217 G 2
Pietricaggio (2B)....217 G 1
Pietrosella (2A)....218 C 1
Pietroso (2B)....217 F 3
Piets-Plasence-Moustrou (64)....186 B 3
Pieusse (11)....208 A 2
Les Pieux (50)....22 B 4
Piève (2B)....215 F 4
Piffonds (89)....72 C 3
Pigerolles (23)....131 F 3
Pignan (34)....193 E 4
Pignans (83)....197 F 4
Pignicourt (02)....33 H 1
Pignols (63)....133 G 4
Pigny (18)....105 G 1
Pihem (62)....3 F 5
Pihen-lès-Guines (62)....2 B 3
Pila-Canale (2A)....218 D 1
Pilat-Plage (33)....154 A 3

Pillac (16)....142 B 2
Pillemoine (39)....110 C 4
Les Pilles (26)....164 D 5
Pillon (55)....20 A 3
Pimbo (40)....186 B 2
Pimelles (89)....74 A 5
Pimorin (39)....123 F 1
Pimprez (60)....16 B 5
Le Pin (03)....120 D 2
Le Pin (14)....28 B 3
Le Pin (17)....141 G 2
Le Pin (30)....178 D 3
Le Pin (38)....151 F 1
Le Pin (39)....110 B 4
Le Pin (44)....84 A 2
Le Pin (70)....94 C 4
Le Pin (77)....31 H 5
Le Pin (79)....100 D 3
Le Pin (82)....173 E 3
Le Pin-au-Haras (61)....48 A 2
Le Pin-en-Mauges (49)....84 B 5
Le Pin-la-Garenne (61)....48 C 4
Le Pin-Murelet (31)....188 C 4
Pinarellu (2A)....219 G 2
Pinas (65)....205 E 2
Pinay (42)....134 D 2
Pincé (72)....67 F 5
Pindères (47)....171 G 1
Pindray (86)....116 A 2
Pinel-Hauterive (47)....157 E 5
Pinet (34)....192 D 4
Pineuilh (33)....156 C 1
Piney (10)....54 B 5
Pino (2B)....215 F 1
Pinols (43)....147 G 4
Pinon (02)....17 E 3
Les Pins (16)....128 D 3
Pins-Justaret (31)....189 F 3
Pinsac (46)....158 C 1
Pinsaguel (31)....189 F 3
Pinsot (38)....152 B 1
Pintac (65)....187 E 5
Pinterville (27)....29 G 3
Pintheville (55)....36 A 3
Les Pinthières (28)....50 A 2
Piobetta (2B)....217 G 1
Pioggiola (2B)....214 D 5
Piolenc (84)....179 E 2
Pionnat (23)....118 A 5
Pionsat (63)....119 E 5
Pioussay (79)....114 D 5
Pipriac (35)....64 D 4
Piquecos (82)....173 G 3
Pirajoux (01)....123 E 2
Piré-sur-Seiche (35)....65 G 3
Pirey (25)....94 D 4
Piriac-sur-Mer (44)....81 H 4
Pirmil (72)....67 G 4
Pirou (50)....24 C 2
Pirou-Plage (50)....24 C 2
Pis (32)....188 B 1
Pisany (17)....126 D 3
Piscop (95)....31 F 4
Piseux (27)....49 F 1
Pisieu (38)....150 C 1
Pisseleu (60)....15 E 5
Pisseleux (02)....32 B 2
Pisseloup (52)....76 B 4
La Pisseure (70)....77 E 4
Pissos (40)....169 G 1
Pissotte (85)....113 G 1
Pissy (80)....15 E 2
Pissy-Pôville (76)....13 G 5
Pisy (89)....92 A 2
Pitgam (59)....3 F 2
Pithiviers <S> (45)....71 E 2
Pithiviers-le-Vieil (45)....71 E 2
Pithon (02)....16 C 3
Pitres (27)....29 G 2
Pittefaux (62)....2 B 4
Pizay (01)....136 C 2
Pizay (69)....122 B 5
Le Pizou (24)....142 B 5
Pizieux (72)....48 B 5
Le Pla (09)....207 H 5
Plabennec (29)....41 F 3
Placé (53)....66 C 1
Les Places (27)....28 C 3
Placey (25)....94 C 4
Plachy-Buyon (80)....15 F 2
Placy (14)....27 F 4
Placy-Montaigu (50)....25 H 3
Le Plagnal (07)....162 B 3
Plagne (01)....123 H 4
Plagne (31)....206 A 1
La Plagne (73)....139 E 5
Les Plagnes (74)....125 F 3
Plagnole (31)....188 D 4
Plaigne (11)....207 F 1
Plailly (60)....31 G 4
Plaimbois-du-Miroir (25)....95 H 5
Plaimbois-Vennes (25)....95 H 5
Plaimpied-Givaudins (18)....105 E 4
La Plaine (49)....100 D 1
Plaine (67)....58 B 4
Plaine-de-Walsch (57)....58 B 1

Plaine-Haute (22)....43 G 5
Plaine-Joux (74)....139 E 1
La Plaine-sur-Mer (44)....82 B 5
Plainemont (70)....77 E 4
Plaines-St-Lange (10)....74 C 3
Plainfaing (88)....78 B 1
Plainoiseau (39)....110 B 4
Les Plains-et-Grands-Essarts (25)....96 D 4
Plaintel (22)....43 G 5
Plainval (60)....15 G 5
Plainville (27)....28 C 4
Plainville (60)....15 G 4
Plaisance (12)....175 G 4
Plaisance (24)....157 E 2
Plaisance (32)....187 E 2
Plaisance (86)....116 B 3
Plaisance-du-Touch (31)....189 E 3
Plaisia (39)....123 G 1
Plaisians (26)....180 A 1
Plaisir (78)....50 D 1
Plaizac (16)....128 A 3
Le Plan (13)....196 A 4
Le Plan (31)....206 B 1
Plan (38)....151 E 2
Plan-d'Aups-Ste-Baume (83)....196 B 4
Plan-de-Baix (26)....164 D 1
Plan-de-Cuques (13)....196 A 4
Le Plan-de-la-Tour (83)....197 H 4
Plan-d'Orgon (13)....179 G 5
Le Plan-du-Castellet (83)....200 C 3
Plan-du-Var (06)....183 E 4
Planaise (73)....138 A 5
Planay (21)....92 B 1
Planay (73)....139 E 5
La Planche (44)....99 G 2
Plancher-Bas (70)....77 H 5
Plancher-les-Mines (70)....77 H 5
Plancherine (73)....138 C 3
Les Planches (27)....29 G 3
Planches (61)....48 B 2
Les Planches-en-Montagne (39)....110 D 5
Les Planches-près-Arbois (39)....110 C 3
Planchez (58)....107 H 1
Plancoët (22)....44 C 3
Plancy-l'Abbaye (10)....53 H 3
La Planée (25)....111 F 3
Planès (66)....211 H 4
Le Planey (74)....139 E 2
Planèzes (66)....208 D 5
Planfoy (42)....149 E 1
Planguenoual (22)....44 A 3
Le Planois (71)....109 H 4
Le Planquay (27)....28 C 4
Planquery (14)....25 H 3
Planques (62)....7 E 2
Planrupt (52)....54 D 4
Les Plans (30)....178 B 2
Les Plans (34)....192 B 1
Le Plantay (01)....136 C 1
Les Plantiers (30)....177 G 3
Les Plantis (61)....48 B 3
Planty (10)....73 F 1
Planzolles (07)....162 D 4
Plappeville (57)....21 E 5
Plasne (39)....110 B 4
Plasnes (27)....28 D 3
Plassac (17)....127 F 5
Plassac (33)....141 E 4
Plassac-Rouffiac (16)....128 B 5
Plassay (17)....127 E 2
Le Plat (39)....121 H 4
Plateau-d'Assy (74)....139 E 1
Plats (07)....149 H 5
Plaudren (56)....81 H 1
Plauzat (63)....133 F 4
Plavilla (11)....207 G 1
Plazac (24)....143 H 5
Pleaux (15)....145 G 4
Pléboulle (22)....44 B 2
Pléchâtel (35)....65 E 4
Plédéliac (22)....44 B 4
Plédran (22)....43 H 5
Pléguien (22)....43 G 3
Pléhédel (22)....43 F 3
Pleine-Fougères (35)....45 G 4
Pleine-Selve (02)....17 E 2
Pleine-Selve (33)....141 F 2
Pleine-Sève (76)....13 E 2
Plélan-le-Grand (35)....64 C 3
Plélan-le-Petit (22)....44 C 4
Plélauff (22)....63 F 2
Plélo (22)....43 G 4
Plémet (22)....63 H 2
Plémy (22)....63 H 1
Plénée-Jugon (22)....44 B 4
Pléneuf-Val-André (22)....44 A 2
Plénise (39)....111 E 3
Plénisette (39)....110 D 4
Plerguer (35)....45 E 3
Plérin (22)....43 H 4
Plerneuf (22)....43 G 4
Plescop (56)....81 G 3
Plesder (35)....44 D 4
Plésidy (22)....43 E 5
Pleslin-Trigavou (22)....44 D 3
Plesnois (57)....20 D 5

Localité (Département) Page Coordonnées
259

Plesnoy (52) ... 76 A 4
Plessala (22) ... 63 H 1
Plessé (44) ... 82 D 2
Plessier-de-Roye (60) ... 16 A 4
Le Plessier-Huleu (02) ... 32 D 2
Le Plessier-Rozainvillers (80) ... 15 H 3
Le Plessier-sur-Bulles (60) ... 15 F 5
Le Plessier-sur-St-Just (60) ... 15 G 5
Le Plessis-aux-Bois (60) ... 32 B 3
Le Plessis-aux-Bois (77) ... 31 H 4
Plessis-Barbuise (10) ... 53 E 3
Le Plessis-Belleville (60) ... 31 H 4
Le Plessis-Bouchard (95) ... 31 E 5
Le Plessis-Brion (60) ... 16 B 5
Le Plessis-Dorin (41) ... 69 E 3
Plessis-du-Mée (89) ... 52 D 5
Le Plessis-Feu-Aussoux (77) ... 52 B 2
Le Plessis-Gassot (95) ... 31 F 4
Plessis-Gatebled (10) ... 52 D 5
Le Plessis-Grammoire (49) ... 85 E 3
Le Plessis-Grimoult (14) ... 27 E 5
Le Plessis-Grohan (27) ... 29 G 5
Le Plessis-Hébert (27) ... 29 H 5
Le Plessis-Lastelle (50) ... 24 D 2
Le Plessis-l'Échelle (41) ... 69 H 5
Le Plessis-l'Évêque (77) ... 31 H 4
Le Plessis-Luzarches (95) ... 31 G 4
Le Plessis-Macé (49) ... 84 D 2
Le Plessis-Pâté (91) ... 51 F 3
Le Plessis-Patte-d'Oie (60) ... 16 C 3
Le Plessis-Placy (77) ... 32 B 4
Le Plessis-Robinson (92) ... 51 E 1
Plessis-St-Benoist (91) ... 50 D 4
Plessis-St-Jean (89) ... 52 D 5
Le Plessis-
Ste-Opportune (27) ... 29 E 4
Le Plessis-Trévise (94) ... 51 G 1
Plessix-Balisson (22) ... 44 C 3
Plestan (22) ... 44 A 4
Plestin-les-Grèves (22) ... 42 C 3
Pleubian (22) ... 43 F 1
Pleucadeuc (56) ... 64 A 5
Pleudaniel (22) ... 43 F 2
Pleudihen-sur-Rance (22) ... 44 D 3
Pleugriffet (56) ... 63 H 4
Pleugueneuc (35) ... 45 E 4
Pleumartin (86) ... 102 D 4
Pleumeleuc (35) ... 64 D 1
Pleumeur-Bodou (22) ... 42 C 2
Pleumeur-Gautier (22) ... 43 E 2
Pleure (39) ... 110 A 3
Pleurs (51) ... 53 G 2
Pleurtuit (35) ... 44 D 3
Pleuven (29) ... 61 H 3
Pleuvezain (88) ... 56 C 5
Pleuville (16) ... 115 G 5
Pléven (22) ... 44 B 3
Plévenon (22) ... 44 B 2
Plévin (22) ... 62 C 2
Pleyben (29) ... 61 H 1
Pleyber-Christ (29) ... 42 A 4
Pliboux (79) ... 115 E 4
Plichancourt (51) ... 54 D 2
Plieux (32) ... 172 C 4
Plivot (51) ... 33 H 4
Ploaré (29) ... 61 F 2
Plobannalec-Lesconil (29) ... 61 F 4
Plobsheim (67) ... 59 F 3
Ploemel (56) ... 81 E 2
Ploemeur (56) ... 80 C 1
Ploërdut (56) ... 62 D 3
Ploeren (56) ... 81 F 2
Ploërmel (56) ... 64 A 3
Ploeuc-L'Hermitage (22) ... 63 H 1
Ploéven (29) ... 61 G 1
Ploëzal (22) ... 43 E 2
Plogastel-St-Germain (29) ... 61 F 3
Plogoff (29) ... 60 D 2
Plogonnec (29) ... 61 G 2
Ploisy (02) ... 32 C 2
Plomb (50) ... 45 H 1
Plombières-les-Bains (88) ... 77 G 3
Plombières-lès-Dijon (21) ... 93 F 4
Plomelin (29) ... 61 G 3
Plomeur (29) ... 61 F 4
Plomion (02) ... 17 H 2
Plomodiern (29) ... 61 G 1
Plonéis (29) ... 61 G 2
Plonéour-Lanvern (29) ... 61 F 3
Plonévez-du-Faou (29) ... 62 A 1
Plonévez-Porzay (29) ... 61 G 1
Plorec-sur-Arguenon (22) ... 44 B 3
Plottes (71) ... 122 B 1
Plou (18) ... 105 E 2
Plouagat (22) ... 43 F 4
Plouaret (22) ... 42 C 3
Plouarzel (29) ... 40 D 3
Plouasne (22) ... 44 D 5
Plouay (56) ... 62 D 4
Ploubalay (22) ... 44 C 3
Ploubazlanec (22) ... 43 F 2
Ploubezre (22) ... 42 D 2
Ploudalmézeau (29) ... 40 D 2
Ploudaniel (29) ... 41 F 3
Ploudiry (29) ... 41 G 4
Plouëc-du-Trieux (22) ... 43 E 3
Plouédern (29) ... 41 G 3
Plouégat-Guérand (29) ... 42 B 3
Plouégat-Moysan (29) ... 42 C 3
Plouénan (29) ... 41 H 2
Plouër-sur-Rance (22) ... 44 D 3
Plouescat (29) ... 41 G 2
Plouézec (22) ... 43 F 2
Plouezoc'h (29) ... 42 A 3
Ploufragan (22) ... 43 G 5
Plougar (29) ... 41 G 3
Plougasnou (29) ... 42 B 2
Plougastel-Daoulas (29) ... 41 F 4
Plougonvelin (29) ... 40 D 4
Plougonven (29) ... 42 B 4
Plougonver (22) ... 42 D 4
Plougoulm (29) ... 41 H 2
Plougoumelen (56) ... 81 F 2
Plougourvest (29) ... 41 H 3
Plougras (22) ... 42 C 4
Plougrescant (22) ... 43 E 1
Plouguenast (22) ... 63 H 1
Plouguerneau (29) ... 41 E 2
Plouguernével (22) ... 63 E 2
Plouguiel (22) ... 43 E 2
Plouguin (29) ... 41 E 3
Plouha (22) ... 43 G 3
Plouharnel (56) ... 81 E 2
Plouhinec (29) ... 61 E 2
Plouhinec (56) ... 80 D 1
Plouider (29) ... 41 G 2
Plouigneau (29) ... 42 B 3
Plouisy (22) ... 43 E 4
Ploujean (29) ... 42 A 3
Ploulec'h (22) ... 42 C 2
Ploumagoar (22) ... 43 E 4
Ploumanach (22) ... 42 D 1
Ploumilliau (22) ... 42 C 3
Ploumoguer (29) ... 40 D 4
Plounéour-Ménez (29) ... 42 A 4
Plounéour-Trez (29) ... 41 F 2
Plounérin (22) ... 42 C 4
Plounéventer (29) ... 41 G 3
Plounévez-Lochrist (29) ... 41 G 2
Plounévez-Moëdec (22) ... 42 D 4
Plounévez-Quintin (22) ... 63 E 1
Plounévézel (29) ... 62 B 1
Plounez (22) ... 43 F 2
Plourac'h (22) ... 42 C 5
Plouray (56) ... 62 D 2
Plourhan (22) ... 43 G 3
Plourin (29) ... 40 D 3
Plourin-lès-Morlaix (29) ... 42 A 4
Plourivo (22) ... 43 F 2
Plouvain (62) ... 8 B 3
Plouvara (22) ... 43 G 4
Plouvien (29) ... 41 F 3
Plouvorn (29) ... 41 H 2
Plouyé (29) ... 62 B 1
Plouzané (29) ... 40 D 4
Plouzélambre (22) ... 42 C 3
Plouzévédé (29) ... 41 H 2
Plovan (29) ... 61 F 3
Ployart-et-Vaurseine (02) ... 17 G 5
Le Ployron (60) ... 15 H 4
Plozévet (29) ... 61 E 3
Pludual (22) ... 43 F 3
Pluduno (22) ... 44 C 3
Plufur (22) ... 42 C 3
Pluguffan (29) ... 61 G 3
Pluherlin (56) ... 64 A 5
Plumaudan (22) ... 44 C 4
Plumaugat (22) ... 44 C 5
Plumelec (56) ... 63 H 5
Pluméliau (56) ... 63 F 4
Plumelin (56) ... 63 F 5
Plumergat (56) ... 81 F 1
Plumetot (14) ... 27 F 2
Plumieux (22) ... 63 H 3
Plumont (39) ... 110 B 1
Pluneret (56) ... 81 F 2
Plurien (22) ... 44 B 2
Plusquellec (22) ... 42 C 5
Plussulien (22) ... 63 F 1
Pluvault (21) ... 93 H 5
Pluvet (21) ... 93 H 5
Pluvigner (56) ... 81 F 1
Pluzunet (22) ... 42 D 3
Pocancy (51) ... 34 A 5
Pocé-les-Bois (35) ... 65 H 2
Pocé-sur-Cisse (37) ... 87 F 3
Podensac (33) ... 155 G 3
Le Poët (05) ... 180 D 1
Le Poët-Célard (26) ... 164 D 3
Le Poët-en-Percip (26) ... 180 A 1
Le Poët-Laval (26) ... 164 C 4
Le Poët-Sigillat (26) ... 165 E 5
Pœuilly (80) ... 16 C 2
Poey-de-Lescar (64) ... 186 B 4
Poey-d'Oloron (64) ... 185 H 5
Poëzat (03) ... 119 H 5
Poggio-di-Nazza (2B) ... 217 F 4
Poggio-di-Venaco (2B) ... 217 E 2
Poggio-d'Oletta (2B) ... 215 F 4
Poggio-Marinaccio (2B) ... 217 F 1
Poggio-Mezzana (2B) ... 217 G 1
Poggiolo (2A) ... 216 D 3
Pogny (51) ... 54 C 1
Poids-de-Fiole (39) ... 110 B 5
Poigny (77) ... 52 C 4
Poigny-la-Forêt (78) ... 50 B 2
Poil (58) ... 107 H 3
Poilcourt-Sydney (08) ... 33 H 1
Poilhes (34) ... 192 A 5
Poillé-sur-Vègre (72) ... 67 F 4
Poilley (35) ... 45 H 4
Poilley (50) ... 45 H 2
Poilly (51) ... 33 G 3
Poilly-lez-Gien (45) ... 89 G 1
Poilly-sur-Serein (89) ... 73 G 5
Poilly-sur-Tholon (89) ... 72 D 5
Poinçon-lès-Larrey (21) ... 74 C 4
Le Poinçonnet (36) ... 104 B 4
Poincy (77) ... 32 A 5
Poinsenot (52) ... 93 F 1
Poinson-lès-Fayl (52) ... 76 B 5
Poinson-lès-Grancey (52) ... 93 F 1
Poinson-lès-Nogent (52) ... 75 H 3
La Pointe (49) ... 84 D 3
La Pointe-de-Contes (06) ... 183 F 5
Pointel (61) ... 47 F 2
Pointis-de-Rivière (31) ... 205 F 2
Pointis-Inard (31) ... 205 H 2
Pointre (39) ... 94 A 5
Pointvillers (25) ... 110 D 1
Poinville (28) ... 70 C 2
Le Poiré-sur-Velluire (85) ... 113 G 2
Le Poiré-sur-Vie (85) ... 99 F 4
Poiroux (85) ... 112 C 1
Poisat (38) ... 151 H 3
Poiseul (52) ... 76 A 4
Poiseul-la-Grange (21) ... 93 E 2
Poiseul-la-Ville-
et-Laperrière (21) ... 92 D 2
Poiseul-lès-Saulx (21) ... 93 F 2
Poiseux (58) ... 106 C 1
Poisieux (18) ... 104 D 2
Le Poislay (41) ... 69 F 3
Poisson (71) ... 121 F 3
Poissons (52) ... 55 G 4
Poissy (78) ... 30 D 5
Poisvilliers (28) ... 50 A 4
Poisy (74) ... 138 A 1
La Poitevinière (49) ... 84 B 5
Poitiers Ⓡ (86) ... 115 G 1
Poivres (10) ... 54 A 2
Poix (51) ... 34 C 5
Poix-de-Picardie (80) ... 14 D 3
Poix-du-Nord (59) ... 9 F 4
Poix-Terron (08) ... 18 D 4
Le Poizat (01) ... 123 H 4
Le Poizat-Lalleyriat (01) ... 123 H 4
Polaincourt-
et-Clairefontaine (70) ... 76 D 4
Polastron (31) ... 188 C 5
Polastron (32) ... 188 B 3
Poleymieux (69) ... 135 H 2
Poliénas (38) ... 151 F 2
Polignac (17) ... 141 G 2
Polignac (43) ... 148 B 4
Poligné (35) ... 65 F 4
Poligny (05) ... 166 B 2
Poligny (10) ... 74 B 2
Poligny (39) ... 110 C 3
Poligny (77) ... 71 H 1
Polincove (62) ... 2 D 3
Polisot (10) ... 74 B 3
Polisy (10) ... 74 B 3
Pollestres (66) ... 213 E 3
Polliat (01) ... 122 D 4
Pollieu (01) ... 137 G 2
Pollionnay (69) ... 135 G 3
Polminhac (15) ... 146 B 5
Polveroso (2B) ... 217 G 1
Pomacle (51) ... 33 H 1
La Pomarède (11) ... 190 B 4
Pomarède (46) ... 158 A 4
Pomaret (48) ... 162 B 5
Pomarez (40) ... 185 G 2
Pomas (11) ... 208 A 2
Pomayrols (12) ... 160 D 5
Pomerol (33) ... 141 H 5
Pomérols (34) ... 192 D 4
Pomeys (69) ... 135 F 4
Pommard (21) ... 109 E 2
Pommera (62) ... 7 G 4
La Pommeraie-
sur-Sèvre (85) ... 100 C 3
La Pommeraye (14) ... 27 F 5
La Pommeraye (49) ... 84 B 4
Pommeret (22) ... 43 H 5
Pommereuil (59) ... 9 F 5
Pommereux (76) ... 14 B 4
Pommeréval (76) ... 13 H 3
Pommerieux (53) ... 66 B 5
Pommérieux (57) ... 36 D 4
Pommerit-Jaudy (22) ... 43 E 2
Pommerit-le-Vicomte (22) ... 43 F 3
Pommerol (26) ... 165 F 4
Pommeuse (77) ... 52 B 1
Pommevic (82) ... 172 D 3
Pommier (62) ... 7 H 4
Pommier-
de-Beaurepaire (38) ... 150 C 1
Pommiers (02) ... 32 C 1
Pommiers (30) ... 177 F 4
Pommiers (36) ... 117 G 1
Pommiers (42) ... 134 D 3
Pommiers (69) ... 135 G 1
Pommiers-la-Placette (38) ... 151 G 2
Pommiers-Moulons (17) ... 141 G 2
Pomoy (70) ... 95 F 1
Pompaire (79) ... 101 F 5
Pompéjac (33) ... 155 G 5
Pompertuzat (31) ... 189 G 3
Pompey (54) ... 56 D 1
Pompiac (32) ... 188 C 3
Le Pompidou (48) ... 177 F 2
Pompierre (88) ... 76 B 1
Pompierre-sur-Doubs (25) ... 95 G 3
Pompiey (47) ... 171 H 2
Pompignac (33) ... 155 F 1
Pompignan (30) ... 177 G 5
Pompignan (82) ... 173 G 5
Pompogne (47) ... 171 G 1
Pomponne (77) ... 51 H 1
Pomport (24) ... 156 D 2
Pomps (64) ... 186 A 3
Pomy (11) ... 207 H 2
Poncé-sur-le-Loir (72) ... 68 D 5
Poncey-lès-Athée (21) ... 93 H 5
Poncey-sur-l'Ignon (21) ... 93 E 3
Le Ponchel (62) ... 7 E 3
Ponches-Estruval (80) ... 6 D 3
Ponchon (60) ... 31 E 1
Poncin (01) ... 123 F 5
Poncins (42) ... 134 D 3
Pondaurat (33) ... 155 H 4
Le Pondy (18) ... 105 H 4
Ponet-et-St-Auban (26) ... 165 E 2
Ponlat-Taillebourg (31) ... 205 F 2
Pons (17) ... 127 F 4
Ponsampère (32) ... 187 G 4
Ponsan-Soubiran (32) ... 187 H 4
Ponsas (26) ... 149 H 3
Ponson-Debat-Pouts (64) ... 187 E 5
Ponson-Dessus (64) ... 186 D 5
Ponsonnas (38) ... 151 H 5
Pont (21) ... 93 H 5
Le Pont (86) ... 116 A 2
Pont-à-Bucy (02) ... 17 E 3
Pont-à-la-Planche (87) ... 129 G 2
Pont-à-Marcq (59) ... 4 C 4
Pont-à-Mousson (54) ... 36 D 5
Pont-à-Vendin (62) ... 4 B 5
Pont-Arcy (02) ... 33 E 1
Pont-Audemer (27) ... 28 C 1
Pont-Augan (56) ... 63 E 5
Pont-Authou (27) ... 28 D 2
Pont-Aven (29) ... 62 A 5
Pont-Bellanger (14) ... 25 G 5
Le Pont-Chrétien-
Chabenet (36) ... 117 F 1
Pont-Croix (29) ... 61 E 2
Pont-Crouzet (81) ... 190 B 4
Pont-d'Ain (01) ... 123 E 5
Le Pont-d'Avène (30) ... 178 A 2
Pont-de-Barret (26) ... 164 C 3
Le Pont-
de-Beauvoisin (38) ... 137 G 5
Le Pont-
de-Beauvoisin (73) ... 137 G 5
Pont-de-Braye (72) ... 68 D 5
Pont-de-Buis-
lès-Quimerch (29) ... 41 H 5
Pont-de-Chéruy (38) ... 136 D 3
Le Pont-de-Claix (38) ... 151 G 3
Pont-de-Crau (13) ... 194 C 2
Pont-de-Dore (63) ... 133 H 2
Pont de Grifferus (79) ... 101 E 2
Pont de Januq (34) ... 177 G 5
Pont-de-la-Chaux (39) ... 110 D 5
Pont-de-la-Maye (33) ... 155 F 1
Pont-de-Labeaume (07) ... 162 D 3
Pont de Lanau (15) ... 160 D 1
Pont-de-l'Arche (27) ... 29 G 2
Pont-de-Larn (81) ... 191 E 3
Pont-de-l'Isère (26) ... 149 H 5
Pont-de-Menat (63) ... 119 G 5
Pont-de-Metz (80) ... 15 F 2
Le Pont-de-Montvert (48) ... 177 G 1
Pont-de-Noblat (87) ... 130 C 3
Le Pont-de-Planches (70) ... 94 D 2
Pont-de-Poitte (39) ... 110 C 5
Le Pont-de-Rhaud (13) ... 195 F 2
Pont-de-Roide (25) ... 96 C 3
Pont-de-Ruan (37) ... 86 C 5
Pont-de-Salars (12) ... 175 H 1
Pont-de-Vaux (01) ... 122 C 2
Pont-de-Veyle (01) ... 122 C 4
Pont-d'Héry (39) ... 110 D 3
Pont-d'Ouilly (14) ... 27 F 5
Pont-du-Bois (70) ... 77 E 3
Pont-du-Casse (47) ... 172 C 2
Pont-du-Château (63) ... 133 F 3
Pont-du-Châtel (29) ... 41 G 2
Pont-du-Fossé (05) ... 166 C 2
Pont-du-Navoy (39) ... 110 C 4
Pont-en-Royans (38) ... 151 E 4
Pont-et-Massène (21) ... 92 B 3
Pont-Évêque (38) ... 136 B 5
Pont-Farcy (14) ... 25 F 5
Pont-Hébert (50) ... 25 F 3
Pont-James (44) ... 99 F 2
Pont-la-Ville (52) ... 75 E 2
Pont-l'Abbé (29) ... 61 F 4
Pont-l'Abbé (50) ... 22 D 5
Pont-l'Abbé-d'Arnoult (17) ... 126 D 2
Pont-lès-Bonfays (88) ... 77 E 1
Pont-les-Moulins (25) ... 95 F 4
Pont-l'Évêque (14) ... 28 A 2
Pont-l'Évêque (60) ... 16 B 5
Pont-Lorois (56) ... 80 D 2
Pont-Maugis (08) ... 19 F 3
Pont-Melvez (22) ... 42 D 5
Pont-Noyelles (80) ... 15 G 1
Pont-Péan (35) ... 65 F 3
Pont-Réan (35) ... 65 E 3
Pont-Remy (80) ... 6 D 5
Pont-Salomon (43) ... 148 D 2
Pont-Scorff (56) ... 62 C 5
Pont-St-Esprit (30) ... 178 D 1
Pont-St-Mamet (24) ... 143 E 5
Pont-St-Mard (02) ... 16 D 5
Pont-St-Martin (44) ... 99 F 1
Pont St-Nicolas (30) ... 178 C 4
Pont-St-Pierre (27) ... 29 H 2
Pont-St-Vincent (54) ... 56 D 3
Pont-Ste-Marie (10) ... 53 H 5
Pont-Ste-Maxence (60) ... 31 G 2
Pont-sur-l'Ognon (70) ... 95 F 2
Pont-sur-Madon (88) ... 57 E 5
Pont-sur-Meuse (55) ... 56 A 1
Pont-sur-Sambre (59) ... 9 H 4
Pont-sur-Seine (10) ... 53 E 4
Pont-sur-Vanne (89) ... 72 D 2
Pont-sur-Yonne (89) ... 72 C 1
Pont-Trambouze (69) ... 121 G 5
Pont-Varin (52) ... 55 E 4
Pontacq (64) ... 204 B 1
Pontaillac (17) ... 126 C 4
Pontailler-sur-Saône (21) ... 94 A 4
Pontaix (26) ... 165 E 2
Pontamafrey-
Montpascal (73) ... 152 C 2
Pontarion (23) ... 131 E 1
Pontarlier ⟨SP⟩ (25) ... 111 G 3
Pontarmé (60) ... 31 G 3
Pontaubault (50) ... 45 H 2
Pontaubert (89) ... 91 G 3
Pontault-Combault (77) ... 51 G 1
Pontaumur (63) ... 132 C 2
Pontavert (02) ... 33 G 1
Pontcarré (77) ... 51 H 1
Pontcey (70) ... 94 D 1
Pontchardon (61) ... 28 B 5
Pontcharra (38) ... 152 A 1
Pontcharra-sur-Turdine (69) ... 135 F 2
Pontcharraud (23) ... 131 H 2
Pont-Château (44) ... 82 C 3
Pontcirq (46) ... 158 A 4
Ponte-Leccia (2B) ... 217 E 1
Ponte Nuovo (2B) ... 215 F 5
Pontécoulant (14) ... 27 E 5
Ponteilla (66) ... 213 E 3
Ponteils-et-Brésis (30) ... 162 C 5
Pontempeyrat (43) ... 148 B 2
Pontenx-les-Forges (40) ... 169 E 1
Le Pontet (33) ... 141 E 3
Le Pontet (73) ... 138 B 5
Le Pontet (84) ... 179 F 4
Les Pontets (25) ... 111 E 4
Pontevès (83) ... 196 D 2
Ponteyraud (24) ... 142 C 3
Pontfaverger-
Moronvilliers (51) ... 34 A 2
Pontgibaud (63) ... 132 D 3
Pontgouin (28) ... 49 G 4
Ponthévrard (78) ... 50 C 4
Ponthion (51) ... 54 D 1
Ponthoile (80) ... 6 C 4
Le Ponthou (29) ... 42 B 4
Ponthouin (72) ... 68 B 1
Ponthoux (39) ... 123 H 2
Pontiacq-Viellepinte (64) ... 186 D 4
Pontigné (49) ... 85 G 2
Pontigny (89) ... 73 F 4
Pontis (04) ... 166 D 4
Pontivy ⟨SP⟩ (56) ... 63 F 3
Pontlevoy (41) ... 87 G 4
Pontlieue (72) ... 68 A 3
Pontmain (53) ... 46 B 4
Pontoise Ⓟ (95) ... 30 D 4
Pontoise-lès-Noyon (60) ... 16 C 5
Pontonx-sur-l'Adour (40) ... 169 F 5
Pontorson (50) ... 45 G 3
Pontours (24) ... 157 F 1
Pontoux (71) ... 109 G 3
Pontoy (57) ... 37 E 4
Pontpierre (57) ... 37 G 3
Pontpoint (60) ... 31 H 2
Pontrieux (22) ... 43 E 3
Pontru (02) ... 16 C 1
Pontruet (02) ... 16 D 1
Ponts (50) ... 45 H 2
Les Ponts-de-Cé (49) ... 85 E 3
Ponts-et-Marais (76) ... 6 B 5
Pontvallain (72) ... 68 A 5
Popian (34) ... 192 D 2
Popolasca (2B) ... 217 E 1
Porcaro (56) ... 64 C 3
La Porcelette (13) ... 194 D 3
Porcelette (57) ... 21 H 5
Porchères (33) ... 142 A 4
Porcheresse (16) ... 142 A 1
La Porcherie (87) ... 130 C 5
Porcheux (60) ... 30 C 2
Porcheville (78) ... 30 C 5
Porcieu-Amblagnieu (38) ... 137 E 2
Pordic (22) ... 43 G 4
Le Porge (33) ... 154 B 1
Pornic (44) ... 82 C 5
Pornichet (44) ... 82 A 4
Porquéricourt (60) ... 16 B 4
Porquerolles (83) ... 201 F 4
Porri (2B) ... 215 G 5
Pors-Even (22) ... 43 F 2
Pors-Hir (22) ... 43 E 1
Porsmilin (29) ... 40 D 4
Porspoder (29) ... 40 D 3
Port (01) ... 123 G 4
Le Port (09) ... 206 C 4
Port-à-Binson (51) ... 33 F 4
Port-Bail (50) ... 22 C 5
Port-Barcarès (66) ... 209 F 4
Port-Blanc (22) ... 43 E 1
Port-Blanc (56) ... 81 F 2
Port-Boulet (37) ... 86 A 5
Port-Bourgenay (85) ... 112 B 2
Port-Brillet (53) ... 66 B 2
Port-Camargue (30) ... 193 H 3
Port-Cros (83) ... 201 H 4
Port-d'Agrès (12) ... 159 H 3
Port-d'Atelier (70) ... 76 D 5
Port-de-Bouc (13) ... 195 E 4
Port-de-Carhaix (29) ... 62 B 1
Port de Génissac (33) ... 155 H 1
Port-de-la-Meule (85) ... 98 A 4
Port-de-Lanne (40) ... 185 E 2
Port-de-Miramar (83) ... 201 G 3
Port-de-Piles (86) ... 102 C 2
Port de Salles (86) ... 115 H 4
Port-d'Envaux (17) ... 127 E 2
Port-des-Barques (17) ... 126 C 1
Port du Corniguel (29) ... 61 G 3
Port-en-Bessin (14) ... 23 H 5
Port-Grimaud (83) ... 197 H 5
Port-Haliguen (56) ... 81 E 3
Port-Jérôme (76) ... 12 D 5
Port-Joinville (85) ... 98 A 4
Port-la-Forêt (29) ... 61 H 3
Port-la-Nouvelle (11) ... 209 F 2
Port-Launay (29) ... 61 H 1
Port-Lazo (22) ... 43 G 2
Port-le-Grand (80) ... 6 C 4
Port-Lesney (39) ... 110 C 2
Port-Leucate (11) ... 209 F 4
Port-Louis (56) ... 80 D 1
Port-Maguide (40) ... 154 A 4
Port-Manech (29) ... 62 A 5
Le Port-Marly (78) ... 51 E 1
Port-Moguer (22) ... 43 G 3
Port-Mort (27) ... 29 H 3
Port-Navalo (56) ... 81 F 3
Port-Racine (50) ... 22 B 2
Port-St-Louis-
du-Rhône (13) ... 194 D 4
Port-St-Père (44) ... 83 E 5
Port-Ste-Foy-
et-Ponchapt (24) ... 156 B 1
Port-Ste-Marie (47) ... 172 A 1
Port-sur-Saône (70) ... 94 D 1
Port-sur-Seille (54) ... 36 D 5
Port-Tudy (56) ... 80 C 2
Port-Vendres (66) ... 213 G 4
Port-Villez (78) ... 30 A 4
La Porta (2B) ... 217 F 1
Porta (66) ... 211 F 4
Porte-Joie (27) ... 29 H 2
Porté-Puymorens (66) ... 211 F 3
Le Portel (62) ... 2 A 4
Portel-des-Corbières (11) ... 209 F 2
Portes (27) ... 29 F 4
Portes (30) ... 177 H 1
Les Portes-en-Ré (17) ... 112 C 3
Portes-en-Valdaine (26) ... 163 H 4
Portes-lès-Valence (26) ... 163 H 1
Portet (64) ... 186 D 2
Portet-d'Aspet (31) ... 205 H 3
Portet-de-Luchon (31) ... 205 F 4
Portet-sur-G. (31) ... 189 F 3
Portets (33) ... 155 F 2
Porticcio (2A) ... 218 C 1
Porticciolo (Marine de) (2B) ... 215 G 2
Portieux (88) ... 57 F 5
Portiragnes (34) ... 192 C 5
Portiragnes-Plage (34) ... 192 C 5
Portivy (56) ... 81 E 3
Porto (2A) ... 216 B 3
Porto-Pollo (2A) ... 218 C 2
Porto-Vecchio (2A) ... 219 G 3
Ports (37) ... 102 C 2
Portsall (29) ... 40 D 2
Posanges (21) ... 92 C 3
Poses (27) ... 29 G 2
Possesse (51) ... 34 D 5
La Possonnière (49) ... 84 C 4
La Postolle (89) ... 72 D 1
Postroff (57) ... 38 B 5
Potangis (51) ... 53 F 3
Poteau-du-Gay (19) ... 145 G 3
Potelières (30) ... 178 B 2
Potelle (59) ... 9 G 3
La Poterie (22) ... 44 A 3
La Poterie-au-Perche (61) ... 48 D 3
La Poterie-Cap-d'Antifer (76) ... 12 B 3
La Poterie-Mathieu (27) ... 28 C 2
Pothières (21) ... 74 C 4
Potigny (14) ... 27 G 5
Potte (80) ... 16 B 2
Pouan-les-Vallées (10) ... 53 H 3
Pouançay (86) ... 101 G 1
Pouancé (49) ... 66 A 5
Pouant (86) ... 102 A 2
Poubeau (31) ... 205 F 4
Poucharramet (31) ... 188 D 4
Poudenas (47) ... 171 H 3
Poudenx (40) ... 186 A 2
Poudis (81) ... 190 B 3
Poueyferré (65) ... 204 B 1
La Pouëze (49) ... 84 C 2
Pouffonds (79) ... 114 D 4
La Pouge (23) ... 131 F 1

A B C D E F G H I J K L M N O P Q R S T U V W X Y Z

Localité *(Département)* Page Coordonnées

A B C D E F G H I J K L M N O P Q R S T U V W X Y Z

Le Pouget (34) ......192 D 2
Pougnadoresse (30) ......178 C 3
Pougné (16) ......128 C 1
Pougne-Hérisson (79) ......101 E 5
Pougny (01) ......124 A 4
Pougny (58) ......90 B 4
Pougues-les-Eaux (58) ......106 C 2
Pougy (10) ......54 B 4
Pouillac (17) ......141 H 2
Pouillat (01) ......123 F 3
Pouillé (41) ......87 H 4
Pouillé (85) ......113 G 1
Pouillé (86) ......115 H 1
Pouillé-les-Côteaux (44) ......84 A 3
Pouillenay (21) ......92 C 3
Pouilley-Français (25) ......94 C 5
Pouilley-les-Vignes (25) ......94 D 4
Pouillon (40) ......185 F 2
Pouillon (51) ......33 G 2
Pouilloux (71) ......121 G 1
Pouilly (57) ......37 E 4
Pouilly (60) ......30 D 2
Pouilly-en-Auxois (21) ......92 C 5
Pouilly-en-Bassigny (52) ......76 B 3
Pouilly-le-Monial (69) ......135 G 4
Pouilly-lès-Feurs (42) ......135 E 3
Pouilly-les-Nonains (42) ......134 C 1
Pouilly-sous-Charlieu (42) ......121 F 5
Pouilly-sur-Loire (58) ......90 B 5
Pouilly-sur-Meuse (55) ......19 G 4
Pouilly-sur-Saône (21) ......109 G 2
Pouilly-sur-Serre (02) ......17 F 3
Pouilly-sur-Vingeanne (21) ......94 A 2
Le Poujol-sur-Orb (34) ......192 A 3
Poujols (34) ......192 B 1
Poul-Fétan (56) ......63 E 5
Poulaines (36) ......104 B 1
Poulainville (80) ......15 F 1
Poulan-Pouzols (81) ......174 D 5
Poulangy (52) ......75 G 3
Poulay (53) ......47 E 5
Pouldavid (29) ......61 F 2
Pouldergat (29) ......61 F 2
Pouldouran (22) ......43 E 2
Pouldreuzic (29) ......61 F 3
Le Pouldu (29) ......80 B 1
Poule-les-Écharmeaux (69) ......121 H 5
Pouliacq (64) ......186 C 3
Les Pouliéres (88) ......77 H 1
Pouligney-Lusans (25) ......95 E 4
Pouligny-Notre-Dame (36) ......118 A 2
Pouligny-St-Martin (36) ......118 A 2
Pouligny-St-Pierre (36) ......103 F 5
Le Pouliguen (44) ......82 A 4
Poullan-sur-Mer (29) ......61 E 2
Poullaouen (29) ......42 B 5
Poullignac (16) ......142 A 1
Poulx (30) ......178 C 4
Poumarous (65) ......204 D 1
Poupas (82) ......172 D 4
Poupry (28) ......70 C 2
Pouques-Lormes (58) ......91 G 4
Pourcharesses (48) ......162 B 5
Pourchères (07) ......163 F 2
Pourcieux (83) ......196 C 3
Pourcy (51) ......33 G 3
Pourlans (71) ......109 H 2
Pournoy-la-Chétive (57) ......36 D 4
Pournoy-la-Grasse (57) ......37 E 4
Pourrain (89) ......90 D 1
Pourrières (83) ......196 B 3
Poursac (16) ......128 C 1
Poursay-Garnaud (17) ......127 G 1
Poursiugues-Boucoue (64) ......186 B 3
Pouru-aux-Bois (08) ......19 F 3
Pouru-St-Remy (08) ......19 F 3
Pourville-sur-Mer (76) ......13 G 1
Le Pous (34) ......177 G 5
Poussan (34) ......193 E 3
Poussanges (23) ......131 G 3
Poussay (88) ......56 D 5
Pousseaux (58) ......91 G 4
Poussignac (47) ......171 G 1
Poussy-la-Campagne (14) ......27 G 4
Pousthomy (12) ......175 G 5
Le Pout (33) ......155 G 2
Pouvrai (61) ......68 C 1
Pouxeux (88) ......77 G 2
Pouy (65) ......187 H 5
Pouy-de-Touges (31) ......188 D 5
Pouy-Loubrin (32) ......188 A 3
Pouy-Roquelaure (32) ......172 B 3
Pouy-sur-Vannes (10) ......73 E 1
Pouyastruc (65) ......187 H 5
Pouydesseaux (40) ......170 D 4
Pouydraguin (32) ......187 E 2
Pouylebon (32) ......187 G 3
Pouzac (65) ......204 C 2
Pouzauges (85) ......100 B 4
Pouzauges-le-Vieux (85) ......100 B 4
Pouzay (37) ......102 C 1
Pouze (31) ......189 G 4
Pouzilhac (30) ......178 D 3
Le Pouzin (07) ......163 G 4
Pouzioux (86) ......116 A 1
Pouzol (63) ......119 G 5
Pouzolles (34) ......192 B 3

Pouzols (34) ......192 D 2
Pouzols-Minervois (11) ......191 G 5
Pouzy-Mésangy (03) ......106 B 5
Poyanne (40) ......185 H 1
Poyans (70) ......94 A 3
Poyartin (40) ......185 G 1
Poyols (26) ......165 F 3
Pozières (80) ......8 A 5
Pra-d'Airand (06) ......182 C 2
Le Pradal (34) ......192 A 2
Pradals (30) ......177 E 3
Les Pradeaux (63) ......133 G 5
Le Pradel (30) ......178 A 2
Pradelle (26) ......165 E 3
Pradelles (43) ......162 B 2
Pradelles (59) ......3 G 4
Pradelles-Cabardès (11) ......191 E 4
Pradelles-en-Val (11) ......208 C 1
Pradère-les-Bourguets (31) ......188 D 2
Prades (07) ......163 E 3
Prades (09) ......207 G 5
Prades (12) ......175 H 1
Les Prades (15) ......146 C 3
Prades (43) ......147 H 5
Prades (48) ......177 E 1
Prades ⟨SP⟩ (66) ......212 B 3
Prades (81) ......190 B 2
Prades-d'Aubrac (12) ......160 D 4
Prades-le-Lez (34) ......193 F 1
Prades-sur-Vernazobre (34) ......191 H 4
Le Pradet (83) ......201 E 4
Pradettes (09) ......207 F 3
Pradières (09) ......207 E 3
Pradiers (15) ......146 D 3
Pradinas (12) ......175 E 2
Pradines (19) ......131 E 5
Pradines (42) ......134 D 1
Pradines (46) ......158 B 5
Pradons (07) ......163 E 4
Prads-Haute-Bléone (04) ......181 H 1
Pragnacq (79) ......114 A 3
Prahecq (79) ......114 B 4
Prailles (79) ......114 C 3
Pralognan-la-Vanoise (73) ......153 E 1
Prâlon (21) ......93 E 4
Pralong (42) ......134 C 4
Pramousquier (83) ......201 H 3
Pramouton (05) ......167 E 4
Prangey (52) ......75 H 5
Pranles (07) ......163 F 2
Pranzac (16) ......128 D 4
Prapic (05) ......166 D 2
Prapoutel-
   les-Sept-Laux (38) ......152 A 2
Praslay (52) ......75 G 5
Praslin (10) ......74 A 3
Prasville (28) ......70 B 1
Prat (22) ......43 E 3
Prat-Bonrepaux (09) ......206 A 2
Prat de Bouc (15) ......146 C 4
Prat-Peyrot (48) ......177 E 3
Prato-di-Giovellina (2B) ......217 E 1
Prats-de-Carlux (24) ......158 A 1
Prats-de-Mollo-
   la-Preste (66) ......212 C 5
Prats-de-Sournia (66) ......208 C 5
Prats-du-Périgord (24) ......157 H 2
Pratviel (81) ......190 A 2
Pratz (39) ......123 H 2
Pratz (52) ......75 E 1
Prauthoy (52) ......93 H 1
Pray (41) ......87 G 1
Praye (54) ......56 D 4
Prayols (09) ......207 E 3
Prayssac (46) ......158 A 4
Prayssas (47) ......172 B 1
Les Praz-de-Chamonix (74) ......139 F 1
Le Praz-de-Lys (74) ......125 E 4
Praz-sur-Arly (74) ......138 D 2
Le Pré-d'Auge (14) ......28 A 3
Pré-en-Pail-
   Saint-Samson (53) ......47 G 4
Le Pré-Saint-Gervais (93) ......51 F 1
Pré-St-Évroult (28) ......70 A 2
Pré-St-Martin (28) ......70 A 1
Préaux (07) ......149 G 3
Les Préaux (27) ......28 C 2
Préaux (36) ......103 H 2
Préaux (53) ......67 E 4
Préaux (76) ......13 H 5
Préaux (77) ......72 A 1
Préaux-Bocage (14) ......27 E 4
Préaux-du-Perche (61) ......48 D 5
Préaux-St-Sébastien (14) ......28 B 5
Prébois (38) ......165 H 1
Précey (50) ......45 H 4
Préchac (32) ......188 A 1
Préchac (33) ......155 G 5
Préchac (65) ......204 B 3
Préchac-sur-Adour (32) ......187 E 2
Préchacq-Josbaig (64) ......185 H 5
Préchacq-les-Bains (40) ......185 H 5
Préchacq-Navarrenx (64) ......185 H 5
Précieux (42) ......134 D 5
Précigné (72) ......102 C 1
Précilhon (64) ......203 D 1
Précorbin (50) ......25 G 3
Précy (18) ......106 A 1
Précy-le-Sec (89) ......91 G 2
Précy-Notre-Dame (10) ......54 B 5
Précy-sous-Thil (21) ......92 B 4

Précy-St-Martin (10) ......54 B 5
Précy-sur-Marne (77) ......31 H 5
Précy-sur-Oise (60) ......31 F 3
Précy-sur-Vrin (89) ......72 C 4
Prédefin (62) ......7 F 1
Préfailles (44) ......82 B 5
Préfontaines (45) ......71 H 2
Prégilbert (89) ......91 F 1
Préguillac (17) ......127 E 4
Préhy (89) ......73 F 5
Preignac (33) ......155 G 3
Preignan (32) ......188 A 1
Preigney (70) ......76 C 5
Preixan (11) ......208 A 1
Prélenfrey (38) ......151 G 4
Prelles (05) ......167 E 1
Prémanon (39) ......124 B 1
Premeaux-Prissey (21) ......109 F 1
Prémery (58) ......106 D 1
Prémesques (59) ......4 B 3
Prémeyzel (01) ......137 G 3
Prémian (34) ......191 G 3
Premières (21) ......93 H 5
Prémierfait (10) ......53 H 4
Prémilhat (03) ......118 D 3
Prémillieu (01) ......137 F 2
Prémont (02) ......16 D 1
Prémontré (02) ......17 E 5
Prendeignes (46) ......159 F 3
Préneron (32) ......187 G 1
La Prénessaye (22) ......63 H 2
Prenois (21) ......93 E 4
Prénouvellon (41) ......70 A 4
Prénovel (39) ......123 H 1
Prény (54) ......36 C 4
Préporché (58) ......107 G 3
Prépotin (61) ......48 C 3
Les Prés (46) ......165 G 4
Les Prés-Vuillins (25) ......111 G 1
Présailles (43) ......162 C 1
Préseau (59) ......9 F 3
Présentevillers (25) ......96 C 2
Préserville (31) ......189 G 3
Présilly (39) ......123 G 1
Présilly (74) ......124 B 5
Presle (70) ......95 F 2
Presle (73) ......138 B 5
Presles (14) ......25 H 5
Presles (38) ......151 E 4
Presles (95) ......31 F 4
Presles-en-Brie (77) ......51 H 2
Presles-et-Boves (02) ......33 E 1
Presles-et-Thierny (02) ......17 F 5
Presly (18) ......89 F 4
Presnoy (45) ......71 G 4
Pressac (86) ......115 H 5
Pressagny-le-Val (27) ......30 A 3
Pressagny-l'Orgueilleux (27) ......30 A 3
Pressiat (01) ......123 F 3
Pressignac (16) ......129 F 3
Pressignac-Vicq (24) ......157 F 1
Pressigny (52) ......76 B 5
Pressigny (79) ......101 G 4
Pressigny-les-Pins (45) ......71 H 4
Pressins (38) ......137 G 3
Pressy (62) ......7 G 1
Pressy-sous-Dondin (71) ......121 H 2
La Preste (66) ......212 B 5
La Prétière (25) ......95 H 3
Pretin (39) ......110 C 2
Prétot-Ste-Suzanne (50) ......22 D 5
Prétot-Vicquemare (76) ......13 F 3
Prêtreville (14) ......28 B 4
Préty (71) ......122 C 1
Pretz-en-Argonne (55) ......35 F 5
Preuilly (18) ......105 E 1
Preuilly-la-Ville (36) ......103 E 5
Preuilly-sur-Claise (37) ......103 E 3
Preures (62) ......6 D 1
Preuschdorf (67) ......39 F 4
Preuseville (76) ......14 B 2
Preutin-Higny (54) ......20 C 3
Preux-au-Bois (59) ......9 F 4
Preux-au-Sart (59) ......9 G 3
Préval (72) ......68 D 1
Prévelles (72) ......68 C 2
Prévenchères (48) ......162 B 4
Préveranges (18) ......118 B 2
Prévessin-Moëns (01) ......124 B 3
La Prévière (49) ......66 A 5
Prévillers (60) ......14 D 4
Prévinquières (12) ......175 E 1
Prévocourt (57) ......37 F 5
Prey (27) ......29 G 5
Prey (88) ......77 H 1
Preyssac-d'Excideuil (24) ......143 H 2
Prez (08) ......18 B 2
Prez-sous-Lafauche (52) ......56 A 5
Prez-sur-Marne (52) ......55 F 3
Priaires (79) ......113 H 5
Priay (01) ......136 D 1
Priez (02) ......32 C 3
Prignac (17) ......127 G 2
Prignac-en-Médoc (33) ......140 D 2
Prignac-et-Marcamps (33) ......141 F 4
Prigonrieux (24) ......156 D 1
Primarette (38) ......150 C 1
Primat (08) ......34 D 1
La Primaube (12) ......175 G 1
Primel-Trégastel (29) ......42 A 2
Primelin (29) ......60 D 2
Primelles (18) ......105 E 3

Prin-Deyrançon (79) ......113 H 4
Prinçay (86) ......102 A 3
Princé (35) ......66 A 1
Pringé (72) ......85 H 1
Pringy (51) ......54 C 1
Pringy (74) ......138 A 1
Pringy (77) ......51 G 4
Prinquiau (44) ......82 C 3
Prinsuéjols (48) ......161 E 3
Printzheim (67) ......38 D 5
Prisces (02) ......17 G 3
Prisches (59) ......9 G 5
Prissac (36) ......116 D 2
Prissé (71) ......122 B 3
Prissé-la-Charrière (79) ......114 A 4
Privas ⟨P⟩ (07) ......163 F 2
Privezac (12) ......159 G 5
Prix-lès-Mézières (08) ......18 D 3
Priziac (56) ......62 C 3
Prizy (71) ......121 F 3
Proissans (24) ......158 A 1
Proisy (02) ......17 G 1
Proix (02) ......17 F 1
Projan (32) ......186 C 2
Les Promelles (30) ......178 A 3
Promilhanes (46) ......159 E 5
Prompsat (63) ......133 E 2
Prondines (63) ......132 C 3
Pronleroy (60) ......15 H 5
Pronville (62) ......8 C 4
Propiac (26) ......179 H 1
Propières (69) ......121 H 4
Propriano (2A) ......218 D 3
Prosnes (51) ......34 A 2
Prouais (28) ......50 A 2
Prouilly (51) ......33 G 2
Proulieu (01) ......137 E 2
Proupiary (31) ......205 H 1
Proussy (14) ......27 E 5
Prouvais (02) ......33 H 2
Prouville (80) ......7 F 4
Prouvy (59) ......9 F 3
Prouzel (80) ......15 F 2
Provemont (27) ......30 B 2
Provenchère (25) ......95 H 4
Provenchère (70) ......77 E 5
Provenchères-lès-Darney (88) ......76 D 2
Provenchères-et-Colroy (88) ......58 B 5
Provenchères-sur-Marne (52) ......55 F 5
Provenchères-sur-Meuse (52) ......76 A 3
Provency (89) ......91 H 2
Proverville (10) ......74 D 1
Proveysieux (38) ......151 G 2
Proville (59) ......8 D 4
Provin (59) ......4 B 5
Provins ⟨SP⟩ (77) ......52 D 3
Proviseux-et-Plesnoy (02) ......17 H 5
Proyart (80) ......15 H 2
Prudemanche (28) ......49 G 2
Prudhomat (46) ......159 E 1
Prugnanes (66) ......208 B 4
Prugny (10) ......73 G 1
Pruillé (49) ......84 D 2
Pruillé-le-Chétif (72) ......67 H 3
Pruillé-l'Éguillé (72) ......68 B 5
Pruines (12) ......160 A 4
Prunay (51) ......34 A 3
Prunay-en-Yvelines (78) ......50 C 4
Prunay-Belleville (10) ......53 F 5
Prunay-Cassereau (41) ......87 E 1
Prunay-le-Gillon (28) ......50 B 5
Prunay-le-Temple (78) ......50 B 1
Prunay-sur-Essonne (91) ......51 F 5
Prunelli-di-Casacconi (2B) ......215 G 5
Prunelli-di-Fiumorbo (2B) ......217 G 4
Prunet (07) ......162 D 3
Prunet (15) ......160 A 2
Prunet (31) ......189 H 3
Prunet-et-Belpuig (66) ......212 D 3
Prunete (2B) ......217 H 2
Prunières (05) ......166 D 3
Prunières (38) ......151 H 5
Prunières (48) ......161 F 1
Pruniers (36) ......104 D 4
Pruniers (49) ......84 D 3
Pruniers-en-Sologne (41) ......88 B 4
Pruno (2B) ......217 G 1
Prunoy (89) ......72 C 4
Prusly-sur-Ource (21) ......74 D 4
Prusy (10) ......73 H 4
Pruzilly (71) ......122 A 4
Puberg (67) ......38 C 4
Publier (74) ......125 E 2
Publy (39) ......110 B 5
Puceul (44) ......83 F 2
Le Puch (09) ......207 H 5
Puch-d'Agenais (47) ......171 H 1
Puchay (27) ......30 A 1
Puchevillers (80) ......7 G 5
Le Puech (34) ......192 B 2
Puéchabon (34) ......192 D 1
Puéchoursi (81) ......190 A 3
Puechredon (30) ......178 A 4
Puellemontier (52) ......54 D 4
Puessans (25) ......95 F 3
Puget (84) ......195 G 1
Puget-Rostang (06) ......182 C 2
Puget-sur-Argens (83) ......197 H 3
Puget-Théniers (06) ......182 C 3
Puget-Ville (83) ......197 E 5

Pugey (25) ......94 D 5
Pugieu (01) ......137 G 2
Puginier (11) ......190 A 4
Pugnac (33) ......141 F 4
Pugny (79) ......100 D 4
Pugny-Chatenod (73) ......137 H 3
Le Puid (88) ......58 B 4
Puihardy (79) ......114 A 1
Puilacher (34) ......192 D 3
Puilaurens (11) ......208 B 4
Puilboreau (17) ......113 E 4
Puilly-et-Charbeaux (08) ......19 G 4
Puimichel (04) ......181 E 4
Puimisson (34) ......192 B 4
Puimoisson (04) ......181 F 4
Puiseaux (45) ......71 G 2
Puiselet-le-Marais (91) ......51 E 5
Puisenval (76) ......14 A 2
Le Puiset (28) ......70 C 2
Le Puiset-Doré (49) ......84 A 5
Puiseux (08) ......18 C 4
Puiseux (28) ......49 H 3
Puiseux-en-Bray (60) ......30 C 1
Puiseux-en-France (95) ......31 G 4
Puiseux-en-Retz (02) ......32 B 2
Puiseux-le-Hauberger (60) ......31 E 3
Puiseux-Pontoise (95) ......30 D 4
Puisieulx (51) ......33 H 3
Puisieux (62) ......8 A 5
Puisieux (77) ......32 A 4
Puisieux-et-Clanlieu (02) ......17 F 2
Puissalicon (34) ......192 B 4
Puisseguin (33) ......142 A 5
Puisserguier (34) ......192 A 4
Puits (21) ......92 C 1
Le Puits-de-Rians (86) ......196 B 2
Le Puits-des-Mèzes (52) ......75 G 2
Puits-et-Nuisement (10) ......74 C 1
Puits-la-Vallée (60) ......15 H 5
Puivert (11) ......207 H 3
Pujaudran (32) ......188 D 2
Pujaut (30) ......179 E 4
Pujo (65) ......187 E 4
Pujo-le-Plan (40) ......170 D 5
Les Pujols (09) ......207 F 2
Pujols (33) ......156 A 1
Pujols (47) ......157 E 5
Pujols-sur-Ciron (33) ......155 G 4
Puligny-Montrachet (21) ......109 E 3
Pullay (27) ......49 E 2
Pulligny (54) ......56 D 4
Pulney (54) ......56 D 4
Pulnoy (54) ......57 E 2
Pulvérières (63) ......132 D 2
Pulversheim (68) ......78 D 4
Punchy (80) ......16 A 3
Punerot (88) ......56 B 4
Puntous (65) ......187 H 5
Pupillin (39) ......110 C 3
Pure (08) ......19 G 3
Purgerot (70) ......76 D 5
Pusey (70) ......95 H 1
Pusignan (69) ......136 C 3
Pussay (91) ......50 D 5
Pussigny (37) ......102 C 2
Pusy-et-Épenoux (70) ......95 E 1
Putanges-le-Lac (61) ......47 G 1
Puteaux (92) ......51 E 1
Putot-en-Auge (14) ......27 H 2
Putot-en-Bessin (14) ......27 E 2
Puttelange-aux-Lacs (57) ......38 A 3
Puttelange-lès-Thionville (57) ......21 E 2
Puttigny (57) ......37 G 5
Puxe (54) ......20 C 5
Puxieux (54) ......36 C 3
Le Puy (25) ......95 F 4
Le Puy (33) ......156 B 3
Puy-d'Arnac (19) ......145 E 5
Puy-de-Serre (85) ......113 H 1
Puy-du-Lac (17) ......127 E 1
Le Puy-en-Velay ⟨P⟩ (43) ......148 B 4
Puy-Guillaume (63) ......133 H 1
Puy-l'Évêque (46) ......157 H 4
Puy-Malsignat (23) ......131 G 1
Le Puy-Notre-Dame (49) ......101 F 1
Puy-Sanières (05) ......166 D 3
Puy-St-André (05) ......153 E 5
Puy-St-Bonnet (49) ......100 B 2
Puy-St-Eusèbe (05) ......166 D 3
Puy-St-Gulmier (63) ......132 C 3
Puy-St-Martin (26) ......164 C 3
Puy-St-Pierre (05) ......153 E 5
Puy-St-Vincent (05) ......167 E 1
Le Puy-Ste-Réparade (13) ......195 H 1
Puybarban (33) ......156 A 4
Puybegon (81) ......190 A 1
Puybelliard (85) ......100 A 4
Puybrun (46) ......159 E 1
Puycalvel (81) ......190 B 2
Puycasquier (32) ......188 B 1
Puycelsi (81) ......174 A 4
Puycornet (82) ......173 G 2
Puydaniel (31) ......189 F 5
Puydarrieux (65) ......187 G 5
Puydrouard (17) ......113 G 5
La Puye (86) ......102 D 5

Puygiron (26) ......163 H 4
Puygouzon (81) ......174 D 5
Puygros (73) ......138 A 4
Puyguilhem (24) ......156 C 2
Puyjourdes (46) ......159 E 5
Puylagarde (82) ......174 B 1
Puylaroque (82) ......174 A 2
Puylaurens (81) ......190 B 3
Puylaurent (48) ......162 B 4
Puylausic (32) ......188 C 4
Puyloubier (13) ......196 B 3
Puymangou (24) ......142 B 3
Puymaurin (31) ......188 B 4
Puyméras (84) ......179 G 1
Puymiclan (47) ......156 C 4
Puymirol (47) ......172 D 2
Puymoyen (16) ......128 B 4
Puynormand (33) ......142 A 5
Puyol-Cazalet (40) ......186 B 2
Puyôo (64) ......185 G 3
Puyravault (17) ......113 G 5
Puyravault (85) ......113 F 2
Puyraveau (79) ......101 G 2
Puyréaux (16) ......128 C 2
Puyrenier (24) ......142 D 1
Puyricard (13) ......195 H 2
Puyrolland (17) ......113 H 5
Puys (76) ......13 G 1
Puységur (32) ......188 A 1
Puysségur (31) ......188 D 1
Puysserampion (47) ......156 C 3
Puyvalador (66) ......211 H 3
Puyvert (84) ......195 H 1
Puzeaux (80) ......16 A 2
Puzieux (57) ......37 F 5
Puzieux (88) ......56 D 5
Py (66) ......212 B 4
Pyla-sur-Mer (33) ......154 A 3
La Pyle (27) ......29 E 3
Pyrénées 2000 (66) ......211 H 4
Pys (80) ......8 A 5

Q

Quaëdypre (59) ......3 F 2
Quaix-en-Chartreuse (38) ......151 G 2
Quantilly (18) ......89 G 5
Quarante (34) ......191 H 5
Quarouble (59) ......9 F 2
Quarré-les-Tombes (89) ......91 H 4
La Quarte (70) ......76 B 5
Le Quartier (63) ......119 E 5
Quasquara (2A) ......219 E 1
Quatre-Champs (08) ......19 E 5
Les Quatre Chemins (15) ......145 H 5
Les Quatre-Chemins (85) ......113 E 2
Les Quatre Croix (45) ......72 B 3
Quatre-Routes-d'Albussac (19) ......144 D 4
Les Quatre-Routes-du-Lot (46) ......144 D 5
Les Quatre-Termes (13) ......195 G 2
Les Quatre Vents (34) ......193 F 3
Quatremare (27) ......29 G 3
Quatzenheim (67) ......59 E 2
Quéant (62) ......8 C 4
Queaux (86) ......115 H 3
Québriac (35) ......45 E 5
Quédillac (35) ......44 C 5
Queige (73) ......138 D 3
Quelaines-St-Gault (53) ......66 C 4
Les Quelles (67) ......58 C 4
Quelmes (62) ......2 D 4
Quelneuc (56) ......64 C 4
Quelven (56) ......63 E 4
Quéménéven (29) ......61 G 2
Quemigny-Poisot (21) ......93 E 5
Quemigny-sur-Seine (21) ......92 D 1
Quemper-Guézennec (22) ......43 F 3
Quemperven (22) ......42 D 2
Quend (80) ......6 C 3
Quend-Plage-les-Pins (80) ......6 B 3
Quenne (89) ......73 F 5
Quenoche (70) ......95 E 3
Quenza (2A) ......219 E 2
Quercamps (62) ......2 D 4
Querciolo (2B) ......215 G 5
Quercitello (2B) ......217 F 1
Quérénaing (59) ......9 F 3
Quérigut (09) ......207 H 5
Quernes (62) ......3 F 5
Le Quéroy (16) ......128 C 4
Querqueville (50) ......22 C 2
Querré (49) ......84 D 1
Querrien (29) ......62 C 4
Querrieu (80) ......15 G 1
Quers (70) ......77 G 5
Quesmy (60) ......16 C 4
Le Quesne (80) ......14 C 2
Le Quesnel (80) ......15 H 3
Le Quesnel-Aubry (60) ......15 F 5
Le Quesnoy (59) ......9 F 3
Le Quesnoy-en-Artois (62) ......7 E 2
Quesnoy-le-Montant (80) ......6 C 5
Quesnoy-sur-Airaines (80) ......14 D 1
Quesnoy-sur-Deûle (59) ......4 C 3
Quesques (62) ......2 C 4
Quessigny (27) ......29 H 5
Quessoy (22) ......43 H 5
Quessy (02) ......16 D 4
Questembert (56) ......82 A 1
Questrecques (62) ......2 B 5
Quet-en-Beaumont (38) ......166 A 1
Quetigny (21) ......93 G 4
Quettehou (50) ......23 E 3

Quettetot (50) 22 C 4
Quetteville (14) 28 B 1
Quettreville-sur-Sienne (50) 24 D 4
Queudes (51) 61 F 3
La Queue d'Haye (27) 30 A 3
La Queue-en-Brie (94) 51 G 1
La Queue-les-Yvelines (78) 50 B 1
Queuille (63) 132 D 1
Quevauvillers (80) 15 E 2
Quéven (56) 62 C 5
Quévert (22) 44 D 4
Quevillon (76) 29 F 1
Quevilloncourt (54) 56 D 4
Quévreville-la-Poterie (76) 29 G 1
Queyrac (33) 140 C 1
Queyrières (05) 167 E 1
Queyrières (43) 148 C 4
Queyssac (24) 156 D 1
Queyssac-les-Vignes (19) 144 D 5
Quézac (15) 159 G 2
Quézac (48) 177 E 1
Quiberon (56) 81 E 3
Quiberville (76) 13 F 1
Quiberville-Plage (76) 13 F 1
Quibou (50) 25 F 3
Quié (09) 207 E 4
Quiers (77) 52 B 3
Quiers-sur-Bézonde (45) 71 F 3
Quiéry-la-Motte (62) 8 C 2
Quierzy (02) 16 C 4
Quiestède (62) 3 E 5
Quiévelon (59) 10 A 2
Quiévrechain (59) 9 G 2
Quièvrecourt (76) 14 A 3
Quiévy (59) 9 E 4
Quilen (62) 7 E 1
Quillan (11) 208 A 4
Quillebeuf-sur-Seine (27) 12 D 5
Le Quillio (22) 63 G 2
Quilly (08) 34 C 1
Quilly (44) 82 D 2
Quily (56) 64 A 3
Quimerch (29) 41 G 5
Quimiac (44) 82 A 3
Quimper P (29) 61 G 3
Quimperlé (29) 62 B 5
Quincampoix (76) 13 H 5
Quincampoix-Fleuzy (60) 14 C 3
Quinçay (86) 115 F 1
Quincé (49) 85 E 4
Quincerot (21) 92 A 2
Quincerot (89) 74 A 4
Quincey (10) 53 E 4
Quincey (21) 109 F 1
Quincey (70) 95 E 1
Quincié-en-Beaujolais (69) 122 A 5
Quincieu (38) 151 E 2
Quincieux (69) 135 H 2
Quincy (18) 105 E 1
Quincy-Basse (02) 16 D 5
Quincy-Landzécourt (55) 19 H 5
Quincy-le-Vicomte (21) 92 A 2
Quincy-sous-le-Mont (02) 33 E 2
Quincy-sous-Sénart (91) 51 G 2
Quincy-Voisins (77) 32 A 5
Quinéville (50) 23 E 4
Quingey (25) 110 C 1
Quinquempoix (60) 15 G 5
Quins (12) 175 F 2
Quinsac (24) 143 F 1
Quinsac (33) 155 F 2
Quinsac (87) 144 A 1
Quinson (04) 196 D 1
Quinssaines (03) 118 D 3
Quint-Fonsegrives (31) 189 G 2
Quintal (74) 138 A 2
La Quinte (72) 67 H 3
Quintenas (07) 149 G 3
Quintenic (22) 44 B 3
Quintigny (39) 110 A 4
Quintillan (11) 208 D 3
Quintin (22) 43 G 5
Le Quiou (22) 44 D 5
Quirbajou (11) 208 A 4
Quiry-le-Sec (80) 15 G 4
Quissac (30) 177 H 5
Quissac (46) 158 D 3
Quistinic (56) 63 E 5
Quittebeuf (27) 29 F 4
Quitteur (70) 94 B 2
Quivières (80) 16 B 2
Quœux-Haut-Maînil (62) 7 F 3

R

Rabastens (81) 174 A 5
Rabastens-de-Bigorre (65) 187 F 4
Rabat-les-Trois-Seigneurs (09) 207 E 4
La Rabatelière (85) 99 H 3
Rablay-sur-Layon (49) 84 D 4
Rabodanges (61) 47 F 1
Le Rabot (41) 88 D 1
Rabou (05) 166 B 3
Rabouillet (66) 208 B 5
Racécourt (88) 77 E 1
Rachecourt-sur-Marne (52) 55 F 3
Rachecourt-Suzémont (52) 55 E 4
Râches (59) 4 C 5
Racines (10) 73 G 3
La Racineuse (71) 109 G 3
Racou-Plage (66) 213 G 3
Racquinghem (62) 3 F 5
Racrange (57) 37 G 5
Raddon-et-Chapendu (70) 77 G 4
Radenac (56) 63 H 4
Radepont (27) 29 H 1
Radinghem (62) 7 F 1
Radinghem-en-Weppes (59) 4 B 4
Radon (61) 48 A 4
Radonvilliers (10) 54 C 5
Raedersdorf (68) 97 G 2
Raedersheim (68) 78 D 3
Raffetot (76) 12 D 4
Raffiny (63) 148 B 1
Rageade (15) 147 F 4
Raguenès-Plage (29) 62 A 5
Rahart (41) 69 F 4
Rahay (72) 69 E 4
Rahling (57) 38 C 4
Rahon (25) 95 H 4
Rahon (39) 110 A 2
Rai (61) 48 C 2
Raids (50) 25 E 2
Raillencourt-Ste-Olle (59) 8 D 4
Railleu (66) 212 A 3
Raillicourt (08) 18 C 4
Raillimont (02) 18 A 3
Raimbeaucourt (59) 4 C 5
Rainans (39) 110 A 1
Raincheval (80) 7 G 5
Raincourt (70) 76 C 4
Le Raincy SP (93) 31 G 5
Rainfreville (76) 13 F 2
Rainneville (80) 15 F 1
Rainsars (59) 9 H 5
Rainville (88) 56 C 5
Rainvillers (60) 30 D 1
Les Rairies (49) 85 G 1
Raismes (59) 9 E 2
Raissac (09) 207 F 3
Raissac-d'Aude (11) 209 E 1
Raissac-sur-Lampy (11) 190 C 5
Raix (16) 128 B 1
Raizeux (78) 50 B 3
Ramasse (01) 123 F 4
Ramatuelle (83) 197 H 5
Rambaud (05) 166 B 3
Rambervillers (88) 57 H 5
Rambluzin-et-Benoite-Vaux (55) 35 H 4
Rambouillet SP (78) 50 C 3
Rambucourt (55) 36 B 5
Ramburelles (80) 14 C 1
Rambures (80) 14 C 1
Ramecourt (62) 7 G 2
Ramecourt (88) 56 D 5
Ramerupt (10) 54 A 4
Ramicourt (02) 16 D 1
Ramillies (59) 8 D 4
Rammersmatt (68) 78 B 4
Ramonchamp (88) 77 H 4
Ramonville-St-Agne (31) 189 F 3
Ramoulu (45) 71 F 1
Ramous (64) 185 G 3
Ramousies (59) 10 A 3
Ramouzens (32) 171 H 5
Rampan (50) 25 F 3
Rampieux (24) 157 F 2
Rampillon (77) 52 B 4
Rampont (55) 35 G 3
Rampoux (46) 158 A 3
Le Ranc (30) 177 E 3
Rancé (01) 136 B 1
Rancenay (25) 94 D 5
Rancennes (08) 11 E 3
Rances (10) 54 C 4
Ranchal (69) 121 H 5
Ranchot (39) 94 C 5
Ranchy (14) 25 H 2
Rancogne (16) 128 D 4
Rançon (76) 13 E 5
Rancon (87) 116 D 5
Rançonnières (52) 76 A 4
Rancoudray (50) 46 C 2
Rancourt (80) 16 B 1
Rancourt (88) 76 D 1
Rancourt-sur-Ornain (55) 55 E 1
Rancy (71) 122 D 1
Randan (63) 133 G 1
Randanne (63) 133 E 4
Randens (73) 138 C 5
Randevillers (25) 95 G 4
Randonnai (61) 48 D 3
Rânes (61) 47 G 2
Rang (25) 95 H 3
Rang-du-Fliers (62) 6 C 2
Rangecourt (52) 76 A 3
Rangen (67) 58 D 2
Ranguevaux (57) 20 D 4
Rannée (35) 65 H 4
Ranrupt (67) 58 C 4
Rans (39) 110 C 1
Ransart (62) 8 A 4
Ranspach (68) 78 B 4
Ranspach-le-Bas (68) 97 G 1
Ranspach-le-Haut (68) 97 G 1
Rantechaux (25) 111 G 1
Rantigny (60) 31 F 2
Ranton (86) 101 G 2
Rantzwiller (68) 97 F 1
Ranville (14) 27 G 2
Ranville-Breuillaud (16) 128 A 2
Ranzevelle (70) 76 D 4
Ranzières (55) 35 H 4
Raon-aux-Bois (88) 77 G 2
Raon-lès-Leau (54) 58 B 3
Raon-l'Étape (88) 58 A 4
Raon-sur-Plaine (88) 58 B 3
Rapaggio (2B) 217 G 1
Rapale (2B) 215 F 4
Rapey (88) 57 E 5
Raphèle-lès-Arles (13) 194 D 2
Rapilly (14) 47 F 1
Rapsécourt (51) 34 D 4
Raray (60) 31 H 2
Rarécourt (55) 35 F 4
Rasiguères (66) 208 D 5
Raslay (86) 101 H 1
Rasteau (84) 179 G 1
Le Rat (19) 131 F 3
Ratenelle (71) 122 C 1
Ratières (26) 150 B 3
Ratte (71) 109 H 5
Ratzwiller (67) 38 C 4
Raucoules (43) 148 D 3
Raucourt (54) 37 E 5
Raucourt-au-Bois (59) 9 F 4
Raucourt-et-Flaba (08) 19 F 4
Raulecourt (55) 56 B 1
Raulhac (15) 160 B 1
Rauret (43) 162 A 2
Rauville-la-Bigot (50) 22 C 4
Rauville-la-Place (50) 22 D 5
Rauwiller (67) 38 B 5
Rauzan (33) 155 H 2
Raveau (58) 106 B 1
Ravel (63) 133 G 3
Ravel-et-Ferriers (26) 165 G 3
Ravenel (60) 15 G 5
Ravennefontaines (52) 76 A 3
Ravenoville (50) 23 E 4
Raves (88) 58 B 5
Ravières (89) 92 A 1
Ravigny (53) 47 H 4
Raville (28) 50 A 2
Raville (57) 37 F 3
Raville-sur-Sânon (54) 57 G 2
Ravilloles (39) 123 H 2
La Ravoire (73) 138 A 5
Ray-sur-Saône (70) 94 C 2
Raye-sur-Authie (62) 7 E 3
Rayet (47) 157 F 3
Raymond (18) 105 H 3
Raynans (25) 95 H 2
Le Rayol (83) 201 H 3
Rayol-Canadel-sur-Mer (83) 201 H 3
Rayssac (81) 175 F 5
Razac-de-Saussignac (24) 156 C 2
Razac-d'Eymet (24) 156 D 3
Razac-sur-l'Isle (24) 143 E 3
Raze (70) 94 D 2
Razecueillé (31) 205 H 3
Razengues (32) 188 C 2
Razès (87) 130 B 1
Razimet (47) 171 H 1
Razines (37) 102 B 2
Réal (66) 211 H 3
Réalcamp (76) 14 B 2
Réallon (05) 166 D 3
Réalmont (81) 190 C 1
Réalville (82) 173 H 3
Réans (32) 171 G 5
Réau (77) 51 H 3
Réaumont (38) 151 F 1
Réaumur (85) 100 C 4
Réaup (47) 171 H 3
Réauville (26) 163 H 5
Réaux-sur-Trèfle (17) 127 G 5
Rebais (77) 52 C 1
Rebecques (62) 3 E 5
Rébénacq (64) 203 H 1
Rebergues (62) 2 C 4
Rebets (76) 14 A 5
Rebeuville (88) 56 B 5
Rebigue (31) 189 G 3
Rebouc (65) 205 E 3
Rebourguil (12) 175 H 5
Rebourseaux (89) 73 F 4
Reboursin (36) 104 C 1
Rebréchien (45) 70 D 4
Rebreuve-Ranchicourt (62) 7 H 2
Rebreuve-sur-Canche (62) 7 G 3
Rebreuviette (62) 7 G 3
Recanoz (39) 110 A 4
Recey-sur-Ource (21) 75 E 5
Réchésy (90) 97 E 2
Réchicourt (55) 20 B 4
Réchicourt-la-Petite (54) 57 G 1
Réchicourt-le-Château (57) 58 A 2
Récicourt (55) 35 F 3
Réclainville (28) 50 B 5
Reclesne (71) 108 B 2
Reclinghem (62) 7 F 1
Réclonville (54) 57 H 3
Recloses (77) 51 H 5
Recologne (25) 94 C 4
Recologne (70) 94 C 2
Recologne-lès-Rioz (70) 94 D 3
Recoubeau-Jansac (26) 165 F 3
Recoules-d'Aubrac (48) 160 D 3
Recoules-de-Fumas (48) 161 F 3
Recoules-Prévinquières (12) 176 B 1
Récourt (52) 76 A 3
Récourt (62) 8 C 3
Récourt-le-Creux (55) 35 H 4
Recouvrance (90) 96 D 1
Le Recoux (48) 176 C 1
Recques-sur-Course (62) 6 D 1
Recques-sur-Hem (62) 2 D 3
Recquignies (59) 10 A 1
Le Reculey (14) 25 H 5
Reculfoz (25) 111 E 4
Recurt (65) 205 E 1
Recy (51) 34 A 5
Rédange (57) 20 C 2
Rédené (29) 62 C 5
Redessan (30) 178 C 5
Réding (57) 58 B 1
Le Redon (13) 195 H 5
Redon SP (35) 82 C 1
La Redorte (11) 191 F 5
Redortiers (04) 180 B 3
Réez-Fosse-Martin (60) 32 A 4
Reffannes (79) 114 C 1
Reffroy (55) 55 H 2
Reffuveille (50) 46 A 2
Refranche (25) 110 D 1
Régades (31) 205 G 2
Régat (09) 207 G 3
La Réglisserie (30) 178 B 4
Regnauville (62) 7 E 3
Regnévelle (88) 76 D 3
Regnéville-sur-Mer (50) 24 C 4
Regnéville-sur-Meuse (55) 35 G 2
Regney (88) 57 F 5
Régnié-Durette (69) 122 A 5
Regnière-Écluse (80) 6 D 3
Regniowez (08) 10 C 5
Regny (02) 17 E 2
Régny (42) 134 D 1
La Regrippière (44) 83 H 5
Réguiny (56) 63 G 4
Réguisheim (68) 78 D 3
Régusse (83) 197 E 1
Rehaincourt (88) 57 G 5
Rehainviller (54) 57 F 3
Rehaupal (88) 77 H 2
Reherrey (54) 57 H 3
Réhon (54) 20 B 2
Reichsfeld (67) 58 D 4
Reichshoffen (67) 39 E 4
Reichstett (67) 59 F 2
Reignac (16) 141 H 1
Reignac (33) 141 F 3
Reignac-sur-Indre (37) 87 E 5
Reignat (63) 133 G 3
Reigneville-Bocage (50) 22 D 5
Reignier-Esery (74) 124 C 4
Reigny (18) 118 C 1
Reilhac (15) 146 A 5
Reilhac (43) 147 G 4
Reilhac (46) 158 D 3
Reilhaguet (46) 158 C 2
Reilhanette (26) 180 A 2
Reillanne (04) 180 C 4
Reillon (54) 57 H 2
Reilly (60) 30 C 2
Reims SP (51) 33 H 2
Reims-la-Brûlée (51) 54 D 2
Reinhardsmunster (67) 58 C 1
Reiningue (68) 78 C 5
Reipertswiller (67) 38 D 4
Reithouse (39) 123 G 1
Reitwiller (67) 59 E 1
Réjaumont (32) 172 B 5
Réjaumont (65) 205 E 1
Rejet-de-Beaulieu (59) 9 F 5
Relanges (88) 76 D 2
Relans (39) 110 A 4
Le Relecq-Kerhuon (29) 41 F 4
Le Releg (29) 42 A 4
Relevant (01) 122 C 5
Rely (62) 7 G 1
Remaisnil (80) 7 F 4
Rémalard-en-Perche (61) 49 E 5
Remaucourt (02) 16 D 2
Remaucourt (08) 18 A 4
La Remaudière (44) 83 H 5
Remaugies (80) 15 H 4
Remauville (77) 72 A 2
Rembercourt-Sommaisne (55) 35 G 5
Rembercourt-sur-Mad (54) 36 C 4
Rémécourt (60) 31 G 1
Rémelfang (57) 21 G 4
Rémelfing (57) 38 B 3
Rémeling (57) 21 G 3
Remennecourt (55) 55 E 1
Remenoville (54) 57 F 4
Rémérangles (60) 31 F 1
Réméréville (54) 57 F 2
Rémering (57) 21 H 4
Rémering-lès-Puttelange (57) 38 A 3
Remicourt (51) 35 E 5
Remicourt (88) 56 D 5
Remiencourt (80) 15 G 3
Remies (02) 17 E 3
La Remigeasse (17) 126 A 1
Remigny (02) 16 D 3
Remigny (71) 108 D 3
Rémilly (57) 37 F 4
Rémilly (58) 107 G 4
Remilly-Aillicourt (08) 19 F 4
Remilly-en-Montagne (21) 92 D 4
Remilly-les-Pothées (08) 18 C 2
Remilly-sur-Lozon (50) 25 E 2
Remilly-sur-Tille (21) 93 G 4
Remilly-Wirquin (62) 3 E 5
Réminiac (56) 64 B 4
Remiremont (88) 77 G 3
Remoiville (55) 19 H 5
Remollon (05) 166 C 4
Remomeix (88) 58 B 5
Remoncourt (54) 57 H 2
Remoncourt (88) 76 D 1
Rémondans-Vaivre (25) 95 H 3
Remonot (25) 111 G 1
Rémonville (08) 35 F 1
Remoray-Boujeons (25) 111 F 4
Remouillé (44) 99 G 1
Remoulins (30) 178 D 4
Removille (88) 56 C 5
Rempnat (87) 131 E 4
La Remuée (76) 12 C 5
Remungol (56) 63 F 4
Rémuzat (26) 165 F 5
Remy (60) 31 H 1
Rémy (62) 8 B 3
Renac (35) 64 D 5
Renage (38) 151 F 2
Renaison (42) 134 C 1
La Renaissance (17) 126 C 1
Renansart (02) 17 E 3
Renaucourt (70) 94 C 1
La Renaudie (63) 134 A 3
La Renaudière (49) 100 A 1
Renauvoid (88) 77 F 2
Renay (41) 69 G 5
Renazé (53) 66 A 5
Rencurel (38) 151 F 4
René (72) 68 A 1
Renédale (25) 111 F 1
Renescure (59) 3 F 4
Renève (21) 93 H 3
Réning (57) 37 H 4
Rennemoulin (78) 50 D 1
Rennepont (52) 75 E 2
Rennes R (35) 65 F 2
Rennes-en-Grenouilles (53) 47 E 4
Rennes-le-Chau (11) 208 A 3
Rennes-les-Bains (11) 208 B 3
Rennes-sur-Loue (25) 110 C 2
Renneval (02) 17 H 3
Renneville (08) 18 A 4
Renneville (27) 29 H 1
Renneville (31) 189 H 4
Renno (2A) 216 C 3
Le Renouard (61) 28 A 5
Rentières (63) 147 E 1
Renty (62) 2 D 5
Renung (40) 186 C 1
Renwez (08) 10 D 5
La Réole (33) 156 A 3
La Réorthe (85) 100 A 5
Réotier (05) 167 E 2
Repaix (54) 57 H 2
La Répara-Auriples (26) 164 C 3
Réparsac (16) 127 H 3
Repel (88) 56 D 5
Repentigny (14) 27 H 3
Replonges (01) 122 C 3
Le Reposoir (74) 125 E 5
Les Repôts (39) 110 A 5
Reppe (90) 96 D 1
Requeil (72) 68 A 5
Réquista (12) 175 G 4
Résenlieu (61) 48 B 1
La Résie-St-Martin (70) 94 B 4
Résigny (02) 18 A 3
Resson (55) 55 G 1
Ressons-l'Abbaye (60) 30 D 2
Ressons-le-Long (02) 32 C 1
Ressons-sur-Matz (60) 16 A 5
Les Ressuintes (28) 49 F 3
Restigné (37) 86 A 5
Restinclières (34) 193 G 1
Restonica (Gorges de la) (2B) 217 E 2
Le Retail (79) 114 B 1
Rétaud (17) 127 E 4
Reterre (23) 118 D 5
Rethel SP (08) 18 B 5
Retheuil (02) 32 B 2
Rethondes (60) 32 A 1
Rethonvillers (80) 16 A 3
Réthoville (50) 23 E 2
Retiers (35) 65 H 4
Retjons (40) 170 D 3
Retonfey (57) 21 F 5
Rétonval (76) 14 B 2
Retournac (43) 148 C 3
Retourneloup (51) 53 E 2
Retschwiller (67) 39 G 4
Rettel (57) 21 F 3
Rety (62) 2 B 4
Retzwiller (68) 97 E 1
Reugney (25) 111 E 2
Reugny (03) 119 E 2
Reugny (37) 87 E 3
Reuil (51) 33 F 4
Reuil-en-Brie (77) 32 C 5
Reuil-sur-Brèche (60) 15 F 5
Reuilly (27) 29 G 4
Reuilly (36) 104 D 2
Reuilly-Sauvigny (02) 33 E 4
Reulle-Vergy (21) 93 E 5
Reumont (59) 9 E 5
La Réunion (47) 171 G 1
Reutenbourg (67) 58 D 1
Reuves (51) 53 G 1
Reuville (76) 13 F 3
Reux (14) 28 A 2
Réveillon (51) 52 D 2
Réveillon (61) 48 C 4
Revel (31) 190 B 4
Revel (38) 151 H 3
Revel-Tourdan (38) 150 C 1
Revelles (80) 15 E 2
Revémont (54) 20 B 3
Revens (30) 176 D 3
Reventin-Vaugris (38) 149 H 1
Revercourt (28) 49 F 2
Revest-des-Brousses (04) 180 C 4
Revest-du-Bion (04) 180 B 3
Le Revest-les-Eaux (83) 201 E 3
Revest-les-Roches (06) 183 E 4
Revest-St-Martin (04) 180 D 3
La Revêtizon (79) 114 A 4
Reviers (14) 27 E 2
Revigny (39) 110 B 5
Revigny-sur-Ornain (55) 55 E 1
Réville (50) 23 E 3
Réville-aux-Bois (55) 35 H 1
Révillon (02) 33 F 1
Revin (08) 10 D 4
Revonnas (01) 123 E 4
Rexingen (67) 38 B 5
Rexpoëde (59) 3 G 2
Le Rey (30) 177 F 4
Reyersviller (57) 38 D 3
Reygade (19) 145 E 5
Reynel (52) 55 H 5
Reynès (66) 212 D 4
Reynier (04) 181 F 1
Reyniès (82) 173 G 5
Reyrevignes (46) 159 E 3
Reyrieux (01) 135 H 1
Les Reys-de-Saulce (26) 163 H 2
Reyssouze (01) 122 C 2
Reyvroz (74) 125 E 3
Rezay (18) 105 E 5
Rezé (44) 83 F 5
Rézentières (15) 147 E 4
Rezonville (57) 36 C 3
Rezza (2A) 216 D 4
Rhèges (10) 53 H 3
Le Rheu (35) 65 E 2
Le Rhien (70) 77 H 5
Rhinau (67) 59 F 4
Rhodes (57) 58 A 1
Rhodon (41) 87 G 1
Rhuis (60) 31 H 2
Ri (61) 47 G 1
Ria-Sirach (66) 212 B 3
Riaillé (44) 83 H 2
Le Rialet (81) 191 E 3
Rians (18) 105 H 1
Rians (83) 196 B 2
Riantec (56) 80 D 1
Riaucourt (52) 75 G 2
Riaville (55) 36 A 3
Ribagnac (24) 156 D 2
Ribarrouy (64) 186 C 3
Ribaute (11) 208 D 2
Ribaute-les-Tavernes (30) 178 A 3
Le Ribay (53) 47 F 5
Ribeaucourt (55) 55 H 3
Ribeaucourt (80) 7 F 5
Ribeauvillé SP (68) 78 D 1
Ribeauville (près d'Aubenton) (02) 18 A 2
Ribeauville (près de Bohain-en-Vermandois) (02) 9 F 5
Ribécourt-Dreslincourt (60) 16 B 5
Ribécourt-la-Tour (59) 8 C 5
Ribemont (02) 17 E 2
Ribemont-sur-Ancre (80) 15 H 1
Ribennes (48) 161 G 3
Ribérac (24) 142 C 3
Ribes (07) 162 D 4
La Ribeyre (07) 162 D 5
Ribeyret (05) 165 G 5
Ribiers (05) 180 D 1
Riblaire (79) 101 F 3
Ribouisse (11) 207 G 1
Riboux (83) 196 B 5
La Ricamarie (42) 149 E 1
Ricarville (76) 12 D 4
Ricarville-du-Val (76) 13 H 2
Ricaud (11) 190 A 5
Ricaud (65) 204 D 1
Les Riceys (10) 74 B 3
La Richardais (35) 44 D 2
Richardménil (54) 57 E 3
Richarville (91) 50 D 4
La Riche (37) 86 D 4
Riche (57) 37 G 5
Richebourg (52) 75 F 3
Richebourg (62) 4 A 4
Richebourg (78) 50 B 1
Richecourt (55) 36 B 5
Richelieu (37) 102 B 2
Richeling (57) 38 A 3
Richemont (16) 127 G 3
Richemont (57) 21 E 4
Richemont (76) 14 B 2

Localité *(Département)* Page Coordonnées

Richerenches (84) ....164 C 5
Richeval (57)................58 A 2
Richeville (27)...............30 A 2
Richtolsheim (67)............59 E 5
Richwiller (68)...............78 D 4
Ricourt (32)................187 F 3
Ricquebourg (60)............16 A 5
Riec-sur-Belon (29)..........62 B 5
Riedheim (67)...............38 D 5
Riedisheim (68)..............78 D 5
Riedseltz (67)...............39 G 3
Riedwihr (68)...............78 D 1
Riel-les-Eaux (21)............74 D 3
Riencourt (80)...............15 E 1
Riencourt-lès-Bapaume (62)....8 B 5
Riencourt-lès-Cagnicourt (62)..8 B 4
Riervescemont (90).........78 A 5
Riespach (68)...............97 F 2
Rieucazé (31)..............205 G 2
Rieucros (09)...............207 F 2
Rieulay (59)..................9 E 2
Rieumajou (31).............189 H 4
Rieumes (31)...............188 D 4
Rieupeyroux (12)...........175 E 1
Rieussec (34)...............191 G 4
Rieutort-de-Randon (48).....161 G 3
Rieux (31).................189 E 5
Rieux (51)..................53 E 1
Rieux (56)..................82 C 1
Rieux (60)..................31 G 2
Rieux (76)..................14 B 1
Rieux-de-Pelleport (09).....207 E 2
Rieux-en-Cambrésis (59).......9 E 4
Rieux-en-Val (11)...........208 C 2
Rieux-Minervois (11)........191 F 5
Riez (04)..................181 F 5
Rigarda (66)...............212 C 3
Rigaud (06)................182 D 3
Rigautou (81)..............190 D 3
Rignac (12)................159 H 5
Rignac (46)................158 D 2
Rignat (01)................123 F 5
Rigné (79).................101 F 3
Rigney (25).................95 E 3
Rignieu-le-desert (01)......136 D 2
Rignieux-le-Franc (01)......136 D 1
Rignosot (25)...............95 E 3
Rignovelle (70).............77 G 5
Rigny (70)..................94 B 3
Rigny-la-Nonneuse (10)......53 F 5
Rigny-la-Salle (55).........56 B 2
Rigny-le-Ferron (10)........73 F 1
Rigny-St-Martin (55)........56 B 3
Rigny-sur-Arroux (71).......121 E 1
Rigny-Ussé (37).............86 A 5
Riguepeu (32)..............187 G 2
Rilhac-Lastours (87).......129 H 4
Rilhac-Rancon (87).........130 B 2
Rilhac-Treignac (19).......130 D 5
Rilhac-Xaintrie (19).......145 G 4
Rillans (25)................95 F 3
Rillé (37)..................86 A 3
Rillieux-la-Pape (69)......136 B 2
Rilly-la-Montagne (51)......33 H 3
Rilly-Ste-Syre (10).........53 H 4
Rilly-sur-Aisne (08)........18 D 5
Rilly-sur-Loire (41)........87 G 3
Rilly-sur-Vienne (37)......102 C 2
Rimaucourt (52).............75 H 1
Rimbach-près-Guebwiller (68).78 C 3
Rimbach-près-Masevaux (68).78 B 4
Rimbachzell (68)............78 C 3
Rimbez-et-Baudiets (40)....171 G 3
Rimboval (62)................7 E 1
Rimeize (48)...............161 F 2
Rimling (57)................38 C 3
Rimogne (08)................10 D 5
Rimon-et-Savel (26)........165 E 3
Rimondeix (23).............118 A 4
Rimons (33)................156 A 3
Rimont (09)................206 C 3
Rimou (35)..................45 G 4
Rimplas (04)...............183 E 2
Rimsdorf (67)...............38 B 4
Ringeldorf (67).............39 E 5
Ringendorf (67)............39 E 5
Rinxent (62).................2 B 4
Riocaud (33)...............156 B 2
Riolas (31)................188 C 5
Riols (34).................191 G 3
Le Riols (81)..............174 C 2
Riom (63)..................133 H 1
Riom-ès-Montagnes (15).....146 B 2
Rioms (26).................180 B 1
Rion-des-Landes (40).......169 F 4
Rions (33).................155 G 3
Riorges (42)...............134 C 1
Riotord (43)...............149 E 3
Riouperoux (38)............151 H 4
Rioux (17).................127 E 4
Rioux-Martin (16)..........142 A 3
Rioz (70)...................95 E 3
Riquewihr (68)..............78 D 1
Ris (63)...................133 H 1
Ris (65)...................205 E 4
Ris-Orangis (91)............51 F 3
Riscle (32)................186 D 2
Risoul (05)................167 F 2

Risoul 1850 (05)...........167 F 3
Ristolas (05)..............167 H 1
Rittershoffen (67)..........39 G 4
Ritzing (57)................21 F 3
Riunoguès (66)............213 E 4
Riupeyrous (64)...........186 C 4
Rivarennes (36)...........103 H 5
Rivarennes (37)............86 B 5
Rivas (42).................135 E 5
Rive-de-Gier (42)..........135 G 5
Rivecourt (60)..............31 H 1
Rivedoux-Plage (17)........112 D 4
Rivehaute (64)............185 G 4
Rivel (11).................207 H 3
Rivérenert (09)...........206 B 3
Riverie (69)...............135 G 4
Les Rives (34).............176 D 5
Rives (33).................141 G 5
Rives (47).................157 F 3
Rivesaltes (66)...........209 E 5
La Rivière (33)............141 G 5
La Rivière (38)............151 F 2
Rivière (37)...............102 A 1
La Rivière (48)............177 F 3
La Rivière (70)............177 F 3
Rivière (62).................8 A 4
La Rivière-de-Corps (10)....73 H 1
La Rivière-de-Mansac (19)..144 B 4
La Rivière-Drugeon (25)....111 F 3
La Rivière-Enverse (74)....125 F 5
La Rochepot (21)...........108 D 2
Rivière-les-Fosses (52).....93 G 1
Rivière-Saas-et-Gourby (40).185 E 1
Rivière-St-Sauveur (14).....28 B 1
Rivière-sur-Tarn (12)......176 C 2
La Rivière-Thibouville (27).28 D 3
Rivières (16)..............128 D 3
Rivières (30)..............178 B 2
Rivières (81)..............174 C 5
Les Rivières-Henruel (51)...54 C 2
Riville (76)................12 D 3
Rivolet (69)...............135 G 1
Rix (39)...................111 E 4
Rix (58)....................91 E 3
Rixheim (68)................78 D 5
La Rixouse (39)............124 A 1
Rizaucourt (52).............75 E 1
Roaillan (33)..............155 G 4
Roaix (84).................179 G 1
Roanne (42)...............134 D 1
Roannes-St-Mary (15).......159 H 1
Robécourt (88).............76 B 2
Robecq (62)..................3 G 5
Robersart (59)...............9 F 4
Robert-Espagne (55).........55 F 2
Robert-Magny (52)...........55 E 4
Robertot (76)...............13 E 3
Roberval (60)...............31 H 2
Robiac-Rochessadoule (30)..178 A 1
La Robine-sur-Galabre (04).181 G 2
Robion (84)................179 H 5
Le Roc (46)................158 B 1
Le Roc-St-André (56)........64 A 4
Rocamadour (46)............158 C 2
Rocbaron (83)..............197 E 4
Rocé (41)...................69 G 5
La Roche (06)..............183 E 2
La Roche (19)..............144 C 2
Roche (38).................136 D 4
Roche (41)..................69 H 5
La Roche-Bernard (56).......82 B 2
La Roche-Blanche (44).......84 A 3
La Roche-Blanche (63)......133 F 4
La Roche-Canillac (19).....145 F 3
La Roche-Chalais (24)......142 A 3
Roche-Charles-
    la-Mayrand (63)........146 D 1
Roche-Clermault (37).......102 A 1
Roche-d'Agoux (63).........132 C 2
La Roche-de-Glun (26)......149 H 5
La Roche-de-Rame (05)......167 E 1
La Roche-Derrien (22).......43 E 2
La Roche-des-Arnauds (05)..166 A 3
La Roche-en-Brenil (21).....92 A 4
Roche-en-Régnier (43)......148 B 3
Roche-et-Raucourt (70)......94 B 1
La Roche-Guyon (95).........30 B 4
La Roche-Jaune (22).........43 E 1
La Roche-la-Molière (42)...149 E 1
La Roche-l'Abeille (87)....130 A 5
Roche-le-Peyroux (19)......145 H 1
Roche-lès-Clerval (25)......95 G 3
Roche-lez-Beaupré (25)......95 E 4
La Roche-Mabile (61)........47 H 4
La Roche-Maurice (29).......41 G 3
La Roche-Noire (63)........133 F 4
La Roche-Posay (86)........103 E 4
La Roche-Rigault (86)......102 A 3
Roche-St-Secret-Béconne (26).164 C 4
La Roche-sur-Foron (74)....124 D 5
La Roche-sur-Grane (26)....164 C 3
La Roche-sur-le-Buis (26)..180 A 1
Roche-sur-Linotte-
    et-Sorans-les-Cordiers (70)..95 E 2
La Roche-sur-Yon (85).......99 G 5
La Roche-Vanneau (21).......92 C 3
La Roche-Vineuse (71)......122 B 3
Rochebaudin (26)...........164 C 3

La Rochebeaucourt-
    et-Argentine (24)......142 D 1
Rochebrune (05)............166 C 4
Rochebrune (26)............165 E 5
Rochechinard (26)..........150 D 4
Rochechouart (87)..........129 G 3
Rochecolombe (07)..........163 E 4
Rochecorbon (37)............86 D 3
Rochefort (17).............126 C 1
Rochefort (21)..............74 D 5
Rochefort (73).............137 G 4
Rochefort-du-Gard (30).....179 E 4
Rochefort-en-Terre (56).....64 B 5
Rochefort-en-Valdaine (26).163 H 4
Rochefort-en-Yvelines (78)..50 D 3
Rochefort-Montagne (63)....132 D 4
Rochefort-Samson (26)......150 D 5
Rochefort-sur-la-Côte (52)..75 G 1
Rochefort-sur-Loire (49)....84 D 4
Rochefort-sur-Nenon (39)...110 B 1
Rochefourchat (26).........165 E 3
La Rochegiron (04).........180 C 3
Rochegude (26).............179 F 1
Rochegude (30).............178 B 2
Rochejean (25).............111 F 4
La Rochelle (17)...........113 E 4
La Rochelle-Normande (50)...45 H 1
Rochemaure (07)............163 G 3
Le Rochereau (86)..........101 H 5
Roches (23)................118 A 4
Les Roches (69)............135 G 3
Les Roches-de-Condrieu (38).149 G 1
Roches-lès-Blamont (25).....96 C 3
Les Roches-l'Évêque (41)....69 E 5
Roches-Prémarie-Andillé (86).115 G 2
Roches-sur-Marne (52).......55 F 3
Roches-sur-Rognon (52)......55 G 5
Rocheservière (85)..........99 F 2
Rochessadoule (30).........178 A 1
Rochessauve (07)...........163 G 3
Rochesson (88)..............78 A 2
Rochetaillée (52)..........152 A 3
Rochetaillée (69)...........75 G 4
Rochetaillée-sur-Saône (69).135 H 2
Rochetoirin (38)...........137 E 4
Rochetrejoux (85)..........100 A 4
La Rochette (05)...........166 C 3
La Rochette (07)...........162 D 1
La Rochette (16)...........128 C 3
La Rochette (23)...........131 G 1
La Rochette (73)...........138 B 5
La Rochette (77)............51 H 4
La Rochette-du-Buis (26)...180 A 1
Rocheville (50).............22 C 4
Rochonvillers (57)..........20 D 3
Rochy-Condé (60)............31 E 1
Rocles (03)................119 G 2
Rocles (07)................162 D 4
Rocles (48)................162 A 2
Roclincourt (62)............8 A 3
Rocourt (88)................76 B 2
Rocourt-St-Martin (02)......32 D 3
Rocquancourt (14)...........27 F 3
Rocquefort (76).............13 E 4
Rocquemont (60).............32 A 2
Rocquemont (76).............13 H 4
Rocquencourt (60)...........15 G 4
Rocquencourt (78)...........51 E 1
Rocques (14)................28 B 3
Rocquigny (02)...............9 H 5
Rocquigny (08)..............18 A 3
Rocquigny (62)...............8 B 5
Rocroi (08)................10 C 5
Rodalbe (57)................37 H 5
Rodelinghem (62)............2 C 3
Rodelle (12)...............160 B 4
Rodemack (57)...............21 E 2
Roderen (68)................78 B 4
Rodern (68).................58 D 5
Rodès (66).................212 C 2
Rodez (12).................175 G 1
Rodilhan (30)..............178 C 5
Rodome (11)................207 H 4
La Roë (53)................66 A 4
Rœllecourt (62).............7 G 2
Rœschwoog (67).............39 H 5
Rœulx (59)..................9 E 3
Rœux (62)...................8 B 3
Roézé-sur-Sarthe (72)......67 H 4
Roffey (89).................73 G 4
Roffiac (15)...............146 D 4
Rogalle (09)...............206 B 4
Rogécourt (02)..............17 E 4
Rogerville (76).............13 E 4
Rogéville (54)..............56 C 1
Roggenhouse (68)............79 E 3
Rogliano (2B)..............217 F 1
Rogna (39).................123 H 3
Rognac (13)................195 G 3
Rognaix (73)...............138 D 4
Rognes (13)................195 H 1
Rognon (25).................95 F 3
Rognonas (13)..............179 E 3

Rogny (02).................17 G 3
Rogny-les-Sept-Écluses (89).90 A 1
Rogues (30)................177 E 5
Rogy (80)...................15 H 3
Rohaire (28)................49 E 2
Rohan (56)..................63 G 3
Rohr (67)...................59 E 1
Rohrbach-lès-Bitche (57)....38 C 3
Rohrwiller (67).............59 G 1
Roiffé (86)................101 H 1
Roiffieux (07).............149 G 3
Roiglise (80)...............16 A 3
Roilly (21).................92 B 3
Roinville (28)..............50 B 4
Roinville (91)..............50 D 4
Roinvilliers (91)...........51 E 5
Roisel (80).................16 C 1
Les Roises (55).............56 B 4
Roisey (42)................149 G 1
Roissard (38)..............165 G 1
Roissy-en-Brie (77).........51 H 1
Roissy-en-France (95).......31 G 5
Roiville (61)...............28 A 5
Roizy (08)..................34 A 1
Rolampont (52)..............75 H 4
Rolbing (57)................38 D 2
Rollainville (88)...........56 B 5
Rolleboise (78).............30 B 4
Rolleville (76).............12 B 4
Rollot (80).................15 H 4
Rom (79)...................115 E 3
Romagnat (63)..............133 F 3
La Romagne (08).............18 B 3
Romagne (33)...............155 H 2
Romagné (35)................45 H 5
La Romagne (49)...........100 A 1
Romagne (86)...............115 F 4
Romagne-sous-les-Côtes (55).20 A 4
Romagne-
    sous-Montfaucon (55)....35 F 1
Romagnieu (38).............137 G 4
Romagny (68)................97 E 1
Romagny Fontenay (50)......46 B 2
Romagny-
    sous-Rougemont (90).....78 B 5
Romain (25).................95 F 3
Romain (39).................94 B 5
Romain (51).................33 F 2
Romain (54).................57 F 3
Romain-aux-Bois (88).......76 B 2
Romain-sur-Meuse (52)......76 A 1
Romainville (93)............51 F 1
Roman (27)..................49 F 1
Romanèche (01).............123 F 4
Romanèche-Thorins (71).....122 B 4
Romange (39)................94 B 5
Romans (01)................122 D 5
Romans (79)................114 C 3
Romans-sur-Isère (26)......150 C 4
Romanswiller (67)...........58 D 2
Romazières (17)............127 H 1
Romazy (35).................45 G 5
Rombach-le-Franc (68).......58 C 5
Rombas (57).................20 D 4
Rombies-et-Marchipont (59)...9 F 2
Rombly (62)..................3 F 5
Romegoux (17)..............126 D 2
Romelfing (57)..............38 B 5
Romenay (71)...............122 D 1
Romeny-sur-Marne (02).......32 D 5
Romeries (59)...............9 F 4
Romery (02).................17 F 2
Romery (51).................33 G 4
Romescamps (60).............14 C 3
Romestaing (47)............156 A 5
Romette (05)...............166 B 3
Romeyer (26)...............165 F 2
Le Romieu (32).............172 B 4
Romigny (51)................33 F 4
Romiguières (34)...........176 C 5
Romillé (35)................65 E 1
Romilly (41)................69 F 4
Romilly-la-Puthenaye (27)...29 E 4
Romilly-sur-Aigre (28)......69 H 4
Romilly-sur-Andelle (27)....29 H 2
Romilly-sur-Seine (10)......53 F 4
Romme (74).................125 E 5
Romont (27).................49 F 1
Romorantin-
    Lanthenay (41)..........88 B 4
Rompon (07)................163 G 2
Rônai (61)..................47 G 1
Ronce-les-Bains (17).......126 B 2
Roncenay (10)...............73 H 2
Le Roncenay (27)............49 F 1
Le Roncenay-Authenay (27)...49 F 1
Roncey (50).................25 E 4
Ronchamp (70)...............77 H 5
Ronchaux (25)..............110 D 1
Ronchères (02)..............33 F 4
Ronchères (89)..............90 C 1
Roncherolles-en-Bray (76)...14 A 4
Roncherolles-sur-le-Vivier (76).13 H 5
Ronchin (59).................4 C 4
Ronchois (76)...............14 B 3
Roncourt (57)...............20 D 5
Roncq (59)...................4 C 2
Rond-d'Orléans (02).........16 D 4
La Ronde (17)..............113 G 3
La Ronde (79)..............100 D 4

La Ronde-Haye (50).........24 D 3
Le Rondeau (38)............137 E 4
Rondefontaine (25).........111 F 4
Ronel (81).................175 G 5
Ronfeugerai (61)............47 E 1
Rongères (03)..............120 B 3
Ronnet (03)................119 E 4
Ronno (69).................135 F 1
Ronquerolles (60)...........31 F 1
Ronquerolles (95)...........31 E 3
Ronsenac (16)..............142 C 1
Ronssoy (80)................16 C 1
Rontalon (69)..............135 G 4
Ronthon (50)................45 G 1
Rontignon (64).............186 C 5
Ronvaux (55)................36 A 3
Ronzières (63).............133 F 5
Roôcourt-la-Côte (52).......75 G 1
Roost-Warendin (59)..........4 C 5
Roppe (90)..................96 D 1
Roppenheim (67).............39 H 5
Roppentzwiller (68).........97 F 2
Roppeviller (57)............38 D 3
La Roque-Alric (84)........179 G 2
La Roque-Baignard (14)......28 A 3
La Roque-Bouillac (12).....159 G 4
Roque d'acier (13).........179 E 5
La Roque-d'Anthéron (13)...195 G 1
La Roque-Esclapon (83).....197 H 1
La Roque-Gageac (24).......158 A 1
La Roque-Ste-Marguerite (12).176 C 2
La Roque-sur-Cèze (30).....178 D 2
La Roque-sur-Pernes (84)...179 G 4
Roquebillière (06).........183 F 3
Roquebrun (34).............192 A 3
Roquebrune (06)............183 G 5
Roquebrune (32)............187 G 1
Roquebrune (33)............156 A 3
Roquebrune-sur-Argens (83).197 H 3
La Roquebrussanne (83).....196 D 4
Roquecor (82)..............173 E 1
Roquecourbe (81)...........190 D 2
Roquecourbe-Minervois (11).208 D 1
Roquedur (30)..............177 F 4
Roquefère (11).............190 D 4
Roquefeuil (11)............207 H 4
Roquefixade (09)...........207 F 3
Roquefort (13).............196 B 5
Roquefort (32).............188 A 1
Roquefort (40).............170 D 3
Roquefort-de-Sault (11)....208 A 5
Roquefort-
    des-Corbières (11)......209 F 3
Roquefort-la-Bédoule (13)..196 A 5
Roquefort-les-Cascades (09).207 F 3
Roquefort-les-Pins (06)....199 E 3
Roquefort-sur-G. (31)......206 A 1
Roquefort-sur-Soulzon (12).176 B 4
Roquelaure (32)............188 A 1
Roquelaure-St-Aubin (32)...188 C 2
Roquemaure (30)............179 E 3
Roquemaure (81)............174 A 5
Roquepine (32).............172 A 4
Roqueredonde (34)..........192 B 1
Roques (31)................189 F 3
Roques (32)................171 H 5
Roquesérière (31)..........189 H 1
Roquessels (34)............192 B 3
Roquesteron (06)...........182 D 4
Roquesteron-Grasse (06)....182 D 4
Roquetaillade (11).........208 A 3
Roquetoire (62).............3 F 5
La Roquette (12)...........175 G 1
La Roquette (27)............29 H 2
La Roquette-sur-Siagne (06).199 E 2
La Roquette-sur-Var (06)...183 E 4
Roquettes (31).............189 F 3
Roquevaire (13)............196 A 4
Roquevidal (81)............190 A 2
Roquiague (64).............203 E 1
La Roquille (33)...........156 C 2
Rorbach-lès-Dieuze (57).....37 H 5
Rorschwihr (68).............78 D 1
Rorthais (79)..............100 C 3
Les Rosaires (22)...........43 H 4
Rosans (05)................165 F 5
Rosay (28)..................50 A 2
Rosay (39).................123 F 1
Rosay (51)..................54 D 1
Rosay (76)..................13 H 4
Rosay (78)..................30 B 5
Rosay-sur-Lieure (27).......30 A 1
Rosazia (2A)...............216 C 4
Rosbruck (57)...............37 H 2
Roscanvel (29)..............41 E 5
Roscoff (29)................41 H 1
La Rose (18)...............105 F 1
Rosel (14)..................27 E 2
Roselay (71)...............108 B 5
Rosenau (68)................97 G 1
Rosendaël (59)..............3 F 1
Rosenwiller (67)............58 D 3
Roset-Fluans (25)...........94 C 5
Rosey (70)..................94 D 2
Rosey (71).................108 B 5
Rosheim (67)................58 D 3
Rosières (07)..............162 D 4
Rosières (18)..............105 E 3

Rosières (43)..............148 B 4
Rosières (60)...............31 H 3
Rosières (81)..............174 D 3
Rosières-aux-Salines (54)...57 F 3
Rosières-devant-Bar (55)....55 G 1
Rosières-en-Blois (55)......56 A 3
Rosières-en-Haye (54).......56 D 1
Rosières-en-Santerre (80)...15 H 2
Rosières-près-Troyes (10)...73 H 1
Rosières-sur-Barbèche (25)..95 H 4
Rosières-sur-Mance (70).....76 C 4
Les Rosiers (30)...........178 A 2
Rosiers-de-Juillac (19)....144 A 2
Rosiers-d'Égletons (19)....145 F 2
Les Rosiers-sur-Loire (49)..85 F 4
Rosis (34).................191 H 2
Rosnay (36)................103 G 5
Rosnay (51).................33 G 2
Rosnay (85)................112 D 1
Rosnay-l'Hôpital (10).......54 C 4
Rosnes (55).................35 G 5
Rosnoën (29)................41 G 5
Rosny-sous-Bois (93)........51 G 1
Rosny-sur-Seine (78)........30 B 5
Rosoy (60)..................31 G 2
Rosoy (89)..................72 D 2
Rosoy-en-Multien (60).......32 B 4
Rosoy-sur-Amance (52).......76 A 5
Rospez (22).................42 D 2
Rospigliani (2B)...........217 F 3
Rosporden (29)..............62 A 4
Rossay (86)................101 H 2
Rosselange (57).............20 D 4
Rossfeld (67)...............59 E 4
Rossillon (01).............137 F 2
Rostassac (46).............158 A 4
Rosteig (67)................38 C 4
Rostrenen (22)..............62 D 2
Rosult (59)..................5 E 5
Rosureux (25)...............95 H 5
Rotalier (39)..............123 F 1
Rotangy (60)................15 E 4
Rothau (67).................58 C 3
Rothbach (67)...............38 D 4
Rothéneuf (35)..............44 D 2
Rotherens (73).............138 B 5
La Rothière (10)............54 C 5
Rots (14)...................27 E 2
Rott (67)...................39 G 3
Rottelsheim (67)............59 F 1
Rottier (26)...............165 F 4
Rou-Marson (49).............85 G 5
Rouairoux (81).............191 F 3
Rouans (44).................82 D 5
La Rouaudière (53)..........66 A 4
Roubaix (59).................4 D 3
Roubia (11)................191 G 5
Le Roubian (13)............179 E 5
Roubion (06)...............182 D 2
Roucamps (14)...............26 D 4
Roucourt (59)................8 D 3
Roudouallec (56)............62 B 2
Rouécourt (52)..............55 F 5
Rouède (31)................205 H 2
Rouellé (61)................46 D 3
Rouelles (52)...............75 F 5
Rouelles (76)...............12 B 5
Rouen (76)..................29 G 1
Rouessé-Fontaine (72).......48 A 5
Rouessé-Vassé (72)..........67 G 2
Rouet (34).................177 G 5
Rouez (72)..................67 G 2
Rouffach (68)...............78 D 3
Rouffange (39)..............94 B 5
Rouffiac (15)..............145 G 5
Rouffiac (16)..............142 B 2
Rouffiac (17)..............127 F 4
Rouffiac (81)..............174 D 5
Rouffiac-d'Aude (11).......208 A 2
Rouffiac-des-Corbières (11).208 C 4
Rouffiac-Tolosan (31)......189 G 2
Rouffignac (17)............141 F 2
Rouffignac (24)............143 G 4
Rouffignac-de-Sigoulès (24).156 D 2
Rouffigny (50)..............46 A 1
Rouffilhac (46)............158 B 2
Rouffy (51).................33 H 5
La Rouge (61)...............68 D 1
Rouge-Perriers (27).........29 E 3
Rougefay (62)................7 F 3
Rougegoutte (90)............78 A 5
Rougemont (21)..............92 A 1
Rougemont (25)..............95 F 2
Rougemont-
    le-Château (90).........78 B 5
Rougemontiers (27).........28 D 1
Rougemontot (25)............95 F 3
Rougeou (41)................88 A 4
Rougeries (02)..............17 G 2
Les Rouges-Eaux (88).......57 H 5
Le Rouget-Pers (15)........159 G 1
Rougeux (52)................76 A 5
Rougiers (83)..............196 C 4
Rougnac (16)...............128 D 5
Rougnat (23)...............132 B 1

A B C D E F G H I J K L M N O P Q R S T U V W X Y Z

Rougon (04) 181 H 5
Rouhe (25) 110 D 1
Rouhling (57) 38 A 3
Rouillac (16) 128 A 3
Rouillac (22) 44 B 5
Rouillas-Bas (63) 133 E 4
Rouillé (86) 115 E 2
Rouillon (72) 68 A 3
Rouilly (77) 52 C 3
Rouilly-Sacey (10) 54 A 5
Rouilly-St-Loup (10) 74 A 1
Roujan (34) 192 B 3
Roulans (25) 95 F 4
Le Roulier (88) 77 G 1
Roullée (72) 48 B 4
Roullens (11) 208 A 1
Roullet-St-Estèphe (16) 128 B 5
Roullours (14) 46 C 1
Roumagne (47) 156 C 3
Roumare (76) 13 F 5
Roumazières (16) 129 E 2
Roumazières-Loubert (16) 129 E 2
Roumégoux (15) 159 G 1
Roumégoux (81) 190 D 1
Roumengoux (09) 207 G 2
Roumens (31) 190 A 4
Roumoules (04) 181 F 5
Rountzenheim (67) 39 G 5
Roupeldange (57) 21 G 5
Rouperroux (61) 47 H 3
Rouperroux-le-Coquet (72) 68 B 1
Roupy (02) 16 C 2
La Rouquette (12) 174 C 1
Roure (06) 182 D 2
Le Rouret (06) 199 E 1
Rousies (59) 9 H 3
Roussac (87) 116 D 5
Roussas (26) 163 H 5
Roussay (49) 100 A 1
Roussayrolles (81) 174 B 3
Rousseloy (60) 31 F 2
Roussennac (12) 159 G 5
Roussent (62) 6 D 2
Les Rousses (39) 124 B 1
Rousses (48) 177 F 2
Rousset (05) 166 C 4
Rousset (13) 196 A 3
Le Rousset (71) 121 H 1
Le Rousset-Marizy (71) 121 H 1
Rousset-les-Vignes (26) 164 D 5
La Roussière (27) 28 D 5
Roussieux (26) 180 B 1
Roussillon (38) 149 H 1
Roussillon (84) 180 A 4
Roussillon-en-Morvan (71) 108 A 2
Roussines (16) 129 E 3
Roussines (36) 117 E 2
Rousson (30) 178 A 2
Rousson (89) 72 C 3
Roussy-le-Village (57) 21 E 2
Routelle (25) 94 C 5
Routes (76) 13 E 3
Routier (11) 207 H 2
Routot (27) 28 D 1
Rouvenac (11) 207 H 3
Rouves (54) 37 E 5
La Rouvière (30) 178 B 4
Les Rouvières (83) 196 D 1
Rouvignies (59) 9 E 3
Rouville (60) 32 A 3
Rouville (76) 12 D 4
Rouvillers (60) 31 G 1
Rouvray (21) 92 A 3
Rouvray (27) 29 H 4
Rouvray (89) 73 F 4
Rouvray-Catillon (76) 14 A 4
Rouvray-St-Denis (28) 70 D 1
Rouvray-St-Florentin (28) 70 A 1
Rouvray-Ste-Croix (45) 70 B 3
Rouvre (79) 114 B 2
Rouvrel (80) 15 G 3
Rouvres (14) 27 G 4
Rouvres (28) 50 A 1
Rouvres (77) 31 H 4
Rouvres-en-Multien (60) 32 B 4
Rouvres-en-Plaine (21) 93 G 5
Rouvres-en-Woëvre (55) 20 B 5
Rouvres-en-Xaintois (88) 56 D 5
Rouvres-la-Chétive (88) 56 B 5
Rouvres-les-Bois (36) 104 B 2
Rouvres-les-Vignes (10) 75 E 1
Rouvres-sous-Meilly (21) 92 D 5
Rouvres-St-Jean (45) 71 E 1
Rouvres-sur-Aube (52) 75 F 4
Rouvrois-sur-Meuse (55) 36 A 5
Rouvrois-sur-Othain (55) 20 B 3
Rouvroy (02) 16 D 2
Rouvroy (62) 8 B 2
Rouvroy-en-Santerre (80) 16 A 3
Rouvroy-les-Merles (60) 15 G 4
Rouvroy-Ripont (51) 34 D 2
Rouvroy-sur-Audry (08) 18 C 2
Rouvroy-sur-Marne (52) 55 G 5
Rouvroy-sur-Serre (02) 18 A 3
Le Roux (07) 162 D 2
Rouxeville (50) 25 G 3
La Rouxière (44) 84 A 3
Rouxmesnil-Bouteilles (76) 13 G 1
Rouy (58) 107 E 2
Rouy-le-Grand (80) 16 B 3
Rouy-le-Petit (80) 16 B 3
Rouze (09) 207 H 5
Rouzède (16) 129 E 4
Rouziers (15) 159 G 2
Rouziers-de-Touraine (37) 86 D 3
Le Rove (13) 195 G 4
Roville-aux-Chênes (88) 57 G 4
Roville-devant-Bayon (54) 57 E 4
Rovon (38) 151 F 3
Roy-Boissy (60) 14 D 4
Roya (06) 182 C 1
Royan (17) 126 C 4
Royas (38) 136 C 5
Royat (63) 133 E 3
Royaucourt (60) 15 H 4
Royaucourt-et-Chailvet (02) 17 E 5
Royaumeix (54) 56 C 1
Royaumont (Abbaye de) (95) 31 F 3
Roybon (38) 150 D 2
Roye (70) 95 G 1
Roye (80) 16 A 3
Roye-sur-Matz (60) 16 A 4
Royer (71) 122 B 1
Royère-de-Vassivière (23) 131 E 3
Royères (87) 130 B 2
Roynac (26) 164 C 3
Royon (62) 7 E 1
Royville (76) 13 F 3
Roz-Landrieux (35) 45 E 3
Roz-sur-Couesnon (35) 45 G 3
Rozay-en-Brie (77) 52 B 2
Le Rozel (50) 22 B 4
Rozelieures (54) 57 F 4
Rozérieulles (57) 36 D 3
Rozerotte (88) 76 D 1
Rozès (32) 172 A 5
Rozet-St-Albin (02) 32 D 3
Le Rozier (48) 176 C 2
Rozier-Côtes-d'Aurec (42) 148 C 2
Rozier-en-Donzy (42) 135 E 3
Rozières (52) 55 E 4
Rozières-en-Beauce (45) 70 B 4
Rozières-sur-Crise (02) 32 D 2
Rozières-sur-Mouzon (88) 76 B 2
Roziers-St-Georges (87) 130 C 3
Rozoy-Bellevalle (02) 32 D 5
Rozoy-le-Vieil (45) 72 A 2
Rozoy-sur-Serre (02) 18 A 3
Ruages (58) 91 F 4
Ruan (45) 70 C 2
Ruan-sur-Egvonne (41) 69 G 3
Ruaudin (72) 68 A 4
Ruaux (88) 77 F 3
Rubécourt-et-Lamécourt (08) 19 F 3
Rubelles (77) 51 H 3
Rubempré (80) 15 G 1
Rubercy (14) 25 H 2
Rubescourt (80) 15 H 4
Rubigny (08) 18 A 3
Rubrouck (59) 3 F 3
Ruca (22) 44 B 3
Ruch (33) 156 A 2
Rucqueville (14) 27 E 2
Rudeau-Ladosse (24) 143 E 1
Rudelle (46) 159 E 2
Rue (80) 6 C 3
La Rue-St-Pierre (60) 31 F 1
La Rue-St-Pierre (76) 13 H 4
Ruederbach (68) 97 F 1
Rueil-la-Gadelière (28) 49 F 2
Rueil-Malmaison (92) 51 E 1
Ruelisheim (68) 78 D 4
Ruelle-sur-Touvre (16) 128 C 4
Les Ruelles (78) 50 B 2
Les Rues-des-Vignes (59) 8 D 5
Ruesnes (59) 9 F 3
Rueyres (46) 159 E 2
Ruffec (16) 128 C 1
Ruffec (36) 103 G 5
Ruffey-le-Château (25) 94 C 4
Ruffey-lès-Beaune (21) 109 F 2
Ruffey-lès-Echirey (21) 93 G 4
Ruffey-sur-Seille (39) 110 A 4
Ruffiac (47) 156 A 5
Ruffiac (56) 64 B 4
Ruffieu (01) 137 G 1
Ruffieux (73) 137 H 2
Ruffigné (44) 65 G 5
Ruffosses (50) 22 D 3
Rugles (27) 48 D 1
Rugney (88) 57 E 5
Rugny (89) 74 A 4
Ruhans (70) 95 E 3
Ruillé-en-Champagne (72) 67 G 3
Ruillé-Froid-Fonds (53) 66 D 4
Ruillé-le-Gravelais (53) 66 B 2
Ruillé-sur-Loir (72) 68 D 5
Ruisseauville (62) 7 F 1
Ruitz (62) 7 H 2
Rulhe (12) 159 H 4
Rullac-St-Cirq (12) 175 F 3
Rully (14) 46 D 1
Rully (60) 31 H 2
Rully (71) 109 E 3
Rumaisnil (80) 15 E 2
Rumaucourt (62) 8 C 4
Rumegies (59) 5 E 5
Rumengol (29) 41 G 5
Rumersheim-le-Haut (68) 79 E 4
Rumesnil (14) 27 H 3
Rumigny (08) 18 B 2
Rumigny (80) 15 F 2
Rumilly (62) 7 E 1
Rumilly (74) 137 H 2
Rumilly-en-Cambrésis (59) 8 D 5
Rumilly-lès-Vaudes (10) 74 A 2
Ruminghem (62) 3 E 3
Rumont (55) 55 G 1
Rumont (77) 71 G 1
Runan (22) 43 E 3
Rungis (94) 51 F 2
Ruoms (07) 163 E 5
Rupéreux (77) 52 D 3
Ruppes (88) 56 B 4
Rupt (52) 55 G 4
Rupt-aux-Nonains (55) 55 F 2
Rupt-devant-St-Mihiel (55) 35 H 5
Rupt-en-Woëvre (55) 35 H 4
Rupt-sur-Moselle (88) 77 H 3
Rupt-sur-Othain (55) 20 A 3
Rupt-sur-Saône (70) 94 D 1
Rurange-lès-Thionville (57) 21 E 4
Rurey (25) 110 D 1
Rusio (2B) 217 F 1
Russ (67) 58 C 3
Russange (57) 20 C 2
Le Russey (25) 96 C 5
Russy (14) 23 H 5
Russy-Bémont (60) 32 B 2
Rustenhart (68) 79 E 3
Rustiques (11) 208 C 1
Rustrel (84) 180 B 4
Rustroff (57) 21 F 3
Rutali (2B) 215 F 4
Ruvigny (10) 74 A 1
Ruy (38) 137 E 4
Ruyaulcourt (62) 8 C 5
Ruynes-en-Margeride (15) 147 F 5
Ry (76) 14 A 5
Rye (39) 110 A 3
Ryes (14) 27 E 1

S

S-Pierre-d'Albigny (73) 138 B 4
Saâcy-sur-Marne (77) 32 C 5
Saales (67) 58 B 4
Saâne-St-Just (76) 13 F 3
Saasenheim (67) 59 E 5
Sabadel-Latronquière (46) 159 F 2
Sabadel-Lauzès (46) 158 C 4
Sabaillan (32) 188 B 4
Sabalos (65) 187 F 5
Sabarat (09) 206 D 2
Sabarros (65) 187 H 5
Sabazan (32) 187 E 1
Sablé-sur-Sarthe (72) 67 F 5
Le Sableau (85) 113 F 2
Sables (72) 68 B 2
Les Sables-d'Olonne (SP) (85) 112 A 1
Sables-d'Or-les-Pins (22) 44 B 2
Sablet (84) 179 G 2
Sablières (07) 162 C 4
Sablonceaux (17) 126 D 3
Sablonnières (38) 137 E 3
Sablonnières (77) 52 D 1
Sablons (33) 141 H 4
Sablons (38) 149 G 2
Sablons-sur-Huisne (61) 49 E 5
Sabonnères (31) 188 D 3
La Sabotterie (08) 18 D 4
Sabran (30) 178 D 2
Sabres (40) 169 G 2
Saccourvielle (31) 205 F 4
Sacé (53) 66 D 1
Sacey (50) 45 G 3
Saché (37) 86 C 5
Sachin (62) 7 G 1
Sachy (08) 19 G 3
Sacierges-St-Martin (36) 117 E 2
Saclas (91) 51 E 5
Saclay (91) 51 E 2
Saconin-et-Breuil (02) 32 C 1
Sacoué (65) 205 F 3
Le Sacq (27) 29 F 5
Sacquenay (21) 93 H 2
Sacquenville (27) 29 F 4
Sacy (51) 33 G 3
Sacy (89) 91 G 1
Sacy-le-Grand (60) 31 G 1
Sacy-le-Petit (60) 31 H 1
Sadeillan (32) 187 G 4
Sadillac (24) 156 D 2
Sadirac (33) 155 G 2
Sadournin (65) 187 G 5
Sadroc (19) 144 C 2
Saessolsheim (67) 58 D 1
Saffais (54) 57 E 3
Saffloz (39) 110 C 5
Saffré (44) 83 F 2
Saffres (21) 92 C 4
Sagelat (24) 157 H 2
Sagnat (23) 117 F 3
La Sagne (06) 182 B 4
Sagnes-et-Goudoulet (07) 162 D 2
Sagone (2A) 216 B 4
Sagonne (18) 106 A 4
Sagriès (30) 178 C 4
Sagy (71) 109 H 5
Sagy (95) 30 D 4
Sahorre (66) 212 B 4
Sahune (26) 165 E 5
Sahurs (76) 29 F 1
Sai (61) 47 H 2
Saignes (15) 146 A 2
Saignes (46) 159 E 2
Saigneville (80) 6 C 4
Saignon (84) 180 B 5
Saiguède (31) 188 D 3
Sail-les-Bains (42) 120 D 4
Sail-sous-Couzan (42) 134 C 3
Sailhan (65) 205 E 4
Saillac (19) 144 D 5
Saillac (46) 174 B 1
Saillagouse (66) 211 H 4
Saillans (26) 164 D 2
Saillans (33) 141 G 5
Le Saillant (19) 144 B 2
Saillant (63) 148 B 1
Saillat-sur-Vienne (87) 129 G 2
Saillé (44) 82 A 4
Saillenard (71) 109 H 5
Sailly (08) 19 G 4
Sailly (52) 55 G 4
Sailly (71) 122 A 1
Sailly (78) 30 C 4
Sailly-Achâtel (57) 37 E 4
Sailly-au-Bois (62) 7 H 5
Sailly-en-Ostrevent (62) 8 C 3
Sailly-Flibeaucourt (80) 6 D 4
Sailly-Labourse (62) 4 A 5
Sailly-Laurette (80) 15 H 1
Sailly-le-Sec (80) 15 H 1
Sailly-lez-Cambrai (59) 8 D 4
Sailly-lez-Lannoy (59) 4 D 3
Sailly-Saillisel (80) 8 B 5
Sailly-sur-la-Lys (62) 3 H 5
Sain-Bel (69) 135 G 3
Saincaize-Meauce (58) 106 B 3
Sainghin-en-Mélantois (59) 4 D 4
Sainghin-en-Weppes (59) 4 B 4
Sainneville (76) 12 B 4
Sainpuits (89) 90 C 3
Sains (35) 45 G 3
Sains-du-Nord (59) 9 H 5
Sains-en-Amiénois (80) 15 F 2
Sains-en-Gohelle (62) 4 A 5
Sains-lès-Fressin (62) 7 E 2
Sains-lès-Marquion (62) 8 C 4
Sains-lès-Pernes (62) 7 G 1
Sains-Morainvillers (60) 15 G 4
Sains-Richaumont (02) 17 F 2
Le Saint (56) 62 C 3
St-Aaron (22) 44 A 3
St-Abit (64) 204 A 1
St-Abraham (56) 64 A 4
St-Acheul (80) 7 F 4
St-Adjutory (16) 128 D 3
St-Adrien (22) 43 E 4
St-Affrique (12) 176 A 4
St-Affrique-les-Montagnes (81) 190 C 3
St-Agathon (22) 43 F 4
St-Agil (41) 69 E 3
St-Agnan (02) 33 E 4
St-Agnan (58) 92 A 4
St-Agnan (71) 120 D 2
St-Agnan (81) 189 H 2
St-Agnan (89) 72 B 1
St-Agnan-de-Cernières (27) 28 C 5
St-Agnan-en-Vercors (26) 151 F 5
St-Agnan-le-Malherbe (14) 27 E 4
St-Agnan-sur-Erre (61) 48 D 5
St-Agnan-sur-Sarthe (61) 48 C 3
St-Agnant (17) 126 C 2
St-Agnant-de-Versillat (23) 117 F 4
St-Agnant-près-Crocq (23) 131 H 3
St-Agnant-sous-les-Côtes (55) 56 A 1
St-Agne (24) 157 E 1
St-Agnet (40) 186 C 2
St-Agnin-sur-Bion (38) 136 D 5
St-Agoulin (63) 133 F 1
St-Agrève (07) 149 E 5
St-Aignan (08) 19 E 4
St-Aignan (33) 141 G 5
St-Aignan (41) 87 H 5
St-Aignan (56) 63 F 2
St-Aignan (72) 68 B 1
St-Aignan (82) 173 E 4
St-Aignan-de-Couptrain (53) 47 F 4
St-Aignan-de-Cramesnil (14) 27 G 4
St-Aignan-des-Gués (45) 71 F 5
St-Aignan-des-Noyers (18) 106 A 4
St-Aignan-Grandlieu (44) 99 F 1
St-Aignan-le-Jaillard (45) 89 G 1
St-Aignan-sur-Roë (53) 66 A 4
St-Aignan-sur-Ry (76) 14 A 5
St-Aigny (36) 103 F 5
St-Aigulin (17) 142 A 3
St-Ail (54) 20 D 5
St-Albain (71) 122 C 2
St-Alban (01) 123 F 5
St-Alban (22) 44 A 3
St-Alban (31) 189 F 2
St-Alban-Auriolles (07) 163 E 5
St-Alban-d'Ay (07) 149 G 3
St-Alban-de-Montbel (73) 137 H 5
St-Alban-de-Roche (38) 136 D 4
St-Alban-des-Villards (73) 152 C 2
St-Alban-d'Hurtières (73) 138 C 5
St-Alban-du-Rhône (38) 149 G 1
St-Alban-en-Montagne (07) 162 B 3
St-Alban-les-Eaux (42) 134 C 1
St-Alban-Leysse (73) 138 A 4
St-Alban-sur-Limagnole (48) 161 G 2
St-Albin-de-Vaulserre (38) 137 G 5
St-Alby (81) 190 D 3
St-Alexandre (30) 178 D 2
St-Algis (02) 17 G 1
St-Allouestre (56) 63 G 5
St-Alpinien (23) 131 G 1
St-Alyre-d'Arlanc (63) 147 H 2
St-Alyre-ès-Montagne (63) 146 D 2
St-Amadou (09) 207 F 2
St-Amancet (81) 190 C 4
St-Amand (23) 131 G 1
St-Amand (50) 25 G 4
St-Amand (62) 7 H 4
St-Amand-de-Belvès (24) 157 H 2
St-Amand-de-Coly (24) 144 A 4
St-Amand-de-Vergt (24) 143 F 5
St-Amand-des-Hautes-Terres (27) 29 F 2
St-Amand-en-Puisaye (58) 90 B 3
St-Amand-Jartoudeix (23) 130 D 2
St-Amand-le-Petit (87) 130 D 3
St-Amand-les-Eaux (59) 5 E 5
St-Amand-Longpré (41) 87 F 1
St-Amand-Magnazeix (87) 117 E 5
St-Amand-Montrond (SP) (18) 105 G 5
St-Amand-sur-Fion (51) 54 C 1
St-Amand-sur-Ornain (55) 55 H 3
St-Amand-sur-Sèvre (79) 100 C 3
St-Amandin (15) 146 B 2
St-Amans (09) 207 E 1
St-Amans (11) 207 G 1
St-Amans (48) 161 G 3
St-Amans-de-Pellagal (82) 173 F 2
St-Amans-des-Cots (12) 160 B 3
St-Amans-du-Pech (82) 172 D 1
St-Amans-Soult (81) 191 E 3
St-Amans-Valtoret (81) 191 E 3
St-Amant-de-Boixe (16) 128 B 3
St-Amant-de-Bonnieure (16) 128 C 2
St-Amant-de-Montmoreau (16) 142 B 1
St-Amant-de-Nouère (16) 128 A 3
St-Amant-Roche-Savine (63) 134 A 5
St-Amant-Tallende (63) 133 F 4
St-Amarin (68) 78 B 4
St-Ambreuil (71) 109 E 5
St-Ambroix (18) 105 E 3
St-Ambroix (30) 178 A 1
St-Amé (88) 77 H 2
St-Amour (39) 123 E 2
St-Amour-Bellevue (71) 122 B 4
St-Anastaise (63) 146 D 1
St-Andelain (58) 90 B 5
St-Andéol (26) 165 E 1
St-Andéol (38) 151 F 5
St-Andéol-de-Berg (07) 163 F 4
St-Andéol-de-Clerguemort (48) 177 H 1
St-Andéol-de-Fourchades (07) 162 D 1
St-Andéol-de-Vals (07) 163 E 3
St-Andéol-le-Château (69) 135 H 5
St-Andeux (21) 92 A 4
St-Andiol (13) 179 F 5
St-André (16) 127 G 3
St-André (31) 188 B 5
St-André (32) 188 B 3
St-André (59) 4 C 3
St-André (66) 213 F 3
St-André (73) 153 E 2
St-André (81) 175 F 4
St-André-Capcèze (48) 162 B 5
St-André-d'Allas (24) 158 A 1
St-André-d'Apchon (42) 134 C 1
St-André-de-Bâgé (01) 122 C 3
St-André-de-Boëge (74) 124 D 4
St-André-de-Bohon (50) 25 E 2
St-André-de-Briouze (61) 47 F 2
St-André-de-Buèges (34) 177 F 5
St-André-de-Chalencon (43) 148 B 2
St-André-de-Corcy (01) 136 B 1
St-André-de-Cruzières (07) 178 B 1
St-André-de-Cubzac (33) 141 F 5
St-André-de-Double (24) 142 C 4
St-André-de-la-Marche (49) 100 B 1
St-André-de-la-Roche (06) 183 F 5
St-André-de-Lancize (48) 177 G 1
St-André-de-l'Épine (50) 25 G 3
St-André-de-l'Eure (27) 29 H 5
St-André-de-Lidon (17) 127 E 4
St-André-de-Majencoules (30) 177 F 4
St-André-de-Messei (61) 47 E 2
St-André-de-Najac (12) 174 D 2
St-André-de-Roquelongue (11) 209 E 2
St-André-de-Roquepertuis (30) 178 C 2
St-André-de-Rosans (05) 165 G 5
St-André-de-Sangonis (34) 192 D 2
St-André-de-Seignanx (40) 184 D 2
St-André-de-Valborgne (30) 177 F 2
St-André-de-Vézines (12) 176 C 2
St-André-d'Embrun (05) 167 E 3
St-André-des-Eaux (22) 44 D 4
St-André-des-Eaux (44) 82 B 4
St-André-d'Hébertot (14) 28 B 2
St-André-d'Huiriat (01) 122 C 4
St-André-d'Olérargues (30) 178 C 2
St-André-d'Ornay (85) 99 G 5
St-André-du-Bois (33) 155 H 3
St-André-en-Barrois (55) 35 G 4
St-André-en-Bresse (71) 109 G 5
St-André-en-Morvan (58) 91 G 4
St-André-en-Royans (38) 151 E 4
St-André-en-Terre-Plaine (89) 91 H 3
St-André-en-Vivarais (07) 149 E 4
St-André-et-Appelles (33) 156 B 1
St-André-Farivillers (60) 15 F 4
St-André-Goule-d'Oie (85) 99 H 3
St-André-la-Côte (69) 135 G 4
St-André-Lachamp (07) 162 D 4
St-André-le-Bouchoux (01) 122 D 5
St-André-le-Coq (63) 133 G 1
St-André-le-Désert (71) 121 H 2
St-André-le-Gaz (38) 137 F 5
St-André-le-Puy (42) 135 E 4
St-André-les-Alpes (04) 181 H 3
St-André-les-Vergers (10) 73 H 1
St-André-sur-Cailly (76) 13 H 5
St-André-sur-Orne (14) 27 F 3
St-André-sur-Sèvre (79) 100 C 4
St-André-sur-Vieux-Jonc (01) 122 D 4
St-André-Treize-Voies (85) 99 G 2
St-Androny (33) 141 E 3
St-Ange-et-Torçay (28) 49 G 3
St-Ange-le-Viel (77) 72 A 1
St-Angeau (16) 128 C 2
St-Angel (03) 119 E 3
St-Angel (19) 145 G 1
St-Angel (63) 133 E 1
St-Anthème (63) 134 C 5
St-Anthot (21) 92 D 4
St-Antoine (05) 152 D 5
St-Antoine (13) 195 H 4
St-Antoine (15) 159 H 2
St-Antoine (25) 111 F 4
St-Antoine (29) 42 A 3
St-Antoine (32) 172 D 3
St-Antoine (33) 141 G 5
St-Antoine-Cumond (24) 142 B 3
St-Antoine-d'Auberoche (24) 143 G 4
St-Antoine-de-Breuilh (24) 156 B 1
St-Antoine-de-Ficalba (47) 172 C 1
St-Antoine-du-Queyret (33) 156 A 2
St-Antoine-du-Rocher (37) 86 D 3
St-Antoine-la-Forêt (76) 12 C 5
St-Antoine-l'Abbaye (38) 150 D 3
St-Antoine-sur-l'Isle (33) 142 A 5
St-Antonin (06) 182 D 4
St-Antonin (32) 188 B 1
St-Antonin-de-Lacalm (81) 190 D 1
St-Antonin-de-Sommaire (27) 48 D 1
St-Antonin-du-Var (83) 197 F 2
St-Antonin-Noble-Val (82) 174 B 2
St-Antonin-sur-Bayon (13) 196 A 3
St-Aoustrille (36) 104 C 3
St-Août (36) 104 D 5
St-Apollinaire (05) 166 D 3
St-Apollinaire (21) 93 G 4
St-Apollinaire-de-Rias (07) 149 F 5
St-Appolinaire (69) 135 F 1
St-Appolinard (38) 150 D 3
St-Appolinard (42) 149 G 2
St-Aquilin (24) 142 D 3
St-Aquilin-d'Augerons (27) 28 C 5
St-Aquilin-de-Corbion (61) 48 C 3
St-Aquilin-de-Pacy (27) 29 H 4
St-Araille (31) 188 C 4
St-Arailles (32) 187 G 2
St-Arcons-d'Allier (43) 147 H 4
St-Arcons-de-Barges (43) 162 B 1
St-Arey (38) 165 H 1
St-Armel (35) 65 F 3
St-Armel (56) 81 G 3
St-Armou (64) 186 C 4
St-Arnac (66) 208 C 5
St-Arnoult (14) 28 A 1
St-Arnoult (41) 87 E 1
St-Arnoult (60) 14 C 4
St-Arnoult (76) 13 E 5
St-Arnoult-des-Bois (28) 49 H 4
St-Arnoult-en-Yvelines (78) 50 C 3
St-Arroman (32) 187 H 4
St-Arroman (65) 205 E 2
St-Arroumex (82) 173 E 4
St-Astier (24) 143 E 4
St-Astier (47) 156 C 2
St-Auban (04) 181 E 3
St-Auban (06) 182 B 4
St-Auban-d'Oze (05) 166 A 4
St-Auban-sur-l'Ouvèze (26) 180 A 1
St-Aubert (59) 9 E 4
St-Aubert-sur-Orne (61) 47 F 1
St-Aubin (02) 16 C 5
St-Aubin (10) 53 E 4
St-Aubin (21) 108 D 2
St-Aubin (27) 29 G 4
St-Aubin (36) 104 D 4
St-Aubin (39) 109 H 2
St-Aubin (40) 185 H 1
St-Aubin (47) 157 G 5
St-Aubin (59) 9 H 4
St-Aubin (62) 6 C 2
St-Aubin (91) 51 E 2
St-Aubin-Celloville (76) 29 G 1
St-Aubin-Château-Neuf (89) 72 D 5

Localité *(Département)*   Page   Coordonnées

St-Aubin-d'Appenai (61) ......48 B 3
St-Aubin-d'Arquenay (14) .....27 G 2
St-Aubin-d'Aubigné (35) .....45 F 5
St-Aubin-de-Baubigné (79) . 100 C 2
St-Aubin-de-Blaye (33) ....141 F 2
St-Aubin-de-Bonneval (61)....28 B 5
St-Aubin-de-Branne (33) ....155 H 1
St-Aubin-de-Cadelech (24) . 156 D 3
St-Aubin-de-Courteraie (61) ..48 C 3
St-Aubin-de-Crétot (76).....12 D 4
St-Aubin-de-Lanquais (24)...157 E 2
St-Aubin-de-Locquenay (67)..67 H 1
St-Aubin-de-Luigné (49)....84 D 4
St-Aubin-de-Médoc (33).....141 E 5
St-Aubin-de-Nabirat (24) ...158 A 2
St-Aubin-de-Scellon (27)....28 C 3
St-Aubin-de-Terregatte (50) ..45 H 3
St-Aubin-d'Écrosville (27)....29 F 3
St-Aubin-des-Bois (14).....46 A 1
St-Aubin-des-Bois (28).....49 H 4
St-Aubin-des-Châteaux (44)...65 G 5
St-Aubin-des-Chaumes (58)...91 F 4
St-Aubin-des-Coudrais (72)...68 C 2
St-Aubin-des-Grois (61).....48 D 5
St-Aubin-des-Hayes (27).....28 A 4
St-Aubin-des-Landes (35)....65 H 2
St-Aubin-des-Ormeaux (85).. 100 A 2
St-Aubin-des-Préaux (50)....45 G 1
St-Aubin-du-Cormier (35)....65 H 1
St-Aubin-du-Désert (53)....47 G 5
St-Aubin-du-Pavail (35).....65 G 2
St-Aubin-du-Perron (50) .....25 E 3
St-Aubin-du-Plain (79)....101 E 3
St-Aubin-du-Thenney (27)....28 C 4
St-Aubin-en-Bray (60).......30 C 1
St-Aubin-en-Charollais (71)..121 F 2
St-Aubin-Épinay (76).......29 G 1
St-Aubin-Fosse-Louvain (53)..46 C 4
St-Aubin-la-Plaine (85)....113 F 1
St-Aubin-le-Cauf (76) ......13 H 2
St-Aubin-le-Cloud (79)....101 E 5
St-Aubin-le-Dépeint (37)....86 B 1
St-Aubin-le-Guichard (27)....28 D 4
St-Aubin-le-Monial (03)....119 G 1
St-Aubin-le-Vertueux (27)....28 D 4
St-Aubin-lès-Elbeuf (76)....29 F 2
St-Aubin-les-Forges (58)...106 C 1
St-Aubin-Montenoy (80).....14 D 2
St-Aubin-Rivière (80) ......14 C 2
St-Aubin-Routot (76).......12 C 5
St-Aubin-sous-Erquery (60)..31 G 1
St-Aubin-sur-Aire (55).....55 H 2
St-Aubin-sur-Gaillon (27)...29 H 3
St-Aubin-sur-Loire (71)....120 C 1
St-Aubin-sur-Mer (14).......27 F 1
St-Aubin-sur-Mer (76).......13 F 2
St-Aubin-sur-Quillebeuf (27)..12 D 5
St-Aubin-sur-Scie (76).......13 G 2
St-Aubin-sur-Yonne (89)....72 D 3
St-Augustin (03).........106 B 4
St-Augustin (17).........126 B 3
St-Augustin (19).........145 E 1
St-Augustin (77).........52 B 1
St-Augustin-des-Bois (49)....84 C 3
St-Aulaire (19)..........144 B 3
St-Aulais-la-Chapelle (16)..142 A 1
St-Aulaye-Puymangou (24)..142 B 3
St-Aunès (34)...........193 G 2
St-Aunix-Lengros (32).....187 E 2
St-Aupre (38)...........151 G 1
St-Austremoine (43).......147 G 4
St-Auvent (87)..........129 G 3
St-Avaugourd-
  des-Landes (85).........112 C 1
St-Avé (56)............81 G 2
St-Aventin (31).........205 F 4
St-Avertin (37).........86 B 4
St-Avit (16)...........142 B 3
St-Avit (26)...........150 B 3
St-Avit (40)...........170 C 4
St-Avit (41)...........69 E 3
St-Avit (47)...........156 B 4
St-Avit (63)...........132 B 2
St-Avit (81)...........190 C 3
St-Avit-de-Soulège (33)...156 B 1
St-Avit-de-Tardes (23).....131 H 2
St-Avit-de-Vialard (24) ...143 G 5
St-Avit-Frandat (32)......172 C 4
St-Avit-le-Pauvre (23).....131 F 1
St-Avit-les-Guespières (28)..69 G 1
St-Avit-Rivière (24)......157 G 2
St-Avit-Sénieur (24)......157 F 2
St-Avit-St-Nazaire (33)....156 C 1
St-Avold (57)..........21 H 5
St-Avre (73)...........152 C 1
St-Ay (45)............70 B 5
St-Aybert (59)..........5 F 5
St-Aygulf (83).........198 C 4
St-Babel (63)..........133 G 5
St-Baldoph (73).........138 A 5
St-Bandry (02).........32 C 1
St-Baraing (39).........110 A 2
St-Barbant (87).........116 B 5
St-Bard (23)...........131 H 2
St-Bardoux (26)........150 C 4
St-Barnabé (13)........195 H 5
St-Barnabé (22).........63 H 3
St-Barthélemy (38).......150 C 2

St-Barthélemy (40)...........184 D 3
St-Barthélemy (50)...........46 B 2
St-Barthélemy (56)...........63 F 4
St-Barthélemy (70)...........77 H 5
St-Barthélemy (77)...........52 D 1
St-Barthélemy-
  d'Agenais (47)...........156 C 4
St-Barthélemy-d'Anjou (49)....85 E 3
St-Barthélemy-
  de-Bellegarde (24).......142 C 4
St-Barthélemy-
  de-Bussière (24).........129 F 4
St-Barthélemy-
  de-Séchilienne (38).......151 H 4
St-Barthélemy-de-Vals (26)...149 H 3
St-Barthélemy-Grozon (07)...149 G 5
St-Barthélemy-le-Meil (07)...163 F 1
St-Barthélemy-le-Plain (07)..149 G 4
St-Barthélemy-Lestra (42)...135 E 3
St-Basile (07)............149 F 5
St-Baslemont (88).........76 D 2
St-Baudel (18)...........105 E 4
St-Baudelle (53)..........66 D 1
St-Baudille-de-la-Tour (38)..137 E 3
St-Baudille-et-Pipet (38)...165 H 1
St-Bauld (37)............103 E 1
St-Baussant (54)..........36 B 5
St-Bauzeil (09)..........207 E 2
St-Bauzély (30)..........178 A 4
St-Bauzile (07)..........163 G 3
St-Bauzile (48)..........161 G 5
St-Bauzille-de-la-Sylve (34)..192 D 2
St-Bauzille-
  de-Montmel (34).........193 G 1
St-Bauzille-de-Putois (34)...177 G 5
St-Bazile (87)...........129 G 3
St-Bazile-de-la-Roche (19)..145 F 4
St-Bazile-de-Meyssac (19)...144 D 5
St-Béat (31)............205 G 3
St-Beaulize (12).........176 B 5
St-Beauzeil (82).........172 D 1
St-Beauzély (12).........176 A 2
St-Beauzile (81).........174 B 4
St-Beauzire (43).........147 F 3
St-Beauzire (63).........133 F 2
St-Bénézet (30)..........194 B 1
St-Bénézet (30)..........178 A 4
St-Bénigne (01)..........122 C 2
St-Benin (59)............9 F 5
St-Benin-d'Azy (58).......106 D 2
St-Benin-des-Bois (58).....106 D 1
St-Benoist-sur-Mer (85)....112 D 2
St-Benoist-sur-Vanne (10)....73 F 1
St-Benoît (04)...........182 B 3
St-Benoît (11)...........207 H 3
St-Benoît (28)...........69 F 2
St-Benoît (38)...........136 B 5
St-Benoît (86)...........115 F 1
St-Benoît-des-Ombres (27)....28 D 2
St-Benoît-des-Ondes (35)....45 E 2
St-Benoît-d'Hébertot (14)....28 B 2
St-Benoît-du-Sault (36)....117 E 2
St-Benoît-en-Diois (26)....165 E 3
St-Benoît-en-Woëvre (55)....36 B 4
St-Benoît-la-Chipotte (88)...57 H 4
St-Benoît-la-Forêt (37).....86 B 5
St-Benoît-sur-Loire (45)....71 F 5
St-Benoît-sur-Seine (10).....53 H 5
St-Bérain (43)...........147 H 5
St-Berain-
  sous-Sanvignes (71)......108 B 5
St-Bérain-sur-Dheune (71)...108 D 4
St-Bernard (01)..........135 H 1
St-Bernard (21)..........109 F 1
St-Bernard (38)..........151 H 2
Saint-Bernard (68)........78 C 5
St-Béron (73)............137 G 5
St-Berthevin (53).........66 C 2
St-Berthevin-la-Tannière (53)..46 B 4
St-Bertrand-
  de-Comminges (31).......205 F 2
St-Biez-en-Belin (72).......68 A 5
St-Bihy (22).............43 F 5
St-Blaise (06)...........183 F 4
St-Blaise (74)...........124 B 5
St-Blaise-du-Buis (38).....151 F 1
St-Blaise-la-Roche (67).....58 C 4
St-Blancard (32).........188 A 5
St-Blimont (80)...........6 B 5
St-Blin (52)............75 H 1
St-Boès (64)............185 H 3
St-Bohaire (41)..........87 G 1
St-Boil (71)............108 D 5
St-Boingt (54)...........57 F 4
St-Bois (01)............137 G 3
St-Bomer (28)...........69 E 2
St-Bômer-les-Forges (61)....46 D 2
St-Bon (51)............53 E 2
St-Bon-Tarentaise (73).....139 E 5
St-Bonnet (16)..........128 A 5
St-Bonnet -le-Bourg (63)....147 H 1
St-Bonnet-Avalouze (19)....145 E 3
St-Bonnet-Briance (87).....130 C 4
St-Bonnet-de-Bellac (87)....116 B 5
St-Bonnet-de-Chavagne (38).150 D 4
St-Bonnet-de-Chirac (48)...161 F 4
St-Bonnet-de-Condat (15)...146 C 2
St-Bonnet-de-Cray (71)....121 F 4
St-Bonnet-de-Four (03)....119 F 3
St-Bonnet-de-Joux (71).....121 H 2

St-Bonnet-
  de-Montauroux (48)...... 162 A 2
St-Bonnet-de-Mure (69)....136 C 4
St-Bonnet-de-Rochefort (03)..119 H 5
St-Bonnet-
  de-Salendrinque (30)......177 G 3
St-Bonnet-de-Salers (15)....146 A 4
St-Bonnet-de-Valclérieux (26) 150 D 3
St-Bonnet-
  de-Vieille-Vigne (71).....121 G 1
St-Bonnet-des-Bruyères (69)..121 H 4
St-Bonnet-des-Quarts (42)...120 D 5
St-Bonnet-du-Gard (30).....178 D 4
St-Bonnet-Elvert (19) ....145 E 4
St-Bonnet-en-Bresse (71)....109 G 3
St-Bonnet-
  en-Champsaur (05)........166 B 2
St-Bonnet-le-Chastel (63)...147 H 1
St-Bonnet-le-Château (42)...148 C 1
St-Bonnet-le-Courreau (42)..134 C 4
St-Bonnet-le-Froid (43)....149 E 4
St-Bonnet-le-Troncy (69)....121 H 5
St-Bonnet-l'Enfantier (19)...144 C 2
St-Bonnet-lès-Allier (63)...133 G 3
St-Bonnet-les-Oules (42)...135 E 5
St-Bonnet-
  les-Tours-de-Merle (19)....145 F 4
St-Bonnet-près-Bort (19)....132 A 5
St-Bonnet-près-Orcival (63)..132 D 4
St-Bonnet-près-Riom (63)...133 F 2
St-Bonnet-sur-Gironde (17)..141 E 1
St-Bonnet-Tronçais (03)....105 H 5
St-Bonnot (58)...........90 D 5
St-Bouize (18)...........90 A 5
St-Brancher (89)..........91 H 3
St-Branchs (37)..........86 D 5
St-Brandan (22)..........43 G 5
St-Brès (30)............178 A 1
St-Brès (32)............188 B 1
St-Brès (34)............193 G 2
St-Bresson (30)..........177 F 4
St-Bresson (70)..........77 G 4
St-Bressou (46)..........159 F 3
St-Brevin-les-Pins (44).....82 B 4
St-Brevin-l'Océan (44)......82 B 4
St-Briac-sur-Mer (35).......44 C 2
St-Brice (16)...........127 F 3
St-Brice (33)...........155 H 2
St-Brice (53)............67 E 4
St-Brice (61)............46 D 3
St-Brice (77)............52 D 3
St-Brice-Courcelles (51)....33 H 2
St-Brice-de-Landelles (50)...46 A 3
St-Brice-en-Coglès (35).....45 H 4
St-Brice-sous-Forêt (95).....31 F 5
St-Brice-sous-Rânes (61)....47 G 2
St-Brice-sur-Vienne (87)...129 G 2
St-Brieuc ⓟ (22)..........43 H 4
St-Brieuc-de-Mauron (56)....64 B 2
St-Brieuc-des-Iffs (35).....45 E 5
St-Bris-des-Bois (17)......127 F 3
St-Bris-le-Vineux (89)......91 F 1
St-Brisson (58)..........91 A 5
St-Brisson-sur-Loire (45)....89 H 2
St-Broing (70)...........94 B 3
St-Broing-les-Moines (21)....93 H 1
St-Broingt-le-Bois (52).....75 H 5
St-Broingt-les-Fosses (52)...93 H 1
St-Broladre (35).........45 F 3
St-Bueil (38)...........137 G 5
St-Cado (56)............81 E 1
St-Calais (72)...........68 D 4
St-Calais-du-Désert (53)....47 F 4
St-Calez-en-Saosnois (72)....48 B 5
St-Canadet (13).........195 H 4
St-Cannat (13)..........195 G 2
St-Caprais (03)..........119 E 1
St-Caprais (18).........105 F 3
St-Caprais (31).........189 H 1
St-Caprais (32).........188 B 2
St-Caprais (46).........157 H 3
St-Caprais-de-Blaye (33)....141 F 2
St-Caprais-de-Bordeaux (33)..155 F 3
St-Caprais-de-Lerm (47)....172 C 2
St-Capraise-de-Lalinde (24)..157 E 1
St-Capraise-d'Eymet (24)....156 D 2
St-Caradec (22)..........43 G 5
St-Caradec-Trégomel (56)....62 D 3
St-Carné (22)...........44 D 4
St-Carreuc (22)..........43 H 5
St-Cassien (24).........157 G 3
St-Cassien (38).........151 F 1
St-Cassien (86).........101 H 3
Saint-Cassin (73)........137 H 5
St-Cast-le-Guildo (22).....44 C 2
St-Castin (64)..........186 C 4
St-Célerin (72)..........68 B 2
St-Céneré (53)..........66 D 2
St-Céneri-le-Gérei (61).....47 H 5
St-Céols (18)...........89 H 5
St-Céré (46)...........159 E 1
St-Cergues (74).........124 D 3
St-Cernin (15)..........146 A 4
St-Cernin (46)..........158 C 4
St-Cernin-de-Labarde (24)...157 E 2
St-Cernin-de-Larche (19)....144 C 4
St-Cernin-de-l'Herm (24)....157 H 3
St-Cernin-de-Reilhac (24)...143 G 5
St-Césaire (17).........127 F 3

St-Césaire (30)................178 B 5
St-Césaire-
  de-Gauzignan (30).........178 B 3
St-Cézert (31)...............189 E 1
St-Chabrais (23).............118 B 5
St-Chaffrey (05).............153 E 5
St-Chamant (15).............146 A 4
St-Chamant (19).............145 E 4
St-Chamarand (46)...........158 B 3
St-Chamas (13).............195 F 3
St-Chamassy (24)............157 G 1
St-Chamond (42).............149 F 1
St-Champ (01)..............137 G 3
St-Chaptes (30).............178 B 4
St-Charles (54)..............20 C 2
St-Charles-de-Percy (14).....25 H 5
St-Charles-la-Forêt (53).....66 D 4
St-Chartier (36)............104 D 5
St-Chartres (86)............101 G 3
St-Chef (38)...............137 F 4
St-Chels (46)..............159 E 4
St-Chély-d'Apcher (48)......161 F 2
St-Chély-d'Aubrac (12)......160 D 4
St-Chéron (51)..............54 C 3
St-Chéron (91)..............51 E 3
St-Chéron-des-Champs (28)....50 A 3
St-Chinian (34)............191 H 4
St-Christ-Briost (80).........16 B 2
St-Christau (64)............203 G 1
St-Christaud (31)...........206 B 1
St-Christaud (32)...........187 G 3
St-Christo-en-Jarez (42)....135 F 5
St-Christol (07)............163 E 1
St-Christol (34)............193 G 1
St-Christol (84)............180 B 3
St-Christol-de-Rodières (30) .178 C 1
St-Christol-lès-Alès (30)....178 A 3
St-Christoly-de-Blaye (33)...141 F 3
St-Christoly-Médoc (33).....140 D 1
St-Christophe (16)..........129 G 1
St-Christophe (17)..........126 C 5
St-Christophe (23)..........117 H 5
St-Christophe (28)...........69 H 2
St-Christophe (69)..........121 H 4
St-Christophe (81)..........174 D 2
St-Christophe-
  de-Chaulieu (61).........46 C 1
St-Christophe-de-Double (33)142 A 4
St-Christophe-de-Valains (35)..45 G 5
St-Christophe-
  des-Bardes (33)..........155 H 1
St-Christophe-des-Bois (35)...65 H 1
St-Christophe-
  Dodinicourt (10).........54 C 4
St-Christophe-du-Bois (49)...100 B 2
St-Christophe-du-Foc (50)....22 C 3
St-Christophe-du-Jambet (72).67 H 1
St-Christophe-
  du-Ligneron (85).........99 E 3
St-Christophe-du-Luat (53)...67 E 2
St-Christophe-
  en-Bazelle (36)..........104 B 1
St-Christophe-
  en-Boucherie (36)........105 E 5
St-Christophe-
  en-Bresse (71)..........109 F 4
St-Christophe-
  en-Brionnais (71)........121 F 3
St-Christophe-
  en-Champagne (72)........67 G 3
St-Christophe-en-Oisans (38).152 B 5
St-Christophe-et-le-Laris (26) 150 C 3
St-Christophe-
  la-Couperie (49).........83 H 5
St-Christophe-la-Grotte (73).151 H 1
St-Christophe-
  le-Chaudry (18).........118 C 1
St-Christophe-le-Jajolet (61)..47 H 2
St-Christophe-
  les-Gorges (15).........145 H 4
St-Christophe-sur-Avre (27)..49 E 2
St-Christophe-sur-Condé (27)..28 D 2
St-Christophe-
  sur-Dolaison (43)........148 A 5
St-Christophe-
  sur-Guiers (38).........151 H 1
St-Christophe-
  sur-le-Nais (37).........86 C 2
St-Christophe-sur-Roc (79)..114 B 2
St-Christophe-Vallon (12)...159 H 5
St-Cibard (33)............142 A 5
St-Cierge-la-Serre (07)....163 G 2
St-Cierge-
  sous-le-Cheylard (07).....149 E 5
St-Ciergues (52)...........75 G 4
St-Ciers-Champagne (17)....141 H 1
St-Ciers-d'Abzac (33)......141 H 5
St-Ciers-de-Canesse (33)....141 F 4
St-Ciers-du-Taillon (17)....141 E 1
St-Ciers-sur-Bonnieure (16).128 C 3
St-Ciers-sur-Gironde (33)...141 E 2
St-Cirgue (81)...........175 F 4
St-Cirgues (43)..........147 G 4
St-Cirgues (46)..........159 G 2
St-Cirgues-de-Jordanne (15).146 B 5
St-Cirgues-de-Malbert (15)..145 H 4
St-Cirgues-de-Prades (07)...162 D 3

St-Cirgues-
  en-Montagne (07).......162 C 2
St-Cirgues-la-Loutre (19)..145 G 4
St-Cirgues-sur-Couze (63)..133 F 5
St-Cirice (82)..........172 B 3
St-Cirq (24)...........157 G 1
St-Cirq (82)...........174 A 3
St-Cirq-Lapopie (46).....158 D 5
St-Cirq-Madelon (46).....158 A 2
St-Cirq-Souillaguet (46)...158 B 3
St-Civran (36)..........117 E 2
St-Clair (04)...........181 G 5
St-Clair (07)...........149 G 2
St-Clair (46)...........158 B 3
St-Clair (82)...........173 E 2
St-Clair (86)...........101 H 3
St-Clair-d'Arcey (27).......28 A 4
St-Clair-de-Halouze (61)....46 D 2
St-Clair-de-la-Tour (38)...137 F 5
St-Clair-du-Rhône (38)....149 G 1
St-Clair-sur-Epte (95)......30 B 3
St-Clair-sur-Galaure (38)..150 D 2
St-Clair-sur-les-Monts (76)..13 E 4
St-Clar (32)...........172 C 5
St-Clar-de-Rivière (31)....189 E 4
St-Claud (16)..........128 D 2
St-Claude ⟨SP⟩ (39)........124 A 2
St-Claude-de-Diray (41)....87 H 2
St-Clément (02)..........17 H 3
St-Clément (03)..........120 C 5
St-Clément (07)..........148 D 5
St-Clément (15)..........146 B 5
St-Clément (19)..........144 D 2
St-Clément (30)..........177 H 5
Saint-Clément (50)........46 C 2
St-Clément (54)..........57 G 3
St-Clément (89)..........72 D 1
St-Clément-à-Arnes (08).....34 B 2
St-Clément-de-la-Place (49)..84 C 2
St-Clément-de-Régnat (63)..133 G 1
St-Clément-de-Rivière (34)..193 F 2
St-Clément-de-Valorgue (63) 134 C 5
St-Clément-de-Vers (69)....121 H 4
St-Clément-
  des-Baleines (17).......112 C 3
St-Clément-des-Levées (49)..85 G 4
St-Clément-les-Places (69)..135 F 3
St-Clément-sur-Durance (05) .167 E 2
St-Clément-sur-Guye (71)..108 D 5
St-Clément-
  sur-Valsonne (69).......135 G 2
St-Clémentin (79).........100 D 2
St-Clet (22)............43 E 3
St-Cloud (92)...........51 E 1
St-Cloud-en-Dunois (28)....70 A 3
St-Colomb-de-Lauzun (47).. 156 D 3
St-Colomban (44).........99 F 2
St-Colomban-
  des-Villards (73)........152 B 2
St-Côme (33)...........155 H 5
St-Côme-de-Fresné (14).....27 E 1
St-Côme-d'Olt (12)........160 C 4
St-Côme-du-Mont (50)......23 E 5
St-Côme-et-Maruéjols (30)..178 B 5
St-Congard (56)..........64 B 5
St-Connan (22)..........43 F 5
St-Connec (22)..........63 F 2
St-Constant-
  Fournoulès (15).........159 G 3
St-Contest (14)...........27 F 2
St-Corneille (72).........68 B 3
St-Cornier-des-Landes (61)...46 D 2
St-Cosme (68)...........78 B 5
St-Cosme-en-Vairais (72)....68 C 1
St-Couat-d'Aude (11)......208 D 1
St-Couat-du-Razès (11).....207 H 3
St-Coulitz (29)..........61 H 1
St-Coulomb (35).........45 E 2
St-Coutant (16).........128 D 1
St-Coutant (79).........114 D 4
St-Coutant-le-Grand (17)...127 E 1
St-Créac (65)..........204 B 2
St-Créac (32)..........172 D 4
St-Crépin (05).........167 E 2
St-Crépin (17).........127 E 1
St-Crépin (12).........191 F 1
St-Crépin-aux-Bois (60).....32 B 1
St-Crépin-d'Auberoche (24)..143 G 4
St-Crépin-de-Richemont (24) 143 E 1
St-Crépin-et-Carlucet (24)...144 A 5
St-Crépin-Ibouvillers (60)...30 D 2
St-Crespin (76)..........13 G 3
St-Crespin-sur-Moine (49)....99 H 3
St-Cricq (32)..........188 C 1
St-Cricq-Chalosse (40)....185 H 2
St-Cricq-du-Gave (40).....185 F 3
St-Cricq-Villeneuve (40)...170 D 4
St-Cybard (15)..........142 B 1
St-Cybardeaux (16).......128 A 3
St-Cybranet (24)........158 A 2
St-Cyprien (19).........144 B 3
St-Cyprien (24).........157 H 1
St-Cyprien (42).........135 E 5
St-Cyprien (46).........173 G 1
St-Cyprien (66).........213 F 3
St-Cyprien-Plage (66).....213 F 3
St-Cyprien-sur-Dourdou (12) 159 H 4
St-Cyr (07)............149 G 3
St-Cyr (50)............22 D 4

St-Cyr (69)................135 H 3
St-Cyr (71)................109 F 5
St-Cyr (86)................102 B 5
St-Cyr (87)................129 G 3
St-Cyr-de-Favières (42)....134 D 1
St-Cyr-de-Salerne (27).....28 D 3
St-Cyr-de-Valorges (42)....135 E 2
St-Cyr-des-Gâts (85)......113 G 1
St-Cyr-du-Bailleul (50).....46 C 3
St-Cyr-du-Doret (17)......113 G 3
St-Cyr-du-Gault (41)......87 F 2
St-Cyr-du-Ronceray (14).....28 B 4
St-Cyr-en-Arthies (95).....30 B 4
St-Cyr-en-Bourg (49)......85 G 5
St-Cyr-en-Pail (53)......47 G 4
St-Cyr-en-Retz (44)......98 D 1
St-Cyr-en-Talmondais (85)..112 D 2
St-Cyr-en-Val (45).......70 D 5
St-Cyr-la-Campagne (27)....29 F 2
St-Cyr-la-Lande (79)......101 G 2
St-Cyr-la-Rivière (91).....51 E 5
St-Cyr-la-Roche (19).....144 B 3
St-Cyr-la-Rosière (61).....48 D 5
St-Cyr-le-Chatoux (69)....135 G 1
St-Cyr-le-Gravelais (53)....66 B 3
St-Cyr-l'École (78)......50 D 1
St-Cyr-les-Champagnes (24) 144 A 2
St-Cyr-les-Colons (89).....91 F 1
St-Cyr-les-Vignes (42)....135 E 4
St-Cyr-Montmalin (39).....110 C 2
St-Cyr-sous-Dourdan (91)...50 D 3
St-Cyr-sur-le-Rhône (69)...136 B 5
St-Cyr-sur-Loire (37)......86 D 4
St-Cyr-sur-Menthon (01)...122 C 3
St-Cyr-sur-Mer (83).......200 C 3
St-Cyr-sur-Morin (77)......32 C 5
St-Cyran-du-Jambot (36)...103 G 2
St-Dalmas-de-Tende (06)...183 H 2
St-Dalmas-le-Selvage (06)..167 G 5
St-Daunès (46)..........173 F 1
St-Degan (56)...........81 F 1
St-Denis (11)...........190 C 5
St-Denis (30)...........178 B 2
St-Denis ⟨SP⟩ (93).........31 F 5
St-Denis-Catus (46)......158 B 4
St-Denis-Combarnazat (63)..133 G 1
St-Denis-d'Aclon (76).......13 F 2
St-Denis-d'Anjou (53)......67 E 5
St-Denis-d'Augerons (27)....28 C 5
St-Denis-d'Authou (28).....49 F 5
St-Denis-de-Cabanne (42)...121 F 4
St-Denis-de-Gastines (53)...46 C 5
St-Denis-de-Jouhet (36)....117 H 1
St-Denis-de-l'Hôtel (45)....71 E 5
St-Denis-de-Mailloc (14)....28 B 4
St-Denis-de-Méré (14).....27 E 5
St-Denis-de-Palin (18)....105 G 3
St-Denis-de-Pile (33)......141 H 5
St-Denis-de-Vaux (71).....108 D 4
St-Denis-de-Villenette (61)..47 E 4
St-Denis-des-Coudrais (72)...68 C 2
St-Denis-des-Monts (27)....29 E 2
St-Denis-des-Murs (87).....130 C 3
St-Denis-des-Puits (28).....49 G 5
St-Denis-d'Oléron (17).....112 D 5
St-Denis-d'Orques (72).....67 F 3
St-Denis-du-Béhélan (27)....49 F 1
St-Denis-du-Maine (53).....67 E 3
St-Denis-du-Payré (85)....112 D 2
St-Denis-du-Pin (17)......127 F 1
St-Denis-en-Bugey (01)....137 E 1
St-Denis-en-Margeride (48)..161 G 2
St-Denis-en-Val (45)......70 D 4
St-Denis-la-Chevasse (85)...99 G 3
St-Denis-le-Ferment (27)....30 B 2
St-Denis-le-Gast (50).......25 E 5
St-Denis-le-Thiboult (76)....14 A 5
St-Denis-le-Vêtu (50)......24 D 4
St-Denis-lès-Bourg (01)....123 E 4
St-Denis-lès-M. (46)......144 D 5
St-Denis-les-Ponts (28)....69 H 3
St-Denis-lès-Rebais (77)....52 C 1
St-Denis-lès-Sens (89).....72 C 1
St-Denis-Maisoncelles (14)..25 H 4
St-Denis-sur-Coise (42)....135 F 4
St-Denis-sur-Huisne (61)....48 C 4
St-Denis-sur-Loire (41)....87 H 2
St-Denis-sur-Ouanne (89)...72 C 5
St-Denis-sur-Sarthon (61)...47 H 4
St-Denis-sur-Scie (76).....13 G 3
St-Deniscourt (60)........14 D 4
St-Denœux (62)...........6 D 1
St-Denoual (22)..........44 B 3
St-Derrien (29)..........41 G 3
St-Désert (71)..........108 D 4
St-Désir (14)...........28 A 3
St-Désirat (07).........149 G 2
St-Désiré (03).........118 C 2
St-Dézery (19)..........131 H 5
St-Dézéry (30).........178 B 5
St-Didier (21)..........92 A 4
St-Didier (35)..........65 H 2
St-Didier (39).........110 A 4
St-Didier (58)..........91 F 4
St-Didier (69).........135 H 3
St-Didier (84).........179 G 3
St-Didier-d'Allier (43)....148 A 5
St-Didier-d'Aussiat (01)...122 D 3
St-Didier-de-Bizonnes (38)..137 F 5
St-Didier-de-Formans (01)..135 H 1
St-Didier-de-la-Tour (38)...137 F 5
St-Didier-des-Bois (27)....29 F 2

A B C D E F G H I J K L M N O P Q R S T U V W X Y Z

St-Didier-en-Bresse (71)...... 109 **G 3**
St-Didier-en-Brionnais (71)...121 **F 3**
St-Didier-en-Donjon (03) .... 120 **D 3**
St-Didier-en-Velay (43)...... 148 **D 2**
St-Didier-la-Forêt (03) ...... 120 **A 4**
St-Didier-sous-Aubenas (07) . 163 **E 3**
St-Didier-sous-Écouves (61).....47 **H 3**
St-Didier-sous-Riverie (69)...135 **G 4**
St-Didier-sur-Arroux (71).... 108 **A 4**
St-Didier-sur-Beaujeu (69) ... 122 **A 5**
St-Didier-
  sur-Chalaronne (01) .... 122 **B 4**
St-Didier-sur-Doulon (43)....147 **H 2**
St-Didier-sur-Rochefort (42) . 134 **B 3**
St-Dié-des-Vosges ⬡ (88)...58 **A 5**
St-Dier-d'Auvergne (63)......133 **H 4**
St-Diéry (63).................133 **G 5**
St-Dionisy (30)...............178 **B 5**
St-Disdier (05) .... 166 **A 2**
St-Divy (29).....................41 **F 3**
St-Dizant-du-Bois (17).......141 **F 1**
St-Dizant-du-Gua (17).......141 **E 1**
St-Dizier ⬡ (52)..............55 **E 2**
St-Dizier-en-Diois (26) ...... 165 **F 4**
St-Dizier-la-Tour (23)........118 **B 5**
St-Dizier-Les-Domaines (23)..118 **A 3**
St-Dizier-l'Évêque (90).......96 **D 2**
St-Dizier-Leyrenne (23) ..... 130 **D 1**
St-Dolay (56)..................82 **C 2**
St-Domet (23)................131 **H 1**
St-Dominieuc (35)..............45 **E 4**
St-Donan (22).................43 **G 5**
St-Donat (63) .... 146 **B 1**
St-Donat-sur-l'Herbasse (26). 150 **C 4**
St-Dos (64) .... 185 **F 3**
St-Doulchard (18)............105 **F 1**
St-Drézéry (34) .... 193 **G 1**
St-Dyé-sur-Loire (41)..........88 **A 1**
St-Eble (43)..................147 **H 4**
St-Ébremond-
  de-Bonfossé (50) ....25 **F 3**
St-Edmond (71)..............121 **F 4**
St-Égrève (38)...............151 **G 2**
St-Élier (27)...................29 **F 5**
St-Éliph (28)...................49 **F 4**
St-Élix (32) .... 188 **B 3**
St-Élix-le-Château (31) ...... 188 **D 5**
St-Élix-Séglan (31) .... 205 **H 1**
St-Élix-Theux (32) .... 187 **H 4**
St-Ellier-du-Maine (53)........46 **B 4**
St-Ellier-les-Bois (61)..........47 **G 4**
St-Éloi (01)..................136 **C 1**
St-Éloi (23)....................42 **D 3**
St-Éloi (23)..................117 **H 5**
St-Éloi (58)..................106 **C 2**
St-Éloi-de-Fourques (27).......29 **E 2**
St-Eloy (29)...................41 **G 4**
St-Éloy-d'Allier (03)..........118 **C 2**
St-Éloy-de-Gy (18) .... 105 **F 1**
St-Éloy-la-Glacière (63) ..... 134 **A 5**
St-Éloy-les-Mines (63).......119 **F 5**
St-Éloy-les-Tuileries (19).....144 **A 1**
St-Éman (28)..................49 **G 5**
St-Émiland (71) .... 108 **C 3**
St-Émilien-de-Blain (44).......83 **E 3**
St-Émilion (33)...............155 **H 1**
St-Ennemond (03)............107 **E 5**
St-Épain (37)................102 **C 1**
St-Epvre (57)..................37 **F 4**
St-Erblon (35).................65 **F 3**
St-Erblon (53).................66 **A 5**
St-Erme-Outre-
  et-Ramecourt (02)...........17 **G 5**
St-Escobille (91)...............50 **D 5**
St-Esprit-des-Bois (22).........44 **B 4**
St-Esteben (64) .... 185 **E 4**
St-Estèphe (16) .... 128 **A 5**
St-Estèphe (24) .... 129 **F 5**
St-Estèphe (33) .... 140 **D 2**
St-Estève (13) .... 195 **F 3**
St-Estève (66) .... 209 **E 5**
St-Estève-Janson (13) .... 195 **H 1**
St-Étienne ℗ (42)............149 **E 1**
St-Étienne-à-Arnes (08).......34 **B 2**
St-Étienne-au-Mont (62).......2 **B 3**
St-Étienne-au-Temple (51).....34 **B 4**
St-Étienne-aux-Clos (19).....132 **B 5**
St-Étienne-Cantalès (15).....145 **G 4**
St-Étienne-d'Albagnan (34)...191 **G 3**
St-Étienne-d'Alensac (30)....178 **A 3**
St-Étienne-
  de-Baïgorry (64)........... 202 **B 1**
St-Étienne-
  de-Boulogne (07) .... 163 **F 2**
St-Étienne-de-Brillouet (85)...113 **F 1**
St-Étienne-de-Carlat (15) .... 160 **A 1**
St-Étienne-de-Chigny (37).....86 **C 4**
St-Étienne-de-Chomeil (15).. 146 **B 2**
St-Étienne-de-Crossey (38)...151 **G 1**
St-Étienne-de-Cuines (73)....152 **C 1**
St-Étienne-
  de-Fontbellon (07) .... 163 **E 3**
St-Étienne-de-Fougères (47)..157 **E 5**
St-Étienne-de-Fursac (23).....117 **F 5**
St-Étienne-de-Gourgas (34)..192 **C 1**
St-Étienne-de-Lisse (33)...... 156 **A 2**
Saint-Étienne-de-l'Olm (30)..178 **A 3**
St-Étienne-
  de-Lugdarès (07)......... 162 **B 3**
St-Étienne-de-Maurs (15) .... 159 **G 2**
St-Étienne-
  de-Mer-Morte (44)..........99 **E 2**

St-Étienne-de-Montluc (44)....83 **E 4**
St-Étienne-
  de-Puycorbier (24) ....142 **C 4**
St-Étienne-de-Serre (07) ... 163 **F 2**
St-Étienne-
  de-St-Geoirs (38)...........151 **E 2**
St-Étienne-de-Tinée (06)..... 182 **C 1**
St-Étienne-de-Tulmont (82)...173 **H 3**
St-Étienne-de-Valoux (07) ... 149 **G 3**
St-Étienne-de-Vicq (03)...... 120 **B 4**
St-Étienne-de-Villeréal (47)...157 **F 3**
St-Étienne-des-Champs (63)..132 **B 3**
St-Étienne-des-Guérets (41)...87 **F 2**
St-Étienne-des-Sorts (30).....179 **E 2**
St-Étienne-d'Escattes (30)....178 **A 5**
St-Étienne-d'Orthe (40)...... 185 **E 2**
St-Étienne-du-Bois (01) .... 123 **E 3**
St-Étienne-du-Bois (85).......99 **F 3**
St-Étienne-du-Grès (13).... 194 **D 1**
St-Étienne-
  du-Gué-de-l'Isle (22).......63 **H 3**
St-Étienne-
  du-Rouvray (76)...........29 **G 1**
St-Étienne-
  du-Valdonnez (48).........161 **H 5**
St-Étienne-du-Vauvray (27)...29 **G 2**
St-Étienne-du-Vigan (43) .... 162 **B 2**
St-Étienne-en-Bresse (71)....109 **G 5**
St-Étienne-en-Coglès (35).....45 **H 4**
St-Étienne-
  en-Dévoluy (05)........... 166 **A 2**
St-Étienne-Estréchoux (34).. 192 **A 2**
St-Étienne-la-Cigogne (79)...114 **A 5**
St-Étienne-la-Geneste (19)... 145 **H 1**
St-Étienne-la-Thillaye (14)....23 **E 4**
St-Étienne-la-Varenne (69)...122 **A 5**
St-Étienne-l'Allier (27)........28 **C 2**
St-Étienne-Lardeyrol (43).... 148 **C 4**
St-Étienne-le-Laus (05) ...... 166 **C 4**
St-Étienne-le-Molard (42).... 134 **D 3**
St-Étienne-
  les-Orgues (04) .... 180 **D 3**
St-Étienne-
  lès-Remiremont (88).......77 **H 2**
St-Étienne-Roilaye (60) ....32 **B 1**
St-Étienne-sous-Bailleul (27)...29 **H 3**
St-Étienne-
  sous-Barbuise (10).........53 **H 4**
St-Étienne-sous-Blesle (43)...147 **E 2**
St-Étienne-
  sur-Chalaronne (01) ...... 122 **C 5**
St-Étienne-sur-Oullières (69). 122 **A 5**
St-Étienne-
  sur-Reyssouze (01) .... 122 **C 2**
St-Étienne-sur-Suippe (51)....33 **H 1**
St-Étienne-sur-Usson (63)....133 **H 5**
St-Étienne-
  Vallée-Française (48).......177 **G 2**
St-Eugène (02).................33 **E 4**
St-Eugène (17)................127 **H 5**
St-Eugène (71) .... 108 **A 4**
St-Eulien (51)..................55 **E 2**
Saint-Euphraise-
  et-Clairizet (51)............33 **G 3**
St-Euphrône (21)..............92 **B 3**
St-Eusèbe (71) .... 108 **C 5**
St-Eusèbe (74)...............138 **A 1**
St-Eusèbe-
  en-Champsaur (05)........ 166 **B 2**
St-Eustache (74) .... 138 **B 2**
Saint Eustache (Col de) (2A) ..219 **E 2**
St-Eustache-la-Forêt (76).....12 **C 5**
St-Europe (16)...............142 **B 1**
St-Europe-de-Born (47).......157 **E 4**
St-Évarzec (29)................61 **H 3**
St-Evroult-de-Montfort (61)...48 **B 1**
St-Evroult-
  Notre-Dame-du-Bois (61)...48 **C 1**
St-Exupéry (33)...............155 **H 3**
St-Exupéry-les-Roches (19) .. 131 **H 5**
St-Fargeau (89)................90 **B 2**
St-Fargeau-Ponthierry (77) ... 51 **G 3**
St-Fargeol (03)...............119 **E 5**
St-Faust (64) .... 186 **B 5**
St-Félicien (07) .... 149 **G 4**
St-Féliu-d'Amont (66)........ 208 **D 5**
St-Féliu-d'Avall (66)..........212 **D 2**
St-Félix (03) .... 120 **B 4**
St-Félix (16).................142 **A 1**
St-Félix (17).................113 **H 5**
St-Félix (46)................. 159 **G 3**
St-Félix (60)....................31 **F 1**
St-Félix (74)..................138 **A 2**
St-Félix-de-Bourdeilles (24) . 143 **E 1**
St-Félix-de-Foncaude (33) ...155 **H 3**
St-Félix-de-l'Héras (34)......176 **D 5**
St-Félix-de-Lodez (34).......192 **C 2**
St-Félix-de-Lunel (12)....... 160 **A 4**
St-Félix-de-Pallières (30).....177 **H 4**
St-Félix-de-Reillac-
  et-Mortemart (24) .... 143 **G 2**
St-Félix-de-Rieutord (09) ... 207 **E 2**
St-Félix-de-Sorgues (12).....176 **B 5**
St-Félix-de-Tournegat (09)... 207 **F 2**
St-Félix-de-Villadeix (24).....157 **F 1**
St-Félix-Lauragais (31) ...... 190 **A 4**
St-Fergeux (08).................18 **A 4**
Saint-Ferréol (70)..............95 **G 2**
St-Ferme (33) .... 156 **A 2**
St-Ferréol (74) .... 138 **C 3**
St-Ferréol *(près de*
  Boulogne-sur-Gesse) ..... 188 **B 5**

St-Ferréol
  (près de Revel) (31) .... 190 **B 4**
St-Ferréol-d'Auroure (43) ... 148 **D 2**
St-Ferréol-des-Côtes (63).... 134 **A 5**
St-Ferréol-Trente-Pas (26)... 165 **E 5**
St-Ferriol (11) .... 208 **A 4**
St-Fiacre (22)...................43 **F 5**
St-Fiacre (56)...................62 **C 3**
St-Fiacre (77)...................32 **A 5**
St-Fiacre-sur-Maine (44).......83 **G 5**
St-Fiel (23)...................117 **H 4**
St-Firmin (05) .... 166 **B 1**
St-Firmin (54)..................56 **D 4**
St-Firmin (58)................106 **D 2**
St-Firmin (71) .... 108 **C 4**
St-Firmin (80)...................6 **C 3**
St-Firmin-des-Bois (45).......72 **A 4**
St-Firmin-des-Prés (41).......69 **G 5**
St-Firmin-sur-Loire (45).......89 **H 2**
St-Flavy (10)...................53 **F 5**
Saint-Florent (2B)............215 **F 4**
St-Florent (45)................89 **G 1**
St-Florent-des-Bois (85)......99 **G 5**
St-Florent-le-Vieil (49)........84 **A 4**
St-Florent-
  sur-Auzonnet (30).........178 **A 2**
St-Florent-sur-Cher (18)..... 105 **E 2**
St-Florentin (36) .... 104 **C 2**
St-Florentin (89) ....73 **F 3**
St-Floret (63) .... 133 **F 5**
St-Floris (62) ....3 **G 5**
St-Flour ⬡ (15)..............147 **E 5**
St-Flour (63) .... 133 **H 4**
St-Flour-de-Mercoire (48)... 162 **A 3**
St-Flovier (37).................103 **F 2**
St-Floxel (50)...................23 **E 4**
St-Folquin (62)..................2 **D 2**
St-Fons (69) .... 136 **B 3**
St-Forgeot (71) .... 108 **B 2**
St-Forget (78)..................50 **D 2**
St-Forgeux (69)..............135 **F 2**
St-Forgeux-Lespinasse (42)...121 **E 5**
St-Fort (53) ....66 **D 5**
St-Fort-sur-Gironde (17).....127 **E 5**
St-Fort-sur-le-Né (16)........127 **G 5**
St-Fortunat-sur-Eyrieux (07) . 163 **G 1**
St-Fraigne (16)...............128 **A 1**
St-Fraimbault (61).............46 **D 4**
St-Fraimbault-de-Prières (53) ..46 **D 5**
St-Frajou (31) .... 188 **B 5**
St-Franc (73).................137 **G 5**
St-Franchy (58) .... 107 **E 1**
St-François-de-Sales (73) .... 138 **A 3**
St-François-Lacroix (57).......21 **F 3**
St-François-Longchamp (73)..152 **C 1**
St-Frégant (29)................41 **F 2**
St-Fréjoux (19)...............131 **H 5**
St-Frézal-d'Albuges (48)..... 162 **A 4**
St-Frézal-de-Ventalon (48)....177 **G 1**
St-Frichoux (11)..............191 **E 5**
St-Frion (23).................131 **G 2**
St-Fromond (50)...............25 **E 2**
St-Front (16) .... 128 **C 2**
St-Front (43) .... 148 **C 5**
St-Front-d'Alemps (24) ..... 143 **F 2**
St-Front-de-Pradoux (24) ....142 **D 4**
St-Front-la-Rivière (24)...... 143 **F 1**
St-Front-sur-Lémance (47)...157 **G 4**
St-Front-sur-Nizonne (24)... 143 **E 1**
St-Froult (17)................126 **C 1**
St-Fulgent (85)................99 **H 3**
St-Fulgent-des-Ormes (61).....48 **C 5**
St-Fuscien (80)................15 **F 2**
St-Gabriel-Brécy (14).........27 **E 2**
St-Gal (48)..................161 **G 3**
St-Gal-sur-Sioule (63).......119 **G 5**
St-Galmier (42)..............135 **E 5**
St-Gand (70)..................94 **C 2**
St-Ganton (35)................64 **D 5**
St-Gatien-des-Bois (14).......28 **A 1**
St-Gaudens ⬡ (31).......... 205 **G 2**
St-Gaudent (86)..............115 **F 5**
St-Gaudéric (11)............. 207 **G 2**
St-Gault (53).................66 **C 4**
St-Gaultier (36) .... 103 **H 5**
St-Gauzens (81) .... 190 **A 1**
St-Gayrand (47)..............156 **D 5**
St-Gein (40)..................170 **D 5**
St-Gelais (79)................114 **B 2**
St-Gelven (22).................63 **E 2**
St-Gély-du-Fesc (34)..........193 **F 1**
St-Génard (79)...............114 **C 4**
St-Gence (87) .... 130 **A 2**
St-Généroux (79).............101 **G 3**
St-Genès-Champanelle (63)..133 **E 4**
St-Genès-Champespe (63)... 146 **B 1**
St-Genès-de-Blaye (33)......141 **E 3**
St-Genès-de-Castillon (33)... 156 **A 1**
St-Genès-de-Fronsac (33).....141 **G 4**
St-Genès-de-Lombaud (33)...155 **G 2**
St-Genès-du-Mesnil (27)......28 **C 2**
St-Genès-du-Retz (63).......133 **F 1**
St-Genès-la-Tourette (63)....133 **H 5**
St-Genest (03) .... 118 **D 4**
St-Genest (51).................53 **E 2**
St-Genest (88) ....57 **G 5**
St-Genest-d'Ambière (86).....102 **B 4**
St-Genest-de-Beauzon (07)... 162 **D 5**
St-Genest-Lachamp (07)..... 163 **E 1**
St-Genest-Lerpt (42).........149 **E 1**
St-Genest-Malifaux (42).......149 **E 2**
St-Genest-sur-Roselle (87)... 130 **B 4**

St-Geneys-
  près-St-Paulien (43) .... 148 **A 3**
St-Gengoulph (02)..............32 **C 3**
St-Gengoux-de-Scissé (71).... 122 **B 2**
St-Gengoux-le-National (71).. 108 **D 5**
St-Geniès (24) .... 144 **A 5**
St-Geniès-Bellevue (31)...... 189 **G 2**
St-Geniès-de-Comolas (30)...179 **E 3**
St-Geniès-de-Fontedit (34)...192 **B 4**
St-Geniès-
  de-Malgoirès (30) ....178 **B 4**
St-Geniès-de-Varensal (34) .. 191 **H 2**
St-Geniès-
  des-Mourgues (34) .... 193 **G 1**
St-Geniez (04) .... 181 **E 1**
St Geniez-d'Olt-
  et-d'Aubrac (12)........... 160 **D 5**
St-Geniez-ô-Merle (19)...... 145 **F 4**
St-Genis (05) .... 165 **H 5**
St-Genis-
  de-Saintonge (17)..........127 **F 5**
St-Génis-des-Fontaines (66) . 213 **F 3**
St-Genis-d'Hiersac (16) ..... 128 **B 3**
St-Genis-du-Bois (33)........155 **H 2**
St-Genis-l'Argentière (69)....135 **F 4**
St-Genis-Laval (69)...........135 **H 4**
St-Genis-les-Ollières (69).....135 **H 3**
St-Genis-Pouilly (01) .... 124 **B 3**
St-Genis-sur-Menthon (01)... 122 **C 3**
St-Genix-sur-Guiers (73)......137 **G 4**
St-Genou (36) .... 103 **H 3**
St-Genouph (37)...............86 **C 4**
St-Geoire-
  en-Valdaine (38)...........151 **G 1**
St-Geoirs (38) .... 151 **E 2**
St-Georges (15)..............147 **E 5**
St-Georges (16) .... 128 **C 1**
St-Georges (32) .... 188 **C 1**
St-Georges (47)..............157 **G 5**
St-Georges (57).................58 **A 2**
St-Georges (82) .... 174 **A 2**
St-Georges-Antignac (17)....127 **F 5**
St-Georges-Blancaneix (24) . 156 **C 1**
St-Georges-Buttavent (46).....46 **C 5**
St-Georges-d'Annebecq (61)...47 **F 3**
St-Georges-d'Aunay (14)......26 **D 4**
St-Georges-d'Aurac (43)......147 **H 4**
St-Georges-de-Baroille (61).. 134 **D 2**
St-Georges-de-Bohon (50).....25 **E 2**
St-Georges-de-Chesné (35)...45 **H 4**
St-Georges-
  de-Commiers (38) ....151 **G 4**
St-Georges-de-Didonne (17). 126 **C 4**
St-Georges-
  de-Gréhaigne (35)...........45 **G 3**
St-Georges-de-la-Couée (72) . 68 **C 5**
St-Georges-
  de-la-Rivière (50)...........22 **C 5**
St-Georges-de-Lévéjac (48)...176 **C 1**
St-Georges-de-Livoye (50).....46 **A 1**
St-Georges-
  de-Longuepierre (17).......114 **B 5**
St-Georges-
  de-Luzençon (12)..........176 **B 3**
St-Georges-de-Mons (63)....132 **D 2**
St-Georges-
  de-Montaigu (85)...........99 **H 2**
St-Georges-
  de-Montclard (24) .... 143 **E 5**
St-Georges-de-Noisné (79) .. 114 **C 1**
St-Georges-
  de-Pointindoux (85)........99 **F 5**
St-Georges-de-Poisieux (18). 105 **G 5**
St-Georges-
  de-Reintembault (35).......46 **A 3**
St-Georges-de-Reneins (69) . 122 **B 5**
St-Georges-de-Rex (79).......113 **H 3**
St-Georges-de-Rouelley (50)...46 **C 3**
St-Georges-d'Elle (50).........25 **G 3**
St-Georges-des-Agoûts (17). 141 **E 1**
St-Georges-des-Coteaux (17) .127 **E 3**
St-Georges-des-Gardes (49) . 100 **C 1**
St-Georges-
  des-Groseillers (61)........47 **E 1**
St-Georges-
  des-Sept-Voies (49).........85 **F 4**
St-Georges-
  d'Espéranche (38) .... 136 **C 5**
St-Georges-d'Hurtières (73)..138 **C 5**
St-Georges-d'Oléron (17).... 126 **A 1**
St-Georges-d'Orques (34) ... 193 **E 2**
St-Georges-du-Bois (17)......113 **H 4**
St-Georges-du-Bois (49).......85 **F 3**
St-Georges-du-Bois (72)......67 **H 3**
St-Georges-du-Mesnil (27)....28 **C 2**
St-Georges-du-Rosay (72)....68 **C 2**
St-Georges-du-Vièvre (27)....28 **D 2**
St-Georges-en-Couzan (42).. 134 **C 4**
St-Georges-Haute-Ville (42).. 134 **D 5**
St-Georges-Lagricol (43)..... 148 **B 2**
St-Georges-le-Fléchard (53)...67 **E 3**
St-Georges-le-Gaultier (72)...67 **G 1**
St-Georges-
  lès-Baillargeaux (86)...... 102 **B 5**
St-Georges-les-Bains (07)... 163 **H 1**

St-Georges-les-Landes (87)...117 **E 3**
St-Georges-Montcocq (50).....25 **E 3**
St-Georges-Motel (27)........49 **H 1**
St-Georges-Nigremont (23)...131 **H 3**
St-Georges-sur-Allier (63).....133 **F 4**
St-Georges-sur-Arnon (36)... 104 **D 2**
St-Georges-sur-Baulche (89)..73 **E 5**
St-Georges-sur-Cher (41).....87 **G 4**
St-Georges-sur-Erve (53)......67 **F 2**
St-Georges-sur-Eure (28)......49 **H 5**
St-Georges-sur-Fontaine (76)..13 **H 5**
St-Georges-sur-l'Aa (59).......3 **E 2**
St-Georges-sur-Layon (49).....85 **E 5**
St-Georges-sur-Loire (49).....84 **C 3**
St-Georges-sur-Moulon (18) . 105 **F 1**
St-Georges-sur-Renon (01)... 122 **D 5**
St-Geours-d'Auribat (40).... 185 **E 1**
St-Geours-de-Maremne (40). 185 **E 1**
St-Gérand (56).................63 **G 3**
St-Gérand-de-Vaux (03)..... 120 **A 3**
St-Gérand-le-Puy (03) ...... 120 **B 4**
St-Géraud (47) .... 156 **B 3**
St-Géraud-de-Corps (24)......142 **C 5**
St-Géréon (44)................83 **H 4**
St-Germain (07) .... 163 **F 4**
St-Germain (10)...............73 **H 1**
St-Germain (54)...............57 **F 4**
St-Germain (70)...............77 **G 5**
St-Germain (86) .... 116 **B 2**
St-Germain-au-Mt-d'Or (69) . 135 **H 2**
St-Germain-Beaupré (23) .... 117 **F 3**
St-Germain-Chassenay (58).. 106 **D 4**
St-Germain-
  de-Calberte (48)...........177 **G 2**
St-Germain-
  de-Clairefeuille (61)........48 **A 2**
St-Germain-
  de-Confolens (16) .... 129 **F 1**
St-Germain-de-Coulamer (53) . 67 **G 1**
St-Germain-de-Fresney (27)...29 **H 5**
St-Germain-de-Grave (33) ... 155 **H 3**
St-Germain-de-Joux (01).... 123 **H 4**
St-Germain-
  de-la-Coudre (61)..........68 **D 1**
Saint-Germain-
  de-la-Grange (78) ....50 **C 1**
St-Germain-de-la-Rivière (33).141 **G 5**
St-Germain-de-Livet (14) .....28 **A 4**
St-Germain-
  de-Longue-Chaume (79)...101 **E 4**
St-Germain-de-Lusignan (17) .141 **F 1**
St-Germain-
  de-Marencennes (17)......113 **G 5**
St-Germain-de-Martigny (61) . 48 **C 3**
St-Germain-de-Modéon (21)...92 **A 4**
St-Germain-
  de-Montbron (16) .... 128 **D 4**
St-Germain-
  de-Montgommery (14)......28 **A 5**
Saint-Germain-
  de-Pasquier (28)...........29 **F 2**
St-Germain-de-Prinçay (85).. 100 **A 4**
St-Germain-de-Salles (03).... 119 **H 4**
St-Germain-de-Tallevende-
  la-Lande-Vaumont (14).....46 **C 1**
St-Germain-
  de-Tournebut (50)..........23 **E 3**
St-Germain-de-Varreville (50)..23 **E 4**
St-Germain-de-Vibrac (17)....141 **G 1**
St-Germain-d'Ectot (14).......25 **H 3**
St-Germain-d'Elle (50).........25 **G 3**
St-Germain-des-Angles (27) ...29 **G 4**
St-Germain-des-Bois (18) ... 105 **G 3**
St-Germain-des-Bois (58).....91 **E 4**
St-Germain-des-Champs (89)..91 **H 4**
St-Germain-des-Essourts (76)..13 **H 5**
St-Germain-des-Fossés (03).. 120 **B 4**
St-Germain-des-Grois (61).....49 **E 5**
St-Germain-des-Prés (24) ... 143 **H 2**
St-Germain-des-Prés (45).....72 **A 4**
St-Germain-des-Prés (49).....84 **C 3**
St-Germain-des-Prés (81).... 190 **B 3**
St-Germain-des-Vaux (50).....22 **B 2**
St-Germain-d'Esteuil (33).... 140 **D 2**
St-Germain-d'Étables (76).....13 **H 2**
St-Germain-
  du-Bel-Air (46) .... 158 **B 3**
St-Germain-du-Bois (71)..... 109 **H 4**
St-Germain-du-Corbéis (61)...47 **H 4**
St-Germain-du-Crioult (14)....26 **D 5**
St-Germain-du-Pert (14) ......23 **G 5**
St-Germain-du-Plain (71).... 109 **F 5**
St-Germain-du-Puch (33).....155 **G 1**
St-Germain-du-Puy (18) .... 105 **G 1**
St-Germain-
  du-Salembre (24)..........142 **D 4**
St-Germain-du-Seudre (17)...127 **E 5**
St-Germain-du-Teil (48)......161 **E 5**
St-Germain-du-Val (72).......85 **G 2**
St-Germain-
  en-Brionnais (71)..........121 **G 3**
St-Germain-en-Coglès (35)....45 **H 4**
St-Germain-
  en-Laye ⬡ (78)............30 **D 5**
St-Germain-
  en-Montagne (39)..........110 **D 4**

St-Germain-et-Mons (24).....157 **E 1**
St-Germain-
  la-Blanche-Herbe (14) ......27 **F 3**
St-Germain-
  la-Campagne (27)...........28 **B 4**
St-Germain-
  la-Chambotte (73)..........137 **H 3**
St-Germain-
  la-Montagne (42)...........121 **H 4**
St-Germain-la-Poterie (60)....30 **D 1**
St-Germain-la-Ville (51).......34 **B 5**
St-Germain-l'Aiguiller (85) ... 100 **B 5**
St-Germain-Langot (14)........27 **F 5**
St-Germain-Laprade (43) .... 148 **B 3**
St-Germain-Laval (42) .... 134 **C 3**
St-Germain-Laval (77)........52 **B 5**
St-Germain-Lavolps (19).......131 **G 5**
St-Germain-Laxis (51).........51 **H 3**
St-Germain-le-Châtelet (90)...78 **B 5**
St-Germain-le-Fouilloux (53)..66 **C 2**
St-Germain-le-Gaillard (28)...49 **G 5**
St-Germain-le-Gaillard (50)....22 **B 4**
St-Germain-le-Guillaume (53).66 **C 1**
St-Germain-le-Rocheux (21)...74 **D 5**
St-Germain-le-Vasson (14) ....27 **F 4**
St-Germain-le-Vieux (61).....48 **B 3**
St-Germain-Lembron (63) ... 147 **F 1**
St-Germain-lès-Arlay (39).....110 **B 4**
St-Germain-lès-Arpajon (91)...51 **G 3**
St-Germain-les-Belles (87) ... 130 **C 4**
St-Germain-lès-Buxy (71) ... 109 **E 5**
St-Germain-lès-Corbeil (91)...51 **G 3**
St-Germain-les-Paroisses (01) .137 **F 3**
St-Germain-lès-Senailly (21) ...92 **B 2**
St-Germain-
  de-Calberte *...see merged*

St-Germain-
  lès-Vergnes (19).......... 144 **D 3**
St-Germain-
  l'Herm (63)...............147 **H 1**
St-Germain-
  près-Herment (63).........132 **B 4**
St-Germain-sous-Cailly (76)...13 **H 4**
St-Germain-sous-Doue (77)...52 **C 1**
St-Germain-sur-Avre (27).....49 **H 2**
St-Germain-sur-Ay (50).......24 **C 2**
St-Germain-sur-Ay-Plage (50). 24 **C 2**
St-Germain-sur-Bresle (80)... 14 **C 2**
St-Germain-sur-Eaulne (76)... 14 **B 3**
St-Germain-sur-École (77).....51 **G 4**
St-Germain-sur-Ille (35).......65 **G 1**
St-Germain-sur-Nuelles (69) .135 **G 2**
St-Germain-sur-Meuse (55)...56 **B 2**
St-Germain-sur-Moine (49) .. 100 **A 1**
St-Germain-sur-Morin (77)....52 **A 1**
St-Germain-sur-Renon (01) .. 122 **D 5**
St-Germain-sur-Rhône (74) .. 123 **H 5**
St-Germain-sur-Sarthe (72)...67 **H 1**
St-Germain-sur-Sèves (50)...25 **E 2**
St-Germain-
  sur-Vienne (37)............85 **H 5**
St-Germain-Village (27)........28 **C 1**
St-Germainmont (08)..........18 **A 5**
St-Germer-de-Fly (60).........30 **C 1**
St-Germier (31) .... 189 **H 4**
St-Germier (32) .... 188 **C 2**
St-Germier (79)...............114 **D 2**
St-Germier (81) .... 190 **C 2**
St-Géron (43)................147 **F 2**
St-Gérons (15)...............145 **G 5**
St-Gervais (16) .... 128 **C 1**
St-Gervais (30)...............178 **D 2**
St-Gervais (33)...............141 **F 5**
St-Gervais (38)...............151 **F 3**
St-Gervais (85)................98 **C 2**
St-Gervais (95)................30 **C 3**
St-Gervais-
  d'Auvergne (63)...........132 **D 1**
St-Gervais-de-Vic (72).........68 **D 4**
St-Gervais-des-Sablons (61)...28 **A 5**
St-Gervais-du-Perron (61)....48 **A 3**
St-Gervais-en-Belin (72)......68 **A 4**
St-Gervais-en-Vallière (71) .. 109 **F 3**
St-Gervais-la-Forêt (41).......87 **H 2**
St-Gervais-les-Bains (74).... 139 **E 1**
St-Gervais-
  les-Trois-Clochers (86).... 102 **B 3**
St-Gervais-
  sous-Meymont (63).........134 **A 4**
St-Gervais-sur-Couches (71). 108 **D 3**
St-Gervais-sur-Mare (34).....192 **A 2**
St-Gervais-sur-Roubion (26). 163 **H 3**
St-Gervasy (63)...............147 **F 1**
St-Géry (24).................142 **C 5**
St-Géry (46)................. 158 **C 5**
St-Geyrac (24) .... 143 **G 4**
St-Gibrien (51).................34 **A 5**
St-Gildas (22).................43 **F 5**
St-Gildas-de-Rhuys (56).......81 **G 3**
St-Gildas-des-Bois (44)........82 **D 4**
St-Gilles (30) .... 194 **B 2**
St-Gilles (35)..................65 **E 1**
St-Gilles (36).................117 **E 2**
St-Gilles (50) ....25 **F 3**
St-Gilles (71) .... 108 **D 3**
St-Gilles-Croix-de-Vie (85)....98 **D 4**
St-Gilles-de-Crétot (76).......13 **E 4**
St-Gilles-de-la-Neuville (76)...12 **C 4**
St-Gilles-des-Marais (61)......46 **D 3**

A B C D E F G H I J K L M N O P Q R S T U V W X Y Z

Localité *(Département)* ↓   Page ↓   Coordonnées ↓

St-Gilles-du-Mené (22)......44 A 5
St-Gilles-les-Bois (22).......43 F 3
St-Gilles-les-Forêts (87)....130 D 4
St-Gilles-Pligeaux (22)......43 F 5
St-Gilles-Vieux-Marché (22)....63 F 2
St-Gineis-en-Coiron (07)....163 F 3
St-Gingolph (74)...........125 F 2
St-Girod (73)..............138 A 3
St-Girons <SP> (09)........206 B 3
St-Girons-d'Aiguevives (33)....141 F 3
St-Girons-en-Béarn (64).....185 G 2
St-Girons-Plage (40).......168 C 4
St-Gladie-Arrive-Munein (64)....185 G 4
St-Goazec (29)..............62 A 2
St-Gobain (02)..............16 D 4
St-Gobert (02)..............17 G 2
St-Goin (64)...............185 H 5
St-Gondon (45)..............89 G 1
St-Gondran (35).............45 E 5
St-Gonlay (35)..............64 C 2
St-Gonnery (56).............63 G 3
St-Gor (40)................171 E 3
St-Gorgon (56)..............82 B 1
St-Gorgon (88)..............57 H 5
St-Gorgon-Main (25)........111 F 1
St-Gouéno (22)..............44 A 5
St-Gourgon (41).............87 F 1
St-Gourson (16)............128 C 1
St-Goussaud (23)...........130 C 1
St-Gouvry (56)..............63 G 3
St-Grat (06)...............183 F 2
St-Gratien (80).............15 G 1
St-Gratien (95).............31 F 5
St-Gratien-Savigny (58)....107 F 3
St-Gravé (56)...............64 B 5
St-Grégoire (35)............65 F 1
St-Grégoire (81)...........175 E 4
St-Grégoire-d'Ardennes (17)....127 F 5
St-Grégoire-du-Vièvre (27)....28 D 2
St-Griède (32).............186 D 1
St-Groux (16)..............128 B 2
St-Guen (22)................63 F 2
St-Guénolé (29).............61 F 4
St-Guilhem-le-Désert (34)....192 D 1
St-Guillaume (38)..........151 G 5
St-Guinoux (35).............45 E 3
St-Guiraud (34)............192 C 2
St-Guyomard (56)............64 A 4
St-Haon (43)...............162 A 1
St-Haon-le-Châtel (42).....121 E 5
St-Haon-le-Vieux (42)......121 E 5
St-Héand (42)..............135 F 5
St-Hélen (22)...............44 D 4
St-Hélier (21)..............92 D 4
St-Hellier (76).............13 H 3
St-Henri (46)..............158 B 4
St-Herblain (44)............83 F 5
St-Herblon (44).............84 A 3
St-Herbot (29)..............62 A 1
St-Hérent (63).............147 E 1
St-Hernin (29)..............62 B 2
St-Hervé (22)...............63 G 1
St-Hilaire (03)............119 G 2
St-Hilaire (11)............208 B 2
St-Hilaire (16)............141 H 1
St-Hilaire (25).............95 F 4
St-Hilaire (31)............189 E 4
St-Hilaire (38)............151 H 2
St-Hilaire (43)............147 G 2
St-Hilaire (46)............159 G 2
St-Hilaire (63)............119 E 5
St-Hilaire (91).............50 D 5
St-Hilaire-au-Temple (51)....34 B 4
St-Hilaire-Bonneval (87)....130 B 4
St-Hilaire-Cottes (62)......7 G 1
St-Hilaire-Cusson-
la-Valmitte (42)...........148 C 2
St-Hilaire-de-Beauvoir (34)....193 G 1
St-Hilaire-de-Brens (38)....136 D 4
St-Hilaire-de-Brethmas (30)....178 A 3
St-Hilaire-de-Briouze (61)....47 F 2
St-Hilaire-de-Chaléons (44)....98 D 1
St-Hilaire-de-Clisson (44)....99 H 1
St-Hilaire-de-Court (18)....88 D 5
St-Hilaire-de-Gondilly (18)....106 A 2
St-Hilaire-de-la-Côte (38)....151 E 1
St-Hilaire-de-la-Noaille (33)....156 A 3
St-Hilaire-de-Lavit (48)....177 F 4
St-Hilaire-de-Loulay (85)....99 G 2
St-Hilaire-
de-Lusignan (47)...........166 B 1
St-Hilaire-de-Mortagne (85)....100 B 2
St-Hilaire-de-Riez (85).....98 D 4
St-Hilaire-
de-Villefranche (17).......127 F 2
St-Hilaire-de-Voust (85)....113 H 1
St-Hilaire-des-Landes (35)....45 H 5
St-Hilaire-des-Loges (85)....113 H 2
St-Hilaire-d'Estissac (24)....142 D 5
St-Hilaire-d'Ozilhan (30)....178 D 4
St-Hilaire-du-Bois (17)....141 F 1
St-Hilaire-du-Bois (33)....156 A 3
St-Hilaire-du-Bois (49)....100 D 1
St-Hilaire-du-Bois (85)....100 B 5
St-Hilaire-du-Harcouët (50)....46 A 3
St-Hilaire-du-Maine (53)....66 B 1
St-Hilaire-du-Rosier (38)....150 D 4
St-Hilaire-en-Lignières (18)....105 E 5

St-Hilaire-en-Morvan (58)....107 G 1
St-Hilaire-en-Woëvre (55)....36 B 3
St-Hilaire-Foissac (19)....145 G 2
St-Hilaire-Fontaine (58)....107 F 4
St-Hilaire-la-Croix (63)....133 E 1
St-Hilaire-la-Forêt (85)....112 C 2
St-Hilaire-la-Gérard (61)....47 H 3
St-Hilaire-la-Gravelle (41)....69 G 4
St-Hilaire-la-Palud (79)....113 H 3
St-Hilaire-La-Treille (87)....116 D 4
St-Hilaire-le-Château (23)....131 E 1
St-Hilaire-le-Châtel (61)....48 C 3
St-Hilaire-le-Grand (51)....34 B 3
St-Hilaire-le-Lierru (72)....68 C 2
St-Hilaire-le-Petit (51)....34 B 2
St-Hilaire-le-Vouhis (85)....100 A 5
St-Hilaire-les-Andrésis (45)....72 B 3
St-Hilaire-les-Courbes (19)....131 E 5
St-Hilaire-les-Monges (63)....132 C 3
St-Hilaire-les-Places (87)....130 A 4
St-Hilaire-lez-Cambrai (59)....9 E 4
St-Hilaire-Luc (19)........145 G 2
St-Hilaire-Petitville (50)....25 E 1
St-Hilaire-Peyroux (19)....144 D 3
St-Hilaire-sous-Charlieu (42)....121 F 5
St-Hilaire-sous-Romilly (10)....53 F 4
St-Hilaire-St-Florent (49)....85 G 5
St-Hilaire-St-Mesmin (45)....70 C 5
St-Hilaire-sur-Benaize (36)....116 C 1
St-Hilaire-sur-Erre (61)....68 D 1
St-Hilaire-sur-Helpe (59)....9 H 4
St-Hilaire-sur-Puiseaux (45)....71 H 4
St-Hilaire-sur-Risle (61)....48 C 2
St-Hilaire-sur-Yerre (28)....69 G 3
St-Hilaire-Taurieux (19)....145 E 4
St-Hilarion (78)............50 B 3
St-Hilliers (77)............52 C 3
St-Hippolyte (12)..........160 B 3
St-Hippolyte (13)..........194 D 2
St-Hippolyte (15)..........146 B 3
St-Hippolyte (17)..........126 D 1
St-Hippolyte (25)...........96 C 4
St-Hippolyte (33)..........155 H 1
St-Hippolyte (37)..........103 F 2
St-Hippolyte (66)..........209 F 5
St-Hippolyte (68)...........58 D 5
St-Hippolyte-de-Caton (30)....178 B 3
St-Hippolyte-
de-Montaigu (30)...........178 C 3
St-Hippolyte-du-Fort (30)....177 G 4
St-Hippolyte-
le-Graveyron (84)..........179 G 2
St-Honoré (38).............151 H 5
St-Honoré (76)..............13 H 4
St-Honoré-les-Bains (58)....107 G 3
St-Hostien (43)............148 C 4
St-Hubert (57)..............21 F 4
St-Hubert (78)..............50 C 2
St-Hugues-
de-Chartreuse (38).........151 H 2
St-Huruge (71).............122 A 1
St-Hymer (14)...............28 A 2
St-Hymetière (39)..........123 G 3
St-Igeaux (22)..............63 E 1
St-Igest (12)..............159 F 5
St-Ignan (31)..............205 G 1
St-Ignat (63)..............133 G 4
St-Igne (82)...............174 C 2
St-Igneuc (22)..............44 B 4
St-Igny-de-Roche (71)......121 G 4
St-Igny-de-Vers (69).......121 H 4
St-Ilan (22)................43 H 4
St-Illide (15).............145 H 4
St-Illiers-la-Ville (78)....30 A 5
St-Illiers-le-Bois (78)....30 A 5
St-Ilpize (43).............147 G 3
St-Imoges (51)..............33 H 3
St-Inglevert (62)............2 B 3
St-Isle (53)................66 B 2
St-Ismier (38).............151 H 2
St-Izaire (12).............175 H 4
St-Jacques (04)............181 H 4
St-Jacques-d'Aliermont (76)....13 H 2
St-Jacques-d'Ambur (63)....132 D 2
St-Jacques-d'Atticieux (07)....149 G 2
St-Jacques-de-la-Lande (35)....65 F 2
St-Jacques-de-Néhou (50)....22 C 4
St-Jacques-de-Thouars (79)....101 F 2
St-Jacques-des-Arrêts (69)....122 A 4
St-Jacques-des-Blats (15)....146 B 4
St-Jacques-des-Guérets (41)....69 E 5
St-Jacques-
en-Valgodemard (05)........166 B 1
St-Jacques-sur-Darnétal (76)....29 G 1
St-Jacut-de-la-Mer (22)....44 C 2
St-Jacut-du-Mené (22)......44 A 5
St-Jacut-les-Pins (56)......64 B 5
St-Jal (19)................144 D 1
St-James (50)...............45 H 3
St-Jammes (64).............186 C 4
St-Jans-Cappel (59)..........3 H 4
St-Jean (06)...............199 E 4
St-Jean (22)................43 E 4
St-Jean (31)...............189 G 2
St-Jean-aux-Amognes (58)....106 D 2
St-Jean-aux-Bois (08).......18 B 3
St-Jean-aux-Bois (60).......32 A 1
St-Jean-Balanant (29).......41 F 3
St-Jean-Bonnefonds (42)....149 E 1
St-Jean-Brévelay (56).......63 G 5

St-Jean-Cap-Ferrat (06)....199 G 1
St-Jean-Chambre (07).......163 F 1
St-Jean-d'Angély <SP> (17)....127 F 1
St-Jean-d'Aigues-Vives (09)....207 G 3
St-Jean-d'Alcapiès (12)....176 B 4
St-Jean-d'Alcas (12).......176 B 4
St-Jean-d'Angle (17).......126 C 2
St-Jean-d'Ardières (69)....122 B 5
St-Jean-d'Arves (73).......152 A 3
St-Jean-d'Arvey (73).......138 A 4
St-Jean-d'Assé (72).........68 A 2
St-Jean-d'Ataux (24).......142 A 4
St-Jean-d'Aubrigoux (43)....148 A 2
St-Jean-d'Aulps (74).......125 F 3
St-Jean-d'Avelanne (38)....137 G 5
St-Jean-de-Barrou (11).....209 E 3
St-Jean-de-Bassel (57)......38 A 5
St-Jean-de-Beauregard (91)....51 E 3
St-Jean-de-Belleville (73)....152 D 1
St-Jean-de-Beugné (85).....113 F 1
St-Jean-de-Blaignac (33)....155 H 1
St-Jean-de-Bœuf (21)........93 E 5
St-Jean-de-Boiseau (44).....83 E 5
St-Jean-de-Bonneval (10)....73 H 2
St-Jean-de-Bournay (38)....136 C 5
St-Jean-de-Braye (45)......70 D 4
St-Jean-de-Buèges (34).....177 F 5
St-Jean-de-Ceyrargues (30)....178 B 3
St-Jean-de-Chevelu (73)....137 H 3
St-Jean-de-Côle (24).......143 G 1
St-Jean-de-Cornies (34)....193 G 1
St-Jean-de-Couz (73).......137 H 5
St-Jean-de-Crieulon (30)....177 H 4
St-Jean-de-Cuculles (34)....193 F 1
St-Jean-de-Daye (50)........25 F 4
St-Jean-de-Duras (47)......156 C 3
St-Jean-de-Folleville (76)....12 D 5
St-Jean-de-Fos (34)........192 D 1
St-Jean-de-Gonville (01)....124 A 4
St-Jean-de-la-Blaquière (34)....192 C 1
St-Jean-de-la-Croix (49)....84 D 3
St-Jean-de-la-Forêt (61)....48 D 5
St-Jean-de-la-Haize (50)....45 H 2
St-Jean-de-la-Léqueraye (27)....28 C 2
St-Jean-de-la-Motte (72)....107 H 5
St-Jean-de-la-Neuville (76)....12 C 4
St-Jean-de-la-Porte (73)....138 B 4
St-Jean-de-la-Rivière (50)....22 C 5
St-Jean-de-la-Ruelle (45)....70 C 4
St-Jean-de-Laur (46).......159 E 5
St-Jean-de-Lier (40).......169 F 5
St-Jean-de-Linières (49)....84 D 3
St-Jean-de-Liversay (17)....113 G 3
St-Jean-de-Livet (14).......28 B 4
St-Jean-de-Losne (21)......109 H 1
St-Jean-de-Luz (64)........184 B 4
St-Jean-de-Marcel (81).....175 E 3
St-Jean-de-Marsacq (40)....185 E 2
St-Jean-de-Maruéjols-
et-Avéjan (30).............178 B 1
St-Jean-de-Maurienne <SP> (73)....152 C 2
St-Jean-de-Minervois (34)....191 G 4
St-Jean-de-Moirans (38)....151 F 2
St-Jean-de-Monts (85).......98 C 3
St-Jean-de-Muzols (07).....149 H 4
St-Jean-de-Nay (43)........148 A 4
St-Jean-de-Niost (01)......136 D 2
St-Jean-de-Paracol (11)....207 H 3
St-Jean-de-Pourcharesse (07)....162 C 4
St-Jean-de-Rebervilliers (28)....49 H 3
St-Jean-de-Rives (81)......189 H 1
St-Jean-de-Sault (84)......180 A 3
St-Jean-de-Sauves (86).....101 H 3
St-Jean-de-Savigny (50)....25 G 2
St-Jean-de-Serres (30).....178 A 4
St-Jean-de-Sixt (74).......138 C 1
St-Jean-de-Soudain (38)....137 E 5
St-Jean-de-Tholome (74)....124 D 4
St-Jean-de-Thouars (79)....101 F 2
St-Jean-de-Thurac (47).....172 C 2
St-Jean-de-Thurigneux (01)....136 B 1
St-Jean-de-Touslas (69)....135 G 5
St-Jean-de-Trézy (71)......108 D 4
St-Jean-de-Valériscle (30)....178 A 2
St-Jean-de-Vals (81).......190 D 2
St-Jean-de-Vaulx (38)......151 H 4
St-Jean-de-Vaux (71).......108 D 4
St-Jean-de-Védas (34)......193 F 2
St-Jean-de-Verges (09).....207 E 3
St-Jean-Delnous (12).......175 F 4
St-Jean-des-Baisants (50)....25 G 3
St-Jean-des-Bois (61)......46 C 2
St-Jean-des-Champs (50)....45 G 1
St-Jean-des-Échelles (72)....68 D 2
St-Jean-des-Essartiers (14)....25 H 4
St-Jean-des-Mauvrets (49)....85 E 3
St-Jean-des-Ollières (63)....133 H 4
St-Jean-des-Vignes (69)....135 G 2
St-Jean-d'Estissac (24)....142 D 5
St-Jean-d'Étreux (39)......123 F 2
St-Jean-devant-Possesse (51)....34 D 5
St-Jean-d'Eyraud (24)......142 D 5
St-Jean-d'Hérans (38)......165 H 1
St-Jean-d'Heurs (63).......133 H 3
St-Jean-d'Illac (33).......154 D 1
St-Jean-d'Ormont (88).......58 B 5
St-Jean-du-Bleynard (48)....162 A 4
St-Jean-du-Bois (72)........67 H 4
St-Jean-du-Bouzet (82).....172 D 4
St-Jean-du-Bruel (12)......176 D 4

St-Jean-du-Cardonnay (76)....13 G 5
St-Jean-du-Castillonnais (09)....205 H 3
St-Jean-du-Corail (50)......46 C 3
St-Jean-du-
Corail-des-Bois (50).......46 A 1
St-Jean-du-Doigt (29).......42 B 2
St-Jean-du-Falga (09)......207 E 2
St-Jean-du-Gard (30).......177 G 3
St-Jean-du-Pin (30)........178 A 3
St-Jean-du-Thenney (27).....28 C 4
St-Jean-en-Royans (26).....151 E 4
St-Jean-en-Val (63)........133 G 5
St-Jean-et-St-Paul (12)....176 B 4
St-Jean-Froidmentel (41)....69 G 4
St-Jean-Kerdaniel (22)......43 F 4
St-Jean-Kourtzerode (57)....58 C 1
St-Jean-la-Bussière (69)....135 E 1
St-Jean-la-Fouillouse (48)....162 A 3
St-Jean-la-Poterie (56).....82 C 1
St-Jean-la-Rivière (06)....183 F 4
St-Jean-la-Vêtre (42)......134 B 3
St-Jean-Lachalm (43).......148 A 5
St-Jean-Lagineste (46).....159 E 2
St-Jean-Lasseille (66).....213 E 3
St-Jean-le-Blanc (14).......26 D 5
St-Jean-le-Blanc (45).......70 C 4
St-Jean-le-Centenier (07)....163 F 3
St-Jean-le-Comtal (32).....187 H 2
St-Jean-le-Thomas (50)......45 G 1
St-Jean-le-Vieux (01)......123 F 5
St-Jean-le-Vieux (38)......151 H 3
St-Jean-le-Vieux (64)......202 C 1
St-Jean-lès-Buzy (55).......20 B 5
St-Jean-
les-Deux-Jumeaux (77)......32 B 5
St-Jean-lès-Longuyon (54)....20 A 3
St-Jean-Lespinasse (46)....159 E 1
St-Jean-Lherm (31).........189 G 1
St-Jean-Ligoure (87).......130 B 4
St-Jean-Mirabel (46).......159 G 3
St-Jean-Pied-de-Port (64)....202 B 1
St-Jean-Pierre-Fixte (28)....69 E 1
Saint-Jean-Poudge (64).....186 D 3
St-Jean-Poutge (32)........187 G 1
St-Jean-Rohrbach (57).......38 A 4
St-Jean-Roure (07).........149 E 5
St-Jean-Saverne (67)........38 D 1
St-Jean-Soleymieux (42)....134 C 5
St-Jean-St-Germain (37)....103 F 1
St-Jean-St-Gervais (63)....147 G 1
St-Jean-St-Nicolas (05)....166 C 2
St-Jean-sur-Couesnon (35)....45 H 5
St-Jean-sur-Erve (53).......67 F 3
St-Jean-sur-Mayenne (53)....66 C 2
St-Jean-sur-Moivre (51).....34 D 3
St-Jean-sur-Reyssouze (01)....122 D 2
St-Jean-sur-Tourbe (51).....34 D 3
St-Jean-sur-Veyle (01).....122 C 4
St-Jean-sur-Vilaine (35)....65 H 2
St-Jean-Trolimon (29).......61 F 4
St-Jeannet (04)............181 F 4
St-Jeannet (06)............183 E 5
St-Jeanvrin (18)...........118 B 1
St-Jeoire (74).............124 D 4
St-Jeoire-Prieuré (73).....138 A 5
St-Jérôme (13).............195 H 4
St-Jeure-d'Andaure (07)....149 E 4
St-Jeure-d'Ay (07).........149 G 3
St-Jeures (43).............148 D 4
St-Joachim (44).............82 B 3
St-Jodard (42).............134 D 2
St-Joire (55)...............55 H 3
St-Jores (50)...............22 D 5
St-Jory (31)...............189 F 1
St-Jory-de-Chalais (24)....129 G 5
St-Jory-las-Bloux (24).....143 G 2
St-Joseph (42).............135 G 5
St-Joseph (50)..............22 D 3
St-Joseph-de-Rivière (38)....151 G 1
St-Joseph-des-Bancs (07)....163 E 2
St-Josse (62)...............6 C 1
St-Jouan-de-l'Isle (22)....44 C 5
St-Jouan-des-Guérets (35)....44 D 2
St-Jouin (14)...............27 H 2
St-Jouin-Bruneval (76).....12 B 4
St-Jouin-de-Blavou (61)....48 C 4
St-Jouin-de-Marnes (79)....101 G 3
St-Jouin-de-Milly (79).....100 D 4
St-Jouvent (87)............130 A 1
St-Juan (25)................95 F 4
St-Judoce (22)..............44 D 4
St-Juéry (12)..............175 H 5
St-Juéry (48)..............161 E 1
St-Juéry (81)..............175 E 4
St-Juire-Champgillon (85)....113 F 1
St-Julia (31)..............190 A 3
St-Julia-de-Bec (11).......208 A 4
St-Julien (21)..............93 G 3
St-Julien (22)..............43 G 5
St-Julien (34).............191 H 3
St-Julien (39).............123 F 2
St-Julien (56)..............81 E 3
St-Julien (69).............135 G 1
St-Julien (70)..............94 B 1
St-Julien (88)..............76 C 3
St-Julien-aux-Bois (19)....145 G 4
St-Julien-Beychevelle (33)....141 E 4
St-Julien-Boutières (07)....149 E 5
St-Julien-Chapteuil (43)....148 C 5
St-Julien-d'Empare (12)....159 F 4

St-Julien-d'Ance (43)......148 B 2
St-Julien-d'Armagnac (40)....171 F 4
St-Julien-d'Arpaon (48)....177 F 1
St-Julien-d'Asse (04)......181 F 4
St-Julien-de-Bourdeilles (24)....143 E 2
St-Julien-de-Briola (11)....207 G 1
St-Julien-de-Cassagnas (30)....178 A 2
St-Julien-de-Chédon (41)....87 G 4
St-Julien-de-Civry (71)....121 G 3
St-Julien-de-Concelles (44)....83 G 4
St-Julien-de-Coppel (63)....133 G 4
St-Julien-de-Crempse (24)....143 E 5
St-Julien-de-Gras-Capou (09)....207 G 2
St-Julien-de-Jonzy (71)....121 F 4
St-Julien-de-Jordanne (15)....146 B 4
St-Julien-de-la-Liègue (27)....29 H 3
St-Julien-de-la-Nef (30)....177 F 4
St-Julien-de-Lampon (24)....158 B 1
St-Julien-de-l'Escap (17)....127 F 1
St-Julien-de-l'Herms (38)....150 C 1
St-Julien-de-Mailloc (14)....28 B 4
St-Julien-de-Peyrolas (30)....178 D 1
St-Julien-de-Piganiol (12)....159 H 3
St-Julien-de-Raz (38)......151 G 1
St-Julien-de-Toursac (15)....159 G 2
St-Julien-
de-Vouvantes (44)..........83 H 1
St-Julien-des-Chazes (43)....147 H 4
St-Julien-des-Landes (85)....99 E 5
St-Julien-des-Points (48)....177 H 1
St-Julien-du-Gua (07)......163 E 2
St-Julien-du-Pinet (43)....148 C 4
St-Julien-du-Puy (81)......190 B 1
St-Julien-du-Sault (89).....72 D 3
St-Julien-du-Serre (07)....163 E 3
St-Julien-du-Terroux (53)....47 F 4
St-Julien-du-Tournel (48)....162 A 4
St-Julien-du-Verdon (04)....182 A 4
St-Julien-en-Beauchêne (05)....165 H 3
St-Julien-en-Born (40).....168 D 3
St-Julien-en-Champsaur (05)....166 B 2
St-Julien-
en-Genevois <SP> (74)......124 B 4
St-Julien-en-Quint (26)....165 E 1
St-Julien-en-St-Alban (07)....163 G 2
St-Julien-en-Vercors (26)....151 F 4
St-Julien-Gaulène (81).....175 F 4
St-Julien-la-Geneste (63)....132 C 1
St-Julien-la-Genête (23)....118 D 5
St-Julien-la-Vêtre (42)....134 B 3
St-Julien-Labrousse (07)....163 F 1
St-Julien-l'Ars (86)........115 H 1
St-Julien-le-Châtel (23)....118 B 5
St-Julien-le-Faucon (14)....28 A 4
St-Julien-le-Montagnier (83)....196 C 1
St-Julien-le-Pèlerin (19)....145 F 5
St-Julien-le-Petit (87)....130 D 3
St-Julien-le-Roux (07).....163 G 1
St-Julien-le-Vendômois (19)....144 B 1
St-Julien-lès-Gorze (54)....36 C 4
St-Julien-les-Martigues (13)....195 F 4
St-Julien-lès-Metz (57).....21 E 5
St-Julien-lès-Montbéliard (25)....95 H 2
St-Julien-
les-Rosiers (30)...........178 A 2
St-Julien-lès-Russey (25)....96 C 5
St-Julien-les-Villas (10)....73 H 1
St-Julien-Maumont (19)....144 D 5
St-Julien-Molhesabate (43)....149 E 3
St-Julien-Molin-Molette (42)....149 F 2
St-Julien-Mont-Denis (73)....152 D 2
St-Julien-près-Bort (19)....145 H 1
St-Julien-Puy-Lavèze (63)....132 C 4
St-Julien-sous-les-Côtes (55)....56 A 1
St-Julien-sur-Bibost (69)....135 F 3
St-Julien-sur-Calonne (14)....28 B 2
St-Julien-sur-Cher (41)....88 B 5
St-Julien-sur-Dheune (71)....108 C 4
St-Julien-sur-Garonne (31)....188 D 5
St-Julien-sur-Reyssouze (01)....122 D 2
St-Julien-sur-Sarthe (61)....48 B 4
St-Julien-sur-Veyle (01)....122 C 4
St-Julien-Vocance (07).....149 F 3
St-Junien (87).............129 G 2
St-Junien-la-Bregère (23)....130 D 2
St-Junien-les-Combes (87)....116 C 5
St-Jure (57)................37 E 4
St-Jurs (04)...............181 G 4
St-Just (01)...............123 E 4
St-Just (15)...............161 F 1
St-Just (18)...............105 G 2
St-Just (24)...............142 D 2
St-Just (27)................30 A 4
St-Just (34)...............193 H 2
St-Just (35)................64 D 5
St-Just-Chaleyssin (38)....136 C 5
St-Just-d'Ardèche (07).....178 D 1
St-Just-d'Avray (69).......135 F 1
St-Just-de-Claix (38)......151 F 4
St-Just-en-Bas (42)........134 B 3
St-Just-en-Brie (77)........52 B 3
St-Just-en-Chaussée (60)....15 G 5
St-Just-en-Chevalet (42)....134 B 2
St-Just-et-le-Bézu (11)....208 A 4
St-Just-et-Vacquières (30)....178 B 3
St-Just-Ibarre (64)........202 D 1
St-Just-la-Pendue (42).....135 E 2
St-Just-le-Martel (87).....130 B 2
St-Just-Luzac (17).........126 C 2

St-Just-Malmont (43).......148 D 2
St-Just-près-Brioude (43)....147 F 3
St-Just-Sauvage (51)........53 F 3
St-Just-sur-Dive (49).......85 G 5
St-Just-sur-Viaur (12).....175 F 3
St-Justin (32).............187 F 3
St-Justin (40).............171 E 4
St-Juvin (08)...............35 E 1
St-Juvat (22)...............44 D 5
St-Lactencin (36)..........104 A 3
St-Lager (69)..............122 A 5
St-Lager-Bressac (07)......163 G 2
St-Lamain (39).............110 B 4
St-Lambert (14).............27 E 5
St-Lambert (78).............50 D 2
St-Lambert-des-Levées (49)....85 G 4
St-Lambert-du-Lattay (49)....84 D 4
St-Lambert-
et-Mont-de-Jeux (08).......18 D 5
St-Lambert-la-Potherie (49)....84 D 3
St-Lambert-sur-Dive (61)....47 H 1
St-Langis-lès-Mortagne (61)....48 C 4
St-Lanne (65)..............186 D 2
St-Laon (86)...............101 H 2
St-Lary (09)...............205 H 3
St-Lary (32)...............187 H 1
St-Lary-Boujean (31).......205 G 1
St-Lary-Soulan (65)........204 D 4
St-Lattier (38)............150 D 4
St-Launeuc (22).............44 B 5
St-Laure (63)..............133 G 4
St-Laurent (08).............18 D 3
St-Laurent (18).............89 E 5
St-Laurent (22).............43 E 3
St-Laurent (23)............117 H 5
St-Laurent (31)............188 B 5
St-Laurent (47)............172 A 1
St-Laurent (74)............124 D 5
St-Laurent-sur-Sèvre (85)....100 B 2
St-Laurent-Blangy (62)......8 B 3
St-Laurent-Bretagne (64)....186 D 4
St-Laurent-Chabreuses (43)....147 F 2
St-Laurent-d'Agny (69).....135 H 4
St-Laurent-d'Aigouze (30)....193 H 2
St-Laurent-d'Andenay (71)....108 C 4
St-Laurent-d'Arce (33).....141 F 4
St-Laurent-de-Belzagot (16)....142 B 1
St-Laurent-de-Brèvedent (76)....12 B 5
St-Laurent-de-Carnols (30)....178 D 2
St-Laurent-de-Cerdans (66)....212 D 5
St-Laurent-de-Céris (16)....128 D 2
St-Laurent-
de-Chamousset (69).........135 F 3
St-Laurent-de-Cognac (16)....127 G 3
St-Laurent-de-Condel (14)....27 F 4
St-Laurent-de-Cuves (50)....46 A 1
St-Laurent-de-Gosse (40)....185 E 2
St-Laurent-de-Jourdes (86)....116 C 1
St-Laurent-de-la-Barrière (17)....113 H 5
St-Laurent-
de-la-Cabrerisse (11)......208 D 2
St-Laurent-de-la-Mer (22)....43 H 4
St-Laurent-de-la-Plaine (49)....84 C 4
St-Laurent-de-la-Prée (17)....126 C 1
St-Laurent-
de-la-Salanque (66)........209 F 5
St-Laurent-de-la-Salle (85)....113 G 1
St-Laurent-de-Lévézou (12)....176 A 2
St-Laurent-de-Lin (37).....86 A 3
St-Laurent-de-Mure (69)....136 C 4
St-Laurent-de-Muret (48)....161 F 3
St-Laurent-de-Neste (65)....205 F 2
St-Laurent-de-Terregatte (50)....45 H 3
St-Laurent-de-Trèves (48)....177 F 1
St-Laurent-de-Vaux (69)....135 G 3
St-Laurent-de-Veyrès (48)....161 E 2
St-Laurent-des-Arbres (30)....179 E 3
St-Laurent-des-Autels (49)....83 H 4
St-Laurent-des-Bâtons (24)....143 F 5
St-Laurent-des-Bois (27)....49 H 1
St-Laurent-des-Bois (41)....69 H 5
St-Laurent-des-Combes (16)....142 A 2
St-Laurent-des-Combes (33)....155 H 1
St-Laurent-des-Hommes (24)....142 C 4
St-Laurent-des-Mortiers (53)....66 D 5
St-Laurent-des-Vignes (24)....156 D 1
St-Laurent-d'Oingt (69)....135 G 2
St-Laurent-d'Olt (12)......161 E 5
St-Laurent-d'Onay (26).....150 C 3
St-Laurent-du-Bois (33)....155 H 3
St-Laurent-du-Cros (05)....166 B 3
St-Laurent-du-Mont (14)....27 H 3
St-Laurent-du-Mottay (49)....84 B 4
St-Laurent-du-Pape (07)....163 G 1
St-Laurent-du-Plan (33)....155 H 3
St-Laurent-du-Pont (38)....151 G 1
St-Laurent-du-Tencement (27)....28 C 5
St-Laurent-du-Var (06).....199 F 1
St-Laurent-du-Verdon (04)....196 D 1
St-Laurent-en-Beaumont (38)....165 H 1
St-Laurent-en-Brionnais (71)....121 G 4
St-Laurent-en-Caux (76)....13 F 3
St-Laurent-en-Gâtines (37)....86 D 2
St-Laurent-
en-Grandvaux (39)..........124 A 1
St-Laurent-en-Royans (26)....151 E 4
St-Laurent-la-Conche (42)....135 E 4
St-Laurent-la-Gâtine (28)....50 A 2
St-Laurent-la-Roche (39)....110 A 4
St-Laurent-la-Vallée (24)....157 H 2
St-Laurent-la-Vernède (30)....178 C 3

St-Laurent-l'Abbaye (58) ......90 B 4
St-Laurent-le-Minier (30) ....177 F 4
St-Laurent-les-Bains (07) .. 162 B 3
St-Laurent-les-Églises (87) .. 130 C 2
St-Laurent-les-Tours (46) .. 159 E 1
St-Laurent-Lolmie (46)....173 F 1
St-Laurent-Médoc (33).... 140 D 3
St-Laurent-Nouan (41) ......88 A 1
St-Laurent-Rochefort (42).. 134 C 3
St-Laurent-sous-Coiron (07) . 163 F 3
St-Laurent-sur-Gorre (87) . 129 G 3
St-Laurent-sur-Manoire (24) . 143 F 4
St-Laurent-sur-Mer (14)......23 H 5
St-Laurent-sur-Othain (55).....20 A 3
St-Laurent-sur-Oust (56)......64 B 4
St-Laurent-sur-Saône (01) . 122 B 3
St-Laurs (79)....114 A 1
St-Léger (06)....182 C 3
St-Léger (16)....142 B 1
St-Léger (17)....127 F 4
St-Léger (47)....171 H 1
St-Léger (50)......45 G 1
St-Léger (53)......67 E 2
St-Léger (62)......8 B 4
St-Léger (73)....138 C 5
St-Léger (77)......52 C 1
St-Léger-aux-Bois (16)......16 B 5
St-Léger-aux-Bois (76) ......14 B 2
St-Léger-Bridereix (23)....117 F 4
St-Léger-de-Balson (33)....155 F 5
St-Léger-de-Fougeret (58) . 107 G 2
St-Léger-
de-la-Martinière (79)....114 D 4
St-Léger-
de-Montbrillais (86)....101 G 1
St-Léger-de-Montbrun (79)...101 G 2
St-Léger-de-Peyre (48)....161 F 4
St-Léger-de-Rôtes (27).....28 D 3
St-Léger-de-Vignague (33) .. 156 A 2
St-Léger-des-Aubées (28).....50 B 5
St-Léger-des-Bois (49).....84 C 3
St-Léger-des-Prés (35).....45 F 4
St-Léger-des-Vignes (58)... 107 E 4
St-Léger-du-Bg-Denis (76).....29 G 1
St-Léger-du-Bois (71) .... 108 C 2
St-Léger-du-Gennetey (27) ....29 E 2
St-Léger-du-Malzieu (48)....161 F 1
St-Léger-du-Ventoux (84)...179 H 2
St-Léger-Dubosq (14).....27 H 2
St-Léger-en-Bray (60).....30 D 1
St-Léger-en-Yvelines (78).....50 B 2
St-Léger-la-Montagne (87) . 130 B 1
St-Léger-le-Guérétois (23)...117 H 5
St-Léger-le-Petit (18)..... 106 B 1
St-Léger-lès-Authie (80) ......7 H 5
St-Léger-lès-Domart (80)......7 F 5
St-Léger-lès-Mélèzes (05) .. 166 C 3
St-Léger-lès-Paray (71)....121 F 2
St-Léger-lès-Vignes (44).....83 E 5
St-Léger-Magnazeix (87)....116 D 4
St-Léger-près-Troyes (10) ... 73 H 1
St-Léger-
sous-Beuvray (71) .... 108 A 3
St-Léger-sous-Brienne (10).....54 C 5
St-Léger-sous-Cholet (49)... 100 B 1
St-Léger-
sous-la-Bussière (71) ...... 122 A 3
St-Léger-sous-Margerie (10).....54 C 4
St-Léger-sur-Bresle (80).....14 C 2
St-Léger-sur-Dheune (71)... 108 D 3
St-Léger-sur-Roanne (42)... 134 C 1
St-Léger-sur-Sarthe (61).....48 B 4
St-Léger-sur-Vouzance (03)...121 E 2
St-Léger-Triey (21).....93 H 4
St-Léger-Vauban (89).....91 H 4
St-Léomer (86)....116 B 2
St-Léon (03) .... 120 C 2
St-Léon (31).... 189 G 4
St-Léon (33)....155 G 2
St-Léon (47)....171 H 1
St-Léon-d'Issigeac (24)....157 F 2
St-Léon-sur-l'Isle (24)....142 D 4
St-Léon-sur-Vézère (24) . 143 H 5
St-Léonard (32)....172 C 5
St-Léonard (51)......33 H 2
St-Léonard (62)......2 B 5
St-Léonard (76)......12 C 3
St-Léonard (88)......78 A 1
St-Léonard-
de-Noblat (87) .... 130 C 3
St-Léonard-des-Bois (72)....47 H 5
St-Léonard-des-Parcs (61)....48 B 3
St-Léonard-en-Beauce (41)...69 H 5
St-Léons (12)....176 B 2
St-Léopardin-d'Augy (03) .. 106 C 5
St-Léry (56)......64 C 3
St-Leu-d'Esserent (60)....31 F 3
St-Leu-la-Forêt (95)......31 E 4
St-Lézer (65)....187 E 4
St-Lézin (49)......84 C 5
St-Lieux-Lafenasse (81) . 190 C 1
St-Lieux-lès-Lavaur (81) .. 189 H 1
St-Liguaire (79)....114 A 3
St-Lin (79)....114 A 1
St-Lions (04)....181 H 3
St-Lizier (09) ...... 206 B 3
St-Lizier-du-Planté (32)... 188 C 4
St-Lô Ⓟ (50)......25 F 3
St-Lô-d'Ourville (50)......22 C 5
St-Lon-les-Mines (40) . 185 F 2
St-Longis (72)......48 B 5
St-Lormel (22)......44 C 3

St-Lothain (39)....110 B 3
St-Loube (32) .... 188 C 4
St-Loubert (33)....155 H 4
St-Loubès (33)....141 F 5
St-Loubouer (40) .... 186 B 1
St-Louet-sur-Seulles (14)....26 D 3
St-Louet-sur-Vire (50).....25 G 4
St-Louis (57)......58 C 1
St-Louis (68)......97 H 1
St-Louis-
de-Montferrand (33) ....141 F 5
St-Louis-en-l'Isle (24) ....142 D 4
St-Louis-et-Parahou (11) . 208 B 4
St-Louis-lès-Bitche (57) .....38 C 4
St-Loup (03) .... 120 A 3
St-Loup (17)....127 F 1
St-Loup (23)....118 B 5
St-Loup (39)....109 H 2
St-Loup (50)......45 H 2
St-Loup (51)......53 G 2
St-Loup (58)......90 B 3
St-Loup (69)....135 F 2
St-Loup (82)....172 D 3
St-Loup-Cammas (31).... 189 G 2
St-Loup-de-Buffigny (10) ...53 F 4
St-Loup-de-Fribois (14).....27 H 3
St-Loup-de-Gonois (45).....72 A 3
St-Loup-de-Naud (77).....52 C 4
St-Loup-de-Varennes (71). 109 E 4
St-Loup-des-Chaumes (18) .. 105 F 4
St-Loup-des-Vignes (45).....71 F 3
St-Loup-d'Ordon (89).....72 C 3
St-Loup-du-Dorat (53).....67 E 4
St-Loup-du-Gast (53).....46 D 5
St-Loup-
en-Champagne (08).......18 A 5
St-Loup-Géanges (71) .. 109 F 2
St-Loup-Hors (14).....26 D 2
St-Loup-Lamairé (79)....101 G 4
St-Loup-Nantouard (70).....94 B 3
St-Loup-sur-Aujon (52).....75 F 4
St-Loup-sur-Cher (41).....88 C 5
St-Loup-sur-Semouse (70)....77 F 4
St-Loup-Terrier (08).....18 D 4
St-Loyer-des-Champs (61) ....47 H 2
St-Lubin-de-Cravant (28)....49 F 2
St-Lubin-de-la-Haye (28).....50 A 1
St-Lubin-des-Joncherets (28) .49 G 2
St-Lubin-en-Vergonnois (41)...87 G 2
St-Luc (27)......29 G 5
St-Lucien (28).....50 B 3
St-Lucien (76)......14 A 5
St-Lumier-
en-Champagne (51)........54 C 1
St-Lumier-la-Populeuse (51) .54 D 2
St-Lumine-de-Clisson (44)....99 G 1
St-Lumine-de-Coutais (44)....99 E 1
St-Lunaire (35)......44 D 2
St-Luperce (28)......49 H 4
St-Lupicin (39) .... 123 H 2
St-Lupien (10).....53 F 5
St-Lyé (10).....53 H 5
St-Lyé-la-Forêt (45)......70 D 3
St-Lyphard (44).....82 B 3
St-Lys (31) .... 189 E 3
St-Macaire (33)....155 H 4
St-Macaire-du-Bois (49)....101 F 1
St-Macaire-en-Mauges (49).. 100 B 1
St-Maclou (27).....28 C 1
St-Maclou-de-Folleville (76) ..13 G 3
St-Maclou-la-Brière (76) ....12 C 4
St-Macoux (86)....115 F 5
St-Maden (22)......44 D 5
St-Magne (33)....155 E 4
St-Magne-de-Castillon (33) . 156 A 1
St-Maigner (63)....119 E 5
St-Maigrin (17)....141 H 1
St-Maime (04) .... 180 D 4
St-Maime-de-Péreyrol (24). 143 E 5
St-Maixant (23)....131 G 1
St-Maixant (33)....155 G 3
St-Maixent (72)......68 D 2
St-Maixent-de-Beugné (79)...114 A 1
St-Maixent-l'École (79)....114 C 2
St-Maixent-sur-Vie (85).....98 D 4
St-Maixme-Hauterive (28)....49 G 3
St-Malo Ⓢ (35)......44 D 2
St-Malo-de-Beignon (56)....64 C 3
St-Malo-de-Guersac (44).....82 B 3
St-Malo-de-la-Lande (50).....24 D 3
St-Malo-de-Phily (35).....65 E 4
St-Malo-
des-Trois-Fontaines (56)....64 A 2
St-Malô-du-Bois (85).... 100 B 2
St-Malon-sur-Mel (35).....64 C 2
St-Mamert (69)....122 A 4
St-Mamert-du-Gard (30)....178 A 5
St-Mamet (31) .... 205 F 5
St-Mamet-la-Salvetat (15) . 159 H 1
St-Mammès (77).....52 A 5
St-Mandé (94).....51 F 1
St-Mandé-sur-Brédoire (17)...127 H 1
St-Mandrier-sur-Mer (83) . 201 E 4
St-Manvieu-Bocage (14) ....46 B 1
St-Manvieu-Norrey (14).....27 E 3
St-Marc (15)....161 E 1
St-Marc (44).....82 B 4
St-Marc-à-Frongier (23).....131 G 2
St-Marc-à-Loubaud (23)....131 F 2
St-Marc-du-Cor (41).....69 F 4

St-Marc-Jaumegarde (13) ... 196 A 2
St-Marc-la-Lande (79)....114 B 1
St-Marc-le-Blanc (35).....45 H 5
St-Marc-sur-Couesnon (35) ...45 H 5
St-Marc-sur-Seine (21).....92 D 1
St-Marcan (35).....45 F 3
St-Marceau (08).....18 D 3
St-Marceau (72).....68 A 2
St-Marcel (08).....18 C 3
St-Marcel (13).... 196 A 5
St-Marcel (27).....30 A 4
St-Marcel (36)....117 F 1
St-Marcel (54).....36 C 3
St-Marcel (56).....64 A 4
St-Marcel (70).....76 C 4
St-Marcel (71)....109 F 4
St-Marcel (73)....138 D 5
St-Marcel (81)....174 C 3
St-Marcel-Bel-Accueil (38) . 136 D 4
St-Marcel-d'Ardèche (07) ... 178 D 1
St-Marcel-de-Careiret (30)...178 C 2
St-Marcel-de-Félines (42)...134 D 2
St-Marcel-du-Périgord (24)...157 F 1
St-Marcel-d'Urfé (42) .... 134 B 2
St-Marcel-en-Dombes (01). 136 B 1
St-Marcel-en-Marcillat (03) . 118 D 5
St-Marcel-en-Murat (03)....119 G 3
St-Marcel-l'Éclairé (69)....135 F 2
St-Marcel-lès-Annonay (07). 149 F 2
St-Marcel-lès-Sauzet (26)... 163 H 3
St-Marcel-lès-Valence (26) . 150 B 5
St-Marcel-Paulel (31).... 189 G 3
St-Marcel-sur-Aude (11) ... 209 F 1
St-Marcelin-de-Cray (71)...121 H 1
St-Marcellin (38)....151 E 3
St-Marcellin-en-Forez (42) . 134 D 5
St-Marcellin-lès-Vaison (84)...179 G 1
St-Marcet (31).... 205 G 1
St-Marcory (24)....157 G 2
St-Marcouf (14).....25 G 2
St-Marcouf (50).....23 E 4
St-Mard (02).....33 E 1
St-Mard (17)....113 H 5
St-Mard (54).....57 E 3
St-Mard (77).....31 H 4
St-Mard (80).....16 A 3
St-Mard-de-Réno (61).....48 D 4
St-Mard-de-Vaux (71).....108 D 4
St-Mard-lès-Rouffy (51).....33 H 5
St-Mard-sur-Auve (51).....34 D 4
St-Mard-sur-le-Mont (51).....35 E 5
St-Mards (76)....13 G 3
St-Mards-de-Blacarville (27) ..28 C 1
St-Mards-de-Fresne (27).....28 C 4
St-Mards-en-Othe (10).....73 G 2
St-Marien (23)....118 B 4
St-Mariens (33)....141 G 4
St-Mars-de-Coutais (44).....99 E 1
St-Mars-de-Locquenay (72)...68 C 4
St-Mars-d'Égrenne (61).....46 D 3
St-Mars-des-Prés (85)....100 A 5
St-Mars-d'Outillé (72).....68 B 4
St-Mars-du-Désert (44).....83 G 3
St-Mars-du-Désert (53).....67 G 1
St-Mars-en-Brie (77).....52 D 2
St-Mars-la-Brière (72).....68 B 3
St-Mars-la-Jaille (44).....84 A 2
St-Mars-la-Réorthe (85)....100 B 3
St-Mars-sous-Ballon (72).....68 A 2
St-Mars-sur-Colmont (53)....46 D 5
St-Mars-sur-la-Futaie (53).....46 B 4
St-Marsal (66)....212 D 4
St-Marsault (79)....100 C 4
St-Martial (07)....162 D 1
St-Martial (15)....161 E 1
St-Martial (16)....142 B 1
St-Martial (17)....114 A 5
St-Martial (30)....177 G 3
St-Martial (33)....155 H 3
St-Martial-d'Albarède (24)....143 H 2
St-Martial-d'Artenset (24)....142 B 5
St-Martial-de-Gimel (19) ... 145 E 3
St-Martial-
de-Mirambeau (17).....141 F 1
St-Martial-de-Nabirat (24) . 158 A 2
St-Martial-de-Valette (24)....129 E 5
St-Martial-de-Vitaterne (17)...141 G 1
St-Martial-Entraygues (19) .. 145 F 4
St-Martial-le-Mont (23).....131 G 1
St-Martial-le-Vieux (23).....131 H 4
St-Martial-sur-Isop (87).....116 B 5
St-Martial-sur-Né (17)....127 G 4
St-Martial-Viveyrol (24).....142 C 2
St-Martin-
de-Valgalgues (30).......178 A 2
St-Martin (50).....24 C 5
St-Martin (54).....57 H 3
St-Martin (65)....204 C 1
St-Martin (66)....208 C 5
St-Martin (67).....58 C 4
St-Martin-
lez-Tatinghem (76)......14 B 2
St-Martin-au-Laërt (62).....3 E 4
St-Martin-aux-Arbres (76)...13 H 4
St-Martin-aux-Bois (60).....15 H 5
St-Martin-aux-Buneaux (76) . 12 D 2
St-Martin-aux-Champs (51)...34 C 1
St-Martin-aux-Chartrains (14)..28 A 2
St-Martin-Belle-Roche (71). 122 B 2
St-Martin-Bellevue (74) .. 138 B 1
St-Martin-Boulogne (62).....2 B 4

St-Martin-Cantalès (15) .... 145 H 4
St-Martin-Chau (23)....131 E 2
St-Martin-Choquel (62) ......2 C 5
St-Martin-d'Abbat (45).....71 E 5
St-Martin-d'Ablois (51).....33 G 4
St-Martin-d'Août (26) .... 150 C 3
St-Martin-d'Arberoue (64) . 185 E 4
St-Martin-d'Arc (73)....152 D 2
St-Martin-d'Arcé (49).....85 G 2
St-Martin-d'Ardèche (07) ...178 D 1
St-Martin-d'Armagnac (32) . 186 D 1
St-Martin-d'Arrossa (64) .. 184 D 5
St-Martin-d'Ary (17)....141 H 3
St-Martin-d'Aubigny (50)....25 E 3
St-Martin-d'Audouville (50)...23 E 4
St-Martin-d'Auxigny (18).....89 F 5
St-Martin-d'Auxy (71) .... 108 C 5
St-Martin-de-Bavel (01)....137 G 2
St-Martin-de-Beauville (47) ...172 D 2
St-Martin-de-Belleville (73) . 152 D 1
St-Martin-
de-Bernegoue (79)......114 B 4
St-Martin-de-Bienfaite-
La Cressonnière (14)........28 B 4
St-Martin-de-Blagny (14).....25 G 2
St-Martin-de-Bonfossé (50)....25 F 4
St-Martin-
de-Boscherville (76)........29 F 1
St-Martin-de-Bossenay (10)...53 F 4
St-Martin-de-Boubaux (48) . 177 H 2
St-Martin-
de-Bréthencourt (78)......50 C 4
St-Martin-de-Brômes (04)...181 E 5
St-Martin-de-Caralp (09).....207 E 3
St-Martin-de-Castillon (84) . 180 B 5
St-Martin-de-Cenilly (50).....25 E 4
St-Martin-de-Clelles (38)....165 G 1
St-Martin-de-Commune (71). 108 C 3
St-Martin-de-Connée (53).....67 G 1
St-Martin-de-Coux (17)....142 A 3
St-Martin-de-Crau (13)....194 D 2
St-Martin-de-Curton (47)...171 G 1
St-Martin-de-Fontenay (14)...27 F 3
St-Martin-de-Fraigneau (85)...113 H 2
St-Martin-de-Fresnay (14).....27 H 5
St-Martin-
de-Fressengeas (24) ..... 143 G 1
St-Martin-de-Fugères (43) . 162 B 1
St-Martin-de-Goyne (32)...172 B 4
St-Martin-de-Gurson (24)...142 B 5
St-Martin-de-Hinx (40).....185 E 2
St-Martin-de-Juillers (17)....127 G 1
St-Martin-de-Jussac (87).....129 G 2
St-Martin-
de-la-Brasque (84) .... 180 B 5
St-Martin-de-la-Cluze (38) . 151 G 5
St-Martin-de-la-Coudre (17)...113 H 5
St-Martin-de-la-Lieue (14).....28 A 3
St-Martin-de-la-Mer (21).....92 A 5
St-Martin-de-la-Place (49).....85 G 4
St-Martin-de-la-Porte (73)...152 D 2
St-Martin-de-Lamps (36).....104 A 2
St-Martin-de-Landelles (50)....46 A 3
St-Martin-de-Lansuscle (48) . 177 G 2
St-Martin-de-l'Arçon (34)...191 H 3
St-Martin-de-Laye (33).....141 H 4
St-Martin-de-Lenne (12) .... 160 D 5
St-Martin-de-Lixy (71)....121 G 4
St-Martin-
de-Londres (34) .... 193 E 1
St-Martin-de-Mâcon (79)....101 G 2
St-Martin-de-Mailloc (14).....28 B 4
St-Martin-de-Mieux (14).....27 G 5
St-Martin-de-Nigelles (28).....50 B 3
St-Martin-de-Pallières (83)... 196 C 2
St-Martin-
de-Queyrières (05)......167 E 1
St-Martin-de-Ré (17).....112 D 4
St-Martin-de-Ribérac (24)...142 D 3
St-Martin-de-Salency (71)...121 H 1
St-Martin-de-Sallen (14).....27 E 5
St-Martin-de-Sanzay (79)....101 F 1
St-Martin-
de-Seignanx (40).......184 D 2
St-Martin-de-Sescas (33)....155 H 3
St-Martin-de-Sossenac (30)...177 H 4
St-Martin-de-
Valamas (07) .... 149 E 5
St-Martin-
de-Valgalgues (30).......178 A 2
St-Martin-de-Varreville (50)....23 E 4
St-Martin-de-Vaulserre (38)...137 G 5
St-Martin-de-Vers (46).....158 C 4
St-Martin-de-Villeréal (47)...157 F 3
St-Martin-de-Villereglan (11). 208 A 4
St-Martin-d'Écublei (61)....48 D 1
St-Martin-des-Besaces (14) ...25 H 4
St-Martin-des-Bois (41).....87 E 1
St-Martin-des-Champs (18) . 106 A 1
St-Martin-des-Champs (29)...42 A 3
St-Martin-des-Champs (50)...45 H 2
St-Martin-des-Champs (77)...52 D 1
St-Martin-des-Champs (78)...50 B 1
St-Martin-des-Champs (89)...90 B 1
St-Martin-des-Combes (24) . 143 E 5
St-Martin-des-Combes (34)...192 B 4

St-Martin-des-Entrées (14)......26 D 2
St-Martin-des-Fontaines (85) . 113 G 1
St-Martin-des-Lais (03) ...... 107 F 5
St-Martin-des-Landes (61)......42 G 3
St-Martin-des-Monts (72)......68 C 2
St-Martin-des-Noyers (85)......99 H 4
St-Martin-des-Olmes (63)....134 B 5
St-Martin-des-Pézerit (61)......48 C 3
St-Martin-des-Plains (63)....147 F 1
St-Martin-des-Prés (22)......63 F 1
St-Martin-des-Puits (11)....208 C 2
St-Martin-des-Tilleuls (85) .... 100 A 2
St-Martin-d'Estréaux (42) .... 120 D 4
St-Martin-d'Hardinghem (62)....2 D 5
St-Martin-d'Hères (38)....151 H 3
St-Martin-d'Heuille (58)....106 C 2
St-Martin-d'Ollières (63)....147 G 1
St-Martin-Don (14).....25 G 5
St-Martin-d'Oney (40)....169 H 4
St-Martin-d'Ordon (89).....72 C 3
St-Martin-du-Bec (76).....12 B 4
St-Martin-du-Bois (49).....84 C 1
St-Martin-du-Bois (33)....141 H 4
St-Martin-du-Boschet (77).....52 D 2
St-Martin-du-Clocher (16)....115 E 5
St-Martin-du-Fault (87)....130 A 2
St-Martin-du-Fouilloux (49)....84 C 3
St-Martin-du-Fouilloux (79)...114 D 1
St-Martin-du-Frêne (01)....123 G 4
St-Martin-du-Lac (71)....121 E 4
St-Martin-du-Limet (53).....66 B 5
St-Martin-du-Manoir (76).....12 B 4
St-Martin-
du-Mesnil-Oury (14).......28 A 4
St-Martin-du-Mont (01)....123 E 5
St-Martin-du-Mont (21).....93 E 3
St-Martin-du-Mont (71).....109 H 5
St-Martin-du-Puy (33).....156 A 3
St-Martin-du-Puy (58).....91 G 4
St-Martin-du-Tartre (71)....108 D 5
St-Martin-du-Tertre (89).....72 C 1
St-Martin-du-Tertre (95).....31 F 4
St-Martin-du-Tilleul (27).....28 C 3
St-Martin-du-Touch (31)....189 F 2
St-Martin-du-Var (06).....183 E 4
St-Martin-
du-Vieux-Bellême (61).......48 C 5
St-Martin-du-Vivier (76).....13 H 5
St-Martin-d'Uriage (38)....151 H 3
St-Martin-en-Bière (77).....51 G 5
St-Martin-en-Bresse (71)....109 G 4
St-Martin-
en-Campagne (76).......13 H 1
St-Martin-en-Gâtinois (71)... 109 F 3
St-Martin-en-Haut (69)....135 G 4
St-Martin-en-Vercors (26)....151 F 4
St-Martin-Gimois (32)....188 B 3
St-Martin-la-Campagne (27)...29 F 4
St-Martin-la-Garenne (78).....30 B 4
St-Martin-la-Méanne (19) .... 145 F 3
St-Martin-la-Patrouille (71)... 121 H 1
St-Martin-la-Plaine (42)....135 G 5
St-Martin-la-Sauveté (42)....134 C 2
St-Martin-Labouval (46)....158 D 5
St-Martin-Lacaussade (33)...141 E 3
St-Martin-Laguépie (81)....174 C 3
St-Martin-l'Aiguillon (61).....47 G 3
St-Martin-Lalande (11)....190 B 5
St-Martin-Lars-
en-Ste-Hermine (85) ..... 100 A 5
St-Martin-l'Astier (24)....142 C 4
St-Martin-le-Beau (37).....87 E 4
St-Martin-le-Bouillant (50).....46 A 1
St-Martin-le-Châtel (01)....122 D 4
St-Martin-le-Colonel (26)....150 D 5
St-Martin-le-Gaillard (76).....14 A 1
St-Martin-le-Gréard (50).....22 C 3
St-Martin-le-Hébert (50).....22 C 4
St-Martin-le-Mault (87)....116 D 3
St-Martin-le-Nœud (60).....30 D 1
St-Martin-le-Pin (24).....129 E 5
St-Martin-le-Redon (46)....157 H 4
St-Martin-le-Vieil (11)....190 C 5
St-Martin-le-Vieux (87)....129 H 3
St-Martin-Lestra (42)....135 E 3
St-Martin-lès-Langres (52)...75 H 4
St-Martin-lès-Melle (79)....114 C 4
St-Martin-lès-Seyne (04)....166 C 5
St-Martin-Lys (11)....208 A 4
St-Martin-Osmonville (76)....13 H 4
St-Martin-Petit (47)....156 B 4
St-Martin-Rivière (02) ......9 F 5
St-Martin-Sepert (19) .... 144 C 1
St-Martin-
sous-Montaigu (71) .... 108 D 4
St-Martin-
sous-Vigouroux (15) .... 160 C 1
St-Martin-Ste-Catherine (23). 130 C 1
St-Martin-sur-Armançon (89)...73 H 4
St-Martin-sur-Arve (74)......57 G 4
St-Martin-sur-Cojeul (62).....8 B 4
St-Martin-sur-Écaillon (59).....9 F 3
St-Martin-sur-
la-Chambre (73)......152 C 1

St-Martin-sur-la-Renne (52)...75 F 2
St-Martin-sur-le-Pré (51)....34 B 5
St-Martin-sur-Nohain (58)....90 B 4
St-Martin-sur-Ocre (45).....89 H 1
St-Martin-sur-Oreuse (89)....72 D 1
St-Martin-sur-Ouanne (89)....72 B 5
St-Martin-sur-Oust (56).....64 B 5
St-Martin-Terressus (87).....130 B 2
St-Martin-Valmeroux (15) .. 146 A 4
St-Martin-Vésubie (06) .... 183 F 2
St-Martinien (03)....118 D 3
St-Martory (31) .... 206 A 1
St-Mary (16)....128 D 2
St-Mary-le-Plain (15)....147 E 3
St-Masmes (51).....34 A 2
St-Mathieu (87)....129 F 4
St-Mathieu-de-Tréviers (34) . 193 F 1
St-Mathurin (85).....99 E 5
St-Mathurin-Léobazel (19) .. 145 F 5
St-Mathurin-sur-Loire (49)...85 F 3
St-Matré (46)....157 H 5
St-Maudan (22).....63 G 3
St-Maudez (22).....44 C 4
St-Maugan (35).....64 C 1
St-Maulvis (80).....14 C 1
St-Maur (18)....118 C 1
St-Maur (32).....187 G 3
St-Maur (36)....104 B 4
St-Maur (39)....110 B 5
St-Maur (60).....14 D 4
St-Maur-des-Bois (50).....46 A 1
St-Maur-des-Fossés (94).....51 G 1
St-Maur-sur-le-Loir (28).....69 H 2
St-Maurice (52).....75 H 4
St-Maurice (58)....107 E 1
St-Maurice (63)....133 F 4
St-Maurice (67).....58 D 5
St-Maurice (94).....51 G 1
St-Maurice-aux-Forges (54)...58 A 3
St-Maurice-
aux-Riches-Hommes (89)....53 E 5
St-Maurice-Colombier (25)...95 H 3
St-Maurice-Crillat (39) .... 123 H 1
St-Maurice-d'Ardèche (07) . 163 E 4
St-Maurice-de-Beynost (01). 136 B 2
St-Maurice-
de-Cazevieille (30)......178 B 3
St-Maurice-
de-Gourdans (01) .... 136 D 2
St-Maurice-de-Lestapel (47)...157 E 4
St-Maurice-de-Lignon (43)... 148 C 3
St-Maurice-de-Rémens (01)...136 D 1
St-Maurice-
de-Rotherens (73)........137 G 4
St-Maurice-de-Satonnay (71). 122 B 2
St-Maurice-
de-Tavernole (17)........127 G 5
St-Maurice-de-Ventalon (48)...177 G 1
St-Maurice-des-Champs (71). 108 D 5
St-Maurice-des-Lions (16)....129 F 1
St-Maurice-des-Noues (85) .. 100 C 5
St-Maurice-d'Ételan (76) .....12 D 5
St-Maurice-d'Ibie (07).....163 F 4
St-Maurice-du-Désert (61)....47 F 3
St-Maurice-
en-Chalencon (07) .... 163 F 1
St-Maurice-en-Cotentin (50)...22 C 5
St-Maurice-en-Gourgois (42) . 148 D 1
St-Maurice-en-Quercy (46) ... 159 F 2
St-Maurice-en-Rivière (71)... 109 F 3
St-Maurice-en-Trièves (38)... 165 G 2
St-Maurice-Etusson (79) .... 100 D 2
St-Maurice-
en-Valgodemard (05)...... 166 B 1
St-Maurice-la-Clouère (86)...115 G 3
St-Maurice-
la-Souterraine (23) .... 117 E 4
St-Maurice-le-Girard (85) .... 100 C 5
St-Maurice-le-Vieil (89) ......72 D 5
St-Maurice-les-Brousses (87). 130 A 4
St-Maurice-
lès-Charencey (61).........49 E 3
St-Maurice-
lès-Châteauneuf (71).......121 G 4
St-Maurice-lès-Couches (71). 108 D 3
St-Maurice-l'Exil (38).....149 G 1
St-Maurice-
Montcouronne (91).........51 E 3
St-Maurice-Navacelles (34) . 177 E 5
St-Maurice-près-Crocq (23)...131 H 2
St-Maurice-près-Pionsat (63)..132 B 1
St-Maurice-
sous-les-Côtes (55).......36 B 4
St-Maurice-St-Germain (28)...49 F 4
St-Maurice-sur-Adour (40)...170 C 2
St-Maurice-sur-Aveyron (45)...72 A 5
St-Maurice-sur-Dargoire (69). 135 G 5
St-Maurice-sur-Eygues (26) . 179 G 1
St-Maurice-sur-Fessard (45)...71 H 4
St-Maurice-sur-Huisne (61)....48 D 4
St-Maurice-
sur-Mortagne (88)........57 G 4
St-Maurice-sur-Moselle (88)...78 A 4
St-Maurice-
sur-Vingeanne (21)......93 H 2
St-Maurice-Thizouaille (89)...72 D 5

A B C D E F G H I J K L M N O P Q R **S** T U V W X Y Z

Localité *(Département)* Page **Coordonnées**

A B C D E F G H I J K L M N O P Q R S T U V W X Y Z

St-Maurin (47) ....172 D 2
St-Max (54) ....57 E 2
St-Maxent (80) ....14 C 1
St-Maximin (30) ....178 C 4
St-Maximin (38) ....152 A 1
St-Maximin (60) ....31 G 3
St-Maximin-
la-Ste-Baume (83) .... 196 C 3
St-Maxire (79) ....114 A 2
St-May (26) ....165 E 5
St-Mayeux (22) ....63 F 2
St-Méard (87) ....130 C 4
St-Méard-de-Drône (24) ..142 D 3
St-Méard-de-Gurçon (24) .156 B 1
St-Médard (16) ....127 H 5
St-Médard (17) ....141 G 1
St-Médard (31) ....205 H 1
St-Médard (32) ....187 H 3
St-Médard (36) ....103 G 2
St-Médard (40) ....170 C 4
St-Médard (46) ....158 A 4
St-Médard (57) ....57 G 1
St-Médard (64) ....186 A 3
St-Médard (79) ....114 C 4
St-Médard-d'Aunis (17) ...113 F 4
St-Médard-de-Guizières (33) ..142 A 5
St-Médard-de-Mussidan (24) .142 C 4
St-Médard-de-Presque (46) .159 E 1
St-Médard-d'Excideuil (24) .143 H 2
St-Médard-d'Eyrans (33) ..155 F 2
St-Médard-en-Forez (42) ..135 E 5
St-Médard-en-Jalles (33) .155 E 1
St-Médard-la-Rochette (23) .131 G 1
St-Médard-Nicourby (46) ..159 F 2
St-Médard-sur-Ille (35) ...45 F 5
St-Méen (29) ....41 G 3
St-Méen-le-Grand (35) ....64 C 1
St-Melaine (35) ....65 H 2
St-Melaine-sur-Aubance (49) ..85 E 4
St-Mélany (07) ....162 C 4
St-Méloir-des-Bois (22) ...44 C 4
St-Méloir-des-Ondes (35) ..45 E 2
St-Même-le-Tenu (44) ......99 E 1
St-Même-les-Carrières (16) .141 F 5
St-Memmie (51) ....34 B 5
St-Menge (88) ....56 C 5
St-Menges (08) ....19 E 3
St-Menoux (03) ....119 H 1
St-Merd-de-Lapleau (19) ..145 F 3
St-Merd-la-Breuille (23) .132 A 3
St-Merd-les-Oussines (19) .131 F 4
St-Méry (77) ....52 A 3
St-Meslin-du-Bosc (27) ....29 E 3
St-Mesmes (77) ....31 H 5
St-Mesmin (10) ....53 G 4
St-Mesmin (21) ....92 D 4
St-Mesmin (24) ....144 A 2
St-Mesmin (85) ....100 C 4
St-Mexant (19) ....144 D 2
St-Mézard (32) ....172 B 3
St-M'Hervé (35) ....66 A 1
St-M'Hervon (35) ....64 D 1
St-Micaud (71) ....108 C 5
St-Michel (02) ....10 A 5
St-Michel (09) ....206 D 1
St-Michel (16) ....128 B 4
St-Michel (31) ....206 B 1
St-Michel (32) ....187 H 4
St-Michel (34) ....176 D 5
St-Michel (45) ....71 F 3
St-Michel (52) ....93 H 1
St-Michel (64) ....202 B 1
St-Michel (82) ....172 D 2
St-Michel-Chef-Chef (44) ..82 C 5
St-Michel-d'Aurance (07) .163 F 1
St-Michel-de-Bannières (46) .144 D 5
St-Michel-de-Boulogne (07) . 163 E 2
St-Michel-
de-Castelnau (33) ...... 171 F 1
St-Michel-
de-Chabrillanoux (07) ... 163 F 1
St-Michel-de-Chaillol (05) . 166 C 2
St-Michel-
de-Chavaignes (72) ..... 68 C 3
St-Michel-de-Dèze (48) ...177 H 2
St-Michel-de-Double (24) .142 C 4
St-Michel-de-Feins (53) ...66 D 5
St-Michel-de-Fronsac (33) .141 G 5
St-Michel-de-la-Pierre (50) .24 D 3
St-Michel-de-la-Roë (53) ..66 A 4
St-Michel-de-Lanès (11) ..189 H 5
St-Michel-de-Lapujade (33) . 156 B 3
St-Michel-de-Livet (14) ...28 A 4
St-Michel-de-Llotes (66) .212 D 3
St-Michel-
de-Maurienne (73) ..... 152 D 2
St-Michel-
de-Montaigne (24) .... 156 A 1
St-Michel-de-Montjoie (50) . 46 B 1
St-Michel-de-Plélan (22) ..44 C 3
St-Michel-de-Rieufret (33) . 155 F 3
St-Michel-de-Rivière (24) .142 A 4
St-Michel-de-St-Geoirs (38) . 151 E 2
St-Michel-de-Vax (81) ....174 B 3
St-Michel-de-Veisse (23) .131 F 2
St-Michel-de-Villadeix (24) . 143 F 5
St-Michel-de-Volangis (18) . 105 G 1
St-Michel-des-Andaines (61) . 47 F 3

St-Michel-des-Loups (50) ..45 G 1
St-Michel-d'Euzet (30) ...178 D 2
St-Michel-d'Halescourt (76) . 14 B 4
St-Michel-en-Beaumont (38) . 166 A 1
St-Michel-en-Brenne (36) .103 G 4
St-Michel-en-Grève (22) ...42 C 2
St-Michel-en-l'Herm (85) .113 E 2
St-Michel-Escalus (40) ...168 D 4
St-Michel-et-Chanveaux (49) . 84 A 1
St-Michel-Labadié (81) ...175 F 4
St-Michel-le-Cloucq (85) .113 H 1
St-Michel-L'Écluse-
et-Léparon (24) ....142 B 4
St-Michel-les-Portes (38) .165 G 1
St-Michel-l'Observatoire (04) . 180 C 4
St-Michel-Loubéjou (46) ..159 E 1
St-Michel-
Mont-Mercure (85) ...... 100 B 3
St-Michel-sous-Bois (62) ...7 E 1
St-Michel-sur-Loire (37) ..86 B 4
St-Michel-sur-Meurthe (88) . 58 A 5
St-Michel-sur-Orge (91) ...51 F 3
St-Michel-sur-Rhône (42) .149 G 1
St-Michel-sur-Savasse (26) . 150 C 3
St-Michel-sur-Ternoise (62) . 7 G 2
St-Michel-Tubœuf (61) ....48 D 2
St-Mihiel (55) ....36 A 5
St-Mitre-les-Remparts (13) . 195 F 3
St-Molf (44) ....82 A 3
St-Momelin (59) ....3 E 4
St-Mont (32) ....186 D 2
St-Montan (07) ....163 G 5
St-Moré (89) ....91 G 2
St-Moreil (23) ....130 D 2
St-Morel (08) ....34 D 1
St-Morillon (33) ....155 F 3
St-Mury-Monteymond (38) .152 A 2
St-Myon (63) ....133 F 1
St-Nabor (67) ....58 D 3
St-Nabord (88) ....77 G 2
St-Nabord-sur-Aube (10) ...54 A 4
St-Nauphary (82) ....173 H 4
St-Nazaire (30) ....178 D 2
St-Nazaire ⟨SP⟩ (44) ....82 B 4
St-Nazaire (47) ....156 D 3
St-Nazaire (66) ....213 F 2
St-Nazaire-d'Aude (11) ...209 E 1
St-Nazaire-de-Ladarez (34) . 192 A 3
St-Nazaire-de-Pézan (34) .193 H 2
St-Nazaire-
de-Valentane (82) ...... 173 E 2
St-Nazaire-
des-Gardies (30) .... 177 H 4
St-Nazaire-en-Royans (26) .150 D 4
St-Nazaire-le-Désert (26) .165 E 3
St-Nazaire-les-Eymes (38) .151 H 2
St-Nazaire-sur-Charente (17) . 126 C 1
St-Nectaire (63) ....133 E 5
St-Nexans (24) ....157 E 2
St-Nic (29) ....61 F 1
St-Nicodème (22) ....62 D 1
St-Nicolas (62) ....8 A 3
St-Nicolas-aux-Bois (02) ..17 E 4
St-Nicolas-Courbefy (87) ..129 H 5
St-Nicolas-d'Aliermont (76) . 13 H 2
St-Nicolas-d'Attez (27) ...49 F 1
St-Nicolas-de-Bliquetuit (76) . 13 E 5
St-Nicolas-de-Bourgueil (37) . 85 H 5
St-Nicolas-
de-la-Balerme (47) .....172 C 3
St-Nicolas-
de-la-Grave (82) .... 173 E 3
St-Nicolas-de-la-Haie (76) . 12 D 5
St-Nicolas-de-la-Taille (76) . 12 D 5
St-Nicolas-de-Macherin (38) . 151 F 1
St-Nicolas-de-Pierrepont (50) . 22 C 5
St-Nicolas-de-Port (54) ...57 E 2
St-Nicolas-de-Redon (44) ..82 C 1
St-Nicolas-de-Sommaire (61) . 48 D 1
St-Nicolas-de-Véroce (74) .139 E 2
St-Nicolas-des-Biefs (03) .134 B 1
St-Nicolas-des-Bois (50) ..46 A 1
St-Nicolas-des-Bois (61) ..47 H 4
St-Nicolas-des-Eaux (56) ..63 F 4
St-Nicolas-des-Laitiers (61) . 48 C 1
St-Nicolas-des-Motets (37) . 87 F 2
St-Nicolas-du-Bosc (27) ...29 E 3
St-Nicolas-du-Pélem (22) ..63 E 1
St-Nicolas-du-Tertre (56) .64 B 4
St-Nicolas-en-Forêt (57) ..20 D 4
St-Nicolas-la-Chapelle (10) . 53 E 4
St-Nicolas-la-Chapelle (73) . 138 D 2
St-Nicolas-lès-Cîteaux (21) . 109 F 1
St-Nizier-d'Azergues (69) .121 H 5
St-Nizier-de-Fornas (42) .148 C 1
St-Nizier-
du-Moucherotte (38) .... 151 G 3
St-Nizier-le-Bouchoux (01) . 122 D 2
St-Nizier-le-Désert (01) .122 D 5
St-Nizier-sous-Charlieu (42) . 121 F 5
St-Nizier-sur-Arroux (71) .108 A 4
St-Nolff (56) ....81 H 2
St-Nom-la-Bretèche (78) ...50 D 3
St-Offenge (73) ....138 A 3
St-Omer (14) ....27 E 5
St-Omer (44) ....82 D 2
St-Omer ⟨SP⟩ (62) ....3 E 4
St-Omer-Capelle (62) ....2 D 1
St-Omer-en-Chaussée (60) ..14 D 5
St-Ondras (38) ....137 F 5
St-Onen-la-Chapelle (35) ..64 C 1

St-Oradoux-près-Crocq (23) ..131 H 2
St-Orens (32) ....188 C 1
St-Orens-de-Gameville (31) . 189 G 3
St-Ouen-Pouy-Petit (32) ..172 A 5
St-Ost (32) ....187 H 4
St-Ouen (41) ....69 F 5
St-Ouen (80) ....7 F 5
St-Ouen (93) ....31 F 5
St-Ouen-d'Aunis (17) .....113 F 4
St-Ouen-de-la-Cour (61) ...48 C 5
St-Ouen-de-Mimbré (72) ....67 H 1
St-Ouen-de-Pontcheuil (27) . 29 F 2
St-Ouen-de-Sécherouve (61) . 48 C 3
St-Ouen-de-Thouberville (27) . 29 E 1
St-Ouen-des-Alleux (35) ...45 G 5
St-Ouen-des-Besaces (14) ..25 H 4
St-Ouen-des-Champs (27) ...28 C 1
St-Ouën-des-Toits (53) ....66 B 2
St-Ouën-des-Vallons (53) ..67 E 2
St-Ouen-Domprot (51) ......54 B 3
St-Ouen-du-Mesnil-Oger (14) . 27 G 3
St-Ouen-du-Breuil (76) ....13 G 4
St-Ouen-du-Tilleul (27) ...29 E 2
St-Ouen-en-Belin (72) .....68 A 5
St-Ouen-en-Brie (77) ......52 A 3
St-Ouen-en-Champagne (72) . 67 G 4
St-Ouen-la-Rouërie (35) ...45 G 4
St-Ouen-la-Thène (17) ....127 H 2
St-Ouen-l'Aumône (95) .....31 E 4
St-Ouen-le-Brisoult (61) ..47 F 4
St-Ouen-le-Houx (14) ......28 A 5
St-Ouen-le-Mauger (76) ....13 F 3
St-Ouen-le-Pin (14) ....28 A 3
St-Ouen-les-Vignes (37) ...87 F 3
St-Ouen-lès-Parey (88) ....76 B 1
St-Ouen-Marchefroy (28) ...50 A 1
St-Ouen-sous-Bailly (76) ..13 H 1
St-Ouen-sur-Gartempe (87) . 116 C 5
St-Ouen-sur-Iton (61) .....48 D 2
St-Ouen-sur-Loire (58) ...106 D 3
St-Ouen-sur-Maine (61) ....47 G 2
St-Ouen-sur-Morin (77) ....32 C 5
St-Oulph (10) ....53 G 4
St-Ours (63) ....132 D 2
St-Ours (73) ....138 A 3
St-Outrille (18) ....104 C 1
St-Ovin (50) ....46 A 2
St-Oyen (73) ....138 D 5
St-Pabu (29) ....41 E 2
St-Paër (27) ....30 B 2
St-Paër (76) ....13 F 5
St-Pair (14) ....27 G 3
St-Pair-du-Mont (14) ......27 H 3
St-Pair-sur-Mer (50) ......45 G 1
St-Pal-de-Chalencon (43) . 148 B 2
St-Pal-de-Mons (43) ......148 D 3
St-Pal-de-Senouire (43) ..147 H 3
St-Palais (03) ....118 C 2
St-Palais (18) ....89 F 5
St-Palais (33) ....141 F 2
St-Palais (64) ....185 F 4
St-Palais-de-Négrignac (17) ...141 H 2
St-Palais-de-Phiolin (17) . 127 F 5
St-Palais-sur-Mer (17) ...126 C 4
St-Pancrace (06) ....183 F 5
St-Pancrace (24) ....143 E 1
Saint-Pancrace (2B) ......216 D 2
St-Pancrace (73) ....152 C 2
St-Pancrasse (38) ....151 H 2
St-Pancré (54) ....20 B 2
St-Pandelon (40) ....185 F 1
St-Pantaléon (46) ....173 G 1
St-Pantaléon (84) ....179 H 5
St-Pantaléon-de-Lapleau (19) 145 G 2
St-Pantaléon-de-Larche (19) . 144 B 4
St-Pantaléon-les-Vignes (26) . 164 D 5
St-Pantaly-d'Ans (24) ....143 H 3
St-Pantaly-d'Excideuil (24) . 143 H 2
St-Papoul (11) ....190 B 5
St-Pardon (33) ....141 G 5
St-Pardon-de-Conques (33) . 155 H 4
St-Pardoult (17) ....127 G 1
St-Pardoux (17) ....133 E 1
St-Pardoux (79) ....114 B 1
St-Pardoux (87) ....130 A 1
St-Pardoux-Corbier (19) ..144 B 1
St-Pardoux-d'Arnet (23) ..131 H 2
St-Pardoux-de-Drône (24) .142 D 3
St-Pardoux-du-Breuil (47) . 156 B 4
St-Pardoux-et-Vielvic (24) . 157 G 2
St-Pardoux-Isaac (47) ....156 C 3
St-Pardoux-la-Croisille (19) . 145 F 3
St-Pardoux-la-Rivière (24) . 129 F 5
St-Pardoux-le-Neuf (19) ..131 H 5
St-Pardoux-le-Neuf (23) ..131 G 2
St-Pardoux-les-Cards (23) . 118 A 5
St-Pardoux-l'Ortigier (19) . 144 C 2
St-Pardoux-Morterolles (23) . 131 E 2
St-Parize-en-Viry (58) ...106 D 4
St-Parize-le-Châtel (58) .106 C 4
St-Parres-aux-Tertres (10) . 73 H 1
St-Parres-lès-Vaudes (10) .74 A 2
St-Parthem (12) ....159 H 3
St-Pastour (47) ....157 E 4
St-Pastous (65) ....204 B 2
St-Paterne (72) ....48 A 5
St-Paterne-Racan (37) .....86 C 2
St-Pathus (77) ....32 A 4
St-Patrice (37) ....86 A 5

St-Patrice-de-Claids (50) ..24 D 2
St-Patrice-du-Désert (61) .47 F 3
St-Paul (19) ....145 E 3
St-Paul (33) ....141 A 3
St-Paul (60) ....30 D 1
St-Paul (61) ....46 D 1
St-Paul (65) ....205 F 2
St-Paul (73) ....137 G 4
St-Paul (88) ....56 C 5
St-Paul-aux-Bois (02) .....16 C 5
St-Paul-Cap-de-Joux (81) .190 B 2
St-Paul-de-Baïse (32) ....187 G 1
St-Paul-de-Fenouillet (66) . 208 C 4
St-Paul-de-Fourques (27) ..29 E 2
St-Paul-de-Jarrat (09) ...207 E 3
St-Paul-de-Loubressac (46) . 173 H 1
St-Paul-de-Salers (15) ...146 A 4
St-Paul-de-Serre (24) ....143 E 4
St-Paul-de-Tartas (43) ...162 B 2
St-Paul-de-Varax (01) ....122 D 5
St-Paul-de-Varces (38) ...151 G 4
St-Paul-de-Vence (06) ....199 F 1
St-Paul-de-Vern (46) .....159 E 1
St-Paul-de-Vézelin (42) ..134 D 2
St-Paul-des-Landes (15) ..145 H 5
St-Paul-d'Espis (82) .....173 E 2
St-Paul-d'Izeaux (38) ....151 E 2
St-Paul-d'Oueil (31) .....205 F 4
St-Paul-du-Bois (49) .....100 D 1
St-Paul-du-Vernay (14) ....25 H 3
St-Paul-d'Uzore (42) .....134 D 4
St-Paul-en-Born (40) .....168 D 1
St-Paul-en-Chablais (74) .125 E 2
St-Paul-en-Cornillon (42) . 148 D 1
St-Paul-en-Forêt (83) ....197 H 2
St-Paul-en-Gâtine (79) ...100 D 5
St-Paul-en-Jarez (42) ....135 G 5
St-Paul-en-Pareds (85) ...100 A 3
St-Paul-et-Valmalle (34) .193 E 2
St-Paul-Flaugnac (46) ....173 G 1
St-Paul-la-Coste (30) ....177 H 2
St-Paul-la-Roche (24) ....143 H 1
St-Paul-le-Froid (48) ....161 H 2
St-Paul-le-Gaultier (72) ..47 G 5
St-Paul-le-Jeune (07) ....178 A 1
St-Paul-lès-Dax (40) .....185 F 1
St-Paul-lès-Durance (13) .196 B 1
St-Paul-les-Fonts (30) ...178 D 3
St-Paul-lès-Monestier (38) . 151 G 5
St-Paul-lès-Romans (26) ..150 D 4
St-Paul-lez-Durance (13) .196 B 1
St-Paul-Lizonne (24) .....142 C 2
St-Paul-Mont-Penit (85) ...99 E 3
St-Paul-sur-Isère (73) ...138 D 4
St-Paul-sur-Risle (27) ....28 C 1
St-Paul-sur-Save (31) ....189 E 1
St-Paul-sur-Ubaye (04) ...167 F 3
St-Paul-
Trois-Châteaux (26) ..... 163 H 5
St-Paulet (11) ....190 A 4
St-Paulet-de-Caisson (30) . 178 D 1
St-Paulien (43) ....148 A 4
St-Pavace (72) ....68 A 3
St-Pé-d'Ardet (31) ....205 G 3
St-Pé-de-Bigorre (65) ....204 A 2
St-Pé-de-Léren (64) ......185 F 3
St-Pé-Delbosc (31) ....188 A 5
St-Pé-St-Simon (47) .....171 G 4
St-Pée-d'En-Bas (64) .....203 F 1
St-Pée-d'En-Haut (64) ....203 F 1
St-Pée-sur-Nivelle (64) ..184 C 4
St-Pellerin (28) ....69 G 3
St-Pellerin (50) ....25 F 1
St-Péran (35) ....64 D 2
St-Péravy-Épreux (45) .....70 D 1
St-Péravy-la-Colombe (45) . 70 B 3
St-Péray (07) ....149 H 5
St-Perdon (40) ....169 H 5
St-Perdoux (24) ....157 E 2
St-Perdoux (46) ....159 F 3
St-Père (35) ....45 E 3
St-Père (58) ....90 B 4
St-Père (89) ....91 G 3
St-Père-en-Retz (44) ......82 C 5
St-Père-sur-Loire (45) ....71 F 5
St-Péreuse (58) ....107 G 2
St-Pern (35) ....44 D 5
St-Perreux (56) ....82 C 1
St-Péver (22) ....43 F 4
St-Pey-d'Armens (33) .....155 H 1
St-Pey-de-Castets (33) ...156 A 1
St-Phal (10) ....73 H 2
St-Philbert-de-Bouaine (85) . 99 F 2
St-Philbert-
de-Grand-Lieu (44) ...... 99 F 1
St-Philbert-des-Champs (14) . 28 B 3
St-Philbert-du-Peuple (49) . 85 G 4
St-Philbert-
du-Pont-Charrault (85) .. 100 A 5
St-Philbert-sur-Boissey (27) . 29 E 2
St-Philbert-sur-Orne (61) . 47 F 1
St-Philbert-sur-Risle (27) . 28 D 2
St-Philibert (21) ....93 F 5
St-Philibert (56) ....81 F 2
St-Philibert-
d'Entremont (38) .... 151 H 1
St-Philippe-d'Aiguille (33) . 156 A 1
St-Philippe-du-Seignal (33) . 156 C 1
St-Piat (28) ....50 A 4
St-Pierre (04) ....182 D 4
St-Pierre (15) ....145 H 2

St-Pierre (31) ....189 H 2
St-Pierre (39) ....124 A 1
St-Pierre (51) ....34 A 5
St-Pierre (67) ....58 D 4
St-Pierre (84) ....179 E 1
St-Pierre-à-Arnes (08) ....34 B 2
St-Pierre-à-Champ (79) ...101 E 1
St-Pierre-à-Gouy (80) .....15 E 1
St-Pierre-Aigle (02) ......32 C 2
St-Pierre-Avez (05) ......180 D 1
St-Pierre-Azif (14) ....27 H 2
St-Pierre-Bellevue (23) ..131 E 2
St-Pierre-Bénouville (76) .13 F 3
St-Pierre-Bois (67) ....58 D 5
St-Pierre-Brouck (59) ......3 E 3
St-Pierre-Canivet (14) ....27 G 5
St-Pierre-Chérignat (23) .130 C 1
St-Pierre-Colamine (63) ..133 E 5
St-Pierre-d'Allevard (38) . 152 A 1
St-Pierre-d'Alvey (73) ...137 G 4
St-Pierre-d'Amilly (17) ..113 H 4
St-Pierre-d'Argençon (05) . 165 H 4
St-Pierre-d'Arthéglise (50) . 22 C 4
St-Pierre-d'Aubézies (32) . 187 F 2
St-Pierre-d'Aurillac (33) . 155 H 4
St-Pierre-d'Autils (27) ...30 A 3
St-Pierre-de-Bailleul (27) . 29 H 3
St-Pierre-de-Bat (33) ....155 H 3
St-Pierre-de-Belleville (73) . 138 C 5
St-Pierre-de-Bœuf (42) ...149 G 1
St-Pierre-de-Bressieux (38) . 150 D 2
St-Pierre-de-Buzet (47) ..171 H 1
St-Pierre-de-Caubel (47) .157 E 5
St-Pierre-de-Cernières (27) . 28 C 5
St-Pierre-de-Chandieu (69) . 136 C 4
St-Pierre-de-Chartreuse (38) . 151 H 1
St-Pierre-de-Chérennes (38) . 151 E 4
St-Pierre-de-Chevillé (72) . 86 B 1
St-Pierre-de-Chignac (24) . 143 G 4
St-Pierre-de-Clairac (47) . 172 C 2
St-Pierre-de-Côle (24) ...143 F 2
St-Pierre-de-Colombier (07) . 162 D 2
St-Pierre-de-Cormeilles (27) . 28 B 2
St-Pierre-de-Coutances (50) . 24 D 4
St-Pierre-de-Curtille (73) . 137 H 3
St-Pierre-de-Frugie (24) .129 H 5
St-Pierre-de-Fursac (23) .117 F 3
St-Pierre-de-Genebroz (73) . 151 G 1
St-Pierre-de-Jards (36) ..104 D 1
St-Pierre-de-Juillers (17) . 127 G 1
St-Pierre-de-la-Fage (34) . 192 C 1
St-Pierre-de-Lages (31) ..189 G 3
St-Pierre-de-Lamps (36) ..104 A 2
St-Pierre-de-Maillé (86) .103 E 5
St-Pierre-de-Mailloc (14) . 28 B 4
St-Pierre-de-Manneville (76) . 29 F 1
St-Pierre-de-Méaroz (38) .165 H 1
St-Pierre-de-Mésage (38) .151 H 4
St-Pierre-de-Mézoargues (13) . 178 D 5
St-Pierre-de-Mons (33) ...155 H 4
St-Pierre-de-Nogaret (47) . 156 C 5
St-Pierre-de-Nogaret (48) . 161 E 5
St-Pierre-de-Plesguen (35) . 45 E 4
St-Pierre-de-Rivière (09) . 207 E 3
St-Pierre-de-Salerne (27) . 28 D 3
St-Pierre-de-Semilly (50) . 25 G 3
St-Pierre-de-Soucy (73) ..138 B 5
St-Pierre-de-Trivisy (81) . 191 E 1
St-Pierre-de-Vacquière (30) . 178 B 5
St-Pierre-de-Varengeville (76) . 13 F 5
St-Pierre-de-Varennes (71) . 108 C 3
St-Pierre-de-Vassols (84) . 179 H 3
St-Pierre-dels-Forcats (66) . 211 H 4
St-Pierre-des-Bois (72) ...67 G 4
St-Pierre-des-Champs (11) . 208 D 2
St-Pierre-des-Corps (37) ..86 D 4
St-Pierre-
des-Échaubrognes (79) ... 100 C 2
St-Pierre-des-Fleurs (27) . 29 F 2
St-Pierre-des-Ifs (14) ....28 A 3
St-Pierre-des-Ifs (27) ....28 D 2
St-Pierre-des-Jonquières (76) . 14 A 2
St-Pierre-des-Landes (53) . 66 B 1
St-Pierre-des-Loges (61) ..48 C 2
St-Pierre-des-Nids (53) ...47 G 5
St-Pierre-des-Ormes (72) ..68 B 1
St-Pierre-des-Tripiers (48) . 176 D 2
St-Pierre-d'Exideuil (86) . 115 F 5
St-Pierre-d'Eyraud (24) ..156 C 1
St-Pierre-d'Irube (64) ...184 C 3
St-Pierre-d'Oléron (17) ..126 A 1
St-Pierre-du-Bosguérard (27) . 29 E 2
St-Pierre-du-Bû (14) ......27 G 5
St-Pierre-du-Champ (43) ..148 B 3
St-Pierre-du-Chemin (85) .100 C 5
St-Pierre-du-Fresne (14) ..25 H 4
St-Pierre-du-Jonquet (14) . 27 H 2
St-Pierre-du-Lorouër (72) . 68 C 5
St-Pierre-du-Mont (14) ....23 G 5
St-Pierre-du-Mont (40) ...169 H 5
St-Pierre-du-Mont (58) ....91 H 4
St-Pierre-du-Palais (17) .141 H 3
St-Pierre-du-Perray (91) ..31 F 5
St-Pierre-du-Regard (61) ..47 E 1
St-Pierre-du-Val (27) .....28 B 1
St-Pierre-du-Vauvray (27) . 29 G 2
St-Pierre-Église (50) .....23 E 2

St-Pierre-en-Faucigny (74) . 124 D 5
St-Pierre-en-Port (76) ....12 D 2
St-Pierre-en-Val (76) ......6 B 5
St-Pierre-en-Vaux (21) ...108 C 2
St-Pierre-es-Champs (60) ..30 B 1
St-Pierre-Eynac (43) .....148 C 4
St-Pierre-la-Bourlhonne (63) . 134 B 4
St-Pierre-la-Bruyère (61) . 49 E 5
St-Pierre-la-Cour (53) ....66 B 2
St-Pierre-la-Garenne (27) . 29 H 3
St-Pierre-la-Mer (11) ....209 G 1
St-Pierre-la-Noaille (42) . 121 F 4
St-Pierre-la-Palud (69) ..135 G 3
St-Pierre-la-Rivière (61) . 48 A 1
St-Pierre-la-Roche (07) ..163 G 3
St-Pierre-la-Vieille (14) . 27 E 5
St-Pierre-Lafeuille (46) ..158 B 4
St-Pierre-Langers (50) ....45 G 1
St-Pierre-Laval (03) .....120 D 4
St-Pierre-Lavis (76) ......12 D 4
St-Pierre-le-Bost (23) ...118 B 3
St-Pierre-le-Chastel (63) . 132 D 3
St-Pierre-le-
Déchausselat (07) ...... 162 C 5
St-Pierre-le-Moûtier (58) . 106 C 4
St-Pierre-le-Vieux (48) ..161 F 1
St-Pierre-le-Vieux (71) ..121 F 3
St-Pierre-le-Vieux (76) ...13 F 2
St-Pierre-le-Vieux (85) ..113 H 2
St-Pierre-le-Viger (76) ...13 F 2
St-Pierre-lès-A. (13) ....196 A 4
St-Pierre-lès-Bitry (60) ..32 B 1
St-Pierre-lès-Bois (18) ..105 F 5
St-Pierre-lès-Elbeuf (76) . 29 F 2
St-Pierre-lès-Étieux (18) . 105 H 5
St-Pierre-lès-Franqueville (02) . 17 G 2
St-Pierre-lès-Nemours (77) . 71 H 1
St-Pierre-Montlimart (49) . 84 A 4
St-Pierre-Quiberon (56) ...81 E 3
St-Pierre-Roche (63) .....132 D 4
St-Pierre-sur-Dives (14) ..27 H 4
St-Pierre-sur-Doux (07) ..149 E 4
St-Pierre-sur-Dropt (47) .156 B 3
St-Pierre-sur-Erve (53) ...67 F 3
St-Pierre-sur-Orthe (53) ..67 G 1
St-Pierre-sur-Vence (08) ..18 D 3
St-Pierre-Tarentaine (14) . 25 H 4
St-Pierre-Toirac (46) ....159 F 4
St-Pierremont (02) ....17 G 3
St-Pierremont (08) ....19 F 5
St-Pierremont (88) ....57 G 4
St-Pierreville (07) ......163 F 1
St-Pierrevillers (55) .....20 B 3
St-Plaisir (03) ....119 G 1
St-Plancard (31) ....205 F 1
St-Planchers (50) ....45 G 1
St-Plantaire (36) ....117 G 2
St-Point (71) ....122 A 3
St-Point-Lac (25) ....111 F 3
St-Pois (50) ....46 B 1
St-Poix (53) ....66 B 3
St-Pol-de-Léon (29) ....41 F 1
St-Pol-sur-Mer (59) ....3 F 2
St-Pol-sur-Ternoise (62) ...7 G 2
St-Polgues (42) ....134 C 2
St-Polycarpe (11) ....208 A 2
St-Pompain (79) ....114 A 2
St-Pompont (24) ....157 H 2
St-Poncy (15) ....147 E 3
St-Pons (04) ....167 F 5
St-Pons (07) ....163 F 3
St-Pons-de-Mauchiens (34) . 192 D 3
St-Pons-de-Thomières (34) . 191 G 3
St-Pons-la-Calm (30) .....178 D 3
St-Pont (03) ....120 A 5
St-Porchaire (17) ....126 D 2
St-Porquier (82) ....173 F 4
St-Pôtan (22) ....44 B 3
St-Pouange (10) ....73 H 1
St-Pourçain-sur-Besbre (03) . 120 C 2
St-Pourçain-sur-Sioule (03) . 120 A 3
St-Prancher (88) ....56 C 5
St-Préjet-Armandon (43) ..147 H 3
St-Préjet-d'Allier (43) ..161 H 1
St-Prest (28) ....50 A 4
St-Preuil (16) ....127 H 4
St-Priest (07) ....163 F 2
St-Priest (23) ....118 C 5
St-Priest (69) ....136 B 4
St-Priest-Bramefant (63) . 133 H 1
St-Priest-d'Andelot (03) . 119 H 5
St-Priest-des-Champs (63) . 132 C 1
St-Priest-en-Jarez (42) ..149 E 1
St-Priest-en-Murat (03) ..119 F 3
St-Priest-la-Feuille (23) . 117 F 4
St-Priest-la-Marche (18) . 118 B 3
St-Priest-la-Plaine (23) . 117 F 4
St-Priest-la-Prugne (42) . 134 B 1
St-Priest-la-Roche (42) ..134 D 2
St-Priest-la-Vêtre (42) ..134 B 3
St-Priest-les-Betoux (87) . 116 D 4
St-Priest-les-Fougères (24) . 129 H 5
St-Priest-Ligoure (87) ...130 D 2
St-Priest-Palus (23) .....130 D 2
St-Priest-sous-Aixe (87) . 129 H 3
St-Priest-Taurion (87) ...130 D 1
St-Prim (38) ....149 G 1
St-Privat (07) ....163 G 3
St-Privat (19) ....145 G 4

St-Privat (34)............192 C 1
St-Privat-d'Allier (43)............147 A 5
St-Privat-de-Champclos (30)..178 C 1
St-Privat-de-Vallongue (48)...177 G 1
St-Privat-des-Prés (24).........142 C 3
St-Privat-des-Vieux (30)........178 A 2
St-Privat-du-Dragon (43)........147 G 3
St-Privat-du-Fau (48)..........161 F 1
St-Privat-la-Montagne (57).....20 D 5
St-Privé (71)...............108 D 5
St-Privé (89).................90 B 1
St-Prix (03).................120 C 4
St-Prix (07).................149 F 5
St-Prix (71).................107 H 3
St-Prix (95)..................31 E 4
St-Prix-lès-Arnay (21)........108 C 1
St-Projet (15)...............159 H 3
St-Projet (46)...............158 C 2
St-Projet (82)...............174 B 1
St-Projet-de-Salers (15)......146 A 4
St-Projet-St-Constant (16)....128 D 3
St-Prouant (85)..............100 B 4
St-Pryvé-St-Mesmin (45).......70 C 4
St-Puy (32).................172 A 5
St-Python (59)................9 E 4
St-Quentin-
de-Rançanne (17)..........127 F 5
St-Quay-Perros (22)..........42 D 2
St-Quay-Portrieux (22).......43 G 3
St-Quentin ⊲SP⊳ (02).........16 D 2
St-Quentin-au-Bosc (76).......13 H 1
St-Quentin-de-Baron (33).....155 G 1
St-Quentin-de-Blavou (61).....48 B 4
St-Quentin-de-Caplong (33)...156 B 2
St-Quentin-de-Chalais (16)...142 B 2
St-Quentin-des-Isles (27).....28 D 4
St-Quentin-des-Prés (60)......14 C 5
St-Quentin-du-Dropt (47).....157 F 2
St-Quentin-en-Mauges (49)....84 B 4
St-Quentin-
en-Tourmont (80).............6 C 3
St-Quentin-en-Yvelines (78)...50 D 2
St-Quentin-Fallavier (38).....136 C 4
St-Quentin-
la-Chabanne (23)...........131 G 2
St-Quentin-la-Motte-
Croix-au-Bailly (80)..........6 B 5
St-Quentin-la-Poterie (30)...178 C 3
St-Quentin-la-Tour (09).......207 G 2
St-Quentin-le-Petit (08)......17 H 4
St-Quentin-le-Verger (51).....53 F 3
St-Quentin-les-Anges (53).....66 B 5
St-Quentin-
lès-Beaurepaire (49)........85 G 1
St-Quentin-
les-Chardonnets (61).......46 D 1
St-Quentin-les-Marais (51)....54 C 1
St-Quentin-sur-Allan (02).....32 C 3
St-Quentin-
sur-Charente (16)..........129 F 2
St-Quentin-sur-Coole (51).....54 B 1
St-Quentin-sur-Indrois (37)...87 F 5
St-Quentin-sur-Isère (38)....151 F 2
St-Quentin-
sur-le-Homme (50).........45 H 2
St-Quentin-sur-Nohain (58)...90 B 4
St-Quentin-
sur-Sauxillanges (63).......133 G 5
St-Quentin-sur-Sioule (63)...119 G 5
St-Quirc (09)...............189 G 5
St-Quirin (57)................58 B 2
St-Rabier (24)...............143 A 3
St-Racho (71)...............121 G 4
St-Rambert-d'Albon (26)......149 H 2
St-Rambert-
en-Bugey (01)..............137 E 1
St-Raoul (56)................64 C 3
St-Raphaël (24)..............143 H 2
St-Raphaël (83)..............198 D 3
St-Régis-du-Coin (42)........149 E 2
St-Règle (37).................87 F 4
St-Remèze (07)..............163 F 5
St-Remimont (54).............57 E 3
St-Remimont (88).............76 C 1
St-Rémy (01)................122 D 4
St-Rémy (12)................159 F 5
St-Rémy (14).................27 E 5
St-Rémy (19)................131 H 4
St-Rémy (21).................92 B 1
St-Rémy (24)................142 B 5
St-Rémy (27).................30 B 3
St-Remy (70).................76 D 4
St-Rémy (71)................109 E 4
St-Rémy (79)................114 A 3
St-Remy (88).................58 A 5
St-Rémy-au-Bois (62)..........6 D 2
St-Rémy-aux-Bois (54)........57 F 4
St-Rémy-Blanzy (02)..........32 D 2
St-Rémy-Boscrocourt (76).....14 A 1
St-Remy-Chaussée (59).........9 H 4
St-Rémy-de-Blot (63)........119 G 5
St-Rémy-de-Chargnat (63)....133 G 5
St-Rémy-de-
Chaudes-Aigues (15).......160 D 2
St-Rémy-de-Maurienne (73)...152 C 1
St-Rémy-
de-Provence (13)..........179 F 5
St-Rémy-de-Salers (15)......146 A 4
St-Rémy-de-Sillé (72).........67 G 2
St-Rémy-des-Landes (50)......22 C 5
St-Rémy-des-Monts (72).......68 B 1
St-Remy-du-Nord (59)..........9 H 4

St-Rémy-du-Plain (35)........45 G 5
St-Rémy-du-Val (72).........48 A 5
St-Rémy-en-Bouzemont-
St-Genest-et-Isson (51).....54 D 3
St-Rémy-en-l'Eau (60)........15 G 5
St-Rémy-en-Mauges (49)......84 A 4
St-Rémy-
en-Montmorillon (86)......116 B 3
St-Rémy-en-Rollat (03)......120 A 4
St-Rémy-la-Calonne (55)......36 A 4
St-Rémy-la-Varenne (49)......85 F 3
St-Rémy-le-Petit (08)........34 A 1
St-Rémy-lès-Chevreuse (78)...50 D 2
St-Rémy-l'Honoré (78)........50 C 2
St-Remy-sous-Barbuise (10)...53 H 4
St-Remy-sous-Broyes (51).....53 F 2
St-Rémy-sur-Avre (28)........49 G 2
St-Rémy-sur-Bussy (51).......34 C 4
St-Rémy-sur-Creuse (86).....102 D 3
St-Rémy-sur-Durolle (63)....134 A 2
St-Renan (29)................41 E 3
St-René (22).................43 H 5
St-Restitut (26)............179 E 1
St-Révérend (85).............98 D 4
St-Révérien (58)............91 E 5
St-Rieul (22)................44 B 4
St-Rigomer-des-Bois (72).....48 A 5
St-Rimay (41)................69 E 5
St-Riquier (80)...............7 E 4
St-Riquier-en-Rivière (76)....14 B 2
St-Riquier-ès-Plains (76)....13 E 2
St-Rirand (42)..............120 D 5
St-Rivalain (56).............63 E 4
St-Rivoal (29)...............41 H 5
St-Robert (19)..............144 A 3
St-Robert (47)..............172 D 2
St-Roch (37).................86 C 3
St-Roch-sur-Égrenne (61).....46 D 3
St-Rogatien (17)............113 F 4
St-Romain (16)..............142 B 2
St-Romain (21)..............108 D 2
St-Romain (63)..............148 B 1
St-Romain (69)..............135 H 2
St-Romain (86)..............115 G 4
St-Romain-d'Ay (07).........149 G 3
St-Romain-de-Benet (17).....126 D 3
St-Romain-
de-Colbosc (76)............12 C 5
St-Romain-de-Jalionas (38)...136 C 4
St-Romain-de-Lerps (07).....149 H 5
St-Romain-
de-Monpazier (24).........157 G 2
St-Romain-de-Popey (69).....135 F 2
St-Romain-de-Surieu (38)....149 H 1
St-Romain-
de-Vignague (33)..........156 A 3
St-Romain-d'Urfé (42).......134 B 2
St-Romain-en-Gal (69).......136 B 5
St-Romain-en-Gier (69)......135 H 5
St-Romain-en-Jarez (42).....135 G 5
St-Romain-en-Viennois (84)...179 G 1
St-Romain-
et-St-Clément (24)........143 G 1
St-Romain-la-Motte (42).....121 E 5
St-Romain-la-Virvée (33)....141 G 5
St-Romain-Lachalm (43)......149 E 2
St-Romain-le-Noble (47).....172 C 2
St-Romain-le-Preux (89)......72 C 4
St-Romain-le-Puy (42).......134 D 5
St-Romain-les-Atheux (42)...149 E 2
St-Romain-
sous-Gourdon (71).........108 C 5
St-Romain-
sous-Versigny (71).........108 A 5
St-Romain-sur-Cher (41).......87 H 4
St-Romain-sur-Gironde (17)...141 E 1
St-Roman (26)...............165 F 2
St-Roman-de-Bellet (06).....183 F 5
St-Romain-de-Codières (30)...177 G 4
St-Roman-
de-Malegarde (84).........179 F 1
St-Roman-de-Tousque (48)....177 G 2
St-Romans (38)..............151 E 4
St-Romans-des-Champs (79)...114 B 4
St-Romans-lès-Melle (79)....114 C 4
St-Rome (31)................189 H 4
St-Rome-de-Cernon (12)......176 B 4
St-Rome-de-Dolan (48).......176 C 1
St-Rome-de-Tarn (12)........176 A 3
St-Romphaire (50)............25 F 4
St-Rustice (31).............189 F 1
St-Saëns (76)................13 H 4
St-Saire (76)................14 A 3
St-Salvadou (12)............174 D 1
St-Salvadour (19)...........144 D 1
St-Salvi-de-Carcavès (81)...191 F 1
St-Salvy (47)...............172 C 3
St-Salvy-de-la-Balme (81)...190 D 2
St-Samson (14)...............27 G 3
St-Samson (53)...............47 G 4
St-Samson (56)...............63 G 3
St-Samson-de-Bonfossé (50)...25 F 4
St-Samson-de-la-Roque (27)...28 C 1
St-Samson-la-Poterie (60)....14 C 4
St-Samson-sur-Rance (22).....44 D 3
St-Sandoux (63).............133 F 4
St-Santin (12)..............159 G 3
St-Santin-Cantalès (15).....145 H 5
St-Santin-de-Maurs (15).....159 G 3
St-Sardos (47)..............172 B 1
St-Sardos (82)..............173 F 5

St-Sardos-
de-Laurenque (47).........157 G 4
St-Satur (18)................90 A 4
St-Saturnin (15)............146 C 3
St-Saturnin (16)............128 B 4
St-Saturnin (18)............118 B 2
St-Saturnin (48)............161 E 5
St-Saturnin (51).............53 G 3
St-Saturnin (63)............133 F 4
St-Saturnin (72).............68 A 3
St-Saturnin-de-Lenne (12)...160 D 5
St-Saturnin-de-Lucian (34)..192 C 1
St-Saturnin-du-Bois (17)....113 H 5
St-Saturnin-du-Limet (53)....66 A 5
St-Saturnin-lès-Apt (84)....180 A 4
St-Saturnin-
lès-Avignon (84)..........179 F 4
St-Saturnin-sur-Loire (49)...85 E 3
St-Saud-Lacoussière (24)....129 F 5
St-Sauflieu (80).............15 F 3
St-Saulge (58)..............107 E 1
St-Saulve (59)...............9 F 2
St-Saury (15)...............159 G 1
St-Sauvant (17).............127 F 3
St-Sauvant (86).............115 E 3
St-Sauves-d'Auvergne (63)...132 C 5
St-Sauveur (05).............167 E 3
St-Sauveur (21).............94 A 4
St-Sauveur (31).............189 F 1
St-Sauveur (33).............140 D 3
St-Sauveur (38).............151 E 3
St-Sauveur (54).............58 A 3
St-Sauveur (60)..............31 H 2
St-Sauveur (70)..............77 F 5
St-Sauveur (79)............101 E 4
St-Sauveur (80)..............15 F 1
St-Sauveur (85)..............98 A 4
St-Sauveur-Camprieu (30)....177 E 3
St-Sauveur-d'Aunis (17).....113 G 4
St-Sauveur-
de-Carrouges (61)..........47 G 3
St-Sauveur-de-Chaulieu (50)..46 C 1
St-Sauveur-
de-Cruzières (07)..........178 B 1
St-Sauveur-de-Flée (49)......66 C 5
St-Sauveur-
de-Ginestoux (48).........161 H 3
St-Sauveur-
de-Landemont (49)..........83 H 4
St-Sauveur-de-Meilhan (47)...156 A 4
St-Sauveur-
de-Montagut (07)..........163 F 1
St-Sauveur-de-Peyre (48)....161 F 3
St-Sauveur-
de-Pierrepont (50).........22 C 5
St-Sauveur-
de-Puynormand (33)........142 A 5
St-Sauveur-d'Émalleville (76)..12 C 4
St-Sauveur-des-Landes (35)...45 H 5
St-Sauveur-en-Diois (26)....164 D 2
St-Sauveur-
en-Puisaye (89)............90 C 2
St-Sauveur-en-Rue (42)......149 F 2
St-Sauveur-Gouvernet (26)...165 F 5
St-Sauveur-
la-Pommeraye (50).........24 D 5
St-Sauveur-la-Sagne (63)....147 H 1
St-Sauveur-la-Vallée (46)...158 C 3
St-Sauveur-Lalande (24).....142 C 5
St-Sauveur-
le-Vicomte (50)...........22 D 5
St-Sauveur-Lendelin (50).....24 D 3
St-Sauveur-les-Bains (65)...204 B 4
St-Sauveur-lès-Bray (77).....52 C 4
St-Sauveur-Levasville (28)...49 H 3
St-Sauveur-sur-École (77)....51 G 4
St-Sauveur-sur-Tinée (06)...183 E 2
St-Sauvier (03).............118 C 3
St-Sauvy (32)...............188 B 1
St-Savin (33)...............141 F 4
St-Savin (38)...............137 E 4
Saint-Savin (65)............204 B 3
St-Savin (86)...............116 B 1
St-Savinien (17)............127 E 2
St-Saviol (86)..............115 F 5
St-Savournin (13)...........196 A 4
St-Sébastien (23)...........117 F 3
St-Sébastien (38)...........165 H 1
St-Sébastien-
d'Aigrefeuille (30)........177 H 3
St-Sébastien-
de-Morsent (27)...........29 G 4
St-Sébastien-de-Raids (50)...25 E 2
St-Sébastien-sur-Loire (44)...83 F 5
St-Secondin (86)............115 G 3
St-Ségal (29)................41 H 5
St-Séglin (35)...............64 D 4
St-Seine (58)...............107 G 5
St-Seine-en-Bâche (21)......109 H 1
St-Seine-l'Abbaye (21).......93 E 3
St-Seine-sur-Vingeanne (21)..94 A 2
St-Selve (33)...............155 F 3
St-Senier-
sous-Avranches (50).......45 H 2
St-Senoch (37).............103 F 2
St-Senoux (35)...............65 E 4
St-Sériès (34)..............193 H 4
St-Sernin (07)..............163 E 4
St-Sernin (11)..............207 F 1

St-Sernin (47)..............156 C 2
St-Sernin-du-Bois (71)......108 C 3
St-Sernin-du-Plain (71).....108 D 3
St-Sernin-lès-Lavaur (81)...190 B 3
St-Sernin-sur-Rance (12)....175 G 5
St-Sérotin (89)..............72 C 1
St-Servais (22)..............42 D 5
St-Servais (29)..............41 G 3
St-Servan-sur-Mer (35).......44 D 2
St-Servant (56)..............64 A 3
St-Setiers (19).............131 G 4
St-Seurin-de-Bourg (33).....141 F 4
St-Seurin-de-Cadourne (33)..140 D 2
St-Seurin-de-Cursac (33)....141 E 3
St-Seurin-de-Palenne (17)...127 F 4
St-Seurin-de-Prats (24).....156 B 1
St-Seurin-d'Uzet (17).......126 D 5
St-Seurin-sur-l'Isle (33)...142 A 5
St-Sève (33)................156 A 3
St-Sever (40)...............186 A 1
St-Sever-Calvados (14).......46 B 1
St-Sever-de-Rustan (65).....187 F 4
St-Sever-de-Saintonge (17)..127 F 3
St-Sever-du-Moustier (12)...191 F 1
St-Séverin (16).............142 C 2
St-Séverin-d'Estissac (24)..142 D 4
St-Séverin-
sur-Boutonne (17).........114 B 5
St-Siffret (30).............178 C 3
St-Sigismond (45)............70 B 4
St-Sigismond (49)............84 B 3
St-Sigismond (74)...........125 E 5
St-Sigismond (85)...........113 H 3
St-Sigismond-
de-Clermont (17)..........141 F 1
St-Silvain-Bas-le-Roc (23)...118 B 3
St-Silvain-Bellegarde (23)..131 H 1
St-Silvain-Montaigut (23)...117 G 5
St-Silvain-sous-Toulx (23)..118 B 4
St-Siméon (27)...............28 C 2
St-Siméon (61)...............46 D 4
St-Siméon (77)...............52 C 1
St-Siméon-de-Bressieux (38)..150 D 2
St-Simeux (16)..............128 A 4
St-Simon (02)................16 C 3
St-Simon (15)...............146 A 5
St-Simon (16)...............128 A 4
St-Simon (31)...............189 F 3
St-Simon (46)...............159 E 3
St-Simon-de-Bordes (17).....141 F 1
St-Simon-de-Pellouaille (17)..127 E 4
St-Sixt (74)................124 D 5
St-Sixte (42)...............134 C 3
St-Sixte (47)...............172 C 3
St-Solen (22)................44 D 4
St-Solve (19)...............144 B 2
St-Sorlin (69)..............135 G 4
St-Sorlin-d'Arves (73)......152 B 2
St-Sorlin-de-Conac (17).....141 E 1
St-Sorlin-de-Morestel (38)..137 F 4
St-Sorlin-de-Vienne (38)....149 H 1
St-Sorlin-en-Bugey (01).....137 E 2
St-Sorlin-en-Valloire (26)...150 B 2
St-Sornin (03)..............119 G 2
St-Sornin (16)..............128 D 4
St-Sornin (17)..............126 C 3
St-Sornin (85)..............112 D 1
St-Sornin-la-Marche (87)....116 B 4
St-Sornin-Lavolps (19)......144 B 2
St-Sornin-Leulac (87).......116 D 4
St-Soulan (32)..............188 B 3
St-Souplet (59)..............9 F 5
St-Souplet-sur-Py (51).......34 B 2
St-Soupplets (77)............32 A 4
St-Sozy (46)................158 C 1
St-Stail (88)................58 B 4
St-Suliac (35)...............44 D 3
St-Sulpice (01).............122 D 3
St-Sulpice (46).............159 E 4
St-Sulpice (49)..............85 E 3
St-Sulpice (53)..............66 D 4
St-Sulpice (58).............106 D 2
St-Sulpice (60)..............31 E 1
St-Sulpice (63).............132 C 4
St-Sulpice (70)..............95 G 2
St-Sulpice (73).............137 H 4
St-Sulpice-d'Arnoult (17)...126 D 2
St-Sulpice-de-Cognac (16)...127 G 3
St-Sulpice-
de-Faleyrens (33).........155 H 1
St-Sulpice-de-Favières (91)...51 E 4
St-Sulpice-
de-Grimbouville (27)......28 C 1
St-Sulpice-
de-Guilleragues (33)......156 A 3
St-Sulpice-de-Mareuil (24)...143 E 1
St-Sulpice-
de-Pommeraye (41)..........87 G 2
St-Sulpice-
de-Pommiers (33)..........155 H 3
St-Sulpice-
de-Roumagnac (24).........142 D 3
St-Sulpice-de-Royan (17)....126 C 4
St-Sulpice-de-Ruffec (16)...128 C 1
St-Sulpice-des-Landes (35)...65 F 5
St-Sulpice-des-Landes (44)...83 H 4
St-Sulpice-des-Rivoires (38)..137 F 3
St-Sulpice-d'Excideuil (24)...143 H 1
St-Sulpice-d'Eymet (24).....156 C 3
St-Sulpice-et-Cameyrac (33)..141 G 5
St-Sulpice-la-Forêt (35).....65 H 1

St-Sulpice-la-Pointe (81)...189 H 1
St-Sulpice-Laurière (87)....130 C 1
St-Sulpice-le-Dunois (23)...117 G 3
St-Sulpice-le-Guérétois (23).117 H 4
St-Sulpice-le-Verdon (85)....99 G 3
St-Sulpice-les-Bois (19)....131 G 5
St-Sulpice-les-Champs (23)...131 F 1
St-Sulpice-
les-Feuilles (87).........117 E 3
St-Sulpice-sur-Lèze (31)....189 E 5
St-Sulpice-sur-Risle (61)....48 D 1
St-Supplet (54)..............20 B 3
St-Sylvain (14)..............27 G 4
St-Sylvain (19).............145 E 3
St-Sylvain (76)..............13 E 2
St-Sylvain-d'Anjou (49)......85 E 2
St-Sylvestre (07)...........149 G 5
St-Sylvestre (74)...........138 A 2
St-Sylvestre (87)...........130 B 1
St-Sylvestre-Cappel (59)......3 G 4
St-Sylvestre-
de-Cormeilles (27)........28 C 2
St-Sylvestre-Pragoulin (63)..133 G 1
St-Sylvestre-sur-Lot (47)...157 F 5
St-Symphorien (18)..........105 F 4
St-Symphorien (27)...........28 C 2
St-Symphorien (33)..........155 F 5
St-Symphorien (35)...........45 E 5
St-Symphorien (48)..........161 H 1
St-Symphorien (72)...........67 G 3
St-Symphorien (79)..........114 A 3
St-Symphorien-
d'Ancelles (71)............122 B 4
St-Symphorien-de-Lay (42)....134 D 1
St-Symphorien-
de-Mahun (07)............149 F 3
St-Symphorien-
de-Marmagne (71)..........108 B 4
St-Symphorien-
de-Thénières (12)........160 B 2
St-Symphorien-des-Bois (71)..121 G 3
St-Symphorien-
des-Bruyères (61)..........48 C 1
St-Symphorien-
des-Monts (50)............46 B 3
St-Symphorien-
d'Ozon (69)...............136 B 4
St-Symphorien-le-Valois (50)..24 D 1
St-Symphorien-
les-Buttes (50)............25 G 4
St-Symphorien-
sous-Chomérac (07)........163 G 2
St-Symphorien-
sur-Coise (69)............135 F 4
St-Symphorien-
sur-Couze (87)............130 A 1
St-Symphorien-
sur-Saône (21)............109 H 1
St-Thégonnec-
Loc-Eguiner (29)..........42 A 4
St-Thélo (22)................63 G 2
St-Théodorit (30)...........178 A 4
St-Théoffrey (38)...........151 H 5
St-Thibaud-de-Couz (73).....137 H 5
St-Thibault (10).............74 A 1
St-Thibault (21).............92 C 4
St-Thibault (60).............14 D 3
St-Thibault-des-Vignes (77)..51 H 1
St-Thibaut (02)..............33 E 2
St-Thibéry (34).............192 C 4
St-Thiébaud (39)............110 C 2
St-Thiébault (52)...........76 A 1
St-Thierry (51)..............33 G 2
St-Thois (29)................62 A 2
St-Thomas (02)...............17 G 5
St-Thomas (31)..............188 D 3
St-Thomas-de-Conac (17).....141 E 1
St-Thomas-
de-Courceriers (53).......67 F 1
St-Thomas-en-Argonne (51)...35 E 3
St-Thomas-en-Royans (26)....151 E 4
St-Thomas-la-Garde (42).....134 D 5
St-Thomé (07)...............163 G 4
St-Thonan (29)...............41 F 3
St-Thual (35)................44 D 5
St-Thurial (35)..............64 D 2
St-Thuriau (56)..............63 F 4
St-Thurien (27)..............28 C 1
St-Thurien (29)..............62 B 4
St-Thurin (42)..............134 B 3
St-Tricat (62)................2 C 3
St-Trimoël (22)..............44 A 4
St-Trinit (84)..............180 B 3
St-Trivier-de-Courtes (01)..122 D 2
St-Trivier-
sur-Moignans (01).........122 C 5
St-Trojan (33)..............141 F 4
St-Trojan-les-Bains (17)....126 B 2
St-Tropez (83)..............197 H 5
St-Tugdual (56)..............62 D 3
St-Tugen (29)................60 D 2
St-Turquoit (89)............179 F 1
St-Ulphace (72)..............69 E 2
St-Ulrich (68)...............97 E 1
St-Uniac (35)................64 D 1
St-Urbain (29)...............41 G 4
St-Urbain (85)...............91 E 5
Saint-Urbain-sur-Marne (52)..55 G 5
St-Urcisse (47).............172 D 2
St-Urcisse (81).............174 A 4
St-Urcize (15)..............160 D 3
St-Ursin (50)................45 H 1

St-Usage (10)................74 C 2
St-Usage (21)..............109 H 1
St-Usuge (71)..............109 H 5
St-Utin (51).................54 C 3
St-Uze (26).................149 H 3
St-Vaast-de-Longmont (60)....31 H 2
St-Vaast-d'Équiqueville (76)..13 G 5
St-Vaast-Dieppedalle (76)....13 E 3
St-Vaast-du-Val (76).........13 G 3
St-Vaast-en-Auge (14)........27 H 2
St-Vaast-en-Cambrésis (59)....9 E 4
St-Vaast-en-Chaussée (80)....15 F 1
St-Vaast-la-Hougue (50)......23 E 3
St-Vaast-lès-Mello (60)......31 F 2
St-Vaast-sur-Seulles (14)....26 D 3
St-Vaize (17)...............127 E 2
St-Valbert (70)..............77 F 4
St-Valentin (36)............104 C 3
St-Valérien (85)............113 G 1
St-Valérien (89).............72 B 2
St-Valery (60)...............14 C 3
St-Valery-en-Caux (76).......13 E 2
St-Valery-sur-Somme (80)......6 C 4
St-Vallerin (71)............108 D 5
St-Vallier (16).............142 A 2
St-Vallier (26).............149 H 3
St-Vallier (71).............108 B 5
St-Vallier (88)..............57 F 5
St-Vallier-de-Thiey (06)....198 D 1
St-Vallier-sur-Marne (52)....75 H 4
St-Varent (79)..............101 F 3
St-Vaury (23)...............117 G 4
St-Venant (62)................3 G 5
St-Vénérand (43)............162 A 1
St-Vérain (58)...............90 B 3
St-Véran (05)...............167 G 2
St-Véran (12)...............176 C 3
St-Vérand (38)..............151 E 3
St-Vérand (69)..............135 F 2
St-Vérand (71)..............122 B 4
St-Vert (43)................147 H 2
St-Viance (19)..............144 B 3
St-Viâtre (41)...............88 C 3
St-Viaud (44)................82 C 4
St-Victeur (72)..............47 H 5
St-Victor (03)..............118 D 3
St-Victor (07)..............149 G 4
St-Victor (15)..............145 H 5
St-Victor (24)..............142 D 2
St-Victor-de-Buthon (28).....49 F 5
St-Victor-
de-Chrétienville (27)......28 C 4
St-Victor-de-Malcap (30)....178 A 2
St-Victor-de-Morestel (38)..137 F 3
St-Victor-de-Réno (61).......48 D 4
St-Victor-d'Épine (27).......28 D 3
St-Victor-des-Oules (30)....178 C 3
St-Victor-en-Marche (23)....117 H 4
St-Victor-et-Melvieu (12)...176 A 3
St-Victor-la-Coste (30).....178 D 3
St-Victor-la-Rivière (63)...133 E 4
St-Victor-l'Abbaye (76)......13 G 4
St-Victor-Malescours (43)...148 D 2
St-Victor-Montvianeix (63)..134 A 2
St-Victor-Rouzaud (09).....207 E 2
St-Victor-sur-Arlanc (43)...148 A 2
St-Victor-sur-Avre (27)......49 E 2
St-Victor-sur-Loire (42)....148 D 1
St-Victor-sur-Ouche (21).....93 E 2
St-Victor-sur-Rhins (42)....135 E 1
St-Victoret (13)............195 G 4
St-Victour (19).............145 H 1
St-Victurnien (87)..........129 H 2
St-Vidal (43)...............148 A 4
St-Vigor (27)................29 H 4
St-Vigor-des-Mézerets (14)...26 D 5
St-Vigor-des-Monts (50)......25 F 5
St-Vigor-d'Ymonville (76)....12 C 5
St-Vigor-le-Grand (14).......26 D 2
St-Vincent (31).............189 H 4
St-Vincent (43).............148 B 4
St-Vincent (63).............133 F 5
St-Vincent (64).............204 A 1
St-Vincent (82).............173 H 2
St-Vincent-Bragny (71)......121 F 2
St-Vincent-Cramesnil (76)....12 C 5
St-Vincent-
de-Barbeyrargues (34).....193 F 2
St-Vincent-de-Barrès (07)...163 G 3
St-Vincent-de-Boisset (42)...134 D 1
St-Vincent-de-Connezac (24)..142 D 3
St-Vincent-de-Cosse (24)....157 H 1
St-Vincent-de-Durfort (07)..163 G 1
St-Vincent-
de-Lamontjoie (47)........172 B 3
St-Vincent-de-Mercuze (38)..152 A 1
St-Vincent-de-Paul (33).....141 F 5
St-Vincent-de-Paul (40).....185 F 1
St-Vincent-de-Pertignas (33).155 H 2
St-Vincent-de-Reins (69)....121 H 5
St-Vincent-de-Salers (15)...146 A 3
St-Vincent-de-Tyrosse (40)..184 D 1
St-Vincent-des-Bois (27).....29 H 4
St-Vincent-des-Landes (44)...83 G 1
St-Vincent-des-Prés (71)....122 A 2
St-Vincent-des-Prés (72).....68 B 1
St-Vincent-d'Olargues (34)..191 H 3

Localité *(Département)* Page Coordonnées

St-Vincent-du-Boulay (27) .....28 C 3
St-Vincent-du-Lorouër (72) ...68 C 5
St-Vincent-du-Pendit (46) . 159 E 1
St-Vincent-en-Bresse (71) ... 109 G 5
St-Vincent-Jalmoutiers (24) . 142 B 3
St-Vincent-la-Châtre (79) ... 114 D 4
St-Vincent-
la-Commanderie (26)..... 150 D 5
St-Vincent-le-Paluel (24) . 158 A 1
St-Vincent-les-Forts (04) ... 166 D 4
St-Vincent-Lespinasse (82) ..173 E 3
St-Vincent-Puymaufrais (85) . 100 A 5
St-Vincent-Rive-d'Olt (46) ... 158 A 5
St-Vincent-Sterlanges (85) ... 100 A 4
St-Vincent-sur-Graon (85)....112 D 1
St-Vincent-sur-Jabron (04) . 180 C 2
St-Vincent-sur-Jard (85) ....112 C 2
St-Vincent-sur-l'Isle (24)... 143 G 3
St-Vincent-sur-Oust (56)....64 C 5
St-Vinnemer (89) ....73 H 5
St-Vit (25)..............94 C 5
St-Vital (73) ....138 C 4
St-Vite (47)............157 G 5
St-Vitte (18)..........118 D 1
St-Vitte-sur-Briance (87) . 130 C 4
St-Vivien (17) ....113 F 5
St-Vivien (24) ....156 B 1
St-Vivien-de-Blaye (33) ...141 F 4
St-Vivien-de-Médoc (33) . 140 C 1
St-Vivien-de-Monségur (33) . 156 B 3
St-Voir (03)............120 B 2
St-Vougay (29)..........41 H 2
St-Vrain (51) ....54 D 2
St-Vrain (91) ....51 F 4
St-Vran (22)...........44 A 5
St-Vulbas (01)..........136 D 2
St-Waast (59) ....9 G 3
St-Wandrille-Rançon (76) ....13 E 5
St-Witz (95)...........31 G 4
St-Xandre (17)..........113 E 4
St-Yaguen (40) ....169 G 4
St-Yan (71).............121 E 2
St-Ybard (19)...........144 C 1
St-Ybars (09)..........206 D 1
St-Ylie (39)...........110 A 1
Saint-Yon (91).........51 E 3
St-Yorre (03) ....120 B 5
St-Yrieix-la-Montagne (23) ..131 F 2
St-Yrieix-la-Perche (87) . 130 A 5
St-Yrieix-le-Déjalat (19) ... 145 F 1
St-Yrieix-les-Bois (23) .....117 H 5
St-Yrieix-sous-Aixe (87) ...129 H 2
St-Yrieix-sur-Charente (16) . 128 B 4
St-Ythaire (71) ....122 A 1
St-Yves (56)...........63 E 4
St-Yvi (29)............61 H 3
St-Yvoine (63).........133 F 5
St-Yzan-de-Soudiac (33) ...141 G 3
St-Yzans-de-Médoc (33) ... 140 D 2
St-Zacharie (83).......196 B 4
Ste-Adresse (76) ....12 A 5
Ste-Agathe (63)........134 A 3
Ste-Agathe-d'Aliermont (76) ..14 A 2
Ste-Agathe-en-Donzy (42) ..135 E 2
Ste-Agathe-
la-Bouteresse (42) .... 134 D 3
Ste-Agnès (38).........183 G 5
Ste-Agnès (38)........152 A 2
Ste-Agnès (39).........110 A 5
Ste-Alauzie (46).......173 G 1
Ste-Alvère-
Saint-Laurent (24) . 143 F 5
Ste-Anastasie (15)...... 146 D 3
Ste-Anastasie (30) .....138 C 4
Ste-Anastasie-sur-Issole (83) . 197 E 4
Ste-Anne (25)..........110 D 2
Ste-Anne (32).........188 C 1
Ste-Anne (41)..........69 F 5
Ste-Anne-d'Auray (56) ...81 F 1
Ste-Anne-du-Castellet (83) . 196 C 4
Ste-Anne-du-Portzic (29)....41 E 4
Ste-Anne-la-Condamine (04)..167 F 4
Ste-Anne-St-Priest (87) . 130 D 4
Ste-Anne-sur-Brivet (44)....82 D 2
Ste-Anne-sur-Gervonde (38) . 136 D 5
Ste-Anne-sur-Vilaine (35)....65 G 5
Ste-Aulde (77)..........32 C 5
Ste-Aurence-Cazaux (32) . 187 H 4
Ste-Austreberthe (62).....7 E 2
Ste-Austreberthe (76)...13 F 4
Ste-Barbe (22).........43 F 2
Ste-Barbe (57) ....21 F 5
Ste-Barbe (88) ....57 H 4
Ste-Barbe-sur-Gaillon (27) ..29 H 3
Ste-Bazeille (47) ......156 B 4
Ste-Beuve-en-Rivière (76) ... 14 B 3
Ste-Blandine (38).......137 E 5
Ste-Blandine (79) ......114 C 4
Ste-Brigitte (56).......63 E 2
Ste-Camelle (11) ....190 A 5
Ste-Catherine (62).......8 A 3
Ste-Catherine (63)......147 G 1
Ste-Catherine (69) .....135 G 4
Ste-Catherine-de-Fierbois (37) 102 D 1
Ste-Cécile (36)........104 B 1
Ste-Cécile (50).........46 A 1
Ste-Cécile (71) ....122 A 2
Ste-Cécile (85).......100 A 4

Ste-Cécile-d'Andorge (30) ...177 H 1
Ste-Cécile-du-Cayrou (81) ...174 B 4
Ste-Cécile-les-Vignes (84)...179 F 1
Ste-Céronne-
lès-Mortagne (61) ....48 C 3
Ste-Cérotte (72) ....68 D 4
Ste-Christie (32) ......188 A 1
Ste-Christie-d'Armagnac (32) 187 E 1
Ste-Christine (49)......84 B 4
Ste-Christine (63)......132 D 1
Ste-Christine (85)......113 H 3
Ste-Claire (06) ....183 F 4
Ste-Colombe (05).......180 C 1
Ste-Colombe (16).......128 C 2
Ste-Colombe (17).......141 H 2
Ste-Colombe (25).......111 F 3
Ste-Colombe (33).......156 A 1
Ste-Colombe (35).......65 G 4
Ste-Colombe (40).......186 A 1
Ste-Colombe (46).......159 F 2
Ste-Colombe (50).......22 D 4
Ste-Colombe (69).......136 B 5
Ste-Colombe (76).......13 G 4
Ste-Colombe (77).......52 C 4
Ste-Colombe (84).......179 H 2
Ste-Colombe (89).......91 H 2
Ste-Colombe-de-Duras (47) . 156 B 3
Ste-Colombe-
de-la-Commanderie (66) ..212 D 3
Ste-Colombe-
de-Montauroux (48)...... 162 A 2
Ste-Colombe-de-Peyre (48)...161 F 3
Ste-Colombe-
de-Villeneuve (47).......172 C 1
Ste-Colombe-des-Bois (58) ...90 C 4
Ste-Colombe-en-Auxois (21)...92 C 3
Ste-Colombe-en-Bruilhois (47)172 B 2
Ste-Colombe-
la-Commanderie (27).......29 F 3
Ste-Colombe-près-Vernon (27) 29 H 4
Ste-Colombe-sur-Gand (42) . 135 G 2
Ste-Colombe-sur-Guette (11) 208 A 5
Ste-Colombe-sur-l'Hers (11).. 207 G 3
Ste-Colombe-sur-Loing (89) ..90 C 2
Ste-Colombe-sur-Seine (21)...74 C 4
Ste-Colome (64) ....203 H 1
Ste-Consorce (69).......135 H 3
Ste-Croix (01) ....136 C 2
Ste-Croix (02) ....17 G 5
Ste-Croix (04)........196 B 1
Ste-Croix (12) ....159 F 5
Ste-Croix (26) ....165 E 2
Ste-Croix (46) ....173 F 1
Ste-Croix (71) ....123 E 1
Ste-Croix (81).........174 D 4
Ste-Croix-à-Lauze (04) .. 180 C 4
Ste-Croix-aux-Mines (68) ..58 C 5
Ste-Croix-de-Caderle (30)...177 G 3
Ste-Croix-de-Mareuil (24)...142 D 1
Ste-Croix-
de-Quintillargues (34) . 193 F 1
Ste-Croix-du-Mont (33) ....155 G 3
Ste-Croix-du-Verdon (04) ...181 F 5
Ste-Croix-en-Jarez (42) . 149 G 1
Ste-Croix-en-Plaine (68) ...78 D 2
Ste-Croix-Grand'Tonne (14)...27 E 2
Ste-Croix-Hague (50) ...22 B 2
Ste-Croix-sur-Aizier (27) .....28 D 1
Ste-Croix-sur-Buchy (76) ... 14 A 4
Ste-Croix-sur-Mer (14) ....27 E 1
Ste-Croix-sur-Orne (61) .. 47 F 1
Ste-Croix-
Vallée-Française (48) ....177 G 2
Ste-Croix-Volvestre (09). 206 B 2
Ste-Dode (32)..........187 G 4
Ste-Eanne (79).........114 C 2
Ste-Engrâce (64).......203 E 2
Ste-Enimie (48).......176 D 1
Ste-Eugénie-
de-Villeneuve (43)......147 H 4
Ste-Eugienne (50)......45 H 1
Ste-Eulalie (07) ......162 D 2
Ste-Eulalie (11)........208 A 1
Ste-Eulalie (15).......145 H 4
Ste-Eulalie (33).......141 F 5
Ste-Eulalie (48).......161 G 2
Ste-Eulalie-d'Ans (24)...143 H 3
Ste-Eulalie-de-Cernon (12)...176 C 4
Ste-Eulalie-d'Eymet (24) . 156 C 2
Ste-Eulalie-d'Olt (12)....160 D 5
Ste-Eulalie-en-Born (40) . 168 D 1
Ste-Eulalie-en-Royans (26)..151 E 4
Ste-Euphémie (01).......135 H 1
Ste-Euphémie-
sur-Ouvèze (26) ....180 A 1
Ste-Eusoye (60) ....15 F 4
Ste-Fauste (36) ....104 C 4
Ste-Féréole (19)........144 C 3
Ste-Feyre (23).........117 H 5
Ste-Feyre-la-Montagne (23) ..131 G 2
Ste-Flaive-des-Loups (85)....99 F 5
Ste-Florence (33) .....156 A 1
Ste-Florence (85)......99 H 4
Ste-Florine (43) ......147 F 1
Ste-Fortunade (19).....144 D 3
Ste-Foi (09)...........207 G 2
Ste-Foy (40)..........170 D 4
Ste-Foy (69)..........135 H 3
Ste-Foy (71)..........121 F 4
Ste-Foy (76)...........13 G 2
Ste-Foy (85)..........112 B 1

Ste-Foy-d'Aigrefeuille (31) . 189 G 3
Ste-Foy-de-Belvès (24).....157 H 2
Ste-Foy-de-Longas (24).....157 F 1
Ste-Foy-
de-Montgommery (14).....28 A 5
Ste-Foy-de-Peyrolières (31) . 188 D 3
Ste-Foy-la-Grande (33) . 156 C 1
Ste-Foy-la-Longue (33).....155 H 3
Ste-Foy-l'Argentière (69)....135 F 4
Ste-Foy-St-Sulpice (42) . 134 D 3
Ste-Foy-Tarentaise (73) . 139 F 4
Ste-Gauburge (61).........48 D 5
Ste-Gauburge-
Ste-Colombe (61).........48 C 2
Ste-Gemme (17) ....126 D 3
Ste-Gemme (32)........188 B 1
Ste-Gemme (33) ....156 B 3
Ste-Gemme (36) ....103 H 4
Ste-Gemme (51) ....33 F 3
Ste-Gemme (79) ....101 F 3
Ste-Gemme (81)........175 E 3
Ste-Gemme-
en-Sancerrois (18).......90 A 4
Ste-Gemme-la-Plaine (85) ...113 E 1
Ste-Gemme-Martaillac (47) . 156 B 5
Ste-Gemme-Moronval (28) ...49 H 2
Ste-Gemmes (41) ....91 H 2
Ste-Gemmes-d'Andigné (49)...84 B 1
Ste-Gemmes-le-Robert (53) ...67 F 1
Ste-Gemmes-sur-Loire (49)....84 D 3
Ste-Geneviève (02) ....17 H 3
Ste-Geneviève (50) ......23 E 2
Ste-Geneviève (54).......36 D 5
Ste-Geneviève (60) ....31 E 2
Ste-Geneviève (76) ....14 A 4
Ste-Geneviève-des-Bois (45)...72 A 5
Ste-Geneviève-des-Bois (91)...51 F 3
Ste-Geneviève-lès-Gasny (27)..30 A 4
Ste-Geneviève-
sur-Argence (12).........160 C 2
Ste-Hélène (33) ....140 D 5
Ste-Hélène (48)........161 H 4
Ste-Hélène (56).........80 D 1
Ste-Hélène (71)........108 D 4
Ste-Hélène (88).........57 H 5
Ste-Hélène-Bondeville (76) ...12 C 3
Ste-Hélène-du-Lac (73)...138 A 5
Ste-Hélène-sur-Isère (73) ... 138 C 4
Ste-Hermine (85) ......113 F 1
Ste-Honorine-de-Ducy (14)...25 H 5
Ste-Honorine-des-Pertes (14)..23 H 5
Ste-Honorine-du-Fay (14) ....27 E 4
Ste-Honorine-
la-Chardonne (61) ....47 E 1
Ste-Honorine-la-Guillaume (61)47 F 1
Ste-Innocence (24) .....156 D 2
Ste-Jalle (26) ....165 E 5
Ste-Jamme-sur-Sarthe (72)....68 A 2
Ste-Julie (01)..........136 D 2
Ste-Juliette (82).......173 F 1
Ste-Juliette-sur-Viaur (12)...175 G 2
Ste-Léocadie (66)......211 H 4
Ste-Lheurine (17) .....127 G 5
Ste-Livière (52) ....55 E 3
Ste-Livrade (31).......188 D 2
Ste-Livrade-sur-Lot (47)...157 E 5
Ste-Lizaigne (36).......104 D 2
Ste-Luce (38) ....166 A 1
Ste-Luce-sur-Loire (44) ....83 G 4
Sainte-Lucie-
de-Porto-Vecchio (2A)....219 G 2
Sainte-Lucie-de-Tallano (2A)..219 E 2
Ste-Lunaise (18) ......105 F 3
Ste-Magnance (89) ....91 H 3
Ste-Marguerite (13).....195 H 5
Ste-Marguerite (43).....147 H 4
Ste-Marguerite (67).......58 D 4
Ste-Marguerite (84).....179 H 2
Ste-Marguerite (88).......58 B 5
Ste-Marguerite-
de-Carrouges (61).......47 G 3
Ste-Marguerite-de-l'Autel (27) .29 E 5
Ste-Marguerite-de-Viette (14) .28 A 4
Ste-Marguerite-d'Elle (14) ...24 A 4
Ste-Marguerite-des-Loges (14) 28 A 4
Ste-Marguerite-en-Ouche (27) 28 D 4
Ste-Marguerite-Lafigère (07) 162 C 4
Ste-Marguerite-
sur-Duclair (76).........13 F 5
Ste-Marguerite-
sur-Fauville (76)........12 D 3
Ste-Marguerite-sur-Mer (76) ... 13 F 1
Ste-Marie (05) ....165 F 4
Ste-Marie (08) ....34 C 1
Ste-Marie (15)........160 C 1
Ste-Marie (25)..........95 H 2
Ste-Marie (32) ....188 C 2
Ste-Marie (35)..........64 D 5
Ste-Marie (44) ....82 C 5
Ste-Marie (58) ....107 E 1
Ste-Marie (66) ....99 F 2
Ste-Marie-à-Py (51) .....34 C 2
Ste-Marie-au-Bosc (76) ....12 B 3
Ste-Marie-aux-Chênes (57) ...20 D 5
Ste-Marie-aux-Mines (68)....58 C 5
Ste-Marie-Cappel (57) .....3 G 4
Ste-Marie-d'Alloix (38).....152 A 1
Ste-Marie-d'Alvey (73).....137 G 4
Ste-Marie-d'Attez (27) .....49 F 1
Ste-Marie-de-Campan (65) . 204 D 3
Ste-Marie-de-Chignac (24). 143 F 4

Ste-Marie-de-Cuines (73).....152 C 1
Ste-Marie-de-Gosse (40) . 185 E 2
Ste-Marie-de-Ré (17).......112 D 4
Ste-Marie-de-Vatimesnil (27) .30 A 2
Ste-Marie-de-Vaux (87) . 129 H 2
Ste-Marie-des-Chaizes (43) . 147 H 4
Ste-Marie-des-Champs (76) ....13 E 4
Ste-Marie-du-Bois (50).....46 C 3
Ste-Marie-du-Bois (53)......47 E 4
Ste-Marie-
du-Lac-Nuisement (51).....54 D 3
Ste-Marie-du-Mont (38) ....152 A 1
Ste-Marie-du-Mont (50) .....23 F 5
Ste-Marie-en-Chanois (70)....77 G 4
Ste-Marie-en-Chaux (70).....77 F 5
Ste-Marie-Kerque (62) .....2 D 3
Ste-Marie-la-Blanche (21) . 109 E 2
Ste-Marie-la-Robert (61) .....47 G 2
Ste-Marie-Lapanouze (19) . 145 H 1
Ste-Marie-Laumont (14) .....25 G 5
Ste-Marie-Outre-l'Eau (14) ....25 F 5
Ste-Marie-sur-Ouche (21).....93 E 4
Ste-Marthe (27)...........28 D 5
Ste-Marthe (47)........156 B 5
Ste-Maure (10).........53 H 5
Ste-Maure-de-Peyriac (47)...171 G 4
Ste-Maure-
de-Touraine (37)........102 C 1
Ste-Maxime (83)........197 H 4
Ste-Même (17)........127 G 2
Ste-Menehould ⬥ (51)......35 E 3
Ste-Mère (32).........172 C 4
Ste-Mère-Église (50) .....23 E 5
Ste-Mesme (78).........50 D 4
Ste-Mondane (24) ......158 B 1
Ste-Montaine (18) ....89 F 3
Ste-Nathalène (24).....158 A 1
Ste-Néomaye (79).......114 C 3
Ste-Olive (01).........136 B 1
Ste-Opportune (61).......47 F 2
Ste-Opportune-du-Bosc (27) ..29 E 3
Ste-Opportune-la-Mare (27)...28 C 1
La Salette-Fallavaux (38)....166 A 1
Ste-Orse (24) ....143 H 3
Ste-Osmane (72)........68 C 4
Ste-Ouenne (79)........114 B 2
Ste-Pallaye (89)........91 F 1
Ste-Paule (69)........135 G 1
Ste-Pazanne (44) ......99 E 1
Ste-Pexine (85).........113 E 1
Ste-Pezenne (79) ......114 A 3
Ste-Pience (50).........45 H 1
Ste-Pôle (54)..........57 H 3
Ste-Preuve (02) ....17 H 4
Ste-Radegonde (12) .....175 G 1
Ste-Radegonde (17) ....126 D 2
Ste-Radegonde (24).....157 E 3
Ste-Radegonde (32) ....172 B 5
Ste-Radegonde (33) ....156 A 1
Ste-Radegonde (71) ....107 H 5
Ste-Radegonde (79) .....101 F 2
Ste-Radegonde (86).....102 D 5
Ste-Radegonde-
des-Noyers (85) ....113 F 2
Ste-Ramée (17) ....141 E 1
Ste-Reine (70) ....94 C 2
Ste-Reine (73) ....138 B 4
Ste-Reine-de-Bretagne (44)...82 B 2
Sainte-Restitude (2B)......214 C 5
Ste-Ruffine (57) ....36 D 3
Ste-Sabine (21) ....92 D 5
Ste-Sabine (24) ....157 F 3
Ste-Sabine-sur-Longève (72)...67 H 2
Ste-Savine (10)..........73 H 1
Ste-Scolasse-sur-Sarthe (61) ..48 B 3
Ste-Segrée (80)..........14 D 3
Ste-Sève (29) ....42 A 3
Ste-Sévère (16) ....127 H 3
Ste-Sévère-sur-Indre (36) ...118 A 2
Ste-Sigolène (43) .....148 D 3
Ste-Solange (18) ....105 G 1
Ste-Soline (79) ....115 E 4
Ste-Souille (16) ......142 A 1
Ste-Soulle (17) ....113 F 4
Ste-Suzanne (09) ......206 D 1
Ste-Suzanne (25) ....96 C 2
Ste-Suzanne-
et-Chammes (53) ....67 F 2
Ste-Suzanne-sur-Vitre (50)...25 F 4
Ste-Terre (33) ....155 H 1
Ste-Thecle (06) ....183 F 5
Ste-Thérence (03)......118 D 4
Ste-Thorette (18) ......105 E 2
Ste-Tréphine (22) ......63 E 1
Ste-Trie (24)..........144 A 2
Ste-Tulle (04) ....180 D 5
Ste-Valière (11).......191 G 5
Ste-Vaubourg (08) ......18 D 5
Ste-Verge (79) ....101 F 2
Ste-Vertu (89)..........91 G 1
Sainteny (50) ....25 E 2
Saintes ⬥ (17) ....127 E 3
Stes-Maries-de-la-Mer (13)... 194 B 4
Saintines (60) ....31 H 2
Saintry-sur-Seine (91).....51 G 3
Saints (77)............52 B 2
Saints-en-Puisaye (89) ....90 C 2
Sts-Geosmes (52) ....75 H 5
Sainville (28).........50 C 5
Saires (86) ....102 A 3
Saires-la-Verrerie (61) .....47 G 2

Les Saisies (73)..........138 D 3
Saissac (11) ....190 C 5
Saisseval (80) ....15 E 2
Saisy (71) ....108 C 2
Le Saix (05) ....165 H 4
Saix (81) ....190 C 3
Saix (86) ....101 H 1
Saizenay (39) ....110 D 2
Saizerais (54) ....56 D 1
Saizy (58) ....91 F 4
Sajas (31) ....188 C 4
Salagnac (24) ....144 A 2
Salagnon (38)..........137 E 4
Salaise-sur-Sanne (38) . 149 H 2
Salans (39)............94 C 5
Salasc (34) ....192 B 2
Salau (09) ....206 B 5
Salaunes (33) ....140 D 5
Salavas (07) ....163 E 5
Salavre (01) ....123 E 3
Salazac (30)...........178 D 1
Salbris (41)...........88 D 3
Les Salces (48) ....161 E 4
Saléchan (65) ....205 G 3
Saleich (31) ....206 A 2
Saleignes (17)..........127 H 1
Saleilles (66).........213 F 2
Les Salelles (48) ....161 F 5
Les Salelles
(près de Les Vans) (07) . 162 C 5
Les Salelles (près de
Vallon-Pont-d'Arc) (07)... 163 F 4
Salency (60) ....16 C 4
Salenthal (67) ....58 D 2
Saléon (05) ....165 H 5
Salérans (05) ....180 C 1
Salerm (31) ....188 B 5
Salernes (83) ....197 E 2
Salers (31) ....146 A 4
Sales (74) ....137 H 2
Salesches (59) ....9 F 4
La Salette-Fallavaux (38)....166 A 1
Salettes (26) ....164 C 4
Salettes (43) ....162 B 1
Saleux (80) ....15 F 2
Salgues (12) ....160 C 4
Salice (2A) ....216 D 4
Saliceto (2B) ....217 F 1
Saliers (13) ....194 B 2
Saliès (81)............174 D 5
Salies-de-Béarn (64) ....185 G 3
Salies-du-Salat (31) ....206 A 2
Salignac (04) ....181 E 2
Salignac (33) ....141 G 5
Salignac-de-Mirambeau (31)..141 F 2
Salignac-Eyvigues (24) . 144 B 5
Salignac-sur-Charente (17)..127 G 4
Saligney (39) ....94 B 5
Saligny (85)...........99 G 3
Saligny (89) ....72 D 1
Saligny-le-Vif (18).....105 H 2
Saligny-sur-Roudon (03) ...121 G 3
Saligos (65) ....204 B 3
Salindres (30).........178 A 2
Salinelles (30)........178 A 5
Salins (15) ....145 H 3
Salins (77) ....52 B 5
Les Salins (83) ....198 C 5
Les Salins-d'Hyères (83). 201 F 3
Salins-Fontaine (73) . 138 D 5
Salins-les-Bains (39) ....110 D 2
Salives (21) ....93 E 2
Sallagriffon (06) .....182 C 4
Sallanches (74) ....139 E 1
Sallaumines (62) ....4 B 5
La Salle (13) ....195 H 3
La Salle (71) ....122 B 2
La Salle (88) ....58 A 5
La Salle-de-Vihiers (49) . 100 D 1
La Salle-en-Beaumont (38)... 166 A 1
La Salle-et-
Chapelle-Aubry (49).......84 B 5
La Salle-les-Alpes (05) ...153 E 5
La Salle-Prunet (48).....177 F 1
Sallebœuf (33) ....155 G 1
Sallebruneau (33).......155 H 2
Sallèdes (63)..........133 G 4
Sallèles-Cabardès (11) ...191 E 5
Sallèles-d'Aude (11)....191 H 5
Sallen (14) ....25 H 3
Sallenelle (80) ....6 B 4
Sallenelles (14) ....27 G 2
Sallenôves (14) ....138 A 1
Sallertaine (85) ....98 D 3
Les Salles (33).......142 A 5
Les Salles (42) ....134 B 2
Salles (47) ....157 G 4
Salles (79) ....114 D 2
Salles (81) ....174 D 3
Salles-Adour (65) .....204 C 1
Salles-Arbuissonnas-
en-Beaujolais (69)......135 G 1
Salles-Courbatiès (12)....159 F 5
Salles-Curan (12) ......175 H 2
Salles-d'Angles (16)......127 H 5
Salles-d'Armagnac (32) ...171 F 5
Salles-d'Aude (11).......209 G 1
Salles-de-Barbezieux (16)...141 H 1
Salles-de-Belvès (24)....157 G 2

Salles-de-Villefagnan (16)....128 B 1
Les Salles-du-Gardon (30) ...177 H 2
Salles-en-Toulon (86) ....115 H 2
Salles-et-Pratviel (31) ...205 F 4
Salles-la-Source (12) ...160 A 5
Salles-Lavalette (16)....142 C 1
Les Salles-Lavauguyon (87) . 129 F 3
Salles-lès-Aulnay (17)....127 G 1
Salles-Mongiscard (64) . 185 G 3
Salles-sous-Bois (26) ...164 C 5
Salles-sur-Garonne (31) . 189 E 5
Salles-sur-l'Hers (11) ....189 H 5
Salles-sur-Mer (17).....113 F 5
Les Salles-sur-Verdon (83)...181 G 5
Sallespisse (64) ....185 H 3
Salmagne (55) ....55 H 1
Salmaise (21) ....92 D 3
Salmbach (67) ....39 H 4
Salmiech (12) ....175 G 2
Salomé (59) ....4 B 4
Salon (10).............53 H 3
Salon (24)............143 F 5
Salon-de-Provence (13) . 195 F 2
Salon-la-Tour (19) .....130 C 5
Salonnes (57) ....57 F 1
Salornay-sur-Guye (71) . 122 A 1
Salouël (80) ....15 F 2
Salperwick (62) ....3 E 4
Salsein (09) ....206 A 3
Salsigne (11) ....190 D 5
Salt-en-Donzy (42)......135 E 3
Les Salvages (81)......190 D 2
Salvagnac (81) ....174 A 5
Salvagnac-Cajarc (12) . 159 E 5
Salvagnac-St-Loup (12) . 159 F 4
La Salvetat-Belmontet (82)...173 H 4
La Salvetat-Lauragais (31)...190 A 3
La Salvetat-Peyralès (12) ...175 E 2
La Salvetat-St-Gilles (31) . 189 E 3
La Salvetat-sur-Agout (34) . 191 F 2
Salvezines (11) ....208 B 5
Salvi (Col de) (2B).....214 C 5
Salviac (46) ....158 A 3
Salvizinet (42) ....135 E 3
Salza (11) ....208 C 3
Salzuit (43)...........147 G 3
Samadet (40) ....186 B 2
Saman (31) ....188 A 5
Samaran (32) ....187 H 4
Samatan (32) ....188 C 3
Samazan (47) ....156 B 5
Sambin (41) ....87 H 3
Sambourg (89) ....73 H 5
Le Sambuc (13) ....194 D 3
Saméon (59) ....5 E 5
Samer (62) ....2 B 5
Samerey (21) ....109 H 1
Sames (64) ....185 E 3
Sammarçolles (86)......101 H 2
Sammeron (77) ....32 B 5
Samoëns (74) ....125 F 5
Samognat (01) ....123 G 3
Samogneux (55) ....35 G 2
Samois-sur-Seine (77) .....51 H 4
Samonac (33) ....141 F 4
Samoreau (77)...........51 H 4
Samouillan (31) ....188 C 5
Samoussy (02) ....17 G 4
Sampans (39) ....110 A 1
Sampigny (55) ....56 A 1
Sampigny-lès-Maranges (71) 108 D 3
Sampolo (2A) ....217 E 5
Sampzon (07) ....163 E 5
Samson (25) ....110 C 1
Samsons-Lion (64) .....186 D 4
Samuran (31) ....205 F 3
San Cervone (Col de) (2B)...217 F 2
San-Damiano (2B) ......217 G 1
San-Gavino-
d'Ampugnani (2B).......217 G 1
San-Gavino-di-Carbini (2A)...219 F 2
San-Gavino-di-Fiumorbo (2B) 217 F 5
San-Gavino-di-Tenda (2B)...215 F 4
San-Giovanni-di-Moriani (2B)217 G 1
San-Giuliano (2B)......217 G 2
San-Lorenzo (2B) ......217 F 1
San-Martino-di-Lota (2B) . 215 G 3
San Michele
de Murato (Église) (2B)...215 F 4
San-Nicolao (2B).......217 G 1
San-Pellegrino (2B) ....215 H 5
San Stefano (Col de) (2B) . 215 F 4
Sana (31) ....206 A 1
Sanary-sur-Mer (83).......200 D 3
Sancé (71) ....122 B 3
Sancergues (18)........106 A 1
Sancerre (18) ....90 A 4
Sancey (25) ....95 H 4
Sancey-le-Long (25) .....95 H 4
Sancheville (28)........70 A 2
Sanchey (88)............77 F 1
Sancoins (18) ....106 A 4
Sancourt (27)...........30 B 1
Sancourt (59) ....8 D 4
Sancourt (80) ....16 B 3
Sancy (54) ....20 C 4
Sancy (77) ....52 B 1
Sancy-les-Cheminots (02)...32 D 5
Sancy-les-Provins (77) ...52 D 2
Sand (67) ....59 E 4
Sandarville (28)........49 H 5

Sandaucourt (88) ....76 C 1
Sandillon (45) ....70 D 5
Sandouville (76) ....12 C 5
Sandrancourt (78) ....30 B 4
Sandrans (01) ....122 C 5
Sangatte (62) ....2 B 2
Sanghen (62) ....2 C 4
Sanguinaires (Iles) (2A) ...218 B 1
Sanguinet (40) ....154 B 4
Sanilhac (07) ....162 D 4
Sanilhac-Sagriès (30) .....178 C 4
Sanissac (30) ....177 F 4
Sannerville (14) ....27 G 3
Sannes (84) ....196 A 1
Sannois (95) ....31 E 5
Sanous (65) ....187 E 4
Sanry-lès-Vigy (57) ....21 E 5
Sanry-sur-Nied (57) ....37 E 3
Sans-Vallois (88) ....76 D 1
Sansa (66) ....212 A 3
Sansac-de-Marmiesse (15) .159 H 1
Sansac-Veinazès (15) .....160 A 2
Sansais (79) ....114 A 3
Sansan (32) ....188 A 3
Sanssac-l'Église (43) .....148 A 4
Sanssat (03) ....120 B 4
Santa-Lucia-di-Mercurio (2B) .217 F 2
Santa-Lucia-di-Moriani (2B) .217 G 1
Santa-Maria-di-Lota (2B) ...215 G 3
Santa-Maria-Figaniella (2A) .219 E 2
Santa-Maria-Poggio (2B) ...217 F 1
Santa-Maria-Sicché (2A) ...218 D 1
Santa-Reparata-
  di-Balagna (2B) ....214 C 4
Santa-Reparata-
  di-Moriani (2B) ....217 G 1
Sant'Andréa-di-Bozio (2B) .217 F 2
Sant'Andréa-di-Cotone (2B) .217 G 2
Sant'Andréa-d'Orcino (2A) .216 C 4
Santans (39) ....110 B 2
Sant'Antonino (2B) ....214 C 5
Santeau (45) ....71 E 3
Santec (29) ....41 H 1
Santenay (21) ....108 D 3
Santenay (41) ....87 F 2
Santenoge (52) ....75 F 5
Santeny (94) ....51 G 2
Santes (59) ....4 B 4
Santeuil (28) ....50 B 5
Santeuil (95) ....30 D 3
Santigny (89) ....92 A 2
Santilly (28) ....70 C 2
Santilly (71) ....108 D 5
Santo-Pietro-di-Tenda (2B) .215 F 4
Santo-Pietro-di-Venaco (2B) .217 E 2
Santoche (25) ....95 G 3
Santosse (21) ....108 D 2
Santranges (18) ....89 H 3
Sanvensa (12) ....174 D 1
Sanvic (76) ....12 A 5
Sanvignes-les-Mines (71) .108 A 5
Sanxay (86) ....114 D 2
Sanzay (79) ....101 E 2
Sanzey (54) ....56 C 1
Saon (14) ....25 H 2
Saône (25) ....95 E 5
Saonnet (14) ....25 H 2
Saorge (06) ....183 H 3
Saosnes (72) ....48 B 5
Saou (26) ....164 D 3
Le Sap-André (61) ....48 B 1
Le Sap-en-Auge (61) ....28 B 5
Le Sapey (38) ....151 H 2
Sapignicourt (51) ....55 E 2
Sapignies (62) ....8 B 4
Sapogne-et-Feuchères (08) .19 E 3
Sapogne-sur-Marche (08) ...19 H 4
Sapois (39) ....110 D 4
Sapois (88) ....77 H 3
Saponay (02) ....33 E 3
Saponcourt (70) ....76 D 4
Le Sappey (74) ....124 C 5
Le Sappey-
  en-Chartreuse (38) ......151 H 2
Saramon (32) ....188 B 3
Saran (45) ....70 C 4
Saraz (25) ....110 D 2
Sarbazan (40) ....170 D 3
Sarcé (72) ....86 A 1
Sarceaux (61) ....47 H 2
Sarcelles (95) ....31 F 5
Sarcenas (38) ....151 G 2
Sarcey (52) ....75 H 3
Sarcey (69) ....135 G 2
Sarcicourt (52) ....75 F 2
Sarcos (32) ....188 A 4
Sarcus (60) ....14 D 3
Sarcy (51) ....33 G 3
Sardan (30) ....178 A 5
Sardent (23) ....131 E 1
Sardieu (38) ....150 D 1
Sardon (63) ....133 F 4
Sardy-lès-Épiry (58) ....91 F 5
Sare (64) ....184 B 4
Sargé-lès-le-Mans (72) .....68 A 3
Sargé-sur-Braye (41) ....69 E 4
Sari-d'Orcino (2A) ....216 C 4
Sari-Solenzara (2A) ....219 G 1
Sariac-Magnoac (65) ......187 H 5
Sarlabous (65) ....204 D 2

Sarlande (24) ....143 H 1
Sarlat-la-Canéda (24) .....158 A 1
Sarliac-sur-l'Isle (24) .....143 G 3
Sarnois (60) ....14 D 4
Saron-sur-Aube (51) ....53 F 3
Sarp (65) ....205 F 2
Sarpoil (63) ....147 F 1
Sarpourenx (64) ....185 H 3
Sarragachies (32) ....187 E 1
Sarrageois (25) ....111 F 4
Sarraguzan (32) ....187 G 4
Les Sarraix (63) ....134 A 2
Sarralbe (57) ....38 A 4
Sarraltroff (57) ....58 B 1
Sarran (15) ....146 B 2
Sarran (19) ....145 E 1
Sarrance (64) ....203 F 2
Sarrancolin (65) ....205 E 3
Sarrant (32) ....188 C 1
Sarras (07) ....149 H 3
Sarrazac (24) ....143 H 1
Sarrazac (46) ....144 C 5
Sarraziet (40) ....186 B 1
Sarre-Union (67) ....38 B 4
Sarrebourg (57) ....58 B 1
Sarrecave (31) ....205 F 1
Sarreguemines (57) ....38 B 3
Sarreinsming (57) ....38 B 3
Sarremezan (31) ....205 G 1
Sarrewerden (67) ....38 B 4
Sarrey (52) ....75 H 3
Sarriac-Bigorre (65) ......187 F 4
Sarrians (84) ....179 G 3
Sarrigné (49) ....85 E 3
Sarrogna (39) ....123 G 2
Sarrola-Carcopino (2A) ....216 C 5
Sarron (40) ....186 C 2
Sarron (60) ....31 H 2
Sarroux (19) ....146 A 1
Sarry (51) ....34 B 5
Sarry (71) ....121 F 3
Sarry (89) ....91 H 1
Le Sars (62) ....8 A 5
Sars-et-Rosières (59) ....5 E 5
Sars-le-Bois (62) ....7 G 3
Sars-Poteries (59) ....10 A 2
Le Sart (59) ....9 G 5
Sartène (2A) ....218 D 3
Sartes (88) ....76 B 1
Sartilly-Baie-Bocage (50) ..45 G 4
Sarton (62) ....7 G 5
Sartrouville (78) ....31 E 5
Sarzay (36) ....117 H 1
Sarzeau (56) ....81 G 3
Sasnières (41) ....87 E 1
Sassangy (71) ....108 D 5
Sassay (41) ....87 H 4
Sassegnies (59) ....9 G 4
Sassenage (38) ....151 G 3
Sassenay (71) ....109 F 4
Sassetot-le-Malgardé (76) .13 F 3
Sassetot-le-Mauconduit (76) .12 D 2
Sasseville (76) ....13 E 2
Sassey (27) ....29 G 4
Sassey-sur-Meuse (55) .....35 G 1
Sassierges-St-Germain (36) .104 C 3
Sassis (65) ....204 B 4
Sassy (14) ....27 G 4
Sathonay-Camp (69) ....136 B 2
Sathonay-Village (69) .....136 B 2
Satillieu (07) ....149 F 3
Satolas-et-Bonce (38) .....136 C 4
Saturargues (34) ....193 H 1
Saubens (31) ....189 F 3
Saubion (40) ....184 D 1
Saubole (64) ....186 D 5
Saubrigues (40) ....184 D 2
Saubusse (40) ....185 E 1
Saucats (33) ....155 E 3
Saucède (64) ....185 H 5
La Saucelle (28) ....49 F 3
Sauchay (76) ....13 H 1
Sauchy-Cauchy (62) ....8 C 4
Sauchy-Lestrée (62) ....8 C 4
Sauclières (12) ....176 D 4
Saucourt-sur-Rognon (52) .55 G 5
Saudemont (62) ....8 C 3
Saudoy (51) ....53 F 2
Saudron (52) ....55 H 4
Saudrupt (55) ....55 F 2
Saugeot (39) ....110 C 5
Saugnac-et-Cambran (40) .185 F 1
Saugnacq-et-Muret (40) ...154 D 5
Saugnieu (69) ....136 C 3
Saugon (33) ....141 F 3
Saugues (43) ....147 H 5
Sauguis-St-Étienne (64) ..203 E 1
Saujac (12) ....159 E 4
Saujean (30) ....194 C 1
Saujon (17) ....126 D 4
La Saulce (05) ....166 B 5
Saulce-sur-Rhône (26) ....163 H 2
Saulces-Champenoises (08) .18 C 5
Saulces-Monclin (08) ......18 C 4
Saulcet (03) ....120 A 3
Saulchery (02) ....32 D 5
Le Saulchoy (60) ....15 E 4
Saulchoy (62) ....6 D 3
Saulchoy-sous-Poix (80) ...14 D 3

Saulcy (10) ....75 E 1
Le Saulcy (88) ....58 B 4
Saulcy-sur-Meurthe (88) ...58 A 5
Saules (25) ....111 E 1
Saules (71) ....108 D 5
Saulgé (86) ....116 B 3
Saulgé-l'Hôpital (49) ......85 E 4
Saulges (53) ....67 E 3
Saulgond (16) ....129 F 1
Sauliac-sur-Célé (46) .....158 D 4
Saulieu (21) ....92 A 5
Saulmory-et-Villefranche (55) .19 G 5
Saulnay (36) ....103 G 3
Saulnes (54) ....20 C 2
Saulnières (28) ....49 H 3
Saulnières (35) ....65 F 4
Saulnot (70) ....95 H 2
Saulny (57) ....20 D 5
Saulon-la-Chapelle (21) ...93 G 5
Saulon-la-Rue (21) ....93 F 5
La Saulsotte (10) ....53 E 4
Sault (84) ....180 A 3
Sault-Brénaz (01) ....137 E 2
Sault-de-Navailles (64) ...185 H 2
Sault-lès-Rethel (08) ......18 B 5
Sault-St-Remy (08) ....33 H 1
Saultain (59) ....9 F 3
Saulty (62) ....7 H 4
Saulx (70) ....95 F 1
Saulx-en-Barrois (55) .....55 H 2
Saulx-le-Duc (21) ....93 F 2
Saulx-les-Champlon (55) ...36 A 4
Saulx-les-Chartreux (91) ..51 E 2
Saulx-Marchais (78) ....50 C 1
Saulxerotte (54) ....56 C 4
Saulxures (52) ....76 A 3
Saulxures (67) ....59 E 3
Saulxures-lès-Bulgnéville (88) .76 C 1
Saulxures-lès-Nancy (54) ..57 E 2
Saulxures-lès-Vannes (54) .56 B 3
Saulxures-
  sur-Moselotte (88) ......77 H 3
Saulzais-le-Potier (18) ...118 D 1
Saulzet (03) ....119 H 5
Saulzet-le-Chaud (63) ....133 E 4
Saulzet-le-Froid (63) .....132 D 4
Saulzoir (59) ....9 E 3
Saumane (04) ....180 D 3
Saumane (30) ....177 G 3
Saumane-de-Vaucluse (84) .179 G 4
Sauméjan (47) ....171 F 2
Saumeray (28) ....49 H 1
Saumont (47) ....172 A 3
Saumont-la-Poterie (76) ...14 B 4
Saumos (33) ....140 C 5
Saumur (49) ....85 G 5
La Saunière (23) ....117 H 5
Saunières (71) ....109 G 3
Sauqueuse-St-Lucien (60) .15 E 5
Sauqueville (76) ....13 G 2
Saurais (79) ....101 G 5
Saurat (09) ....206 D 4
Sauret-Besserve (63) .....132 D 1
Saurier (63) ....133 E 5
Sausheim (68) ....78 D 4
Saussan (34) ....193 E 3
Saussay (28) ....49 H 1
Saussay (76) ....13 F 4
Saussay-la-Campagne (27) .30 A 2
La Saussaye (27) ....29 F 2
Saussemesnil (50) ....22 D 3
Saussenac (81) ....175 E 4
Saussens (31) ....189 H 2
Sausses (04) ....182 C 3
Les Sausses (06) ....182 C 4
Sausset-les-Pins (13) ....195 F 4
Saussemare-en-Caux (76) .12 C 3
Saussey (21) ....108 D 1
Saussey (50) ....24 D 4
Saussignac (24) ....156 C 2
Saussines (34) ....193 G 1
Saussy (21) ....93 F 3
Sautel (09) ....207 F 3
Sauternes (33) ....155 G 4
Sauteyrargues (34) ....177 H 5
Sauto (66) ....212 A 4
Sautron (44) ....83 E 4
Sauvage (51) ....53 F 2
Sauvage-Magny (52) ....54 D 5
La Sauvagère (61) ....47 F 3
Les Sauvages (69) ....135 F 2
Sauvagnac (16) ....129 E 3
Sauvagnac (87) ....130 B 1
Sauvagnas (47) ....172 C 2
Sauvagnat (63) ....132 C 3
Sauvagnat-Ste-Marthe (63) .133 F 5
Sauvagney (25) ....94 D 4
Sauvagnon (64) ....186 B 4
Sauvagny (03) ....119 F 2
Sauvat (15) ....146 A 2
Sauve (30) ....177 H 4
La Sauve (33) ....155 G 2
Sauvebœuf (24) ....157 F 1
Sauvelade (64) ....185 H 4
Sauveterre (30) ....179 E 3
La Sauvetat (32) ....172 B 5
La Sauvetat (43) ....162 B 1

La Sauvetat (63) ....133 F 4
La Sauvetat-de-Savères (47) .172 D 2
La Sauvetat-du-Dropt (47) .156 C 3
La Sauvetat-sur-Lède (47) .157 F 5
Sauveterre (30) ....179 E 3
Sauveterre (32) ....188 B 4
Sauveterre (48) ....161 G 5
Sauveterre (65) ....187 F 3
Sauveterre (81) ....191 E 3
Sauveterre (82) ....173 G 1
Sauveterre-
  de-Comminges (31) .....205 G 2
Sauveterre-
  de-Guyenne (33) ....156 A 2
Sauveterre-de-Rouergue (12) .175 E 2
Sauveterre-la-Lémance (47) .157 H 4
Sauveterre-St-Denis (47) ..172 C 2
Sauviac (32) ....187 H 4
Sauviac (33) ....155 H 5
Sauvian (34) ....192 B 5
Sauvigny (55) ....56 D 3
Sauviat (63) ....133 H 4
Sauviat-sur-Vige (87) ....130 C 2
Sauvignac (16) ....142 A 2
Sauvigney-lès-Gray (70) ...94 B 3
Sauvigney-lès-Pesmes (70) .94 A 4
Sauvigny (55) ....56 B 4
Sauvigny-le-Beuréal (89) ..92 A 3
Sauvigny-le-Bois (89) .....91 H 3
Sauvigny-les-Bois (58) ...106 D 3
Sauville (08) ....19 E 4
Sauville (88) ....76 B 2
Sauvillers-Mongival (80) ..15 G 3
Sauvimont (32) ....188 C 4
Sauvoy (55) ....56 A 2
Saux (46) ....157 H 5
Saux-et-Pomarède (31) ...205 G 1
Le Sauze (04) ....167 F 5
Sauze (06) ....182 C 2
Sauze-du-Lac (05) ....166 D 4
Sauzé-Vaussais (79) .....115 E 5
Sauzelle (17) ....126 A 1
Sauzelles (36) ....103 F 5
Sauzet (26) ....163 H 3
Sauzet (30) ....178 B 4
Sauzet (46) ....158 A 5
La Sauzière-St-Jean (81) .174 A 4
Sauzon (56) ....80 D 4
Savarthès (31) ....205 H 2
Savas (07) ....149 G 2
Savas-Mépin (38) ....136 C 5
Savasse (26) ....163 H 3
Savenay (44) ....82 D 3
Savenès (82) ....173 F 5
Savennes (23) ....117 H 5
Savennes (63) ....132 B 5
Savennières (49) ....84 D 4
Saverdun (09) ....207 E 1
Savères (31) ....188 D 4
Saverne (67) ....58 D 1
Saveuse (80) ....15 F 2
Savianges (71) ....108 D 5
Savières (10) ....53 G 5
Savigna (39) ....123 G 2
Savignac (12) ....174 C 1
Savignac (33) ....155 H 4
Savignac-de-Duras (47) ...156 B 2
Savignac-de-l'Isle (33) ..141 H 5
Savignac-de-Miremont (24) .143 G 5
Savignac-de-Nontron (24) .129 F 5
Savignac-Lédrier (24) ....144 A 2
Savignac-les-Églises (24) .143 G 2
Savignac-les-Ormeaux (09) .207 F 5
Savignac-Mona (32) ......188 C 3
Savignac-sur-Leyze (47) ..157 F 4
Savignargues (30) ....178 A 4
Savigné (86) ....115 F 5
Savigné-l'Évêque (72) .....68 B 3
Savigné-sous-le-Lude (72) .85 H 2
Savigné-sur-Lathan (37) ...86 B 3
Savigneux (01) ....135 H 1
Savigneux (42) ....134 D 4
Savignies (60) ....14 D 5
Savigny (50) ....25 E 4
Savigny (52) ....76 B 5
Savigny (69) ....135 G 3
Savigny (74) ....124 A 5
Savigny (88) ....57 E 5
Savigny-en-Revermont (71) .110 A 5
Savigny-en-Sancerre (18) ..90 A 3
Savigny-en-Septaine (18) .105 G 2
Savigny-en-Terre-Plaine (89) .91 H 3
Savigny-en-Véron (37) .....85 H 5
Savigny-le-Sec (21) ....93 F 3
Savigny-le-Temple (77) ....51 G 3
Savigny-le-Vieux (50) .....46 B 3
Savigny-lès-Beaune (21) ..109 E 1
Savigny-Lévescault (86) ..115 G 1
Savigny-Poil-Fol (58) ....107 G 4
Savigny-sous-Faye (86) ...102 A 3
Savigny-sous-Mâlain (21) ..93 E 4
Savigny-sur-Aisne (08) ....34 D 1
Savigny-sur-Ardres (51) ...33 F 2
Savigny-sur-Braye (41) ....69 E 4
Savigny-sur-Clairis (89) ...72 B 2
Savigny-sur-Grosne (71) ..122 A 1
Savigny-sur-Orge (91) .....51 F 2
Savigny-sur-Seille (71) ...109 G 5
Savilly (21) ....108 B 1
Savines-le-Lac (05) ......166 D 4
Savins (77) ....52 C 4

Savoillan (84) ....180 A 2
Savoisy (21) ....92 B 1
Savolles (21) ....93 H 4
Savonnières (37) ....86 C 4
Savonnières-devant-Bar (55) .55 G 1
Savonnières-en-Perthois (55) .55 F 3
Savonnières-en-Woëvre (55) .36 A 5
Savouges (21) ....93 F 5
Savournon (05) ....165 H 5
Savoyeux (70) ....94 B 2
Savy (02) ....16 C 2
Savy-Berlette (62) ....7 H 3
Saxel (74) ....124 D 3
Saxi-Bourdon (58) ....107 E 2
Saxon-Sion (54) ....56 D 4
Sayat (63) ....133 E 3
Saze (30) ....179 E 4
Sazeray (36) ....118 A 2
Sazeret (03) ....119 G 3
Sazilly (37) ....102 B 1
Sazos (65) ....204 B 3
Scaër (29) ....62 B 3
Scata (2B) ....217 G 1
Sceau-St-Angel (24) .....143 F 1
Sceaux (07) ....163 G 3
Sceaux (89) ....91 H 2
Sceaux (92) ....51 F 1
Sceaux-d'Anjou (49) ......84 D 1
Sceaux-du-Gâtinais (45) ...71 G 2
Sceaux-sur-Huisne (72) ....68 C 2
Scey-Maisières (25) ......111 E 1
Scey-sur-Saône-
  et-St-Albin (70) ....94 D 1
Schaeffersheim (67) ....59 E 2
Schaffhouse-près-Seltz (67) .39 H 4
Schaffhouse-sur-Zorn (67) .59 E 1
Schalbach (57) ....38 B 5
Schalkendorf (67) ....39 E 5
Scharrachbergheim-
  Irmstett (67) ....58 D 2
Scheibenhard (67) ....39 H 3
Scherlenheim (67) ....59 E 1
Scherwiller (67) ....58 D 5
Schillersdorf (67) ....38 D 5
Schiltigheim (67) ....59 F 2
Schirmeck (67) ....58 C 3
Schirrhein (67) ....39 G 5
Schirrhoffen (67) ....39 G 5
Schleithal (67) ....39 H 3
Schlierbach (68) ....78 D 5
Schmittviller (57) ....38 B 4
Schneckenbusch (57) ......58 B 1
Schnersheim (67) ....59 E 2
Schœnau (67) ....59 H 4
Schœnbourg (67) ....38 C 5
Schœneck (57) ....38 A 2
Schœnenbourg (67) ....39 G 4
Schopperten (67) ....38 B 4
Schorbach (57) ....38 D 3
Schweighouse-
  sur-Moder (67) ....39 F 4
Schweighouse-Thann (68) ..78 C 5
Schwenheim (67) ....58 D 1
Schwerdorff (57) ....21 G 3
Schweyen (57) ....38 C 2
Schwindratzheim (67) .....59 E 1
Schwoben (68) ....97 F 1
Schwobsheim (67) ....59 E 5
Sciecq (79) ....114 A 3
Scientrier (74) ....124 D 4
Scieurac-et-Flourès (32) .187 F 3
Sciez (74) ....124 D 3
Scillé (79) ....100 D 5
Scionzier (74) ....125 E 3
Sclos (06) ....183 F 4
Scolca (2B) ....215 F 5
Scorbé-Clairvaux (86) ...102 B 4
Scoury (36) ....103 G 5
Scrignac (29) ....42 B 5
Scrupt (51) ....54 D 2
Scy-Chazelles (57) ....36 D 3
Scye (70) ....94 D 1
Séailles (32) ....187 F 1
La Séauve-sur-Semène (43) .148 D 2
Sébazac-Concourès (12) ..160 B 5
Sébécourt (27) ....29 E 5
Sébéville (50) ....23 E 5
Seboncourt (02) ....17 E 1
Sebourg (59) ....9 F 3
Sébrazac (12) ....160 B 4
Séby (64) ....186 B 3
Sec-Bois (59) ....3 G 4
Secenans (70) ....95 H 2
Séchault (08) ....34 D 2
Sécheras (07) ....149 H 4
Sécheval (08) ....10 D 5
Le Séchier (05) ....166 B 1
Séchilienne (38) ....151 H 4
Séchin (25) ....95 F 4
Seclin (59) ....4 C 4
Secondigné-sur-Belle (79) .114 B 4
Secondigny (79) ....101 E 5
Secourt (57) ....37 E 4
Secqueville-en-Bessin (14) .27 E 4
Sedan (08) ....19 F 3
Sédeilhac (31) ....205 F 1
Séderon (26) ....180 B 2
Sedze-Maubecq (64) .....186 D 4
Sedzère (64) ....186 D 4
Seebach (67) ....39 G 4
Sées (61) ....48 A 3

Séez (73) ....139 F 4
Le Ségala (11) ....190 A 5
Ségalas (47) ....156 D 4
Ségalas (65) ....187 F 4
La Ségalassière (15) ....159 G 1
Séglien (56) ....63 E 3
Ségny (01) ....124 B 3
Segonzac (16) ....127 H 4
Segonzac (19) ....144 A 3
Segonzac (24) ....142 D 3
Segré (49) ....84 B 1
Ségreville (31) ....189 H 3
Ségrie (72) ....67 H 1
Ségrie-Fontaine (61) ....47 F 1
Segrois (21) ....109 E 1
Ségry (36) ....104 D 3
La Séguinière (49) .....100 B 1
Ségur (12) ....176 A 1
Ségur-le-Château (19) ..144 A 1
Ségur-les-Villas (15) ...146 C 3
Séguret (84) ....179 G 2
Ségus (65) ....204 B 2
Seich (65) ....205 F 2
Seichamps (54) ....57 E 1
Seichebrières (45) ......71 E 4
Seicheprey (54) ....36 B 5
Seiches-sur-le-Loir (49) .85 F 2
Seignalens (11) ....207 G 2
Seigné (17) ....127 H 1
Seignelay (89) ....73 E 4
Seigneulles (55) ....55 G 1
Seignosse (40) ....184 D 1
Seigny (21) ....92 C 2
Seigy (41) ....87 H 5
Seilh (31) ....189 F 1
Seilhac (19) ....144 D 2
Seilhan (31) ....205 F 2
Seillac (41) ....87 G 2
Seillans (83) ....197 H 1
Seillonnaz (01) ....137 F 2
Seillons-Source-
  d'Argens (83) ....196 C 3
Seine-Port (77) ....51 G 3
Seingbouse (57) ....37 H 3
Seissan (32) ....188 A 3
Seissous (09) ....206 B 4
Le Sel-de-Bretagne (35) ..65 F 4
Selaincourt (54) ....56 C 5
Selens (02) ....16 C 5
Sélestat (67) ....58 D 5
Séligné (79) ....114 B 5
Séligney (39) ....110 A 2
Selincourt (80) ....14 D 2
La Selle (70) ....77 H 5
La Selle-Craonnaise (53) .66 B 4
La Selle-en-Coglès (35) ..45 H 4
La Selle-en-Hermoy (45) ..72 A 3
Le Ségur (81) ....174 D 3
La Selle-en-Luitré (35) ..46 A 5
La Selle-Guerchaise (35) .66 A 3
La Selle-la-Forge (61) ...47 E 2
La Selle-sur-le-Bied (45) .72 A 3
Selles (27) ....28 C 2
Selles (51) ....34 A 2
Selles (62) ....2 C 4
Selles (70) ....76 D 3
Selles-St-Denis (41) .....88 C 4
Selles-sur-Cher (41) ....88 A 5
Selles-sur-Nahon (36) ...103 H 2
Sellières (39) ....110 B 3
Selommes (41) ....69 G 5
Seloncourt (25) ....96 C 2
Selongey (21) ....93 G 2
Selonnet (04) ....166 D 5
La Selve (02) ....17 H 4
La Selve (12) ....175 G 3
Séméac (65) ....187 F 1
Sémalens (81) ....190 C 2
Semallé (61) ....48 A 4
Semarey (21) ....92 D 4
Sembadel (43) ....148 A 2
Sembadel-Gare (43) .....148 A 2
Sembas (47) ....172 C 1
Semblançay (37) ....86 C 3
Sembleçay (36) ....88 B 5
Semboués (32) ....187 F 3
Semécourt (57) ....21 E 5
Séméacq-Blachon (64) ...186 D 3
Semécourt (57) ....21 E 5
Sémelay (58) ....107 G 3
Semène (43) ....148 D 1
Semens (33) ....155 H 3
Sementron (89) ....90 D 1
Sémeries (59) ....9 H 4
Semerville (41) ....69 H 4
Semezanges (21) ....93 E 5
Sémézies-Cachan (32) ...188 B 3
Semide (08) ....34 C 1
Semillac (17) ....141 F 1
Semilly (52) ....75 H 1
Semmadon (70) ....76 C 5
Semoine (10) ....53 H 2
Semond (21) ....92 C 1
Semondans (25) ....95 H 2

Localité *(Département)*   Page Coordonnées

A B C D E F G H I J K L M N O P Q R S T U V W X Y Z

Semons (38) .... 150 D 1
Semousies (59) .... 9 H 4
Semoussac (17) .... 141 E 1
Semoutiers (52) .... 75 F 3
Semoy (45) .... 70 D 4
Sempesserre (32) .... 172 C 4
Sempigny (60) .... 16 B 5
Sempy (62) .... 6 D 1
Semur-en-Auxois (21) ......92 B 3
Semur-en-Brionnais (71) ...121 F 4
Semur-en-Vallon (72) .....68 D 3
Semussac (17) .... 126 D 4
Semuy (21) .... 92 B 2
Le Sen (40) .... 170 C 2
Sénac (65) .... 187 F 4
Senaide (88) .... 78 C 3
Sénaillac-Latronquière (46) . 159 F 2
Sénaillac-Lauzès (46) ... 158 D 3
Senailly (21) .... 92 B 2
Senainville (28) .... 50 B 4
Sénamont (28) .... 49 H 4
Senan (89) .... 72 D 4
Senantes (28) .... 50 A 3
Senantes (60) .... 14 C 5
Senard (55) .... 35 G 4
Sénarens (31) .... 188 C 5
Senargent-Mignafans (70) ...95 G 2
Senarpont (80) .... 14 C 2
Sénart (11) .... 51 G 3
Sénas (13) .... 195 F 1
Senaud (39) .... 123 F 2
Senaux (81) .... 191 F 1
Sencenac-
   Puy-de-Fourches (24) .... 143 E 2
Senconac (09) .... 207 F 4
Sendets (33) .... 155 H 5
Sendets (64) .... 186 C 5
Séné (56) .... 81 G 2
Sénéchas (30) .... 177 H 1
Sénèque (Tour de) (2B) ...215 F 2
Sénergues (12) .... 160 A 3
Senesse-de-Senabugue (09) . 207 F 2
Sénestis (47) .... 156 B 5
Séneujols (43) .... 148 A 5
Senez (04) .... 181 H 4
Sénezergues (15) ...... 159 H 3
Sengouagnet (31) ...... 205 H 3
Séniergues (46) .... 158 C 3
Senillé (86) .... 102 C 4
Senillé-Saint-Sauveur (86) .. 102 C 4
Seninghem (62) .... 2 D 4
Senlecques (62) .... 2 C 5
Senlis ⟨SP⟩ (60) .... 31 G 3
Senlis (62) .... 7 F 1
Senlis-le-Sec (80) .... 7 H 5
Senlisse (78) .... 50 D 2
Sennecey (18) .... 105 F 3
Sennecé-lès-Mâcon (71) .. 122 B 3
Sennecey-le-Grand (71) .. 109 E 5
Sennecey-lès-Dijon (21) ...93 G 4
Sennely (45) .... 89 E 1
Sennevières (37) .... 103 F 1
Senneville-sur-Fécamp (76) . 12 C 3
Sennevoy-le-Bas (89) ...74 B 5
Sennevoy-le-Haut (89) ...74 B 5
Senon (55) .... 20 B 4
Senonches (28) .... 49 F 3
Senoncourt (70) .... 76 D 4
Senoncourt-les-Maujouy (55) ..35 G 4
Senones (88) .... 58 A 4
Senonges (88) .... 76 D 2
Senonnes (53) .... 66 A 5
Senonville (55) .... 36 A 5
Senots (60) .... 30 D 2
Senouillac (81) ...... 174 C 4
Sénoville (50) .... 22 B 4
Senozan (71) .... 122 B 2
Sens ⟨SP⟩ (89) .... 72 D 2
Sens-Beaujeu (18) ...... 89 H 4
Sens-de-Bretagne (35) ...45 G 5
Sens-sur-Seille (71) .... 109 H 4
Sentein (09) .... 206 A 4
Sentelie (80) .... 15 E 3
Sentenac-de-Sérou (09).. 206 D 3
Sentenac-d'Oust (09) ... 206 B 4
Sentheim (68) .... 78 B 5
Sentilly (61) .... 47 G 1
La Sentinelle (59) .... 9 E 2
Sentous (65) .... 187 G 5
Senuc (08) .... 34 D 2
Senven-Léhart (22) ......43 F 5
La Séoube (65) .... 204 D 3
Sépeaux-Saint-Romain (89) ..72 C 4
Sepmeries (59) .... 9 F 3
Sepmes (37) .... 102 D 2
Seppois-le-Bas (68) .....97 E 2
Seppois-le-Haut (68) .....97 E 2
Sept-Forges (61) .... 47 E 4
Sept-Frères (14) .... 25 F 5
Sept-Meules (76) .... 14 A 1
Sept-Saulx (51) .... 34 A 3
Sept-Sorts (77) .... 32 B 5
Sept-Vents (14) .... 25 H 3
Septème (38) .... 136 C 5
Septèmes-les-Vallons (13).. 195 H 4
Septeuil (78) .... 30 B 5
Septfonds (82) .... 174 A 2
Septfonds (89) .... 90 B 1

Septfontaines (25) .... 111 E 2
Septmoncel (39) .... 124 A 2
Septmonts (02) .... 32 D 2
Septsarges (55) .... 35 F 2
Septvaux (02) .... 16 D 4
Sepvigny (55) .... 56 B 3
Sepvret (79) .... 114 D 3
Sepx (31) .... 205 H 1
Sequedin (59) .... 4 C 4
Sequehart (02) .... 16 D 1
Le Sequestre (81) ..... 174 D 5
Serain (02) .... 9 E 5
Seraincourt (08) .... 18 A 4
Seraincourt (95) .... 30 C 4
Sérandon (19) .... 145 H 2
Séranon (06) .... 182 B 5
Serans (60) .... 30 C 3
Serans (61) .... 47 G 2
Seranville (54) .... 57 G 4
Séranvillers-Forenville (59) .. 8 D 5
Seraucourt-le-Grand (02).. 16 C 3
Seraumont (88) .... 56 A 4
Serazereux (28) .... 49 H 3
Serbannes (03) .... 120 A 5
Serbonnes (89) .... 72 C 1
Serches (02) .... 32 D 1
Sercœur (88) .... 57 G 5
Sercus (59) .... 3 F 4
Sercy (71) .... 122 A 1
Serdinya (66) .... 212 B 3
Sère (32) .... 188 A 4
Sère-en-Lavedan (65) .. 204 B 2
Sère-Lanso (65) ...... 204 B 2
Sère-Rustaing (65) .... 187 G 5
Serécourt (88) .... 76 C 2
Séreilhac (87) .... 129 H 3
Serémange-Erzange (57) ...20 D 4
Sérempuy (32) .... 188 B 1
Sérénac (81) .... 175 E 4
Sérent (56) .... 64 A 4
Séreyville (28) .... 50 A 4
Sérévillers (60) .... 15 G 4
Serez (27) .... 29 H 5
Sérézin-de-la-Tour (38) .. 137 E 5
Sérézin-du-Rhône (69) .. 135 H 4
Sergeac (24) .... 143 H 5
Sergenaux (39) .... 110 A 3
Sergenon (39) .... 110 A 3
Sergines (89) .... 52 C 5
Sergy (01) .... 124 B 3
Sergy (02) .... 33 E 3
Séricourt (62) .... 7 G 3
Sériers (15) .... 146 D 5
Sérifontaine (60) .... 30 C 1
Sérignac (46) .... 157 H 5
Sérignac (82) .... 173 E 4
Sérignac-Péboudou (47) . 157 E 3
Sérignac-sur-Garonne (47).. 172 B 2
Sérignan (34) .... 192 B 5
Sérignan-du-Comtat (84) . 179 F 2
Sérignan-Plage (34) .... 192 C 5
Sérigné (85) .... 113 G 1
Sérigny (61) .... 48 C 5
Sérigny (86) .... 102 B 3
Sérilhac (19) .... 144 D 4
Seringes-et-Nesles (02) ...33 E 3
Séris (41) .... 70 A 5
Serley (71) .... 109 H 4
Sermages (58) .... 107 G 2
Sermaise (49) .... 85 F 2
Sermaise (91) .... 50 D 4
Sermaises (45) .... 71 E 1
Sermaize (60) .... 16 B 4
Sermaize-les-Bains (51) ...55 E 1
Sermamagny (90) ......78 A 5
Sermange (39) .... 94 B 5
Sermano (2B) .... 217 F 2
Sermentizon (63) ..... 133 H 3
Sermentot (14) .... 26 D 3
Sermérieu (38) .... 137 E 4
Sermersheim (67) ...... 59 E 4
Sermesse (71) .... 109 G 3
Sermiers (51) .... 33 H 3
Sermizelles (89) .... 91 G 2
Sermoise (02) .... 32 D 1
Sermoise-sur-Loire (58) . 106 C 3
Sermoyer (01) .... 122 C 1
Sermur (23) .... 132 A 1
Sernhac (30) .... 178 D 4
Serocourt (88) .... 76 C 2
Séron (64) .... 186 D 5
Serpaize (38) .... 136 B 5
La Serpent (11) ...... 208 A 3
Serques (62) .... 3 E 4
Serqueux (52) .... 76 B 3
Serqueux (76) .... 14 B 4
Serquigny (27) .... 28 D 3
Serra-di-Ferro (2A) .... 218 C 2
Serra-di-Fiumorbo (2B) .. 217 G 5
Serra di Pigno (2B) .... 215 G 3
Serra-di-Scopamène (2A).. 219 E 2
Serralongue (66) ...... 212 C 5
Serraval (74) .... 138 C 2
La Serre (12) .... 175 G 5
La Serre (19) .... 145 H 1
La Serre-Bussière-Vieille (23).. 131 H 1
La Serre-de-Cazaux (31) . 205 G 1
Serre-les-Moulières (39) ...94 B 5
Serre-les-Sapins (25) ...94 D 5
Serre-Nerpol (38) ..... 151 E 2
Serres (05) .... 165 H 5
Serres (11) .... 208 B 3

Serres (54) .... 57 F 2
Serres (84) .... 179 G 3
Serres-Castet (64) .... 186 B 4
Serres-et-Montguyard (24).. 156 D 3
Serres-Gaston (40) .... 186 B 2
Serres-Morlaàs (64) .... 186 C 5
Serres-Ste-Marie (64) .. 186 A 4
Serres-sur-Arget (09) .. 206 D 3
Serreslous-et-Arribans (40) .. 186 A 1
Serriera (2A) .... 216 B 2
Serrières (07) .... 149 G 2
Serrières (71) .... 122 A 3
Serrières-de-Briord (01).. 137 E 2
Serrières-en-Chautagne (73).. 137 H 2
Serrières-sur-Ain (01) ... 123 F 4
Serrigny (89) .... 73 G 5
Serrigny-en-Bresse (71) . 109 G 4
Serris (77) .... 51 H 1
Serrouville (54) .... 20 C 3
Serruelles (18) .... 105 F 3
Sers (16) .... 128 C 5
Sers (65) .... 204 C 3
Servais (02) .... 16 D 4
Serval (02) .... 33 F 1
Servance (70) .... 77 H 4
Servanches (24) ...... 142 B 4
Servant (63) .... 119 F 5
Servas (01) .... 122 D 5
Servas (30) .... 178 A 2
Serval (02) .... 33 F 1
Serville (28) .... 50 A 2
Servilly (03) .... 120 C 4
Servin (25) .... 95 G 4
Servins (62) .... 4 A 5
Servon (50) .... 45 H 3
Servon (77) .... 51 G 2
Servon-Melzicourt (51) ...35 E 2
Servon-sur-Vilaine (35) ...65 G 2
Servoz (74) .... 139 E 1
Servon (50) .... 18 C 5
Seuillet (03) .... 120 B 4
Seuilly (37) .... 102 A 1
Seur (41) .... 87 H 3
Le Seure (17) .... 127 G 3
Seurre (21) .... 109 G 2
Seux (80) .... 15 E 2
Seuzey (55) .... 36 A 4
Sevelinges (42) ...... 121 G 5
Sevenans (90) .... 96 C 1
Sévérac (44) .... 82 C 2
Sévérac-d'Aveyron (12) . 176 B 1
Sévérac-l'Église (12) ... 176 A 1
Seveux (70) .... 94 B 2
Sevi (Col de) (2A) .... 216 C 3
Sévignac (22) .... 44 B 5
Sévignacq (64) ...... 186 C 4
Sévignacq-Meyracq (64) . 203 H 1
Sévigny (61) .... 47 H 1
Sévigny-la-Forêt (08) ...10 C 5
Sévigny-Waleppe (08) ...17 H 4
Sévis (76) .... 13 H 3
Sevrai (61) .... 47 G 2
Sevran (93) .... 31 G 5
Sèvres (92) .... 51 E 1
Sèvres-Anxaumont (86).. 115 G 1
Sevrey (71) .... 109 E 4
Sévrier (74) .... 138 B 2
Sévry (18) .... 106 A 1
Sewen (68) .... 78 A 4
Sexcles (19) .... 145 F 5
Sexey-aux-Forges (54) ...56 D 2
Sexey-les-Bois (54) .....56 D 2
Sexfontaines (52) ...... 75 F 1
Seychalles (63) .... 133 G 3
Seyches (47) .... 156 C 4
Seyne (04) .... 166 D 5
La Seyne-sur-Mer (83) . 200 D 4
Seynes (30) .... 178 B 3
Seynod (74) .... 138 A 2
Seyre (31) .... 189 H 4
Seyresse (40) .... 185 F 1
Seyssel (01) .... 137 H 1
Seyssel (74) .... 137 H 1
Seysses (31) .... 189 E 3
Seysses-Savès (32) ... 188 D 3
Seyssinet-Pariset (38) .. 151 G 3
Seyssins (38) .... 151 G 3

Seyssuel (38) .... 136 B 5
Seythenex (74) ...... 138 C 3
Seytroux (74) .... 125 E 3
Sézanne (51) .... 53 F 2
Sézéria (39) .... 123 G 1
Siarrouy (65) .... 187 E 5
Siaugues-Ste-Marie (43).. 147 H 4
Sibiril (29) .... 41 H 2
Sibiville (62) .... 7 G 3
La Sicaudais (44) ...... 82 D 5
Siccieu-St-Julien-
   et-Carisieu (38) ..... 137 E 3
Sichamps (58) .... 106 D 1
Sickert (68) .... 78 B 5
Sidiailles (18) .... 118 C 2
Siecq (17) .... 127 H 2
Siegen (67) .... 39 G 4
Sièges (39) .... 123 H 3
Les Sièges (89) .... 73 E 2
Sierck-les-Bains (57) ...21 F 3
Sierentz (68) .... 79 H 5
Siersthal (57) .... 38 C 3
Sierville (76) .... 13 G 4
Siest (40) .... 185 F 1
Sieurac (81) .... 190 C 1
Sieuras (09) .... 206 C 1
Siévoz (38) .... 151 H 5
Siewiller (67) .... 38 C 5
Sigale (06) .... 182 D 4
Sigalens (33) .... 156 A 5
Sigean (11) .... 209 F 2
Sigloy (45) .... 71 E 5
Signac (31) .... 205 G 3
Signes (83) .... 196 C 5
Signéville (52) .... 75 G 1
Signy-l'Abbaye (08) .... 18 B 3
Signy-le-Petit (08) .... 10 B 5
Signy-Montlibert (08) .. 19 H 4
Signy-Signets (77) ..... 32 B 5
Sigogne (16) .... 127 H 3
Sigolsheim (68) .... 78 D 1
Sigonce (04) .... 180 D 3
Sigottier (05) .... 165 H 4
Sigoulès (24) .... 156 D 2
Sigournais (85) ...... 100 A 4
Sigoyer (04) .... 166 A 5
Sigoyer (05) .... 166 A 4
Siguer (09) .... 207 E 5
Sigy (77) .... 52 C 4
Sigy-en-Bray (76) ..... 14 A 5
Sigy-le-Châtel (71) ... 122 A 1
Silfiac (56) .... 63 E 2
Silhac (07) .... 149 E 2
Sillans (38) .... 151 E 2
Sillans-la-Cascade (83).. 197 E 2
Sillars (86) .... 116 A 2
Sillas (33) .... 156 A 5
Sillé-le-Guillaume (72) ...67 G 2
Sillé-le-Philippe (72) .... 68 B 2
Sillegny (57) .... 37 G 5
Silley-Amancey (25) ... 111 E 1
Silley-Bléfond (25) ..... 95 F 4
Sillingy (74) .... 138 A 1
Silly-en-Gouffern (61) ...47 H 2
Silly-en-Saulnois (57) ...37 G 5
Silly-la-Poterie (02) .... 32 C 3
Silly-le-Long (60) ...... 32 A 4
Silly-sur-Nied (57) ..... 21 F 5
Silly-Tillard (60) .... 31 E 2
Silmont (55) .... 55 G 2
Siltzheim (67) .... 38 B 3
Silvareccio (2B) ...... 215 G 5
Silvarouvres (52) ...... 75 E 3
Simacourbe (64) ..... 186 D 4
Simandre (71) .... 109 F 5
Simandre-sur-Suran (01) . 123 F 4
Simandres (69) ...... 136 B 4
Simard (71) .... 109 G 4
Simencourt (62) .... 8 A 3
Simeyrols (24) .... 158 B 1
Simiane-Collongue (13).. 195 H 3
Simiane-la-Rotonde (04).. 180 B 4
Simon-la-Vineuse (85) .. 113 F 1
Simorre (32) .... 188 B 4
Simplé (53) .... 66 C 4
Sin-le-Noble (59) .... 8 C 2
Sinard (38) .... 151 G 5
Sinceny (02) .... 16 D 4
Sincey-lès-Rouvray (21)...92 A 3
Sindères (40) .... 169 E 3
Singles (63) .... 132 B 5
Singleyrac (24) ...... 156 D 2
Singly (08) .... 18 D 4
Singrist (67) .... 58 D 2
Sinsat (09) .... 207 E 4
Sinzos (65) .... 204 D 1
Sion (32) .... 187 E 1
Sion (54) .... 56 D 4
Sion-les-Mines (44) .... 65 F 5
Sion-sur-l'Océan (85) ...98 C 4
Sioniac (19) .... 145 E 5
Sionne (88) .... 56 B 5
Sionviller (54) .... 57 G 2
Siorac-de-Ribérac (24) . 142 C 3
Siorac-en-Périgord (24) . 157 G 1
Siouville-Hague (50) .... 22 B 3
Sirac (32) .... 188 C 1
Siracourt (62) .... 7 F 2
Siradan (65) .... 205 F 3
Siran (15) .... 145 G 5

Siran (34) .... 191 F 5
Sireix (65) .... 204 A 3
Sireuil (16) .... 128 A 4
Sireuil (24) .... 143 H 5
Sirod (39) .... 110 D 4
Sironne (05) .... 165 G 5
Siros (64) .... 186 B 4
Sisco (2B) .... 215 G 2
Sissonne (02) .... 17 G 4
Sissy (02) .... 17 E 2
Sistels (82) .... 172 C 3
Sisteron (04) .... 181 E 2
Sivergues (84) .... 180 A 5
Sivignon (71) .... 121 H 2
Sivry (54) .... 37 E 5
Sivry (58) .... 91 G 5
Sivry-Ante (51) .... 35 E 4
Sivry-Courtry (77) ..... 51 H 4
Sivry-la-Perche (55) .... 35 G 3
Sivry-lès-Buzancy (08) .. 35 E 1
Sivry-sur-Meuse (55) ... 35 G 1
Six-Fours-les-Plages (83) . 200 D 4
Six-Fer-à-Cheval (74) .. 125 F 5
Sixt-sur-Aff (35) .... 64 C 5
Sizun (29) .... 41 H 4
Smarves (86) .... 115 G 1
Smermesnil (76) .... 14 A 2
Soccia (2A) .... 216 D 3
Sochaux (25) .... 96 C 2
Socoa (64) .... 184 B 4
Socourt (88) .... 57 E 4
Socx (59) .... 3 F 2
Sode (31) .... 205 F 4
Soetrich (57) .... 21 E 3
Sœurdres (49) .... 66 D 5
Sognes (89) .... 53 E 5
Sognolles-en-Montois (77) .. 52 C 4
Sogny-aux-Moulins (51).. 34 B 5
Sogny-en-l'Angle (51) ... 54 D 1
Soignolles (14) .... 27 G 4
Soignolles-en-Brie (77) ...51 H 3
Soigny (51) .... 53 E 1
Soindres (78) .... 30 B 5
Soing-Cubry-
   Charentenay (70) .....94 C 2
Soings-en-Sologne (41) ...88 A 4
Soirans (21) .... 93 H 5
Soissons ⟨SP⟩ (02) .... 32 D 1
Soissons-sur-Nacey (21).. 94 A 5
Soisy-Bouy (77) .... 52 D 4
Soisy-sur-École (91) .... 51 G 4
Soisy-sur-Marne (95) ... 31 F 5
Soisy-sur-Seine (91) .... 51 G 3
Soize (02) .... 17 H 3
Soizé (28) .... 69 E 2
Soizy-aux-Bois (51) .... 53 F 1
Solaize (69) .... 136 B 4
Solaro (2B) .... 217 G 5
Solbach (67) .... 58 C 4
Soleilhas (04) .... 182 B 4
Solemont (25) .... 95 H 3
Solente (60) .... 16 B 3
Solenzara (2A) ...... 219 G 1
Soliers (14) .... 27 F 3
Solignac (87) .... 130 A 3
Solignac-sous-Roche (43) . 148 B 3
Solignac-sur-Loire (43) . 148 B 5
Solignat (63) .... 133 F 5
Soligny-la-Trappe (61) .. 48 C 3
Soligny-les-Étangs (10) . 53 E 5
Sollacaro (2A) .... 218 D 2
Sollières-Sardières (73) . 153 F 2
Solliès-Pont (83) ..... 196 D 5
Solliès-Toucas (83) ... 196 D 5
Solliès-Ville (83) ..... 201 E 1
Sologny (71) .... 122 A 3
Solomiac (32) .... 172 D 5
Solre-le-Chau (59) .... 10 A 2
Solrinnes (59) .... 10 A 2
Solterre (45) .... 71 H 4
Solutré-Pouilly (71) ... 122 B 3
Le Somail (11) .... 191 H 5
Somain (59) .... 8 D 2
Sombacour (25) ...... 111 F 2
Sombernon (21) .... 92 D 4
Sombrin (62) .... 7 H 4
Sombrun (65) .... 187 E 3
Somloire (49) .... 100 D 2
Sommaing (59) .... 9 F 3
Sommaisne (55) .... 35 G 5
Sommancourt (52) ..... 55 F 4
Sommant (71) .... 108 A 2
Sommauthe (08) ...... 19 F 5
Somme (18) .... 105 E 1
Somme-Bionne (51) .... 34 D 3
Somme-Suippe (51) .... 34 C 3
Somme-Tourbe (51) .... 34 C 3
Somme-Vesle (51) ..... 34 C 4
Somme-Yèvre (51) ..... 34 D 5
Sommecaise (89) ...... 72 C 5
Sommedieue (55) ...... 35 H 3
Sommeilles (55) .... 35 E 5
Sommelans (02) .... 32 C 3

Sommelonne (55) ...... 55 F 2
Sommepy-Tahure (51) .. 34 C 2
Sommerance (08) ...... 35 E 1
Sommérécourt (52) .... 76 B 1
Sommereux (60) .... 14 D 4
Sommeron (02) .... 17 H 1
Sommervieu (14) ...... 26 D 2
Sommerviller (54) ..... 57 F 2
Sommery (76) .... 14 A 4
Sommesnil (76) .... 13 E 3
Sommesous (51) .... 54 A 2
La Sommette (25) ...... 95 G 5
Sommette-Eaucourt (02) . 16 C 3
Sommeval (10) .... 73 H 2
Sommeville (52) .... 55 F 3
Sommevoire (52) ...... 55 E 3
Sommières (30) ...... 193 G 1
Sommières-du-Clain (86) . 115 G 4
Sompt (79) .... 114 D 4
Sompuis (51) .... 54 B 2
Somsois (51) .... 54 C 3
Son (08) .... 18 B 4
Sonac (46) .... 159 E 3
Sonchamp (78) .... 50 C 3
Soncourt (88) .... 56 C 4
Soncourt-sur-Marne (52) . 75 F 1
Sondernach (68) .... 78 B 3
Sondersdorf (68) ...... 97 F 2
La Sône (38) .... 150 D 4
Songeons (60) .... 14 D 5
Songeson (39) .... 110 C 5
Songieu (01) .... 137 G 1
Songy (51) .... 54 C 1
Sonnac (12) .... 159 G 4
Sonnac (17) .... 127 H 2
Sonnac-sur-l'Hers (11).. 207 H 3
Sonnay (38) .... 149 H 2
Sonnaz (73) .... 137 H 4
Sonneville (16) ...... 128 A 3
Sons-et-Ronchères (02) . 17 F 3
Sonthonnax-
   la-Montagne (01) .... 123 G 4
Sonzay (37) .... 86 C 2
Soorts-Hossegor (40) . 184 D 1
Soppe-le-Bas (68) ..... 78 C 5
Soppe-le-Haut (68) .... 78 B 5
Sor (09) .... 206 A 3
Sorans-lès-Breurey (70) . 94 D 3
Sorba (Col de) (2B) ... 217 F 3
Sorbais (02) .... 17 G 1
Sorbets (32) .... 187 E 1
Sorbets (40) .... 186 C 2
Sorbey (55) .... 20 A 3
Sorbey (57) .... 37 E 4
Sorbier (03) .... 120 C 3
Sorbiers (05) .... 165 G 5
Sorbiers (42) .... 135 F 5
Sorbo-Ocagnano (2B) .. 215 G 5
Sorbollano (2A) ...... 219 E 2
Sorbon (08) .... 18 B 5
Sorbs (34) .... 176 D 5
Le Soler (66) .... 213 E 2
Soréac (65) .... 187 F 5
Sorède (66) .... 213 F 4
Sorel (80) .... 8 C 5
Sorel-en-Vimeu (80) .... 14 D 1
Sorel-Moussel (28) ..... 49 H 1
Sorendal (08) .... 11 E 3
Sorèze (81) .... 190 B 4
Sorgeat (09) .... 207 G 5
Sorges-et-Ligueux-
   en-Périgord (24) ..... 143 G 2
Sorgues (84) .... 179 F 3
Sorigny (37) .... 86 D 5
Les Sorinières (44) ..... 83 F 5
Sorio (2B) .... 215 F 4
Sormery (89) .... 73 E 3
Sormonne (08) .... 18 C 2
Sornac (19) .... 131 G 4
Sornay (70) .... 94 B 4
Sornay (71) .... 109 G 5
Sornéville (54) .... 57 F 1
Sorquainville (76) ...... 12 D 3
Sorrus (62) .... 6 C 2
Sort-en-Chalosse (40) . 185 G 1
Sortosville (50) .... 22 D 3
Sortosville-en-Beaumont (50) .22 C 4
Sos (47) .... 171 G 3
Sospel (06) .... 183 G 4
Sossais (86) .... 102 B 3
Sost (65) .... 205 F 3
Sotta (2A) .... 219 F 4
Sottevast (50) .... 22 C 3
Sotteville (50) .... 22 A 4
Sotteville-lès-Rouen (76) . 29 G 1
Sotteville-sous-le-Val (76).. 29 G 2
Sotteville-sur-Mer (76) .. 13 F 2
Soturac (46) .... 157 H 4
Sotzeling (57) .... 37 G 5
Souain-Perthes-lès-Hurlus (51).34 C 3
Soual (81) .... 190 C 3
Souancé-au-Perche (28) ...69 E 1
Souanyas (66) .... 212 A 3
Souastre (62) .... 7 H 4
Soubès (34) .... 192 C 1
Soubise (17) .... 126 C 1
Soublecause (65) ...... 187 E 3
Soubran (17) .... 141 F 2

Soubrebost (23) 131 E 1
Soucé (53) 46 D 4
Soucelles (49) 85 E 2
La Souche (07) 162 D 3
Souché (79) 114 B 3
Souchez (62) 8 A 2
Soucht (57) 38 C 4
Soucia (39) 123 H 1
Soucieu-en-Jarrest (69) 135 H 4
Soucirac (46) 158 C 3
Souclin (01) 137 E 2
Soucy (02) 32 B 2
Soucy (89) 72 D 1
Soudaine-Lavinadière (19) 130 D 5
Soudan (44) 65 H 5
Soudan (79) 114 D 2
Soudat (24) 129 E 4
Souday (41) 69 E 3
Soudé (51) 54 B 2
Soudeilles (19) 145 F 1
Soudorgues (30) 177 G 3
Soudron (51) 54 A 1
Soueich (31) 205 H 2
Soueix-Rogalle (09) 206 B 4
Souel (81) 174 C 4
Soues (65) 204 C 1
Soues (80) 15 E 1
Souesmes (41) 89 E 3
Souffelweyersheim (67) 59 F 2
Soufflenheim (67) 39 G 5
Souffrignac (16) 129 E 5
Sougé (36) 104 A 3
Sougé (41) 68 D 5
Sougé-le-Ganelon (72) 47 H 5
Sougéal (35) 45 G 3
Sougères-en-Puisaye (89) 90 D 2
Sougères-sur-Sinotte (89) 73 F 5
Sougraigne (11) 208 B 4
Sougy (45) 70 C 3
Sougy-sur-Loire (58) 106 D 3
Les Souhesmes-Rampont (55) 35 G 3
Souhey (21) 92 B 3
Le Souich (62) 7 G 4
Souilhanels (11) 190 A 5
Souilhe (11) 190 A 4
Souillac (46) 158 C 1
Souillé (72) 68 A 2
Souilly (55) 35 G 4
Soula (09) 207 F 3
Soulac-sur-Mer (33) 126 B 5
Soulages (15) 147 F 4
Soulages-Bonneval (12) 160 C 3
Soulaincourt (52) 55 H 4
Soulaines-Dhuys (10) 55 D 5
Soulaines-sur-Aubance (49) 85 E 4
Soulaire-et-Bourg (49) 84 D 2
Soulaires (28) 50 A 4
Soulan (09) 206 B 3
Soulan (65) 204 D 4
Soulanger (49) 85 F 5
Soulanges (51) 54 C 1
Soulangis (18) 105 G 1
Soulangy (14) 27 G 5
Soulatgé (11) 208 C 4
Soulaucourt-sur-Mouzon (52) 76 B 1
Soulaures (24) 157 G 3
Soulce-Cernay (25) 96 D 4
Soulgé-sur-Ouette (53) 66 D 3
Le Soulié (34) 191 F 3
Soulière (84) 195 H 1
Soulières (51) 33 G 5
Soulièvres (79) 101 G 4
Soulignac (33) 155 G 2
Souligné-Flacé (72) 67 H 3
Souligné-sous-Ballon (72) 68 A 2
Soulignonne (17) 126 D 3
Souligny (10) 73 H 1
Soulitré (72) 68 C 3
Soullans (85) 98 D 3
Soulles (50) 25 F 4
Soulom (65) 204 B 3
Soulomès (46) 158 C 3
Soulosse-sous-St-Élophe (88) 56 B 4
Soultz-Haut-Rhin (68) 78 C 4
Soultz-les-Bains (67) 58 D 2
Soultz-sous-Forêts (67) 39 G 4
Soultzbach-les-Bains (68) 78 C 4
Soultzeren (68) 78 B 2
Soultzmatt (68) 78 C 3
Soulvache (44) 65 G 4
Soumaintrain (89) 73 G 3
Soumans (23) 118 C 3
Soumartre (34) 192 B 2
Soumensac (47) 156 C 3
Souméras (17) 141 G 2
Soumont (34) 192 C 1
Soumont-St-Quentin (14) 27 G 4
Soumoulou (64) 186 D 5
Soupex (11) 190 A 4
Soupir (02) 33 E 1
Souppes-sur-Loing (77) 71 H 2
Souprosse (40) 169 G 5
Le Souquet (40) 169 E 4
Souraïde (64) 184 C 4
Sourans (25) 95 H 3
La Source (45) 70 C 5
Source-Seine (21) 92 D 3
Sourcieux-les-Mines (69) 135 G 3
Le Sourd (02) 17 G 2
Sourdeval (50) 46 C 2
Sourdeval-les-Bois (50) 25 E 5
Sourdon (80) 15 G 3
Sourdun (77) 52 D 4
Le Sourn (56) 63 F 3
Sournia (66) 208 B 5
Sourniac (15) 145 H 3
Sourribes (04) 181 E 2
Sours (28) 50 A 5
Soursac (19) 145 G 3
Sourzac (24) 142 D 4
Sous-la-Tour (22) 43 H 4
Sous-Parsat (23) 131 F 1
Sousceyrac-en-Quercy (46) 159 F 1
Sousmoulins (17) 141 G 2
Souspierre (26) 164 C 4
Soussac (33) 156 A 2
Soussans (33) 141 E 4
Soussey-sur-Brionne (21) 92 C 4
Soustelle (30) 177 H 2
Soustons (40) 168 C 5
Sousville (38) 151 H 5
Souternon (42) 134 C 2
La Souterraine (23) 117 F 4
Soutiers (79) 114 C 1
Souvans (39) 110 B 2
Souvignargues (30) 178 A 5
Souvigné (16) 128 B 1
Souvigné (37) 86 B 2
Souvigné (79) 114 C 3
Souvigné-sur-Même (72) 68 D 1
Souvigné-sur-Sarthe (72) 67 E 5
Souvigny (03) 119 H 1
Souvigny-de-Touraine (37) 87 F 4
Souvigny-en-Sologne (41) 89 E 2
Souyeaux (65) 187 F 5
Souzay-Champigny (49) 85 H 5
Souzy (69) 135 F 4
Souzy-la-Briche (91) 51 E 4
Soveria (2B) 217 E 1
Soyans (26) 164 C 3
Soyaux (16) 128 C 4
Soye (25) 95 G 3
Soye-en-Septaine (18) 105 G 2
Soyécourt (80) 16 A 2
Soyers (52) 76 B 4
Soyons (07) 163 H 1
Soyria (39) 123 H 1
Sparsbach (67) 38 D 5
Spay (72) 68 A 4
Spechbach (68) 78 C 5
Spechbach-le-Bas (68) 78 C 5
Speloncato (2B) 214 D 5
Spelunca (Gorges de) (2A) 216 C 3
Spéracèdes (06) 198 D 1
Spézet (29) 62 B 2
Spicheren (57) 38 A 2
Spin'a Cavallu
(Pont génois) (2A) 219 E 3
Spincourt (55) 20 B 4
Spontour-sur-Dordogne (19) 145 G 3
Sponville (54) 36 B 3
Spoy (10) 74 D 1
Spoy (21) 93 G 3
Spycker (59) 3 E 2
Squiffiec (22) 43 E 3
Staffelfelden (68) 78 C 4
Stains (93) 31 F 5
Stainville (55) 55 G 2
Staple (59) 3 F 4
Stattmatten (67) 39 G 5
Stazzona (2B) 217 G 1
Steenbecque (59) 3 F 5
Steene (59) 3 F 2
Steenvoorde (59) 3 G 3
Steenwerck (59) 3 H 4
Steige (67) 58 C 4
Steinbach (68) 78 C 4
Steinbourg (67) 58 D 1
Steinbrunn-le-Bas (68) 78 D 5
Steinbrunn-le-Haut (68) 78 D 5
Steinseltz (67) 39 G 3
Steinsoultz (68) 97 F 1
Stella-Plage (62) 6 C 1
Stenay (55) 19 G 5
Sternenberg (68) 78 C 5
Stetten (68) 97 G 1
Stigny (89) 74 A 5
Still (67) 58 D 3
Stiring-Wendel (57) 38 A 2
Stival (56) 63 F 3
Stonne (08) 19 E 4
Storckensohn (68) 78 B 4
Stosswihr (68) 78 B 2
Stotzheim (67) 59 E 4
Strasbourg [R] (67) 59 F 2
Strazeele (59) 3 G 4
Strenquels (46) 144 D 5
Strueth (68) 97 E 1
Struth (67) 38 C 5
Stuckange (57) 21 E 4
Stundwiller (67) 39 G 4
Sturzelbronn (57) 39 E 3
Stutzheim-Offenheim (67) 59 E 2
Suarce (90) 97 E 1
Suaucourt-et-Pisseloup (70) 94 B 1
Suaux (16) 129 E 2
Le Subdray (18) 105 F 2
Sublaines (37) 87 F 5
Subles (14) 25 H 2
Subligny (18) 89 H 4
Subligny (50) 45 H 1
Subligny (89) 72 C 2
Subtray (36) 103 G 4
Suc-et-Sentenac (09) 206 D 5
Succieu (38) 137 E 5
Sucé-sur-Erdre (44) 83 F 4
Les Suchaux (25) 111 H 1
Sucy-en-Brie (94) 51 G 2
Suèvres (41) 88 A 1
Sugères (63) 133 G 5
Sugny (08) 34 C 1
Suhescun (64) 185 E 5
Suilly-la-Tour (58) 90 B 4
Suin (71) 121 H 2
Suippes (51) 34 C 3
Suisse (57) 37 G 4
Suizy-le-Franc (51) 33 F 5
Sulignat (01) 122 C 4
Sully (14) 25 H 2
Sully (60) 14 C 5
Sully (71) 108 C 2
Sully-la-Chapelle (45) 71 F 4
Sully-sur-Loire (45) 89 F 1
Sulniac (56) 81 H 2
Sumène (30) 177 F 4
Sundhoffen (68) 78 D 2
Sundhouse (67) 59 E 5
Super-Besse (63) 132 D 5
Super-Lioran (15) 146 C 4
Super-Sauze (04) 167 F 5
Superbagnères (31) 205 F 5
Superdévoluy (05) 166 A 2
Supt (39) 110 D 3
Le Suquet (06) 183 F 3
Surat (63) 133 F 2
Surba (09) 207 E 4
Surbourg (67) 39 F 4
Surcamps (80) 7 E 5
Surdon (61) 48 A 2
Surdoux (87) 130 D 5
Suré (61) 48 B 5
Suresnes (92) 51 E 1
Surfonds (72) 68 C 3
Surfontaine (02) 17 E 3
Surgères (17) 113 H 5
Surgy (58) 91 E 3
Suriauville (88) 76 C 1
Surimeau (79) 114 A 3
Surin (79) 114 A 2
Surin (86) 115 G 5
Surins (36) 104 A 4
Suris (16) 129 E 2
Surjoux (01) 123 H 5
Surmont (25) 95 H 4
Surques (62) 2 C 4
Surrain (14) 23 H 5
Surtainville (50) 22 B 4
Surtauville (27) 29 F 3
Survie (61) 48 A 1
Surville (14) 28 A 2
Surville (27) 29 G 3
Surville (50) 24 C 1
Survilliers (95) 31 G 4
Sury (08) 18 D 3
Sury-aux-Bois (45) 71 F 4
Sury-en-Vaux (18) 90 A 4
Sury-ès-Bois (18) 89 H 3
Sury-le-Comtal (42) 134 D 5
Sury-près-Léré (18) 90 A 3
Surzur (56) 81 H 3
Sus (64) 185 H 5
Sus-St-Léger (62) 7 G 4
Susmiou (64) 185 H 5
Sussac (87) 130 D 4
Sussargues (34) 193 G 1
Sussat (03) 119 G 5
Sussey (21) 92 B 5
Susville (38) 151 H 5
Sutrieu (01) 137 G 1
Suzan (09) 206 D 2
Suzanne (08) 18 D 5
Suzanne (80) 16 A 1
Suzannecourt (52) 55 G 4
Suzay (27) 30 A 2
Suze (26) 164 D 2
Suze-la-Rousse (26) 179 F 1
La Suze-sur-Sarthe (72) 67 H 4
Suzette (84) 179 G 2
Suzoy (60) 16 B 4
Suzy (02) 17 E 5
Sy (08) 19 E 5
Syam (39) 110 D 4
Sylvains-les-Moulins (27) 29 G 5
Sylvanès (12) 176 B 5
Sylvéréal (30) 194 A 3
Le Syndicat (88) 77 H 2

T

Tabaille-Usquain (64) 185 G 4
Tabanac (33) 155 G 2
La Table (73) 138 B 5
Le Tablier (85) 112 D 1
Tabre (09) 207 G 3
La Tâche (16) 128 D 2
Tachoires (32) 188 A 3
Tacoignières (78) 50 B 1
Taconnay (58) 91 E 4
Taden (22) 44 D 3
Tadousse-Ussau (64) 186 D 3
Taglio-Isolaccio (2B) 217 G 1
La Tagnière (71) 108 A 4
Tagnon (08) 34 A 1
Tagolsheim (68) 97 F 1
Tagsdorf (68) 97 F 1
Tailhac (43) 147 G 5
Taillades (84) 179 G 5
Le Taillan-Médoc (33) 141 E 5
Taillancourt (55) 56 B 3
Taillant (17) 127 F 2
Taillebois (61) 47 F 1
Taillebourg (17) 127 E 2
Taillebourg (47) 156 B 5
Taillecavat (33) 156 B 3
Taillecourt (25) 96 C 2
La Taillée (85) 113 G 2
Taillefontaine (02) 32 B 2
Taillepied (50) 22 C 5
Taillet (66) 212 D 4
Taillette (08) 10 C 5
Tailleville (14) 27 F 2
Taillis (35) 65 H 1
Tailly (08) 19 F 5
Tailly (21) 109 E 2
Tailly (80) 14 D 1
Tain-l'Hermitage (26) 149 H 4
Taingy (89) 90 D 2
Taintrux (88) 58 A 5
Taisnières-en-Thiérache (59) 9 G 4
Taisnières-sur-Hon (59) 9 G 3
Taisnil (80) 15 E 2
Taissy (51) 33 H 3
Taïx (81) 174 D 4
Taizé (71) 122 A 1
Taizé (79) 101 G 3
Taizé-Aizie (16) 115 F 5
Taizy (08) 18 B 5
Tajan (65) 205 E 1
Tal-Ar-Groas (29) 41 F 5
Talairan (11) 208 D 2
Talais (33) 126 C 5
Talange (57) 21 E 4
Talant (21) 93 F 4
Talasani (2B) 217 G 1
Talau (66) 212 A 3
La Talaudière (42) 149 E 1
Talazac (65) 187 E 5
Talcy (41) 69 H 5
Talcy (89) 91 H 2
Talence (33) 155 E 1
Talencieux (07) 149 G 3
Talensac (35) 64 D 2
Talissieu (01) 137 G 2
Talizat (15) 147 E 4
Tallans (25) 95 F 3
Tallard (05) 166 B 4
Tallenay (25) 94 D 4
Tallende (63) 133 F 4
Taller (40) 169 E 4
Talloires-Montmin (74) 138 B 2
Tallone (2B) 217 G 2
Le Tallud (79) 101 F 5
Tallud-Ste-Gemme (85) 100 B 5
Talmas (80) 7 G 5
Talmay (21) 94 A 4
Talmont-St-Hilaire (85) 112 B 1
Talmont-sur-Gironde (17) 126 D 5
Talmontiers (60) 30 B 1
Talon (58) 91 E 4
Talouan (89) 72 D 3
Talus-St-Prix (51) 53 F 1
Taluyers (69) 135 H 4
Tamariguières (34) 193 H 2
La Tamarissière (34) 192 C 5
Tamerville (50) 22 D 3
Tamnay-en-Bazois (58) 107 F 2
Tamniès (24) 143 H 5
Tanavelle (15) 146 D 5
Tanay (21) 93 H 3
Tancarville (76) 12 C 5
Tancoigné (49) 85 E 5
Tancon (71) 121 G 4
Tanconville (54) 58 A 2
Tancrou (77) 32 B 5
Tangry (62) 7 G 2
La Tania (73) 139 E 5
Taninges (74) 125 E 4
Tanis (50) 45 G 3
Tanlay (89) 73 H 5
Tannay (08) 19 E 5
Tannay (58) 91 E 4
Tanneron (83) 198 D 2
Tannerre-en-Puisaye (89) 90 C 1
La Tannière (53) 46 B 4
Tannières (02) 33 E 2
Tannois (55) 55 G 2
Tanques (61) 47 H 2
Tantonville (54) 56 D 4
Le Tanu (50) 45 H 1
Tanus (81) 175 E 3
Tanville (61) 47 H 3
Tanzac (17) 127 E 5
Taponas (69) 122 B 5
Taponnat-Fleurignac (16) 128 D 3
Tarabel (31) 189 H 3
Taradeau (83) 197 G 3
Tarare (69) 135 F 2
Tarascon (13) 179 E 5
Tarascon-sur-Ariège (09) 207 E 4
Tarasteix (65) 187 E 5
Tarbes [P] (65) 187 E 5
Tarcenay (25) 95 E 5
Tardais (28) 49 F 3
Tardes (23) 118 C 5
Tardets-Sorholus (64) 203 E 1
La Tardière (85) 100 C 5
Tardinghen (62) 2 B 3
Tarentaise (42) 149 F 1
Tarerach (66) 208 C 5
Targassonne (66) 211 H 4
Targé (86) 102 C 4
Target (03) 119 G 4
Targon (33) 155 G 2
Tarnac (19) 131 F 4
Tarnès (33) 141 G 5
Tarnos (40) 184 C 2
Taron-Sadirac-
Viellenave (64) 186 C 3
Tarquimpol (57) 57 H 1
Tarrano (2B) 217 G 1
Tarsac (32) 186 D 2
Tarsacq (64) 186 A 4
Tarsul (21) 93 F 2
Tart-l'Abbaye (21) 93 H 5
Tart-le-Bas (21) 93 G 5
Tart-le-Haut (21) 93 G 5
Tartaras (42) 135 G 5
Tartas (40) 169 G 5
Tartécourt (70) 76 D 4
Tartiers (02) 32 C 1
Tartigny (60) 15 G 4
Tartonne (04) 181 H 3
Le Tartre (71) 109 H 4
Le Tartre-Gaudran (78) 50 A 2
Tartuguière (34) 193 H 2
Tarzy (08) 10 B 5
Tasdon (17) 113 E 4
Tasque (32) 187 E 2
Tassé (72) 67 G 4
Tassenières (39) 110 A 3
Tassillé (72) 67 G 3
Tassin-la-Demi-Lune (69) 135 H 3
Tasso (2A) 217 E 5
Tatinghem (62) 3 E 4
Le Tâtre (16) 141 H 1
Taugon (17) 113 G 3
Taulé (29) 42 A 3
Taulhac-près-le-Puy (43) 148 B 5
Taulignan (26) 164 C 5
Taulis (66) 212 D 4
Taupont (56) 64 A 3
Tauriac (33) 141 F 4
Tauriac (46) 158 D 1
Tauriac (81) 174 A 5
Tauriac-de-Camarès (12) 192 A 1
Tauriac-de-Naucelle (12) 175 E 2
Tauriers (07) 162 D 4
Taurignan-Castet (09) 206 B 2
Taurignan-Vieux (09) 206 B 2
Taurinya (66) 212 B 3
Taurize (11) 208 C 2
Taussac (12) 160 B 1
Taussac-la-Billière (34) 192 A 2
Taussat (33) 154 B 2
Tautavel (66) 208 D 4
Tauves (63) 132 C 5
Tauxières-Mutry (51) 33 H 4
Tauxigny (37) 87 E 5
Tavaco (2A) 216 D 4
Tavant (37) 102 B 1
Tavaux (39) 110 A 2
Tavaux-et-Pontséricourt (02) 17 G 3
Tavel (30) 179 E 4
Tavera (2A) 216 D 4
Tavernay (71) 108 A 2
Les Tavernes (30) 178 A 3
Tavernes (83) 196 D 2
Taverny (95) 31 E 4
Tavers (45) 88 A 1
Tavey (70) 96 C 2
Taxat-Senat (03) 119 H 4
Taxenne (39) 94 B 5
Tayac (33) 142 A 5
Taybosc (32) 188 B 1
Tayrac (12) 175 E 2
Tayrac (47) 172 D 2
Tazilly (58) 107 H 4
Le Tech (66) 212 C 5
Têche (38) 151 E 3
Técou (81) 174 C 5
Teghime (Col de) (2B) 215 F 4
Le Teich (33) 154 C 3
Teigny (58) 91 F 4
Le Teil (07) 163 G 4
Teilhède (63) 133 E 1
Teilhet (09) 207 F 2
Teilhet (63) 119 F 5
Teillay (35) 65 G 5
Teillay-le-Gaudin (45) 70 D 2
Teillay-St-Benoît (45) 70 D 2
Teillé (44) 83 H 3
Teillé (72) 68 A 2
Teillet (81) 175 E 5
Teillet-Argenty (03) 118 D 4
Le Teilleul (50) 46 C 3
Teillots (24) 144 A 3
Teissières-de-Cornet (15) 145 H 5
Teissières-lès-Bouliès (15) 160 A 2
Telgruc-sur-Mer (29) 41 F 5
Tellancourt (54) 20 B 2
Tellecey (21) 93 H 4
Tellières-le-Plessis (61) 48 B 3
Teloché (72) 68 A 4
Le Temple (33) 154 C 1
Le Temple (41) 69 E 4
Le Temple (79) 100 C 3
Le Temple-de-Bretagne (44) 83 E 4
Temple-Laguyon (24) 143 H 3
Le Temple-sur-Lot (47) 156 D 5
Templemars (59) 4 C 4
Templeuve (59) 4 D 4
Templeux-la-Fosse (80) 16 B 1
Templeux-le-Guérard (80) 16 C 1
Tempoure (47) 157 G 4
Tenay (01) 137 F 1
Tence (43) 148 D 4
Tencin (38) 152 A 2
Tende (06) 183 H 2
Tendon (88) 77 H 2
Tendron (18) 106 A 2
Tendu (36) 104 A 5
Teneur (62) 7 F 2
Tennie (72) 67 G 2
Tenteling (57) 38 A 3
Tercé (86) 115 H 1
Tercillat (23) 118 A 3
Tercis-les-Bains (40) 185 F 1
Terdeghem (59) 3 G 4
Térénez (29) 42 A 2
Tergnier (02) 16 D 4
Terjat (03) 119 E 4
Le Terme (31) 173 H 5
Termes (08) 34 D 1
Termes (11) 208 C 3
Termes (48) 161 E 2
Termes-d'Armagnac (32) 187 E 2
Termignon (73) 153 F 2
Terminiers (28) 70 B 3
Ternand (69) 135 F 1
Ternant (17) 127 F 1
Ternant (21) 93 E 5
Ternant (58) 107 G 4
Ternant-les-Eaux (63) 147 E 1
Ternas (62) 7 G 3
Ternat (52) 75 G 4
Ternay (41) 86 D 1
Ternay (69) 135 H 4
Ternay (86) 101 G 2
Les Ternes (15) 146 D 5
Ternuay-Melay-
et-St-Hilaire (70) 77 H 5
Terny-Sorny (02) 32 D 1
Terramesnil (80) 7 G 5
Terrans (71) 109 H 3
La Terrasse (38) 151 H 2
La Terrasse-sur-Dorlay (42) 149 F 1
Terrasson-Lavilledieu (24) 144 A 4
Terrats (66) 213 E 3
Terraube (32) 172 B 5
Terre-Clapier (81) 175 E 5
Terrebasse (31) 206 A 1
Terrefondrée (21) 93 E 1
Terrehault (72) 68 B 1
Terrenoire (42) 149 E 1
Les Terres-de-Chaux (25) 96 C 4
La Terrisse (12) 160 C 2
Terroles (11) 208 B 3
Terron-sur-Aisne (08) 18 D 5
Terrou (46) 159 F 2
Tersanne (26) 150 C 3
Tersannes (87) 116 C 3
Terssac (81) 174 D 4
Tertenoz (74) 138 C 3
Le Tertre-St-Denis (78) 30 B 5
Tertry (80) 16 C 2
Terves (79) 100 D 4
Terville (57) 21 E 3
Tessancourt-sur-Aubette (78) 30 C 4
Tessé-Froulay (61) 47 E 3
Tessé-la-Madeleine (61) 47 E 3
Tessel (14) 27 E 3
Tessens (73) 139 E 4
Tesson (17) 127 E 4
Tessonnière (79) 101 F 4
La Tessoualle (49) 100 B 2
Tessy Bocage (50) 25 F 4
La Teste-de-Buch (33) 154 B 3
Tétaigne (08) 19 G 3
Téteghem-
Coudekerque-Village (59) 3 F 2
Téterchen (57) 21 G 4
Téthieu (40) 185 G 1
Teting-sur-Nied (57) 37 G 3
Teuillac (33) 141 F 4
Teulat (81) 189 H 2
Le Teulet (19) 145 G 5
Teurthéville-Bocage (50) 23 E 3
Teurthéville-Hague (50) 22 C 3
Teyjat (24) 129 E 5
Teyran (34) 193 F 2
Teyssières (26) 164 D 5
Teyssieu (46) 159 F 1
Teyssode (81) 190 A 2
Thaas (51) 53 G 3
Thaims (17) 126 D 4
Thairé (17) 113 F 5
Thaix (58) 107 F 4
Thal-Drulingen (67) 38 B 4
Thal-Marmoutier (67) 58 D 1
Thalamy (19) 132 B 5
Thann [SP] (68) 78 C 4
Thannenkirch (68) 58 D 5
Thanvillé (67) 58 D 5
Thaon (14) 27 F 2
Thaon-les-Vosges (88) 77 F 1
Tharaux (30) 178 B 2
Tharoiseau (89) 91 G 3
Tharon-Plage (44) 82 B 5
Tharot (89) 91 G 2

A B C D E F G H I J K L M N O P Q R S T U V W X Y Z

Localité (Département) Page Coordonnées

Thaumiers (18) ... 105 H 4
Thauron (23) ... 131 E 1
Thauvenay (18) ... 90 A 5
Thèbe (65) ... 205 F 3
Théding (57) ... 38 A 3
Thédirac (46) ... 158 A 3
Thégra (46) ... 158 D 2
Théhillac (56) ... 82 C 1
Le Theil (03) ... 119 H 3
Le Theil (15) ... 146 A 4
Le Theil (23) ... 130 C 2
Le Theil (50) ... 22 D 3
Le Theil (61) ... 68 D 1
Le Theil-Bocage (14) ... 25 H 5
Le Theil-de-Bretagne (35) ... 65 G 4
Le Theil-en-Auge (14) ... 28 B 1
Le Theil-Nolent (27) ... 28 C 3
Theil-Rabier (16) ... 114 D 5
Theil-sur-Vanne (89) ... 72 D 2
Theillay (41) ... 88 D 4
Theillement (27) ... 29 E 2
Theix-Noyalo (56) ... 81 H 2
Theizé (69) ... 135 G 1
Thel (69) ... 121 H 5
Théléville (28) ... 50 A 4
Théligny (72) ... 69 E 2
Thélis-la-Combe (42) ... 149 F 2
Thélod (54) ... 56 D 3
Thelonne (08) ... 19 F 4
Thélus (62) ... 8 B 3
Théméricourt (95) ... 30 C 4
Thèmes (89) ... 72 D 3
Thémines (46) ... 159 E 2
Théminettes (46) ... 159 E 2
Thénac (17) ... 127 E 4
Thénac (24) ... 156 C 2
Thenailles (02) ... 17 H 2
Thenay (36) ... 103 H 5
Thenay (41) ... 87 H 4
Thenelles (02) ... 17 E 2
Thénésol (73) ... 138 C 3
Theneuil (37) ... 102 B 1
Theneuille (03) ... 119 F 1
Thénezay (79) ... 101 G 5
Thénioux (18) ... 88 C 5
Thenissey (21) ... 92 D 3
Thénisy (77) ... 52 C 4
Thennelières (10) ... 74 A 1
Thennes (80) ... 15 G 2
Thenon (24) ... 143 H 4
Thénorgues (08) ... 35 E 1
Théoule-sur-Mer (06) ... 199 E 2
Therdonne (60) ... 31 E 1
Thérines (60) ... 14 D 4
Thermes-Magnoac (65) ... 188 A 5
Thérondels (12) ... 160 C 1
Thérouanne (62) ... 3 E 5
Thérouldeville (76) ... 12 D 3
Thervay (39) ... 94 B 5
Thésée (41) ... 87 H 4
Thésy (39) ... 110 D 3
Theuley (70) ... 94 C 1
Théus (05) ... 166 C 4
Theuville (28) ... 50 A 5
Theuville (95) ... 30 D 3
Theuville-aux-Maillots (76) ... 12 D 3
Theuvy-Achères (28) ... 49 H 3
Thevet-St-Julien (36) ... 104 D 5
Théville (50) ... 22 D 2
Thevray (27) ... 28 D 5
They-sous-Montfort (88) ... 76 D 1
They-sous-Vaudemont (54) ... 56 D 4
Theys (38) ... 152 A 2
Théza (66) ... 213 F 3
Thézac (17) ... 126 D 4
Thézac (47) ... 157 H 5
Thézan-des-Corbières (11) ... 209 E 2
Thézan-lès-Béziers (34) ... 192 B 4
Thèze (04) ... 166 A 5
Thèze (64) ... 186 C 3
Thézey-St-Martin (54) ... 37 E 5
Théziers (30) ... 178 D 5
Thézillieu (01) ... 137 F 2
Thézy-Glimont (80) ... 15 G 2
Thiais (94) ... 51 F 2
Thiancourt (90) ... 96 D 2
Thianges (58) ... 107 E 3
Thiant (59) ... 9 E 3
Thiat (87) ... 116 B 4
Thiaucourt-Regniéville (54) ... 36 C 4
Thiaville-sur-Meurthe (54) ... 57 H 4
Thiberville (27) ... 28 C 3
Thibie (51) ... 34 A 5
Thibivillers (60) ... 30 C 2
Thibouville (27) ... 29 E 3
Thicourt (57) ... 37 G 5
Thiébauménil (54) ... 57 G 3
Thiéblemont-Farémont (51) ... 54 D 2
Thiébouhans (25) ... 96 C 4
Thiédeville (76) ... 13 F 3
Thieffrain (10) ... 74 B 1
Thieffrans (70) ... 95 F 2
Thiéfosse (88) ... 77 H 3
Thiel-sur-Acolin (03) ... 120 B 1
Thiembronne (62) ... 2 D 5
Thiénans (70) ... 95 F 3

Thiennes (59) ... 3 F 5
Thiepval (80) ... 8 A 5
Thiergeville (76) ... 12 D 3
Thiernu (02) ... 17 G 3
Thiers ◇ (63) ... 133 H 2
Thiers-sur-Thève (60) ... 31 G 3
Thierville (27) ... 28 D 2
Thierville-sur-Meuse (55) ... 35 H 3
Thiéry (06) ... 182 D 3
Thiescourt (60) ... 16 B 5
Thiétreville (76) ... 12 D 3
Le Thieulin (28) ... 49 G 5
Thieulloy-la-Ville (80) ... 14 D 2
Thieulloy-l'Abbaye (80) ... 14 D 2
Thieuloy-St-Antoine (60) ... 14 D 4
La Thieuloye (62) ... 7 G 2
Thieux (60) ... 15 F 5
Thieux (77) ... 31 H 4
Thiéville (14) ... 27 H 4
Thièvres (62) ... 7 H 5
Thiézac (15) ... 146 B 5
Thignonville (45) ... 71 E 1
Thil (01) ... 136 C 2
Thil (10) ... 54 D 5
Le Thil (27) ... 30 A 2
Thil (31) ... 188 D 1
Thil (51) ... 33 G 2
Thil (54) ... 20 C 2
Thil-Manneville (76) ... 13 G 2
Le Thil-Riberpré (76) ... 14 B 4
Thil-sur-Arroux (71) ... 108 A 4
Thilay (08) ... 11 E 5
Le Thillay (95) ... 31 G 4
Thilleux (52) ... 55 E 4
Les Thilliers-en-Vexin (27) ... 30 B 2
Thillois (51) ... 33 G 2
Thillombois (55) ... 35 H 5
Thillot (55) ... 36 A 4
Le Thillot (88) ... 77 H 4
Thilouze (37) ... 86 C 5
Thimert (28) ... 49 G 3
Thimonville (57) ... 37 F 4
Thimory (45) ... 71 G 4
Thin-le-Moutier (08) ... 18 C 3
Thines (07) ... 162 C 4
Thiolières (63) ... 134 A 5
Thionne (03) ... 120 B 2
Thionville ◇ (57) ... 21 E 3
Thiouville (76) ... 12 D 3
Thiraucourt (88) ... 56 D 5
Thiré (85) ... 113 F 1
Thiron-Gardais (28) ... 69 F 1
This (08) ... 18 D 3
Thivars (28) ... 50 A 5
Thivencelle (59) ... 5 F 5
Thiverny (60) ... 31 F 2
Thiverval-Grignon (78) ... 50 C 1
Thivet (52) ... 75 H 3
Thiviers (24) ... 143 G 1
Thiville (28) ... 69 H 3
Thizay (36) ... 104 C 3
Thizay (37) ... 101 H 1
Thizy (89) ... 91 H 2
Thizy-les-Bourgs (69) ... 135 E 1
Thoard (04) ... 181 F 2
Thodure (26) ... 150 D 2
Thoigné (72) ... 68 A 1
Thoiras (30) ... 177 H 3
Thoiré-sous-Contensor (72) ... 48 A 5
Thoiré-sur-Dinan (72) ... 68 B 5
Thoires (21) ... 74 D 4
Thoirette (39) ... 123 G 3
Thoiria (39) ... 123 H 1
Thoiry (01) ... 124 A 3
Thoiry (73) ... 138 A 4
Thoiry (78) ... 50 C 1
Thoissey (01) ... 122 B 4
Thoissia (39) ... 123 F 2
Thoisy-la-Berchère (21) ... 92 B 5
Thoisy-le-Désert (21) ... 92 C 5
Thoix (80) ... 15 E 3
Thol-lès-Millières (52) ... 76 A 2
Thollet (86) ... 116 C 2
Thollon-les-Mémises (74) ... 125 F 2
Le Tholonet (13) ... 196 A 3
Le Tholy (88) ... 77 H 2
Thomer-la-Sôgne (27) ... 29 G 5
Thomery (77) ... 52 A 5
Thomirey (21) ... 108 D 1
Thonac (24) ... 143 H 5
Thônes (74) ... 138 C 2
Thonnance-lès-Joinville (52) ... 55 G 4
Thonnance-les-Moulins (52) ... 55 G 4
Thonne-la-Long (55) ... 19 H 4
Thonne-le-Thil (55) ... 19 H 4
Thonne-les-Prés (55) ... 19 H 5
Thonnelle (55) ... 19 H 4
Thonon-les-Bains ◇ (74) ... 124 D 2
Les Thons (88) ... 76 C 3
Thonville (57) ... 37 G 4
Le Thor (84) ... 179 G 4
Thorailles (45) ... 72 A 3
Thoraise (25) ... 94 D 5
Thorame-Basse (04) ... 181 H 2
Thorame-Haute (04) ... 182 A 2
Thoras (43) ... 161 H 1
Thoré-la-Rochette (41) ... 69 F 5
Thorée-les-Pins (72) ... 85 H 1
Thorenc (06) ... 182 C 5
Thorens-Glières (74) ... 138 B 1
Thorey (89) ... 74 A 4

Thorey-en-Plaine (21) ... 93 G 5
Thorey-Lyautey (54) ... 56 D 4
Thorey-sous-Charny (21) ... 92 C 4
Thorey-sur-Ouche (21) ... 108 D 1
Thorigné (79) ... 114 D 3
Thorigné (79) ... 114 C 3
Thorigné-d'Anjou (49) ... 84 D 1
Thorigné-en-Charnie (53) ... 67 F 3
Thorigné-Fouillard (35) ... 65 F 1
Thorigné-sur-Dué (72) ... 68 C 3
Thorigny (79) ... 114 A 4
Thorigny (85) ... 99 H 5
Thorigny-sur-Marne (77) ... 51 H 1
Thorigny-sur-Oreuse (89) ... 72 D 1
Le Thoronet (83) ... 197 F 3
Thorrenc (07) ... 149 G 3
Thors (10) ... 55 E 5
Thors (17) ... 127 G 2
Thory (80) ... 15 G 3
Thory (89) ... 91 G 2
Thoste (21) ... 92 A 3
Le Thou (17) ... 113 G 5
Thou (18) ... 89 H 3
Thou (45) ... 90 A 2
Thouarcé (49) ... 85 E 5
Thouaré-sur-Loire (44) ... 83 G 4
Thouars (79) ... 101 F 2
Thouars-sur-Arize (09) ... 206 C 1
Thouars-sur-Garonne (47) ... 172 A 1
Thouarsais-Bouildroux (85) ... 100 B 5
Le Thoult-Trosnay (51) ... 53 F 1
Le Thour (08) ... 18 A 5
Le Thoureil (49) ... 85 F 4
Thourie (35) ... 65 G 4
Thouron (87) ... 130 A 1
Thourotte (60) ... 16 B 5
Thoury (41) ... 88 A 2
Thoury-Férottes (77) ... 72 A 1
Thoux (32) ... 188 C 2
Thubœuf (53) ... 47 E 4
Le Thuel (02) ... 17 H 4
Thuès-Entre-Valls (66) ... 212 A 5
Thuès-les-Bains (66) ... 212 A 5
Thueyts (07) ... 162 D 3
Thugny-Trugny (08) ... 18 C 5
La Thuile (73) ... 138 A 5
Les Thuiles (04) ... 167 E 5
Thuilley-aux-Groseilles (54) ... 56 C 3
Thuillières (88) ... 76 D 2
Thuir (66) ... 213 E 3
Thuisy (51) ... 33 G 1
Le Thuit (27) ... 29 H 2
Le Thuit-Anger (27) ... 29 F 2
Thuit-Hébert (27) ... 29 E 2
Le Thuit de l'Oison (27) ... 29 F 2
Le Thuit-Simer (27) ... 29 F 2
Thulay (25) ... 96 C 3
Thumeréville (54) ... 20 C 5
Thumeries (59) ... 4 C 5
Thun-l'Évêque (59) ... 8 D 4
Thun-St-Amand (59) ... 5 E 5
Thun-St-Martin (59) ... 8 D 4
Thuré (86) ... 102 A 4
Thuret (63) ... 133 G 1
Thurey (71) ... 109 G 4
Thurey-le-Mont (25) ... 95 E 3
Thurins (69) ... 135 G 4
Thury (21) ... 108 C 2
Thury (89) ... 90 D 2
Thury-en-Valois (60) ... 32 B 3
Thury-Harcourt (14) ... 27 E 4
Thury-sous-Clermont (60) ... 31 F 1
Thusy (74) ... 137 H 1
Thuy (65) ... 187 F 5
Thyez (74) ... 125 E 5
Thyl (73) ... 152 D 2
Tibiran-Jaunac (65) ... 205 F 2
Ticheville (61) ... 28 B 5
Tichey (21) ... 109 H 2
Tieffenbach (67) ... 38 C 4
Tiercé (49) ... 85 E 2
Tiercelet (54) ... 20 C 3
Le Tiercent (35) ... 45 H 5
Tierceville (14) ... 27 E 2
Tieste-Uragnoux (32) ... 187 E 3
La Tieule (48) ... 161 E 5
Tiffauges (85) ... 100 A 2
Tigeaux (77) ... 52 A 1
Tigery (91) ... 51 G 3
Tignac (09) ... 207 F 5
Tigné (49) ... 85 E 5
Tignécourt (88) ... 76 C 3
Tignes (73) ... 139 G 5
Le Tignet (06) ... 198 D 1
Tignieu-Jameyzieu (38) ... 136 D 3
Tigny-Noyelle (62) ... 6 C 3
Tigy (45) ... 71 E 5
Til-Châtel (21) ... 93 G 2
Tilh (40) ... 185 G 2
Tilhouse (65) ... 204 D 2
Tillac (32) ... 187 G 3
Tillay-le-Péneux (28) ... 70 B 2
Tillé (60) ... 15 E 5
Tillenay (21) ... 93 H 5
Le Tilleul (76) ... 12 B 3
Tilleul-Dame-Agnès (27) ... 29 E 4
Le Tilleul-Lambert (27) ... 29 E 4
Le Tilleul-Othon (27) ... 29 E 3
Tilleux (88) ... 56 B 5
Tillières (49) ... 99 H 1
Tillières-sur-Avre (27) ... 49 F 2

Tilloloy (80) ... 16 A 4
Tilloy (59) ... 114 D 5
Tilloy-et-Bellay (51) ... 34 C 4
Tilloy-Floriville (80) ... 14 B 1
Tilloy-lès-Conty (80) ... 15 E 3
Tilloy-lès-Hermaville (62) ... 7 H 3
Tilloy-lès-Mofflaines (62) ... 8 B 3
Tilloy-lez-Conty (59) ... 8 D 4
Tilloy-lez-Mofflaines (59) ... 4 D 5
Tilly (27) ... 30 A 3
Tilly (36) ... 116 D 2
Tilly (78) ... 50 A 1
Tilly-Capelle (62) ... 7 F 2
Tilly-la-Campagne (14) ... 27 F 3
Tilly-sur-Meuse (55) ... 35 H 4
Tilly-sur-Seulles (14) ... 26 D 3
Tilques (62) ... 3 E 4
Tincey-et-Pontrebeau (70) ... 94 C 1
Tinchebray (61) ... 46 D 1
Tincourt-Boucly (80) ... 16 B 1
Tincques (62) ... 7 H 2
Tincry (57) ... 37 F 5
Les Tines (74) ... 139 F 1
Tingry (62) ... 2 B 5
Tinqueux (51) ... 33 H 2
Tinténiac (35) ... 45 E 5
Tintry (71) ... 108 C 3
Tintury (58) ... 107 E 2
Tiranges (43) ... 148 B 2
Tirent-Pontéjac (32) ... 188 B 3
Tirepied (50) ... 45 H 2
Tissey (89) ... 73 G 5
Le Titre (80) ... 6 D 4
Tiuccia (2A) ... 216 C 4
Tivernon (45) ... 70 C 2
Tiviers (15) ... 147 E 4
Tivolaggio (2A) ... 218 D 3
Tizac-de-Curton (33) ... 155 H 1
Tizac-de-Lapouyade (33) ... 141 G 4
Tizzano (2A) ... 218 D 4
Tocane-St-Apre (24) ... 142 D 3
Tocqueville (27) ... 28 D 1
Tocqueville (50) ... 23 E 2
Tocqueville-en-Caux (76) ... 13 F 3
Tocqueville-les-Murs (76) ... 12 D 3
Tocqueville-sur-Eu (76) ... 13 H 1
Tœufles (80) ... 6 C 5
Toges (08) ... 34 D 1
Togny-aux-Bœufs (51) ... 54 B 1
Tolla (2A) ... 216 D 5
Tollaincourt (88) ... 76 B 2
Tollent (62) ... 7 E 3
Tollevast (50) ... 22 C 3
La Tombe (77) ... 52 B 5
Tombebœuf (47) ... 156 D 4
Tomblaine (54) ... 57 E 2
Tomino (2B) ... 215 G 1
Les Tonils (26) ... 164 D 3
Tonnac (81) ... 174 B 3
Tonnay-Boutonne (17) ... 127 E 1
Tonnay-Charente (17) ... 126 D 1
Tonneins (47) ... 156 C 5
Tonnerre (89) ... 73 H 5
Tonneville (50) ... 22 C 2
Tonnoy (54) ... 57 E 3
Tonquédec (22) ... 42 D 3
Torcé (35) ... 65 H 2
Torcé-en-Vallée (72) ... 68 B 2
Torcé-Viviers-en-Charnie (53) ... 67 F 2
Torcenay (52) ... 76 A 5
Torchamp (61) ... 46 D 3
Torchefelon (38) ... 137 E 5
Torcheville (57) ... 37 H 5
Torcieu (01) ... 137 E 1
Torcy (62) ... 7 E 1
Torcy (71) ... 108 C 4
Torcy ◇ (77) ... 51 H 1
Torcy-en-Valois (02) ... 32 C 4
Torcy-et-Pouligny (21) ... 92 A 3
Torcy-le-Grand (10) ... 54 A 4
Torcy-le-Grand (76) ... 13 H 2
Torcy-le-Petit (10) ... 54 A 4
Torcy-le-Petit (76) ... 13 H 2
Tordères (66) ... 213 E 3
Tordouet (14) ... 28 B 4
Torfou (49) ... 100 A 1
Torfou (91) ... 51 E 4
Torigny-les-Villes (50) ... 25 G 4
Tornac (30) ... 177 H 4
Tornay (52) ... 94 B 1
Le Torp-Mesnil (76) ... 13 F 3
Torpes (25) ... 94 D 5
Torpes (71) ... 109 H 3
Le Torpt (27) ... 28 B 1
Le Torquesne (14) ... 28 A 2
Torre (2A) ... 219 G 3
Torreilles (66) ... 209 F 5
Torsac (16) ... 128 C 5
Torsiac (43) ... 147 F 2
Tortebesse (63) ... 132 C 3
Tortefontaine (62) ... 6 D 3
Tortequesne (62) ... 8 C 3
Torteron (18) ... 106 B 2
Torteval-Quesnay (14) ... 25 H 4
Tortezais (03) ... 119 F 2
Tortisambert (14) ... 28 A 5
Torville (45) ... 71 E 2
Torvilliers (10) ... 73 H 1
Torxé (17) ... 127 F 1
Tosny (27) ... 29 H 3
Tosse (40) ... 184 D 1
Tossiat (01) ... 123 E 5

Tostat (65) ... 187 E 5
Tostes (27) ... 29 G 2
Totainville (88) ... 56 D 5
Tôtes (76) ... 27 H 5
Tôtes (76) ... 13 G 3
Touchay (18) ... 105 E 5
La Touche (26) ... 163 H 4
La Touche (44) ... 83 G 3
Les Touches (44) ... 83 G 3
Les Touches-de-Périgny (17) ... 127 H 2
Toucy (89) ... 90 D 1
Toudon (06) ... 183 E 4
Touët-de-l'Escarène (06) ... 183 F 4
Touët-sur-Var (06) ... 182 D 3
Touffailles (82) ... 173 E 1
Toufflers (59) ... 4 D 3
Touffréville (14) ... 27 G 3
Touffreville (27) ... 30 A 1
Touffreville-la-Cable (76) ... 12 D 5
Touffreville-la-Corbeline (76) ... 13 E 4
Touffreville-sur-Eu (76) ... 14 A 1
Touget (32) ... 188 C 1
Touille (31) ... 206 A 2
Touillon (21) ... 92 B 1
Touillon-et-Loutelet (25) ... 111 G 3
Toujouse (32) ... 171 E 5
Toul ◇ (54) ... 56 C 2
Toulaud (07) ... 163 H 1
Toulenne (33) ... 155 G 4
Touligny (08) ... 18 D 3
Toulis-et-Attencourt (02) ... 17 G 3
Toulon [P] (83) ... 201 E 3
Toulon-la-Montagne (51) ... 53 G 1
Toulon-sur-Allier (03) ... 120 A 1
Toulon-sur-Arroux (71) ... 108 A 5
Toulonjac (12) ... 159 F 5
Toulouges (66) ... 213 E 2
Toulouse [R] (31) ... 189 F 2
Toulouse-le-Château (39) ... 110 B 3
Toulouzette (40) ... 185 H 1
Toulx-Ste-Croix (23) ... 118 B 4
Touques (14) ... 28 A 1
Le Touquet-Paris-Plage (62) ... 6 C 1
Touquettes (61) ... 48 C 1
Touquin (77) ... 52 B 2
La Tour (06) ... 183 E 3
La Tour (74) ... 124 D 4
La Tour-Blanche (24) ... 142 D 2
La Tour-d'Aigues (84) ... 196 A 1
La Tour-d'Auvergne (63) ... 132 C 5
Tour-de-Faure (46) ... 158 D 5
La Tour-de-Mare (83) ... 198 D 3
La Tour-de-Salvagny (69) ... 135 H 3
La Tour-de-Scay (25) ... 95 E 3
La Tour-du-Crieu (09) ... 207 E 2
La Tour-du-Meix (39) ... 123 G 1
La Tour-du-Parc (56) ... 81 H 3
La Tour-du-Pin ◇ (38) ... 137 E 3
Tour-en-Bessin (14) ... 25 H 2
La Tour-en-Jarez (42) ... 149 E 1
Tour-en-Sologne (41) ... 88 A 2
La Tour-St-Gelin (37) ... 102 B 2
La Tour-sur-Orb (34) ... 192 A 2
Tourailles (41) ... 87 G 1
Les Tourailles (61) ... 47 F 1
Tourailles-sous-Bois (55) ... 55 H 4
Tourbes (34) ... 192 C 4
Tourcelles-Chaumont (08) ... 34 C 1
Tourch (29) ... 62 A 3
Tourcoing (59) ... 4 D 3
Tourdun (32) ... 187 F 3
La Tourette (19) ... 131 H 5
La Tourette (42) ... 148 C 1
Tourette-Cabardès (11) ... 190 D 4
Tourette-du-Château (06) ... 183 E 4
Tourgéville (14) ... 28 A 1
La Tourlandry (49) ... 100 C 1
Tourlaville (50) ... 22 D 2
Tourly (60) ... 30 D 3
Tourmignies (59) ... 4 C 5
Tourmont (39) ... 110 B 3
Tournai-sur-Dive (61) ... 47 H 1
Tournan (32) ... 188 B 4
Tournan-en-Brie (77) ... 51 H 2
Tournans (25) ... 95 F 3
Tournavaux (08) ... 11 E 5
Tournay (65) ... 204 D 1
Tournay-sur-Odon (14) ... 27 E 3
Le Tourne (33) ... 155 G 2
Tournebu (14) ... 27 F 5
Tournecoupe (32) ... 172 D 5
Tournedos-Bois-Hubert (27) ... 29 F 4
Tournedos-sur-Seine (27) ... 29 H 2
Tournedoz (25) ... 95 H 3
Tournefeuille (31) ... 189 E 2
Tournefort (06) ... 183 E 3
Tournehem-sur-la-Hem (62) ... 2 D 4
Tournemire (12) ... 176 B 4
Tournemire (15) ... 146 A 5
Tournes (08) ... 18 D 2
Le Tourneur (14) ... 25 H 4
Tourneville (27) ... 29 G 4
Tourniac (15) ... 145 G 3
Tournières (14) ... 25 G 2
Tournissan (11) ... 208 D 2
Tournoisis (45) ... 70 B 3
Tournon (73) ... 138 C 4
Tournon-d'Agenais (47) ... 157 G 5
Tournon-St-Martin (36) ... 103 E 5
Tournon-St-Pierre (37) ... 103 E 4

Tournon-sur-Rhône ◇ (07) ... 149 H 4
Tournous-Darré (65) ... 187 G 5
Tournous-Devant (65) ... 187 H 5
Tournus (71) ... 122 C 1
Tourny (27) ... 30 A 3
Le Tourondel (19) ... 145 E 1
Tourouvre-au-Perche (61) ... 48 D 3
Tourouzelle (11) ... 191 G 5
Tourreilles (11) ... 208 A 3
Les Tourreilles (31) ... 205 F 2
Tourrenquets (32) ... 188 A 1
Tourrette-Levens (06) ... 183 F 5
Les Tourrettes (26) ... 163 H 3
Tourrettes (83) ... 198 C 1
Tourrettes-sur-Loup (06) ... 183 E 5
Tourriers (16) ... 128 C 3
Tours [P] (37) ... 86 D 4
Tours-en-Savoie (73) ... 138 D 4
Tours-en-Vimeu (80) ... 6 C 5
Tours-sur-Marne (51) ... 33 H 4
Tours-sur-Meymont (63) ... 134 A 4
Tourtenay (79) ... 101 G 2
Tourteron (08) ... 18 D 5
Tourtoirac (24) ... 143 H 3
Tourtour (83) ... 197 F 2
Tourtouse (09) ... 206 B 2
Tourtrès (47) ... 156 D 4
Tourtrol (09) ... 207 F 2
Tourves (83) ... 196 D 4
Tourville-en-Auge (14) ... 28 A 2
Tourville-la-Chapelle (27) ... 29 E 2
Tourville-la-Chapelle (76) ... 13 H 1
Tourville-la-Rivière (76) ... 29 G 2
Tourville-les-Ifs (76) ... 12 C 3
Tourville-sur-Arques (76) ... 13 G 2
Tourville-sur-Odon (14) ... 27 E 3
Tourville-sur-Pont-Audemer (27) ... 28 C 1
Tourville-sur-Sienne (50) ... 24 C 4
Toury (28) ... 70 C 2
Toury-Lurcy (58) ... 107 E 5
Toury-sur-Jour (58) ... 106 C 5
Tourzel-Ronzières (63) ... 133 F 5
Toussaint (76) ... 12 C 3
Toussieu (69) ... 136 B 4
Toussieux (01) ... 135 H 1
Tousson (77) ... 51 G 5
La Toussuire (73) ... 152 C 3
Toussus-le-Noble (78) ... 51 E 2
Toutainville (27) ... 28 C 1
Toutenant (71) ... 109 G 3
Toutencourt (80) ... 7 H 5
Toutens (31) ... 189 H 3
Toutlemonde (49) ... 100 C 1
Toutry (21) ... 92 A 3
Touvérac (16) ... 141 H 1
Le Touvet (38) ... 152 A 1
Touville (27) ... 29 E 2
Touvois (44) ... 99 E 3
Touvre (16) ... 128 C 4
Touzac (16) ... 127 H 5
Touzac (46) ... 157 H 4
Tox (2B) ... 217 G 2
Toy-Viam (19) ... 131 E 4
Tracy-Bocage (14) ... 26 D 4
Tracy-le-Mont (60) ... 16 B 5
Tracy-le-Val (60) ... 16 B 5
Tracy-sur-Loire (58) ... 90 A 4
Tracy-sur-Mer (14) ... 26 D 1
Trades (69) ... 122 A 3
Traenheim (67) ... 58 D 2
Tragny (57) ... 37 F 4
Trainel (10) ... 52 D 5
Traînou (45) ... 70 D 4
Le Trait (76) ... 13 E 5
Traitiéfontaine (70) ... 95 E 3
Traize (73) ... 137 G 4
Tralaigues (63) ... 132 B 2
Tralonca (2B) ... 217 E 3
Tramain (22) ... 44 B 4
Tramayes (71) ... 122 A 3
Trambly (71) ... 121 H 3
Tramecourt (62) ... 7 F 2
Tramery (51) ... 33 F 2
Tramezaïgues (65) ... 204 D 4
Tramolé (38) ... 136 D 5
Tramont-Émy (54) ... 56 C 4
Tramont-Lassus (54) ... 56 C 4
Tramont-St-André (54) ... 56 C 4
Tramoyes (01) ... 136 B 2
Trampot (88) ... 55 H 5
Trancault (10) ... 53 E 5
La Tranche-sur-Mer (85) ... 112 C 3
La Tranclière (01) ... 123 E 5
Trancrainville (28) ... 70 C 1
Trangé (72) ... 68 A 3
Le Tranger (36) ... 103 G 3
Trannes (10) ... 74 C 1
Tranqueville-Graux (88) ... 56 C 4
Trans (53) ... 67 H 1
Trans-en-Provence (83) ... 197 G 3
Trans-la-Forêt (35) ... 45 G 3
Trans-sur-Erdre (44) ... 83 G 3
Le Translay (76) ... 14 C 1
Le Transloy (62) ... 8 B 5
Tranzault (36) ... 117 H 1
Trappes (78) ... 50 D 1
Traslepuy (30) ... 179 H 2
Trassanel (11) ... 191 E 5
Traubach-le-Bas (68) ... 97 E 1
Traubach-le-Haut (68) ... 97 E 1
Trausse (11) ... 191 F 5

Travaillan (84) ....179 **F** 2
Travecy (02) ....16 **D** 3
Traversères (32) ....188 **A** 3
Traves (70) ....94 **D** 1
Le Travet (81) ....190 **D** 1
Travexin (88) ....78 **A** 3
Le Trayas (83) ....199 **E** 3
Trayes (79) ....101 **E** 5
Tréal (56) ....64 **B** 4
Tréauville (50) ....22 **B** 3
Trébabu (29) ....40 **D** 4
Treban (03) ....119 **H** 3
Tréban (81) ....175 **F** 3
Trébas (81) ....175 **F** 4
Trébédan (22) ....44 **C** 4
Trèbes (11) ....208 **B** 1
Trébeurden (22) ....42 **C** 2
Trébons (65) ....204 **C** 2
Trébons-de-Luchon (31) ...205 **F** 4
Trébons-sur-la-Grasse (31) 189 **H** 4
Tréboul (29) ....61 **F** 2
Trébrivan (22) ....62 **C** 1
Trébry (22) ....44 **A** 4
Tréclun (21) ....93 **H** 5
Trécon (51) ....53 **H** 1
Trédaniel (22) ....63 **H** 1
Trédarzec (22) ....43 **E** 2
Trédias (22) ....44 **C** 4
Trédion (56) ....81 **H** 1
Trédrez-Locquémeau (22) ..42 **C** 2
Tréduder (22) ....42 **C** 3
Trefcon (02) ....16 **C** 2
Tréfeuntec (29) ....61 **F** 1
Treffay (39) ....110 **D** 4
Treffendel (35) ....64 **D** 2
Treffiagat (29) ....61 **F** 4
Treffieux (44) ....83 **F** 1
Treffléan (56) ....81 **H** 2
Treffort (38) ....151 **G** 5
Treffort-Cuisiat (01) ....123 **F** 3
Treffrin (22) ....62 **C** 1
Tréflaouénan (29) ....41 **H** 2
Tréflévénez (29) ....41 **G** 4
Tréflez (29) ....41 **G** 2
Tréfols (51) ....53 **E** 1
Tréfumel (22) ....44 **D** 5
Trégarantec (29) ....41 **G** 3
Trégarvan (29) ....41 **G** 5
Trégastel (22) ....42 **C** 1
Trégastel-Plage (22) ....42 **C** 1
Tréglamus (22) ....43 **E** 4
Tréglonou (29) ....41 **E** 2
Trégomar (22) ....44 **B** 3
Trégomeur (22) ....43 **G** 4
Trégon (22) ....44 **C** 3
Trégonneau (22) ....43 **E** 3
Trégourez (29) ....62 **A** 2
Trégrom (22) ....42 **D** 3
Tréguennec (29) ....61 **F** 3
Trégueux (22) ....43 **H** 5
Tréguidel (22) ....43 **G** 3
Tréguier (22) ....43 **E** 2
Trégunc (29) ....62 **A** 5
Tréhet (41) ....86 **D** 1
Tréhiguier (56) ....82 **A** 2
Tréhorenteuc (56) ....64 **B** 3
Le Tréhou (29) ....41 **G** 4
Treignac (19) ....131 **E** 5
Treignat (03) ....118 **C** 3
Treigny (89) ....90 **C** 2
Treilles (11) ....209 **F** 3
Treilles-en-Gâtinais (45) ...71 **H** 3
Treillières (44) ....83 **F** 4
Le Trein (09) ....206 **C** 4
Treix (52) ....75 **G** 2
Treize-Septiers (85) ....99 **H** 2
Treize-Vents (85) ....100 **B** 3
Tréjouls (82) ....173 **F** 1
Trélans (48) ....161 **E** 4
Trélazé (49) ....85 **G** 3
Tréléchamp (74) ....125 **G** 5
Trélévern (22) ....42 **D** 1
Trelins (42) ....134 **C** 3
Trélissac (24) ....143 **F** 3
Trélivan (22) ....44 **C** 4
Trelly (50) ....24 **D** 4
Trélon (59) ....10 **A** 3
Trélou-sur-Marne (02) .....33 **E** 4
Trémaouézan (29) ....41 **G** 3
Trémargat (22) ....62 **D** 1
Trémauville (76) ....12 **D** 4
Trémazan (29) ....40 **D** 2
La Tremblade (17) ....126 **B** 3
La Tremblais (44) ....82 **C** 3
Tremblay (35) ....45 **G** 4
Le Tremblay (49) ....84 **B** 1
Tremblay-en-France (93) ...31 **G** 5
Tremblay-les-Villages (28) ..49 **H** 3
Le Tremblay-Omonville (27) ...29 **E** 3
Le Tremblay-sur-Mauldre (78) ...50 **C** 1
Tremblay-Vieux-Pays (93) ...31 **G** 5
Tremblecourt (54) ....56 **C** 1
Le Tremblois (70) ....94 **B** 3
Tremblois-lès-Carignan (08) ...19 **G** 3
Tremblois-lès-Rocroi (08) ...10 **C** 5
Tréméheuc (35) ....45 **F** 4
Trémel (22) ....42 **C** 3
Tréméloir (22) ....43 **G** 2
Trémentines (49) ....100 **C** 1
Tréméoc (29) ....61 **G** 3
Tréméreuc (22) ....44 **D** 3
Trémery (57) ....21 **E** 4

Tréméur (22) ....44 **B** 5
Tréméven (22) ....43 **F** 3
Tréméven (29) ....62 **C** 4
Trémilly (52) ....54 **D** 5
Trémini (85) ....165 **H** 2
La Trinité (06) ....183 **F** 5
La Trémolat (24) ....157 **F** 1
Trémons (47) ....157 **G** 5
Trémont (49) ....101 **E** 1
Trémont (61) ....48 **B** 3
Trémont-sur-Saulx (55) ...55 **F** 1
Trémonzey (88) ....77 **E** 3
Trémorel (22) ....64 **B** 1
Trémorvezen (29) ....62 **A** 5
Trémouille (15) ....146 **B** 2
Trémouille-St-Loup (63) ...146 **A** 1
Trémouilles (12) ....175 **G** 2
Trémoulet (09) ....207 **F** 1
Trémuson (22) ....43 **G** 4
Trenal (39) ....110 **A** 5
Trensacq (40) ....169 **G** 2
Trentels (47) ....157 **G** 5
Tréogan (22) ....62 **C** 2
Tréogat (29) ....61 **F** 3
Tréon (28) ....49 **H** 2
Tréouergat (29) ....41 **E** 3
Trépail (51) ....34 **A** 3
Trépied (62) ....6 **C** 1
Le Tréport (76) ....6 **A** 5
Trépot (25) ....95 **E** 5
Tréprel (14) ....27 **F** 5
Trept (38) ....137 **E** 4
Trésauvaux (55) ....36 **A** 3
Tresbœuf (35) ....65 **G** 4
Trescalan (44) ....82 **A** 3
Trescault (62) ....8 **C** 5
Treschenu-Creyers (26) ...165 **G** 2
Trescléoux (05) ....165 **H** 5
Trescol (30) ....177 **H** 2
Trésilley (70) ....94 **D** 3
Treslon (51) ....33 **G** 2
Tresmes (77) ....52 **B** 1
Tresnay (58) ....106 **C** 5
Trespoux-Rassiels (46) ...158 **B** 5
Tresques (30) ....178 **D** 3
Tressaint (22) ....44 **D** 4
Tressan (34) ....192 **D** 3
Tressandans (25) ....95 **F** 2
Tressange (57) ....20 **D** 3
Tressé (35) ....45 **E** 3
Tresserre (66) ....213 **E** 3
Tresserve (73) ....137 **H** 3
Tresses (33) ....155 **F** 1
Tressignaux (22) ....43 **F** 3
Tressin (59) ....4 **D** 4
Treteau (03) ....120 **B** 3
La Trétoire (77) ....52 **C** 1
Trets (13) ....196 **B** 3
Treux (80) ....15 **H** 1
Treuzy-Levelay (77) ....72 **A** 1
Trévé (22) ....63 **G** 2
Trévenans (90) ....96 **C** 2
Trévéneuc (22) ....43 **G** 3
Le Trévenet (35) ....45 **E** 3
Le Tronchet (72) ....67 **H** 2
Tréveray (55) ....55 **H** 3
Trévérec (22) ....43 **F** 3
Trévérien (35) ....44 **D** 4
Trèves (30) ....176 **D** 3
Trèves (69) ....135 **G** 5
Trèves-Cunault (49) ....85 **G** 4
Trévey (70) ....95 **F** 2
Trévien (81) ....174 **D** 3
Trévières (14) ....25 **G** 1
Tréville (11) ....190 **B** 4
Trévillers (25) ....96 **D** 4
Trévilly (89) ....91 **H** 2
Trévol (03) ....120 **A** 1
Trévou-Tréguignec (22) ...42 **D** 1
Trévoux (01) ....135 **H** 1
Le Trévoux (29) ....62 **B** 4
Trévron (22) ....44 **D** 4
Trézelles (03) ....120 **C** 3
Trézény (22) ....42 **D** 2
Tréziers (11) ....207 **G** 2
Trézioux (63) ....133 **H** 4
Triac-Lautrait (16) ....128 **A** 4
Le Triadou (34) ....193 **F** 1
Triaize (85) ....113 **E** 2
Triaucourt-
   en-Argonne (55) ....35 **F** 4
Tribehou (50) ....25 **E** 2
La Tricherie (86) ....102 **B** 4
Trichey (89) ....74 **A** 4
Triconville (55) ....55 **H** 1
Tricot (60) ....15 **H** 5
Trie-Château (60) ....30 **C** 2
Trie-la-Ville (60) ....30 **C** 2
Trie-sur-Baïse (65) ....187 **G** 5
Triel-sur-Seine (78) ....30 **D** 5
Triembach-au-Val (67) ...58 **D** 4
Trigance (83) ....181 **H** 5
Trignac (44) ....82 **B** 4
Trigny (51) ....33 **G** 2
Triguères (45) ....72 **B** 4
Trilbardou (77) ....32 **A** 5
Trilla (66) ....208 **C** 5
Trilport (77) ....32 **A** 5

Trimbach (67) ....39 **G** 4
Trimer (35) ....45 **E** 5
Trinay (45) ....70 **D** 3
La Trinité (15) ....160 **D** 2
La Trinité (06) ....183 **F** 5
La Trinité (27) ....29 **G** 5
la Trinité (29) ....41 **E** 4
La Trinité (50) ....46 **A** 1
La Trinité (73) ....138 **B** 5
Trinité (Ermitage de la) (2A) ...219 **F** 5
La Trinité-de-Réville (27) ...28 **C** 5
La Trinité-
   de-Thouberville (27) ....29 **E** 1
La Trinité-des-Laitiers (61) ...48 **B** 1
La Trinité-du-Mont (76) ...12 **D** 5
La Trinité-Langonnet (56) ...62 **C** 2
La Trinité-Porhoët (56) ...64 **A** 2
La Trinité-sur-Mer (56) ...81 **E** 2
La Trinité-Surzur (56) .....81 **H** 2
Triors (26) ....150 **C** 4
Le Trioulou (15) ....159 **G** 3
Tripleville (41) ....70 **A** 4
Triqueville (76) ....12 **D** 5
Triquerville (27) ....28 **C** 1
Trith-St-Léger (59) ....9 **E** 3
Tritteling-Redlach (57) ...37 **G** 3
Trivy (71) ....121 **H** 3
Trizac (15) ....146 **A** 3
Trizay (17) ....126 **B** 3
Trizay-Coutretot-St-Serge (28) ...69 **E** 1
Trizay-lès-Bonneval (28) ...69 **H** 2
Troarn (14) ....27 **G** 3
Troche (19) ....144 **B** 2
Trochères (21) ....93 **H** 4
Trocy-en-Multien (77) .....32 **B** 4
Troësnes (02) ....32 **C** 3
Troguéry (22) ....43 **E** 2
Trogues (37) ....102 **C** 1
Les Trois-Épis (68) ....78 **C** 2
Trois-Fonds (23) ....118 **B** 4
Trois-Fontaines-l'Abbaye (51) ...55 **E** 2
Trois-Monts (14) ....27 **E** 4
Les Trois-Moutiers (86) ...101 **H** 2
Trois-Palis (16) ....128 **B** 4
Les Trois-Pierres (76) .....12 **C** 5
Trois-Puits (51) ....33 **H** 3
Trois-Vèvres (58) ....106 **D** 3
Trois-Villes (64) ....203 **E** 1
Troischamps (52) ....76 **A** 4
Troisfontaines (52) ....55 **F** 3
Troisfontaines (57) ....58 **B** 2
Troisgots (50) ....97 **G** 1
Troissereux (60) ....15 **E** 5
Troissy (51) ....33 **F** 4
Troisvaux (62) ....7 **G** 2
Troisvilles (59) ....9 **E** 5
Tromarey (70) ....94 **B** 4
Tromborn (57) ....21 **G** 4
Tronçais (03) ....105 **H** 5
Troncens (32) ....187 **F** 3
Tronchoy (52) ....75 **H** 3
Tronchoy (80) ....14 **D** 2
Tronchoy (89) ....73 **H** 4
Tronchy (71) ....109 **G** 4
Le Troncq (27) ....29 **F** 3
Trondes (54) ....56 **B** 2
Tronget (03) ....119 **G** 2
Le Tronquay (14) ....25 **H** 2
Le Tronquay (27) ....30 **A** 1
Tronsanges (58) ....106 **B** 1
Tronville (54) ....36 **C** 3
Tronville-en-Barrois (55) ...55 **G** 2
Troo (41) ....69 **E** 5
Trosly-Breuil (60) ....32 **B** 1
Trosly-Loire (02) ....16 **D** 5
Trouans (10) ....54 **A** 3
Troubat (65) ....205 **F** 3
Trouhans (21) ....109 **H** 1
Trouhaut (21) ....93 **E** 4
Trouillas (66) ....213 **E** 3
Trouley-Labarthe (65) ...187 **F** 5
Troumouse (76) ....12 **D** 4
Trouville-la-Haule (27) ...28 **D** 1
Trouville-sur-Mer (14) ...28 **A** 1
Trouy (18) ....105 **F** 2
Troye-d'Ariège (09) ....207 **G** 2
Troyes P (10) ....73 **H** 1
Troyon (55) ....35 **H** 4
La Truchère (71) ....122 **C** 1
Truchtersheim (67) ....59 **E** 1
Trucy (02) ....17 **F** 5
Trucy-l'Orgueilleux (58) ...90 **D** 3
Trucy-sur-Yonne (89) .....91 **F** 2
Le Truel (12) ....175 **H** 3
Trugny (21) ....109 **G** 2
Trugny (02) ....32 **D** 4
Truinas (26) ....164 **D** 3
Trumilly (60) ....32 **A** 2
Trun (61) ....47 **H** 1
Trungy (14) ....25 **H** 2
Le Truoq (23) ....131 **G** 3
Truttemer-le-Grand (14) ...46 **C** 1
Truttemer-le-Petit (14) ...46 **C** 1

Truyes (37) ....87 **E** 5
Tubersent (62) ....6 **C** 1
Tuchan (11) ....208 **D** 4
Tucquegnieux (54) ....20 **C** 4
Tudeils (19) ....145 **E** 5
Tudelle (32) ....187 **G** 2
Tuffé-Val-de-
   la-Chéronne (72) ....68 **C** 2
Tugéras-St-Maurice (17) ...141 **G** 1
Tugny-et-Pont (02) ....16 **C** 3
Tulette (26) ....179 **F** 1
La Tuilière (84) ....180 **A** 4
La Tuilière (42) ....134 **B** 2
La Tuilière (42) ....134 **B** 2
Tulle P (19) ....144 **D** 3
Tullins (38) ....151 **F** 2
Tully (80) ....6 **B** 5
Tupigny (02) ....17 **F** 1
Tupin-et-Semons (69) ...135 **H** 5
La Turballe (44) ....81 **H** 5
La Turbie (06) ....183 **G** 5
Turcey (21) ....92 **D** 3
Turckheim (68) ....78 **C** 2
Turenne (19) ....144 **C** 4
Turgon (16) ....128 **D** 1
Turgy (10) ....73 **H** 3
Turny (89) ....73 **F** 3
Turquant (49) ....85 **H** 5
Turquestein-Blancrupt (57) ...58 **B** 3
Turqueville (50) ....23 **E** 5
Turretot (76) ....12 **B** 4
Turriers (04) ....166 **C** 5
Tursac (24) ....143 **H** 5
Tusson (16) ....128 **B** 1
Tuzaguet (65) ....205 **E** 2
Le Tuzan (33) ....155 **E** 5
Tuzie (16) ....128 **B** 1
Ty-Sanquer (29) ....61 **G** 2

U

Uberach (67) ....39 **E** 5
Ubexy (88) ....57 **E** 5
Ubraye (04) ....182 **B** 4
Ucciani (2A) ....216 **D** 4
Ucel (07) ....163 **E** 3
Uchacq-et-Parentis (40) ...169 **H** 4
Uchaud (30) ....194 **A** 1
Uchaux (84) ....179 **E** 2
Uchentein (09) ....206 **A** 4
Uchizy (71) ....122 **C** 1
Uchon (71) ....108 **B** 4
Uckange (57) ....21 **E** 4
Ueberstrass (68) ....97 **E** 1
Uffheim (68) ....97 **G** 1
Uffholtz (68) ....78 **C** 4
Ugine (73) ....138 **C** 3
Uglas (65) ....205 **E** 1
Ugnouas (65) ....187 **E** 4
Ugny (54) ....20 **B** 2
Ugny-le-Gay (02) ....16 **C** 4
Ugny-l'Équipée (80) ....16 **C** 2
Ugny-sur-Meuse (55) .....56 **B** 2
Uhart-Cize (64) ....202 **B** 1
Uhart-Mixe (64) ....185 **F** 5
Uhlwiller (67) ....39 **E** 5
Uhrwiller (67) ....39 **E** 5
Ulcot (79) ....101 **E** 2
Les Ulis (91) ....51 **E** 2
Ully-St-Georges (60) ....31 **F** 2
Les Ulmes (49) ....85 **G** 5
Umpeau (28) ....50 **B** 4
Unac (09) ....207 **F** 5
Uncey-le-Franc (21) ....92 **C** 4
Unchair (51) ....33 **F** 2
Ungersheim (68) ....78 **D** 4
Unias (42) ....135 **E** 4
Unienville (10) ....54 **C** 5
Unieux (42) ....148 **D** 1
L'Union (31) ....189 **G** 2
Unverre (28) ....69 **F** 2
Unzent (09) ....206 **D** 1
Upaix (05) ....180 **D** 1
Upie (26) ....164 **C** 1
Ur (66) ....211 **G** 4
Urau (31) ....206 **A** 2
Urbalacone (2A) ....218 **D** 1
Urbanya (66) ....212 **B** 3
Urbeis (67) ....58 **C** 5
Urbès (68) ....78 **B** 4
Urbise (42) ....120 **D** 4
Urçay (03) ....118 **D** 1
Urcel (02) ....17 **F** 5
Urcerey (90) ....96 **C** 1
Urciers (18) ....118 **B** 1
Urcuit (64) ....184 **D** 3
Urcy (21) ....93 **E** 5
Urdens (32) ....172 **C** 5
Urdès (64) ....186 **A** 3
Urdos (64) ....203 **G** 3
Urepel (64) ....202 **A** 1
Urgons (40) ....185 **G** 2
Urgosse (32) ....187 **E** 1
Uriage-les-Bains (38) ....151 **H** 3
Uriménil (88) ....77 **E** 3
Urmatt (67) ....58 **C** 3
Urost (64) ....186 **D** 4
Urou-et-Crennes (61) .....47 **H** 2
Urrugne (64) ....184 **B** 4
Urs (09) ....207 **F** 5
Urschenheim (68) ....79 **E** 2
Urt (64) ....184 **D** 3
Urtaca (2B) ....215 **E** 4
Urtière (25) ....96 **D** 4

Uruffe (54) ....56 **B** 3
Urval (24) ....157 **G** 2
Urville (10) ....74 **D** 2
Urville (14) ....27 **F** 4
Urville (50) ....22 **D** 4
Urville (88) ....76 **B** 1
Urville-Nacqueville (50) ...22 **C** 2
Urvillers (02) ....16 **D** 2
Ury (77) ....51 **G** 5
Urzy (58) ....106 **C** 2
Us (95) ....30 **D** 4
Usclades-et-Rieutord (07) ...162 **D** 2
Usclas-d'Hérault (34) ....192 **C** 3
Usclas-du-Bosc (34) .....192 **C** 1
Usinens (74) ....137 **H** 1
Les Usines (34) ....193 **E** 4
Ussac (19) ....144 **C** 3
Ussat (09) ....207 **E** 4
Usseau (17) ....113 **F** 4
Usseau (79) ....114 **A** 4
Usseau (86) ....102 **C** 3
Ussel (15) ....146 **D** 4
Ussel ◆ (19) ....131 **H** 5
Ussel (46) ....158 **C** 4
Ussel-d'Allier (03) ....119 **H** 4
Usson (63) ....133 **G** 5
Usson-du-Poitou (86) ...115 **H** 4
Usson-en-Forez (42) .....148 **B** 1
Ussy (14) ....27 **F** 5
Ussy-sur-Marne (77) .....32 **B** 5
Ustaritz (64) ....184 **C** 4
Ustou (09) ....206 **C** 4
Utelle (06) ....183 **F** 4
Uttenheim (67) ....59 **E** 4
Uttenhoffen (67) ....39 **E** 4
Uttwiller (67) ....38 **D** 5
Uvernet (04) ....167 **F** 5
Uxeau (71) ....107 **H** 5
Uxegney (88) ....77 **F** 1
Uxelles (39) ....110 **C** 5
Uxem (59) ....3 **F** 2
Uz (65) ....204 **B** 3
Uza (40) ....168 **D** 3
Uzan (64) ....186 **B** 3
Uzay-le-Venon (18) ....105 **G** 4
Uzech (46) ....158 **B** 4
Uzein (64) ....186 **B** 4
Uzel (22) ....63 **G** 1
Uzelle (25) ....95 **G** 2
Uzemain (88) ....77 **F** 2
Uzer (07) ....163 **E** 4
Uzer (65) ....204 **D** 2
Uzerche (19) ....144 **C** 1
Uzès (30) ....178 **C** 4
Uzeste (33) ....155 **G** 5
Uzos (64) ....186 **C** 5

V

Vaas (72) ....86 **B** 1
Vabre (81) ....191 **E** 2
Vabre-Tizac (12) ....174 **D** 1
Vabres (15) ....147 **F** 5
Vabres (30) ....177 **H** 3
Vabres (43) ....161 **H** 1
Vabres-l'Abbaye (12) ....176 **A** 4
Vacheresse (74) ....35 **H** 2
Vachères (04) ....180 **C** 4
Vachères-en-Quint (26) ...165 **E** 1
Vacheresse (74) ....125 **F** 2
La Vacheresse-
   et-la-Rouillie (88) ....76 **B** 2
Vacheresses-les-Basses (28) ...50 **A** 3
La Vacherie (21) ....29 **G** 3
La Vachette (05) ....153 **E** 5
Vacognes (14) ....27 **E** 4
Vacon (55) ....56 **A** 2
La Vacquerie (14) ....25 **H** 3
La Vacquerie-et-St-Martin-
   de-Castries (34) ....192 **C** 1
Vacquerie-le-Boucq (62) ...7 **E** 3
Vacqueriette-Erquières (62) ...7 **E** 3
Vacqueville (54) ....57 **H** 3
Vacqueyras (84) ....179 **G** 2
Vacquières (30) ....178 **B** 3
Vacquiers (31) ....189 **G** 1
Vadans (39) ....110 **B** 2
Vadans (70) ....94 **B** 4
Vadelaincourt (55) ....35 **G** 4
Vadenay (51) ....34 **B** 4
Vadencourt (02) ....17 **F** 1
Vadencourt (80) ....15 **G** 1
Vadonville (55) ....56 **A** 1
Vagnas (07) ....178 **C** 1
Vagney (88) ....77 **H** 3
Vahl-Ebersing (57) ....37 **H** 3
Vahl-lès-Bénestroff (57) ...37 **H** 5
Vahl-lès-Faulquemont (57) ...37 **G** 4
Vaiges (53) ....67 **E** 3
Vailhan (34) ....192 **B** 3
Vailhauquès (34) ....193 **E** 2
Vailhourles (12) ....174 **C** 1
Vaillac (46) ....158 **C** 3
Vaillant (52) ....93 **G** 1
Vailly (10) ....53 **H** 5
Vailly (74) ....125 **E** 3
Vailly-sur-Aisne (02) ....33 **E** 1
Vailly-sur-Sauldre (18) ...89 **H** 3
Vains (50) ....45 **H** 2
Vairé (85) ....99 **E** 5
Vaire-Arcier (25) ....95 **E** 4
Vaire-le-Petit (25) ....95 **E** 4

Vaire-sous-Corbie (80) ...15 **H** 1
Vaires-sur-Marne (77) ...51 **H** 1
Vaison-la-Romaine (84) ...179 **G** 1
Vaïssac (82) ....174 **A** 4
Vaite (70) ....94 **B** 2
La Vaivre (70) ....77 **F** 4
Vaivre-et-Montoille (70) ...95 **E** 1
Le Val (83) ....196 **B** 3
Le Val-André (22) ....44 **A** 2
Val-Claret (73) ....139 **G** 5
Le Val-d'Ajol (88) ....77 **G** 3
Val-d'Auzon (10) ....54 **B** 5
Val-d'Isère (29) ....139 **G** 5
Val-de-Bride (57) ....37 **H** 5
Val-de-Chalvagne (04) ...182 **C** 4
Val-de-Fier (74) ....137 **H** 1
Le Val-de-Gouhenans (70) ...95 **G** 1
Le Val-de-Guéblange (57) ...38 **A** 4
Val-de-la-Haye (76) ....29 **F** 1
Val-de-Mercy (89) ....91 **E** 1
Val-de-Reuil (27) ....29 **G** 2
Val-de-Roulans (25) ....95 **F** 3
Val-de-Saâne (76) ....13 **F** 3
Val-de-Vesle (51) ....34 **A** 3
Val-de-Vière (51) ....54 **D** 1
Val-d'Épy (39) ....123 **F** 2
Val-des-Prés (05) ....153 **E** 5
Val d'Esquières (83) ....197 **H** 4
Val-d'Izé (35) ....65 **H** 1
Le Val-St-Châtillon (54) ...58 **A** 3
Val-Louron (65) ....205 **E** 4
Le Val-St-Éloi (70) ....77 **E** 5
Val-Maravel (26) ....165 **G** 3
Le Val-St-Germain (91) ...50 **D** 3
Le Val-St-Père (50) ....45 **H** 2
Val-Suzon (21) ....93 **E** 3
Val-Thorens (73) ....153 **E** 2
Valady (12) ....160 **A** 5
Valailles (27) ....28 **D** 3
Valaine (35) ....45 **H** 4
Valaire (41) ....87 **G** 3
Valanjou (49) ....84 **D** 5
Valaurie (26) ....163 **H** 5
Valavoire (04) ....181 **E** 1
Valay (70) ....94 **B** 4
Valbeleix (63) ....146 **D** 1
Valbelle (04) ....180 **D** 2
Valberg (06) ....182 **C** 2
Valbonnais (38) ....152 **A** 5
Valbonne (06) ....199 **E** 1
Valcabrère (31) ....205 **F** 2
Valcanville (50) ....23 **E** 2
Valcebollère (66) ....211 **H** 5
Valcivières (63) ....134 **B** 5
Valcourt (52) ....55 **E** 3
Valdahon (25) ....95 **F** 5
Valdampierre (60) ....30 **D** 2
Valdeblore (06) ....183 **E** 2
Le Valdécie (50) ....22 **C** 4
Valdelancourt (52) ....75 **F** 2
Valdeilles (81) ....175 **E** 4
Valderoure (06) ....182 **B** 5
Valdieu-Lutran (68) ....97 **E** 1
Valdivienne (86) ....115 **H** 2
Valdoie (90) ....96 **C** 1
Valdrôme (26) ....165 **G** 4
Valdurenque (81) ....190 **D** 3
Valeille (42) ....135 **E** 4
Valeilles (82) ....172 **D** 1
Valeins (01) ....122 **C** 5
Valempoulières (39) ......110 **C** 3
Valençay (36) ....104 **A** 1
Valence (16) ....128 **C** 2
Valence P (26) ....149 **H** 5
Valence (82) ....172 **D** 3
Valence-d'Albigeois (81) ...175 **F** 4
Valence-en-Brie (77) ......52 **A** 4
Valence-sur-Baïse (32) ...172 **A** 5
Valenciennes ◆ (59) ....9 **F** 2
Valencin (38) ....136 **C** 4
Valencogne (38) ....137 **F** 5
Valennes (72) ....69 **E** 3
Valensole (04) ....181 **E** 5
Valentigney (25) ....96 **C** 2
La Valentine (13) ....196 **A** 5
Valentine (31) ....205 **G** 2
Valenton (94) ....51 **G** 2
Valergues (34) ....193 **G** 2
Valernes (04) ....181 **E** 1
Valescourt (60) ....15 **G** 5
Valescure (83) ....198 **D** 3
Valette (15) ....146 **B** 3
La Valette (38) ....151 **H** 5
La Valette-du-Var (83) ...201 **E** 4
Valeuil (24) ....143 **E** 2
Valeyrac (33) ....140 **D** 1
Valezan (73) ....139 **E** 4
Valff (67) ....59 **E** 3
Valfin-lès-Saint-Claude (39) ...124 **A** 2
Valfin-sur-Valouse (39) ...123 **G** 2
Valflaunès (34) ....193 **F** 1
Valfleury (42) ....135 **F** 5
Valframbert (61) ....48 **A** 4
Valfréjus (73) ....153 **E** 3
Valfroicourt (88) ....76 **D** 1
Valgorge (07) ....162 **C** 3
Valhey (54) ....57 **F** 2

Localité *(Département)*   Page   Coordonnées

Valhuon (62)................................7 G 2
Valiergues (19)......................145 H 1
Valignat (03)............................119 G 5
Valigny (03)..............................106 A 5
Valines (80)..................................6 C 5
Valjouffrey (38)......................152 A 5
Valjouze (15)............................147 E 4
La Valla-en-Gier (42)..........149 F 1
La Valla-sur-Rochefort (42)...134 B 3
Vallabrègues (30)..................178 D 5
Vallabrix (30)..........................178 C 3
Vallan (89)................................91 E 1
Vallangoujard (95)................31 E 3
Vallans (79)..............................114 A 4
Vallant-St-Georges (10)........53 G 4
Vallauris (06)..........................199 E 2
Valle-d'Alesani (2B).............217 G 4
Valle-di-Campoloro (2B)......217 G 1
Valle-di-Mezzana (2A).........216 C 5
Valle-di-Rostino (2B)...........215 F 5
Valle-d'Orezza (2B)..............217 G 1
Vallecalle (2B).........................215 F 4
La Vallée (17).........................126 D 2
La Vallée-au-Blé (02)..............17 G 2
Vallée des Singes (86).........115 F 4
La Vallée-Mulâtre (02)............9 F 5
Les Vallées (37).......................86 C 4
Vallègue (31)..........................189 H 4
Valleiry (74)............................124 A 5
Vallenay (18)..........................105 F 4
Vallentigny (10)......................54 C 4
Vallerange (57).......................37 H 4
Vallérargues (30)..................178 B 3
Valleraugue (30)....................177 F 3
Vallères (37).............................86 C 4
Valleret (52)..............................55 F 4
Vallereuil (24)........................142 D 4
Vallerois-le-Bois (70)............95 F 2
Vallerois-Lorioz (70).............95 E 2
Valleroy (25)............................95 E 3
Valleroy (52)............................94 B 1
Valleroy (54)............................20 C 5
Valleroy-aux-Saules (88)......77 E 1
Valleroy-le-Sec (88)...............76 D 1
Vallery (89)................................72 B 1
Vallesvilles (31)....................189 H 2
Vallet (21)...............................141 G 2
Vallet (44)..................................83 H 5
Valletot (27)..............................28 D 1
Vallica (2B)...............................214 D 5
Vallière (23)............................131 F 2
Vallières (10)............................73 H 3
Vallières (37)............................86 C 4
Vallières (74)..........................137 H 1
Vallières-les-Grandes (41)...87 G 3
Valliguières (30)....................178 D 4
Valliquerville (76)..................13 E 4
Valloire (73)............................152 D 3
Valloires (80)..............................6 D 3
Vallois (54)...............................57 G 4
Les Vallois (88)........................77 E 1
Vallon (12)..............................160 B 2
Vallon-en-Sully (03)............118 D 1
Vallon-Pont-d'Arc (07).......163 E 5
Vallon-sur-Gée (72)...............67 G 4
Vallorcine (74).......................125 G 5
Vallouise (05).........................167 E 1
Valmanya (66)........................212 C 4
Le Valmartin (76)...................13 G 4
Valmascle (34).......................192 B 2
Valmeinier (73)......................152 D 3
Valmestroff (57)......................21 E 3
Valmigère (11).......................208 B 3
Valmondois (95)......................31 E 4
Valmont (57).............................37 H 3
Valmont (76)............................12 D 3
Valmorel (73)..........................138 D 5
Valmunster (57).......................21 G 4
Valmy (51)................................34 D 4
Valognes (50)...........................22 D 4
Valojoulx (24).........................143 H 5
Valonne (25)............................95 H 3
Valoreille (25)..........................96 C 4
Valouse (26)............................164 D 4
Valprionde (46).....................173 F 1
Valprivas (43)........................148 C 2
Valpuiseaux (91).....................51 F 5
Valras-Plage (34)..................192 B 5
Valréas (84)............................164 C 5
Valros (34)..............................192 C 4
Valroufié (46)........................158 C 4
Vals (09)..................................207 F 2
Vals-le-Chastel (43).............147 G 3
Vals-les-Bains (07)...............163 E 3
Vals-près-le-Puy (43)..........148 B 5
Valsemé (14)............................28 A 2
Valserres (05).........................166 B 4
Valsonne (69).........................135 F 1
Le Valtin (88)...........................78 B 2
Valuéjols (15)........................146 D 4
Valvignères (07)....................163 F 4
Valz-sous-Châteauneuf (63)..147 G 1
Valzergues (12)......................159 G 4
Vanault-le-Châtel (51)..........54 D 1
Vanault-les-Dames (51)........54 D 1
Vançais (79)............................115 E 3
Vancé (72).................................68 D 5
La Vancelle (67)......................58 D 5

Vanclans (25).........................111 F 1
Vandeins (01).........................122 D 4
Vandelainville (54)..................36 C 4
Vandelans (70)..........................95 E 3
Vandeléville (54)......................56 D 4
Vandélicourt (60)....................16 A 5
Vandenesse (58)...................107 G 3
Vandenesse-en-Auxois (21)...92 D 5
Vandeuil (51)............................33 F 2
Vandières (51)..........................33 F 4
Vandières (54)..........................36 D 4
Vandœuvre-lès-Nancy (54)...57 E 2
Vandoncourt (25)....................96 D 2
Vandré (17).............................113 G 5
Vandrimare (27).......................29 H 1
Vandy (08)................................18 D 5
Les Vanels (48)......................177 E 2
Vanémont (88).........................78 A 1
Vanlay (10)...............................73 H 3
Vannaire (21)...........................74 C 4
Vanne (70).................................94 C 1
Le Vanneau (79)....................113 H 3
Vannecourt (57).......................37 G 5
Vannecrocq (27).......................28 C 2
Vannes (81)............................81 G 2
Vannes-le-Châtel (54).............56 B 3
Vannes-sur-Cosson (45)........89 E 1
Vannoz (39).............................110 D 4
Vanosc (07).............................149 F 3
Les Vans (07).........................162 D 5
Vantoux (57).............................21 E 5
Vantoux-et-Longevelle (70)...94 C 3
Vanves (92)...............................51 F 1
Vanvey (21)...............................74 D 5
Vanvillé (77).............................52 B 3
Vanxains (24).........................142 C 3
Vany (57)...................................21 E 5
Vanzac (17).............................141 G 2
Vanzay (79)............................115 E 4
Vanzy (74)...............................124 A 5
Vaour (81)................................174 B 3
Varacieux (38)........................151 E 3
Varades (44)..............................84 A 3
Varage (13).............................195 E 3
Varages (83)...........................196 D 2
Varaignes (24)........................129 E 5
Varaire (46)............................174 B 1
Varaize (17).............................127 G 1
Varambon (01)........................123 E 5
Varanges (21)...........................93 G 5
Varangéville (54)......................57 E 2
Varaville (14)...........................27 G 2
Varces-Allières-et-Risset (38)...151 G 4
Vareilles (23)..........................117 E 3
Vareilles (71)..........................121 G 3
Vareilles (89)............................73 E 2
Varen (82)...............................174 C 2
Varengeville-sur-Mer (76)....13 G 1
Varenguebec (50)....................22 D 5
La Varenne (49)......................83 H 4
Varenne-l'Arconce (71)........121 F 3
Varenne-St-Germain (71).....121 E 2
Varennes (24).........................157 E 1
Varennes (31).........................189 H 3
Varennes (37).........................103 E 2
Varennes (80)..............................7 H 5
Varennes (82).........................173 H 5
Varennes (86).........................102 A 4
Varennes (89)...........................73 G 4
Varennes-Changy (45)...........71 H 5
Varennes-en-Argonne (55)....35 F 2
Varennes-Jarcy (91)...............51 G 2
Varennes-le-Grand (71).......109 E 5
Varennes-lès-Mâcon (71)....122 B 3
Varennes-lès-Narcy (58)........90 B 5
Varennes-St-Honorat (43)....147 H 3
Varennes-St-Sauveur (71)...123 E 2
Varennes-sur-Allier (03).......120 A 3
Varennes-sur-Amance (52)...76 B 4
Varennes-sur-Fouzon (36)....88 A 3
Varennes-sur-Loire (49)........85 H 5
Varennes-sur-Morge (63).....133 F 2
Varennes-sur-Seine (77)........52 A 5
Varennes-sur-Tèche (71)......120 C 3
Varennes-sur-Usson (63).....133 G 5
Varennes-Vauzelles (58)......106 C 2
Varès (47)...............................156 C 5
Varesnes (60)...........................16 C 5
Varessia (39)...........................123 G 1
Varetz (19)..............................144 B 3
Varilhes (09)...........................207 E 2
Varimont (51)...........................34 D 5
Varinfroy (60)...........................32 B 4
Variscourt (02)..........................33 H 1
Varize (28)................................70 A 3
Varize (57)................................21 G 5
Varmonzey (88)........................57 E 5
Varnéville (55).........................36 A 5
Varneville-Bretteville (76)....13 G 4
Varogne (70).............................77 E 5
Varois-et-Chaignot (21).........93 G 4
Varouville (50)..........................23 E 2
Varrains (49)............................85 G 5
Varreddes (77).........................32 A 5
Vars (70)....................................94 A 2
Vars (16)..................................128 B 3
Vars (05).................................167 F 3
Vars-sur-Roseix (19)............144 B 3
Varsberg (57)...........................21 H 5
Varvinay (55)...........................36 A 5
Varzay (17).............................127 E 3

Varzy (58)..................................90 D 4
Vascœuil (27)............................29 H 1
Vasles (79)..............................114 D 1
Vasouy (14)..............................28 A 1
Vasperviller (57).......................58 B 2
Le Vaumain (60)......................30 C 2
Vassel (63)...............................133 G 3
Vasselay (18)..........................105 F 1
Vasselin (38)...........................137 E 4
Vassens (02).............................16 C 5
Vasseny (02).............................33 E 1
Vassieux-en-Vercors (26).....165 E 1
Vassimont-et-Chapelaine (51)...54 A 2
Vassincourt (55)......................55 F 1
Vassogne (02)..........................33 F 1
Vassonville (76).......................13 G 3
Vassy (14)................................46 D 1
Vassy (89)................................92 A 2
Le Vast (50)..............................23 E 3
Vastérival (76).........................13 G 1
Vasteville (50).........................30 C 1
Les Vastres (43).....................148 D 5
Vatan (36)...............................104 C 2
Vathiménil (54).........................57 G 3
Vatierville (76).........................14 B 3
Vatilieu (38)............................151 E 2
Vatimont (57)...........................37 F 4
Vatry (51)..................................54 A 1
Vattetot-sous-Beaumont (76)...12 C 4
Vattetot-sur-Mer (76)............12 B 3
Vatteville (27)...........................29 H 2
Vatteville-la-Rue (76)............13 E 5
Vaubadon (14)..........................25 H 2
Vauban (71).............................121 G 4
Vaubecourt (55)........................35 F 5
Vaubexy (88)............................57 E 5
Vaucé (53)................................46 D 4
Vaucelles (14)...........................25 H 2
Vaucelles-et-Beffecourt (02)...17 E 5
Vauchamps (51).......................95 H 4
Vauchamps (51)........................53 E 1
Vauchassis (10).........................73 G 1
Vauchelles (60).........................16 B 4
Vauchelles-lès-Authie (80).......7 H 5
Vauchelles-lès-Domart (80)......7 E 5
Vauchelles-les-Quesnoy (80)....6 D 5
Vauchignon (21)....................108 D 2
Vauchonvilliers (10)................74 C 1
Vauchoux (70)..........................94 D 1
Vauchrétien (49)......................85 E 4
Vauciennes (51)........................33 G 4
Vauciennes (60)........................32 B 2
Vauclaix (58).............................91 G 5
Vauclerc (51)............................54 D 2
Vaucluse (05)..........................165 G 5
Vaucluse (25)............................95 H 4
Vauclusotte (25).......................96 A 4
Vaucogne (10)...........................54 B 4
Vauconcourt-Nervezain (70)...94 C 1
Vaucottes-sur-Mer (76)........12 B 3
Vaucouleurs (55)......................56 B 3
Vaucourt (54)...........................57 H 2
Vaucourtois (77).......................32 A 5
Vaucresson (92).......................51 E 1
Vaudancourt (60)......................30 B 2
Vaudebarrier (71)...................121 G 2
Vaudelnay (49).........................85 F 5
Vaudeloges (14)........................27 H 5
Vaudemange (51).....................34 A 4
Vaudémont (54).......................56 D 4
Vaudes (10)...............................74 A 2
Vaudesincourt (51)..................34 B 2
Vaudesson (02)........................17 E 5
Vaudeurs (89)...........................73 E 2
Vaudevant (07).......................149 F 4
Vaudeville (54).........................57 E 4
Vaudéville (88).........................77 G 1
Vaudeville-le-Haut (55).........56 A 4
Vaudherland (95).....................31 G 5
Vaudigny (54)...........................57 E 4
Le Vaudioux (39)....................110 D 4
Vaudoncourt (52).....................20 B 4
Vaudoncourt (88).....................76 C 1
Le Vaudoué (77).......................51 G 5
Vaudoy-en-Brie (77)...............52 B 2
Vaudreching (57)......................21 G 4
Vaudrecourt (52).......................76 B 1
Vaudrémont (52).......................75 E 2
Le Vaudreuil (27)......................29 G 2
Vaudreuille (31).......................190 B 4
Vaudreville (50)........................23 E 4
Vaudrey (39)............................110 B 2
Vaudricourt (62).........................4 A 5
Vaudricourt (80)..........................6 B 5
Vaudrimesnil (50)....................24 D 3
Vaudringhem (62)......................2 D 5
Vaudrivillers (25).....................95 G 4
Vaudry (14)...............................46 C 1
Vaufrèges (13)........................195 H 5
Vaufrey (25)..............................96 D 3
Vaugines (84).........................180 A 5
Vaugneray (69).......................135 G 3
Vaugrigneuse (91)...................51 E 3
Vauhallan (91).........................51 F 2
Vaujany (38)...........................152 A 3
Vaujours (93)............................31 G 5
Vaulandry (49).........................85 G 2
Le Vaulmier (15)....................146 A 3
Vaulnaveys-le-Bas (38)........151 H 4
Vaulnaveys-le-Haut (38)......151 H 3
Vaulry (87)..............................129 H 1
Vault-de-Lugny (89)...............91 G 3
Vaulx (62)...................................7 E 3

Vaulx (74)................................138 A 1
Vaulx-en-Velin (69)...............136 B 3
Vaulx-Milieu (38)..................136 D 4
Vaulx-Vraucourt (62)................8 B 4
Vaumas (03)...........................120 C 2
Vaumeilh (04)........................181 E 1
Vaumoise (60)..........................32 B 2
Vaumort (89)............................72 D 2
Vaunac (24)............................143 G 2
Vaunaveys-la-Rochette (26)...164 C 2
Vaunoise (61)...........................48 C 5
La Vaupalière (76)...................13 G 5
Vaupillon (28)...........................49 F 4
Vaupoisson (10).......................54 A 4
Vauquois (55)...........................35 F 2
Vauréal (95)..............................31 H 3
Vaureilles (12)........................159 G 5
Le Vauriat (63)........................132 D 2
Le Vauroux (60)........................30 C 1
Vausseroux (79).....................114 D 1
Vautebis (79)..........................114 C 1
Vauthiermont (90)....................78 B 5
Vautorte (53).............................46 C 5
Vauvenargues (13)................196 A 2
Vauvert (30)............................194 A 1
Vauville (14)..............................27 H 2
Vauville (50)..............................22 B 2
Vauvillers (70)..........................76 D 4
Vauvillers (80)..........................15 H 2
Vaux (03).................................118 D 2
Vaux (31).................................190 A 4
Vaux (57)...................................36 D 3
Vaux (86).................................115 F 3
Vaux (89)...................................91 E 1
Vaux-Andigny (02)....................9 F 5
Vaux-Champagne (08)...........18 C 5
Vaux-devant-Damloup (55)....20 A 5
Vaux-en-Amiénois (80)..........15 F 1
Vaux-en-Beaujolais (69)......122 A 5
Vaux-en-Bugey (01)..............137 E 1
Vaux-en-Dieulet (08).............19 F 5
Vaux-en-Pré (71)...................108 D 5
Vaux-en-Vermandois (02)....16 C 2
Vaux-et-Chantegrue (25)......111 F 3
Vaux-la-Douce (52).................76 B 4
Vaux-Lavalette (16)...............142 C 1
Vaux-le-Moncelot (70)............94 C 3
Vaux-le-Pénil (51)...................51 H 4
Vaux-le-Vicomte
  (Château de) (77).................51 H 3
Vaux-lès-Mouron (08)...........34 D 2
Vaux-lès-Mouzon (08)...........19 G 4
Vaux-lès-Palameix (55)..........36 A 4
Vaux-les-Prés (25)..................94 C 5
Vaux-lès-Rubigny (08)............18 A 3
Vaux-lès-St-Claude (39).......123 H 2
Vaux-Marquenneville (80).....14 C 1
Vaux-Montreuil (08)...............18 C 4
Vaux-Rouillac (16).................128 A 3
Vaux-Saules (21)......................93 E 3
Vaux-sous-Aubigny (52)........93 H 1
Vaux-sur-Aure (14).................26 D 1
Vaux-sur-Blaise (52)...............55 F 4
Vaux-sur-Eure (27)..................29 H 4
Vaux-sur-Lunain (77)..............72 A 1
Vaux-sur-Mer (17)................126 C 4
Vaux-sur-Poligny (39)..........110 C 3
Vaux-sur-Risle (27).................48 D 1
Vaux-sur-Seine (78)................30 D 4
Vaux-sur-Seulles (14).............27 E 2
Vaux-sur-Somme (80)............15 H 1
Vaux-sur-St-Urbain (52)........55 G 5
Vaux-sur-Vienne (86)...........102 C 3
Vaux-Villaine (08)...................18 C 2
Vauxaillon (02)........................17 E 5
Vauxbons (52)..........................75 G 4
Vauxbuin (02)..........................32 C 1
Vauxcéré (02)...........................33 E 1
Vauxrenard (69)....................122 A 4
Vauxrezis (02)..........................32 C 1
Vauxtin (02)..............................33 E 1
Vavincourt (55)........................55 G 1
Vavray-le-Grand (51)..............54 D 1
Vavray-le-Petit (51)................54 D 1
La Vavrette (01).....................123 E 5
Vaxainville (54)........................57 H 3
Vaxoncourt (88).......................57 E 5
Vaxy (57)...................................37 G 5
Vay (44).....................................83 E 2
Vaychis (09)............................207 F 5
Vaylats (46)............................174 A 1
Vayrac (46).............................144 D 5
Vayres (33).............................155 G 1
Vayres (87).............................129 F 3
Vayres-sur-Essonne (91).......51 F 5
Vazeilles-Limandre (43).......148 A 4
Vazeilles-près-Saugues (43)...161 H 1
Vazerac (82)...........................173 G 2
Veauce (03)............................119 G 5
Veauche (42)..........................135 E 5
Veauchette (42).....................135 E 5
Veaugues (18)...........................89 H 5
Veaunes (26)..........................149 H 4
Veauville-lès-Baons (76)......13 E 4
Veauville-lès-Quelles (76).....13 E 3
Veaux (84)...............................179 H 2
Vèbre (09)...............................207 F 5
Vebret (15)..............................146 A 2
Vebron (48)............................177 E 2
Vecchio (Pont du) (2B)..........217 E 3
Veckersviller (57)....................38 B 5

Veckring (57)............................21 F 3
Vecoux (88)..............................77 H 3
Vecquemont (80).....................15 G 2
Vecqueville (52).......................55 G 4
Vedène (84)............................179 F 4
Védrines-St-Loup (15).........147 F 4
Végennes (19)........................144 B 5
Vého (54)...................................57 H 2
Veigné (37)...............................86 D 5
Veigy-Foncenex (74).............124 C 3
Veilhes (81)............................190 A 2
Veillac (15)..............................146 A 1
Veilleins (41).............................88 B 4
Veilly (21)................................108 D 1
Veix (19)...................................131 E 5
Velaine-en-Haye (54)..............56 D 2
Velaine-sous-Amance (54).....57 E 1
Velaines (55)............................55 G 2
Velanne (38)...........................137 G 5
Velars-sur-Ouche (21)............93 E 4
Velaux (13).............................195 G 3
Velennes (60)...........................15 E 5
Velennes (80)...........................15 E 3
Velesmes-Echevanne (70).....94 B 3
Velesmes-Essarts (25)...........94 C 5
Velet (70)..................................94 A 3
Vélieux (34)............................191 G 4
Vélines (24)............................156 B 1
Vélizy-Villacoublay (78).........51 E 1
Velle-le-Châtel (70).................94 D 1
Velle-sur-Moselle (54)............57 E 3
Vellèches (86)........................102 C 3
Vellechevreux-
  et-Courbenans (70).............95 G 2
Vellefaux (70)...........................94 C 3
Vellefrey-et-Vellefrange (70)...94 C 3
Vellefrie (70)............................77 E 5
Velleguindry-et-Levrecey (70).95 E 2
Velleminfroy (70).....................95 F 1
Vellemoz (70)...........................94 C 3
Velleron (84)...........................179 G 4
Vellerot-lès-Belvoir (25).........95 H 3
Vellerot-lès-Vercel (25)..........95 G 4
Velles (36)...............................104 B 5
Velles (52).................................76 B 4
Vellescot (90)...........................96 D 1
Vellevans (25)...........................95 G 4
Vellexon-Queutrey-
  et-Vaudey (70).....................94 C 2
Velloreille-lès-Choye (70).....94 B 3
Velluire (85)............................113 G 2
Velogny (21).............................92 C 4
Velone-Orneto (2B)..............217 G 1
Velorcey (70)............................77 E 5
Velorgues (84)........................179 G 4
Velosnes (55)...........................20 A 2
Velotte-et-Tatignécourt (88)...77 E 1
Vélu (62)......................................8 C 5
Velving (57)..............................21 G 4
Vélye (51)..................................33 H 5
Velzic (15)...............................146 A 5
Vémars (95)..............................31 G 4
Venables (27)...........................29 H 3
Venaco (2B)............................217 E 3
Venansault (85).........................99 F 4
Venanson (06)........................183 F 2
Venarey-les-Laumes (21)......92 C 2
Venarsal (19)..........................144 C 3
Venas (03)...............................119 E 2
Venasque (84)........................179 H 4
Vence (06)..............................183 E 5
Vendargues (34)....................193 G 2
Vendat (03).............................120 A 5
Vendays-Montalivet (33)......140 C 1
Vendegies-au-Bois (59)...........9 F 4
Vendegies-sur-Écaillon (59)....9 F 3
Vendègre (63)........................133 G 1
Vendel (35)................................45 H 5
La Vendelée (50)......................24 D 3
Vendelles (02)..........................16 C 1
Vendémian (34)......................192 D 2
Vendenesse-
  lès-Charolles (71)..............121 G 2
Vendenesse-sur-Arroux (71)...107 H 5
Vendenheim (67).....................59 F 1
Vendes (14)..............................27 E 3
Vendes (15).............................145 H 2
Vendeuil (02)............................16 D 3
Vendeuil-Caply (60)................15 F 4
Vendeuvre (14).........................27 H 4
Vendeuvre-du-Poitou (86)....102 A 4
Vendeuvre-sur-Barse (10)......74 C 1
Vendeville (59)............................4 C 4
Vendhuile (02)...........................16 C 1
Vendières (02)..........................52 D 1
Vendin-le-Vieil (62)...................4 B 5
Vendin-lès-Béthune (62)..........3 H 5
Vendine (31)...........................189 H 2
Vendœuvres (36)...................103 H 4
Vendoire (24).........................142 C 1
Vendôme (41).......................69 F 5
Vendranges (42)....................134 D 2
Vendras (30)...........................178 B 2
Vendrennes (85)......................100 A 3
Vendres (34)...........................192 B 5
Vendresse (08)..........................19 E 4
Vendresse-Beaulne (02).........33 F 1
Vendrest (77)............................32 B 4
La Vendue-Mignot (10)..........73 H 2
Veneflles (35)............................65 G 3

Venelles (13)..........................196 A 2
Vénérand (17).........................127 F 3
Venère (70)...............................94 B 4
Vénérieu (38).........................136 D 4
Vénérolles (02)..........................17 F 1
Venerque (31).........................189 F 4
Vénès (81)...............................190 C 1
Venesmes (18)........................105 F 4
Vénestanville (76)....................13 F 2
Venette (60)..............................32 A 1
Veneux-les-Sablons (77).......52 A 5
Veney (54).................................57 H 4
Vengeons (50).........................46 C 1
Véniers (86)............................101 H 2
Venise (25)...............................95 E 4
Venisey (70).............................76 D 4
Vénissieux (69)......................136 B 4
Venizel (02)..............................32 D 1
Venizy (89)................................73 F 4
Vennans (25)............................95 F 4
Vennecy (45).............................70 D 4
Vennes (25)..............................95 H 5
Vennezey (54)...........................57 F 4
Venon (27)................................29 F 3
Venon (38)..............................151 H 3
Venosc (38)............................152 B 4
Venouse (89)............................73 F 4
Venoy (89).................................73 F 5
Vensac (33).............................140 C 1
Vensat (63).............................133 F 1
Ventabren (13)......................195 G 3
Ventavon (05)........................166 A 5
Ventelay (51)............................33 F 1
Ventenac (09).........................207 F 3
Ventenac-Cabardès (11).......190 D 5
Ventenac-en-Minervois (11)...191 H 5
Venterol (04)..........................166 B 4
Venterol (26)..........................164 D 5
Les Ventes (27)........................29 F 5
Les Ventes-de-Bourse (61)...48 B 4
Ventes-St-Rémy (76).............13 H 3
Venteuges (43).......................147 G 5
Venteuil (51).............................33 G 4
Venthon (73)..........................138 C 3
Ventiseri (2B).........................217 G 4
Le Ventouret (84)..................180 A 2
Ventouse (16).........................128 C 2
Ventron (88)..............................78 A 3
Les Ventrons (13)..................195 F 4
La Ventrouze (61)....................48 D 3
Venzolasca (2B).....................215 G 5
Ver (50)......................................24 D 5
Ver-lès-Chartres (28).............50 A 5
Ver-sur-Launette (60)............31 H 4
Ver-sur-Mer (14)......................27 E 1
Vérac (33)...............................141 G 5
Véranne (42)..........................149 G 1
Vérargues (34).......................193 H 1
Véraza (11)..............................208 B 3
Verberie (60)............................31 H 2
Verbiesles (52).........................75 G 2
Vercel-Villedieu-
  le-Camp (25).......................95 G 5
Verchain-Maugré (59)..............9 E 3
Verchaix (74)..........................125 F 5
Vercheny (26).........................165 E 2
Les Verchers-sur-Layon (49)...101 F 1
Verchin (62)................................7 F 1
Verchocq (62)............................7 E 1
Vercia (39)..............................123 F 1
Verclause (26)........................165 F 5
Vercoiran (26)........................180 A 1
Vercourt (80)..............................6 C 3
Verdaches (04).......................181 G 1
Verdalle (81)...........................190 C 3
Verde (Col de) (2B)................217 F 4
Verdelais (33).........................155 G 3
Verdelot (77).............................52 D 1
Verdenal (54)...........................57 H 2
Verderel (60).............................15 E 5
Verderonne (60)......................31 G 2
Verdes (41)................................69 H 4
Verdèse (2B)..........................217 G 1
Verdets (64)............................186 A 5
Verdery (51)..............................53 F 2
Le Verdier (81).......................174 B 4
La Verdière (83).....................196 C 2
Verdigny (18)............................90 A 4
Verdille (16)............................128 A 2
Verdilly (02)..............................32 D 4
Verdon (24)............................157 E 2
Verdon (51)...............................33 H 4
Le Verdon-sur-Mer (33).......126 C 5
Verdonnet (21).........................92 B 1
Verdun (09).............................207 F 5
Verdun (55).........................35 H 3
Verdun-en-Lauragais (11).....190 B 4
Verdun-sur-Garonne (82)....173 F 5
Verdun-sur-le-Doubs (71)....109 F 3
Verfeil (31).............................189 H 2
Verfeil (82).............................174 B 2
Verfeuil (30)...........................178 C 2
Vergaville (57)..........................37 H 5
Vergéal (35)..............................65 H 3
La Vergenne (70).....................95 G 1
Le Verger (35)...........................64 D 2
Verger-sur-Dive (86).............101 H 4

A B C D E F G H I J K L M N O P Q R S T U V W X Y Z

Localité *(Département)* — Page — Coordonnées

Ville-du-Pont (25) .... 111 G 2
Ville-en-Blaisois (52) .... 55 E 4
Ville-en-Sallaz (74) .... 124 D 4
Ville-en-Selve (51) .... 33 H 3
Ville-en-Tardenois (51) .... 33 F 3
Ville-en-Vermois (54) .... 57 E 2
Ville-en-Woëvre (55) .... 36 A 3
La Ville-ès-Nonais (35) .... 44 D 3
Ville-Houdlémont (54) .... 20 B 2
Ville-Issey (55) .... 56 A 1
Ville-la-Grand (74) .... 124 C 4
Ville-Langy (58) .... 107 F 3
Ville-le-Marclet (80) .... 7 E 5
Ville-Savoye (02) .... 33 F 2
Ville-sous-Anjou (38) .... 149 H 1
Ville-sous-la-Ferté (10) .... 75 E 2
La Ville-sous-Orbais (51) ...... 33 F 5
Ville-St-Jacques (77) .... 52 A 5
Ville-sur-Ancre (80) .... 15 H 1
Ville-sur-Arce (10) .... 74 B 2
Ville-sur-Cousances (55) ...... 35 G 4
Ville-sur-Illon (88) .... 77 E 1
Ville-sur-Jarnioux (69) ...... 135 G 1
Ville-sur-Lumes (08) .... 19 E 3
Ville-sur-Retourne (08) .... 34 B 1
Ville-sur-Saulx (55) .... 55 F 2
Ville-sur-Terre (10) .... 54 D 5
Ville-sur-Tourbe (51) .... 34 D 3
Ville-sur-Yron (54) .... 70 A 1
Villeau (28) .... 70 A 1
Villebadin (61) .... 48 A 1
Villebarou (41) .... 87 H 2
Villebaudon (50) .... 25 F 4
Villebazy (11) .... 208 B 2
Villebéon (77) .... 72 A 2
Villebernier (49) .... 85 G 5
Villeberny (21) .... 92 D 3
Villebichot (21) .... 109 F 1
Villeblevin (89) .... 72 B 1
Villebois (01) .... 137 E 2
Villebois-Lavalette (16) ...... 142 C 1
Villebois-les-Pins (26) .... 180 C 1
Villebon (28) .... 49 G 5
Villebon-sur-Yvette (91) ...... 51 E 2
Villebougis (89) .... 72 C 2
Villebourg (37) .... 86 C 1
Villebout (41) .... 69 G 3
Villebramar (47) .... 156 D 4
Villebret (03) .... 119 E 4
Villebrumier (82) .... 173 H 5
Villecelin (18) .... 105 E 4
Villecerf (77) .... 52 A 5
Villecey-sur-Mad (54) .... 36 C 4
Villechantria (39) .... 123 F 2
Villechaud (58) .... 90 A 4
Villechauve (41) .... 87 E 1
Villechenève (69) .... 135 F 3
Villechétif (10) .... 74 A 1
Villechétive (89) .... 73 E 3
Villechien (50) .... 46 B 3
Villecien (89) .... 72 D 3
Villécloye (55) .... 19 H 5
Villecomtal (12) .... 160 A 4
Villecomtal-sur-Arros (32) ... 187 F 4
Villecomte (21) .... 93 F 2
Villeconin (91) .... 51 E 4
Villecourt (80) .... 16 B 2
Villecresnes (94) .... 51 G 2
Villecroze (83) .... 197 F 2
Villedaigne (11) .... 209 E 1
Villedieu (15) .... 147 E 5
La Villedieu (17) .... 114 B 5
Villedieu (21) .... 74 B 4
La Villedieu (23) .... 131 E 3
Les Villedieu (25) .... 111 F 4
La Villedieu (48) .... 161 H 2
Villedieu (84) .... 179 G 1
La Villedieu-du-Clain (86) ... 115 G 2
La Villedieu-
  en-Fontenette (70) .... 77 E 5
Villedieu-la-Blouère (49) .... 100 A 1
Villedieu-le-Château (41) ..... 86 D 1
Villedieu-lès-Bailleul (61) ... 47 H 1
Villedieu-les-
  Poêles-Rouffigny (50) ...... 25 E 5
La Villedieu-
  lès-Quenoche (70) .... 95 E 3
Villedieu-sur-Indre (36) ..... 104 A 4
Villedômer (37) .... 103 G 2
Villedômer (37) .... 87 E 2
Villedoux (17) .... 113 F 4
Villedubert (11) .... 208 B 1
Villefagnan (16) .... 128 B 1
Villefargeau (89) .... 73 E 5
Villefavard (87) .... 116 D 5
Villeferry (21) .... 92 C 3
Villefloure (11) .... 208 B 2
Villefollet (79) .... 114 C 5
Villefontaine (38) .... 136 D 4
Villefort (11) .... 207 H 3
Villefort (48) .... 162 B 5
Villefranche (32) .... 188 B 4
Villefranche-
  d'Albigeois (81) .... 175 E 5
Villefranche-d'Allier (03) ... 119 F 3
Villefranche-de-Conflent (66) 212 B 3
Villefranche-
  de-Lauragais (31) .... 189 H 4

Villefranche-
  de-Lonchat (24) .... 142 B 5
Villefranche-de-Panat (12) ... 175 H 3
Villefranche-
  de-Rouergue ◆ (12) .... 174 D 1
Villefranche-
  du-Périgord (24) .... 157 H 3
Villefranche-
  du-Queyran (47) .... 171 H 1
Villefranche-le-Château (26) . 180 B 1
Villefranche-St-Phal (89) ..... 72 C 4
Villefranche-sur-Cher (41) .... 88 B 5
Villefranche-sur-Mer (06) .... 183 F 5
Villefranche-
  sur-Saône ◆ (69) .... 135 H 1
Villefrancœur (41) .... 87 G 1
Villefranon (70) .... 94 C 3
Villefranque (64) .... 184 C 3
Villefranque (65) .... 187 E 3
Villegagnon (77) .... 52 C 2
Villegailhenc (11) .... 190 D 5
Villegardin (89) .... 72 B 2
Villegats (16) .... 128 C 1
Villegats (27) .... 30 A 4
Villegaudin (71) .... 109 G 4
Villegenon (18) .... 89 H 3
Villegly (11) .... 191 E 5
Villegongis (36) .... 104 A 3
Villegouge (33) .... 141 G 5
Villegouin (36) .... 103 H 3
Villegruis (77) .... 53 E 3
Villegusien (52) .... 75 H 5
Villeherviers (41) .... 88 C 4
Villejésus (16) .... 128 B 2
Villejoubert (16) .... 128 B 3
Villejuif (94) .... 51 F 1
Villejust (91) .... 51 E 2
Villelaure (84) .... 195 H 1
Villeloin-Coulangé (37) ..... 103 G 1
Villelongue (65) .... 204 B 3
Villelongue-d'Aude (11) ..... 207 H 2
Villelongue-
  de-la-Salanque (66) ...... 209 F 5
Villelongue-dels-Monts (66) . 213 F 4
Villelouet (41) .... 87 H 3
Villeloup (10) .... 53 G 5
Villemade (82) .... 173 G 3
Villemagne (11) .... 190 C 5
Villemagne-
  l'Argentière (34) .... 192 A 2
Villemain (79) .... 128 A 1
Villemandeur (45) .... 71 H 3
Villemanoche (89) .... 72 C 1
Villemardy (41) .... 87 G 1
Villemaréchal (77) .... 72 A 1
Villemareuil (77) .... 32 B 5
Villematier (31) .... 173 H 5
Villemaur-sur-Vanne (10) ..... 73 F 1
Villembits (65) .... 187 G 5
Villembray (60) .... 14 D 5
Villemer (77) .... 72 A 1
Villemer (89) .... 73 E 4
Villemereuil (10) .... 73 H 2
Villemervry (52) .... 93 F 1
Villemétrie (60) .... 31 G 3
Villemeux-sur-Eure (28) .... 50 A 2
Villemoirieu (38) .... 136 D 3
Villemoiron-en-Othe (10) ..... 73 G 2
Villemoisan (49) .... 84 B 3
Villemoisson-sur-Orge (91) ... 51 F 3
Villemolaque (66) .... 213 E 3
Villemomble (93) .... 51 G 1
Villemontais (42) .... 134 C 1
Villemontoire (02) .... 32 C 2
Villemorien (10) .... 74 B 3
Villemorin (17) .... 127 H 1
Villemoron (52) .... 93 G 1
Villemort (86) .... 116 B 1
Villemotier (01) .... 117 E 5
Villemoustaussou (11) .... 190 D 5
Villemoutiers (45) .... 71 G 3
Villemoyenne (10) .... 74 A 2
Villemur (65) .... 187 H 5
Villemur-sur-Tarn (31) .... 173 H 5
Villemurlin (45) .... 89 F 1
Villemus (04) .... 180 C 5
Villenauxe-la-Grande (10) ..... 53 E 3
Villenauxe-la-Petite (77) ..... 52 D 5
Villenave (40) .... 169 G 4
Villenave-de-Rions (33) ...... 155 G 2
Villenave-d'Ornon (33) .... 155 F 2
Villenave-près-Béarn (65) .... 186 D 4
Villenave-près-Marsac (65) ... 187 E 5
Villenavotte (89) .... 72 C 1
Villeneuve (01) .... 135 H 1
Villeneuve (04) .... 180 D 4
Villeneuve (09) .... 206 A 3
Villeneuve (12) .... 159 F 5
Villeneuve (13) .... 194 C 2
La Villeneuve (23) .... 131 H 2
Villeneuve (33) .... 141 E 4
Villeneuve (63) .... 147 E 1
La Villeneuve (71) .... 109 G 2
La Villeneuve-
  au-Châtelot (10) .... 53 E 3
Villeneuve-au-Chemin (10) .... 73 G 3
La Villeneuve-au-Chêne (10) .. 74 B 1
La Villeneuve-
  Bellenoye-et-la-Maize (70) . 77 E 5
Villeneuve-d'Allier (43) ..... 147 G 3

Villeneuve-d'Amont (25) ...... 110 D 2
Villeneuve-d'Ascq (59) .... 9 G 3
Villeneuve-d'Aval (39) .... 110 C 2
Villeneuve-de-Berg (07) ...... 163 F 4
Villeneuve-de-Duras (47) ..... 156 C 2
Villeneuve-de-la-Raho (66) ... 213 F 3
Villeneuve-de-Marc (38) ...... 136 C 5
Villeneuve-
  de-Marsan (40) .... 170 D 4
Villeneuve-de-Mézin (47) ..... 171 H 4
Villeneuve-de-Rivière (31) ... 205 G 2
Villeneuve-d'Entraunes (06) .. 182 C 2
Villeneuve-d'Olmes (09) ...... 207 F 4
Villeneuve-du-Bosc (09) ...... 207 E 3
Villeneuve-du-Latou (09) ..... 206 D 1
Villeneuve-du-Paréage (09) ... 207 E 1
La Villeneuve-
  en-Chevrie (78) .... 30 A 4
Villeneuve-
  en-Montagne (71) .... 108 D 4
Villeneuve-Frouville (41) ..... 69 H 5
Villeneuve-la-Comptal (11) ... 190 A 5
Villeneuve-la-Comtesse (17) . 114 A 5
Villeneuve-la-Dondagre (89) .. 72 C 2
Villeneuve-la-Garenne (92) ... 31 F 5
Villeneuve-la-Guyard (89) ..... 52 B 5
Villeneuve-la-Lionne (51) ..... 52 D 2
Villeneuve-la-Rivière (66) ... 209 E 5
Villeneuve-la-Salle (05) ..... 153 E 5
Villeneuve-
  l'Archevêque (89) .... 73 E 1
Villeneuve-le-Comte (77) ..... 52 A 1
Villeneuve-le-Roi (94) .... 51 F 2
Villeneuve-Lécussan (31) ..... 205 F 1
Villeneuve-
  lès-Avignon (30) .... 179 E 4
Villeneuve-lès-B. (31) .... 189 F 1
Villeneuve-lès-Béziers (34) .. 192 B 4
Villeneuve-lès-Bordes (77) .... 52 B 4
Villeneuve-les-Cerfs (63) .... 133 G 1
La Villeneuve-
  lès-Charleville (51) ...... 53 F 1
Villeneuve-lès-Charnod (39) . 123 F 3
Villeneuve-
  les-Convers (21) .... 92 C 2
Villeneuve-les-Corbières (11) 209 E 3
Villeneuve-les-Genêts (89) .... 90 B 1
Villeneuve-lès-Lavaur (81) ... 189 H 2
Villeneuve-
  lès-Maguelone (34) .... 193 F 3
Villeneuve-lès-Montréal (11) . 207 H 1
Villeneuve-les-Sablons (60) ... 30 D 2
Villeneuve-Loubet (06) .... 199 F 1
Villeneuve-
  Loubet-Plage (06) .... 199 F 1
Villeneuve-Minervois (11) .... 191 E 5
Villeneuve-Renneville-
  Chevigny (51) .... 33 H 5
Villeneuve-sous-Charigny (21) 92 B 3
Villeneuve-
  sous-Dammartin (77) .... 31 H 4
Villeneuve-sous-Pymont (39) . 110 B 5
La Villeneuve-sous-Thury (60) 32 B 4
Villeneuve-St-Denis (77) ..... 52 A 1
Villeneuve-
  St-Georges (94) .... 51 G 2
Villeneuve-St-Germain (02) ... 32 D 1
Villeneuve-St-Nicolas (28) ... 70 A 1
Villeneuve-St-Salves (89) ..... 73 F 5
Villeneuve-St-Vistre-
  et-Villevotte (51) .... 53 F 3
Villeneuve-sur-Allier (03) ... 118 C 3
Villeneuve-sur-Auvers (91) .... 51 E 4
Villeneuve-sur-Bellot (77) .... 52 D 1
Villeneuve-sur-Cher (18) ..... 105 E 2
Villeneuve-sur-Conie (45) ..... 70 B 3
Villeneuve-sur-Fère (02) ...... 33 E 3
Villeneuve-sur-Lot ◆ (47) ... 157 F 3
Villeneuve-sur-Tarn (81) ..... 175 F 4
Villeneuve-sur-Verberie (60) . 31 H 2
Villeneuve-sur-Vère (81) ..... 174 C 4
La Villeneuve-
  sur-Vingeanne (21) .... 94 A 2
Villeneuve-sur-Yonne (89) ..... 72 D 3
Villeneuve-Tolosane (31) ..... 189 F 3
Villeneuvette (34) .... 192 C 2
Villennes-sur-Seine (78) ...... 30 D 5
Villenouvelle (31) .... 189 H 4
Villenoy (77) .... 32 A 5
Villentrois (36) .... 88 A 5
Villeny (41) .... 88 B 2
Villepail (53) .... 47 F 5
Villeparisis (77) .... 31 H 5
Villeparois (70) .... 95 E 1
Villeperdrix (26) .... 165 E 5
Villeperdue (37) .... 86 C 5
Villeperrot (89) .... 72 C 1
Villepinte (11) .... 190 B 5
Villepinte (93) .... 31 G 5
Villeplane (06) .... 182 C 2
Villeporcher (41) .... 87 F 2
Villepot (44) .... 65 H 5
Villepreux (78) .... 50 D 1
Villequier (76) .... 13 E 5
Villequier-Aumont (02) .... 16 C 4
Villequiers (18) .... 106 A 2
Viller (57) .... 37 G 4
Villerable (41) .... 69 F 5
Villeray (61) .... 49 E 5
Villerbon (41) .... 87 H 1
Villeréal (47) .... 157 H 2

Villereau (45) .... 70 D 3
Villereau (59) .... 9 G 3
Villerest (42) .... 134 C 1
Villeret (02) .... 16 C 1
Villeret (10) .... 54 C 4
Villereversure (01) .... 123 F 4
Villermain (41) .... 70 A 5
Villeromain (41) .... 87 G 1
Villeron (95) .... 31 G 4
Villerouge-la-Crémade (11) ... 208 D 2
Villerouge-Termenès (11) ..... 208 D 3
Villeroy (77) .... 31 H 5
Villeroy (80) .... 14 C 1
Villeroy (89) .... 72 C 2
Villeroy-sur-Méholle (55) ..... 56 A 3
Villers (42) .... 121 G 5
Villers (88) .... 57 E 5
Villers-Agron-Aiguizy (02) ... 33 F 3
Villers-Allerand (51) .... 33 H 3
Villers-au-Bois (62) .... 8 A 2
Villers-au-Flos (62) .... 8 B 5
Villers-au-Tertre (59) .... 8 D 3
Villers-aux-Bois (51) .... 33 G 5
Villers-aux-Érables (80) ...... 15 H 3
Villers-aux-Nœuds (51) .... 33 H 3
Villers-aux-Vents (55) .... 55 F 1
Villers-Bocage (14) .... 26 D 3
Villers-Bocage (80) .... 15 F 1
Villers-Bouton (70) .... 94 D 3
Villers-Bretonneux (80) .... 15 G 2
Villers-
  Brûlin (62) .... 7 H 2
Villers-Buzon (25) .... 94 C 5
Villers-Campsart (80) .... 14 C 2
Villers-Canivet (14) .... 27 G 5
Villers-Carbonnel (80) .... 16 B 2
Villers-Cernay (08) .... 19 F 3
Villers-Châtel (62) .... 7 H 2
Villers-Chemin-
  et-Mont-lès-Étrelles (70) . 94 C 3
Villers-Chief (25) .... 95 G 5
Villers-Cotterêts (02) .... 32 B 2
Villers-devant-Dun (55) .... 35 F 1
Villers-devant-le-Thour (08) . 18 A 5
Villers-devant-Mouzon (08) ... 19 F 4
Villers-Écalles (76) .... 13 F 5
Villers-en-Argonne (51) .... 35 E 4
Villers-en-Arthies (95) .... 30 B 4
Villers-en-Cauchies (59) .... 9 E 4
Villers-en-Haye (54) .... 56 D 1
Villers-en-Ouche (61) .... 48 C 1
Villers-en-Prayères (02) ...... 33 F 1
Villers-en-Vexin (27) .... 30 A 2
Villers-Farlay (39) .... 110 C 2
Villers-Faucon (80) .... 16 C 1
Villers-Franqueux (51) .... 33 G 2
Villers-Grélot (25) .... 95 E 4
Villers-Guislain (59) .... 8 D 5
Villers-Hélon (02) .... 32 C 2
Villers-la-Chèvre (54) .... 20 B 2
Villers-la-Combe (25) .... 95 G 5
Villers-la-Faye (21) .... 109 E 1
Villers-la-Montagne (54) ...... 20 C 2
Villers-la-Ville (70) .... 95 G 2
Villers-le-Château (51) .... 34 A 5
Villers-le-Lac (25) .... 111 H 1
Villers-le-Rond (54) .... 20 A 3
Villers-le-Sec (02) .... 17 E 3
Villers-le-Sec (51) .... 55 E 1
Villers-le-Sec (55) .... 55 E 1
Villers-le-Sec (70) .... 95 E 1
Villers-le-Tilleul (08) .... 18 D 4
Villers-le-Tourneur (08) ...... 18 C 4
Villers-les-Bois (39) .... 110 B 3
Villers-lès-Cagnicourt (62) .... 8 C 4
Villers-lès-Guise (02) .... 17 F 1
Villers-lès-Luxeuil (70) ...... 77 F 5
Villers-lès-Mangiennes (55) ... 20 A 3
Villers-lès-Moivrons (54) ..... 57 E 1
Villers-lès-Nancy (54) .... 56 D 2
Villers-lès-Ormes (36) .... 104 B 3
Villers-lès-Pots (21) .... 93 H 5
Villers-lès-Roye (80) .... 16 A 3
Villers-l'Hôpital (62) .... 7 F 4
Villers-Marmery (51) .... 34 A 3
Villers-Outréaux (59) .... 8 D 5
Villers-Pater (70) .... 95 E 3
Villers-Patras (21) .... 74 C 4
Villers-Plouich (59) .... 8 C 5
Villers-Pol (59) .... 9 F 3
Villers-Robert (39) .... 110 A 2
Villers-Rotin (21) .... 110 A 1
Villers-Semeuse (08) .... 18 D 3
Villers-Sir-Simon (62) .... 7 H 3
Villers-Sire-Nicole (59) .... 9 H 3
Villers-sous-Ailly (80) .... 7 E 5
Villers-sous-Chalamont (25) . 111 E 3
Villers-sous-Châtillon (51) ... 33 F 4
Villers-sous-Foucarmont (76) . 14 B 2
Villers-sous-Montrond (25) ... 95 E 5
Villers-sous-Pareid (55) ...... 36 B 3
Villers-sous-Prény (54) .... 56 C 5
Villers-sous-St-Leu (60) ...... 31 F 3
Villers-St-Barthélemy (60) ... 30 C 1
Villers-St-Christophe (02) ... 16 C 3
Villers-St-Frambourg (60) .... 31 H 2
Villers-St-Genest (60) .... 31 H 3
Villers-St-Martin (25) .... 95 G 4
Villers-St-Paul (60) .... 31 G 2
Villers-St-Sépulcre (60) ...... 31 E 1
Villers-Stoncourt (57) .... 37 F 3
Villers-sur-Auchy (60) .... 14 C 5
Villers-sur-Authie (80) .... 6 C 3

Villers-sur-Bar (08) .... 19 E 3
Villers-sur-Bonnières (60) ... 14 D 5
Villers-sur-Coudun (60) .... 16 A 5
Villers-sur-Fère (02) .... 33 E 3
Villers-sur-le-Mont (08) ...... 18 D 3
Villers-sur-le-Roule (27) ..... 29 H 3
Villers-sur-Mer (14) .... 27 H 1
Villers-sur-Meuse (55) .... 35 H 4
Villers-sur-Nied (57) .... 37 G 5
Villers-sur-Port (70) .... 76 D 5
Villers-sur-Saulnot (70) ...... 95 H 2
Villers-sur-Trie (60) .... 30 C 2
Villers-sur-Tournelle (80) .... 15 G 4
Villers-Vaudey (70) .... 94 C 1
Villers-Vermont (60) .... 14 C 4
Villers-Vicomte (60) .... 15 F 4
Villerserine (39) .... 110 B 3
Villersexel (70) .... 95 G 2
Villerupt (54) .... 20 C 2
Villerville (14) .... 28 A 1
Villery (10) .... 73 H 2
Villes (01) .... 123 H 5
Villes-sur-Auzon (84) .... 179 H 3
Villeselve (60) .... 16 C 3
Villeseneux (51) .... 54 A 1
Villesèque (46) .... 158 A 5
Villesèque-
  des-Corbières (11) .... 209 E 3
Villesèquelande (11) .... 208 A 1
Villesiscle (11) .... 207 H 1
Villespassans (34) .... 191 H 4
Villespy (11) .... 190 C 5
Villetaneuse (93) .... 31 F 5
La Villetelle (23) .... 131 H 2
Villetelle (34) .... 193 H 1
Villethierry (89) .... 72 B 1
Villeton (47) .... 156 C 5
Villetoureix (24) .... 142 D 2
Villetritouls (11) .... 208 C 2
Villetrun (41) .... 69 G 5
La Villette (14) .... 27 E 5
Villette (54) .... 20 A 2
Villette (73) .... 139 E 4
Villette (78) .... 30 B 5
Villette-d'Anthon (38) .... 136 C 3
Villette-de-Vienne (38) ...... 136 B 5
Villette-lès-Arbois (39) ..... 110 C 3
Villette-lès-Dole (39) .... 110 A 1
Villette-sur-Ain (01) .... 136 D 1
Villette-sur-Aube (10) .... 53 H 4
Villettes (27) .... 29 F 3
Les Villettes (43) .... 148 D 3
Villeurbanne (69) .... 136 B 3
Villevallier (89) .... 72 D 3
Villevaudé (77) .... 31 H 5
Villevenard (51) .... 53 G 1
Villevêque (49) .... 85 E 2
Villeveyrac (34) .... 192 D 3
Villevieille (30) .... 193 H 1
Villevieux (39) .... 110 A 3
Villevocance (07) .... 149 F 3
Villevoques (45) .... 71 H 3
Villexanton (41) .... 87 H 1
Villexavier (17) .... 141 G 1
Le Villey (39) .... 110 A 3
Villey-le-Sec (54) .... 56 C 2
Villey-St-Étienne (54) .... 56 C 1
Villey-sur-Tille (21) .... 93 G 2
Villez-sous-Bailleul (27) ..... 29 H 4
Villez-sur-le-Neubourg (27) .. 29 E 3
Villié-Morgon (69) .... 122 A 4
Villiers (36) .... 103 G 3
Villiers (86) .... 102 A 5
Villiers-Adam (95) .... 31 E 4
Villiers-au-Bouin (37) .... 86 B 2
Villiers-aux-Bois (52) .... 55 F 3
Villiers-aux-Chênes (52) ...... 55 E 5
Villiers-aux-Corneilles (51) . 53 F 3
Villiers-Charlemagne (53) .... 66 D 4
Villiers-Couture (17) .... 127 H 1
Villiers-en-Bière (77) .... 51 G 4
Villiers-en-Bois (79) .... 114 B 5
Villiers-en-Désœuvre (27) ..... 30 A 5
Villiers-en-Lieu (52) .... 55 E 2
Villiers-en-Morvan (21) ...... 108 B 1
Villiers-en-Plaine (79) ...... 114 A 2
Villiers-Fossard (50) .... 25 F 3
Villiers-Herbisse (10) .... 53 H 3
Villiers-le-Bâcle (91) .... 51 E 2
Villiers-le-Bel (95) .... 31 F 4
Villiers-le-Bois (10) .... 74 A 4
Villiers-le-Duc (21) .... 74 D 5
Villiers-le-Mahieu (78) .... 50 C 1
Villiers-le-Morhier (28) ...... 50 A 3
Villiers-le-Pré (50) .... 45 H 3
Villiers-le-Roux (16) .... 115 E 5
Villiers-le-Sec (14) .... 27 E 2
Villiers-le-Sec (52) .... 75 F 2
Villiers-le-Sec (58) .... 90 D 4
Villiers-le-Sec (95) .... 31 F 4
Villiers-lès-Aprey (52) .... 75 G 5
Villiers-lès-Hauts (89) .... 92 A 1
Villiers-Louis (89) .... 72 D 2
Villiers-Saint-Frédéric (78) . 50 C 1
Villiers-sous-Grez (77) .... 71 H 1
Villiers-sous-Mortagne (61) .. 48 D 4
Villiers-sous-Praslin (10) .... 74 A 3
Villiers-St-Benoît (89) .... 72 C 3
Villiers-St-Denis (02) .... 32 C 5
Villiers-St-Georges (77) ...... 52 D 3
Villiers-St-Orien (28) .... 70 A 2
Villiers-sur-Chizé (79) ...... 114 B 5

Villiers-sur-Loir (41) .... 69 F 5
Villiers-sur-Marne (52) .... 55 G 5
Villiers-sur-Marne (94) .... 51 G 1
Villiers-sur-Morin (77) .... 52 A 1
Villiers-sur-Orge (91) .... 51 F 3
Villiers-sur-Seine (77) .... 52 D 4
Villiers-sur-Suize (52) .... 75 G 3
Villiers-sur-Tholon (89) ...... 72 D 4
Villiers-sur-Yonne (58) .... 91 E 4
Villiers-Vineux (89) .... 73 G 4
Villiersfaux (41) .... 87 F 1
Villieu-Loyes-Mollon (01) ... 136 D 1
Villing (57) .... 21 H 4
Villognon (16) .... 128 B 2
Villon (89) .... 74 A 4
Villoncourt (88) .... 57 G 5
Villons-les-Buissons (14) ..... 27 F 2
Villorceau (45) .... 70 A 5
Villosanges (63) .... 132 C 2
Villotran (60) .... 30 D 1
Villotte (88) .... 76 B 2
La Villotte (89) .... 72 C 5
Villotte-devant-Louppy (55) .. 35 F 5
Villotte-St-Seine (21) .... 92 D 3
Villotte-sur-Aire (55) .... 35 H 5
Villotte-sur-Ource (21) .... 74 D 4
Villouxel (88) .... 56 A 5
Villuis (77) .... 52 D 5
Villy (08) .... 19 G 4
Villy (89) .... 73 F 4
Villy-Bocage (14) .... 26 D 3
Villy-en-Auxois (21) .... 92 D 3
Villy-en-Trodes (10) .... 74 B 1
Villy-le-Bois (10) .... 73 H 2
Villy-le-Bouveret (74) .... 124 C 5
Villy-le-Maréchal (10) .... 73 H 2
Villy-le-Moutier (21) .... 109 F 2
Villy-le-Pelloux (74) .... 138 A 1
Villy-lez-Falaise (14) .... 27 G 5
Villy-sur-Yères (76) .... 14 A 1
Vilory (70) .... 77 E 5
Vilosnes-Haraumont (55) ...... 35 G 1
Vilsberg (57) .... 58 C 1
Vimarcé (53) .... 67 G 2
Vimbelle (19) .... 145 E 2
Vimenet (12) .... 160 D 5
Viménil (88) .... 77 H 1
Vimines (73) .... 137 H 5
Vimont (14) .... 27 G 3
Vimory (45) .... 71 H 4
Vimoutiers (61) .... 28 A 5
Vimpelles (77) .... 52 C 4
Vimy (62) .... 8 B 2
Vinantes (77) .... 31 H 4
Vinassan (11) .... 209 G 1
Vinax (17) .... 114 C 5
Vinay (38) .... 151 E 3
Vinay (51) .... 33 G 4
Vinça (66) .... 212 C 3
Vincelles (39) .... 110 A 5
Vincelles (51) .... 33 F 4
Vincelles (71) .... 109 H 5
Vincelles (89) .... 91 F 1
Vincelottes (89) .... 91 F 1
Vincendières (73) .... 153 H 1
Vincennes (94) .... 51 F 1
Vincent (39) .... 110 A 4
Vincey (88) .... 57 F 5
Vinckly (62) .... 7 F 1
Vincy-Manœuvre (77) .... 32 B 4
Vincy-Reuil-et-Magny (02) .... 17 H 3
Vindecy (71) .... 121 E 3
Vindefontaine (50) .... 22 D 5
Vindelle (16) .... 128 B 3
Vindey (51) .... 53 F 2
Vindrac-Alayrac (81) .... 174 C 3
Vineuil (36) .... 104 B 3
Vineuil (41) .... 87 H 2
Vineuil-St-Firmin (60) .... 31 G 3
La Vineuse (71) .... 122 A 2
Vinets (10) .... 54 A 4
Vingrau (66) .... 209 E 4
Vingt-Hanaps (61) .... 48 A 3
Vinnemerville (76) .... 12 D 2
Vinneuf (89) .... 52 C 5
Vinon (18) .... 90 A 5
Vinon-sur-Verdon (83) .... 196 C 1
Vins-sur-Caramy (83) .... 197 E 3
Vinsobres (26) .... 179 G 1
Le Vintrou (81) .... 191 E 3
Vinzelles (63) .... 133 G 2
Vinzelles (71) .... 122 B 3
Vinzier (74) .... 125 E 2
Vinzieux (07) .... 149 G 2
Viocourt (88) .... 56 C 5
Viodos-Abense-de-Bas (64) ... 185 G 3
Violaines (62) .... 4 A 4
Violay (42) .... 135 E 2
Violès (84) .... 179 F 2
Violot (52) .... 75 H 5
Viols-en-Laval (34) .... 193 E 1
Viols-le-Fort (34) .... 193 E 1
Vioménil (88) .... 77 E 2
Vion (07) .... 149 H 4
Vion (72) .... 67 F 5
Vions (73) .... 137 H 2
Vionville (57) .... 36 C 3
Viozan (32) .... 187 H 4
Viplaix (03) .... 118 C 2
Vira (09) .... 207 F 2
Vira (66) .... 208 B 5

Virac (81)............174 D 3
Virandeville (50)........22 C 3
Virargues (15)..........146 D 4
Virazeil (47)...........156 B 4
Viré (71).............122 B 2
Viré-en-Champagne (72)....67 F 3
Vire Normandie ⬦ (14)...46 C 1
Vire-sur-Lot (46)........157 H 4
Vireaux (89)...........73 H 5
Virecourt (54)..........57 F 4
Virelade (33)..........155 G 3
Viremont (39)..........123 G 2
Vireux-Molhain (08)......11 E 3
Vireux-Wallerand (08).....11 E 3
Virey (50)............46 A 3
Virey (70)............94 C 4
Virey-le-Grand (71)......109 E 3
Virey-sous-Bar (10)......74 B 2
Virginy (51)...........34 D 3
Viriat (01)...........123 E 4
Viricelles (42)........135 F 4
Virieu (38)...........137 F 5
Virieu-le-Grand (01).....137 G 2
Virieu-le-Petit (01)......137 G 1
Virigneux (42).........135 E 4
Virignin (01)..........137 G 3
Viriville (38).........150 D 2
Virlet (63)...........119 E 5
Virming (57)..........37 H 4
Viroflay (78)..........51 E 1
Virollet (17)..........127 E 5
Vironchaux (80)........6 D 3
Vironvay (27)..........29 G 3
Virsac (33)...........141 F 4
Virson (17)...........113 G 4
Virville (76)..........12 C 4
Viry (39)............123 H 3
Viry (71)............121 G 2
Viry (74)............124 B 5
Viry-Châtillon (91)......51 F 2
Viry-Noureuil (02)......16 A 3
Vis-en-Artois (62).......8 B 3
Visan (84)...........179 F 1
Viscomtat (63)........134 A 3
Viscos (65)...........204 B 3
Le Viseney (39)........110 B 3
Viserny (21)..........92 B 2
Visker (65)...........204 C 1
Vismes-au-Val (80)......14 C 1
Visoncourt (70)........77 F 5
Vissac (43)...........147 H 4
Vissac-Auteyrac (43).....147 H 4
Vissec (30)...........177 E 5
Visseiche (35).........65 H 3
Viterbe (81)..........190 A 2
Viterne (54)..........56 D 3
Vitot (27)...........29 E 3
Vitrac (15)...........159 H 2
Vitrac (24)...........158 A 1
Vitrac (63)...........132 D 1
Vitrac-en-Viadène (12)....160 C 2
Vitrac-St-Vincent (16)....128 D 3
Vitrac-sur-Montane (19)...145 E 2
Vitrai-sous-L'Aigle (61)...48 D 2
Vitray (03)...........119 E 1
Vitray-en-Beauce (28)....69 H 1
Vitré (35)............66 A 2
Vitré (79)............114 C 3
Vitreux (39)..........94 B 5
Vitrey (54)...........56 D 4
Vitrey-sur-Mance (70)....76 B 5
Vitrimont (54).........57 F 2
Vitrolles (05).........166 A 4
Vitrolles (13).........195 G 3
Vitrolles-en-Luberon (84)..180 C 5
Vitry-aux-Loges (45).....71 E 4
Vitry-en-Artois (62).....8 C 3
Vitry-en-Charollais (71)...121 E 2
Vitry-en-Montagne (52)...75 F 5
Vitry-en-Perthois (51)....54 C 2
Vitry-la-Ville (51)......54 B 1
Vitry-Laché (58).......91 E 5
Vitry-le-Croisé (10).....74 C 2
Vitry-le-François ⬦ (51)...54 C 2
Vitry-lès-Cluny (71).....122 A 2
Vitry-lès-Nogent (52)....75 H 3
Vitry-sur-Loire (71).....107 F 5
Vitry-sur-Orne (57).....20 D 4
Vitry-sur-Seine (94).....51 F 1
Vittarville (55)........35 H 1
Vitteaux (21)..........92 C 4
Vittefleur (76)........13 E 2
Vittel (88)...........76 C 1
Vittersbourg (57).......38 A 4
Vittoncourt (57).......37 F 4
Vittonville (54)........36 D 4
Vitz-sur-Authie (80).....7 E 3
Viuz-en-Sallaz (74).....124 D 4
Viuz-la-Chiésaz (74).....138 A 2
Vivaise (02)..........17 E 4
Vivans (42)...........121 E 4
Vivario (2B)..........217 E 3
Viven (64)...........186 B 3
Viverols (63).........148 B 1
Vivès (66)...........213 E 4
Vivey (52)...........75 F 5
Le Vivier (36).........117 F 1
Le Vivier (66).........208 C 5
Vivier-au-Court (08).....19 E 3
Le Vivier-sur-Mer (35)....45 E 2
Vivières (02)..........32 B 2
Viviers (07)..........163 G 4

Viviers (57)..........37 F 5
Viviers (89)..........73 G 5
Viviers-du-Lac (73)......137 H 4
Viviers-le-Gras (88).....76 C 2
Viviers-lès-Montagnes (81)..190 C 3
Viviers-lès-Lavaur (81)...190 A 2
Viviers-lès-Offroicourt (88)..56 D 5
Viviers-sur-Artaut (10)...74 C 2
Viviers-sur-Chiers (54)...20 B 2
Viviès (09)...........207 F 2
Viviez (12)..........159 G 4
Viville
   (près d'Angoulème) (16)....128 C 4
Viville
   (près de Barbezieux) (16)....128 A 5
Vivoin (72)...........68 A 1
Vivonne (86)..........115 F 2
Vivy (49)............85 G 4
Vix (21).............74 C 4
Vix (85).............113 G 2
Vizille (38)...........151 H 4
Vizos (65)...........204 B 3
Vizzavona (2B).........217 E 4
Vizzavona (Col de) (2B)...217 E 4
Vocance (07)..........149 F 3
Vodable (63)..........133 F 5
Vœgtlinshoffen (68).....78 D 2
Vœlfling-
   lès-Bouzonville (57)....21 G 4
Vœllerdingen (67)......38 B 4
Vœuil-et-Giget (16).....128 B 5
Vogelgrun (68).........79 E 2
Voglans (73)..........137 H 4
Vogüé (07)...........163 E 4
Voharies (02).........17 G 2
Void-Vacon (55)........56 A 2
Le Voide (49).........84 D 5
Voigny (10)..........74 D 1
Voile de la Mariée
   (Cascade du) (2A)....217 E 4
Voilemont (51).........34 D 4
Voillans (25)..........95 G 3
Voillecomte (52).......55 E 4
Voimhaut (57).........37 F 4
Voinémont (54)........57 E 3
Voingt (63)...........132 B 3
Voinsles (77).........52 B 2
Voipreux (51).........33 H 5
Voires (25)...........111 F 1
Voiron (38)...........151 F 1
Voiscreville (27).......29 E 2
Voise (28)...........50 B 5
Voisenon (77).........51 H 3
Voisey (52)...........76 C 4
La Vraie-Croix (56).....81 H 2
Voisines (52).........75 G 4
Voisines (89).........72 D 1
Voisins-le-Bretonneux (78)..50 D 2
Voissant (38).........137 G 5
Voissay (17)..........127 F 1
Voiteur (39)..........110 B 4
La Voivre (70).........77 G 4
La Voivre (88).........58 A 5
Les Voivres (88).......77 F 3
Voivres-lès-le-Mans (72)..67 H 4
Volckerinckhove (59)....3 E 3
Volesvres (71).........121 F 2
Volgelsheim (68).......79 E 2
Volgré (89)...........72 D 4
Volksberg (67)........38 C 4
Vollore-Montagne (63)...134 A 3
Vollore-Ville (63)......134 A 3
Volmerange-lès-Boulay (57)..21 F 5
Volmerange-les-Mines (57)..20 D 3
Volmunster (57).......38 C 3
Volnay (21)..........109 E 2
Volnay (72)..........68 C 4
Volon (70)...........94 B 1
Volonne (04)..........181 G 2
Volpajola (2B).........215 F 5
Volstroff (57).........21 E 4
Volvent (26)..........165 E 4
Volvic (63)...........133 E 2
Volx (04)...........180 D 4
Vomécourt (88)........57 G 5
Vomécourt-sur-Madon (88)..57 E 5
Voncourt (52).........76 B 5
Voncq (08)...........18 D 5
Vonges (21)..........93 H 4
Vongnes (01)..........137 G 2
Vonnas (01)..........122 C 4
Voray-sur-l'Ognon (70)...94 D 4
Voreppe (38)..........151 G 2
Vorey (43)...........148 B 3
Vorges (02)...........17 F 5
Vorges-les-Pins (25)....94 D 5
Vorly (18)...........105 G 3
Vornay (18)..........105 G 2
Vors (12)...........175 F 1
Vosbles (39)..........123 G 3
Vosne-Romanée (21).....109 F 1
Vosnon (10)..........73 G 2
Vou (37)............103 E 1
Vouarces (51).........53 G 3
Voudenay (21).........108 B 1
Voué (10)...........75 G 1
Vouécourt (52)........75 G 1
Vougécourt (70).......76 D 3
Vougeot (21)..........93 F 5
Vouglans (39).........123 G 2
Vougrey (10)..........74 A 2

Vougy (42)...........121 F 5
Vougy (74)...........125 E 5
Vouharte (16).........128 B 3
Vouhé (17)...........113 G 4
Vouhé (79)...........114 C 1
Vouhenans (70)........95 G 1
Vouillé (79)..........114 B 3
Vouillé (86)..........101 H 5
Vouillé-les-Marais (85)...113 F 2
Vouillers (51).........55 E 2
Vouilly (14)..........25 G 2
Voujeaucourt (25)......96 C 2
Voulaines-les-Templiers (21)..75 E 5
Voulangis (77)........52 A 1
Voulême (86)..........115 F 5
Voulgézac (16)........128 B 5
Voulmentin (79).......100 D 2
Voulon (86)..........115 F 3
Voulpaix (02).........17 G 2
La Voulte-
   sur-Rhône (07).......163 H 2
Voultegon (79)........100 D 3
Voulton (77)..........52 D 3
Voulx (77)...........72 B 1
Vouneuil-sous-Biard (86)..115 F 1
Vouneuil-
   sur-Vienne (86).......102 C 5
Vourey (38)..........151 F 2
Vourles (69)..........135 H 4
Voussac (03)..........119 G 3
Voutenay-sur-Cure (89)...91 G 2
Voutezac (19).........144 B 2
Vouthon (16).........128 D 4
Vouthon-Bas (55).......56 A 4
Vouthon-Haut (55)......56 A 4
Voutré (53)..........67 F 2
Vouvant (85).........113 H 1
Vouvray (37).........87 E 4
Vouvray-sur-Huisne (72)...68 C 3
Vouvray-sur-Loir (72)....86 C 1
Vouxey (88)..........56 C 5
Vouzailles (86)........101 H 5
Vouzan (16)..........128 D 5
Vouzeron (18).........89 E 5
Vouziers ⬦ (08).......34 D 1
Vouzon (41)..........88 D 2
Vouzy (51)...........33 H 5
Voves (28)...........70 B 1
Vovray-en-Bornes (74)...124 B 5
Voyenne (02).........17 F 3
Voyennes (80).........16 B 3
Voyer (57)...........58 B 2
La Vraie-Croix (56).....81 H 2
Vraignes-
   en-Vermandois (80)....16 C 2
Vraignes-lès-Hornoy (80)..14 D 2
Vraincourt (52).......75 G 1
Vraiville (27).........29 F 3
Vrasville (50).........23 E 2
Vraux (51)...........34 A 4
Vrécourt (88).........76 B 1
Vred (59)...........8 D 2
Vregille (70).........94 C 4
Vregny (02)..........32 D 1
Vrély (80)...........15 H 2
Le Vrétot (50).........22 C 4
Vriange (39)..........94 B 5
Vrigne-aux-Bois (08)....19 E 3
Vrigne-Meuse (08)......19 E 3
Vrigny (45)..........71 E 3
Vrigny (51)...........33 G 2
Vrigny (61)..........47 H 2
La Vrine (25).........111 F 2
Vritz (44)...........84 A 2
Vrizy (08)...........34 D 1
Vrocourt (60).........14 D 5
Vroil (51)...........55 E 1
Vron (80)...........6 C 3
Vroncourt (54)........56 D 4
Vroncourt-la-Côte (52)...76 A 2
Vroville (88).........57 E 5
Vry (57)............21 F 5
Vue (44)............82 D 5
Vuillafans (25)........111 F 1
Vuillecin (25).........111 F 2
Vuillery (02).........32 D 1
Vulaines (10).........73 F 1
Vulaines-lès-Provins (77)..52 C 3
Vulaines-sur-Seine (77)...51 H 5
Vulbens (74).........124 A 5
Vulmont (57).........37 E 5
Vulvoz (39)..........123 H 3
Vy-le-Ferroux (70)......94 D 2
Vy-lès-Filain (70)......95 E 2
Vy-lès-Lure (70).......95 G 1
Vy-lès-Rupt (70).......94 C 1
Vyans-le-Val (70)......96 C 2
Vyt-lès-Belvoir (25)....95 H 3

W

Waben (62)...........6 C 2
Wackenbach (67).......58 C 3
Wacquemoulin (60)......15 H 5
Wacquinghen (62)......2 B 4
Wadelincourt (08)......19 E 3
Wadimont (08).........18 A 3
Wagnon (08)..........18 C 4
Wahagnies (59)........4 C 5
Wahlbach (68).........97 F 1
Wahlenheim (67).......59 E 1
Wail (62)...........7 F 3

Wailly (62)..........8 A 3
Wailly (80)..........15 E 3
Wailly-Beaucamp (62)....6 C 2
Walbach (68).........78 C 2
Walbourg (67).........39 F 4
La Walck (67).........39 E 5
Waldersbach (67)......58 C 4
Waldhambach (67)......38 C 4
Waldhouse (57)........38 D 2
Waldighofen (68).......97 F 1
Waldolwisheim (67).....58 D 1
Waldweistroff (57)......21 G 3
Waldwisse (57).........21 G 3
Walheim (68)..........97 F 1
Walincourt-Selvigny (59)..9 E 5
Wallers (59)..........9 E 4
Wallers-en-Fagne (59)....10 A 3
Wallon-Cappel (59).....3 F 4
Walschbronn (57)......38 D 2
Walscheid (57).........58 B 2
Waltembourg (57)......58 C 1
Waltenheim (68).......79 E 5
Waltenheim-sur-Zorn (67)..59 E 1
Waly (55)...........35 F 4
Wambaix (59).........8 D 4
Wambercourt (62)......7 E 2
Wambez (60)..........14 D 5
Wambrechies (59)......4 C 3
Wamin (62)..........7 E 2
Wanchy-Capval (76).....14 A 2
Wancourt (62).........8 B 3
Wandignies-Hamage (59)...8 D 2
Wanel (80)...........14 D 1
Wangen (67)..........58 D 2
Wangenbourg-
   Engenthal (67).......58 C 2
Wannehain (59)........4 D 4
Wanquetin (62)........8 A 3
La Wantzenau (67).....59 F 1
Warby (08)...........18 C 3
Warcq (08)...........18 D 3
Warcq (55)...........20 B 5
Wardrecques (59).......3 F 4
Wargemoulin-Hurlus (51)..34 D 3
Wargnies (80).........7 F 5
Wargnies-le-Grand (59)...9 F 3
Wargnies-le-Petit (59)...9 G 3
Warhem (59)..........3 F 2
Warlaing (59).........5 E 5
Warlencourt-Eaucourt (62)..8 A 5
Warlincourt-lès-Pas (62)...7 H 4
Warloy-Baillon (80).....15 G 1
Warluis (60)..........31 E 1
Warlus (62)..........8 A 3
Warlus (80)..........14 D 1
Warluzel (62).........7 H 4
Warmeriville (51)......34 A 1
Warnécourt (08).......18 D 3
Warsy (80)...........15 H 3
Warsigny (08).........18 B 4
Wasnes-au-Bac (59).....8 D 3
Wasquehal (59)........4 C 3
Wasselonne (67).......58 D 2
Wasserbourg (68)......78 C 2
Wassigny (02).........17 F 1
Wassy (52)...........55 E 4
Le Wast (62).........2 C 4
Watigny (02)..........10 B 5
Watronville (55).......20 A 5
Watten (59)..........3 E 3
Wattignies (59).......4 C 4
Wattignies-la-Victoire (59)..9 H 4
Wattrelos (59)........4 D 3
Wattwiller (68).......78 C 4
Wavignies (60)........15 G 5
Waville (54)..........36 C 4
Wavrans-sur-l'Aa (62)....2 D 5
Wavrans-sur-Ternoise (62)..7 G 2
Wavrechain-
   sous-Denain (59).....9 E 3
Wavrechain-sous-Faulx (59)..8 D 3
Wavrille (55)..........35 H 1
Wavrin (59)..........4 B 4
Waziers (59)..........8 C 2
Weckolsheim (68)......79 E 2
Wegscheid (68)........78 B 4
Weinbourg (67)........38 D 5
Weislingen (67).......38 C 4
Weitbruch (67)........59 F 1
Weiterswiller (67)......38 D 5
Welles-Pérennes (60)....15 G 4
Wemaers-Cappel (59)....3 F 3
Wengelsbach (67)......39 E 3
Wentzwiller (68).......97 G 1
Werentzhouse (68).....97 F 2
Wervicq-Sud (59)......4 C 2
West-Cappel (59)......3 G 2
Westhalten (68).......78 C 3
Westhoffen (67).......58 D 2
Westhouse (67)........59 E 4
Westhouse-Marmoutier (67)..58 D 1
Westrehem (62)........3 E 5
Wettolsheim (68).......78 D 2
Weyer (67)...........38 B 5
Weyersheim (67).......59 F 1
Wickerschwihr (68).....78 D 1
Wickersheim-
   Wilshausen (67)......39 E 5
Wicquinghem (62)......7 E 1
Wicres (59)..........4 B 4
Widehem (62).........2 B 5

Widensolen (68)........79 E 2
Wiège-Faty (02).......17 F 2
Wiencourt-l'Équipée (80)..15 H 2
Wierre-au-Bois (62).....2 B 5
Wierre-Effroy (62).....2 B 4
Wiesviller (57)........38 B 3
Wignehies (59)........9 H 5
Wignicourt (08)........18 C 4
Wihr-au-Val (68).......78 C 2
Wildenstein (68).......78 B 3
Wildersbach (67)......58 C 4
Willeman (62).........7 F 3
Willems (59)..........4 D 3
Willencourt (62).......7 E 4
Willer (68)...........97 F 1
Willer-sur-Thur (68)....78 B 4
Willeroncourt (55).....55 H 2
Willerval (62).........8 B 2
Willerwald (57)........38 A 3
Willgottheim (67)......58 D 1
Williers (08)..........19 H 3
Willies (59)..........10 A 3
Wilwisheim (67).......58 D 1
Wimereux (62)........2 A 4
Wimille (62)..........2 B 4
Wimmenau (67)........38 D 4
Wimy (02)...........17 H 1
Windstein (67)........39 E 4
Wingen (67)..........39 F 3
Wingen-sur-Moder (67)...38 D 4
Wingersheim-les-
   Quatre-Bans (67)....59 E 1
Wingles (62)..........4 B 5
Winkel (68)..........97 F 2
Winnezeele (59).......3 G 3
Wintersbourg (57).....58 C 1
Wintershouse (67).....39 F 5
Wintzenbach (67)......39 H 4
Wintzenheim (68)......78 D 2
Wintzenheim-
   Kochersberg (67).....59 E 2
Wintzfelden (68).......78 C 3
Wirwignes (62).........2 B 5
Wiry-au-Mont (80).....14 C 1
Wisches (67)..........58 C 3
Wisembach (88)........58 B 5
Wiseppe (55)..........19 G 5
Wismes (62)..........2 D 5
Wisques (62)..........3 E 4
Wissant (62)..........2 B 3
Wissembourg ⬦ (67)....39 G 3
Wissignicourt (02)......17 E 5
Wissous (91).........51 F 2
Witry-lès-Reims (51)....33 H 2
Wittelsheim (68)......78 C 4
Wittenheim (68).......78 D 4
Witternesse (62).......3 F 5
Witternheim (67)......59 E 5
Wittersdorf (68).......97 F 1
Wittersheim (67)......39 E 5
Wittes (62)...........3 F 5
Wittisheim (67).......59 E 5
Wittring (57).........38 B 3
Wiwersheim (67).......59 E 2
Wizernes (62).........3 E 4
Wœl (55)...........36 B 4
Wœlfling-
   lès-Sarreguemines (57)..38 B 3
Wœrth (67)..........39 F 4
Woignarue (80)........6 B 5
Woimbey (55).........35 H 4
Woincourt (80)........6 B 5
Woinville (55).........36 A 5
Woippy (57)..........21 E 5
Woirel (80)...........14 C 1
Wolfersdorf (68).......97 E 1
Wolfgantzen (68)......79 E 2
Wolfisheim (67).......59 E 2
Wolfskirchen (67)......38 B 5
Wolschheim (67).......58 D 1
Wolschwiller (68)......97 G 2
Wolxheim (67).........59 E 2
Wormhout (59)........3 F 3
Woustviller (57).......38 A 3
Wuenheim (68)........78 C 4
Wuisse (57)..........37 G 5
Wulverdinghe (59).....3 E 3
Wy-dit-Joli-Village (95)...30 C 4
Wylder (59)..........3 F 3

X

Xaffévillers (88).......57 G 4
Xaintrailles (47).......171 H 2
Xaintray (79).........114 A 1
Xambes (16)..........128 B 2
Xammes (54)..........36 C 4
Xamontarupt (88).....77 H 2
Xanrey (57)..........37 G 5
Xanton-Chassenon (85)...113 H 2
Xaronval (88).........57 E 5
Xermaménil (54)......57 F 3
Xertigny (88).........77 F 2
Xeuilley (54).........57 E 4
Xirocourt (54).........57 E 4
Xivray-et-Marvoisin (55)..36 B 5
Xivry-Circourt (54).....20 B 3
Xocourt (57)..........37 F 5
Xonrupt-Longemer (88)...78 A 2
Xonville (54).........36 C 4
Xouaxange (57).......58 A 1
Xousse (54)..........57 H 2
Xures (54)...........57 G 2

Y

Y (80).............16 B 2
Yainville (76).........13 F 5
Yaucourt-Bussus (80)....7 E 5
Le Yaudet (22)........42 C 2
Ychoux (40)..........154 C 5
Ydes (15)...........146 A 2
Ydes-Bourg (15).......146 A 2
Yébleron (76).........12 D 4
Yèbles (77)..........51 H 3
Yenne (73)...........137 G 3
Yermenonville (28).....50 B 3
Yerres (91)..........51 G 2
Yerville (76).........13 F 4
Yèvre-la-Ville (45).....71 F 2
Yèvre-le-Châtel (45)....71 F 2
Yèvres (28)..........69 G 1
Yèvres-le-Petit (10)....54 C 4
Yffiniac (22).........43 H 5
Ygos-St-Saturnin (40)...169 G 4
Ygrande (03).........119 G 1
Ymare (76)..........29 G 1
Ymeray (28)..........50 B 4
Ymonville (28)........70 B 1
Yolet (15)...........160 A 1
Yoncq (08)..........19 F 4
Yonval (80)..........6 D 5
Youx (63)...........119 F 5
Yport (76)...........12 C 3
Ypreville-Biville (76)...12 D 3
Yquebeuf (76)........13 H 4
Yquelon (50).........24 C 5
Yronde-et-Buron (63)...133 G 5
Yrouerre (89).........73 H 5
Yssac-la-Tourette (63)...133 F 2
Yssandon (19).........144 B 3
Yssingeaux ⬦ (43)....148 C 4
Ytrac (15)...........159 H 1
Ytres (62)...........8 C 5
Yutz (57)...........21 E 3
Yvecrique (76)........13 F 3
Yvernaumont (08)......18 D 3
Yversay (86)..........102 A 5
Yves (17)...........113 F 5
Les Yveteaux (61).....47 F 2
Yvetot (76)..........13 E 4
Yvetot-Bocage (50).....22 D 4
Yvias (22)...........43 F 2
Yviers (16)..........142 A 2
Yvignac-la-Tour (22)....44 C 5
Yville-sur-Seine (76)....29 E 1
Yvoire (74)..........124 D 2
Yvoy-le-Marron (41)....88 C 2
Yvrac (33)...........155 F 1
Yvrac-et-Malleyrand (16)..128 D 3
Yvrandes (61).........46 D 2
Yvré-le-Pôlin (72)......68 A 5
Yvré-l'Évêque (72)......68 A 3
Yvrench (80).........7 E 4
Yvrencheux (80).......7 E 4
Yzengremer (80).......6 B 5
Yzernay (49).........100 C 2
Yzeron (69)..........135 G 3
Yzeure (03)..........120 A 1
Yzeures-sur-Creuse (37)..103 E 4
Yzeux (80)...........15 E 1
Yzosse (40)..........185 F 1

Z

Zaessingue (68).......97 F 1
Zalana (2B)..........217 G 2
Zarbeling (57)........37 H 5
Zegerscappel (59)......3 F 3
Zehnacker (67).......58 D 1
Zeinheim (67).........58 D 1
Zellenberg (68).......78 D 1
Zellwiller (67)........59 E 4
Zermezeele (59).......3 F 3
Zérubia (2A).........219 E 2
Zetting (57)..........38 B 3
Zévaco (2A).........219 E 1
Zicavo (2A)..........217 E 5
Zigliara (2A).........218 D 1
Zilia (2B)...........214 C 5
Zilling (57)..........58 C 1
Zillisheim (68)........78 D 5
Zimmerbach (68)......78 C 2
Zimmersheim (68)......78 D 5
Zimming (57).........21 G 5
Zincourt (88).........57 F 5
Zinswiller (67)........39 E 4
Zittersheim (67).......38 C 4
Zœbersdorf (67).......39 E 5
Zommange (57).......37 H 5
Zonza (2A)..........219 F 2
Zoteux (62)..........2 C 5
Zouafques (62)........2 D 3
Zoufftgen (57)........21 E 2
Zoza (2A)...........219 E 2
Zuani (2A)..........217 F 2
Zudausques (62)......3 E 4
Zutkerque (62)........2 D 3
Zuydcoote (59)........3 F 1
Zuytpeene (59)........3 F 4

A
B
C
D
E
F
G
H
I
J
K
L
M
N
O
P
Q
R
S
T
U
V
W
X
Y
Z

Plans

Curiosités
Bâtiment intéressant
Édifice religieux intéressant : catholique - protestant

Voirie
Autoroute - Double chaussée de type autoroutier
Échangeurs numérotés : complet - partiels
Grande voie de circulation
Rue réglementée ou impraticable
Rue piétonne - Tramway
Parking - Parking Relais
Tunnel
Gare et voie ferrée
Funiculaire, voie à crémaillère
Téléphérique, télécabine

Signes divers
Information touristique
Mosquée - Synagogue
Tour - Ruines
Moulin à vent
Jardin, parc, bois
Cimetière

Stade - Golf - Hippodrome
Piscine de plein air, couverte
Vue - Panorama
Monument - Fontaine
Port de plaisance
Phare
Aéroport - Station de métro
Gare routière
Transport par bateau :
passagers et voitures, passagers seulement

Bureau principal de poste restante - Hôpital
Marché couvert
Gendarmerie - Police
Hôtel de ville
Université, grande école
Bâtiment public repéré par une lettre :
Musée
Théâtre

Town plans

Sights
Place of interest
Interesting place of worship:
Church - Protestant church

Roads
Motorway - Dual carriageway
Numbered junctions: complete, limited
Major thoroughfare
Unsuitable for traffic or street subject to restrictions
Pedestrian street - Tramway
Car park - Park and Ride
Tunnel
Station and railway
Funicular
Cable-car

Various signs
Tourist Information Centre
Mosque - Synagogue
Tower - Ruins
Windmill
Garden, park, wood
Cemetery

Stadium - Golf course - Racecourse
Outdoor or indoor swimming pool
View - Panorama
Monument - Fountain
Pleasure boat harbour
Lighthouse
Airport - Underground station
Coach station
Ferry services:
passengers and cars - passengers only

Main post office with poste restante - Hospital
Covered market
Gendarmerie - Police
Town Hall
University, College
Public buildings located by letter:
Museum
Theatre

Stadtpläne

Sehenswürdigkeiten
Sehenswertes Gebäude
Sehenswerter Sakralbau:Katholische - Evangelische Kirche

Straßen
Autobahn - Schnellstraße
Nummerierte Voll - bzw. Teilanschlussstellen
Hauptverkehrsstraße
Gesperrte Straße oder mit Verkehrsbeschränkungen
Fußgängerzone - Straßenbahn
Parkplatz - Park-and-Ride-Plätze
Tunnel
Bahnhof und Bahnlinie
Standseilbahn
Seilschwebebahn

Sonstige Zeichen
Informationsstelle
Moschee - Synagoge
Turm - Ruine
Windmühle
Garten, Park, Wäldchen
Friedhof

Stadion - Golfplatz - Pferderennbahn
Freibad - Hallenbad
Aussicht - Rundblick
Denkmal - Brunnen
Yachthafen
Leuchtturm
Flughafen - U-Bahnstation
Autobusbahnhof
Schiffsverbindungen:
Autofähre, Personenfähre
Hauptpostamt (postlagernde Sendungen) - Krankenhaus
Markthalle
Gendarmerie - Polizei
Rathaus
Universität, Hochschule
Öffentliches Gebäude, durch einen Buchstaben
gekennzeichnet:
Museum
Theater

Plattegronden

Bezienswaardigheden
Interessant gebouw
Interessant kerkelijk gebouw: Kerk - Protestantse kerk

Wegen
Autosnelweg - Weg met gescheiden rijbanen
Knooppunt / aansluiting: volledig, gedeeltelijk
Hoofdverkeersweg
Onbegaanbare straat, beperkt toegankelijk
Voetgangersgebied - Tramlijn
Parkeerplaats - P & R
Tunnel
Station, spoorweg
Kabelspoor
Tandradbaan

Overige tekens
Informatie voor toeristen
Moskee - Synagoge
Toren - Ruïne
Windmolen
Tuin, park, bos
Begraafplaats

Stadion - Golfterrein - Renbaan
Zwembad: openlucht, overdekt
Uitzicht - Panorama
Gedenkteken, standbeeld - Fontein
Jachthaven
Vuurtoren
Luchthaven - Metrostation
Busstation
Vervoer per boot:
Passagiers en auto's - uitsluitend passagiers

Hoofdkantoor voor poste-restante - Ziekenhuis
Overdekte markt
Marechaussee / rijkswacht - Politie
Stadhuis
Universiteit, hogeschool
Openbaar gebouw, aangegeven met een letter::
Museum
Schouwburg

Piante

Curiosità
Edificio interessante
Costruzione religiosa interessante: Chiesa - Tempio

Viabilità
Autostrada - Doppia carreggiata tipo autostrada
Svincoli numerati: completo, parziale
Grande via di circolazione
Via regolamentata o impraticabile
Via pedonale - Tranvia
Parcheggio - Parcheggio Ristoro
Galleria
Stazione e ferrovia
Funicolare
Funivia, cabinovia

Simboli vari
Ufficio informazioni turistiche
Moschea - Sinagoga
Torre - Ruderi
Mulino a vento
Giardino, parco, bosco
Cimitero

Stadio - Golf - Ippodromo
Piscina: all'aperto, coperta
Vista - Panorama
Monumento - Fontana
Porto turistico
Faro
Aeroporto - Stazione della metropolitana
Autostazione
Trasporto con traghetto:
passeggeri ed autovetture - solo passeggeri

Ufficio centrale di fermo posta - Ospedale
Mercato coperto
Carabinieri - Polizia
Municipio
Università, scuola superiore
Edificio pubblico indicato con lettera:
Museo
Teatro

Planos

Curiosidades
Edificio interessante
Edificio religioso interessante: católica - protestante

Vías de circulación
Autopista - Autovía
Enlaces numerados: completo, parciales
Via importante de circulacion
Calle reglamentada o impracticable
Calle peatonal - Tranvía
Aparcamiento - Aparcamientos «P+R»
Túnel
Estación y linea férrea
Funicular, línea de cremallera
Teleférico, telecabina

Signos diversos
Oficina de Información de Turismo
Mezquita - Sinagoga
Torre - Ruinas
Molino de viento
Jardín, parque, madera
Cementerio

Estadio - Golf - Hipódromo
Piscina al aire libre, cubierta
Vista parcial - Vista panorámica
Monumento - Fuente
Puerto deportivo
Faro
Aeropuerto - Estación de metro
Estación de autobuses
Transporte por barco:
pasajeros y vehículos, pasajeros solamente

Oficina de correos - Hospital
Mercado cubierto
Policia National - Policía
Ayuntamiento
Universidad, escuela superior
Edificio público localizado con letra :
Museo
Teatro

Plans de ville

Comment utiliser les QR Codes ?

1) Téléchargez gratuitement (ou mettez à jour) une application de lecture de QR codes sur votre smartphone

2) Lancez l'application et visez le code souhaité

3) Le plan de la ville désirée apparaît automatiquement sur votre smartphone

4) Zoomez / Dézoomez pour faciliter votre déplacement !

Légendes des plans 280
Bordeaux 282
Lille 283
Lyon 284-285
Marseille 286
Nantes 287
Environs de Paris 288-291
Paris 292-293
Toulouse 294

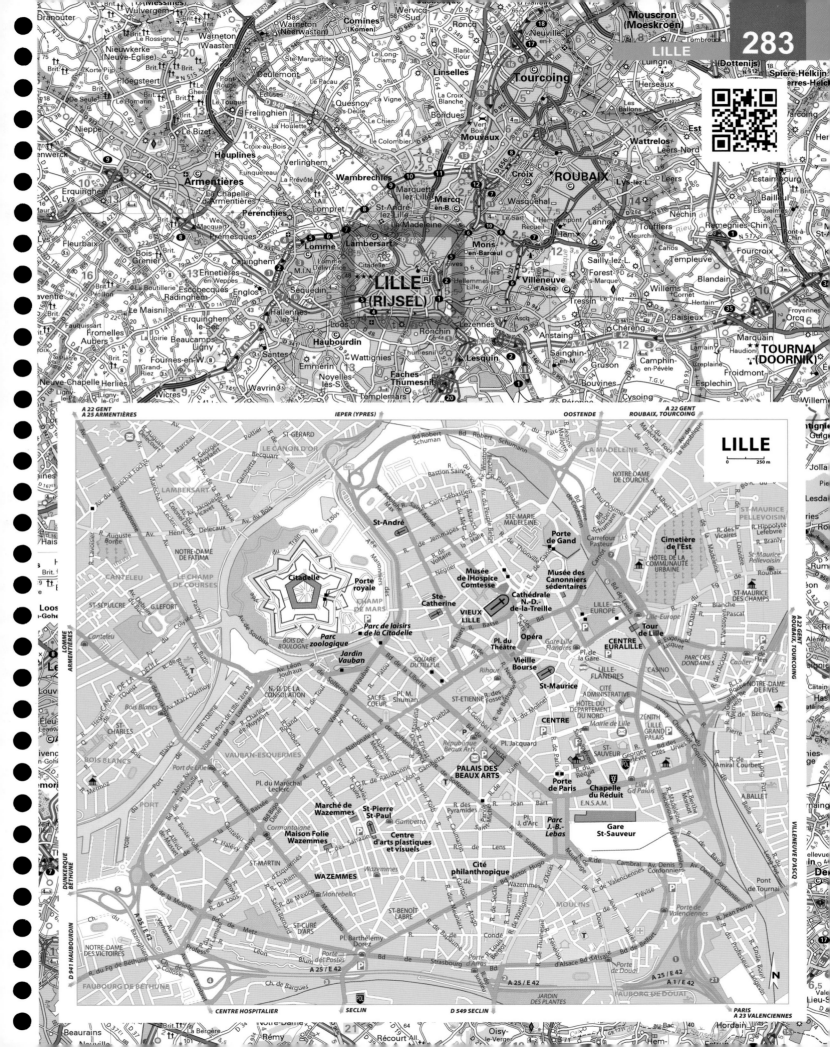

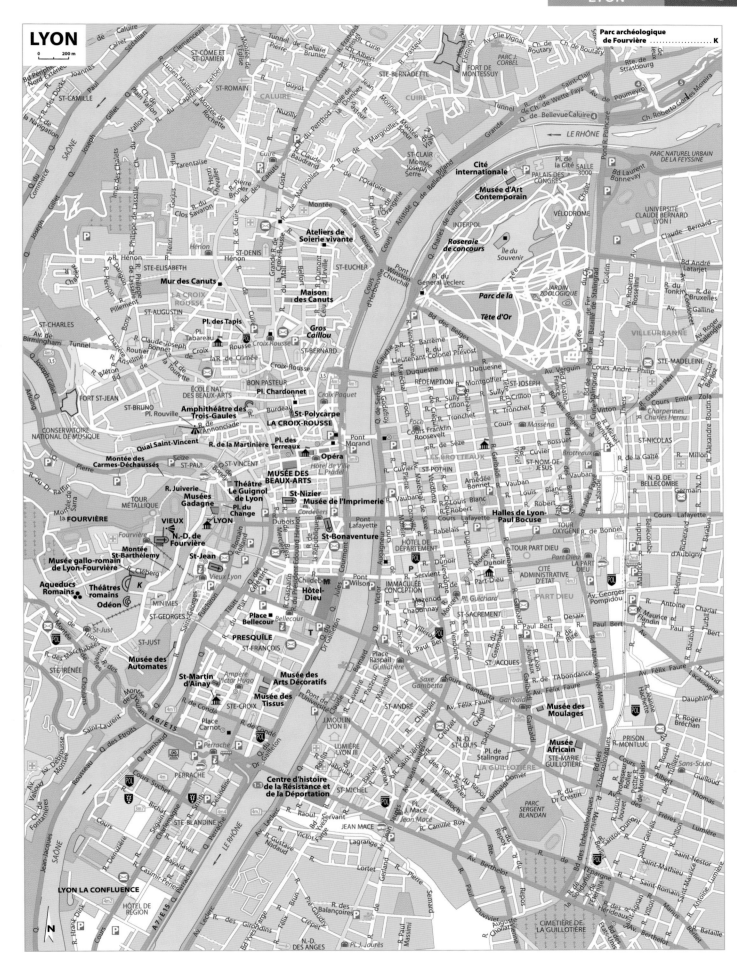

LYON

0   200 m

Parc archéologique
de Fourvière .... K

ST-CÔME ET
ST-DAMIEN

ST-ROMAIN

CALUIRE

CUIRE

LE RHÔNE

ST-CAMILLE

PARC J.
CORBEL

FORT DE
MONTESSUY

STE-BERNADETTE

PARC NATUREL
URBAIN
DE LA FEYSSINE

SAÔNE

ST-CLAIR

Cité
internationale

PALAIS DES
CONGRÈS

SALLE
3000

Bd Laurent
Bonnevay

Musée d'Art
Contemporain

INTERPOL

VÉLODROME

UNIVERSITÉ
CLAUDE BERNARD
LYON I

ST-DENIS

Ateliers de
Soierie vivante

Roseraie
de concours

Île du
Souvenir

JARDIN
ZOOLOGIQUE

STE-ELISABETH

LA CROIX-
ROUSSE

Mur des Canuts

Maison
des Canuts

Parc de la
Tête d'Or

VILLEURBANNE

ST-CHARLES

ST-AUGUSTIN

Pl. des Tapis

Gros
Caillou

ST-BERNARD

STE-MADELEINE

FORT ST-JEAN

Pl. Chardonnet

ST-JOSEPH

Charpennes
Charles Hernu

ÉCOLE NAT.
DES BEAUX-ARTS

ST-BRUNO

Amphithéâtre des
Trois-Gaules

St-Polycarpe

LA CROIX-ROUSSE

REDEMPTION

ST-NICOLAS

CONSERVATOIRE
NATIONAL DE MUSIQUE

Quai Saint-Vincent

R. de la Martinière

ST-VINCENT

Pl. des
Terreaux

Opéra

LES BROTTEAUX

ST-POTHIN

N.-D. DE
BELLECOMBE

Montée des
Carmes-Déchaussés

ST-PAUL

MUSÉE DES
BEAUX-ARTS

Hôtel de Ville
L. Pradel

ST-NOM-DE-
JESUS

TOUR
MÉTALLIQUE

Théâtre
Le Guignol
de Lyon

R. Juiverie

Musées Gadagne

St-Nizier

Musée de l'Imprimerie

FOURVIÈRE

Pl. du
Change

VIEUX
LYON

Cordeliers

Halles de Lyon-
Paul Bocuse

Cours Lafayette

N.-D. de
Fourvière

St-Bonaventure

TOUR
OXYGENE

Montée
St-Barthélemy

St-Jean

HÔTEL DE
DÉPARTEMENT

TOUR PART DIEU

Musée gallo-romain
de Lyon-Fourvière

Part Dieu

LA PART
DIEU

Aqueducs
Romains

Théâtres
romains
Odéon

Childebe...

Hôtel-
Dieu

Pl.
Wilson

IMMACULÉE
CONCEPTION

CITÉ
ADMINISTRATIVE
D'ÉTAT

PART DIEU

ST-GEORGES

Place
Bellecour

Bellecour

ST-SACREMENT

Musée des
Automates

PRESQU'ÎLE

ST-FRANÇOIS

Place
Raspail
Guillotière

ST-JACQUES

St-Martin
d'Ainay

Musée des
Arts Décoratifs

Saxe
Gambetta

Musée des
Moulages

Musée des
Tissus

STE-CROIX

ST-ANDRÉ

Place
Carnot

LUMIÈRE
LYON III

N.-D.
ST-LOUIS

Pl. de
Stalingrad

Musée /
Africain

PRISON
MONTLUC

PERRACHE

LA GUILLOTIÈRE

STE-MARIE
GUILLOTIÈRE

Centre d'histoire
de la Résistance et
de la Déportation

ST-MICHEL

PARC
SERGENT
BLANDAN

STE-BLANDINE

JEAN MACE

LE RHÔNE

LYON LA CONFLUENCE

HÔTEL DE
RÉGION

CIMETIÈRE DE
LA GUILLOTIÈRE

N

N.-D.
DES ANGES

A 7/E 15

MARSEILLE

Palais de la Bourse-Musée de la Marine
et de l'Economie de Marseille . . M1

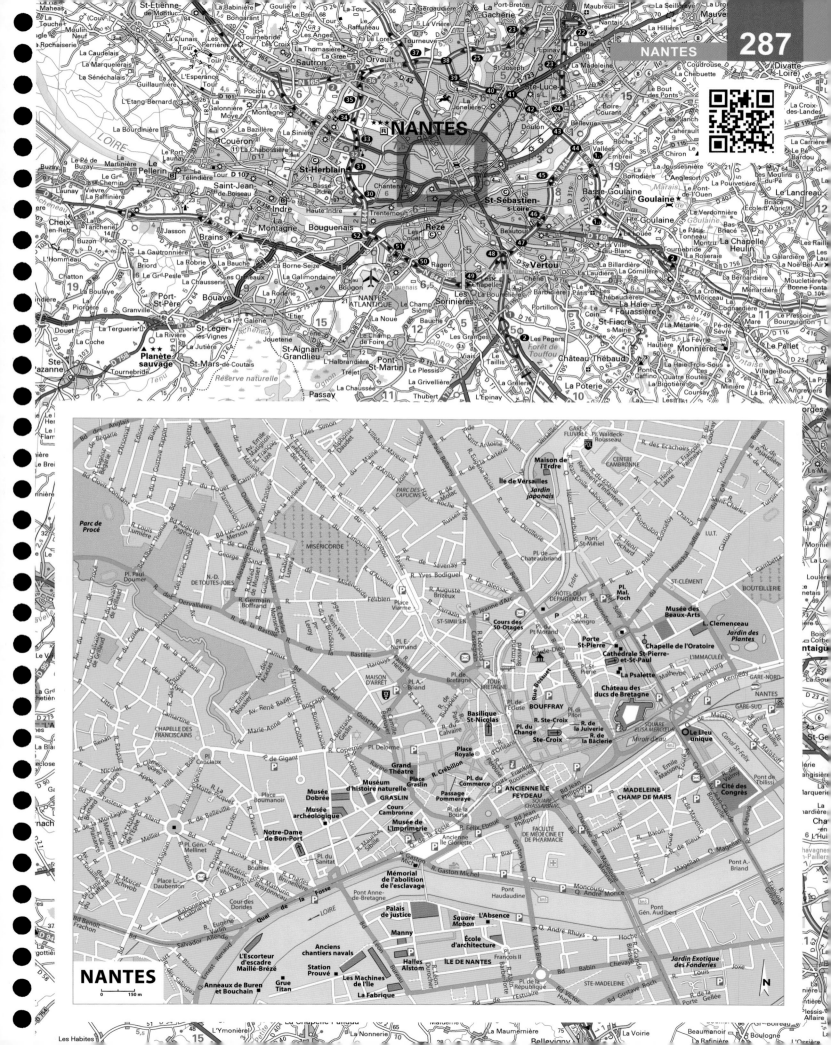

NANTES

0 150 m

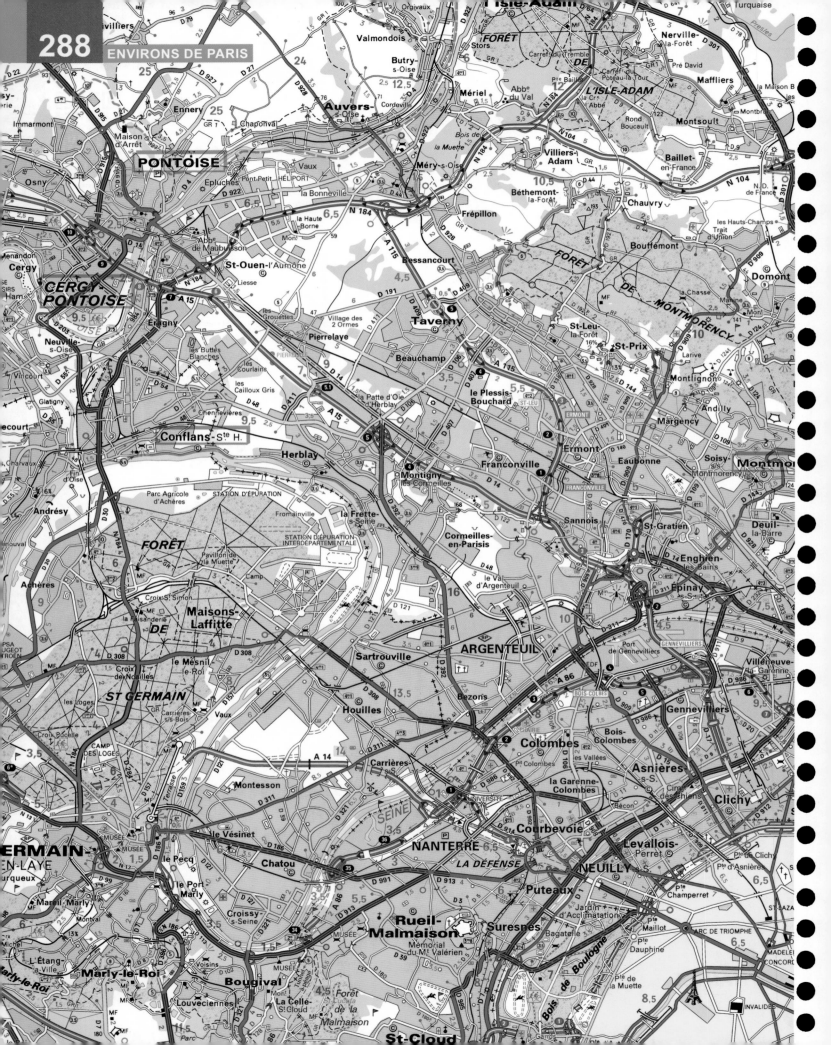

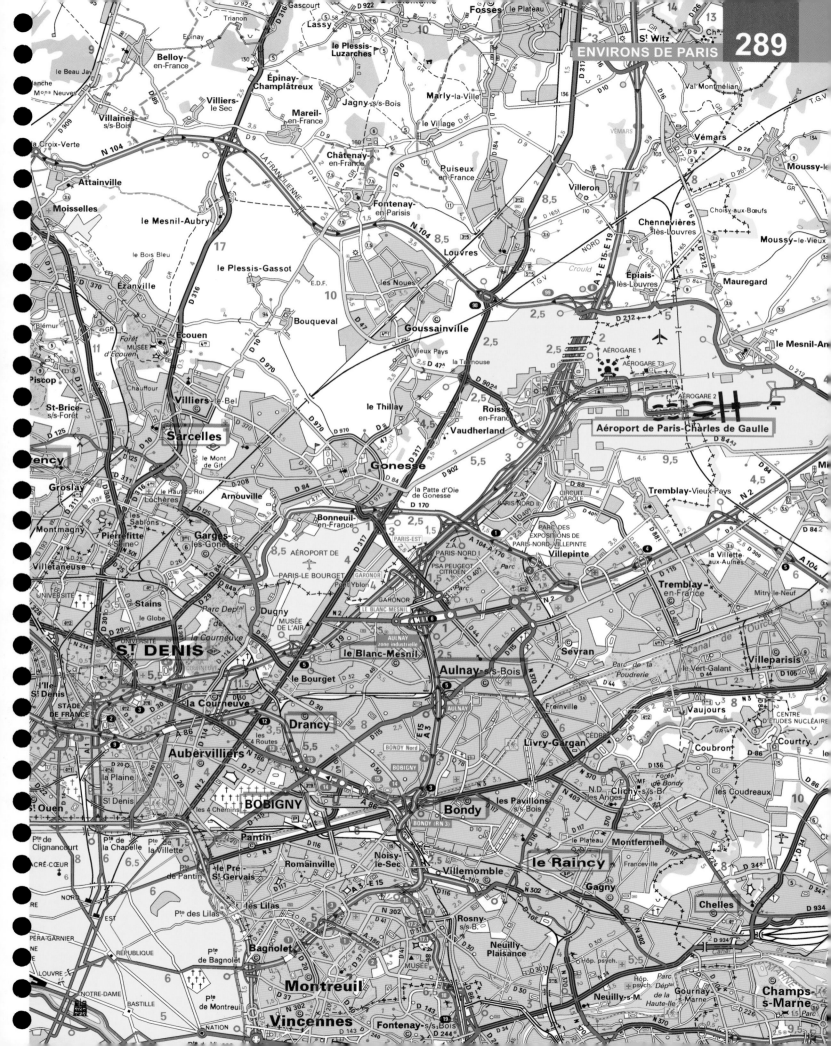

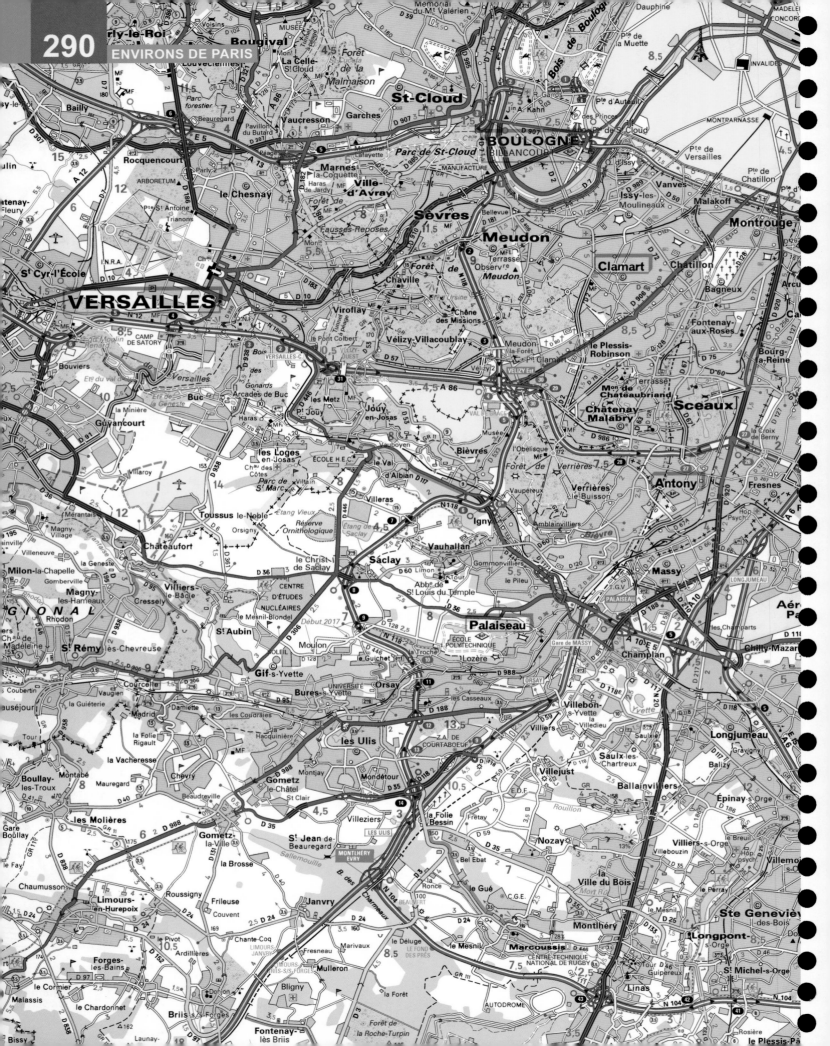

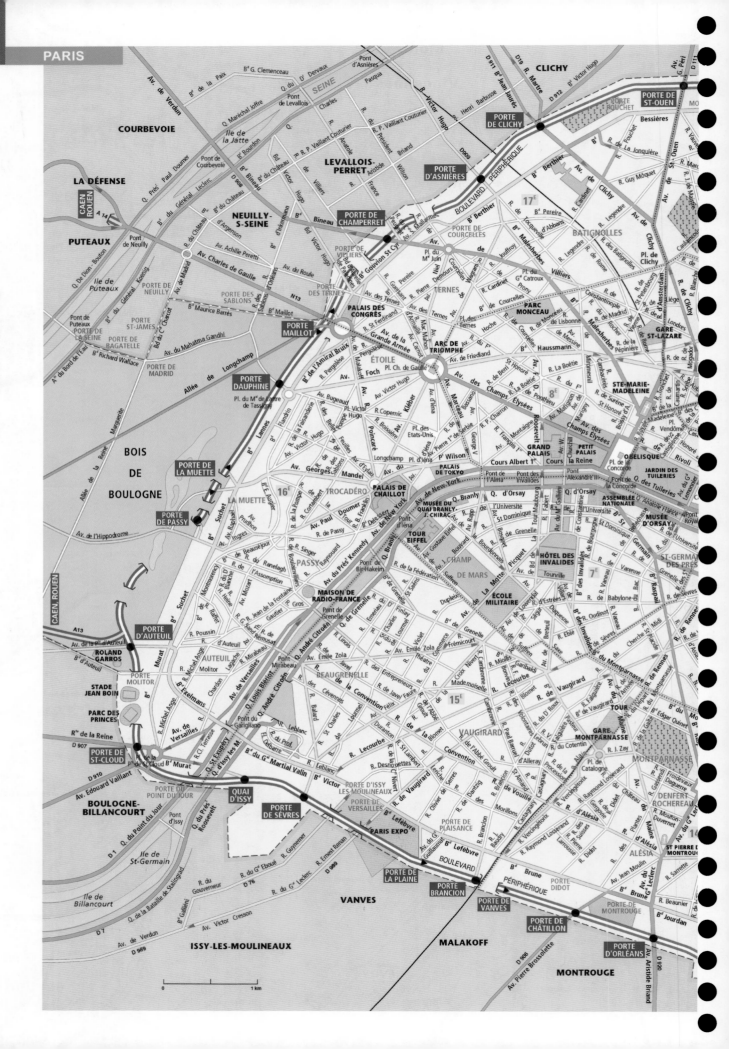

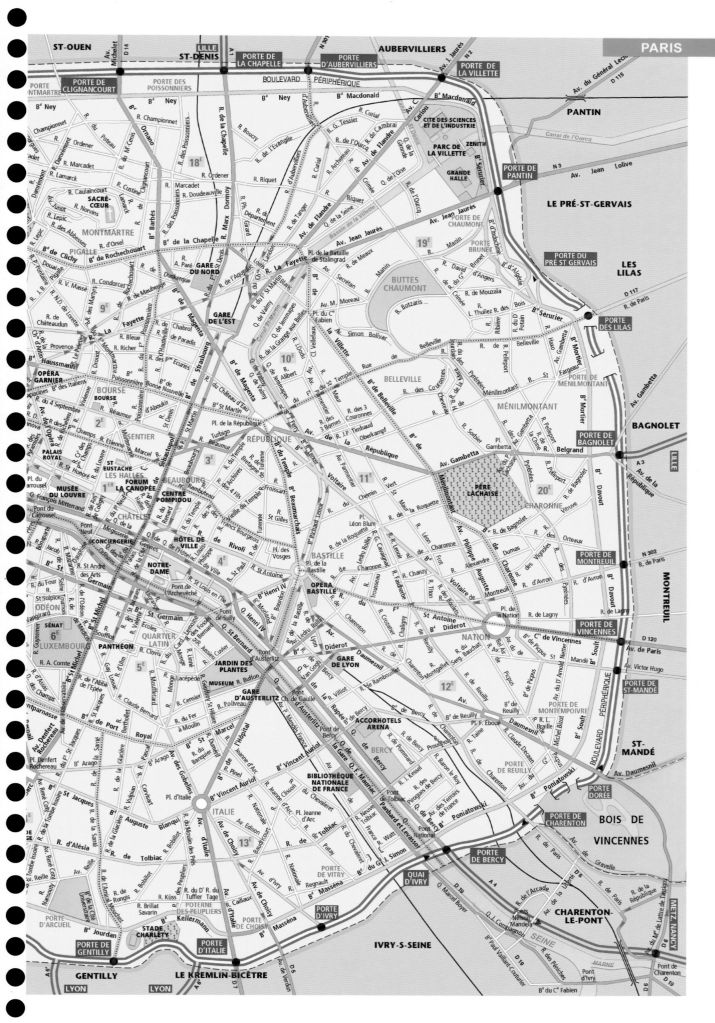

Paris

MONTAUBAN ★

TOULOUSE

0   150 m   MATABIAU

N

BASILIQUE
ST-SERNIN
Musée
St-Raymond
Bibliothèque
Collège de
l'Esquila
Chapelle des
Carmélites
N.-D.-
du-Taur
Hôtel Le
Grand Balcon
Capitole
Pl. du
Capitole
Donjon
Les Jacobins
R. d'Alsace-
Lorraine
Pl.
Salengro
St-Jérôme
Hôtel de
Bernuy
R.J.-
Chalande
Pl. St-
Georges
Musée du
Vieux-Toulouse
Tour Pierre-Séguy
Tour de Serta
Musée des
Augustins
R. Cujas
N.-D.-de-
la-Daurade
HÔTEL
D'ASSÉZAT
Hôtel
de Fumel
Pl. St-
Étienne
R. Croix-Baragnon
Cathédrale
St-Étienne
Pont Neuf
R. Malcousinat
Pl.
Rouaix
GARONNE
Pl. des
Carmes
Carmes
Musée
Paul-Dupuy
Pl. Montoulieu
N.-D.-la-
Dalbade
Hôtel
de Clary
Hôtel
Béringuier-
Maynier
Jardin
Royal
Grand
Rond
Pl. du
Parlement
ST-EXUPÈRE
Muséum
d'histoire naturelle
Jardin des
Plantes
Monument
de la Résistance
Pont St-Michel

TOULOUSE ★★★

MONTAUBAN

Blagnac

Colomiers

Tournefeuille

Plaisance-
du-Touch

Cugnaux

Portet-
Garonne

Ramonville-
St-Agne

Castanet-
Tolosan